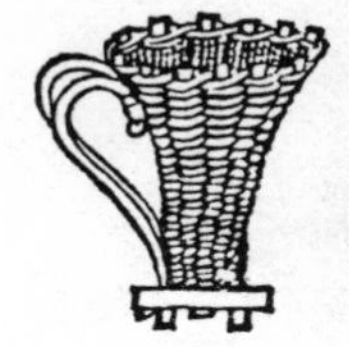

DEUTSCHLANDS WEG ZUR GROSSMACHT

STUDIEN-BIBLIOTHEK

Helmut Böhme

Deutschlands Weg zur Großmacht

Studien zum Verhältnis von Wirtschaft und Staat während der Reichsgründungszeit 1848 - 1881

Studien-Bibliothek
Kiepenheuer & Witsch

Zweite Auflage 1972

Gesamtherstellung Proff & Co KG Bad Honnef
und Butzon & Bercker Kevelaer
Printed in Germany 1972
ISBN 3 462 00874 9

Meinen Eltern

Inhalt

Erster Abschnitt
Um das »Reich der 70 Millionen«: Preußen und Österreich im Ringen um die Vormachtstellung in Mitteleuropa

Zweiter Abschnitt
Das »Delbrücksche Deutschland«
Freihandelsautonomie und gouvernementaler Liberalismus (1867–1876)

Dritter Abschnitt
Preußische Hegemonie und deutsch-konservativer Staat: die Formung des Bismarckschen Deutschland

Vorwort zur zweiten Auflage

Als das vorliegende Buch, 1964 weitgehend abgeschlossen, 1966 erstmals veröffentlicht wurde, erhielt es Anerkennung, ja großes Lob und weitgehende Zustimmung. Gleichzeitig setzte aber auch, besonders im Inland, mit dreijähriger Verzögerung 1969 heftige Kritik ein, die sich besonders auf zwei Punkte konzentrierte. Erstens auf mangelnde Offenlegung theoretischer Prämissen und zweitens auf die Umakzentuierung der »objektiven Ereigniszusammenhänge« infolge einer »nicht historisch« sondern »dogmatisch« begründeten Verengung der Reichsgeschichte unter dem Primat der Handelspolitik. Die Absicht dieses Vorwortes u. a. ist es, Mißverständnisse zu korrigieren und zu versuchen, eventuell allzu einseitig angesetzte Kritik zu relativieren. Vorweg allerdings seien zwei Bemerkungen gestellt: Die Kritik, die die Redaktion dieser Arbeit, auch des »Handwerklichen«, gefunden hat, soll nicht pauschal zurückgewiesen werden. Obwohl nunmehr versucht wurde, einen Teil der Flüchtigkeiten und Fehler in dieser Neuauflage zu beheben, muß eine durchgreifende Korrektur bis zu einer Überarbeitung zurückgestellt werden. Finanzielle Gründe erlauben über die Fehlerberichtigungen hinaus keine Ergänzung, und es bleiben somit, vornehmlich bedauerlich für den Autor, gewisse Ungleichmäßigkeiten weiter bestehen; sie sind aber äußerlicher Natur und können den Sinn dieser Neuauflage nicht infrage stellen. Zum zweiten: Dieses Buch, geschrieben an der Wende von den 50er zu den 60er Jahren, hat zu einer deutlichen Umakzentuierung der Betrachtungsweise der jüngeren deutschen Historiographie mit beigetragen; in den seither zu diesem Themenbereich veröffentlichten Arbeiten ist dies feststellbar. Gleichzeitig kann aber deswegen die Kritik des Jahres 1969, die behauptet, ich habe weder die theoretische noch die ereignisgeschichtliche Literatur angemessen berücksichtigt, nicht greifen. Gerade mit ihr wird nämlich fast ausschließlich auf Arbeiten verwiesen, von denen das vorliegende Buch leider nicht profitieren konnte, weil sie parallel oder erst nach ihm erschienen sind oder weil sie eben diese Arbeit als »Vorarbeit« für die Weiterführungen eigener Analysen benötigten.

Um nun den historiographischen Ort, den dieses Buch einzunehmen beabsichtigte, deutlicher zu umreißen, sei folgendes festgestellt: Diese Arbeit ist nicht losgelöst zu sehen von der nach dem Zweiten Weltkrieg erneut hergestellten »Reichsgründungsgeschichte« als Teil der geistesgeschichtlich und diplomatisch orientierten Historiographie. Diesen Hintergrund einer Erneuerung des deutschen Geschichtsbildes auf der Tradition des konservativen preußischen Staatsgedankens, der Entwicklung einer vom Widerstand gegen das nationalsozialistische Deutschland und Hitler her getragenen Konzeption preußisch-deutscher Vergangenheit, beurteilt in der Persönlichkeit Otto von Bismarck, den Elementen deutscher Ostpolitik und humanistisch gewerteter Machtpolitik als »Geistesgeschichte«, gilt es zu beachten. Sie bedingt den Ansatz dieser Arbeit und motiviert den Versuch, die Reichsgründungsgeschichte unter Kriterien zu sehen, die dem Grundzug unserer technisch-industrialisierten Welt und ihrer ökunomisch und politischen Arbeitsteilung entsprechen sollten, also nicht mehr die führende Persönlichkeit, die den Gang der Geschichte lenkt, in den Mittelpunkt der Analyse zu stellen.

Heute – 1972 – ist es Mode geworden, unter wirtschafts- und sozialgeschichtlichen Aspekten »Strukturgeschichte« zu treiben. Auch die Reichsgründung »trägt« nunmehr sozial- und wirtschaftsgeschichtlichen Zuschnitt. Das Pendel scheint – wenn auch 1971 nicht so kraß wie auf anderen Gebieten – in das Gegenteil der traditionellen Beurteilung auszuschlagen; und die von einigen Nachwuchshistorikern in Aufnahme und Weiterentwicklung der faszinierenden Thesen von H. Rosenberg mit einem gewissen Fanatismus verkündete »Theoriebedingung« aller historischen Forschung zeigt gerade in ihren eigenen Arbeiten am deutlichsten die Grenze der neuen Sicht. Offenbar ist es nicht genügend, nur einen neuen Rahmen mit erstaunlicher Gelehrsamkeit und Kenntnisreichtum an interdisziplinären Forschungsergebnissen zu entwerfen, neben dem die klassische »Ereignisgeschichte« immer noch in Clios »einfältigem« Gewand einherläuft. Trotzdem aber zwingen diese Hinweise und diese Kritik den Verfasser, in seinen Prämissen deutlicher zu werden, zu zeigen, von welcher Einstellung der »Brennweite« er ausgeht. Die Forderung nach der Offenlegung einer kritisch reflektierten Position ist ohne Zweifel zu beantworten. Nicht beantwortbar allerdings bleibt eine Kritik, die in einem Gewand des Verstehens einen Ansatz der Arbeit in Frage stellt, den diese gar nicht hatte. Abschließend sei betont, daß diese Arbeit früheren Untersuchungen keinen Deut ihrer Leistung nehmen möchte; die rein politisch-geisteswissenschaftliche Analyse eines E. Franz jedoch z. B. zeigt die Grenze der früheren Sicht und Argumentation sehr deutlich: Hier wird in minuziöser Weise die Entwicklung der Zollpolitik als solche geschildert und nicht der Versuch unternommen, an der Zollpolitik die Verflechtung von Ökonomie und Politik während der 40er bis 80er Jahre des 19. Jahrhunderts zu analysieren, und zwar unter bewußtem Verzicht auf eine dogmatische Interpretation allein von seiten einer Theorie her.

Um es deutlicher zu sagen: Wenn behauptet wird, »das Buch beginnt mit einer eklatant falschen Ausgangsthese«, indem es feststellt, »daß aus der preußischen Abwehr der mitteleuropäisch gedachten Großraumwirtschaftsordnung Österreichs die Vormachtstellung Preußens entstanden sei«, so ist das unrichtig. Denn zu behaupten, daß Preußen die »wirtschaftlich weitaus dynamischere Macht der beiden deutschen Großmächte war« und deswegen nie defensiv hätte handeln können, charakterisiert mit unübertrefflicher Schärfe die Grenze der Leistungsfähigkeit einer Theorie, die allein in der Konjunkturanalyse ein unzureichendes Erklärungsmodell sieht für machtpolitische Entwicklungen und Entscheidungen. Der Nachweis, warum Preußen dominieren konnte, muß selbstverständlich mit auf der Linie der neueren Wachstumsforschung gefunden werden, und ohne sie wäre z. B. der gesamte Aufbau des Buches unverständlich. Aber wenn dem auch so ist, so kann noch lange nicht die politisch-ökonomische Entwicklung von diesen Theorien her deduziert werden. Das geht nicht, ohne den Fakten Gewalt anzutun mit dem Ergebnis einer schiefen Urteilsbildung.

Erst die Differenzierung zwischen der Theorie des Wachstums und der Überlieferung historischer Ereignisse und wiederum zwischen der Vermittlung von Theorie und Überlieferung ermöglicht eine Darstellung, die nicht dogmatisch verengt wird. Eine nächste Frage ist dann allerdings, ob diese Vorüberlegungen ebenso explizit angeführt werden müssen wie die motivierende Fragestellung. Für die jüngste deutsche Geschichtsschreibung im allgemeinen ist dies wohl immer weniger problematisiert worden. Trotzdem bleibt die Frage, ob all das, was nicht explizit ausgeführt wird, notwendig »verschwommen« bleiben muß, oder ob es nicht auch einen anderen, ebenfalls legitimen Weg gibt, »Geschichte« zu referieren. Diese Arbeit hat es jedenfalls unternommen, eine Methode der dialektisch durchgeführten Urteilsbildung in der Weise darzustellen, daß die Grundelemente in der Gliederung, in der Schwerpunktbildung und in der Gewichtung der Urteilsbildung sichtbar werden sollten. Es ist der Versuch einer integralen Geschichtsschreibung, der von folgenden, allerdings nicht explizit formulierten vorgegebenen Entscheidungen bestimmt wurde: 1. das stark zunehmende, aber ungleichmäßige wirtschaftliche Wachstum, 2. die permanent expandierende Industriewirtschaft, 3. der ökonomische Konzentrationsprozeß und die gesellschaftliche und politische Konsequenz im Sinne der Herausbildung eines interdependenten Regelsystems. Und weiter: ohne die Vorgeschichte der deutschen Spielart von Industrieller Revolution, dem deutschen *take off*, und der Entwicklung des Interventionsstaates bis zum Vorabend der Periode des Industriekapitalismus (oder organisierten Kapitalismus) bleibt die Gliederung des Buches unverständlich; gerade diese »Vorwegnahmen« waren die Voraussetzung, um überhaupt »Zusammenhänge« zwischen der politischen (hier in bewußter Verengung »staatlichen«) und sozialökonomischen (hier ebenfalls operationalisiert in der Form der »Interessenverbände«) Entwicklung zu bestimmen und sie – und das ist das Entscheidende – mit Hilfe der Überlieferung auf handelspolitischem Gebiet kritisch abzustimmen, zu vermitteln. Dementsprechend wurde nicht versucht, nachzuweisen, daß die Analyse vom Industrialisierungsprozeß her der handelspolitischen Theorie überlegen ist. Ersteres ist die Grundlage der theoretisch begründeten Analyse dieser Arbeit, letzteres die Überlieferung, an der sich diese Analyse zu bewähren hatte. Die» Handelspolitik«, wie sie in dieser Arbeit verstanden wird, ist nicht zu verwechseln mit der oben angegebenen »Voraussetzung« für »einsichtige Interpretation«, also mit einer kritischen Theorie. Sie ist einmal Hauptgegenstand der Darstellung, ihr gilt das Interesse bis in die »witzlosen Zollpositionen« hinein. Weiter aber und entscheidender: Sie ist nicht Instrument der Politik, sondern Instrument, mit dem die Bezüge zwischen Ökonomie und Politik erkennbar werden; sie »vermittelt« Interventionsstaat, Mitteleuropapläne, Entwicklung der Massenpartei etc. mit dem Vorgang des ungleichmäßigen aber permanenten industriellen Wachstumsprozesses. Das ist das Entscheidende. Wird sie als Theorie absolut gesetzt oder als »Primat der Handelspolitik« stilisiert, dann wäre in der Tat ihre Überschätzung für die deutsche allgemeine Entwicklung »grotesk« gewesen.

Die Handelspolitik ist in dieser Arbeit deswegen nicht *nur* »als ein Mittel zur Erweiterung und gleichzeitig zur inneren Befestigung der politischen Macht« zu beurteilen, sondern sie ist zugleich Medium, in dem sich die Art und Weise der Stabilisierung nachweisen läßt. Wenn sie nur als Instrument gesehen wird, dann werden aus dieser falschen Verabsolutierung folglich alle Sätze falsch, und die Kritik wird blind für die Analyse, die in dieser Arbeit durchgeführt wurde. Würde in der Arbeit von einem »Primat der Handelspolitik« ausgegangen werden, dann würden sich die Veränderungen der »Proportionen« als nicht hinreichend begründet erweisen. Die »Handelspolitik« aber als Medium benutzt, mit dem die Industrialisierung Deutschlands als Reichsgründung politisch-ökonomisch darstellbar wird, zwingt eine Darlegung der deutschen Reichsgründungsgeschichte, die Proportionen demgemäß zu verändern, um die Darstellung der Haupt- und Staatsaktionen aus der Nichtbeachtung der »objektiven Entwicklungstendenzen« zu entlassen.

Ein weiteres Beispiel soll diesen Tatbestand noch einmal deutlich werden lassen. Es ist behauptet worden, daß in dieser Arbeit nachgewiesen werden sollte, daß die Macht des Staates mit Hilfe der Handelspolitik innenpolitisch gefestigt worden wäre. Das ist *so* grundfalsch. Denn nicht die Handelspolitik festigt den Staat innenpolitisch – obwohl sie zweifellos mit dazu beiträgt –, sondern an der »Handelspolitik« wird die Entwicklung des preußisch-deutschen Interventionsstaates als Folge der ungleichmäßigen wirtschaftlichen Entwicklung faßbar, darstellbar, überprüfbar und kausal begründet analysiert. Gerade um zu vermeiden, daß aufgrund von dogmatisch aus dem »politischen Mandat« abgeleiteten Theorien nebeneinander unvermittelt Ereignis und Theorie zu stehen kommt, und der blendendsten, nicht falsifizierten Theorie eine offenbar von der Überlieferung her gesehen als Blödsinn zu bezeichnende These entgegensteht, bedarf es einer historisch belegbaren Vermittlung zwischen dem ungegliederten Wust an historisch Überliefertem und der Logik von Theorien, deren Informationsgehalt, deren Überprüfbarkeit und deren Erklärungskraft nur dann überzeugt, wenn eine tragfähige empirische Grundlage an Quellenmaterial zu gewinnen ist. Gerade die Dialektik, die die historische Methode zu kennzeichnen hat, bedarf des Ausgangspunktes von mehreren Potenzen, und sie bedarf dementsprechend der Nachprüfbarkeit, die den Gang des Forschungsprozesses transparent macht – auch in der Überprüfung der Überlieferung als den Weg z. B., der in diesen Studien eingeschlagen worden ist. Zudem hat die Frankfurter Schule gezeigt, daß eine jede Theorie, mag sie noch so weit vorangetrieben sein, an den Erfordernissen »der Praxis« zerbricht.

Allerdings läßt dieses Buch für den ambitionierten Historiker die Antwort auf theoretische Prämissen offen. Ebensowenig sind für ihn mit hinreichender Deutlichkeit die motivierenden Fragen formuliert worden, weil die dargelegten Fragen keine Qualität theoretischer Natur ausweisen. Dem sei entgegengehalten: All dies ist auch nicht vorgenommen worden, in diesem Buch wurde anders verfahren. Der Gang der Forschung, die Fragen und die Prämissen sind eingegangen in die Darstellung der »Handelspolitik« zwischen den Jahren 1848 und 1881 (natürlich ist hierbei die Zäsur das Jahr 1879), die selbst aber erst in zweiter Linie Gegenstand der Untersuchung ist, allenfalls methodisches Hilfsmittel – nicht politisches Instrument –, um in exemplarischer Weise, nicht durchgängig und nicht gleichmäßig auf alle Sektionen sozial- und wirtschaftswissenschaftlicher Forschung ausgedehnt, Deutschlands Weg zur Großmacht zu analysieren – nicht von Otto von Bismarck her und nicht vom Zündnadelgewehr her. Zugleich sollte die Arbeit aber auch nicht in das andere Extrem verfallen, alle politische Entfaltung kausal aus dem quantifizierbaren Vorsprung an ökonomischem *output* abzuleiten.

Die Historiographie zu diesem Buch ist möglicherweise bereits jetzt schon erkennbar ein Beleg, daß in dieser Arbeit ein Standpunkt eingenommen wird, der heute wieder stärker als 1969 eine Möglichkeit zu historischer Betrachtungsweise bietet, die sich weder mit dem »Alles-haben-wir-ja-schon-gemacht« begnügt, noch dem Irrglauben der Theorielösung anhängt: Sie ist weder das eine noch das andere, sondern der mit Fehlern, Unzulänglichkeiten und Einseitigkeiten behaftete Versuch, von der ehemals zentralen Frage »Bismarck« wegzuführen und die Reichsgründung unter dem Blickpunkt einer industrialisierten, arbeitsteiligen Klassengesellschaft des organisierten Kapitalismus zu begreifen. Diese Kräfte sind mit sozialer, mit politischer, mit ökonomischer Theorie ohne Zweifel forschungsbezogen, akademisch und individuell angemessener zu verdeutlichen; gleichzeitig bedurfte es aber auch für eine solche Präzisierung der wissenschaftstheoretischen Vorstellungen des kritischen Abhebens von der Verstehenslehre des Historismus und der Faktengläubigkeit der schlichten induktiven Methode. Aber um dieser Reflexion ihren Anstoß zu geben, mußte auch der Nachweis einer Verzahnung von Wirtschaft und Gesellschaft erbracht werden, und dies nicht als Theorie, sondern als »Ereignis«. Dementsprechend ist es weniger das Dilemma dieser Studien, sich in einer »diffus verwirrenden Vielfalt der Ereignisgeschichte« zu verlieren, sondern das einer Geschichtsauffassung, die Ereignisse nur zum Beweis dieser Theorien zurechtbiegen möchte und unfähig wird, sich selbst zu relativieren.

Abschließend sei noch dargelegt, daß die von der Aktenlage her festgestellten »Unterlassungssünden« mit dem Hinweis auf die Verfügbarkeit der Akten beantwortet werden müssen. Gerade Herrn Wehler verdanke ich es, nach Abschluß der Arbeit doch noch Teile des Bismarck-Archivs in Friedrichsruhe eingesehen zu haben. Die Versuche, Arbeitsmöglichkeiten in privaten oder staatlichen Archiven der west- bzw. osteuropäischen Länder zu erhalten, sind bislang fehlgeschlagen; es ist zu bedauern, daß eine Überarbeitung gegenwärtig unter finanziellen Gesichtspunkten nicht so möglich wurde, wie es nach der wissenschaftlichen Diskussion wünschenswert hätte sein können. Vor allem wäre wohl eine Straffung des Textes dort anzustreben, wo die Auseinandersetzung mit der historischen Tradition zu intensiv gesucht wurde, also Schwerpunkte, die 1964 und nicht 1972 gesetzt wurden. Denn eines sollte nicht vergessen werden: Der Kleindruck, den die deutsche historische Literatur für alles nicht Diplomatisch-Geistesgeschichtliche reservierte, sollte 1972 doch nicht so schnell vergessen sein.

Was diese Arbeit wollte, legitimiert sie auch heute: Der fein gesponnene Faden deutscher Zeitgeschichtsschreibung, den die Arbeit F. Fischers zerrissen hatte, sollte nicht erneut geknüpft werden. Vielmehr galt es, aus der Heftigkeit der Kriegsziel-Diskussion herauszukommen und die Ansätze kritisch an einem anderen Gegenstand zu überprüfen und methodisch differenzierter anzuwenden. Sie war und ist ein Versuch – gerade was E. Franz nicht wollte –, die »Höhe« Bismarckscher »Staatstaten« mit den »Niederungen« von »Hopfen und Holz« in Verbindung zu bringen, wobei es weder um »Hopfen und Holz« als solche ging, noch um Bismarck und seine Taten als solcher, sondern um Intensität, Grad und Art der Verflechtung beider Elemente als Kennzeichnung der sozio-ökonomischen Entwicklung der industriellen Gesellschaft aufgrund der staatlichen Überlieferung.

Ich hoffe, gerade diese Akzente in der fortführenden Arbeit für die Jahre 1879–1897 deutlicher herausarbeiten zu können.

Darmstadt, September 1972 HELMUT BÖHME

Ich möchte was darum geben, genau zu wissen,
für wen eigentlich die Taten getan worden sind,
von denen man öffentlich sagt, sie seien für
das Vaterland getan worden.

Georg Christoph Lichtenberg

Einleitung

Walter Bußmann urteilt in seiner als Handbuch veröffentlichten Untersuchung über das »Zeitalter Bismarcks«[1], daß »die Innenpolitik zwischen 1870 und 1890 längst nicht so aus Quellen heraus erforscht worden ist wie die Außenpolitik des gleichen Zeitraumes«. Dieses Urteil kann auch auf die Jahre 1850 bis 1870 ausgedehnt werden, und ohne Zweifel hat die Äußerung auch Gültigkeit für die Fragen der deutschen Handels- und Wirtschaftspolitik desselben Zeitraumes. Da die Vielzahl der Untersuchungen zur »Bismarckzeit« Zeugnis davon ablegen, daß jahrzehntelang dieser Zeitraum das vornehmste Forschungsobjekt der deutschen Geschichtsschreibung war, fällt die weitgehende Ausklammerung der innen- und wirtschaftspolitischen Problemkreise, der zudem in den Arbeiten eine schematische Trennung von äußerer und innerer Politik parallel ging, sofort in die Augen.

So vielfältige Gründe für diese eigentümliche Stellung der deutschen Geschichtswissenschaft auch angeführt werden können, so ist unübersehbar für die Beurteilung der »Bismarckzeit« die jeweilige politische Entwicklung des deutschen Nationalstaates relevant geworden. Vor allem wirkte das »Erbe« Bismarcks bestimmend nicht nur auf die ersten Arbeiten, die noch in der Bismarckzeit oder in der Zeit des Kaiserreiches entstanden, sich also der historischen Beurteilung der »Zeitgeschichte« zuwandten, sondern auch auf die, die erst in den zwanziger und dreißiger Jahren dieses Jahrhunderts erschienen sind. Denn Bismarck selbst war es gewesen, der seit Beginn seiner Regierungszeit und vor allem in den neunziger Jahren in seiner Agitation gegen Caprivi immer wieder die grundsätzliche Trennung der innen-, wirtschafts- und außenpolitischen Sphäre für die praktische politische Arbeit und für die akademische Betrachtung als Prinzip forderte. Was für Bismarck aber bloße Taktik war, wurde von der Forschung dann — verbunden mit dem seit Ranke traditionellen Schlagwort vom Primat der Außenpolitik — im allgemeinen mit erstaunlicher Konsequenz übernommen; und so wie diese »Trennung« wurde auch die von Bismarck propagierte Zuordnung der handels-, sozial- und wirtschaftspolitischen Fragen zur »Innenpolitik« akzeptiert. Noch in den heutigen Handbüchern wird regelmäßig die Handelspolitik als Spezialfall der Innenpolitik dargestellt, wenn nicht das wirtschaftliche Geschehen schon von vornherein in einem Quasi-Anhang zur Darstellung »historischen Geschehens« beigegeben wird. Die prinzipielle Trennung der politischen und wirtschaftlichen Sphäre in der taktischen Argumentation bei Bismarck, seine Verabsolutierung des Politischen als eines Bereichs, der von allen sozialen, wirtschaftlichen, innenpolitischen, selbst geistigen Bindungen abgehoben sei, führte nach der Reichsgründung in zunehmendem Maße

1 W. Bußmann: Das Zeitalter Bismarcks in: Leo Just, Handbuch der deutschen Geschichte III, 2, Konstanz 1956.

zur Überbetonung der außenpolitisch-diplomatischen Problematik in der deutschen historischen Urteilsfindung. Diese Tendenz wurde durch die in der eigentümlichen historischen Entwicklung Deutschlands begründete und in seiner kontinental-philosophischen Denkschematik verankerte Hervorhebung des Staatlichen, des Monarchisch-Konstitutionellen im Gegensatz zum »westlichen«, republikanisch-parlamentarischen Prinzip verstärkt.

»Die Allgewalt der modernen Entwicklung«[2] rückte für die deutsche Geschichtswissenschaft angesichts der Kriege von 1864, 1866 und 1871, der nationalen Tat Bismarcks, der Reichsgründung, als nur zweitrangig nicht ins Blickfeld. Vielmehr war ihr Bestreben darauf gerichtet – wie es fast jede Spezialuntersuchung oder jedes Lehrbuch nach 1871 zeigen –, dem deutschen Volk die schicksalhafte Entwicklung des neuen Deutschen Reiches aus der preußischen Wurzel nahezubringen. Wenn die Historiker mit philologisch-kritischer Methode die staatlich-militärische Entwicklung des preußisch-deutschen Nationalstaates darzustellen suchten, so war wiederum das Bemühen der Nationalökonomen darauf gerichtet, die Entwicklung der Wirtschaftsstrukturen der modernen deutschen Territorialstaaten (auch hier aber wieder vor allem Preußens) ebenfalls mit philologischen Prinzipien, ergänzt durch statistische Analysen, zu beschreiben. Darüber hinaus wurde versucht, in ersten Ansätzen die Entwicklung der Sozialstruktur des Reiches herauszuarbeiten. Dabei gingen die Historie und die »historische Schule« der Nationalökonomie nebeneinander her. Keine der Arbeiten vor 1914 versuchte, die Ausschließlichkeit von diplomatisch-politischer Geschichtsbetrachtung oder nationalökonomischer Thesenbildung zu überwinden; Karl Lamprecht war mit seinem Bemühen, Soziales, Wirtschaftliches und Politisches zu verketten, ebensowenig schulebildend wie Hintze.

Symptomatisch für diese Lage ist es, daß die einzige Arbeit, in der diese Problematik erkannt worden ist – M. Nitzsche: Die handelspolitische Reaktion in Deutschland[2a] –, wohl in die Reihe der Münchner Volkswirtschaftlichen Studien aufgenommen wurde, daß sich aber die Herausgeber dieser Reihe, Brentano und Lotz, von der These der Studie distanzierten. Nitzsches Arbeit blieb dann auf Jahrzehnte hinaus die einzige Arbeit zur deutschen Handelspolitik, die wenigstens an einem Punkt über die Apologie eines Gerloff, Schneider und Zimmermann hinauskam. Wenn auch die Spezialstudien zu einzelnen politischen oder wirtschaftlichen Problemen recht zahlreich sind, so entstanden sie doch ganz in Beantwortung tagespolitischer Fragen und verdeckten oft mehr die wesentlichen Fragen nach der Ordnung des Deutschen Reiches, als daß sie sie erhellt hätten. Als Materialsammlung sind diese Arbeiten jedoch auch für die heutige Forschung recht brauchbar, da nach dem ersten Weltkrieg die volkswirtschaftliche Forschung ganz zur mathematischen Analyse der Wirtschaftsstrukturen abschwenkte, und zwar zum Zweck der Regelfindung an Wirtschaftsmodellen.

2 K. Lamprecht: Deutsche Geschichte der jüngsten Vergangenheit und Gegenwart II, S. 11.

2a Stuttgart/Berlin 1905.

Da die historische Forschung nach dem ersten Weltkrieg fast vollständig von der politisch bedingten Kriegsschuld-Diskussion absorbiert wurde und sich gleichzeitig häufig einer Bismarckverehrung widmete, lag auf der diplomatisch-philologischen Quellenarbeit weiterhin fast ausschließlich das Schwergewicht des historischen Bemühens in Deutschland. Während in England, Amerika und Frankreich in immer stärkerem Maße wirtschafts- und sozialpolitische Aspekte in die bisherige Sicht einbezogen wurden, verharrte die deutsche Forschung überwiegend bei den Rankesch-Bismarckschen Kategorien für die Beurteilung eines Staatswesens: Die Auseinandersetzung um das Werk Eckart Kehrs zeigt die Macht der beharrenden Kräfte mit großer Eindringlichkeit[3].

Unmittelbar nach dem zweiten Weltkrieg schien eine unvoreingenommene Beurteilung der Bismarckzeit möglich geworden zu sein. Denn erstens »ruhte« die Forschung nicht mehr auf dem selbstverständlichen, unerschütterten preußisch-deutschen Nationalstaat und seiner bürgerlichen Geistes- und Sozialtradition, zweitens stand jetzt die Kriegsschuld-Diskussion nicht mehr im Vordergrund des historischen Bemühens, und drittens wurde anerkannt, daß die politische und geistesgeschichtliche Geschichtsschreibung nicht mehr die einzige für den Historiker würdige Aufgabe sei.

Jedoch die Ansätze wurden nicht fortgeführt. In der Auseinandersetzung vor allem um die Fragen des Widerstandes gegen Hitler wurde indirekt eine Revision der Beurteilung der kaiserlichen Zeit erneut verhindert, und das alte Bild, die traditionelle Methode — wenn auch nicht unbestritten —, faktisch restituiert. Der »Glaube an die ideologischen Grundlagen des Nationalismus« blieb ungebrochen. Erneut führte die »comprendre-pardonner-Auffassung ... zu der politischen Verabsolutierung des status quo« (Kehr), und die Methode der Betrachtung der Reichsgründungszeit »von der ethisch-idealistischen Seite« her wurde wieder erneuert. Weiterhin wurde die Auseinandersetzung mit den »ökonomischen Kräften« vermieden und durch die »Verabsolutierung des in der realen Politik zumeist machtlosen, spezifisch bildungs-bürgerlichen Begriffs des ›Geistes‹ kompensiert« (Wehler). Die ideengeschichtliche Methode wurde nicht vertieft, die Historiographie hing dem »chimärischen Wunschbild« wahrer Politik nach (H. Mommsen) — gerade bei der Bismarckforschung. Zögernd nur und vereinzelt wurde der Versuch unternommen, die wirtschaftlichen und sozialen Umwälzungen in das traditionelle Bild der Reichsgründungszeit hereinzunehmen, aber dann doch nur in Form einer additiven Ergänzung zum überkommenen Gesamtbild. So rückte die Frage nach den wirtschaftlichen und sozialen Kräften in der deutschen Forschung nicht zu dem Problem auf, das mit der außenpolitischen Fragestellung gleichberechtigt gewesen wäre. Nach wie vor blieb die Untersuchung der Probleme der »großen Politik« die vorherrschende Richtung in Deutschland. Damit jedoch drohte der historischen Forschung in der

3 Hierzu ausgezeichnet H. U. Wehler: Einleitung zu Eckart Kehr. Der Primat der Innenpolitik. Veröffentlichungen der Historischen Kommission zu Berlin, Bd. 19, Berlin 1965.

Bundesrepublik, wie ein Blick auf Arbeiten in England, Frankreich oder gar der USA oder UdSSR zeigt, die Stagnation.

Angesichts dieser Lage wurden dann auch in Deutschland in steigendem Maße die »Verklammerungen der Verfassungs-, Sozial- und Wirtschaftsgeschichte mit der politischen Geschichte«[4] bejaht; wirtschaftshistorische Untersuchungen zur deutschen Geschichte im 19. und 20. Jahrhundert wurden wieder aufgenommen. Im Gegensatz aber zu den Arbeiten englischer und amerikanischer Historiker wurden in der deutschen Forschung vorwiegend strukturell-analytische Gesichtspunkte in den Vordergrund gestellt (Brunner, Conze, Schieder, Zorn) oder auf firmenhistorische oder lokale Einzelaspekte das Hauptaugenmerk gerichtet (Treue, Schwerin von Krosigk, Croon, Fischer, Zorn u. a.). Während unter der Ägide eines neuen Gesellschaftssystems in der DDR eine Reihe — zwar dogmatisch bedingter, doch oft ergiebiger — Arbeiten zur deutschen Wirtschaftspolitik, zur Handelspolitik, zur Eisenbahnpolitik entstand (Kuczynski, Rathmann, Mottek, Obermann, Thieme, Sonnemann, Schuchard, Oelsner u. a.), verharrte doch die überwiegende Zahl der westdeutschen Arbeiten mehr oder weniger bei der überkommenen Fragestellung; besonders in den Handbüchern ist die Trennung konsequent durchgeführt. Wenn auch das Ungenügen dieser Methode immer krasser erkennbar wird, so ist doch, wie es z. B. der deutsche Historikertag in Berlin zeigte (im Oktober 1964), die angestammte deutsche Forschung zur Bismarckzeit weit davon entfernt, die traditionelle Methode mit den neuen Erkenntnissen zu verbinden. »Bismarck in der deutschen Geschichte« dominiert nach wie vor als vornehmstes Motiv in der Geschichtsbetrachtung über die zweite Hälfte des 19. Jahrhunderts. Ansätze zu einer Überwindung zeichnen sich wohl bei der jungen Generation ab — aber es ist doch symptomatisch, daß die letzte eindringende Arbeit zum Werden des Reiches von einem Amerikaner, Otto Pflanze, geschrieben wurde[4a] und daß die letzte Arbeit zur deutschen Handelspolitik von einem Kanadier geschrieben wurde und in englischer Sprache als Beiheft der VSWG im Jahre 1963 erschien[5]. Doch gerade diese Arbeiten tragen einen etwas »schematischen Zug«, so daß sich an ihnen — so wesentlich auch ihre Forschungsergebnisse sind — zeigt, wie schwer mit einem modellartigen Denken die deutsche Problematik in ihrem Gesamtaspekt außen-, innen- und wirtschaftspolitischer Fragen erfaßt werden kann.

Jedoch, vergleicht man die deutsche Geschichtsforschung über die zweite Hälfte des 19. Jahrhunderts mit der amerikanischen, englischen, französischen und russischen, so zeigt sich vor allem, daß sich in Deutschland bei der Beurteilung der deutschen Reichsgründungszeit — wie es W. Zorn erst jüngst formuliert hat — »ein neues, freies und selbstkritisches Gesellschaftsbewußtsein der Historiker« bewähren muß.

4 W. Zorn: Wirtschafts- und sozialgeschichtliche Zusammenhänge der deutschen Reichsgründungszeit (1850—1879), HZ 197 (1963), S. 342.

4a O. Pflanze: Bismarck and the Development of Germany. The Period of Unification 1815—71, Princeton 1963.

5 I. N. Lambi: Free Trade and Protection in Germany 1868—1879; VSWG Beiheft Nr. 44, Wiesbaden 1963.

Der Stand der Literatur zeigt die Aufgabe und das Ziel dieser Arbeit. Trotz der Untersuchungen von Schneider, Zimmermann, Bazant, Matlekovits, Franz, Maenner, Rosenberg, Rathmann und Lambi fehlt eine umfassende Darstellung der deutschen Handelspolitik während der Reichsgründungszeit, in der wirtschafts-, innen- und außenpolitische Aspekte ineinander verwoben sind. Deswegen konnte diese Arbeit über »Deutsche Handelspolitik« nicht beim bloßen Beschreiben des handels- und zollpolitischen Geschehens[5a] stehenbleiben; deswegen konnte die Schilderung des Ablaufes von Erneuerung und Formulierung der jeweiligen Handelsverträge nicht Selbstzweck bleiben. Vielmehr konnte die handelspolitische und politische Entwicklung erst in ihrer gegenseitigen Verklammerung begriffen werden. Denn in der Handelspolitik bündelten sich die gesamtstaatlichen Beziehungen, vor allem die Entwicklungslinien der sozialen, politischen und wirtschaftlichen Umgruppierungen, und ohne die »große Politik« konnte wiederum die Handelspolitik nicht dargestellt werden. Eines bedingte das andere; denn so wie die Handelspolitik erst in der Verflechtung mit der politischen Entwicklung ihre politische Akzentuierung erhält, so wird die »große Politik« der Reichsgründungszeit wiederum erst durch die handelspolitische Sichtweise gekennzeichnet: damit steht also hinter diesen Studien als Grundfrage das Verhältnis von Wirtschaft und Staat während der Reichsgründungszeit. Wenn damit auch der Ansatz für die Arbeit gesehen wurde, so war doch der Weg, den die Untersuchung nehmen würde, völlig offen, ja fraglich; denn von vornherein war es klar, daß mit dieser Fragestellung zum Teil neue Bereiche der historischen Sicht erschlossen werden würden. Die Arbeit konnte nicht bei der Analyse der bürokratisch-diplomatischen oder höfischen Sphäre stehenbleiben; sie mußte sich um die Darstellung der großen Verbände von Landwirtschaft, Industrie und Handel, des geistigen und sozialen Lebens in seiner Verzahnung mit der politischen Willensbildung bemühen. Literarische Vorarbeit war bei der Untersuchung der behördengeschichtlichen Entwicklung des Reiches von Goldschmidt, v. Vietsch, Heffter und Morsey gemacht, ebenso konnte die Arbeit – was die Analyse der handelspolitischen Entscheidungen anbetraf – für die Jahre 1876 bis 1879 auf die Arbeiten von Nitzsche, Maenner und Rathmann zurückgreifen; die Studie von Lambi erschien erst kurz vor Abschluß der Arbeit. Weite Strecken aber waren doch Neuland. Zu allem kam, daß auch die zum Teil mit hohem Lob beurteilten Ergebnisse der Mehrzahl der Spezialstudien und Vorarbeiten der Konfrontation mit unveröffentlichten und auch veröffentlichten Quellen nicht standhielten.

So wurde es zum Beispiel unerläßlich, auch auf die deutsche Bankenentwicklung und auf die Entfaltung der deutschen Schwerindustrie einzugehen. Vor allem hat die Analyse der beiden Weltwirtschaftskrisen von 1857 und 1873 trotz der ein-

5a Es sei angemerkt, daß die Unterscheidung von Handels- und Zollpolitik in dieser Arbeit nur gradweise vorgenommen wurde, da die Auseinandersetzung um die Prinzipien des Zolltarifs unmittelbar in den handelspolitischen Maximen relevant wurde; jedoch wurde die handelspolitische Entscheidung noch von weiteren Elementen geprägt, so daß die zollpolitischen Fragen mehr oder weniger die Bedeutung von »Unterfragen« erhalten.

gehenden Vorarbeiten von Rosenberg im Blick auf die Handelspolitik eine Neubearbeitung auf Grund der zugänglichen deutschen Quellen (wenigstens der wesentlichsten) beansprucht, und nicht zuletzt verzahnten sich seit 1867 steuer-, handels-, eisenbahn- und behördengeschichtliche Fragen in einem Maße, wie es z. B. die Arbeiten von Morsey kaum ahnen lassen. Immer mehr traten deswegen im Laufe der jahrelangen Archivarbeiten die Materialien der staatlichen Archive, auch der Privatarchive, dann der weitverstreuten zeitgenössischen Veröffentlichungen, der Zeitschriften, der Zeitungen, der Jahresberichte, der Geschäftsberichte und schließlich der Memoiren und Biographien in den Vordergrund der Urteilsfindung. Dabei wurde versucht, ständig die neu erschlossenen Materialien mit den bereits in der Forschung erarbeiteten zu verbinden und zu vergleichen, ein Vorhaben, das sich angesichts der Flut der »Bismarckliteratur« notwendigerweise auf die zentralen Fragen beschränken mußte[6].

Im wesentlichen baut die Arbeit auf dem Material von 15 Archiven auf: dem Deutschen Zentralarchiv in Potsdam (ehem. Reichsarchiv), dem Brandenburgischen Landeshauptarchiv in Potsdam, dem Deutschen Zentralarchiv in Merseburg (ehem. Preußisches GStA Berlin-Dahlem), dem Sächsischen Landeshauptarchiv in Dresden, dem Hauptarchiv in Berlin (ehem. GStA Berlin-Dahlem), dem Bayrischen Hauptstaats- und Geheimen Staatsarchiv in München, dem Württembergischen Hauptstaatsarchiv in Stuttgart und Ludwigsburg, dem Generallandesarchiv in Karlsruhe, dem Hessischen Staatsarchiv Darmstadt, dem Bundesarchiv in Koblenz, dem Politischen Archiv im Auswärtigen Amt in Bonn, dem Staatsarchiv in Hamburg und dem Haus-, Hof- und Staatsarchiv in Wien. Hinzu kamen noch die Materialien der Dresdner, der Deutschen, der Commerz- und der Darmstädter Bank, dann der Berliner Handelsgesellschaft und der Disconto-Gesellschaft. Von zahlreichen Handelskammern, Stadt- und Staatsarchiven konnten Mitteilungen verarbeitet werden, so den Handelskammern Hamburg, München, Duisburg, Düsseldorf, Darmstadt, Goslar, Hanau, Hameln, Heilbronn, Ingolstadt, Ludwigshafen, Minden, Rinteln, Rosenheim, Stade, Siegburg, Stuttgart, Trier, Ulm, so den Staatsarchiven in Amberg, Coburg, Düsseldorf, Detmold, Hannover, Wolfenbüttel und Bremen. Erst auf dieser Grundlage konnte es unternommen werden, eine Darstellung der deutschen Handelspolitik in ihrer Verklammerung mit der politischen Geschichte zu schreiben. Nur so wurde es möglich, »Preußens Weg zur Großmacht« unter neuen Gesichtspunkten zu skizzieren.

Als Ausgangspunkt für die Studie bot sich das Jahr 1848 aus allgemeinpolitischen und wirtschaftspolitischen Gründen an. In diesem Jahr entstand in Österreich unter Bruck und Schwarzenberg ein Mitteleuropaplan, d. h. der Plan einer Einigung des mitteleuropäischen Raumes »von der Nordsee bis zur Adria«, der

6 In den Anmerkungen wird bei der Fülle der Quellenvermerke bewußt die Literatur nicht in vollem Maße zitiert, da dies zu einem unmäßigen Anschwellen des Apparates geführt hätte; ebenso mußte das Literaturverzeichnis sich mit einer Auswahl begnügen.

fortan zum Kern der handelspolitischen Auseinandersetzung zwischen Preußen, Österreich und dem »dritten Deutschland« werden sollte. Er bestimmte die handelspolitische und politische Entwicklung der Jahre 1848 bis 1867 in sehr nachdrücklicher Weise. Nicht zuletzt in preußischer Abwehr dieses großdeutsch-mitteleuropäischen Plans entstand das »Reich« — ohne daß dadurch die Gründung im Jahre 1871 vorherzusehen gewesen wäre.

Paradoxerweise übernahm Bismarck dann Ende der siebziger Jahre, getrieben durch die politische und wirtschaftliche Dynamik des jungen Nationalstaates diesen Plan in sein politisches Kalkül, denn er sah in ihm den eventuellen Raum für die deutsche Herrschaftssicherung und deutsche Machtentfaltung angesprochen. Damit bot sich das Jahr 1881 als Endpunkt der Arbeit an — wiederum aus wirtschafts- und allgemeinpolitischen Gründen. Denn 1879/81 war mit dem Übergang zum Schutzzoll die 30jährige Formung des Deutschen Reiches, die Ausbildung der Achse Oberschlesien — Berlin — Ruhrgebiet, die Formierung der Großbanken, der Interessenverbände, der Reichsparteien und der preußisch-deutschen Gesellschaftsstruktur zu einem ersten Abschluß gekommen. Die Kartell-, Schutzzoll-, Sozial-, Innen- und Außenpolitik der Spät-Bismarckzeit wurde wohl von diesen Vorgängen mitgeprägt, war aber doch von der Reichgründungszeit geschieden, denn die enge Verzahnung von industrieller Entfaltung und Staatsbildung fiel weg: Preußen hatte nach dem Jahre 1850 die wirtschaftliche Entwicklung politisch aktiviert, während Österreich und der Südosten Europas Agrarländer blieben und zum Objekt der Expansion wurden. Von nun an bestimmte das russisch-französisch-deutsche Verhältnis den »Deutschen Weg«.

Schon 1881 aber hatte Deutschland aufgrund der gegensätzlichen Bewegung von politischer und wirtschaftlicher Entwicklung seine besondere, von den Nachlebenden um 1914 als Mission empfundene Stellung erhalten: politisch war es nämlich in die Nähe des monarchisch-autokratischen Rußland gerückt, wirtschaftlich war es mit dem demokratisch-liberalen Westen identisch geworden.

Wegen der Vielfältigkeit der Probleme und Fragen braucht nicht betont zu werden, daß die Arbeit nur ein erster Baustein für eine Beurteilung der Reichsgründungszeit auch von der wirtschafts- und handelspolitischen Seite her sein kann. Die Arbeit wurde im Sommer 1964 der philosophischen Fakultät der Universität zu Hamburg als Dissertation vorgelegt. Für den Druck wurde sie erneut gründlich durchgearbeitet und in wesentlichen Partien mit neuem Material vertieft. Vor allem konnte nun Material aus dem HHStA Wien in größerem Maße herangezogen werden.

Am Ende der Arbeit bleibt nur noch der Dank für die zahlreiche Unterstützung, die ich erhalten habe. Ohne die große Hilfe, die ich in Potsdam von Herrn Prof. Dr. Lötzke, Dr. Enders, Dr. Brather, Dr. Schmid und Dr. Beck erhalten habe, wäre es mir unmöglich gewesen, das weitverzweigte Material in dem Umfang zu erschließen, wie es für die Arbeit notwendig war. Ebenso habe ich Herrn Dr. Welsch, Herrn Waldmann, Herrn Lehmann und Herrn Dräger in Merseburg für die gewährte Unterstützung zu danken. Für die freundlich gewährte Hilfe und für manchen Rat habe ich Herrn Dr. Lange und Herrn Dr. Philippi im Politischen Archiv des AA Bonn zu danken; mit Anteilnahme unterstützten Herr Dr. Wagner und Herr Dr. v. Vietsch meine Arbeit im Bundesarchiv Koblenz, wofür ich an dieser Stelle danken möchte. In Wien bin ich Herrn Dr. Neck, in Darmstadt Herrn Dr. Knöpp und in München Herrn Dr. Troll zu Dank verbunden. In Hamburg hat mir Herr Dr. Bolland immer wieder das Material zur Überprüfung bereitgestellt, wofür ich ihm zu Dank verpflichtet bin. Darüber hinaus habe ich allen Vorständen und Beamten der außerdem genannten Archive für ihr Entgegenkommen zu danken.

Vor allem bin ich zu großem und herzlichem Dank meinem verehrten Lehrer, Herrn Prof. Dr. F. Fischer, verpflichtet, der diese Arbeit mit ständiger Sorge, immerwährender Ermunterung, Kritik und Hilfe begleitete und der mich von der starken Arbeitsbelastung im Historischen Seminar Hamburg soweit als möglich freistellte.

Zu Dank verpflichtet bin ich auch Herrn Dr. J. Geiß, Bonn, und Herrn Dr. J. Röhl, Brighton, für manches kritische Urteil und für vielfältige Anregungen; Frl. cand. phil. Bärbel August, Herrn Peter Borowsky und Herrn cand. phil. Peter Christian Witt danke ich für ihre Hilfe bei der Korrektur.

Dieses Vorwort kann aber nicht abgeschlossen werden ohne den Dank an meine Frau. Sie war es, die in mühseliger Arbeit eine Vielzahl von Aktenstücken von Mikrofilmen übertrug, und sie war es, die die mehrfachen Fassungen der Arbeit schrieb und mir bei der Beschaffung der Literatur behilflich war. Ohne sie wäre die Arbeit in dieser Form nicht entstanden.

Hamburg, im Mai 1965 HELMUT BÖHME

Erster Abschnitt

Um das »Reich der 70 Millionen«: Preußen und Österreich im Ringen um die Vormachtstellung in Mitteleuropa

Die neue politische Ordnung, die auf dem Wiener Kongreß für Europa ausgehandelt worden war, hatte für die deutsche Frage keine Änderung erbracht. Der im 18. Jahrhundert entstandene Dualismus zweier deutscher Großmächte war nicht aufgehoben worden. Ja, die traditionelle preußische Arrondierungspolitik hatte, als Preußen mit einem »nach Westen verlagerten Schwerpunkt« (Schieder) in die neue Staatsordnung eintrat, durch die Trennung des neuen preußischen Industriegebietes vom staatlichen Verwaltungszentrum noch eine weitere Dimension erhalten. Die erste Welle der Industrialisierung und die territoriale Streulage des preußischen Staatsgebiets brachte so für Preußen einen starken Impuls zur Bildung eines zusammenhängenden Territorialstaates – sei es durch die direkte Annexion oder sei es durch die indirekte Beherrschung mittels einer wirtschaftlichen Union zwischen Preußen, Kurhessen, Hannover und Braunschweig. Da Österreich seinen Vorrang in Deutschland als Grundlage seiner Machtstellung in Europa betrachtete, prallten die österreichische und preußische Politik mit zunehmender Schärfe aufeinander. Und doch wurde das Aufbrechen der Gegensätze vor 1848 vermieden.

Angesichts der revolutionären, der demokratischen und der nationalpolitischen Gefahr verständigten sich Österreich und Preußen in der ersten Hälfte des 19. Jahrhunderts zur Unterbindung jeder Fortwirkung revolutionärer Ideen und zur Zügelung aller freiheitlichen und nationalen Bestrebungen im mitteleuropäischen Raum. Beide Staaten verzichteten auf jede Aktivität in der deutschen Frage und begnügten sich mit einer vorsichtig aufeinander abgestimmten Bundespolitik. Preußen anerkannte seine scheinbare Gleichstellung mit Österreich im Bund und gab sich mit der Stärkung seiner wirtschaftlichen Position zufrieden; und Österreich akzentuierte nicht seine Primatstellung im Deutschen Bund, sondern konzentrierte seine Bemühungen auf die Festigung seines Einflusses auf die Mittel- und Kleinstaaten und auf die Eindämmung der nationalen und liberalen Bewegung. Doch mit dem Jahre 1848 endete das System der Restauration und das der »Vorverständigung« innerhalb des Bundes. Die liberalnationale und soziale Bewegung schien stärker zu sein als alle Bemühungen der konservativen Staatsmänner um die Erhaltung des Wiener Systems. Im ersten Anlauf wurde der österreichische Staatskanzler, Fürst Metternich – Träger und Symbol des restaurativen Systems –, gestürzt; der Zerfall der Habsburg-Monarchie in ihre nationalen Teile und die Errichtung eines Deutschen Reiches unter parlamentarisch-demokratischen Zeichen mit Einschluß der deutschsprechenden Gebiete der »monarchischen Union von Ständestaaten« (O. Brunner) schien nur eine Frage der Zeit zu sein.

Doch die Waffen entschieden anders. Ende des Jahres 1848 war es deutlich geworden, daß die Hoffnungen des Parlaments in Frankfurt auf ein großdeutsches Reich zerschlagen waren. In Preußen und in Österreich übernahmen die alten

Kräfte, gestützt auf das Militär und die Bürokratie, erneut die Führung des Staates. In Österreich vor allem bedeutete die Berufung Fürst Felix Schwarzenbergs zum Ministerpräsidenten die entschlossene Hinwendung zur Wiederherstellung der Monarchie als eines zentralistisch geführten Gesamtstaates. Dies bedeutete zugleich den Beginn einer aktiven großösterreichischen Politik, die sich gegen alle Pläne einer konstitutionellen Föderation wandte und die allen großdeutschen Reichsplänen der Frankfurter den Kampf ansagte. Großösterreich und nicht Großdeutschland als »Führungsmacht eines österreichisch-deutsch bestimmten Mitteleuropas« (Srbik) strebte Schwarzenberg an und hoffte in der machtpolitischen Entfaltung Österreichs die nationalpolitische Bewegung überwinden zu können.

In den Mittelpunkt seiner Politik rückte damit sofort die deutsche Frage – und hier natürlich die Entmachtung Preußens –, was für ihn mit der erneuten Konsolidierung der monarchisch-deutschen Struktur des Kaiserstaates verbunden war. So stellte Schwarzenberg dann auch sofort die von Metternich stets so peinlich beachtete, wenn auch weitgehend fiktive »Gleichstellung« Preußens im Frankfurter Bundestag, vor allem aber Preußens Vormachtstellung im Zollverein in Frage und betonte statt dessen den Führungsanspruch Österreichs gegenüber »dem Reich«.

Seine Deutschlandpolitik setzte nicht so sehr die üblichen militärischen und bundespolitischen Mittel ein, sondern mehr den mit viel Elan vorgetragenen Plan einer Zollunion mit dem Zollverein: einer Zollunion, die zugleich Kern eines mitteleuropäischen Wirtschaftsblockes unter österreichischer Führung sein sollte. In diesem Plan erkannte Schwarzenberg – wie er es seinem jungen Monarchen gegenüber betonte – das wichtigste »Instrument« zur Begründung einer dauerhaften Führungsstellung Österreichs in Deutschland und zugleich auf dem Kontinent. Mit diesem Bund hoffte er nicht nur die auseinanderstrebenden Teile der Monarchie unter deutsch-österreichischer Führung binden zu können, sondern auch den Kaiserstaat wieder mit den anderen Großmächten gleichzustellen, die sich angeschickt hatten, weltweite Einflußsphären zu gewinnen.

Wesentliche Unterstützung fand Schwarzenberg mit diesen Plänen bei seinem Handelsminister Freiherrn von Bruck. Waren aber für Schwarzenberg die unmittelbaren machtpolitischen Aspekte einer Zolleinigung maßgebend, so akzentuierte Bruck mehr die wirtschaftspolitischen Ziele einer solchen Union. Wohl sah auch er die politische Konsequenz eines solchen mächtigen Handelsbündnisses in Zentraleuropa, vorerst aber betonte er, daß durch den Anschluß Österreichs an die Dynamik des prosperierenden Zollvereins auch der österreichischen Wirtschaftsentwicklung neue Impulse zugeführt würden, die sich dann machtpolitisch auswerten ließen. Er hatte dabei das Beispiel Preußens vor Augen, wenn er 1848/1849 in den bis dahin von Wien mehr oder weniger ignorierten Zollverein hineindrängte. Doch im vollen Gegensatz zur zollpolitischen Tendenz des Zollvereins hatten die Österreicher das Ziel, den um Österreich erweiterten Zollverein gegenüber dritten Ländern durch Schutzzölle abzuschließen und ihn voll den österreichischen Bedürfnissen anzupassen. Die Verwirklichung der österreichischen Zollunionspläne hätte die aufstrebende Wirtschaft Preußen-Deutschlands in ihrer Entfaltung gehemmt, da die österreichische Wirtschaft weniger kapitalstark und rohstoffbegünstigt als die preußisch-deutsche war. Zudem wäre die exportinteressierte Agrarproduktion Preußens in unmittelbare Konkurrenz mit der kostengünstigeren ungarischen gekommen. Politisch hätte der Erfolg der österreichischen Pläne Preußen seiner Machtstellung in Deutschland beraubt und es auf den Status eines deutschen Mittelstaates herabgedrückt.

Die Auseinandersetzung um diese Zolleinigung erhielt dann auch die zentrale Bedeutung für die weitere Entwicklung der deutschen Problematik, und es kann behauptet werden, daß der kleindeutsche Nationalstaat nicht zuletzt aus der preußischen Abwehr der mitteleuropäisch gedachten Großraumwirtschaftsordnung Österreichs entstanden ist. Denn für Preußen entwickelte sich aus der Abwehr der Schwarzenberg-Bruckschen Konzeption die Grundlegung seiner späteren eigenen Vormachtstellung.

Die wichtigste Waffe Preußens in dieser Auseinandersetzung war das Festhalten am Freihandel, denn Österreich konnte sich keine Zolleinigung mit dem Zollverein aufgrund freihändlerischer Prinzipien leisten, und deswegen wurden Freihandel und das strikte Festhalten am Zollvereinsausschuß Österreichs in zunehmendem Maße auch zum politischen Axiom der preußischen Politik im Ringen um die Vorherrschaft in Mitteleuropa.

Es war nur die Frage, ob sich Preußen die Freihandelspolitik leisten konnte und ob es für seine Politik die Zustimmung der Mitglieder des Zollvereins gewinnen konnte. Preußen war als noch überwiegendes Agrarland mit guten Verkehrsverbindungen zu den Industrieländern im Westen Europas im Gegensatz zu Österreich exportinteressiert. Ebenso strebten die Träger seiner Manufakturindustrie und die Großkaufleute nach einem nicht durch hohe Binnen- und Außenzölle gehemmten Warenaustausch. Eine Freihandelspolitik entsprach also ihren Interessen. Dies wußte Bruck. Aber er rechnete auf die Unterstützung, die er bei der neu entstehenden preußischen Schwerindustrie finden würde; denn diese begegneten sich, angesichts der englischen Konkurrenz, mit den österreichischen Mitteleuropaplänen in der Forderung nach Schutzzöllen. In den Süd- und Mittelstaaten hoffte Bruck vor allem auf die Unterstützung der Textilindustriellen.

Doch seine Rechnung sollte sich als irreal erweisen. Die Mittelstaaten konnten Preußens wirtschaftliche Potenz nicht ignorieren. Zudem beherrschte Preußen die Wasserstraßen. Obwohl die Regierungen der Mittelstaaten eine proösterreichische Politik trieben, fand die preußische Handelspolitik in zunehmendem Maße die Unterstützung der wirtschaftlichen Interessenten des nichtpreußischen Deutschlands. Ja, im Laufe der Auseinandersetzung der beiden Großmächte gerieten die an sich eher liberalen und Österreich zuneigenden Mittelstaaten immer mehr in den Sog der norddeutschen, konservativen, pseudoliberalen Großmacht. Die wirtschaftlichen Interessen wiesen auf Preußen und nicht auf Österreich als Führungsmacht in Deutschland. Damit wurde die politische Aktionskraft der Mittelstaaten sehr erheblich eingeschränkt. Alle Pläne einer dritten Kraft waren von vornherein zum Scheitern verurteilt. So wurde während der Auseinandersetzung um den Plan, den Österreich zur Festigung seiner Machtstellung in Deutschland und Europa entworfen hatte, die Donaumonarchie innerhalb Deutschlands immer mehr isoliert.

In Preußen selbst kamen die Schwerindustriellen Brucks Plänen wohl entgegen, aber ihr politischer Einfluß war gegenüber den preußischen (und auch deutschen) Interessen der Manufakturindustrie, des Handels und vor allem der am Export von Getreide und Rübenschnaps interessierten Agrarier Ostelbiens noch nicht wirksam. Denn die Option des rheinischen liberalen Großbürgertums für den »Staat Friedrich Wilhelms IV.« und die religiös-patriarchalisch-konservative Ordnung Preußens – als Reaktion auf die Wirtschaftskrise des Jahres 1848 und den Juniaufstand der Arbeiterschaft in Paris – hatte in Preußen eine neue Konstellation geschaffen, die für die politische Entwicklung des deutschen Raumes im 19. Jahrhundert von säkularer Bedeutung wurde. Aus der wirtschaftlichen Interessengemeinschaft zwischen Kaufleuten, Bankiers und Industriellen einerseits und der konservativ-agrarfeudalen Führungsschicht Preußens andererseits entstand eine neue politische Koalition, die ihren gemeinsamen Nenner im liberalen Freihandel und in der Aufrechterhaltung staatlicher Ordnung fand. Und der »Ruhe und Ordnung« bedurften auch die mit dem Aufbau einer industriell-kapitalistischen Wirtschaftsordnung beschäftigten rheinischen und schlesischen Unternehmer. Aus diesem Grunde verbanden sie sich mit den Ostelbiern und stellten weitgehend ihre handels- und wirtschaftspolitischen Forderungen zurück. An dieser Interessengemeinschaft scheiterten nicht nur die liberal-demokratischen Ansätze der »Revolution« von 1848, sondern auch die Pläne der Österreicher.

Die Auseinandersetzung zwischen den beiden deutschen Großmächten hatte aber in Preußen noch eine weitere Rückwirkung. In dieser Auseinandersetzung verlor das preußische Großbürgertum weitgehend sein politisches Eigengewicht, mit der Konsequenz, daß das liberal-konservative Beamtentum noch mehr und enger an die traditionelle Führungsschicht des preußischen Staates gebunden wurde. Es war nun die Besonderheit der preußischen Entwicklung, daß hier die Aristokratie noch so stark und ungebrochen war, daß sie das Eindringen der unternehmerisch-bürgerlichen Kräfte und ihrer Dynamik in ihrem politischen Interesse kanalisieren konnte und selbst fähig war, den Schritt zum kapitalisierten Großlandwirtschaftsbetrieb zu vollziehen. So war die Koalition zwischen Agrariern und Besitzbürgertum (vor allem des Großhandels) seit 1849 gekennzeichnet durch eine »Arbeitsteilung«: die wirtschaftlich Führenden anerkannten die traditionellen politischen Führer, und diese überließen die wirtschaftliche Führung weitgehend dem Bürgertum. Durch diese Symbiose mit dem Bürgertum erhielt sich der Adel noch seine bedrohte Stellung, ja ihm gelang die politische Domestizierung der Industrieunternehmer – und zwar vor dem Hintergrund der aufziehenden sozialen Revolution.

Von diesem Gesichtspunkt der Auseinandersetzung um die wirtschaftspolitische Beherrschung Mitteleuropas und seine wirtschaftliche Ordnung aus bedeutet die Berufung Bismarcks zum preußischen Ministerpräsidenten und die Konfliktzeit des Jahres 1862 auf 1863 nur eine Akzentuierung im politischen Ringen. Sie war aber keine Zäsur auf dem Wege Preußens zur deutschen Hegemonialmacht. Ehe die kriegerische Auseinandersetzung mit Österreich im Jahre 1866 begann, war das handelspolitische Ringen bereits entschieden. Dem wirtschaftspolitischen Grundzug der politischen Entwicklung entsprechend erscheint für Preußen neben den Annexionen nördlich des Mains als wesentliches Ergebnis von Nikolsburg und Prag die Erringung der handelspolitischen Entscheidungsfreiheit, d. h. die Nichterneuerung des Mitteleuropavertrages vom Jahre 1853 und die Bildung eines geschlossenen nationalen Wirtschaftsraumes durch die parlamentarische Rekonstruktion des Zollvereins.

Erstes Kapitel
Bruck und Delbrück
Die erste Phase im Ringen um die Zollunion

a »Von der Nordsee bis zur Adria«: Die Zollunionspläne des Freiherrn von Bruck

Der Mitteleuropaplan wird angekündigt

Nachdem es Schwarzenberg im Laufe des Frühjahrs und Sommers 1849 gelungen war, den Aufstand in Ungarn niederzuschlagen und die neue Verfassung mit ihren zentralistischen Tendenzen ohne Widerstand dem Gesamtstaat zu oktroyieren, konnte sich der österreichische Staatsmann mit voller Kraft der deutschen Frage zuwenden. Schon im November 1848 hatte er gegenüber Frankfurt betont, daß er jedem Projekt eines engeren oder weiteren deutschen Bundes sein scharfes Nein entgegensetzen würde – nun im Herbst 1849 wiederholte er dieses Nein gegenüber den preußischen Unionsplänen des Beraters Friedrich Wilhelms IV., Freiherrn von Radowitz. Dieser hatte gehofft, die nationale Reform mit den legitimen Kräften doch noch unter preußischer Führung, aber ohne Bruch mit Österreich, vollenden zu können. Die Chance für seine von Frankfurt übernommene Alternative eines engeren und weiteren Bundes: einer »Deutschen Union« und eines »Deutschen Reiches«, sah er darin, daß Österreich in Ungarn gebunden war und Preußen allein mit militärischer Macht die Reste der Revolution in Süddeutschland liquidierte. Doch Württemberg und Bayern mißtrauten den preußischen Hegemonialplänen und lehnten einen Beitritt zu dieser »Union« ab: das Drei-Königs-Bündnis vom 26. Mai 1849 zwischen Preußen, Sachsen und Hannover – Vorstufe des Unionsreichstages in Erfurt im Frühjahr 1850 – blieb damit ohne Bedeutung. Im Gegenteil, die Niederlage gegenüber dem Süden schwächte die Position von Radowitz', zumal auch Rußland sich gegenüber seinen Plänen negativ verhielt. Diese Chance nun ergriff Schwarzenberg mit großer Entschlossenheit. Drei Faktoren kennzeichneten hierbei seine Politik: Einmal beabsichtigte er ganz zum Bundesrecht zurückzukehren und den alten Bundestag unter Österreichs Vorsitz wieder nach Frankfurt einzuladen; zum anderen suchte er die russische Unterstützung gegen die preußischen Unionspläne, und schließlich konfrontierte er Preußen mit einem Zollunionsplan – einem Plan, der mit seiner antipreußischen, antifranzösischen, antirevolutionären und selbst antienglischen Tendenz dafür geschaffen war, Rußlands Opposition von vornherein auszuschließen[1] und gleichzeitig die Unterstützung der Mittelstaaten zu

1 HHStA Wien, PA II, Nr. 75: 31. I. 1850 Schwarzenberg an Buol.

gewinnen. Dabei war der Zollunionsplan auch im Hinblick auf die gesamtstaatliche Erneuerung des Kaiserstaates entworfen worden. Denn weniger der Adel – sondern vielmehr das deutsch-österreichische Großbürgertum als Träger der bürokratischen Neuordnung sollte wirtschaftlich gefördert werden.

Ehe Schwarzenberg aber die Zollunionspläne im November 1848[1a] zu einer ersten Beratung im österreichischen Ministerrat vorlegte, testete er die öffentliche Meinung Deutschlands. Am 26. Oktober 1849 ließ er in der Wiener Zeitung »Vorschläge zur Anbahnung der österreichisch-deutschen Zollunion« skizzieren, die in unmittelbarer Verbindung mit den beiden Bruckschen Denkschriften vom Dezember 1849 und Mai 1850 standen. Der Artikel erschien wohl anonym, sein Verfasser war aber kein Geringerer als Bruck[2] – was auch vom preußischen Botschafter in Wien, Bernstorff, sofort vermutet wurde. Zum erstenmal umriß hier der Handelsminister in der Öffentlichkeit[3] den Gedanken einer sich in vier Perioden vollziehenden, in einer »gemeinsamen Vertretung« der Auswärtigen und Handelspolitik endenden Zolleinigung Mitteleuropas[4] und hoffte auf die deutsche Unterstützung, weil »ein für Österreich so günstiger Augenblick als der gegenwärtige nun und nimmer mehr wieder« kommen würde. Das erkannte vor allem auch Bernstorff. Bereits bei der

1a Zur Beurteilung der Vorgänge des Jahres 1849/50 vgl. eingehend H. Friedjung: Mitteleuropäische Zollunionspläne 1849–1853, Hist. Aufsätze, Stgt. 1919, S. 64 ff.; und neben Charmatz, der die Gestalt Brucks in den Mittelpunkt seiner Studie stellt, die beiden deutschen Arbeiten, 1933 und 1940 erschienen, von E. Franz: Der Entscheidungskampf um die wirtschaftspolitische Führung Deutschlands 1856 bis 1867, München 1933; und B. Roloff: Die Zollvereinskrise von 1850–1853, Archiv für hessische Geschichte und Aktenkunde NF 21, 1940, S. 1–61; eingehend der Herausgeber der österreichischen Quellen H. Ritter v. Srbik in »Deutsche Einheit«, I, Darmstadt 1963 (fotomech. Abdruck), S. 277 ff. Ganz allgemein in neuester Zeit Th. S. Hamerow: Restoration, Revolution, Reaction: Economics and Politics in Germany 1815–1871, Princeton 1958. Von zollpolitischen Einigungsproblemen der siebziger und neunziger Jahre und der Wirtschaftskrise ausgehend, sind die Arbeiten des im ungarischen Handelsministerium als Zollspezialist tätigen Alexander v. Matlekovits aufgrund ihrer Materialaufbereitung ebenso wie die Beers und Mammroths – letztere vor allem mit den Berichten der unter Bruck entstandenen Handelskammern –, aber auch Gaertners und Pentmanns unentbehrlich. Neben diesen Darstellungen bringen die Memoiren von Beust, Friesen, Bray-Steinburg, Plener, Biegeleben und vor allem von Delbrück manches zur Beurteilung der historischen Stimmungen und Nuancen, ohne jedoch auf die Verflechtung der Handelspolitik mit der Interessenlagerung des jeweiligen Landes einzugehen, einen Mangel, den auch Bergengrüns Arbeit über v. d. Heydt aufweist.

2 ADB III, S. 376 ff.; R. Charmatz: Minister Freiherr von Bruck: Der Vorkämpfer Mittel-Europas, Lpz. 1916, S. 107 ff.

3 DZA II, AA II, Rep. 6, Nr. 1176: 30. X. 1849 Bernstorff an Schleinitz. Zu den Metternichschen Plänen und der Opposition der Schutzzöllner und des Kaisers vgl. v. Srbik: Metternich I, S. 528 ff., II, S. 103 ff.; Beer: Finanzen Österreichs, S. 155 ff.

4 DZA II, AA II, Rep. 6 ebd.: 26. X. 1849 Bernstorff an Schleinitz.

Übermittlung dieser anonymen »Vorschläge« betonte er, daß die Pläne in »einseitig österreichischem Interesse« entworfen wären und darauf hinzielten, Preußen »politisch ... zu erdrücken«[5]. Da die Österreicher hoffen konnten, »die lebendige Zustimmung« zu dieser »deutschen Föderation« in Deutschland, vornehmlich im weniger wirtschaftlich entwickelten, vom Frankfurter Valutasystem abhängigen, mehr schutzzöllnerischen und katholischen Süden zu finden, sei der Plan für die preußische Machtstellung von hoher Bedeutung und Gefährlichkeit.

Diese Überlegung akzeptierten die preußischen Minister, und die erste Stellungnahme der preußischen Ressorts zum österreichischen Versuchsballon ging daher auch von diesem gleichsam natürlichen »Drängen von Handel und Gewerbe« Süddeutschlands nach Österreich[6] aus. Die Minister von Finanz und Handel resümierten – eine Stellungnahme, die für alle weiteren preußischen Schritte in dieser Frage grundlegend bleiben sollte –, daß es »notwendig« sei, »festzustellen ... was Österreich bieten kann und will«. Weiter, ob es Österreich überhaupt Ernst sei mit diesen Vorschlägen, und wenn ja, dann müsse »die Entscheidung« in einer Weise gesucht werden, die die preußischen Interessen unterstützen, die österreichischen Pläne aber als eigensüchtig »bloßstellen« würde.

Deswegen teilte der preußische Minister des Auswärtigen, Schleinitz, Anfang Dezember Bernstorff als erste Antwort mit:

»Es ist unerläßlich, von Preußen den Schein abzuwenden, als ob es auf dem Gebiete der materiellen Interessen die Richtung verfolge, welche man auf dem Gebiete der allgemeinen Politik Österreich mit vollem Recht vorgeworfen hat, nämlich die der Verneinung[7].«

Gleichzeitig ließ der preußische Handelsminister auch durchblicken, daß Preußen doch »nur die Basis« erkennen müsse, auf der Österreich seine Zollunion aufbauen wolle[7a].

Die erste Denkschrift und Preußens Reaktion

Ende Dezember 1849 lag die von v. d. Heydt gewünschte »Basis« in einer ersten großen Denkschrift des Handelsministeriums vor. Nachdem am 16. Januar 1850 die Veröffentlichung der Denkschrift angekündigt worden war[7b], übergaben Schwarzenberg und Bruck Ende Januar 1850 den deutschen Regierungen den von den »Räthen im Handelsministerium Hock und Czörnig« konzipierten[8] »Zolleinigungs-

5 ebd.: 30. X. 1849.
6 ebd.: 21. XI. 1849 Votum v. Rabe / v. d. Heydt an Schleinitz.
7 DZA II, AA II, Rep. 6 ebd.: 7. XII. 1849; Bernstorff übergibt diese Note dem österr. Ministerpräsidenten Schwarzenberg am 10. XII., der sie »ad referendum« nimmt.
7a HHStA Wien PA II, Nr. 75: 29. XII. 1849 v. d. Heydt an Brandenburg.
7b ebd. Bruck an Thun.
8 DZA II, AA II, Rep. 6 ebd.: 28. III. 1850 Bericht Delbrück aus Wien.

plan« zwischen dem Zollverein und Österreich[9]. Schwarzenberg mache »keinen Hehl« mehr daraus – wie es der bayrische Kommerzienrat Degenkolb nach Berlin berichtete –, »daß der Einfluß auf Deutschland durch die materielle Einigung am sichersten gewährleistet« werde[10]. Dies wurde unterstrichen durch eine geheime Note des Handelsministeriums, in der betont wurde, daß dieser Plan »die sicherste Grundlage für die politische Einigung, welche wir anstreben« sei[10a] und daß es vor allem darauf ankomme, »alle *preußischen Einstreuungen* auf das *Entschiedenste zurückzuweisen,* die dahin gerichtet (sind), entweder die *Kompetenz* der *Bundes-Commission* zu *bestreiten* – oder aber für *Preußen* das *Recht in Anspruch* zu nehmen *ganz allein* im *Namen aller im Zollverein verbundenen* Regierungen über unsere Anträge zu verhandeln«[10b].

Die Kampfansage Schwarzenbergs und Brucks konnte nicht schärfer sein: Einmal wollte Österreich alle Verhandlungen an den neu zu belebenden Bund ziehen, und zum anderen bestritt es die traditionelle Vorrechtstellung und das Vertretungsrecht Preußens im Zollverein. Die Metternichsche Konzilianz war aufgegeben. Einen Tag später, am 27. Januar 1850, umriß dann Bruck gegenüber dem österreichischen Botschafter in Berlin, Prokesch-Osten, noch unverhüllter die machtpolitischen Ziele, die in Wien mit der Zollunion verbunden wurden:

»Unser Streben kann nicht bloß auf eine commercielle Annäherung an den Zollverein gerichtet seyn. Das Ziel welches wir uns nach reiflicher Erwägung vorgesetzt haben, ist ein viel höheres; die Tragweite unseres Vorhabens und der zu seiner Ausführung gefaßten Beschlüße ist weit bedeutender und belangreicher. Was wir anstreben ist nicht eine Annäherung, sondern eine enge Verbindung, eine Verbindung, eine Zoll- und Handelseinigung im vollen Sinn des Wortes, daher dieselbe auch nicht mit dem Zollverein allein, sondern mit ganz Deutschland bewerkstelligt werden soll. Für die Lösung einer solchen Aufgabe konnte es nicht als genügend erscheinen, uns mit Preußen allein in *spezielle* Verhandlungen über diesen Gegenstand einzulassen[11].«

Die preußische Staatsführung war sich des grundsätzlichen Wandels der österreichischen Politik bewußt und war durch den geplanten Einbruch in ihre Domäne

9 HHStA Wien, PA 75: 26. I. 1850 Schwarzenberg an Frankfurt: »Denkschrift des kaiserlich-österr. Handelsministers über die Anbahnung der österreichisch-deutschen Zoll- und Handelseinigung«, Wien 1850 (30. XII. 1849), Vorschläge in Beilage A, dto. Circularnote vom 26. I. 1850, ebenfalls vorhanden im DZA II, AA II, Rep. 6, Nr. 1176: 27. I. 1850 Bernstorff an Schleinitz, ebd. 1. II. 1850 Frankfurt an Schleinitz, ebenfalls in München, Stuttgart, Karlsruhe pp., gedruckt bei Costenoble und Remmelmann, Lpz. 1850; Carl Freiherr v. Hock: Die Verhandlungen über ein österreichisch-deutsches Zollbündnis 1849–1864, Österreichische Revue 1864, vgl. auch C. Brinkmann: Weltpolitik u. Weltwirtschaft im 19. Jahrhundert, 1921, S. 43 f.

10 DZA II, AA II, Rep. 6 ebd.: 28. III. 1850 Bericht Delbrück.

10a HHStA ebd. 26. I. 1850 Bruck an Frankfurt.

10b ebd. 26. I. 1850 Bruck an Frankfurt (2. Depesche).

11 ebd.

auf das höchste alarmiert; denn Österreich konnte mit seinen Plänen zumindest auf die »lebhafteste Zustimmung« der Süddeutschen rechnen, während Preußen sich mit der Unterstützung der Erbkaiserlichen — der »Gothaer« — anschickte, einer schon verlorenen Sache in Erfurt mit der »Unionsverfassung« die Krone aufzusetzen. Denn nicht zuletzt war auch das Zollprogramm der Österreicher als Alternative »gegen die Erfurter Wirtschaft« konzipiert: »So wird der Demokratie der letzte Deckmantel fluchwürdiger Agitation geraubt; durch die Fürsten und Ministerien wird erreicht, was Volkswahlversammlungen kaum angestrebt haben, noch viel weniger verwirklichen konnten, und das Erfurter Parlament wird sofort etwas ganz Null und Nichtiges in den Augen eines Jeden[12].«

Wie sahen die Pläne nun aus, mit denen Bruck und Schwarzenberg hofften Preußen überrunden zu können? Beabsichtigt war, den Abschluß einer Zolleinigung zwischen Deutschland und Österreich »im Sinne eines *nationalen Schutzzollsystems«* so schnell als möglich herbeizuführen. Dazu galt es eine Zollkonferenz einzuberufen, die »sofort alle thunlichen wechselseitigen Erleichterungen im Grenzverkehr« bearbeiten und »die Fluß und Seeschiffahrt nach übereinstimmenden Grundsätzen regeln« sollte.

Als Hauptaufgabe wurde dieser Konferenz aufgegeben, einen allgemeinen Zoll für die »eigenen Erzeugnisse anzubahnen . . . welche durch einen *gleichen Grenzzoll* gegen das allgemeine Ausland und die fremde Konkurrenz zu schützen sind». Roherzeugnisse und Nahrungsstoffe sollten dem zollfreien Verkehr gleich übergeben werden; Halbfabrikate jedoch, die als Grundlage ihrer Produktion auf Rohstoffeinfuhren angewiesen waren, bedurften auch weiterhin des Schutzes. Mit der Vorbereitung des gemeinsamen Tarifs durch eine »Bundes-Commission« sollte die »Einrichtung eines gemeinsamen Verkehrsraumes«, »die Kooperation bei Handelsverträgen . . . beraten und angestrebt werden«[13].

Besonders die norddeutschen Küstenstädte würden von einem »Anschluß an ein Gebiet von 70 Millionen Bewohnern zum freien inneren Verkehr« profitieren. Die Handelsbeziehungen zum Norden und Westen, »namentlich zu England und Amerika«, würden völlig ungeschmälert bleiben, ja, durch das Gewicht und die Anziehungskraft des ungeheuren Marktes »würde erst jetzt der weiteste, freieste Spielraum eröffnet, ein fruchtbares, reiches, verbrauchsfähiges Gebiet, das vom Niemen bis an den Bodensee und vom Niederrhein bis an die Adria und die untere Donau reicht, und das die ganze Mitte und den Hauptteil Europas umfaßt.«

Bei Erreichung dieses Zieles wäre Preußen als wirtschaftliche und politische Potenz in einem von Wien geführten Mitteleuropa aufgegangen. Das österreichische Mitteleuropakonzept war für Preußen um so gefährlicher, als es die deutsche nationale Phantasie beflügeln mußte. Preußen konnte sich auch deswegen nicht offen dagegenstellen, wollte es sich in Deutschland nicht isolieren. Deswegen stellte sich

12 ebd. 8. I. 1850 Graf Renard an Finanzminister Krauß.

13 HHStA Wien, PA II, Nr. 75: Denkschrift vom 30. XII. 1849 (Sperrungen vom Verfasser).

die preußische Diplomatie die Aufgabe, das Projekt durch eine dilatorische Behandlung zu torpedieren, ohne dabei aber einen sofortigen Widerstand gegen die großdeutschen Tendenzen zu verraten. Ganz im Sinne des ersten Votums der Ressorts, jede Isolierung zu vermeiden, betonte das Ministerium des Auswärtigen in einer ersten provisorischen Instruktion an Bernstorff zwar seine »Bereitwilligkeit der Sache näher zu treten«, ohne aber »drängen« zu wollen[14], und entsprechend wurde der preußischen Kommission in Frankfurt »stärkste Vorsicht« empfohlen[15].

Was aber am 23. Januar und am 7. Februar 1850 noch sehr verschwommen formuliert worden war, erhielt bereits am 10. Februar schon einen recht deutlichen, ja fast zynischen Ausdruck. »Mit lebhaftem Interesse«, so teilte der preußische Außenminister Schleinitz dem österreichischen Botschafter mit, habe Berlin den Wiener Vorschlag aufgenommen. Doch »je mehr«, so fuhr er fort, »man aber diesseits die Wichtigkeit dieser Angelegenheit in ihrem ganzen Umfange erkennt, um so angelegentlicher glaubt man der näheren Prüfung und Erwägung derselben, in Rücksicht auf das gemeinsame deutsche Interesse und im Hinblick auf das Verhältnis Preußens zu den mit ihm im Zollverein verbundenen Regierungen, die ganze Sorgfalt widmen zu müssen, welche die Bedeutung des Gegenstandes erheischt«[15a]. Kein Wort also von sofortigen Verhandlungen, und vor allem – Preußen dachte nicht daran, sein Vertretungsrecht aufzugeben. Was war geschehen? Überraschenderweise war das Echo auf die österreichischen Vorschläge recht schwach gewesen bei den Mittelstaaten. Nur Darmstadt, Stuttgart und Frankfurt hatten ihre »lebhafte Freude« zum Ausdruck gebracht[15b]; Bayern, Hannover, Oldenburg, Braunschweig, Sachsen und die Hansestädte hatten noch nicht geantwortet, und von Baden hatten die Österreicher »nur Bedenken« zu hören bekommen, während Kurhessen sich erst ein Urteil bilden wollte, wenn Preußen sich geäußert hätte[15c]. Die Verzögerungstaktik hatte also einen ersten Erfolg für Preußen erbracht. Als in den nächsten Tagen auch noch Hannover, Oldenburg und Braunschweig sich nur zu einer »dankenden Rückäußerung« verstehen konnten, Bayern wohl die »lebhafteste Zustimmung« äußerte, aber die Hansestädte nur »den liberalsten Tarif« unterstützen wollten – hatte sich die preußische Position weiter gebessert[15d]. Hinzu kam noch, daß die Verzögerungstaktik Preußens auch in Österreich die erwarteten Früchte erbrachte.

In Österreich traten nämlich die schutzzöllnerischen Industriellen gegen die von der Regierung angestrebte freihändlerische Tarifrevision auf[16]. Für die österreichi-

14 DZA II, AA II, Rep. 6, Nr. 1176: 23. I. 1850 Philipsborn an Bernstorff.
15 DZA II, AA II, Rep. 6, ebd.: 7. II. 1850 Philipsborn an »Frankfurt«.
15a HHStA Wien, PA II Nr. 75.
15b ebd. 4. II. / 5. II. / 7. II. 1850.
15c ebd. 4. II. / 6. II. 1850.
15d ebd. 14. II. 1850 Thun an Schwarzenberg; 15. II. 1850 Merck an Schwarzenberg; 26. II. 1850 dto. Hannover, Oldenburg, Braunschweig.
16 DZA II, AA II, Rep. 6 ebd.: 11. II. 1850 v. d. Heydt an Schleinitz. HHStA Wien, PA II, Nr. 75: 17. I. 1850 Votum Finanzministerium an Schwarzenberg.

schen Industriellen war die Zollunion nur mit Schutzzöllen erstrebenswert. Ohne Tarifreduktion aber konnte Österreich nur die schutzzöllnerisch eingestellten Württemberger als Bundesgenossen gewinnen; um aber die Mehrheit der Zollvereinsmitglieder auf seine Seite herüberzuziehen, wäre die zeitraubende Schaffung eines neuen Tarifsystems die Vorbedingung des ganzen Zollunionsprojektes geworden[17].

So konnte Preußen in seiner offiziellen Antwort Ende Februar 1850[18] die volle Zustimmung zu den österreichischen Vorschlägen im »Allgemeinen« geben. Scheinbar blieben nur wenige Fragen offen, z. B. die Zusammensetzung der Tarifkommission, die Reduzierung der Zölle, die Organisation der »Zoll-Conferenzkommission« und der Umfang des Zollgebietes, scheinbar untergeordnete Fragen, an denen Preußen aber jederzeit das Projekt »auflassen« konnte. Außerdem »vermochte die Königliche Regierung« nicht zu »erkennen«, daß mit »Verhandlungen über die verschiedenen Tarife in *diesem Augenblicke* mit wahrem Nutzen würde begonnen werden können«.

Vielmehr müßte »zunächst ... in den verschiedenen deutschen Zollgebiethen die in jedem derselben als nothwendig bereits erkannte oder zu erachtende Reform des Tarifs und der sonstigen Zollgesetzgebung in möglichst übereinstimmender Richtung« erfolgen, dann sollte »diese Richtung in ihrem allgemeinen Gange unter den betheiligten Staaten vereinbart« werden, weiter sollten »gegenseitige Zugeständnisse vertragsmäßig festgestellt« werden und endlich könnte dann, »nachdem die gegenseitigen Tarif-Reformen ausgeführt sind, eine weitere Vorbereitung der vollständigen Einigung durch Erleichterung der gegenseitigen Einfuhr von Fabrik- und Manufakturwaren« stattfinden. Damit war alles auf die lange Bank geschoben. Zugleich beschloß das Berliner Kabinett, seinen Handelsvertragsspezialisten Rudolph Delbrück nach Wien zu schicken mit der Aufgabe, sowohl die Festigkeit der Wiener Absichten zu erkunden als auch unüberhörbar den preußischen Führungsanspruch zu betonen.

Preußens Führungsanspruch

Die preußische Antwort – vorgetäuschte prinzipielle Annahme der Vorschläge und gleichzeitig die Verschleppung ihrer Ausführung –, die der preußische Kommissar Delbrück dann Schwarzenberg übergab, wurde sogleich den Regierungen der Mittelstaaten mitgeteilt, damit »jeder Zweifel« über Preußens »Bereitwilligkeit« zur

17 DZA II, AA II, Rep. 6 ebd.: 19. II. 1850 Bernstorff an Schleinitz; HHStA Wien, PA II Nr. 75; ebd. WHStA Stgt. E 70 Ges. Wien, Büschel 66: 9. III. 1850 Linden an Wächter, 22. II. / 6. VI. 1850 Linden an Wilhelm I.

18 DZA II, AA II, Rep. 6 ebd.: 28. II. 1850 Schleinitz an Prokesch-Osten, übergeben 3. III. 1850; vgl. HHStA ebd., Entwurf Philipsborn; wesentlich ist, daß die im Entwurf aufgestellte Tarifreform von Schleinitz gestrichen wurde, damit von vornherein jedes spezielle Eingehen auf die österreichische Seite abgelehnt wurde.

Annahme der Zollunionspläne »sofort auszuschließen sei«[19]. Doch die preußische Hoffnung, die Verhandlungen über die projektierte Zollunion ganz im preußischen Sinne führen zu können, trog[20]. Gegen den preußischen Anspruch opponierte Schwarzenberg sofort: Österreich könne nicht davon abgehen, in dieser Sache mit »allen deutschen Staaten als Gleichberechtigten zu unterhandeln«[21].

Schwarzenberg, Bruck, Hock und Czörnig lehnten »stundenlang« gegenüber Delbrück, wie er berichtete, die wesentlichen Voraussetzungen einer preußischen Zollverhandlungsführung ab. Statt dessen ließen sie als Weg einer »gemeinsamen ... Verständigung« nur ein *sofortiges* »vertragsmäßig« festgelegtes Bündnis gelten und redeten allein dem »Drängen zur Einheit« Deutschlands das Wort. Gleichzeitig ließen die Österreicher sogar den Anschluß Süddeutschlands an Österreich als Notlösung öffentlich ventilieren[22] und Württemberg betonen, daß die »Süddeutschen es nicht überhören mögen, wie man in Berlin thut, als ob Deutschland bereits in Preußen aufgegangen wäre«[23].

Delbrück erkannte, daß die Zolleinigung »ein integrierter Theil der ganzen Politik des gegenwärtigen Kabinets« geworden sei[23a]. Obwohl eine Reduzierung der österreichischen Schutzzölle große Schwierigkeiten machen würde, die aber einem Anschluß des Kaiserreiches an den Zollverein vorangehen müßte, wollte Österreich offensichtlich mit allen Mitteln aus der »ökonomischen Isolierung« heraus[23b]. In dieser Situation sahen Delbrück, Finanzminister Rabe und Handelsminister v. d. Heydt in der Abberufung des preußischen Unterhändlers die einzige Möglichkeit, den »Sympathien Österreichs und den süddeutschen Schutzzöllnern« wirksam entgegenzutreten. Nur mit der Berufung auf die »Ignorierung« Preußens als Zollvereinssprecher konnten die Verhandlungen jetzt verzögert werden, nur dann wäre — nach Meinung Delbrücks — es möglich, die Zollunionsgefahr in einen »bloßen« Handelsvertrag einmünden zu lassen.

Allein dies würde — nach Delbrücks Meinung — eine günstige Rückwirkung für Preußen beim Zollverein erzielen und eine von Preußen betriebene Reformierung des Zollvereins erleichtern, womit Österreich der Wind aus den Segeln genommen werden könnte[24]. Für Preußen wirkte sich günstig aus, daß Sachsen und Bayern

19 DZA II, AA II, Rep. 6 ebd.: 28. II. 1850 Schleinitz an Regierungen; dto. an Bundeskommission, dto. an Bodelschwingh, v. Rabe und v. d. Heydt; GLA Karlsruhe, Abt. 48, Nr. 7027: 7. III. 1850 Verbal-Note übergeben durch Savigny an Ruedt.

20 DZA II, AA II, Rep. 6 ebd.: 12. III. 1850 AA an Bernstorff.

21 DZA II, AA II, Rep. 6 ebd.: 9. III. 1850 Bernstorff an AA, ebd. Delbrück-Bericht vom 9. III. 1850.

22 16. II. 1850 Österreichische Reichszeitung; DZA II, AA II, Rep. 6 ebd.

23 DZA II ebd.: 24. III. 1850 Stuttgart an AA; HHStA Wien, PA II Nr. 75 ebd. WHStA Stgt.: E 70 Ges. Wien B 66: 9. III. 1850 Linden an Wächter.

23a DZA II, AA II, Rep. 6 ebd.: 28. III. 1850 Bericht Delbrück.

23b ebd.: 9. III. 1850 Bericht Delbrück.

24 DZA II, AA II, Rep. 6 ebd.: 9. III. 1850, Bericht Delbrück, ebenso 17. III. 1850 u. 20. III. 1850 und 27. III. 1850.

trotz Unterstützung des österreichischen Projekts nicht willens waren, *sofort* die materiellen »Vortheile« der Mitgliedschaft im Zollverein aufzugeben[25]. Die norddeutschen Staaten aber stimmten – wenn auch zögernd – mit der preußischen Zielsetzung eines freihändlerischen Tarifs als neuer Grundlage der Handelspolitik des Zollvereins überein[26].

Der preußische Gegenvorschlag: die »Union«, und Brucks Antwort

Dem Auftreten und der Zielsetzung Österreichs glaubten Bernstorff, Schleinitz, Delbrück, Rabe, v. d. Heydt und der Vortragende Rat im Ministerium des Auswärtigen Philipsborn um so eher die preußische Intention einer deutschen »Union« mit Ausschluß Österreichs entgegensetzen zu können, als es nach dem Urteil des preußischen Zolltarifspezialisten Delbrück für Österreich unmöglich sei, »von einem absoluten Prohibitiv-System urplötzlich zu einem Freihandelssystem«, wie es Preußen vorschlug, überzugehen. Zudem seien die Zollvereinsmitglieder aufgrund ihrer wirtschaftlichen Interessen, ob sie wollten oder nicht, an den Freihandel und damit an Preußen gebunden; ebenso würde die Frage der Monopole und der Besteuerungsarten die Einigung auf wirtschaftspolitischem Gebiet hemmen[27]. Trotz aller Bemühungen aber gelang es Berlin nicht, den Zollverein seinem Plan zu verpflichten. Weder in Erfurt auf dem Unionsparlament noch in Berlin auf dem Fürstenkongreß konnte Preußen eine politische Unterstützung für seine »Unionskonzeption« finden. Zu stark war das politische Mißtrauen der Mittelstaaten gegenüber der norddeutschen Großmacht, der man sich wirtschaftlich ausgeliefert fühlte. Verbindlich war die Überzeugung: »Das Streben Preußens geht auf Territorial-Ergänzung und auf Prevenierung in Deutschland[28]«. Der Frankfurter Bundestag sollte wieder eröffnet werden, und damit war die Gefahr für Preußen, aus dem Bund gedrängt zu werden, erneut gegeben. Preußen hatte den Bogen überspannt. Der Unionsreichstag stand im »luftleeren Raum« (Schieder), Radowitz wurde isoliert und gleichzeitig geschwächt, die Altkonservativen in Preußen stemmten sich gegen eine Auseinandersetzung mit Österreich und verurteilten die Opposition gegenüber Rußland. Schwarzenberg hingegen konnte Rußland immer mehr auf seine Seite ziehen, und diese Situation nutzte Bruck mit einer zweiten Initiative in der Zollunionsfrage. Ende Mai 1850 veröffentlichte das österreichische Handelsministerium eine zweite Denkschrift. Noch einmal wurden die Gründe »des Strebens der deut-

25 HHStA Wien, PA II, Nr. 75: 14. III. 1850 Promemoria Beust; DZA II, AA II, Rep. 6 ebd.: 8. I. 1850.

26 DZA II, AA II, Rep. 6 ebd.: 16. III. 1850 Braunschweig, Lüneburg, Hannover, Oldenburg, Hessen-Nassau, Sachsen-Weimar; HHStA Wien ebd.

27 DZA II, AA II, Rep. 6 ebd.: 28. III. 1850 Bericht.

28 DZA II, AA II, Rep. 6 ebd.: 16. III. 1850 Beust-Note, 17. III. 1850 v. d. Pfordten; 24. III. 1850 Linden; WHStA Stgt. E 70 Ges. Wien B. 66: 6. VI. 1850 Linden an Wilhelm.

schen Nation nach engerer Verbindung ihrer Glieder und das Streben des österreichischen Kaiserreiches nach organischer Staatseinheit« dargelegt. Jetzt fügte Bruck bereits auch einen Gesetzentwurf als Ergänzung der Bundesverfassung bei[29].

Erneut beschwört er sein Ziel:

Erst ein Handelsbund, »der ganz Deutschland und Österreich« umspannt, »wird nicht bloß die Elbe, Weser, Ems, Oder ungetheilt und ganz sein nennen, er wird auch die Adria, wie die Nord- und Ostsee umschlingen; und das moralische Gewicht eines 70 Millionen Menschen umfassenden Bündnisses ... wird bald das übrige erringen, was ihm zur Erfüllung seiner welthistorischen Aufgabe noch fehlt. Indem dieser Zollbund nach innen den verbindenden Kitt zwischen die Fugen des Neubaus, in die Spalten der Interessen und die geographisch-historischen Verschiedenheiten eingießen wird, wird nach Außen er uns befähigen, die jetzige Ungunst unserer Seelage zu überwinden ... Dann werden aus dem Gewinne des Ganzen auch die kleinsten Glieder die industriellen, mercantilen und finanziellen, vor allem die politischen und moralischen Früchte ernten, die einer so großen Vereinigung entsprießen, denn gewiß: wie die materiellen Belange, so ist auch die Ehre von Staaten und Völkern nie gesichert, ihre internationale Stellung nie selbst-ständig, wenn es nur vom guten Willen oder vom Interesse fremder Mächte abhängt wie weit ihr Handel ungefährdet bleiben soll.«

Dieser Raum sollte, nach außen abgeschlossen, »den wirksamsten Schutz für die Großziehung der heimischen gewerblichen Konkurrenzkraft« ergeben und damit den Staaten die »Grundbedingung sichern«, »nicht bloß des Aufschwunges der Industrie, sondern auch der Landwirtschaft und des Handelns«.

»Vermöge der im Ganzen gleichmäßigen Wirtschaftszustände der europäischen Länder« sollte der »Handelsbund« nur mit wenigen überseeischen Nationen durch Handelsverträge verbunden sein, vor allem sollten ihm Kolonien als »wünschenswerthe Ergänzung« beigegliedert werden. Das Hauptziel Brucks aber war es, diesen Wirtschaftsraum, in dem sich der »Strom des Verkehrs von den norddeutschen Häfen nach Triest, vom Mittelmeer nach dem Belt, vom Rhein nach der unteren

29 HHStA Wien, PA II, Nr. 75: 30. V. 1850 S. 37 mit Circular vom 16. VI. 1850; ebenfalls DZA II, AA II, Rep. 6, Nr. 1176, gedruckt bei Costenoble und Remmelmann, Lpz. 1850, S. 25 ff. Die 14 Paragraphen sahen vor, die Handelspolitik und die Tarife durch Bundesbeschlüsse zu regeln und zu überwachen (§ 1/3, 5/8), die innere Freizügigkeit zu erhalten (§ 2/6/7), Konsuln durch Bundesgewalt zu bestellen (§ 4) und die Matrikular- und Zollertragsverteilung nach Bundesbeschluß festzulegen (§ 9). Weiter war der Bundesgewalt ein »Bundesrath« für Handel und Schiffahrt »beigegeben« (§ 10), der die Tätigkeit der Bundesgewalt als »Oberaufsichtsbehörde für Handel-, See- und Flußschiffahrt, Verkehrsmittel, Wahrung des gegenseitigen geistigen Eigentums (Privilegien und Patente), Münz-, Maß- und Gewichtswesen, auswärtige Handelsvertretung, Auswanderung und Colonisation, ferner ihr statistisches Bureau und ihre Zollcontrolls und Rechnungskammer« überprüfen und leiten sollte (§ 14, § 10). Der Bundesrat sollte aus einem »großen Rath« (ein Interessentenbeirath) und Delegierten der Bundesgewalt bestehen (§ 11, 12, 13).

Donau« frei vollziehen würde, »durch einen völligen Zollanschluß des einen oder anderen Nachbarlandes« weiter ausbauen, »als ein natürlicher Zuwachs an wirtschaftlicher und maritimer Kraft zur Erringung gemeinschaftlicher Ziele«, um so »alle Hebel der Blüte, der Macht und Größe« für den mitteleuropäischen Raum »in Wirksamkeit« zu setzen. Die Zolleinigung selbst sollte nur Vorstufe der politischen Einigung sein.

Mit dem Blick auf die sozialen, wirtschaftspolitischen und politischen Verhältnisse Mitteleuropas im Jahre 1850 war dieser Plan kühn, ja eigentlich phantastisch zu nennen. Und doch sollten diese Pläne einer mitteleuropäischen Zollunion als Form der Beherrschung des Kontinents nicht nur für die Jahre 1850 bis 1862 Grundlage der deutsch-österreichischen Auseinandersetzung werden. Auch für alle späteren Zollunionsprojekte war der Rückgriff auf die Konzeption des Österreichers, direkt oder indirekt – auch unter ganz verschiedenen politischen Voraussetzungen –, kennzeichnend, ganz zu schweigen von der überreichen »wissenschaftlichen« Agitation in dieser Frage.

b Die Reaktion Preußens auf die Bruckschen Pläne: Bündnis des Nordens gegen die Einigung des Südens

Die Zollkonferenz in Kassel

Die zweite Denkschrift Brucks war als Auftakt zur Generalzollkonferenz der Zollvereinsmitglieder in Kassel gedacht. Hier mußte es sich entscheiden, ob »bei den Conferenzen in Cassel die Verlängerung des Ende 1852 ablaufenden deutschen Zollvereins eher zustande komme, als die österreichisch-deutsche Zolleinigung«. Sollte der Zollverein verlängert werden, ohne daß die Zollunion »unverrückbar auf zweifellose Grundlagen festgestellt« war, dann wären – nach dem Urteil Brucks – »alle deutschen Staaten für 12 Jahre hinaus an den Willen Preußens in allen nationalökonomischen Fragen« gebunden[29a]. Deswegen durfte es also Preußen nicht noch einmal gelingen, durch eine bedingte Zusage – nämlich: die Zollunion in Zukunft schon irgend einmal zu akzeptieren – Wien den Wind aus den Segeln zu nehmen. Deswegen mußte Bruck verhindern, daß die Zollvereins-Staaten sich noch einmal wie 1850/51 »zurückhielten«. Preußen mußte mit einem »Ja oder Nein« zur klaren Stellungnahme gezwungen werden, und darum sollte jetzt der Weg der »direkten Aufforderung an Preußen« beschritten werden[29b]; Frankfurt, München, Stuttgart und Dresden sollten die Opposition gegen Preußen gemeinsam vortragen[29c].

29a HHStA Wien, PA II, Nr. 75: 16. VI. 1850 Bruck an Schwarzenberg.
29b ebd. 27. VI. 1850 Schwarzenberg an Bruck.
29c ebd. 26. VI. 1850 Schwarzenberg an Kübeck (Frankfurt), Esterházy (München), Kuefstein (Dresden) und Handel (Stuttgart)

Sollte Preußen aber – was eventuell zu erwarten war – angesichts der geschlossenen Opposition der Mittelstaaten seine Mitgliedschaft im Zollverein aufkündigen, dann wäre Österreich bereit, in die Verpflichtungen Preußens einzutreten[29d]. Damit hatten die Österreicher diesmal besser vorgesorgt, um doch noch zu ihrem »erwünschten Ziel der politischen Neugestaltung Deutschlands« zu kommen[29e].

Auch der Zeitpunkt des österreichischen Frontalangriffes gegen Preußen war jetzt besser gewählt: Preußen befand sich in einer weitgehenden politischen Isolierung. Schwarzenberg hatte die Sache des hessischen Kurfürsten zur eigenen und zu der des Bundes gemacht. Die Unionspolitik von Radowitz' fand keine russische Unterstützung, und die preußischen Altkonservativen suchten den Ausgleich mit dem Kaiserstaat. In der kurhessischen Frage schien eine kriegerische Auseinandersetzung unvermeidlich, und auch in der handelspolitischen Frage schien nur noch ein Gewaltakt »aus dem Labyrinthe in welcher die ... Angelegenheit« sich befindet, herauszuführen[29f]. Somit war das deutsche Terrain für die Aufnahme Österreichs in den Zollverein diplomatisch gut vorbereitet: Die Mittelstaaten wußten, »daß kaum je in der Weltgeschichte ein Augenblick wiederkehren wird, welcher der Verwirklichung dieser österreichisch-deutschen Zolleinigung günstiger als der gegenwärtige ist, wo das Streben nach größerer Einigung noch immer so lebendig sich kund gibt, daß widerkämpfende Sonderinteressen leicht überwunden werden, und wo die Ereignisse der Jahre 1848 und 1849 alles Bestehende in Fluß gebracht und neuen Formen schmiegsam gemacht haben«[30].

Die Generalzollkonferenz in Kassel begann dann auch nach österreichischen Vorstellungen abzulaufen. Bayern befürwortete mit »großer Wärme« die Zolleinigung mit Österreich. Ebenso wurden die Bruckschen Pläne von Sachsen und Württemberg unterstützt[30a]. Vor allem aber tendierte Kurhessen, die geographische Brücke und Etappenstation zu den westlichen preußischen Gebieten, wegen der politischen Differenzen mit Preußen zu den österreichischen Plänen hin. Hinzu kam, daß auch Hannover aus der norddeutschen Front ausbrach und weitgehend die österreichi-

29d ebd. 3. VII. 1850 Schwarzenberg an München, Stuttgart und Dresden.

29e HHStA Wien, PA II, Nr. 81: 1. VII. 1850 Schwarzenberg an Kübeck.

29f ebd.

30 HHStA Wien, PA II, Nr. 75: 16. VII. 1850 Promemoria Bruck; die laufenden Reformen sahen innerhalb des neuen Zollverbandes die Aufhebung der Binnenzölle, der Einfuhr- und Ausfuhrverbote vor; Zölle auf Roh- und Hilfsstoffe fielen, die Reduktion auf Halb- und Ganzfabrikate war erheblich, die Ausfuhrzölle wurden auf eine geringe Zahl beschränkt, doch bedeuteten diese Reformen nur eine gemäßigte schutzzöllnerische Liberalisierung; WHStA Stgt.: E 70 Ges. Wien, B. 66: 13. VI. 1850 Linden an Wilhelm I.

30a HHStA Wien, PA II, Nr. 75: 6. VII. 1850 Esterházy an Schwarzenberg; 11. VII. 1850 dto. Handel (Stuttgart); 2. VII. 1850 dto. Kuefstein (Dresden); vgl. auch die Berichte des österreichischen Emissärs in Kassel, Frhr. v. Kübeck vom 12. VII. 1850 und 10. VIII. 1850 ebd.

schen Intentionen unterstützte[31]. Preußen schien isoliert und seine Stellung gefährdet – Österreich nicht mehr »auf den guten Willen« Berlins angewiesen. Denn bei einer Auflösung der Zollvereinsverträge und deren Ersetzung durch einen österreichischen Schutzzollbund im Jahre 1853 wäre der Handelsverkehr innerhalb der preußischen Monarchie empfindlich gestört, die westlichen Teile vom Staatskörper getrennt gewesen.

In dieser schwierigen Verhandlungssituation – die durchaus ihre Parallele in der Auseinandersetzung um die Kurhessen-Frage hatte – versuchte nun der preußische Handelsvertrags-Spezialist Rudolph Delbrück die sofortige Annahme der österreichischen Vorschläge an die von Österreich »angezeigte« und vom Zollverein ebenfalls dann zu fordernde Tarifreform zu binden. Gelang dieser Schachzug, dann war vorerst die Zollunionsgefahr erneut »verschleppt«; denn das Zustandekommen einer Tarifreform war eine Frage von eingehenden und entsprechend langwierigen Verhandlungen. Um diesen Vorschlag noch zu unterstützen, schlug Preußen außerdem den Abschluß eines Handelsvertrages mit Österreich »auf breitester Basis« vor. Delbrück wußte, daß dieser Alternativvorschlag zur Zollunion auch in Württemberg und Bayern schon diskutiert worden war. Und Preußen hatte Erfolg. Trotz der sehr energischen Gegenwehr Österreichs gelang es, den überwiegenden Teil der Zollvereinsmitglieder für eine Vertagung der Bruckschen Pläne zu gewinnen.

Empört berichtete Kübeck aus Kassel, daß allein Sachsen noch gegen Preußen opponiere, dieser Staat hätte aber eine »Doppelstellung durch seine großen industriellen Interessen und durch den bedeutenden Handel von Leipzig«[31a]. Als dann Sachsen Mitte August »seine Bereitwilligkeit zu Verhandlungen über den Tarif« ankündigte, konnte Preußen – wie es Prokesch-Osten formulierte – »die österreichischen Zoll- und Handelsvorschläge als definitiv beseitigt« beurteilen[31b].

Die Bruckschen Pläne waren erneut »vertagt«[32]; Preußen lehnte nun die öster-

31 WFStA Ludwigsburg, E 222 Fach 194, Nr. 1167: 28. VI. 1850 Votum Centralstelle für Gewerbe und Handel an Finanzminister Knapp; 8. VII. 1850 Votum Steuer-Collegium an Knapp; 16. IX. 1850 Instruktion an Herzog (Württemberg); ebd. E 222 Fach 193, Nr. 1163: 7. VII. 1850 Denkschrift v. d. Pfordten zu Brucks Plänen; GLA Karlsruhe Abt. 48 Nr. 7065; HHStA Wien PA II, Nr. 75: 16. VII. 1850 Pfordten an Schwarzenberg; 5. VIII. 1850 Handel an Schwarzenberg.

31a HHStA Wien, PA II, Nr. 76: 10. VIII. 1850.

31b ebd. 12. IX. 1850.

32 Delbrück: Memoiren II, S. 43; DZA II, AA II, Rep. 6 ebd.: 3. XI. 1850 Promemoria Delbrück; hier auch die eingehenden Berichte der Tarifbesprechungen, auf die aber im Rahmen dieser Arbeit nicht eingegangen werden kann, ebensowenig ist es möglich, die Analyse der Instruktionen von Dresden (vgl. Sächs. LHA Dresden, Ministerium des Auswärtigen Nr. 5229 zum Teil zerstört), von München (vgl. BHStA München, MH Nr. 12 250), Stuttgart (vgl. WFStA Ludwigsburg, E 222, Fach 194, Nr. 1167) und Karlsruhe (GLA-Karlsruhe Abt. 48, Nr. 7027, 7028) breit darzustellen. Die Bestände des Innenministeriums in Hessen-Darmstadt sind für diese Zeit verbrannt.

reichisch-deutsche Zolleinigung öffentlich »als unzeitgemäß ab«[32a] – doch es war gezwungen, auf die sächsischen und bayrischen Vorschläge zur Erleichterung des Handelsverkehrs mit Österreich einzugehen[32b]. Diese Tarifbesprechungen jedoch verliefen bald im Sand, denn Bayern und Sachsen konnten sich über die Tarifrevision nicht einig werden; schließlich resignierte Beust und glaubte nicht mehr an eine Zollvereinbarung im Sinne Brucks[32c]. Damit hatten die Kasseler Verhandlungen im Hinblick auf die Zollunion nur *ein* Ergebnis erbracht: Bayern und Sachsen wurden neben Preußen zu Zollvereinssprechern in der Unionsfrage gewählt[33]. Das war aber auch alles. Resigniert ließ sich Prokesch-Osten aus Berlin vernehmen: »Es scheint mir beklagenswerth, daß die süddeutschen Staaten in der Tariffrage ... die politische Bedeutung des Zollvertrages so ganz aus den Augen verlieren«[33a].

Der preußisch-österreichische Dualismus bricht auf

Die Erfahrungen von Wien und Kassel ließen Preußen auf die Sicherung seiner Stellung in Deutschland durch wirtschaftliche Interessenbindungen drängen. Aber auch Österreich gab das Rennen trotz der zweimaligen »Vertagungen« nicht auf. Noch während der Verhandlungen in Kassel intensivierten beide Staaten ihre Bemühungen, enge und zuverlässige Verbündete für die kommenden Zollkonferenzen zu gewinnen. Preußen bemühte sich um die norddeutschen Staaten, die sich im Steuerverein zusammengefunden hatten[33b]; Österreich hingegen lehnte es ab, mit dem Steuerverein zu verhandeln, dafür rüstete es sich zu Verhandlungen mit Sachsen, Württemberg, Bayern und Hessen. Bei diesen Verhandlungen sollte dann nach dem Vorschlag Brucks »der Gesichtspunkt der politischen Abhängigkeit von Preußen ... den Mittelstaaten bei einem endgültigen Ausschluß Österreichs« aus dem Zollverein »recht eindringlich vor Augen gelegt werden, um sie für unsere Ansichten zu gewinnen«[33c].

Die handelspolitische Auseinandersetzung erhielt nun durch die »Lösung« der politischen Auseinandersetzung zwischen Preußen und Österreich in Olmütz eine neue Akzentuierung. Dem Druck Rußlands, Österreichs und dem der preußischen Altkonservativen mußte im November 1850 Radowitz weichen. Die »Unionspolitik« war endgültig gescheitert; Österreich erhielt einen neuen Auftrieb, seine

32a HHStA Wien, PA II, Nr. 76: 20. IX. 1850 Thun an Bruck.
32b ebd.: WFStA Ludwigsburg, E 222, Fach 194, Nr. 1167: 3. XI. 1850 Protokoll der Verhandlungen.
32c HHStA Wien ebd.: 19. IX. 1850 Schwarzenberg an Dresden; 6. X. 1850 dto. Antwort Beusts.
33 DZA II, AA II, Rep. 6 ebd.: 31. VIII. 1850 Ministerium des Auswärtigen an Bernstorff.
33a HHStA Wien, PA II, Nr. 76: 4. X. 1850.
33b ebd. 8. X. 1850 Prokesch an Schwarzenberg.
33c ebd. 14. X. 1850 Bruck an Schwarzenberg.

Bemühungen um die Südstaaten zu verstärken und seine Tarifrevision voranzutreiben. Schwarzenberg aber verband sofort den politischen Sieg in Olmütz über Preußen mit der Zollunionsfrage: »Kommt es zur ... Zolleinigung, wie Österreich sie erstrebt, so ist Preußens Einfluß auf das Allervollständigste gebrochen« – die Zoll- und Handelseinigung war nun zur »Staatsmaxime« geworden[33d].

Die »Zollunion« erhielt im österreichischen Kalkül deswegen ein solches Schwergewicht, weil in Olmütz der Einigung über die Demobilisierung kein Übereinkommen in der deutschen Verfassungsfrage entsprochen hatte. Diese Problematik sollte einer »freien Konferenz« vorbehalten bleiben, die Anfang des Jahres 1851 nach Dresden einberufen wurde. Verfassungsfrage, Rekonstitution des Bundestages und Zollunionsproblematik verflochten sich nun. Preußen schien endgültig und hoffnungslos auf der Verliererstraße zu sein, ein Ausweichen war nicht mehr möglich: »Wir wünschen« – so teilte Schwarzenberg seinem Botschafter in Berlin mit – »endlich klar und bündig zu wissen, was Preußen will«[33e].

Nun, Preußen wollte alles, nur keine Zollunion. Es hoffte weiterhin, die Zustimmung zu der von ihm vorgeschlagenen »zweckmäßigsten« Lösung der Problematik in einer *»den Interessen beider Theile* entsprechenden Verkehrs- und Handelsbindung« zu finden. Es glaubte auf einer nach Wiesbaden gleichzeitig mit den Dresdner Verhandlungen einberufenen Generalzollkonferenz den Zollverein doch noch für seine Vorschläge gewinnen zu können[34], und es betrieb schließlich mit großer Emsigkeit einen Handelsvertragsabschluß mit Hannover[34a]. Zugleich wußte es seine Freihandelsprinzipien von der »Central-Verwaltung für Handelsfreiheit« in Stettin, Frankfurt und Hamburg unterstützt [34b].

Immerhin, so ganz ohne Grund waren die preußischen Hoffnungen nicht. Dies zeigte sich, als in Dresden die Konferenz begann. Politisch war für Preußen nichts mehr zu gewinnen, der Bundestag wurde wieder hergestellt, und Preußen erhielt nicht einmal mehr die Gleichberechtigung mit Österreich im Bunde. Aber auf dem handelspolitischen Sektor versteifte Preußen seinen Widerstand. Hier kam es ihm zugute, daß es Österreich trotz der scharfen und klaren Instruktionen Brucks[34c] nicht gelang, eine Einheitsfront gegen Preußen zu errichten. Wohl waren Bayern, Sachsen und Württemberg davon überzeugt, daß Preußen »nichts ohne Deutschland vermöge« – aber ebenso sicher waren sie in ihrer Ansicht, daß Österreich den »Zollverein« brauche, ja, daß Österreich Deutschland als Macht und Stütze zur

33d ebd. o. D. (Januar 1851) Aufzeichnung von Thun; 31. I. 1851 Schwarzenberg an Buol.

33e ebd. Nr. 81: 6. I. 1851.

34 DZA II, AA II, Rep. 6 Nr. 1177: 4. I. 1851 Promemoria Delbrück; kritische Zusammenstellung der Verhandlung mit Österreich; ebd.: 28. II. 1851 v. Rabe / v. d. Heydt Instruktion an OFR. Henning (Wiesbaden); ebd. Nr. 1178 acta manualia 25. IV. 1851. Beratung der III. Zollkommission des Zollvereins.

34a HHStA Wien, PA II, Nr. 91: 18. I. 1851 Thierry an Buol.

34b ebd.

34c HHStA Wien, PA II, Nr. 92: 20. XII. 1850; 26./27. I. 1851.

Absicherung seiner eigenen Machtstellung benötige[35]. Die »dritte Macht« war geboren; und sie agierte keineswegs ohne Abweichungen auf der österreichischen Linie[35a].

So kam es, daß Hock, Buol, Schwarzenberg und Bruck sowohl jeden bayrischen oder württembergischen »Verständigungs-Vorschlag« für einen bloßen Handelsvertrag abwehren mußten als auch alle politischen Finessen aufbieten mußten, um zu verhindern, daß aus der »Steuergruppe« – wie die norddeutsche Partei Hannover-Preußen genannt wurde – »etwas Compactes wird«. Auf alle Fälle konnten die Wiener weder in Dresden noch in Wiesbaden der von Preußen vorgeschlagenen allgemeinen wirtschaftspolitischen Liberalisierung eine von Interessenten gestützte Opposition entgegensetzen[36]. Schon Anfang Februar 1851 konnte es sich Preußen deswegen leisten, den Handelsspezialisten im österreichischen Handelsministerium, Hock, nach Berlin »zu citiren, dann aber nach einer einzigen nicht zu Ende geführten Unterredung mit Hintenansetzung aller Formen sitzen zu lassen«[36a].

Preußen konnte die Zoll- und Handelsfrage wieder »auf der Waage preußischer Machtvergrößerung« wiegen[36b]. Demzufolge schleppten sich die Verhandlungen in Dresden hin. Schließlich wurde ein Kompromiß gefunden, dem auch Berlin zustimmen konnte: Die »Fortsetzung der Verhandlungen« sollte bei der »Bundesversammlung ... veranlaßt werden«. Dies war eine Delbrücksche Formulierung. Die österreichische Initiative war erneut verpufft[36c].

Wenn auch die Rückkehr zum Bundestag »kein Triumph für Preußen« war, »sondern ein schmähliches Ende der unionistischen Pläne«[36d], so war doch immerhin in der Zollunionsfrage *das* Verhandlungsergebnis für Österreich »weit hinter dem

35 WHStA Stgt., E 70 Ges. Wien, Büschel 67: 6. II. 1852 Linden an Neurath; WFStA Ludwigsburg, E 222, Fach 193, Nr. 1163, vgl. die drei großen Denkschriften vom 20. XII. 1850 Centralstelle für Gewerbe und Handel, 30. XII. 1850 Centralstelle für Landwirtschaft u. 16. I. 1851 Votum des Steuerreferenten Vayhinger an FM Knapp; ebd. Denkschriften Bayerns, Sachsens zu den Bruckschen Plänen im Hinblick auf die Konferenzen in Dresden und Wiesbaden (31. XII. 1850) (vgl. auch HHStA Wien, PA II, Nr. 93); ebd. 10 II. 1851 OFR Sigel an Knapp; E 222, Fach 194, Nr. 1167 Berichte Steuerkommissars Herzog aus Wiesbaden, vornehmlich 15. III. 1851/21. III. 1851; E 222, Fach 193, Nr. 1163: Bericht Herzogs (16. IV. 1851) und Protokoll 7. VI. 1851, ebd. Münchner Stellungnahme zur Zollunion 7. IV. 1851; ebd.: Berichte von OFR Sigel aus Dresden (vornehmlich 5. III. / 23. II., 12. II. 1851) und 11.–18. IV. 1851 gedrucktes Protokoll.

35a HHStA Wien, PA II, Nr. 92: 8. I. 1851 1. Protokoll der III. Kommission; dto. vgl. PA II, Nr. 93 16./29. I. 1851 Hock an Schwarzenberg.

36 WFStA Ludwigsburg, E 222, Fach 193, Nr. 1163: 14. II. 1851 Bericht des Steuerkollegiums an FM Knapp; ebd. 9. III. 1851 Dahlemann (Wiesbaden) an Knapp.

36a HHStA Wien, PA II, Nr. 92: 2. II. 1851 Hock an Schwarzenberg.

36b HHStA Wien, PA II, Nr. 76: 12. IX. 1851 Prokesch-Osten an Min. d. Ausw.

36c HHStA Wien, PA II, Nr. 92: 20./22. III. 1851 Schwarzenberg an Buol; 8. V. 1851 Bruck an Schwarzenberg; Nr. 94: Protokolle der Dresdner Besprechungen, vgl. vor allem 25. IV. 1851, ebd. Nr. 93 und Nr. 91: 28. IV. / 15. V. 1851.

36d ebd. Nr. 91: 12. IV. 1851 Buol an Schwarzenberg.

Angestrebten zurückgeblieben«[36e]. Es blieb Schwarzenberg und Bruck noch die Hoffnung, daß »Preußen sich den Umarmungen Österreichs *nicht* entziehen kann, mag es für den Freihandel werben so viel es will«. Denn »die Eisenfabrikanten, die Runkel-Zucker-Industrie, die Baumwoll-Spinner sind« – nach dem Urteil des Hamburgers Merck – »viel zu wichtig und die ihnen zu Gebote stehenden Mittel viel zu bedeutend, als daß man sie fallen lassen könnte ... man wird opponieren und endlich nachgeben«[36f].

Vorerst jedenfalls bedeutete der Abschluß des Dresdner Verhandlungen eine Atempause. Die Rückkehr zum Bundestag bedeutete aber keineswegs eine Rückkehr zu dem System der preußisch-österreichischen Vorverständigung, wie sie vor 1848 gepflegt worden war, sondern von nun an trat die deutsche Politik nicht nur »in das Zeichen des offenen *politischen* und *militärischen Dualismus*«[36g], sondern auch in den der handelspolitischen Gegensätzlichkeit. Alle drei Elemente verflochten sich von nun an im Ringen Preußens und Österreichs um die Vormachtstellung in Mitteleuropa auf das engste.

Der Septembervertrag mit Hannover

Schon während der Dresdner Konferenzen hatte Österreich erkannt, daß die Zollverhandlungen zwischen Preußen und Hannover »so unwichtig und ungefährlich nicht« zu beurteilen waren[36h]. Unterstützt vom »entschiedenen Mißtrauen, der Furcht und fast Abneigung, die in Hannover, namentlich unter dem Mittelstand gegen Österreich« herrschte[36i], gelang es nun Delbrück im Zeichen freihändlerischer Prinzipien und mit dem Zugeständnis großer zollpolitischer Vergünstigungen, mit Hannover am 7. September 1851 einen Handelsvertrag zu schließen, dem sich Oldenburg und Schaumburg-Lippe unverzüglich anschlossen[37]. Dieser Handelsvertrag entsprach nicht nur den Interessen der preußischen Agrarier, dem städtischen

36e ebd. Nr. 76: 14. III. 1851 Bruck an Schwarzenberg.
36f ebd. Nr. 92: 25. I. 1851 Thun an Schwarzenberg.
36g Schieder, in: Gebhardt, Deutsche Geschichte III S. 136.
36h HHStA Wien, PA II, Nr. 91: 18. I. 1851 Thierry an Buol.
36i ebd. PA II, Nr. 76: 9. III. 1851 Langenau an Schwarzenberg.
37 GLA Karlsruhe, Abt. 48, Nr. 7043: 17. X. 1851 Ruedt an Meysenbug. Beiträge zur Beurteilung der Zollvereinsfrage 1852, Vertrag vom 7. IX. 1851 S. 1 ff.; Mitteilung des Abschlusses in der Denkschrift vom 8. IX. 1853, S. 23 ff.; Vertrag Hannover-Schaumburg-Lippe S. 66; 1. III. 1852 Vollziehungsprotokoll des Vertrages Hannover-Preußen-Oldenburg S. 90 ff. Hannover erhielt Zugeständnisse in der Verteilung der Zolleinnahmen, zollfreie Schieneneinfuhr, freie Stapelplätze in Emden, Harburg und Geestemünde, freien Küstenzugang und Zollanschluß für die ostfriesischen Inseln. Es erhielt die Vermittlung des preußischen Transithandels für Bremen, Hamburg und die Rheinprovinzen; vgl. auch Waltershausen: Deutsche Wirtschaftsgeschichte S. 153.

Handel (vor allem dem Seehandel)[38], er bedeutete vor allem die Überwindung der drohenden wirtschaftspolitischen und politischen Isolation der norddeutschen Großmacht. Denn durch diesen Handelsvertrag hätte sich Preußen auch ohne den Zollverein ein »lebensfähiges Zollgebiet erhalten«, das zudem für die mittel- und süddeutschen Staaten den zollfreien Zugang zur Ost- und Nordsee von Preußen abhängig machte[39]. Zugleich befestigte der Vertrag die wirtschaftliche und politische Stellung Preußens im norddeutschen Raum, und der Erfolg war ein erster Schritt zur Kompensation des Rückschlages in Olmütz. In zunehmendem Maße erhielt Preußen von nun an die öffentliche Anerkennung des liberal gesinnten Besitzbürgertums in Deutschland. Dementsprechend gesellte sich jetzt zur Ablehnung österreichischer Unionsvorschläge (als zu »verfrüht und unzulässig«)[40] eine betonte Freihandels-Vertragspolitik, die vor allem der preußische Gesandte in Frankfurt, Otto von Bismarck, befürwortete[41].

Ein Südbund?

Nachdem es Preußen nun gelungen war, Norddeutschland durch Erfüllung finanzieller Bedürfnisse an sich zu binden, versuchte Österreich mit den Mittelstaaten zu einer Einigung auf gemäßigt-schutzzöllnerischer Basis zu gelangen[42]. Bei diesen Bemühungen unterstützte Schwarzenberg das »allgemeine Mißtrauen«, das die Beust, Neurath, v. d. Pfordten und Dalwigk gegenüber »den Absichten Preußens« hegten; denn sie urteilten, daß der Vertrag zwischen Preußen und Hannover nur abgeschlossen wurde »in rein partikularistischen, egoistischen Interessen zur Anbahnung seiner Herrschaft in Norddeutschland«[42a]. Darüber hinaus aber war es endlich gelungen, den neuen Zolltarif für Österreich zu verkündigen. Auf dieser Basis hoffte Schwarzenberg nun zu einem definitiven Erfolg zu kommen. Nach wie vor war er nämlich von der Notwendigkeit einer Zollunion mit dem Zollverein durchdrungen.

38 DZA II, Rep. 120 C XIII, 4 Nr. 70 secr. Bd. 1; dto. 2 Nr. 1, Bd. 5: Eingaben von Königsberg, Memel, Danzig, Stettin und Berlin.

39 GLA Karlsruhe, Abt. 48, Nr. 7043: 4. XI. 1851 FM Vogelmann an Ruedt.

40 DZA II, AA II, Rep. 6, Nr. 1177: 28. II. 1851 Aufzeichnung Delbrück.

41 HHStA Wien, PA II, Nr. 76: 15. X. 1851 Thun an Schwarzenberg.

42 HHStA Wien, PA II, Nr. 76: 12. X. 1851 an Stuttgart, Dresden, München, ebd.: 27. X. 1851 Instruktion Hock; Sächs. LHA Dresden, Min. d. Ausw., Nr. 5229: 1851 Memoire zu Handelsvertragsverhandlungen, mitgeteilt vom Gesandten v. Kuesstein; WHStA Stgt. E 70 Ges. Wien B 56: 5. XI. 1851 Neurath an Linden, WFStA Ludwigsburg, E 222, Fach 193, Nr. 1164: 27. XII. 1851 Erlaß an Sigel und Linden; 19. XII. 1851 Denkschrift Steuer-Collegium an Knapp; GLA Karlsruhe, Abt. 48, Nr. 7027: 16. XII. 1851 Ruedt an Schwarzenberg; HHStA Wien, PA II, Nr. 76: 22. IX. 1851 Schwarzenberg an Dresden.

42a HHStA Wien, PA II, Nr. 76: 21. IX. 1851 Thun an Schwarzenberg.

»Zu den wirksamsten Mitteln« – so führte er anläßlich der Tarifverkündigung seinem Kaiser aus, »welche der Regierung E. M. zu Gebote stehen, um ihren Einfluß im deutschen Bunde für die Dauer zu behaupten und zu vermehren, gehört ohne Zweifel eine thätige Betheiligung Österreichs an der Pflege der gemeinsamen materiellen Interessen Deutschlands. Die immer steigende Wichtigkeit dieser Seite des Staatswesens bringt es mit sich, daß für Österreich mit der Zeit auch die Aufgabe immer schwieriger werden müßte, seine politische Stellung als erste deutsche Bundesmacht, und damit einer der Grundfesten des ganzen europäischen Systems, mit Nachdruck und Würde aufrecht zu erhalten, wenn die Kaiserliche Regierung bei den allgemeinen deutschen Handels- und Verkehrsfragen auch in Zukunft unbeteiligt bliebe[42b].«

Bei der neuen Zollunionsoffensive übernahm nun Bayern sofort die Führungsrolle für die Mittelstaaten[43]. Die »politische Furcht vor Preußen« ließ die Mittelstaaten sogar eine süddeutsche Zollunion mit Österreich als »letztes aber notwendiges Auskunftsmittel« gegen die »nordische Suprematie« anstreben[44]. Ausgangspunkt der neuen Verhandlungen sollte der Zollvereinstarif sein, die »Basis« die »Anerkennung der Zolleinigung«[44a].

Durch den Septembervertrag mit Hannover fühlte sich Preußen wirtschaftspolitisch stark genug, um die »Epoche des Zuwartens« abzubrechen und sofort zum Gegenschlag auszuholen. Mitten in die österreichischen und bayrischen Bemühungen hinein kündigte Preußen plötzlich den Zollvereinsvertrag auf den 1. November 1854. Mit dieser »Drohung« hatte Bayern gerechnet; die Südstaaten drängten nun mit aller Kraft auf »die Eröffnung von Verhandlungen in Wien« und »erwarteten mit Ungeduld die diesfallsige Einladung«. Hock wurde dann auch sofort von Frankfurt abberufen, und als der neue österreichische Handelsminister Baumgartner die »Erweiterung und die Festigung des Zollvereins« zu diesem »besten Termin« unterstützte und dazu noch an der Überzeugung seines Vorgängers Bruck festhielt, daß »nur aus der materiellen Einigung auch die politische hervorgehen kann«, lud Schwarzenberg im Gegenzug zum preußischen Affront die Zollvereinsmitglieder nach Wien ein. Hier sollte jetzt endgültig auf der Grundlage des fertiggestellten »gemäßigten Schutzzollsystems« über die Zollbegünstigungen und über die Garantie für eine Zollunion befunden werden[45].

42b ebd. 6. X. 1851.

43 ebd. 28. IX. 1851 Esterházy an Schwarzenberg.

44 ebd. 7. X. 1851 Thun an Schwarzenberg; 12./15. X. 1851 Esterházy an Schwarzenberg und Promemoria v. d. Pfordtens; Sächs. LHA Dresden: Min. d. Ausw. Nr. 5229: 24. XII. 1851 Friesen an Beust.

44a ebd. 12./15. X. 1851, 25. X. 1851 Hock an Schwarzenberg.

45 ebd. PA II, Nr. 77: 7./13. XI. 1851 Esterházy an Schwarzenberg; 7. XI./10./23. XI. 1851 HM an Schwarzenberg; DZA II, AA II, Rep. 6 Nr. 476: 28. XI. Prokesch-Osten an Manteuffel. Beiträge z. Zollvereins-Frage; 11. XI. 1851 Circular Preußens S. 71 ff.; Antwort Schwarzenberg und Einladung vom 25. XI. 1851, dto. Begleitungsnote S. 76 ff.

Obwohl Württemberg gewarnt hatte[45a], *alle* Zollvereinsmitglieder nach Wien einzuladen, hatte Schwarzenberg alle Zollvereinsmitglieder aufgefordert, nach Wien zu kommen. Preußen ergriff dann auch sofort die neue Möglichkeit, seinen Standpunkt zu betonen, und lehnte die Teilnahme vor Erneuerung des Zollvereins ab; v. d. Heydt – der preußische Handelsminister – und Gerlach – der intime Berater Friedrich Wilhelms IV. – legten nach dem Urteil Prokesch-Ostens »keinen Wert auf den Süden«, Preußen war »dabei den Bund zu zerreißen« und versteifte sich auf seine »Idee eines norddeutschen Handelsbundes« (Manteuffel)[45b].

Unter diesem Vorzeichen versammelten sich dann am 4. Januar unter dem Vorsitz des Freiherrn von Hock (Bruck hatte im Mai 1851 demissioniert) die Zollvereinsmitglieder in Wien, um über die Tarifrevision und über das »Unionsgesetz« zu beraten[46]. Wie Preußen es erwartet hatte, kamen die Unterhändler zu keinem Ergebnis – trotz 54 Sitzungen. Baden verhielt sich zuwartend, Hannover sah sich »außerstande«, dem Schlußprotokoll zuzustimmen, und nur fähig, »in Gemeinschaft mit Preußen« dem Projekt beizutreten[47], Bayern überraschte in Wien die Österreicher »mit Zurückhaltung«[47a] und versuchte ganz entgegen den österreichischen Wünschen eine unabhängige Stellung der Mittelstaaten aufzubauen, Sachsen schloß sich Bayern an, und Württemberg schließlich schreckte vor »einem absoluten Geheimvertrag« mit Österreich zurück, hatte »große Angst vor Sprengung des Zollvereins« und war nur zu bereit am Ende der Wiener Verhandlungen – wie der österreichische Gesandte Handel bissig aus Stuttgart berichtete –, »Österreich und Preußen die Sache ausfechten zu lassen, um mit möglichst geringer Gefahr den größten Profit zu erzielen«[47b].

Die preußische Drohung, »gegen jene Regierungen vorzugehen, die in Wien Verbindlichkeiten eingingen«[47c], hatte ihre Wirkung nicht verfehlt – noch tieferen Eindruck hatten aber offenbar die preußischen Alternativvorschläge gemacht: Preußen lud nämlich die Zollvereinsmitglieder nach Berlin zu Verhandlungen ein. Der

45a HHStA Wien, PA II, Nr. 77: 2./5. XII. 1851 Thun an Schwarzenberg.
45b ebd. 2./6./18./26. XII. 1851 Prokesch an Schwarzenberg. 2./3./23. XII. 1851 Thun an Schwarzenberg.
46 DZA II, AA II, Rep. 6 Nr. 1178: 25. I. 1852 Bericht Delbrücks; ebd. Nr. 476 und 477, in Nr. 476 Protokolle bis zum 30. I. 1852. WHStA Stgt. E 70 Ges. Wien, Büschel 56: Beratungsprotokolle 4. I. 1852 Linden an Neurath; GLA-Karlsruhe, Abt. 48, Nr. 7027; Abt. 237, Nr. 5380, 5377, 5378 Protokolle und Konzepte der Instruktion von FM Vogelmann aus Wien.
47 DZA II, Rep. 120 C XIII, 4 Nr. 70 secr. Bd. 2; WHStA Stgt. E 33–34, F 65 III, Februar 1852 Denkschrift des Geh. Rat (Entwurf ORR Pfleiderer); E 70 Ges. Wien, Büsches 67: 15. I./6. II. 1852 Linden an Neurath; WFStA Ludwigsburg, E 222, Fach 193 Nr. 1164: o. D. Notizen zu den österreichischen Propositionen für die Zollunion; GLA Karlsruhe, Abt. 48, Nr. 7027: 25. III. 1852 Schwarzenberg an Ruedt.
47a HHStA Wien, PA II, Nr. 77: 7. II. 1852 Schwarzenberg Circular.
47b ebd. 21/29. III. 3. IV. 1852 Handel an Schwarzenberg.
47c ebd. 3. I. 1852 Handel an Schwarzenberg.

Zollverein sollte erneuert werden, und Preußen zeigte sich außerdem bereit, erneut einen Handelsvertrag »auf breitester Basis« mit Österreich abzuschließen[47d]. Die Folge war, daß Bayern, Sachsen und Württemberg noch während der Wiener Verhandlungen versuchten, durch weitere Konferenzen in Bamberg und in Darmstadt sich für Berlin »vorzubereiten«. Die »Trias« wollte unabhängig von Österreich und Preußen handeln[48]. Man akzeptierte, daß »Berlin mit Wien« verbunden werden müßte[49], und man war sich in Darmstadt auch einig geworden, daß bei einem eventuellen »Abbruch der Verhandlungen« oder »einer Modifizierung« der österreichischen Wünsche die »Verhandlungsergebnisse von Darmstadt« die Basis der »Feststellung einer Zolleinigung« mit Österreich gegen Preußen bedeuten müßten[50] – aber vorerst hatten sie mit ihrer Politik die Wiener Konferenz gesprengt; nur mit Mühe konnten die Österreicher Parallelverhandlungen in Wien und Berlin vermeiden, in aller Eile entwarf Baumgartner neue »Vorschläge« – doch der Plan eines Südbundes wurde aufgeschoben[50a]. Preußen war zufrieden, und Österreich konnte nur hoffen, daß sich die »Mittelstaaten nicht einschüchtern lassen ... trotz des hohen Tones den (Preußen) angeschlagen« habe[50b].

Delbrück, der Verantwortliche für die preußische Handelspolitik, hatte recht behalten, als er betonte, daß die Mittelstaaten und Österreich zwar geeint seien in der Abwehr »der preußischen Bestrebungen«, daß jedoch die wirtschaftliche Bindung der Mittelstaaten an den von Preußen beherrschten Zollvereinsmarkt schon so stark geworden sei, daß ein Aufhören der Zollvereinsverträge eine Unmöglichkeit wäre. An dieser »Divergenz« der wirtschaftlichen Grundbedingungen müsse – und mußte dann auch – das »ungleiche« politische Bündnis der Mittelstaaten und Österreichs auf die Dauer scheitern. Gerade die Aufnahme des Septembervertrages

47d HHStA Wien, PA II, Nr. 79: 18. II. 1852 Prokesch an Schwarzenberg.

48 GLA Karlsruhe, Abt. 48 Nr. 7027: 6. IV. 1852 Protokoll der Darmstädter Besprechung; ebd. Nr. 7043, 7044; Sächs. LHA Dresden Min. d. Ausw. Nr. 5230: 8. X. 1852 Beratungen im FM zwischen Beust, Weißenbach, Zahn und Schimpff; WFStA Ludwigsburg, E 222, Fach 193 Nr. 1164: 27. III. 1852 Protokolle, ebd.: 13. IV. 1852 Bericht OFR Sigel aus Bamberg; Beiträge zur Zollvereinsfrage S. 119 f., S. 124 ff., HHStA Wien, PA II Nr. 79: 4. IV. 1852 Handel an Schwarzenberg.

49 GLA Karlsruhe, Abt. 48, Nr. 7041: Promemoria v. d. Pfordten vom 11. IV. 1852 (Abschrift); 7. IV. 1852 Meysenbug an Ruedt; Sächs. LHA Dresden: Min. d. Ausw. Nr. 5229: 17. II. 52 OFR Schimpff an Beust; WHStA Stgt. E 70 Ges. Wien, Büschel 67: 11. III. 1852 Linden an Neurath; Beiträge zur Zollvereinsfrage S. 93 ff.

50 LHA Dresden, Min. d. Ausw. Nr. 5230: 8. X. 1852 Beusts Vortrag. WFStA Ludwigsburg, E 222 Fach 193, Nr. 1164: 16. III. 1852 Geh. Artikel des Spezialvertrages mit Österreich; vgl. 7. III. 1852 Linden an Neurath; GLA Karlsruhe Abt. 48, Nr. 7027: 16. X. 1852 Vortrag Ruedt; HHStA Wien, PA II, Nr. 78: 3. IV. 1852 Handel an Schwarzenberg.

50a HHStA Wien, PA II, Nr. 77: 7. II. 1852 Circular Schwarzenberg; 19./27. II. und 12./17./21./30. III. 1852 Handelsminister Baumgartner an Schwarzenberg; ebd. Nr. 79: 17. IV. 1852 Prokesch an Buol.

50b HHStA Wien, PA II, Nr. 79: 19. IV. 1852 Prokesch an Buol.

von 1851 in Sachsen hatte ihn in dieser Auffassung bestärkt: »ungeachtet des Herrn Beust« – so ließ Delbrück in Deutschland verbreiten – könne sich Sachsen »wegen Leipzig nicht (von Preußen) trennen«. Sachsen sei »entschlossen sich dem Freihandelssystem in die Arme zu werfen«[51].

Die Delbrücksche Analyse bestätigt ein Blick auf die Gutachten der mittelstaatlichen Ressorts. Sachsen war ohne Preußen – so führt eine undatierte sächsische Denkschrift aus dem Jahre 1852 im Finanzministerium aus – und ohne die thüringischen Staaten ein zu kleiner Markt. Es sei auf den Transithandel, den zollfreien Rohstoffbezug aus dem Norden und den zollbegünstigten Absatz im Zollvereinsmarkt angewiesen. Der Wegfall dieser günstigen Produktionsbedingungen hätte eine politisch nicht tragbare »Verteuerung der Consumtion« in Sachsen mit sich gebracht. Außerdem hätte Leipzig seinen Platz als Messezentrum verloren[52]. Da Sachsen ohne Preußen nicht existieren konnte, standen Beusts, des sächsischen Ministerpräsidenten, wirtschaftspolitische Ziele den Interessen entgegen und scheiterten. »Ohne Gefährdung des Bestehenden« könne eine »allgemeine deutsche Zolleinigung« mit »lebhafter Genugthuung« begrüßt werden, wie die Handelskammer Chemnitz formulierte[53], aber durch die von Preußen aufgeworfene Alternative war das »Bestehende« gerade gefährdet, womit das österreichische Unionsprojekt illusorisch geworden wäre.

In einem ähnlichen Dilemma befand sich auch die bayrische, badische und die württembergische Regierung. Wohl hatten die Interessenten im Süden einer Zollunion mit Österreich 1850 zugestimmt. Schon in Kassel jedoch und in Dresden noch mehr, vor allem aber nach dem Abschluß des Septembervertrages vom Jahre 1851, waren Stimmen laut geworden, die vor einer Isolierung des Südens in wirtschaftspolitischer Hinsicht warnten[54].

»Der Zug des württembergischen Handels«, stellte z. B. schon im Dezember 1851 die amtliche württembergische »Centralstelle für Gewerbe und Handel« als Vertreterin der Handels- und Gewerbekammern des Landes fest, »geht in der Hauptsache nach der Nordsee. Mit der Nordsee sind Württemberg, Baden und die industriellen Handelstheile von Bayern durch die vorteilhaften Communikationsmittel verbunden. Für den Absatz ihrer Industrieprodukte werden die genannten Staaten ... auf jenen Zug angewiesen seyn. Eine Trennung vom Zollverbande mit Preußen, welches auf einer langen Strecke den Rhein ... beherrscht, würde die nachtheiligsten Störungen im Handel hervorbringen.«

51 HHStA Wien, PA II, Nr. 77: 15. XII. 1851 Handel an Schwarzenberg.

52 Sächs. LHA Dresden, Min. d. Ausw. Nr. 5230: Denkschrift von Beust, angefordert, im Finanzministerium oder Außenministerium entstanden.

53 Sächs. LHA Dresden, Min. d. Ausw., Nr. 5231: Eingabe HK Chemnitz, 20. III. 1853.

54 WFStA Ludwigsburg, E 222, Fach 193, Nr. 1163: 17. I. 1853, Votum der Centralstelle für Gewerbe und Handel; E 222, Fach 185, Nr. 950, 14. IV. 1852, Petitionen der HGK Stuttgart-Ulm, Heilbronn und Reutlingen.

Zudem seien der Absatz im Norden und der Aktienhandel nach dem Norden im Steigen. So erstrebenswert eine Zollunion mit Österreich auch sei, handelspolitische Zielsetzung des Südens, Machtverhältnisse in Deutschland und materielle Interessen der Südstaaten ließen allein, nach dem Urteil der Centralstelle, einen Handelsvertrag mit »Preußen nothwendig werden«. Wenn auch gleichzeitig in Württemberg das Steuer-Collegium in einem Zollbund die »wichtigste Grundlage der Reorganisation des deutschen Bundes« erkannte, so wird doch in den angeführten Stellungnahmen deutlich, auf wie wenig wirtschaftlich gesicherten Stützen die »Kooperation gegen Preußen« stand[55].

Sieg des Nordens

Unter diesen Voraussetzungen begann im April 1852 die Berliner Generalzollkonferenz über die Fortsetzung des Zollvereins sowie dessen Vereinigung mit dem Steuerverein[56]. Dem von Preußen geprägten norddeutschen »Freihandelsbund« und der von Preußen geforderten »allgemeinen Selbständigkeit«[57] traten die thüringischen Staaten nicht entgegen. Ebenso verhielt sich Baden. Württemberg war unentschieden und sprach in jeder Berichterstattung die Hoffnung aus, daß Preußen »nachgeben werde«[57a]. Sachsen, Kurhessen und Hessen-Darmstadt waren wegen der

55 WHStA Stgt. E 33–34, F. 65, III: 19. IV. 1852 Geheimer Rat an Wilhelm I.; E 70 Ges. Wien, Büschel 67, 29. IX. 1852 Hügel an Neurath; WFStA Ludwigsburg, E 222, Fach 185, Nr. 950: 5. IX. 1852 Votum Geh. Rat an Wilhelm I. und Decret desselben E 222, Fach 193, Nr. 1164: 17. XII. 1851, Denkschrift der Centralstelle für Gewerbe und Handel; ebd. 19. XII. 1851, Votum Steuercollegium an FM Knapp; ebd. März 1852 Konzept Sigels zu einem Spezialvertrag mit Österreich; E 170, Nr. 659: Konzept Denkschrift der Centralstelle; GLA Karlsruhe, Abt. 48, Nr. 7027: 16. X. 1852 Vortrag Ruedt.

56 DZA II, Rep. 120, C XIII, 4 Nr. 70 secr. Bd. II: Protokolle vom April bis zum Oktober 1852; GLA Karlsruhe, Abt. 48, Nr. 7041: Berichte Meysenbugs vom 7. VI./9. VI., vor allem 19. VI., 20. VI. bis 7. IX. 1852; vgl. auch zur Zollvereinskrise die zeitgenössischen Flugschriften: W. Oechelhäuser: Der Fortbestand des Zollvereins und die Handelseinigung mit Österreich, Frankfurt 1851; S. Becker: Die deutschen Zoll- und Handelsverhältnisse in ihrer Beziehung zur Anbahnung der österreichisch-deutschen Zoll- und Handelsvereinigung, 1850; Anonym (Toegel): Preußen und die deutsch-österreichische Zolleinigungsfrage, Berlin 1852; K. A. Rau: Über die Krisis des Zollvereins im Sommer 1852, Heidelberg 1852; Beiträge zur Beurtheilung der Zollvereinsfrage, eine Sammlung Amtlicher Aktenstücke, Berlin 1852; Die Zollkonferenz in Wien in ihren nothwendigen Folgen für das gesammte Deutschland, Leipzig 1852.

57 Sächs. LHA Dresden, Min d. Ausw. Nr. 5229: 27. II. 1852, Schimpff an Staatsministerium.

57a HHStA Wien, PA II, Nr. 79: 13. V. 1852 Prokesch an Buol; 13. IV./6./15./26./29. V. und 6. VII. 1852 Handel an Buol.

Bedürfnisse ihrer Industrie und ihres Handels gelähmt[58]. Somit war Bayern isoliert, wenn es sich nicht dem von Preußen vorgeschlagenen Handelsvertrag mit Österreich auf der Basis einer engen Handelsverbindung – aber mit der Errichtung einer Zollzwischenlinie zu dem Kaiserstaat – anschloß[58a]. Österreich versuchte wohl mit seiner ganzen Macht und seinem Ansehen auf die Mittelstaaten zu drücken; immer wieder wurden München, Stuttgart, Dresden, Karlsruhe, Darmstadt, Kassel und Frankfurt aufgefordert, »gemeinsam« gegen Preußens Widerstand vorzugehen – nur »durch entschiedenes und einiges Auftreten« könnte der »Abbau der Zwischenzölle« erreicht werden: »Es ist jetzt an den Mittelstaaten, mit Berlin abzurechnen[58b].«

Alle Schachzüge Österreichs jedoch nützten nichts: »mit Bedauern« mußte Buol – der Nachfolger Schwarzenbergs nach dessen plötzlichem Tod im April 1852 – erkennen, »daß das preußische Kabinet nicht zu bewegen ist, von dem von ihm eingenommenen Standpunkt abzugehen, und Unterhandlungen mit Österreich erst dann erörtern will, wenn die Neugestaltung des Zollvereins zum Abschluß gelangt ist«. Jede weitere Korrespondenz schien »fruchtlos« zu sein[58c]. Preußen blieb stur[58d] und verfolgte unbeirrt eine Politik, die zu Beginn der Konferenz wie folgt öffentlich dargelegt worden war[58e]:

»Preußen konnte die Union aufgeben und zum Bundestage zurückkehren, weil der alte Bund bloß eine völkerrechtliche Verbindung ist, in welcher ein Staat von Preußens Macht und Stellung auch gegen eine Majorität kleinerer Staaten seine Unabhängigkeit behaupten zu können hoffen durfte: Preußen kann aber nie den österreichischen handelspolitischen Forderungen sich fügen, ohne seiner ganzen bisherigen Stellung zu entsagen und in seine Mediatisierung zu willigen. Preußen muß daher daran festhalten, daß in handelspolitischer Beziehung die vollständig freie, von jeden österreichischem Veto unabhängige Selbstbestimmung des Zollvereins erhalten werde, und so schmerzlich eine Trennung des alten Bundes und die Störung

58 Sächs. LHA Dresden, Min. d. Ausw. Nr. 5230: o. D. Denkschrift zur Haltung Sachsens im Finanzministerium; GLA Karlsruhe, Abt. 48, Nr. 7041: 7. VI. 1852 Meysenbug an Ruedt; dto. 9. VI./20. VI./22. VII./24. VIII. und 6./7. IX. 1852; WHStA Stgt. E 70 Ges. Wien, Büschel 56: 22. IV. 1852 Linden an Neurath; 29. IV. 1852 Buol an Linden, Beiträge zur Zollvereinsfrage S. 124 f.; 26. IV. 1852 Erklärung Bayerns, Sachsens, Württembergs, Kur-Hessens, Hessen-Darmstadts und von Nassau; 1. V. 1852 Erklärung von Preußen, Hannover, Thüringen (S. 136 f.); 10. V. 1852 von Baden (S. 139); 12. V. 1852 von Braunschweig und Oldenburg (S. 139), ebd. Preußen 30. VIII. 1852 (174).

58a HHStA Wien, PA II, Nr. 79: 20./21. IV. u. 3./11./13./14./18./21./26. V. 1852 Prokesch an Buol.

58b ebd. Nr. 78: 5. V. 1852 Esterházy an Buol; 10. V. 1852 Prokesch an Buol, vor allem 21. IV. u. 17. V. 1852 Circular Buol.

58c ebd. Nr. 80: 17. V. 1852.

58d ebd. Nr. 70: 25./26./27. V. 7./8. VI. 1852 Prokesch an Buol.

58e Constitutionelle Zeitung 9. IV. 1852.

der alten gewohnten Verhältnisse von vielen Landestheilen und Gewerbezweigen müßte empfunden werden, Preußen würde doch in dieser politischen Lebensfrage mit aller Entschiedenheit einen norddeutschen, aber unabhängigen, dem größeren von Österreich abhängigen Zollverein vorziehen müssen.«

Angesichts dieser Lage glaubte Österreich noch zwei Mittel zu besitzen, um Preußen umstimmen zu können. Einmal wurde Bayern angewiesen, »in Berlin mit *größerem Nachdruck*, als bisher, aufzutreten und die übrigen Cabinette zu mehr Thatkraft zu *ermuthigen*«[58f], und zum anderen drohte und riet der Handelsminister Baumgartner, die Verhandlungen – sollten sie bis dahin kein Ergebnis zeigen – nach dem 1. Juni abzubrechen und nicht weiter »fortzuschleppen«: dann müßte Preußen einlenken, denn es könne »den *Freihandel* nicht wählen« wegen seiner rheinischen und schlesischen Industrie[58g]. Das war jedoch ein großer Irrtum, der sich aus einer sehr unkorrekten Analyse der politischen Situation in Preußen durch den österreichischen Botschafter Prokesch-Osten herleitete. Wie 12 Jahre später Károlyi, so verkannte jetzt der Botschafter die preußischen Machtverhältnisse, wenn er seinem Ministerpräsidenten berichtete, daß »außer der Junkerpartei und einigen Küstenstädten ... ganz Preußen schutzzöllnerisch« sei und daß die Regierung nicht imstande sein würde, »die Industrie von Schlesien, Sachsen, Rheinland und Westphalen dem Freihandelsgeiste zu opfern«[58h]. Zu spät begriff Wien, daß Preußen nicht daran dachte, wegen seiner Industrie »einzuschwenken«, sondern daß es »seine Industrie überspiele« mit der »Behauptung, daß die Seeausfuhr dominiere«[58i]. Was die Ermunterung Bayerns anbetraf, so endete diese Politik auch schnell in einer Sackgasse. Bayern versuchte nämlich, seine Isolation[59] zu durchbrechen mit dem Mittel »einer dritten Zollgruppe« – einem »Traumgebilde«, wie Prokesch und Delbrück urteilten –; allgemeine Stagnation also auf der ganzen Linie!

Anfang Juni nun ließen zwei Faktoren die Konferenz eine propreußische Wendung nehmen. Preußen gelang es, für seinen »Spaltungsversuch« des Zollvereins die Unterstützung Englands und Rußlands zu gewinnen[59a]; die Mittelstaaten wurden unsicher. Als schließlich Berlin Otto von Bismarck zu direkten handelspolitischen Gesprächen mit Österreich nach Wien schickte und gleichzeitig mit dem Abbruch der Verhandlungen drohte, ergriff die »Mittelstaaten Schrecken und Entmuthigung«[60]. Oldenburg akzeptierte sogleich die preußischen Vorschläge. Die Mittel-

58f HHStA Wien PA II, Nr. 78: 24. V. 1858 Buol Circular.
58g ebd.
58h ebd. PA II, Nr. 77: 30. XII. 1851.
58i ebd. Nr. 79: 3. VII. 1852 Prokesch an Buol.
59 Sächs. LHA Dresden, Min. d. Ausw., Nr. 5230: 3. XI. 1852 OFR Schimpff an Beust.
59a HHStA Wien, PA II Nr. 77: 9. VI. 1852 Prokesch an Buol.
60 ebd. Nr. 79: 27. VI. 1852 Prokesch an Buol; GLA Karlsruhe, Abt. 48, Nr. 7041: 9. VI. 1852 Meysenbug an Ruedt, 19. VI. 1852 an Philippsberg.

staatenfront war erschüttert. Es nützte Buol wenig, daß er beteuerte, keine geheimen Verhandlungen mit Preußen zu führen, sein erneuter Appell »eines entschiedenen Auftretens der mit uns verbündeten Regierungen« verhallte. Die »Sieben« waren »nachgiebig und furchtsam«[60a]. Vor allem der Württembergische König, Wilhelm I., glaubte an »ein Komplott«, war der »österreichischen Schlepptaupolitik« müde und schloß sich einer »Collektiverklärung von Baiern, Sachsen etc. an Preußen nicht an«. Damit war die »Solidarität der verbündeteten Regierungen gebrochen«, und die Mittelstaaten »standen auf dem Felde der Nachgiebigkeit gegen Preußen« – die einzige Forderung, die noch blieb, war »ein modifizierter Vertrag« mit Österreich –, selbst mit »irgendeinem Handelsvertrag« war man schon zufrieden. Preußen »triumphierte« über die »allgemeine Verwirrung der Darmstädter«, in Wien jedoch plädierte der Handelsminister wütend für den sofortigen Abbruch der Verhandlungen und schob alle Schuld auf »die Schwäche« der Mittelstaaten, die »Preußen die Taktik« ermöglicht hatten[60b].

Der österreichische Botschafter in Berlin, Prokesch-Osten, war jedoch anderer Meinung. Er resümierte:

»Als die Quelle aller Uebel betrachte ich den Mangel eines Abschlusses zwischen Oesterreich und den sieben Staaten. – Sie glaubten allein zu stehen, eine unabhängige Mittelstellung zu Oesterreich und Preußen behaupten zu können, aber sie stehen in der Luft und sind gezwungen, so oft Preußen sie ernstlich anfasst, sich wieder auf den Zollverein, den eigentlichen Grund und Boden, zu stellen. – Ich habe die Eifersucht der Staaten unter sich, den zeitweisen Unwillen gegen die Leitung von Sachsen und Baiern, den Tadel gegen die Minister von Beust und v. d. Pfordten ... oft bemerkt. Das Benehmen Württembergs und Badens stammt zum Theile sicher auch aus solchen kleinlichen Empfindlichkeiten. — Was aber vollends Preußen leichtes Spiel machte, war die persönliche Haltung der meisten Bevollmächtigten ... Männer, welche ihre Pflicht nicht bloß mit dem Kopfe, sondern auch mit dem Herzen anfassen, sind überhaupt nicht häufig und die jungen Diplomaten, welche einige der sieben Staaten hier vertreten, gehen in ihrem Eifer nicht so weit, um ihre Zukunft gewissenlosen preußischen Verlästerungen auszusetzen. Alle Rathschläge an ihre Regierungen gingen auf sogenannte Vermittlungen hinaus und halfen die Zeit und Consideration der Coalition versplittern[60c].«

So verliefen also die Verhandlungen in Berlin im Hinblick auf eine Zollannäherung von Deutschland und Österreich im Jahre 1852, wie der sächsische Zollbeauf-

60a HHStA Wien, PA II, Nr. 79: 16./20./23. VI. 1852 Prokesch an Buol; Nr. 80 ebd.: 13. VI./8. VII. 1852 Buol Circular.

60b ebd. Nr. 78: 9. VI./12. VI./6. VII./13./14./21./28./30. VII. 1852, 2. VIII. 1852 Handel an Buol; 15./19. VII. 1852 Baumgartner an Buol; 26. VI. 1852 Ingelheim/Kassel an Buol; 29. VII. 1852 Buol an München, Dresden, Kassel, Darmstadt und Wiesbaden, ebd. Nr. 79: 16. VI. u. 13./25. VII. 1852 Prokesch an Buol.

60c ebd. Nr. 79: 25. VII. 1852.

tragte Oberfinanzrat Schimpff berichtet, »ganz resultatlos, aber interessant«[61]. Für Preußen war gerade diese Resultatlosigkeit wohl sehr interessant, da sie einem vorläufigen Sieg Preußens über Österreich gleichkam.

c Der »Waffenstillstand« im Februarvertrag des Jahres 1853

Österreich ist vertragsreif

Als Wien das Ausmaß seiner handelspolitischen Schlappe in Berlin erkannte, schwenkte Buol wieder auf die alte Politik einer direkten Bindung der Mittelstaaten an Österreich zurück. Jetzt konnte er hoffen, daß auch Bayern seine »Utopie einer dritten Zollmacht« begraben habe. Erstes Ziel der Buolschen Initiative aber mußte Württemberg sein, denn dessen Politik hatte die Einheitsfront in Berlin zerstört. Gelang es nicht, König Wilhelm I. in »die rechte Bahn einlenken zu machen«[61a], dann war die österreichische Politik schon im Vorhinein zum endgültigen Scheitern verurteilt. Mit dieser delikaten Aufgabe beauftragte darum Buol den in der deutschen Frage »erfahrensten« österreichischen Diplomaten, Graf Rechberg. Diesem gelang es dann auch, Württemberg zu bestimmen, die »verstreuten Haufen« der Mittelstaaten zum »erneuten Sammeln« nach Stuttgart zu rufen. Hier in Stuttgart sollte im August 1852 die Niederlage in Berlin mit einer erneuten Zustimmungserklärung der Mittelstaaten zu den österreichischen Zollunionsplänen wieder aufgewogen werden. Österreich beeilte sich, noch vor Beginn der Konferenz noch einmal sein Programm zu formulieren. Es wurde betont, daß Österreich auf »Verhandlungen ohne Einigungsziel« nicht mehr eingehen würde, als Basis jeder Konferenz müßten die »Wiener Vorschläge« angenommen werden, jede »weitere Verschiebung« der Zollunion würde schließlich »die Aufhebung des Projektes« bedeuten. Um die österreichische Entschlossenheit noch zu unterstreichen, ließ Buol bereits ein »Ultimatum« entwerfen und den Mittelstaaten mitteilen[61b].

Vom 10. bis 13. August 1852 versammelten sich dann die Mittelstaaten in Stuttgart, um noch einmal angesichts der veränderten Lage über ein gemeinsames Vorgehen in der Zollfrage zu beraten[62]. Die österreichischen Vorschläge wurden von den Unterhändlern zwar »beachtet«; ihre Zustimmung jedoch erhielt eine Denk-

61 Sächs. LHA Dresden, Min. d. Ausw. Nr. 5230: 5. XI. 1852; hier auch zahlreiche Spezialberichte von Schimpff, überleitend auch zur Berichterstattung der direkten Verhandlungen zwischen Bruck und Delbrück; WFStA Ludwigsburg, E 222, Fach 185, Nr. 950: 10. X. 1852 Bericht OFR Sigel an FM Knapp.

61a HHStA Wien, PA II, Nr. 78: 29. VII. 1852 Konzept Buol an Wilhelm I.

61b ebd. 29. VII. 1852 Buol an München, Stuttgart, Dresden, Kassel, Darmstadt, Wiesbaden.

62 GLA Karlsruhe, Abt. 48, Nr. 7045: 13. VIII. 1852 Stuttgarter Protokoll.

schrift v. d. Pfordtens vom 5. August, in der dem preußischen Vorschlag eines Handelsvertrages nur »die Notwendigkeit der Beratung einer Zolleinigung« entgegengesetzt worden war. Die materiellen Vorteile des Zollvereins[63] gaben schließlich den Ausschlag für das Ergebnis der Konferenz. Baden, Bayern, beide Hessen, Nassau, Sachsen und Württemberg einigten sich, in der Frage der Zolleinigung gemeinsam vorgehen zu wollen – jedoch, und das war entscheidend, sie wollten die Frage »nicht schon *jetzt* beraten wissen«, sondern erst spätestens im Jahre 1860! Damit konnte also Preußen – wie Prokesch-Osten die Stuttgarter Ergebnisse beurteilte – »nur noch der *Glaube* an seine Isolierung ... mürbe machen«[63a]. Die Situation hatte sich seit dem Abschluß des Septembervertrages für Österreich ständig verschlechtert. Und sie verschlechterte sich noch weiter. Rußland, die Schutzmacht monarchisch-konservativer Ordnung, wollte »nichts mehr von der Zollfrage« wissen, unterstützte offen Preußen und riet den Mittelstaaten, sich mit Berlin zu verständigen[63b].

Preußen nutzte sofort die Gunst der europäischen Hegemonialmacht seit Olmütz und Villagos und brach mit den Mittelstaaten[64]. Der »Wahn der Selbständigkeit der dritten Gruppe« wurde nun mit aller Kraßheit offenbar. Die politischen Maximen Neuraths, Beusts und von der Pfordtens kennzeichnete eine Gegensätzlichkeit von unüberbietbarer Schärfe: Mal wurde Österreich geraten, sich direkt mit Preußen zu verständigen, mal wurde der »Bruch mit Preußen und die Zolleinigung mit Österreich« gewünscht, mal war man für ein Nachgeben »soweit als möglich«, mal für Härte, denn Preußen könne den Abbruch nicht realisieren[64a]. Schließlich war man »dankbar«, daß Buol die Mittelstaaten nach Wien zu erneuten Tarifbesprechungen einlud, die unter dem Vorsitz von Handel und Hock eröffnet wurden[64b].

Doch diese Verhandlungen hatten nur noch eine indirekte Rückwirkung auf die handelspolitische Entscheidung Österreichs. Angesichts der ungünstigen außenpolitischen Lage – und auch nach den Erfahrungen Buols mit den Mittelstaaten – ergriff das österreichische Ministerium die »Idee« des preußischen Ministerpräsidenten, in »direkten Verhandlungen« zu einem Handelsvertrag »auf breitester Basis« zu kommen. Jetzt, wo sich die Mittelstaaten in Wien befanden und damit die österreichische Position unterstützten (ob sie es wollten oder nicht) und Preußen Direktverhandlungen anbot, konnte Buol noch hoffen, wenigstens die Ausgangs-

63 WHStA Stgt. E 70 Ges. Wien, Büschel 67: 5. X. 1852 Hügel (Wien) an Wilhelm; 16. XI. 1852 Hügel an Neurath; 19. XI. 1852 Hügel an Wilhelm.

63a HHStA Wien, PA II, Nr. 80: 26. VIII. 1852 an Buol, dto. Nr. 78: 20. VIII. 1852 Circular Buols.

63b ebd.: 2. VIII. 1852 Handel an Buol.

64 Srbik: Deutsche Einheit, II, S. 204 ff.; HHStA Wien, PA II, Nr. 80: 18. IX. 1852 Prokesch an Buol.

64a ebd. Nr. 78, Nr. 79: 6. VIII./16. VIII. u. 7. IX. 1852 Esterházy an Buol; 10. VIII./3./12. IX./15. IX./15./21./29. X./30. X. 1852 Handel/Choteck an Buol.

64b ebd. 6. XI. 1852 Neurath an Buol.

position für spätere Zollunionsverhandlungen festzulegen. Wien war also zur »Verständigung bereit« – Berlin jetzt auch »versöhnlicher«[64c].

Nach dem Besuch Kaiser Franz Josephs in Berlin im Dezember 1852 kamen die direkten Verhandlungen zwischen Bruck – der als Sonderbeauftragter nach Berlin geschickt wurde[64d] – und Delbrück ohne Beteiligung des »dritten Deutschlands« in Gang und führten rasch zu einer Einigung[65]; wenn auch nicht in dem Sinne, wie Buol es seinem Gesandten in Dresden allzu optimistisch mitgeteilt hatte: Bruck sei nach Berlin gereist, »um das Einverständnis zur Zolleinigung zu holen«[66].

Bruck, weniger starr als Schwarzenberg und weniger impulsiv als Hock, mehr dynamisch, den wirtschaftspolitischen Möglichkeiten vertrauend, glaubte im Gegensatz zu seinen wirtschaftspolitischen Erben – dem Prager Freiherrn Carl v. Hock und Handelsminister Baumgartner[67] –, in der zeitlich fixierten, vertragsmäßigen Verankerung eines Zollunionsvertrages für Österreich eine gute Ausgangsposition zu erreichen, mit der es ermöglicht werden sollte, Österreich bis zum Jahre 1860 für den Zollverein »anschlußreif zu machen« und zugleich Preußen gleichsam von innen her aus seiner Vormachtstellung im Zollverein herauszumanövrieren[68]. Bruck gelang es, für seine Politik die Unterstützung des Außenministeriums zu gewinnen. Buol sah in dem neuen Handelsvertrag die Basis für eine »Erneuerung und Erweiterung« des Zollvereins und empfahl den Vertrag sowohl seinem Kaiser als auch den Mittelstaaten zur Annahme[68a]. Für ihn ging es nicht mehr in erster Linie um die »Zollunion«, vielmehr betrachtete er mit Sorge die expansive Meerengenpolitik Rußlands. Da er durch die russische Politik österreichische Interessen auf dem Balkan gefährdet sah, unterstützte er Anfang des Jahres 1853 resolut jede Möglich-

64c ebd. PA II, Nr. 79: 26. IX./8. X. 1852 Circular Buols, 6. X. 1852 Promemoria Baumgartner, PA II, Nr. 80: 29. IX.12. X./13./16. X. 1852 Prokesch an Buol.

64d ebd. Nr. 79: 22. XII. 1852 Buol Vortrag für Franz Joseph.

65 DZA II, Rep. 120, C XIII, 4 Nr. 70 secr. Bd. 11/12; GLA Karlsruhe, Abt. 48, Nr. 7042; HHStA Wien, PA II, Nr. 79: 23. XII. 1852 Thun an Buol; ebd. Nr. 80: 14. XII. 1852,9./14./22. II. 1853 Thun an Buol; ebd. Nr. 83 o. D. Instruktion für Bruck; 12./17./29. XII. 1852; 3./21. I. 1853, 5./9./14./17. II. 1853 Buol an Bruck; ebd. PA II Nr. 84: 14./22./23. XII. 1852, 8./12./27./30. I., 1. II. 4./5./11. II. 1852 Bruck an Buol.

66 Sächs. LHA Dresden, Min. d. Ausw. Nr. 5230: 12. XII. 1852 Mitteilung Buol; WFStA Ludwigsburg, E 222, Fach 193, Nr. 1164: 20./24./28. I. 1853 Berichte OFR Sigel; GLA-Karlsruhe, Abt. 48, Nr. 7042: 12. II. 1853 Buol an Philippsberg.

67 E. Franz: Graf Rechbergs deutsche Zollpolitik, MIÖG, Bd. 46, S. 143 ff.; Wurzbachs Biograph. Lexikon IX, Wien 1863, S. 75 ff.; HHStA Wien, PA II, Nr. 79: 25./28. XII. 1852 Promemoria Baumgartner betr. Handelsvertrag, ebd. Nr. 80: 17./23./25. I./6. II./27. II. 1853 Baumgartner an Buol.

68 E. Franz: Entscheidungskampf S. 4.

68a HHStA Wien, PA II, Nr. 80: 12./19./20./27. II. 1853 Circular Buol; 19./26. III. 1853 Vortrag Franz Joseph, Nr. 83. Am 25. II. anerkannte Buol sogar die Leistung Brucks mit dem »Ausdruck besonderer Befriedigung«.

keit, die einen Ausgleich mit Preußen-Deutschland verhieß. Deswegen überging er die Einwände seines Handelsministers, der im Auftrage der österreichischen Industrie den neuen Vertrag als »unvorteilhaft« ablehnte[68b]. Für Österreich waren nicht mehr die Prinzipien Schwarzenbergs maßgebend, die österreichische Außenpolitik hatte im Laufe des Jahres 1852 ihre Stoßrichtung verändert, und die Übereinstimmung Buols und Brucks war nur eine scheinbare. Bruck »glaubte« an die Zollunion, die auf der Grundlage des Vertrages von 1853 entstehen sollte, Buol hingegen wollte die Hände frei haben für die heranreifende Auseinandersetzung mit Rußland im Südosten[68c].

Der »Mittel-Europa«-Vertrag

Wie sah nun der Handelsvertrag vom 19. Februar 1853 aus? Er war gekennzeichnet – wie es nicht anders zu erwarten war – durch einander widerstrebende Elemente. So wurde z. B. in ihm festgelegt, daß der Zollverein und Österreich *ein* Zollgebiet bilden sollten, jedoch blieb dieses Zollgebiet weiterhin noch durch eine Zwischenzollinie getrennt. Weiter: Die Laufzeit des Vertrages wurde mit 12 Jahren festgelegt, jedoch ab 1854 sollte schon über »Verkehrserleichterungen« beraten werden, und spätestens ab dem Jahre 1860 sollten — so sah es der Artikel 25 vor — »Kommissarien der Kontrahierenden Staaten zusammentreten, um über die Zolleinigung zu unterhandeln«[69]. Österreich und Preußen konnten diesen Vereinbarungen zustimmen: Preußen hatte die Verhandlungen um die Zollunion aufgeschoben, Österreich hingegen konnte hoffen, die »Zollunion« aufgrund des Artikels 25 doch noch zu erreichen. Diese Hoffnung wurde noch unterstützt durch die Einzelbestimmungen des Vertrages, in denen bereits erhebliche gegenseitige Zugeständnisse verankert wurden — kein Ausfuhrverbot sollte den gegenseitigen Verkehr mehr hemmen, sofern nicht Monopole für Salz, Tabak, Kalender, Spielkarten und Schießpulver Ausnahmen erforderten[70]; dann war der zollfreie Handelsverkehr für Rohstoffe, Naturalien und Produkte geringeren Wertes innerhalb des neuen Zollraumes festgelegt worden, und schließlich sollte eine 25—50prozentige Zollermäßigung vom Generaltarif des Zollvereins und Österreichs der zukünftigen Zollunion die Sonderstellung schaffen, die als Grundlage des künftigen Zollabschlusses gegen dritte Staaten beabsichtigt war. Diese angestrebte Differenzierung gegenüber jedem dritten Staat, vor allem gegenüber Frankreich, England und Rußland, war wohl das

68b ebd. 27. II. 1853; ebd. PA II, Nr. 81: 27. V. 1853.

68c ebd. 19./26. III. 1853 An Franz Joseph.

69 DZA II, Rep. 120, C XIII, 4 Nr. 70 secr., Bd. 2, Schlußprotokoll und Handelsvertragstext sowie Feststellung von Zollsätzen für die Zwischenzollinie, vgl. auch Verträge u. Verhandlungen über die Bildung und Ausführung des Deutschen Zoll- und Handelsvereins, Berlin 1858, IV, S. 227—269.

70 Da Österreich der Monopole zum Ausgleich seines Budgets bedurfte, Preußen aber jedes Staats-Monopol ablehnte, war faktisch auch in dieser Bestimmung der Weiterweg zur Zollunion blockiert.

Novum des Februarvertrages. Da Bruck sich bereit zeigte, die österreichischen Industriezölle zu senken, wurde den deutschen Industrieartikeln ein neuer großer Markt eröffnet, auf dem Frankreich und England nicht gleichgestellt sein würden. Gerade von der letzten Bestimmung erhoffte sich Bruck eine »Rückwirkung« auf den Zollverein und eine heftige Unterstützung für das Zollunionsprojekt von den deutschen Industriellen. Es war nur die Frage, ob die österreichischen Industriellen diese Zollreduktion ohne Widerstreben hinnehmen würden oder ob »die Bedrohung der industriellen und finanziellen Interessen Österreichs« den Zollunionsplan in Österreich selbst scheitern lassen mußte[71].

Vergleicht man den Vertrag mit dem handelspolitischen Ringen der Jahre 1849 bis 1852, so wird deutlich, daß der Vertrag wohl am ehesten den Stuttgarter Forderungen vom 13. August 1852 und auch weitgehend dem Wiener Schlußprotokoll vom 17. Februar 1853 entsprach[71a]; Preußen hatte »das Lippenbekenntnis« des Artikels 25 gebracht[72] und damit einen Handelsvertrag »auf breitester Basis« abgeschlossen. Zugleich aber hatte Preußen zwei Nahziele erreicht: Es war ihm gelungen, die *sofortige* Zollunion aufzuschieben, und seine handelspolitische Entscheidungsfreiheit blieb, im Rahmen der Absprachen, unangetastet. Für Preußen war es nun von höchstem Interesse, die von Bruck angestrebte Beseitigung der Zwischenzollinie zu verhindern. Delbrück glaubte, daß Preußen dies gelingen müßte. Denn die Agrarier suchten den Freihandel, und kraft der industriellen Entwicklung des Zollvereins glaubte er, so niedrige Zollsätze vorschlagen zu können, daß Österreich nicht fähig wäre zu folgen, ohne seine entstehende, dann vor der preußisch-deutschen Konkurrenz ungeschützte Industrie zu gefährden[73]. So war die unmittelbare Folge des Vertrages, daß Preußen aus dem politischen und handelspolitischen Ringen mit dem Zollverein und Österreich mit gestärktem Ansehen hervorging.

Die Folgen

Nach Abschluß des Februarvertrages wurde der Zollverein am 4. April 1853 auf der neuen – und doch im Grunde alten – Grundlage auf weitere zwölf Jahre verlängert[74].

71 HHStA Wien, PA II, Nr. 81: 27. V. 1853 Baumgartner an Buol.

71a ebd. PA II, Nr. 84.

72 Bußmann: Zeitalter Bismarcks, S. 14.

73 GLA Karlsruhe, Abt. 48; Nr. 7045: 16. VIII. 1852 Sta.Min. an Großherzog; WFStA Ludwigsburg, E 222, Fach 193, Nr. 1164: 20. I. 1853 OFR Sigel an Knapp; Lotz: Ideen, S. 9, Bueck I, S. 64.

74 WHStA Stgt., E 33–34, F 65, III: April 1853 Geheimer Rat: »Begründung der Verlängerung des Zollvereins vor der II. Kammer«;WFStA Ludwigsburg, E 222, Fach 193, Nr. 1164: 16. II. 1853 Votum v. d. Pfordten; E 222, Fach 185, Nr. 950: Berichte OFR Sigels vom März 1852, 28. III. 1853 Bericht und Schlußprotokoll Sigel, 19. IV. 1853 Denkschrift Geheimer Rat an Wilhelm und Ratifikation dess.

Im Zollverein und seinem politischen Aktionsfeld hatte sich Preußen als Vormacht behauptet und seine Stellung sogar ausgebaut. Dennoch war es im Deutschen Bunde politisch noch nicht dominierend, denn Österreich behauptete in Frankfurt nach wie vor seine Führungsrolle, wenn auch der Krimkrieg hier bereits einen Wandel eintreten ließ. Trotzdem mußten von nun an die Mittelstaaten – und in den folgenden Jahren auch Österreich – die wirtschaftliche Vormachtstellung Preußens in steigendem Maße akzeptieren. So vollzog sich vom preußischen Standpunkt aus gesehen die wirtschaftliche und politische Entwicklung zum Deutschen Reich hin in prinzipieller Parallelität, denn der Zollverein gab immer mehr den Raum der wirtschaftlichen Entwicklung Deutschlands ab, während zugleich die preußische Landwirtschaft, Handels- und Geldvermittlung ebenso wie die rheinische und schlesische Industrie tonangebend für die gesamtdeutsche Wirtschaftsentfaltung wurde und die Auseinandersetzungen mit Österreich sich weiterhin vorwiegend noch auf der Ebene der Handelspolitik abspielten.

d Krimkrieg, Preußen und die Erfüllung des Februarvertrages

Preußen blockiert Österreich

Sofort nach dem Abschluß des Vertragswerkes drängten Buol und Bruck auf die Ausführung der Bestimmungen des Februarvertrages[75]. Preußen jedoch verzögerte die Bemühungen Österreichs zum Ausbau des freien Verkehrs[76] und fand – wie erwartet – in den österreichischen Industriellen, die sich mit großer Vehemenz gegen jede Industriezollsenkung stemmten, die eifrigsten Verbündeten im Kampf gegen die österreichisch-deutsche Zollunion[77]. Verzögern und hinhaltendes Abwarten, Bindung der Mittelstaaten an Preußen war, wie im politischen Bereich, beim

75 DZA II, AA II, Rep. 6 Nr. 1185: 18. IV. 1853 Bruck an Manteuffel; HHStA Wien, PA II, Nr. 81: 14./15./16./20. VII. und 2. VIII. 1853 Buol an Thun, vor allem das Circular vom 19. VII. 1853, ebd.; WFStA Ludwigsburg, E 222 Fach 182, Nr. 891: 13. IX. 1853 Runderlaß; E 222, Fach 194, Nr. 1169: 27. VII. 1853 Denkschrift Wächters zur Zollunionsausführung; BHStA München, MH, Nr. 12 250: 18. VII. 1853 Buol an Esterházy; 20. IX. und 7. XI. 1853 v. d. Pfordten an Meixner.

76 HHStA Wien, PA II, Nr. 81: 14. VII. u. 2.VIII. 1853 Buol an Thun, 14./19.VIII. 1853 Circular Buols; DZA II, AA II, Rep. 6. Nr. 1185: 17. X. 1853 Bruck an Manteuffel; WFStA Ludwigsburg: E 222, Fach 194 Nr. 1169: 3. XI. 1853 Bericht Herzogs von Generalkonferenz in Berlin, dto. 29. VII. u. 2./8./9. XI. 1853; BHStA München, MH Nr. 12 250: 8. XII. 1853, 5. I. 1854 v. d. Pfordten Instruktion an Meixner; GLA Karlsruhe, Abt. 48, Nr. 7028: 17. XI. 1854 Denkschrift Manteuffels.

77 DZA II, AA II, Rep. 6 Nr. 1186: 28. I. 1854 Verbalnote Brucks an Manteuffel.

Herannahen des Krimkrieges auch für die Handelspolitik der preußischen Monarchie zur Maxime geworden.

Ein erster Erfolg des preußischen Temporisierens war, daß die 1853 vertraglich abgesprochene, »gemischte Kommission«, die über Verkehrserleichterungen beraten sollte, im Jahre 1854 nicht eingesetzt wurde. Österreich mußte sich mit Entschiedenheit vom Protokoll der »Vollzugsverhandlungen« des Februarvertrages distanzieren[78]. Jede Zollunionsinitiative erlahmte 1854.

Nach diesem wirtschaftspolitischen Erfolg konnte die konservative und liberalkonservative Gruppe am Hofe Friedrich Wilhelms IV. noch einen weiteren — politischen — Erfolg buchen. Schon im Februar 1854 mußte Buol mit Bedauern erkennen, daß sein wirtschaftspolitischer Ausgleich mit dem Zollverein nicht den gewünschten politischen Erfolg erbracht hatte. Als er nämlich begann, die französische und englische Politik gegen Rußland mit Energie zu unterstützen, distanzierten sich die Mittelstaaten unter Führung Bayerns sofort von der expansiven Balkanpolitik Österreichs: »Die deutschen Länder ... haben mit der türkischen Angelegenheit« — so wurde Buol erklärt — »nichts zu schaffen. Ob Rußland oder England Herr in Konstantinopel ist, ist gleichgültig[78a].« Preußen hingegen, das im April 1854 Österreich seine Unterstützung noch vertraglich zugesichert hatte, benutzte im Laufe des Jahres 1854 die Spannungen zwischen den Mittelstaaten und dem Kaiserstaat und machte sich zum »Wächter der deutschen Ehre«. Es konzentrierte sein »ganzes Interesse auf Frankfurt«, wich jeder Entscheidung in der Südostfrage aus und wollte »sich nicht zwingen lassen, an Rußland den Krieg zu erklären«[78c]. Rußland-Partei und England-Partei hielten sich in Preußen die Waage, und die Diagonale der Machtverhältnisse zog Manteuffel mit seiner Politik der preußischen Neutralität.

Doch Buol rechnete auf die schließliche Bundesunterstützung für seine Politik; die Mittelstaaten mußten nur zwischen den Westmächten und Österreich »eingeklemmt« werden. Deswegen schloß er im Dezember 1854 ein Bündnis mit England und Frankreich. Damit war die Allianz der konservativen Ostmächte zerfallen. Nun mußte es sich zeigen, ob der Buolsche Wechsel, gezogen auf den Bundestag, von diesem eingelöst würde. Schon wenige Wochen nach Abschluß des österrei-

78 DZA II, AA II, Rep. 6 Nr. 1187 und 1188; HHStA Wien, PA II, Nr. 81: 19. VIII. 1853 Circular Buols; o. D. Instruktion Hocks für die Verhandlungen; ebd. Nr. 82: 13. I./27. III./20. IV. 1853 Baumgartner an Buol; 30. VIII. 1854 Circular Buols. WFStA Ludwigsburg, E 222, Fach 193, Nr. 891: 20./31. I., 2. V. u. 11. IV. 1854 Berichte Herzogs von den Ergebnissen der Verhandlungen zur Vollziehung des Vertrages von 1853; BHStA München: MH Nr. 12 250: 9. XII. 1854 Protokoll der General-Konferenz Darmstadt; Promemoria v. d. Pfordten.

78a HHStA Wien PA VI, Nr. 20: 17. II. 1854 Handel an Buol; ebd. 17. V. u. 18. VII. 1854.

78b ebd. PA II, Nr. 542 27. III. 1855 Esterházy/Berlin an Buol.

78c ebd. 2./12./19./26. I. 1855 Esterházy an Buol.

chisch-englisch-französischen Bündnisses beantragte Buol in Frankfurt die Mobilmachung der »halben« Bundesstreitkräfte und forderte damit den Bund auf, Österreichs antirussische Politik abzudecken. Preußen wandte sich sofort gegen den Antrag, Manteuffel bezeichnete ihn als »ein Attentat ... gegen die politische Einheit Deutschlands« und lehnte die Buolsche Politik »als unehrlich und revolutionär« ab[78d]. Nun zahlte sich die preußische Rücksichtnahme auf die verwandtschaftlichen Beziehungen zwischen den regierenden Häusern der deutschen Mittelstaaten und den Romanows aus. Die Mittelstaaten stimmten im Bundestag am 8. Februar wohl einer Kriegsbereitschaftserklärung zu, aber nicht zur Abwehr der russischen Gefahr — wie es Österreich gefordert hatte —, sondern »zur Abwehr drohender Gefahr in jeder Richtung«. Sie schlossen sich damit Preußen an und verstanden sich nur zu einer bewaffneten Neutralität[79]. Wie »eine Phalanx unter preußischem Kommando« (Kalchberg) wandte sich »das dritte Deutschland« gegen die österreichische Expansionspolitik auf dem Balkan. Die Konservativen in Preußen jubelten, ihre Politik hatte in Frankfurt einen »vollen Triumph« errungen; mit großer Bitterkeit registrierte der neue österreichische Botschafter in Berlin, Esterházy, den »überwiegenden Einfluß« und die »unangemessene Sprache« des Hauptvertreters dieser Politik: Otto von Bismarcks. Seinem Erfolg im Februar 1855 war es auch zuzuschreiben, daß Preußen, als die Waagschale des Sieges sich den Westmächten zuneigte, nicht auf ein von Frankreich angebotenes Bündnis einging, sondern bei seiner Neutralität beharrte[79a] Der Frankfurter Beschluß des Bundestages neutralisierte das österreichische Vorgehen an der Seite der Westmächte gegen Rußland. Die Südostpolitik Buols war damit in eine Sackgasse geraten. Österreich richtete jetzt wieder seine ganze Aktivität auf Deutschland, also auf den Ausbau des Februarvertrages zu einer Zollunion und auf die Reform des Bundes im »monarchischen Sinne«[79b]. Erneut trat Bruck am 10. März 1855 in das österreichische Kabinett ein, diesmal als Finanzminister, wobei die Handelsbeziehungen zu Deutschland seinem Ressort übertragen wurden (eine Spezialbehörde, »Ministerial-Zollkommission«, wurde hierfür gebildet)[80]. Bruck trieb auch dann sofort die Zolleinigung durch Anbahnung weiterer »Verkehrserleichterungen« erneut und systematisch voran. Über Bayern und Sachsen ließen Bruck und Buol den Beginn der »einseitigen« Zollreduktion des Zwischenzolltarifs an Preußen herantragen. Entsprechend seiner dilatorischen Taktik behandelte Preußen aber die Zollreduktionsfragen auch jetzt

78d ebd. 30. I. 1855 Esterházy an Buol.

79 A. O. Meyer: Bismarcks Kampf mit Österreich S. 237.

79a HHStA Wien, PA III, Nr. 54: 2./18./27. III., 7./19./26. IV., 3./21. V., 5./29. VI., 13./14. VII., 24. VIII. 1855 Esterházy an Buol.

79b ebd. PA XL, Nr. 277a, Nachlaß Buol-Schauenstein: 7. X. 1855 Franz Joseph an Buol, vgl. auch hierzu den Nachlaß Prokesch-Osten, ebd. Nr. 319 die Korrespondenz der 2. Hälfte 1854.

80 Beer S. 586; Charmatz S. 21 f.; Franz: Entscheidungskampf S. 6.

hinhaltend und wurde darin durch die schwankende Stellung der übrigen Zollvereinsmitglieder bekräftigt[81].

In dieser Situation wirkte sich ein ökonomischer Faktor zugunsten der österreichischen Zielsetzung aus. Der Krimkrieg und die durch ihn ausgelöste wirtschaftliche Unsicherheit ließen den Warenverkehr mit Österreich stagnieren. Die Lähmung des österreichischen Handels mit dem Südosten löste einen österreichischen Währungsverfall aus und brachte einen erheblichen Kaufkraftrückgang in der Donaumonarchie, der bereits 1856 die Regierung Bayerns gegenüber den Zolltarifermäßigungsplänen Brucks »indifferent« werden ließ. Österreich würde nach Ansicht der bayrischen Regierung bei einer Zollunion, angesichts seiner wirtschaftlichen Lage, zugrunde gehen, Preußen die – wie es in der Diplomatensprache genannt wurde – »Weltherrschaft« gewinnen[82]. Ebensolche Skepsis äußerte der großherzoglich hessische Ministerpräsident, Freiherr v. Dalwigk, in Darmstadt, und dieselbe Stimmung konnte Bismarck vom Bund aus Frankfurt berichten[83]. Nur in Hannover glaubte der König durch besonderes Hervorheben »der Errichtung einer deutsch-österreichischen Zoll-Einigung« eine unabhängigere Stellung von Preußen gewinnen zu können, während seine Minister sich der faktischen Übermacht Preußens beugten[84].

Zu den wirtschaftlichen Rückwirkungen des Krimkrieges traten nach dem Fall von Sewastopol die politischen. Sowohl Rußland als auch die Westmächte distanzierten sich nun von Österreich. Österreich hatte also die Entente mit Rußland zerstört, ohne die »Freundschaft« von Frankreich und England gewonnen zu haben, und als Dreingabe hatte Buol mit seiner verunglückten Politik noch Preußen einen politischen Erfolg am Bundestag beschert. Frankreich und nicht Österreich war als Sieger aus der »kriegerischen Kabinettsauseinandersetzung« hervorgegangen; Napoleon und nicht Buol begann die Friedensverhandlungen mit Rußland in Paris[84a]. Und Napoleon dachte nicht daran, nach der Entmilitarisierung des Schwarzen Meeres und nach der russischen Niederlage zu Österreich gute Beziehungen zu

81 DZA II, AA II, Rep. 6 Nr. 1188: 22. V. 1855 Beratungen zur Zollvereinsnovelle; HHStA Wien, PA VI, Nr. 20: 4./14. XII. 1855 Handel an Buol, vgl. auch PA III, Nr. 55 Privatkorrespondenz Esterházy mit Buol; WFStA Ludwigsburg, E 222, Fach 182, Nr. 891: 3. VIII. 1855 Steuerkollegium an FM Knapp; 20. IX./15./16./29. XII. 1855 Bericht Sigel über Vollzugsverhandlungen des HV 1853; BHStA München MH Nr. 12 251: 1. XII. 1855 Montgelas an Max; 13. XII. 1855 v. d. Pfordten an Meixner; 22. XII. 1855 Anträge, Vorbehalte und Protokoll Berlin; Beer: S. 506, möglichste Herabsetzung der Zollsätze um 20–50 % für Manufakturen und Halbfabrikate wurde angestrebt.

82 DZA II, AA II, Rep. 6 Nr. 1206 31. V. 1856; BHStA München, MH Nr. 12 251: 29. V./31. V. Denkschrift zur bayrischen Haltung und Proposition; HHStA Wien PA III, Nr. 56: 4. I. 1856 Esterházy an Buol.

83 DZA II, AA II, Rep. 6 ebd. 22. V., 7. VI. 1856.

84 DZA II, AA II, Rep. 6, ebd. 20. V. 1856 Ysenburg an Außenministerium.

84a HHStA Wien, PA III, Nr. 54: 29. VI. 1855 Esterházy an Buol.

suchen. Vielmehr war er um eine Ausbalancierung der Mächteverhältnisse in Südosteuropa bemüht, suchte Rußland zu stützen und gleichzeitig Österreich zu schwächen, indem er jetzt die italienischen Fragen hochspielte – eine »Kluft« zwischen der österreichischen und französischen Politik tat sich auf[84b]. Preußen aber hatte nur gewonnen. Nachdem der russische Druck vom Bund genommen worden war, zeigte es sich, daß Preußen durch seine antiösterreichische Haltung im Jahre 1854 und 1855 ein »profitables« Verhältnis zu Rußland, aber selbst auch zu Frankreich und England gewonnen hatte. »Deutschland«, so verkündete das preußische Kabinett, »soll dankbar sein über Preußens Haltung.« So war für das Berliner Kabinett »die orientalische Frage ... zur spezifisch preußisch-deutschen Frage geworden«[84c]. Über die neuen österreichischen Bundesreformprojekte konnten Preußen und die Mittelstaaten »mit Resolutionen« hinweggehen, »wodurch sie in der Zukunft möglichst wenig gebunden würden«[84d].

Während also Preußen die »Partie der Germanen« durch ihre Verbindung mit den »Flügelmächten« aufwertete (Bismarck), hatte sich Österreich selbst isoliert[84e]. Aber nicht nur politisch stärkte der Krimkrieg die preußische Position. Über die ökonomischen Verschiebungen hinaus erhielt auch die preußische Handelspolitik eine Unterstützung. England war das Haupt der Freihändler, Napoleon schloß sich den englischen Freihandelsprinzipien an, und beide Staaten trachteten nun danach, in Europa ein dementsprechendes Handelsvertragssystem aufzubauen. Hier bot sich nun Preußen – das 1854 einen freihändlerischen Handelsvertrag mit Belgien abgeschlossen hatte – als erster Partner an. Damit war Österreich auch auf handelspolitischem Gebiet isoliert. Doch Bruck und Buol konzentrierten jetzt alle Kraft auf die Herstellung der Zollunion, denn jetzt war angesichts der drohenden außenpolitischen Isolierung für Österreich das Zustandekommen der Zollunion mit dem Zollverein das einzige Mittel, die österreichische Machtstellung zwar nicht mehr auszubauen, aber zu behaupten. Deswegen drängte Bruck, obwohl die Wirtschaftslage für die österreichischen Industriellen immer schwieriger wurde und die in der ersten Aufschwungsperiode des zentralistisch geführten Kaiserreiches entstandenen Aktiengesellschafts-Unternehmen für ihre Produkte immer weniger Absatz fanden, auf den Abschluß der innerösterreichischen Tarifreform und zugleich auf Tarifreduktion und Annäherung des Zollvereins an Österreich[85].

84b ebd. PA III, Nr. 60: 26. III. 1857 Buol an Koller.

84c ebd. PA III, Nr. 54: 17./24. VIII. 1855 Lederer an Buol; 7./19. IX., 1. X., 2./9. XI. 1855 Esterházy an Buol; Nr. 55: 17. V., 22. VI. 1855 Buol an Esterházy; Nr. 56: 4./24. I. 1856 Esterházy an Buol.

84d ebd. 19. VIII. 1855 Lederer an Buol; ebd. Nr. 56: 1./8. II. und 24. III. 1856 Esterházy an Buol.

84e HHStA Wien, PA III Nr. 60: 26. III. 1857 Buol an Koller.

85 DZA II, AA II, Rep. 6, Nr. 1206: 11. VIII. 1856 Preußen an Zollverein; WFStA Ludwigsburg, E 222, Fach 182, Nr. 891: 26. X. 1856 Bericht Herzogs; HHStA Wien PA III, Nr. 60, 26. III. 1857 Buol an Koller.

Der österreichische Weg, der zur »mitteleuropäischen« Zollunion führen sollte, war somit vorgezeichnet: Unterbietung der Sätze des Zollvereins, Nivellierung der Zwischenzollinie und Ausschaltung Preußens im Zollverein und Bund. Es sollte sich jedoch zeigen, daß Preußen auf diesem Weg der Zollsatzunterbietung den längeren Atem hatte.

Die Kabinettsordre Friedrich Wilhelms IV., der »Prachtbericht« Bismarcks

Als Reaktion auf das neuerliche österreichische Vorgehen beschloß das preußische Kabinett die Aufstellung eines gegen Österreich gerichteten »amtlichen Warenverzeichnisses«[86]. Dann erging eine Kabinettsordre Friedrich Wilhelms IV., die wegen »politischer Notwendigkeit« anordnete, »unverzüglich mit einer solchen Ermäßigung des Zollvereinstarifs vorzugehen, daß Österreich nicht sobald nachfolgen könne«[87], und schließlich wurde eine preußische »Tarifvorbereitungskommission« unter der Führung von General-Steuerdirektor Pommer-Esche geschaffen. Sowohl bei der Kabinettsordre als auch bei der Zusammensetzung der Kommission[88] hatte dem Kabinettsrat Niebuhr (nach Delbrück der Inaugurator dieser Politik) und dem Ministerpräsidenten Manteuffel Gedankengut von Prince-Smith, dem Vorkämpfer der Freihandelslehre in Deutschland, Pate gestanden[89]. Die Kabinettsordre war in ihrer freihändlerischen und politischen Konsequenz so weitreichend, daß die konservative Ministerialbürokratie ihre Trumpfkarte gegenüber der Donaumonarchie nicht voll auszuspielen wagte, wie es namentlich die Reaktion auf den bekannten »Prachtbericht«[90] Bismarcks zeigt.

Bismarck hatte unmittelbar nach Abschluß des Pariser Friedens am 26. April 1856 von Frankfurt aus die internationale Stellung und Aufgabe der preußischen Politik dahin resümiert, daß Preußen und Deutschland nur in der Annäherung an die »Flügelmächte«, Frankreich und Rußland, einem möglichen Zweifrontenkrieg (als Bundespartner von Österreich) entgehen und zugleich das konkurrierende Österreich aus dem Deutschen Bund verdrängen könne. Der Deutsche Bund sei, bei der österreichischen Politik, für Preußen und Österreich »zu eng«: wohl könne ein »ehrliches Arrangement« die Lösung des Dualismus zugunsten Preußens »re-

86 DZA II, AA II, Rep. 6 Nr. 1189.

87 DZA II, Rep. 89 H, III Deutsches Reich, Nr. 11 Bd. 5, 19. V. 1856 KO an FM; 3. VI. 1856 KO an HM; Delbrück II, S. 77.

88 Legationsrat v. Philipsborn vom Außenmin., GFR v. Scheele vom Finanzministerium, ORR Oppermann vom Landwirtschaftsministerium und Delbrück vom Handelsministerium DZA II, AA II, Rep. 6, Nr. 1189.

89 Delbrück: Memoiren II, S. 77 f.

90 GW II, S. 145 ff.: 26. IV. 1856 Bismarck an Manteuffel.

gulieren«, da Österreich »auf der Bahn eines liberalisierenden Werbens«[91] nicht mithalten könne; doch sah er schon jetzt den Weg der Gewalt als unvermeidlich an. Hierfür aber müßte Preußen der neutralen Haltung Napoleons sicher sein. Nur durch eine Annäherung an Frankreich »können wir«, wie Bismarck an Manteuffel im darauffolgenden Jahr schrieb, »Österreich nötigen, auf den überspannten Ehrgeiz der Schwarzenbergischen Pläne zu verzichten«[92]. Die interne Auseinandersetzung um diese Art Realpolitik lähmte das politische Vorgehen der ohnehin unentschlossen schwankenden konservativen Führungsgruppe um Manteuffel und Gerlach am preußischen Hof[93].

Der daraus resultierenden außenpolitischen Stagnation entsprach eine handelspolitische. Zwar hatte der Pariser Frieden eine Machtsteigerung für Preußen eingebracht, aber die Divergenzen zwischen der Ansicht Bismarcks, schonungslos den Vorteil gegenüber Österreich auszunützen[93a] und der auf nationale und liberale Ressentiments Rücksicht nehmenden Politik Manteuffels, der aus der Position der Stärke glaubte mit Österreich einen Ausgleich anstreben zu können, ließen die Chance nach dem Krimkrieg, Preußen im Bund sofort als Vormacht durchzusetzen, ungenutzt vorübergehen. Die neuerliche Machtsteigerung Preußens trieb die Mittelstaaten aber auf handelspolitischem Gebiet erneut an die Seite Österreichs, eine Tendenz, die der neue österreichische Gesandte in Frankfurt, Graf Rechberg, durch den Rückgriff auf Metternichsche Gepflogenheiten der »Anerkennung« Preußens nur noch unterstützte. Die neue, in Rückwirkung von Paris veränderte Konstellation vereitelte so die sofortige Ausführung der Kabinettsordre Friedrich Wilhelms IV. von 1856 durch die preußische Kommission. Delbrück und Pommer-Esche witterten in der Revision des Zollvereinsvertrages mit einer zu brüsken Zollsenkung, der die Mittelstaaten nicht folgen könnten, die Gefahr einer Isolierung Preußens, da nun sogar Hannover – trotz Septembervertrag – zu den Südstaaten

91 Auf welchen Wegen z. B. Bismarck die preußische Position in Süddeutschland festigen wollte, geht aus einer Anregung an FM Bodelschwingh hervor, die preußischen Anleihen über A. M. v. Rothschild, »der mächtigsten Geldmacht« im Süden, an kleine »Kapitalisten« des Südens zu verkaufen. Dieser Weg über das Kapital schien bei der herrschenden Hochkonjunktur und preußischen Valutastabilität Bismarck vielversprechend. Sein Plan wurde aber vom Seehandlungspräsidenten Camphausen abgelehnt, da Preußen einem Rothschild keine Sonderrolle zu geben habe. DZA II, Rep. 151 neu, Abt. I, Reg. I E, Tit. 54 Bd. 1: 22. I. 1857 Bismarck an Bodelschwingh; 6. V. 1857 Votum Camphausen, 11. VI. 1857 Votum Staatsschulden-Verwaltung.

92 GW II, S. 149 ff.: 10. V. 1856 Bismarck an Manteuffel, ebd. 2. VI. 1857.

93 GW 14/I, S. 464: 2. V. 1857 Bismarck an Gerlach; S. 470 ff.: 30. V. 1857 Bismarck an Gerlach; GW II S. 217 ff.: 18. V. 1857 Denkschrift Bismarcks an Manteuffel. HHStA Wien, PA III, Nr. 56: 22. II., 17. III. 1856 Esterházy an Buol, ebd. Nr. 60: 26. III. 1857 Buol an Koller; ebd. Nr. 59: 8. V./7. VIII./24. IX. 1857 Koller an Buol.

93a ebd. PA III, Nr. 60. Am 25. VI. 1857 schreibt Koller an Buol: »Die Sprache des Herrn von Bismarck ist miserabel und kaum glaublich ... Er droht nicht mit Krieg aber er will sich dem anschließen, der uns bekriegt.«

hinneige[94]. Deswegen wurde vorerst nur die weitere Temporisierung und Ablehnung der von Österreich geforderten Zwischenzollreduktion zum Leitfaden der preußischen Handelspolitik. Zugleich sollte die Generalzollkonferenz des Jahres 1857 auf eine Neugestaltung des Zollvereinstarifs im Sinne des preußischen und deutschen Industrieexports drängen und eine handelspolitische Annäherung an die Westmächte suchen – womit sich Delbrück tastend den Ideen Bismarcks, also einer Verbindung mit den Flügelmächten, näherte[95]. In dieser für die preußische wie für die österreichische Politik unentschiedenen Lage veränderte die auch über Österreich und den Zollverein hereinbrechende erste umfassende Weltwirtschaftskrise des Jahres 1857 als Ergebnis der in diesen Jahren sich vollziehenden Umstrukturierung der wirtschaftlichen Ordnung die Bedingungen der bisherigen Politik von Preußen und Österreich von Grund auf.

Die unmittelbaren politischen Auswirkungen dieser Krise und die weiterreichenden historischen Konsequenzen für die preußisch-deutsche Entwicklung sind ihrerseits aber nur aus dem Scheitern der Revolution von 1848 und den damals einsetzenden preußisch-deutschen Wirtschaftsverhältnissen zu verstehen.

e Banken, Schwerindustrie, Krimkrieg und Gründerhausse: der wirtschaftliche Aufschwung der fünfziger Jahre und die Umstrukturierung der Weltwirtschaft

Preußischer Staat und preußische Bankenentwicklung

Das Revolutionsjahr 1848 brachte für die preußische Wirtschaftsentwicklung den Beginn einer von David Hansemann, dem späteren Gründer der ersten großen Berliner Kreditbank auf Kommanditbasis, als Finanzminister eingeleiteten Umstrukturierung der preußischen Finanzverhältnisse[96]. Ihr ging ein gleichlaufender

94 BHStA München, MH Nr. 12 252: 16. XII. 1856 Protokoll der Generalzollkonferenz in Weimar über die »Präcisirung« der österreichischen Reduktionen; 27. III. 1857 Protokoll der General-Zollkonferenz in Berlin und die bayrischen Berichte; WFStA Ludwigsburg E 222, Fach 182, Nr. 891: 5. III./27. III. 1857 Protokoll und Berichte OFR Sigels über die Beratungen der »Verkehrserleichterung mit Österreich«; 24. I./31. I. 1857 Denkschrift der »Centralstelle für Gewerbe und Handel« und der »Centralstelle für Landwirtschaft«; 3. II. 1857 Votum Hefele vom Steuer-Collegium; 6. IV. 1857 Schlußprotokoll der Verhandlungen in Darmstadt.

95 DZA II, AA II, Rep. 6 Nr. 1190: 31. III. 1857 Delbrück an Manteuffel, GW II, S. 200 f.: Bismarck an Manteuffel.

96 DZA II, Rep. 120, A XI, 2 Nr. 5, Bd. 1: 12. V. 1848 Denkschrift Hansemanns zu den Fragen der Zettelbanken; 9. V. 1849 Hansemann an v. d. Heydt/Rabe, hierzu 13. XI. 1850 Votum des Min. f. Handel und Gewerbe, zu den Hansemannschen

Umschwung, ausgehend von Frankreich, in den Zollvereinsstaaten und Österreich parallel[97]. Das wesentlich Neue war, daß mit der Gründung von Aktiengesellschaften der Standpunkt der übersehbaren, privaten, lokal begrenzten Geldverfügung aufgegeben wurde zugunsten einer Unternehmerorganisation, die ihren kapitalmäßigen Rückhalt durch die Häufung kleiner Guthaben erhielt. Damit wurden die lokalen Geldmärkte gesprengt, und gleichzeitig war damit die überkommene agrarbestimmte Wirtschaftsstruktur und mit ihr die politische Ordnung von Preußen revolutionär bedroht.

Hansemanns Leistung »als Revolutionsminister« bestand darin, daß er die Gründung der ersten Aktiengesellschaftsbank in Preußen durchgeführt hatte; diese liberalen Ansätze blieben jedoch aus mehreren Gründen stecken: Erstens blieb Hansemann nur wenige Monate im Amt, vollzog aber in dieser Zeit die ganze Schwenkung zum preußischen »Staat« mit; zweitens bewirkte der Arbeiteraufstand in Paris eine Veränderung der Intentionen der besitzbürgerlichen, liberal-konstitutionellen Regierungsträger[98], und drittens konnten die liberalen Anfangserfolge, vornehmlich erzwungen durch die Notlage und Geldknappheit der Manufakturbetriebe im Westen der Monarchie[99] und auch in Schlesien[100] und der damit verbundenen sozial-revolutionären Gefahr, in der beginnenden Reaktion nicht durchgesetzt werden. Die politischen und wirtschaftspolitischen Hoffnungen, die Mevissen, Patow, Hansemann, um nur wenige zu nennen, in der Situation des Revolutionsjahres 1848 auf das Bündnis von Rhein und Ostelbien gesetzt hatten, erwies sich als unrealisierbar[101]. Das rheinische Großbürgertum war noch zu schwach, um einen tiefgehenden Wandel der preußischen und deutschen politischen Verhältnisse herbeiführen zu können[102]. Die »Finanzangelegenheiten« drängten die politische Zielsetzung der

Zielen vgl. Denkschrift 18. XII. 1846, Rep. 92, Nachlaß Hansemann Nr. 11; Rep. 151 neu, Abt. 1, Reg. I E, Nr. 3 Bd. 2; Kabinettsordre Friedrich Wilhelms IV. auf Votum Hansemann 15. IX. 1848.

97 DZA II, Rep. 120, A XI, 1 Nr. 1 Bd. 1.

98 H. Rosenberg: R. Haym und die Anfänge des klassischen Liberalismus, 1933, S. 143 ff.; Hansen: Mevissen II, S. 331 f.; K. Obermann: Die Rolle der ersten deutschen Aktienbanken in den Jahren 1848 bis 1856; Jb. f. WG, II Bd. 1, 1961 S. 46 ff.

99 DZA II, Rep. 120, A VIII, 1 Nr. 3, Bd. 1: 16. III., 13. IV. 1848 Eingaben rheinischer Fabrikanten an Friedrich Wilhelm IV.; 26. III. 1848 Bericht der Regierung Aachen; ebd. Bd. 3: 23. IV. 1848 Eingabe HK Gladbach weitergegeben Reg. Düsseldorf; 30. IV. 1848 Delbrück an FM, betreffend Vorschuß für Hagen; 8. V. 1848 Reg. Düsseldorf Petitionen für Solingen u. a. m.

100 DZA II, Rep. 120, A VIII, 1 Nr. 3, Bd. 3: 30. VI. 1848 Reg. Breslau übermittelt Petitionen von Breslau, Liegnitz u. a. m.

101 DZA II, Rep. 120, A VIII, 1 Nr. 3, Bd. 2: 30. III. 1848 Denkschrift Hansemanns auf Eingabe HK Köln; Hansen: Mevissen II, S. 348; am 31. III. 1848 hatte Mevissen Hansemann bedrängt, »jetzt den Augenblick (zu) ergreifen und eine Konstitution mit der Krone (zu) vereinbaren«; HA Berlin, Rep. 90, Nr. 1185: 18. III. 1850 Hansemann an Brandenburg.

102 Hansen: Mevissen II, S. 361 f.; DZA II, Rep. 120 A VIII 1 Nr. 3, Bd. 1: 2. IV. 1848

rheinischen Liberalen in den Hintergrund. »Kann der Kredit nicht wieder hergestellt werden«, resümierte Mevissen seinem Freund auf dem Ministerstuhl, Hansemann, »so ist die bestehende Ordnung rettungslos verloren[102a].« Die Aufrechterhaltung dieser »Ordnung« schien aber für die Liberalen existentiell notwendig zu sein.

Die Umgründung der Abraham Schaaffhausenschen Privatbank (deren Klientel von 170 Fabriken mit 40 000 Arbeitern mit dem Bankerott der Bank brotlos gewesen wären) in Köln als Aktiengesellschaft, in engster Zusammenarbeit von Mevissen und Hansemann durchgeführt[103], eröffnete wohl »dem bürgerlichen Unternehmungsgeist eine verheißungsvolle Perspektive«, blieb aber für Preußen rund 20 Jahre eine Ausnahme. (Die Disconto-Gesellschaft und die Berliner Handelsgesellschaft waren keine reinen Aktienbanken[104].) Keineswegs überzeugt davon, daß »die Vereinigung von Kapital und geistigen Kräften auf dem Gebiete der Industrie in der Form der Aktien-Gesellschaft ... mehr und mehr zu einem hervorragenden Moment der Gegenwart werde«[105], lehnte die preußische Aristokratie und Ministerialbürokratie — nichts war in Preußen in der Verwaltungshierarchie geändert worden außer der Person der Minister — ein Bündnis mit dem Finanz- und Industriekapital ab[106].

Denkschrift Hansemann/Camphausen, ebd. Bd. 2 Denkschrift Hansemann zur Lösung »der die Grundfesten« erschütternden Revolution (30. III. 1848); 14. IV. 1848 Hansemann an ÄK Berlin; HA Berlin, Rep. 90, Nr. 1185: 14. I. 1851 PM Hansemann.

102a Hansen: Mevissen II, S. 361 f.

103 DZA II, Rep. 151 neu, Abt. 1, Reg. I E, Tit. 2, Bd. 2: 9. VIII. 1848: HK Köln (Mevissen) an Hansemann; A XI, 13 Nr. 2, Bd. 1: am 29. III. 1848 drohte der Bank Illiquidität, die den Oberbürgermeister, Beigeordnete und Gemeindeverordnete zur Petition an Hansemann (31. III. 1848) veranlaßten, mit Rother und Patow gelingt Hansemann die Sanierung durch Umgründung (ebd. Bd. 2: 27. IV. 1848). Garantie der Umgründung und Zahlung der Dividenden übernimmt der Staat (ebd. 8. VIII. 1848 Sta. Min. Sitzung 28. VIII. 1848 KO).

104 Ablehnende Beurteilungen: DZA II, Rep. 120, A XI, 1 Nr. 2, Bd. 1; 17. VII. 1848 Antrag Hagen; 29. VII. 1848 Kreis Schleusingen; 28. IV. 1848 Kreis Münster; 23. XII. 1848 Duisburg; ebd. Bd. 2; 25. III. 1851 Königsberg; 20. II. 1854 Halberstadt. A XI, 1 Nr. 1 Bd. 1 Anträge Stralsund, Brandenburg, Aachen A X, 8 Bd. 3 dto. Siegen, Krefeld, Köln u. a. m.

105 Hansen: Mevissen II, S. 532 f.

106 HA Berlin, Rep. 90, Nr. 1185, Petition von 1856 KO Friedrich Wilhelms IV.; DZA II, Rep. 120, A XI, 1 Nr. 11 Bd. 1: 24. IV. 1847 Antrag Hansemanns im Vereinigten Landtag; 11. V. 1848 Denkschrift Mevissen; Rep. 151 neu, Abt. I, Reg. I E, Nr. 3, Bd. 2: 9. VIII. 1848 Votum Hansemann zum Projekt einer Hypothekenbank; L. Metzler: Studien zur Geschichte des deutschen Effektenbankwesens, 1911, S. 122 ff. Hier kann auch noch die Ablehnung von Getreidezeitgeschäften angeführt werden (Delbrück Mem. II, S. 75) und die Stellungnahme gegenüber »größeren Kreditinstituten«, ebd. S. 82 f.

Die »alte Ordnung« in Preußen und Hansemann

Die Bedenken des »patriarchalischen Fürsorgestaates« im Interesse der traditionellen Führungsschicht Preußens (nur die schlesisch-katholischen Magnaten bildeten eine Ausnahme) erwiesen sich trotz der mit liberaler Firmierung auftretenden Handelspolitik als stärker[107], besonders da die neuen Banken bereits die Grenzen des »Regierungsbezirks« zu überspringen trachteten und damit agrarische Belange mit industriellen Bedürfnissen verbanden, wobei diese sich immer mehr in den Vordergrund schoben[108]. Mit der Abstinenz der preußischen Agrarier vom modernen, industrialisierten Wirtschaftsprozeß zugunsten der Industriellen und der weitgehenden Abstinenz der Unternehmer auf politischem Gebiet legten die alte und neue Führungsschicht Preußens gemeinsam die Grundlage für die preußische Sonderstellung und Sonderentwicklung in Deutschland und auf dem Kontinent in der zweiten Hälfte des 19. Jahrhunderts.

Die Formierung dieser neuen liberalkonservativen Ordnung während des wirtschaftlichen Aufschwungs und der Veränderung der europäischen Wirtschaftsstruktur wurde für die politische und handelspolitische Entwicklung von ausschlaggebender Bedeutung. Nach Überwindung des Rückschlages im Jahre 1848 rückte der jüdische Hofbankier als Repräsentant höfisch-aristokratischer Finanzierung erneut in seine traditionelle Position privater und staatlicher Geldvermittlung und wurde zum wohl nur vorübergehend erfolgreichen Kern des Widerstandes gegen das moderne Prinzip der Aktienbanken, es sei denn, er benutzte so wie die Rothschild in Österreich von vornherein »das Instrument, das zu ihrer Bekämpfung gedacht war«, zu einem Mittel ... neuerlicher Steigerung der Macht«[109].

Die erneute Stabilisierung der »alten Ordnung« – wenn auch nur für wenige Jahre – wird faßbar in der Auseinandersetzung David Hansemanns mit dem Projekt der Umwandlung der Berliner Börsenbank in eine Aktiengesellschaft. Seit 1845 hatten die Berliner Privatbankiers Berend, Gelpcke, Magnus, Mendelssohn dieses Projekt verfolgt und trugen es am 26. Oktober 1848 erneut dem Staatsministerium vor[110].

Das geplante Institut entsprach 1848 mit dem Ziel, »noch kräftiger für das In-

107 DZA II, Rep. 120, A VIII, 1 Nr. 3 Bd. 4; HA Berlin, Rep. 90, Nr. 1185: Denkschrift vom 14. II. 1856.

108 DZA II, Rep. 120 A XI, 2 Nr. 5 Bd. 1: 28. II. 1851 Manteuffel an v. d. Heydt; 26. I. 1851 Denkschrift im Handelsministerium zur Gründung von Aktienbanken in Preußen; A XI 1, Nr. 1 Bd. 1: 8. V. 1851 Protokoll der Abgeordnetenhaus-Kommission zur Untersuchung der Geldkreditinstitute.

109 E. Steiner: Die Entwicklung des Mobilbankwesens in Österreich, 1913, S. 66. In Deutschland vollzog sich dieser Umschwung 1856, vgl. hierzu z. B. die Gründung der Norddeutschen Bank, der Vereinsbank in Hamburg, der Berliner Handelsgesellschaft; DZA II, Rep. 120 A XI, 15, Nr. 1, Bd. 1.

110 DZA II, Rep. 120, A XI, 2 Nr. 1, Bd. 1; H. Rachel / P. Wallich: Berliner Großkaufleute und Kapitalisten S. 261 ff.

teresse des Handels und Gewerbes in der Residenz und im Osten, wo es der Bank erlaubt sein wird, Agenturen zu errichten, wirken zu können«, den Vorstellungen der Herbstminister, weshalb die »Geneigtheit der Befürwortung« bestand[111].

Während des Jahres 1849 verschob sich jedoch die Zielsetzung der Privatbankiers. Jetzt sollte die Aktiengesellschaftsbank nämlich ausschließlich als Börsen-Clearing-Stelle dem Berliner Börsenlokalverkehr dienen, womit die liberale Konsequenz der »liberalen« Aktiengesellschaftsbank wegfiel. Die neue Zielsetzung wurde von Hansemann – Justizminister Simons und Seehandlungspräsident Camphausen schlossen sich seinem Votum an – mit der Berufung auf die Kabinettsordre vom 11. April 1846 abgelehnt, da »die Gründung nur nach Streben von Gewinn« trachtete, während der Handelsstand und die Finanzierung »in den Provinzen« brachliege[112]. Im Zeichen der kräftig einsetzenden Reaktion empfahl aber das Staatsministerium am 17. Januar 1850 das Projekt Friedrich Wilhelm IV. zur Annahme, und die Erlaubnis zur Errichtung wurde bereits am 15. April 1850 ausgesprochen[113].

Zu gleicher Zeit stand ein von Hansemann angeregtes Projekt einer Industrie- und Handelsbank zur Diskussion[114]. Trotz Annahme im Staatsministerium blieb der Plan unausgeführt. Erst nachdem Hansemann 1851 aus dem Staatsdienst ausschied und seine Idee als Privatmann erneut aufgriff, realisierte er mit der Gründung der »Direction der Discontogesellschaft« im Jahre 1853 gegen schärfsten Widerstand der Privatbankiers, des Innen- und des Finanzministeriums[115] das Projekt einer Handelsbank, die gezwungenermaßen die Vorteile der Aktiengesellschaftsbank und einer Genossenschaftsbank verband, um so die Zulassungsbestimmungen gegen reine Aktienbanken zu umgehen. Erst in der Hochblüte der fünfziger Jahre war das Institut finanziell so gekräftigt, daß Hansemann in der Lage war, eine Statutenänderung vorzunehmen. Nun sollte die Bank neben der »Creditgewährung an Handeltreibende, Industrielle und Landwirte« auch bedeutende Fonds aufnehmen, um »im Stande zu sein... auch Eisenbahnen aufzukaufen«, Anleihen zu vermitteln und »sonstige« Bankgeschäfte durchzuführen[116].

Preußen kam »dem steigenden Bedürfnis erweiterter Bank-Fonds«, das nach Handelsminister v. d. Heydt dem »allgemeinen Interesse« entspräche (die Fonds-

111 DZA II, Rep. 120 A XI, 2 Nr. 1, Bd. 1: 27. XII. 1848.

112 ebd. 15. VI. 1849 Votum Hansemann, dto. 9. V. 1849; 30. X. 1849 Justizminister Simons an v. d. Heydt und Rabe.

113 ebd.

114 Rep. 151 neu, Abt. I, Reg. I E Nr. 2, Bd. 2: 19. IV. 1849.

115 Rep. 120, A XI, 2 Nr. 5. Bd. 1: 7. VI. 1851; Rep. 151 neu, Abt. I, Reg. I E, Bd. 2: 8. XII. 1853 v. d. Heydt an Bodelschwing; H. Münch: A. v. Hansemann, Bln. 1932.

116 Rep. 151 neu, Abt. I, Reg. I E, Nr. 3 Bd. 1: 28. IV. 1858 Generalversammlung der Disconto-Ges.; 18. XII. 1858 Hansemann an Bodelschwingh; W. Däbritz: Gründung und Anfänge der Disconto-Ges. 1931, S. 5 ff., ders. David und Adolf Hansemann, 1954; F. Seidenzahl: Eine Denkschrift David Hansemanns vom Jahre 1856, Tradition 5, 1960. Die ersten Übernahmen waren 5 % Obl. d. Moskau-Rjäsan-Eisen-

spekulationen standen im Brennpunkt der neuen Bankgeschäfte)[117], nur äußerst zögernd nach[118].

Nach vorindustriellen Prinzipien beurteilte die preußische Staatsleitung die wirtschaftlichen Bedürfnisse des Staates und glaubte[119] im Aufbau eines Staatsbanknetzes (aber nicht als Clearing-Stellen) die Lösung der finanziellen Bedürfnisse zu erkennen[120]. Dagegen öffneten ab 1851 die übrigen Zollvereinsstaaten ihre Märkte in größerem Umfang den an sie herangetragenen Ideen neuer Kreditschöpfungsinstitute in Form des »crédit mobilier«[121] und von Notenbanken. So entstanden neue Notenbanken – vornehmlich auf der Höhe des Gründungs- und Geldfiebers – in Braunschweig, Darmstadt, Homburg, Weimar, Gotha, Gera, Meiningen, Sondershausen, Bückeburg[122]. Aus den neun deutschen Notenbanken des Jahres 1851 wurden 1857 neunundzwanzig; der Notenumlauf stieg von 185,1 auf 375,1 Mill.

bahn, zusammen mit der DaB und Oppenheim-Köln; 1856 3½% Obl. Oberschlesische Eisenbahn-Gesellschaft; 1857 4½% Obl. Cosel-Oderberger-Bahn, 1859 4½% Rhein-Nahe-Eisenbahn mit der DaB.

117 DZA II, Rep. 151 neu, Abt. I, Reg. I E, Nr. 2, Bd. 2 o. D. v. d. Heydt an Finanzminister Bodelschwingh.

118 DZA II, Rep. 120, A XI, 1 Nr. 2 Bd. 2: Antworten auf Antrag Duisburg (9. VII. 1851), auf Antrag Halberstadt (19. III. 1854), Antrag Crefeld (21. II. 1856), Erfurt (31. III. 1856), Halle (20. III. 1857), Schulze-Delitzsch Vorschußverein (31. X. 1857); W. O. Henderson: The State and the Industrial Revolution in Prussia 1740–1870, 1958.

119 DZA II, Rep. 120, A X, Nr. 8 Bd. 3: 31. I. 1847 Denkschrift Rother über Neugestaltung d. preußischen Bankwesens; DZA II, Rep. 120 A XI, 2 Nr. 1, Bd. 1: 14. IV. 1845 Votum Rother, allein die Kgl. Bank habe die Möglichkeit der »stützenden und sorgenden Stellung«; ebenso 10. IV. 1845 Denkschrift Arnim in betr. Errichtung von Privatbanken in Berlin und Preußen; ebd. KO 11. IV. 1846 Friedrich Wilhelm IV., die bestimmte, allein in den »Provinzen gefühlten Bedürfnissen« abzuhelfen und Kapitalkonzentrationen zu vermeiden.

120 DZA II, Rep. 120 ebd. Bd. 4, Bericht des FM an Friedrich Wilhelm IV.; Bodelschwingh betont, daß die Zentralstellen Königsberg, Danzig, Stettin, Frankfurt, Breslau, Magdeburg, Münster, Cöln mit den selbständigen Bankstellen Memel, Tilsit, Elbing, Stralsund, Posen, Görlitz, Gleiwitz, Halle, Elberfeld, Crefeld, den Agenturen Rastenburg, Allenburg, Libau, Goldap, Wehlau, Pillau, Thorn, Graudenz, Stolp, Siegen, den Hauptkassen Insterburg, Braunsberg, Ragnit, Culm, Osterode, Marienwerder, Pasewalk, Cöslin, Brandenburg, Bromberg, Liegnitz, Oppeln, Erfurt, Minden, Aachen, Coblenz, Düsseldorf und Trier genügen für den Kapitalbedarf von Preußen.

121 A. Weber: Die Crédit-Mobilier-Idee in der Geschichte der rheinischen Banken, in Christian Eckert-Festschrift, 1949; WFStA Ludwigsburg, E 170, Nr. 706, Nr. 707; E 150–153 G 7. 37 Nr. 652.

122 W. Lotz: Geschichte der deutschen Notenbanken bis zum Jahre 1857, Diss. Straßburg 1888; HHStA Wien, PA III, Nr. 60, 21 XI. 1875 Koller an Buol.

Taler, der Depositenbestand vermehrte sich von 39,9 auf 56,6 Mill. Taler, und das einbezahlte Kapital betrug 1857 155,5 Mill. Taler gegen 48,4 des Jahres 1851 [123]!

Waren die neuen Notenbanken von den Initiatoren ursprünglich mehr als Geldschöpfungsinstitute gedacht gewesen, so galt nach der Gründung ihr Hauptstreben der Errichtung von Anlagebanken nach dem Vorbild des Pariser »crédit mobilier« und des Schaaffhausenschen Bankvereins, um der nach den Wirren der »Revolutionsjahre« explosiv einsetzenden industriellen Expansion mit Kredit gerecht werden zu können. Eine solche Gründung gelang mit Hilfe französischen Kapitals erstmals 1853 mit der Bank für Handel und Gewerbe in Darmstadt durch die Kölner Bankiers Oppenheim und Mevissen sowie dem Karlsruher v. Haber.

Die »Darmstädter Bank«

Ursprünglich war die Bank nach dem Vorbild der von den Brüdern Péreire in Paris gegründeten Société Générale du Crédit Mobilier in Frankfurt geplant, aber wegen des Widerstandes der Frankfurter Rothschild-Gruppe wichen die Gründer nach dem benachbarten Darmstadt aus. Trotz des sehr heftigen Widerstands der preußischen Regierung, die in der Gründung der Bank die Berechnung sah, den in »Paris grassierenden Credit-Schwindel nach Deutschland zu übertragen und das gesamte Rheinland auszunützen«, beteiligten sich preußische Bankiers bei der Fundierung der Bank. Der heftige Widerstand der preußischen Regierung, auch gegen den hessischen Großherzog, hatte seinen Grund »abgesehen von der Demoralisierenden und den Wohlstand am letzten Ende zerstörenden commerciellen Wirkung« darin, daß »unläugbar diese Bank auch den nachtheiligsten politischen Einfluß ausüben würde.« Deshalb erhielt der Schaaffhausensche Bankverein Weisung, sich an der Neugründung nicht zu beteiligen[124] – was aber dann doch indirekt geschah.

Hauptaufgabe der neuen Bank sollte die Übernahme von »Anleihen oder öffentlichen Unternehmungen« sein. Mit dem gleichzeitigen »Betrieb aller Bankiergeschäfte« sollte die Bank vornehmlich das Industriefinanzierungsgeschäft pflegen. Damit hatte die Bank eine ähnliche Zielsetzung wie der Schaaffhausensche Bankverein, während die Berliner Disconto-Gesellschaft mehr die Unterstützung des Handels als Ziel ihrer Arbeit bezeichnete. Der grundlegende Unterschied zu den englischen Banken, deren Hauptaufgabe die kurzfristige Kreditpflege war, zeichnete sich bereits in dieser frühen Phase der Bankentwicklung ab, und als nach der Krise – vorbereitet durch die »Demokratisierung« der Effektenspekulation (also durch Kleinaktionäre) – zu den klassischen Bankaufgaben dann auch noch das Depositengeschäft hinzukam, war die charakteristische Form der deutschen Universalbank

123 Jahrbuch f. Volkswirtschaft u. Statistik, Jg. VI, 1. 1859 S. 1; HA-Berlin, Rep. 90, Nr. 1185: 14. II. 1856 Denkschrift Hansemann.

124 HA Berlin, Rep. 90, Nr. 1185: 22. IV. 1853 KO, 20. IV. 1853 und 22. IV. 1853 Brief Friedrich Wilhelms IV. an Staatsministerium.

für die nächsten Jahrzehnte erreicht. Die Entwicklung zur deutschen Großfilialbank ab 1870 vollzog sich dann vor allem im Ausbau dieser neuen Kredit- und Geldschöpfungssysteme.

Bereits 1856 nahm die Darmstädter Bank Kommanditverbindungen mit New York und Paris auf und versuchte vornehmlich, auf dem süddeutschen Markt Fuß zu fassen[125]. Nach ihrem Vorbild entstanden auf dem Höhepunkt der Hausse von 1856 in schneller Folge an den zentralen Handelsplätzen des Zollvereins Aktienbanken, ohne daß hierfür französisches Kapital noch benötigt worden wäre. Im Gegenteil, vor Eröffnung des Handels wurden die neuen Aktien mit Aufgeld (Agio) gehandelt, und bei der Ausgabe der Aktien kam es oft zu Schlägereien. So entstanden in Bremen[126], in Hamburg[127], in Leipzig[128], in München[129], in Breslau[130], in Eisleben und Dessau[131], in Gera, Meiningen und in Berlin[132] Kreditinstitute, die je nach Akzentuierung ihrer Gründer und eingeschränkt durch Konzessionsbedingungen rasch zum Mittelpunkt einer verbreiteten Spekulation mit Industrie- und Eisenbahnpapieren wurden. 1857 erreichte das eingezahlte Kapital dieser Banken 109,7 Mill. Taler. Das Schwergewicht der Aktivität dieser Institute lag

125 HStA Darmstadt, JM Nr. 1970; GLA Karlsruhe, Abt. 233, Nr. 10 061; DZA II, Rep. 120, A XI, 15 Nr. 1 Bd. 1: 20. IV. 1853 v. d. Heydt an Kgl. Bank-Comptoire Köln; 25. VI. 1853 Staatskommissar beim Schaaffhausenschen BV an v. d. Heydt; 15. IV. 1853 das Projekt der Bank in Darmstadt nach Vorbild der »Handelsbank in Rotterdam«. In den »hochwichtigen Gründungsvorgang« schaltete sich auch Bismarck ein (ebd. 21. IV. 1853 Bismarck an Manteuffel) das Projekt nicht ablehnend. P. Wallich: Die Konzentration im deutschen Bankwesen, Münchner Volkswirt. Beitr. Stgt. 1905, S. 25 ff.; E. Förstel: Die Entwicklung der Darmstädter Bank und der Nationalbank für Deutschland und ihre Fusionen, München Diss. 1924 S. 10 ff.; Rondo E. Cameron: Founding the Bank of Darmstadt in »Exploration in Entrepreneurial History«, Bd. 8, Nr. 3 S. 113 ff., Cambridge Mass. 1956, ders. Tradition 2, 1957, S. 118 ff.

126 DZA II, Rep. 120, A XI, Nr. 1 Bd. 2: Statut und Gründung der Bremer Bank.

127 DZA II, Rep. 120, A XI, 15 Nr. 1 Bd. 2: 10. VII. 1856 GK Kamptz an v. d. Heydt, Gründung der Norddeutschen Bank; dto. Prospekt, ebd. Vereinsbank vgl. Festschrift NDB, 1906 und Vereinsbank 1956. HHStA Wien, PA VII, Nr. 91 o. D. Vaterstädtische Blätter 1855.

128 DZA II, Rep. 120, ebd. Bd. 3: Geschäftsbericht der Leipziger Bank und der Allgemeinen Deutschen Creditanstalt; Sächs. LHA Dresden, Wirtschaftsmin. Nr. 1031, Gründer u. a. Harkort, Kaskel, Nostitz-Wallwitz.

129 F. Stephan / W. Diehm: Die bayrische Staatsbank 1870–1955. S. 2 ff.

130 Geschäftsbericht des Schlesischen Bankvereins 1856.

131 DZA II, Rep. 120, A XI, 15 Nr. 1 Bd. 2.

132 (R. E. Lüke): Die Berliner Handels-Gesellschaft in einem Jahrhundert deutscher Wirtschaft, 1856–1956, Berlin 1956; In der zweiten Gründerphase 1856 schlossen sich Privat-Bankiers den Konsortien an, so gerade bei der BHG; Mevissens Idee verbanden sich Bleichröder, Oppenheim, Mendelssohn, Warschauer und Schickler.

aber nicht im Süden Deutschlands[133], sondern, ausgehend vom Rhein als Schlagader des deutschen Handels, in Mitteldeutschland und an der Küste, also den wirtschaftlichen Räumen, in denen vornehmlich der Handel dominierte.

Eine weitere Eigentümlichkeit der preußisch-deutschen Entwicklung lag in der Dezentralisation der deutschen Kredit- und Notenbanken. Sie hatten ihren Grund vornehmlich in der restriktiven preußischen Bankpolitik[134]. Im Gegensatz zu Deutschland herrschte in Frankreich, Italien, Spanien und vor allem Österreich das Zentralisationsprinzip vor. So errichtete z. B. Österreich unter Führung der Rothschild mit der »K. K. priv. Creditanstalt für Handel und Gewerbe« eine Emissions-, Finanzierungs- und Beteiligungsbank, die eine zentrale Clearing-Stelle für den gesamten Kaiserstaat wurde und gleichzeitig das reguläre Bankgeschäft pflegte. 43fach wurde das ausgeschriebene Gründungskapital überzeichnet[135].

Vor dem großen Boom

Als Teil eines weltumfassenden wirtschaftlichen Verflechtungsprozesses, den die Reduktion der englischen Kornzölle von 1846 auslöste und die Gladstonesche freihändlerische Tarifreform des Jahres 1853 nur noch verstärkte, waren die Gründungen der deutschen Banken Ausdruck des wirtschaftlichen Booms von 1850 bis 1857 und zugleich auch Katalysatoren dieses Aufschwungs. Dabei spielte der Kontinent gegenüber England und Amerika, und auf ihm wiederum Preußen eine Sonderrolle[136]. Denn jetzt erst wurden der Zollverein und Österreich in die Weltwirtschaft integriert, d. h. von den weltweiten Zyklen wirtschaftlicher Entwicklung erfaßt.

Der plötzliche Aufschwung der amerikanischen Weizenausfuhr[137], die fortschreitende handelspolitische Liberalisierung in den Industrieländern England, Frankreich, Belgien, aber auch in Holland, Norwegen, Schweden, Italien, der Schweiz und im Zollverein[138] veränderten tiefgreifend die Güterverteilung der Welt. Die

133 Jb. f. Volkswirtschaft und Statistik a. a. O. S. 22; WFStA Ludwigsburg, E 221, Fach 77, Fasc. 10; GLA Karlsruhe, Abt. 233, Nr. 818.

134 HA Berlin, Rep. 90, Nr. 1185: 26. III. 1856 Kabinetts-Ordre Friedrich Wilhelms IV. auf Eingaben Hansemann (14. II. 1856) Ratibor, Hohenlohe, Oppenheim, Mevissen und andere.

135 F. Seidenzahl: Die Anfänge der österreichischen Creditanstalt, Der österreichische Volkswirt 8. X. 1859; Steiner a. a. O. S. 72; BHStA München, MH Nr. 5105.

136 Die preußische Sonderrolle bestätigt die Entwicklung der Zinssätze:
1852 London 2,5 % Berlin 4,00 %
1856 London 5,8 % Berlin 4,94 %
Hilferding: Das Finanzkapital S. 108 (1923).

137 K. Coman: The Industrial History of the United States, New York 1910, S. 256, Amerika verzwanzigfachte den Export in zwei Jahren.

138 P. Ashley: Modern Tariff History Germany-United-States-France, London 1920, S. 295 f.; A. Devers: La politique commerciale de la France depuis 1860, Schr. d.

Veränderung war in diesem Umfang erst durch die organisatorischen Umwälzungen der Transportverhältnisse möglich geworden.

Dem seit 1847 prosperierenden Nordamerika stand die wirtschaftspolitische Unsicherheit des durch Revolution und Krieg bedrohten Kontinents gegenüber. Die Folge war ein vehementer Kapitalexport nach Übersee[139], der vornehmlich in amerikanischen Eisenbahnwerten seine Anlage fand. Der Überfluß an Kapital wurde in Europa durch die Goldfunde in Amerika noch gesteigert[140]. Zugleich bewirkte die Edelmetallzufuhr eine Stabilisierung der Valuta, die aber weniger in der produktiven Anlage, als vielmehr in der Hortung von Kapital ihren Ausdruck fand. »Im Allgemeinen«, berichtet symptomatisch für das Jahr 1850 der Berliner Kassenverein, war »die Tätigkeit im Verkehr keine sehr rege. Der Mangel an solidem Disconto-Wechsel und der Überfluß an Capitalien, für welche auf der hiesigen Börse in Diskont- und Beleihungs-Geschäften zu niedrigen Zinsen, *oft* vergebens, Verwendung gesucht wurde, sind unzweifelhafte Belege dafür[141].«

1850 schwamm Europa förmlich in Geld. Bald darauf kam jedoch ein entscheidender Umschlag im Zuge der ersten Phase der industriellen Revolution in Deutschland.

Eisenbahnen und Verkehrswege

Die Stabilisierung der politischen und wirtschaftlichen Verhältnisse ab 1850 brachten den Beginn großer Eisenbahngründungs- und Industriefinanzierungsgeschäfte auch in Europa mit dem bisher nach Amerika drängenden und überschüssigen Kapital[142]. Der Aufbau eines zusammenhängenden Eisenbahnnetzes, dem eine für die damalige Zeit rasante Vermehrung des Schiffsraumes und eine entsprechende Ausweitung der Schiffahrtslinien, vor allem nach Südamerika und Ostasien, parallel

Ver. f. Sozpol. Bd. 51, S. 132 ff.; E. Maham: La politique commerciale de la Belgique, Schr. d. Ver. f. Sozpol. Bd. 49, S. 201 ff.; H. d. Reus und G. S. Endt: Die Handelspolitik der Niederlande in den letzten Jahrzehnten ebd. S. 142 ff.; W. Sombart: Die Handelspolitik Italiens seit der Einigung des Königreiches ebd. S. 79 ff.; Fahlbeck: Die Handelspolitik Schwedens und Norwegens ebd. S. 303 ff.; E. Fueter: Die Schweiz seit 1848, Geschichte, Politik, Wirtschaft, 1927, S. 39 ff.

139 K. v. Reibnitz: Amerikas internationale Kapitalwanderungen, 1926, S. 22 f., berechnet 500 Mio. Dollar, allein aus Deutschland 200 Mio.

140 Rosenberg: Krise, S. 39; A. Soetbeer: Produktion der Edelmetalle während der Jahre 1849–1863, Vierteljahresheft f. Volkwirtschaft 1856, S. 51.

141 DZA II, Rep. 120, A XI, 2 Nr. 1 Bd. 2: November 1850.

142 Vornehmlich Kontinentaleuropa, um 19.480 km, und Amerika, um 26.025 km, vergrößerten ihre Eisenbahnnetze; (Jb. f. Volkswirtschaft und Statistik V, 1857, S. 78.) In Preußen steigerte sich das Anlagekapital von 158,5 Mio. Taler auf 362,3 Mio. Taler (Jahrbuch f. d. amtliche Statistik des preuß. Staates, 1863, S. 511). Im Rahmen dieser Arbeit kann es nicht unternommen werden, einen umfassenden Konjunkturüberblick der fünfziger und sechziger Jahre zu geben. Die Studie be-

gingen[143], die rapide Bedarfszunahme von Industrieprodukten durch den Bau von Werksanlagen, Wohnungen, Städten und Straßen bildeten den zentralen Absatzmarkt vor allem für die Eisenindustrie. Der Aufschwung wirkte zugleich markt*bildend,* da in der verkehrsmäßigen Verflechtung weitgehend alle überlieferten Marktfaktoren aufgehoben wurden. In neuer Weise wurde das Verhältnis von Rohmaterial, Fertigung und Verteilung durch die Beschleunigung des Warenumlaufes, die Verbilligung der Produktionskosten, neuer Standorte und weltweiter Handelsverbindungen, dem ein Bedarfswandel folgte, geordnet, deren politische Relevanz 1857 sichtbar und 1873 entscheidend für die Entwicklung Deutschlands wurde.

Die Montanindustrie

Bereits 1852 verzeichnete die Berliner Börse – keineswegs Hauptbörse der neuen Industrie- und Eisenbahnwerte – sehr »beträchtliche ... und lebhafte Umsätze ... im Aktien- und Effektengeschäft ... für hiesige und auswärtige Rechnung zu Anlagen und auf Spekulation«[144]. In dieser Spekulation auf Pioniergewinn, die durch das neue preußische Berggesetz von 1851 mit seiner Liberalisierung des preußischen Eisenerz- und Kohlenbergbaus[145] noch Auftrieb erhielt[146], entstanden in Preußen u. a. die Concordia-Hütte Oberhausen[147], der Rheinisch-Westfälische Berg-

schränkt sich auf die Hervorhebung gewisser, für die deutsche Handelspolitik im Rahmen der politischen Entwicklung zum Deutschen Reich wesentlicher Entwicklungszüge.

143 Preußisches Handelsarchiv I, 1858, S. 10; 1850 Welthandelsflotte: 6,3 Mio. Segelschiffe Br. Rg. to; 1855 Welthandelsflotte: 9,1 Mio. Segelschiffe Br. Rg. to; daneben 1850 Welthandelsflotte: 0,216 Mio. Dampfschiffe Br. Rg. to; 1855 Welthandelsflotte: 0,471 Mio. Dampfschiffe Br. Rg. to.

144 DZA II, Rep. 120 A XI. 2 Nr. 1 Bd. 2, Jahresbericht 1852, Berliner Kassenverein.

145 H. Schacht: Zur Finanzgeschichte des Ruhrkohlenbergbaus (Schmollers Jb. 37 (1913); P. H. Mertens: Das Werden der Dortmunder Wirtschaft, 1940; R. Schneider: Die Entwicklung des niederrheinischen-westfälischen Bergbaus und der Eisenindustrie seit der Mitte des 19. Jahrhdt, 1899; H. W. Hinkers: Die geschichtl. Entwicklung der Dortmunder Schwerindustrie seit der Mitte des 19. Jhrdt. 1926; A. M. Prym: Staatswirtschaft u. Privatunternehmung in d. Gesch. des Ruhrkohlenbergbaus, 1950.

146 Vornehmlich französisches, belgisches und englisches Kapital beteiligte sich in dieser Frühphase der Industrialisierung an den 114 Mio. Talern, die zwischen 1850 und 1855 in Ruhr und schlesischen Gründungen angelegt wurden. Cameron: Some French Contributions to the Industrial Development of Germany 1840–1870. Journ. Econ. Hist., 16, 1956; Horst Thieme: Statist. Materialien zur Konzessionierung von Aktiengesell. in Preußen bis 1867 (ohne Eisenbahnen u. Chaussee Aktiengesell.) Jb. f. W-Gesch. II Bd. 1, Berlin 1961, S. 285 ff.

147 Für den komplexen Vorgang der Gründung und der von den Interessenten untermauerten Eingaben vgl. DZA II, Rep. 89 H, Handel u. Gewerbe XIII, Nr. 10:

werksverein[148], der Hörder Bergwerksverein[149], die Belgisch-Rheinische Gesellschaft der Kohlenbergwerke an der Ruhr[150], die Phönix AG für Bergbau und Hüttenbetriebe[151], der Bergwerksverein der Friedrich-Wilhelms-Hütte zu Mühlheim[152], der Bochumer Verein f. Bergbau- und Gußstahlfabrikate[153], um nur wenige aus dem Ruhrgebiet zu nennen. Ihnen schlossen sich Gründungen an der Saar[154], in Schlesien, so von Pless, Graf Ballestrem, v. Schaffgotsch und Henckel Donnersmarck[155], und im Süden z. B. die Maximilianshütte und die Eisenwerke Wasseralfingen an[155a]. Im Gegensatz zur ablehnenden Haltung der Junker Ostelbiens verbanden sich die schlesischen Magnaten frühzeitig mit den neuen Kapitalmächten in Wien, Frankfurt und Paris und machten sich die modernen Unternehmerorganisationsformen mit ihrer Möglichkeit der breiten Kapitalbeschaffung für die Erhaltung und zum Ausbau ihrer traditionellen Machtposition zunutze.

Wenn die »Geschichte des deutschen Bankwesens ... die Geschichte des ganzen deutschen wirtschaftlichen Aufschwungs« widerspiegelt[156], so gibt umgekehrt die Statistik der Roheisenerzeugung als Grundstoff der neuen technischen Entwicklung einen Maßstab der gesamten Kapitalschöpfung ab. Die Roheisenerzeugung verdoppelte sich im Zollverein, in Preußen gar verdreifachte sie sich[157]. Neben den neuen technischen Möglichkeiten, die Bodenschätze abzubauen, zu verarbeiten und zu verkaufen, war es vornehmlich der schnelle und hohe Unternehmergewinn als Resul-

18. X. 1850 Gründungsdekret und Begründung der Interessenten und Statut; F. Kempken: Die wirtschaftliche Entwicklung der Stadt Oberhausen, 1917.

148 DZA II, ebd.: 21. I. 1852.

149 DZA II, ebd. 7. II. 1852; J. Heinze: Beitr. z. Gesch. v. Hörde, 1909, Festschrift des Hörder Bergwerksver. 1902, Mitbegründer war Mevissen.

150 DZA II, ebd. 2. III. 1852.

151 DZA II, ebd. 1. XI. 1852.

152 DZA II, ebd. 1. IX. 1853; H. Behrens: Der erste Kokshochofen des rhein.-westfäl. Industriegebietes auf der Friedrich Wilhelm-Hütte, Rhein. VjBl, Nr. 25, 1960.

153 DZA II, ebd.

154 A. Hasslacher: Das Industriegebiet an der Saar und seine hauptsächlichsten Industriezweige, 1912.

155 K. Groba: Die Unternehmer im Beginn der Industrialisierung Schlesiens, 1936, A. Perlik: Oberschlesische Berg- und Hüttenleute, 1953.

155a BHStA München, MH Nr. 5458, Eisenwerke Maximilianshütte, WFStA Ludwigsburg, E 146–356 Nr. 847/848; WHStA Stgt. E 14–16, Nr. 793/794 betr. Eisenwerke Wasseralfingen.

156 C. W. Wieser: Der finanzielle Aufbau der englischen Industrie, 1919, S. 229.

157 Die Kohleproduktion erhöhte sich 1847/57 nach Viebahn: »Statistik des Zollvereinten und nördl. Deutschlands« um 181 Mill. Zentner auf 297 Mill. Zentner. Bei einer Totalweltproduktionsvermehrung von 60,9 Mill. to. auf 142,3 Mill. to. (Rosenberg: Krise S. 60). Die Roheisenproduktion steigerte sich von 4,4 Mill. to. 1850 auf 7,2 Mill. to. 1860; im Zollverein von 4,5 Mill. Zentner (1847) auf 10,7 Mill. Zent. (1857), wobei die preuß. Produktion von 2,25 auf 6,97 Mill. Zentner aufgrund neuer Erzfunde emporschnellte. Die Zunahme in Österreich betrug 2,1

tat niedriger Löhne, leichter Kreditbeschaffung und geringer Zinssätze, der zum Antrieb wurde, auch bei wenig solider Finanzierung die Produktion zu erhöhen. Mit der risikoreichen Anwendung von Innovationen und dem Mittel rationeller Organisation wurde die erste Entwicklung zum industriellen Großbetrieb eingeleitet, der in wenigen Jahren die überkommenen, individuellen, handwerklichen Betriebsformen abzulösen begann und imstande war, auch der Massennachfrage einer in die Weltwirtschaft integrierten Volkswirtschaft bei entsprechenden Preisen Genüge zu tun trotz starkem Bevölkerungswachstum.

Analoge technische und finanzielle Vorbedingungen wie in der entstehenden Großindustrie hatten im Erz- und vor allem im Steinkohlenbergbau zur »Massenproduktion« geführt, die aber nicht ausreichte, den »Massenbedarf« der verhüttenden Industrie zu decken. In engster Verflechtung mit der Kohle- und Erzförderung, »beide anregend, von beiden abhängig«[158], hatte die Eisenhüttenindustrie, ohne mit der englischen konkurrieren zu können, in sieben Jahren die Produktion verdreifacht (bei einem Arbeiterzuwachs von nur 40 %) und im billigen Massenabsatz erhofft, Märkte zu finden[159]. Erst der Septembervertrag von 1851 eröffnete für die rheinische Industrie ein neues Absatzgebiet in Hannover. Der Vertrag von 1853 und die Zollgleichstellung des Zollvereins mit Belgien und indirekt (über Belgien) mit England war aber für die preußisch-deutschen Industriellen ein zweischneidiges Schwert. Wohl schuf die Zolliberalisierung die Voraussetzung für die Eroberung eines weiten Absatzmarktes. Aber Deutschland mußte mit den englischen Qualitätserzeugnissen und der englischen Geldflüssigkeit in Konkurrenz treten. Um sich neben England behaupten zu können, suchten die Deutschen ihr Heil in Schleuderexporten. Hierzu war aber ein nationaler zollgeschützter Produktions- und Absatzraum notwendig, der jedoch, solange Handel und Agrarexport die vornehmsten Träger des preußischen Staates waren, nicht erzwungen werden konnte. »Billig und schlecht« wurde deshalb die »Auszeichnung« für die deutsche Produktion.

Eisenverarbeitung und Maschine

Dem schnellen Aufbau der Grundstoffindustrie entsprach der zügige Ausbau der eisenverarbeitenden Industrie. Die Erweiterung des europäischen Eisenbahnnetzes brachte einen steigenden Bedarf an allen Eisen- und Stahlwaren. Auch hier löste die Massennachfrage den ersten Impuls zum Verbundbetrieb aus, indem sich Kohle,

Mill. Wiener Zentner (M. Sering: Gesch. d. preuß.-deutschen Eisenzölle seit 1818, 1882 S. 294); N. Hocker: Die Großindustrie Rheinlands und Westfalens 1867. »Groß«industrie ist hier als zeitgenössisch »groß« verstanden, wenn auch relativ zu sehen zu späteren Zeiten.

158 W. Treue, in: Gebhardt Hdb. III, 1960, S. 369 mit zahlreicher, nicht allgemein bekannter Literatur zum Gesamtkomplex der dt. Wirtschaftsentwicklung.

159 Festschrift Gute-Hoffnungs-Hütte 1810/1910, Geschäftsber. Hörder BWV. Bericht Friedrich Wilhelm-Hütte Mühlheim 1854.

Eisen, Hütte, Verarbeitung und Verteilung in einer Hand vereinigten[160]. Die Tendenz zum Großbetrieb wurde schließlich auch durch den Bedarf an Rüstungsgütern nicht unerheblich verstärkt. Handwerksfabriken, so die des Kleineisengewerbes vor allem im Siegerland[161], wurden nun in industrielle Fabrikationsbetriebe umgewandelt, um so die technischen Neuerungen ausnützen und zugleich das Kapital beschaffen zu können.

Mittelpunkt eines ganz neuen Industriezweiges wurde schließlich die Dampfmaschine: entscheidendes Antriebselement »der Industrieerweiterung und -intensivierung« (Treue) dieser Jahre. Nach einer kurzen Anfangszeit auf Handwerksebene wurde die Produktion sofort in Großbetrieben, sei es in Form von Aktiengesellschaft oder des Gründerfamilienbetriebes, aufgenommen. Auch hier diktierte die Massennachfrage den Unternehmern, die neueste organisatorische Form der Betriebsorganisation zu wählen – oder zu bankrottieren. Im Gegensatz zur eisenverarbeitenden Industrie war die neue Maschinenindustrie nicht an den Hüttenstandort gebunden. Vielmehr suchten die Maschinenbauer das Vorhandensein von Arbeitskräften und den optimalen Standort des jeweiligen industriell oder landwirtschaftlich bestimmten Marktes.

Während die Gründer der preußischen Eisen- und Kohlenindustrie – im Westen die Grillo, Krupp, Lueg, Waldthausen, Haniel, Born, Funcke, im Osten die Pless, Renard, Colonna, Donnersmarck, an der Saar die Stumm und Röchling – durchweg auf der »naturhaften« Basis ihrer Unternehmen zu finden sind[162], finden sich die Gründer der Maschinenindustrie – meist ihrem Herkommen und Bewußtsein nach den Grundstoffindustriellen nicht verwandt – über das ganze Gebiet des Zollvereins verstreut, so die Schwartzkopff und Borsig in Berlin, Henschel in Kassel, Egestorff in Hannover, Keßler in Eßlingen, Maffei in München und Schichau in Elbing[163]. Im Gegensatz zu den mehr schutzzöllnerisch eingestellten Schwereisenindustriellen waren die Maschinenbauer damals noch betonte Freihändler und an Absatz und neuen Märkten für ihre Qualitätsprodukte auch außerhalb der lokalen Begrenzung interessiert.

160 W. Berdrow: A. Krupp, 1927; Däbritz: Entstehung und Aufbau, S. 46; F. Kellen: F. Grillo, 1913.

161 W. Engels / P. Legers: Aus der Geschichte der Remscheider und Bergischen Werkzeug- und Eisen-Industrie, 1928; E. Bähren: Strukturwandlung der Wirtschaft des Siegerlandes im 19. Jhdt., 1931.

162 F. Schrunder: Tradition und Fortschritt, 100 Jahre Gemeinschaftsarbeit im Ruhrbergbau, 1959; J. Wilden: Gründer und Gestalter der Rhein-Ruhr-Industrie. Skizzen zur Geschichte des Unternehmertums 1951. H. Spethmann: Franz Haniel, sein Leben und sein Wirken, 1956. F. Hellwig: Carl Frhr. v. Stumm-Halberg, 1936.

163 C. Matschoss: Ein Jahrhundert deutscher Maschinenbau 1919 / 100 Jahre Borsig-Lokomotiven 1937; B. Beer: Louis Schwartzkopff, 1943; 125 Jahre Henschel; W. Treue: Die Egestorffs, 1956; M. Mayer: Emil Kessler, Beiträge u. Gesch. der Technik und Industrie, 14, 1924; J. Kahn: Münchens Großindustrie u. Großhandel, 1913; BHStA München, MH Nr. 5501/5502: Vorschüsse und Umwandlung für Maffei-

Baumwoll- und Wollindustrie

Doch nicht nur die »Mobilisierung der Dampfmaschine«, das neue Puddel-Verfahren,die modernen Hochöfen, die Aktienbanken veränderten das wirtschaftliche Antlitz Deutschlands. Tiefgreifend wirkte auf die Wirtschaftsstruktur auch die sprunghafte Steigerung der Baumwollerzeugung in Nordamerika ein. Diese Steigerung (dank der Anwendung der Baumwollpflückmaschine) führte eine völlige Umwälzung, eine völlige Umwandlung der wirtschaftlichen Ordnung im »Ergänzungsteil Europas von kolonialem Wirtschaftscharakter« herbei[164] und traf in Kontinentaleuropa auf eine zutiefst erschöpfte Textilindustrie. Kontinentalsperre, Krieg, landwirtschaftliche Krise, Kapitalmangel, Maschinenlosigkeit hatten die deutsche Textilindustrie, besonders die dominierende Leinenindustrie, in den dreißiger und vierziger Jahren ihre Märkte an England verlieren lassen. Durch die Aufnahme der Baumwollweberei und -spinnerei, verbunden mit einer stärkeren Maschinisierung, konnte die deutsche Textilindustrie aber in den fünfziger Jahren eine vollständige Verarmung vermeiden[165]. Hier gingen der Süden und Sachsen gegenüber Preußen voran. Die Spezialisierung auf die Baumwollindustrie, der gleichzeitige Aufbau mechanisierter Fabriken[166], dann eines kapitalistisch organisierten Großverlegertums ließen um die Jahrhundertmitte sächsische und süddeutsche Textilerzeugung –

München; Die Festschriften zumeist WWA-Hamburg, im Anhang.

164 B. Kuske: Die Bedeutung Europas für die Entwicklung der Weltwirtschaft, 1924, S. 18.

165 WFStA Ludwigsburg, E 170, Nr. 568, 574, 590, 942, 948, 949, 987, 1009, 1033, 1048, 1049, 1050, umfassende Belege für die staatliche Unterstützung bei Einführung von Maschinen in der Baumwollweberei und Begründung dieses Erwerbszweiges in den Oberämtern Göppingen, Urach, Nagold, Stuttgart, Reutlingen und Tübingen; BHStA München, MH Nr. 5678, 5679, 5685, 5689: In Bayern lag der Schwerpunkt dieser Industrie in Augsburg, aber wie in Württemberg wurde auch hier mit staatlicher Unterstützung die Maschinisierung und Ausbreitung der Baumwollspinnerei und Baumwollweberei durchgeführt, siehe u. a. in Bayreuth, in Oberfranken, Erlangen etc.; W. Zorn: Zu den Anfängen der Industrialisierung im 19. Jhdt. VSWG 38, 1948; J. Grassmann: Die Entwicklung der Augsburger Industrie im 19. Jhdt., 1894; H. Kisch: The Textile Industries in Silesia and Rhineland, Journ. of Econ. Hist. 19/1959; P. Gehring: Das Wirtschaftsleben in Württemberg unter König Wilhelm I., 1816–1861, Zeitschr. f. Württembg. Landeskunde 9, 1949/50.

166 WFStA Ludwigsburg, E 156 – 3. 46, Nr. 847: 18. XI. 1858 Eingabe Stählin; 1. VII. 1857 Petitionsvermittlung der Centralstelle für Gewerbe und Handel; E 170 Nr. 948, 949, 981, 985 Gemeinschaftsaufkauf der Rohstoffe und Webstuhlprämien, Kredithilfen zur Maschinisierung, so Nr. 993 Schachenmayer/Salach, so 1009 J. J. Müller/Metzingen, so Nr. 1033 Ges. f. Spinnerei u. Weberei/Ettlingen, so Nr. 1048 Einführung der Baumwollweberei im Oberamt Gmünd, schufen in Württemberg die Grundlage neuer Industriezweige neben den Versuchen zum Aufbau einer Seidenfabrikation (Nr. 959), einer Holzschuhmacherei (Nr. 1149 in

wenn auch bei niedrigsten Löhnen – in einigen Produkten der englischen Industrie Konkurrenz bieten[167]. Es gelang jedoch nicht, der englischen Übermacht Paroli zu bieten. Vorerst stärkte der wirtschaftliche Aufschwung nur noch den englischen Vorsprung. Frankreich, Nordamerika und der Zollverein folgten erst im Abstand zur ersten »Maschinenmacht« der Welt. Kein Wunder also, daß die Textilindustriellen wie die Stahl- und Eisenindustriellen für Schutzzölle votierten – wobei ihre Zustimmung zur Zollunion mit Österreich, vor allem wegen der Konkurrenz der böhmisch-mährischen und niederösterreichischen Textilindustrie, keine vorbehaltlose war.

Die Kennzeichen der Baumwollindustrie-Entwicklung galten auch für die Wollindustrie. Hier war Australien das führende Rohstoffland, England der Hauptabnehmer und Verarbeiter. Die Übermacht der englischen Produktion ließ die deutschen und österreichischen Textilindustriellen, die vornehmlich noch ihre Wolle aus Schlesien und Ungarn bezogen, Schutzzölle fordern, um so der Bedarfszunahme der fünfziger Jahre unter Ausschluß der englischen Konkurrenz gerecht werden zu können[168].

Gründerhausse und Handelspolitik

Trotz der starken Expansion und Produktionssteigerung konnte die deutsche Schwer- und Textilindustrie den Bedarf des Zollvereins nicht decken. So mußte z. B. 50 % des Eisenwarenbedarfs 1857/58 aus England und Belgien eingeführt werden. Damit war es ein aussichtsloses Unterfangen für die Industriellen, Einfluß auf die Handelspolitik des Zollvereins zu gewinnen. Vor allem in Preußen dominierten weiterhin die Interessen Ostelbiens und die des Großhandels. Deswegen strebte die preußische Handelspolitik unbeirrt die weitere Liberalisierung der Tarife an und ließ die schutzzöllnerischen Anträge der Industriellen unberücksichtigt[169].

OA Böblingen, Ellwangen, Gaildorf, Backnang) und Korbflechterei (Nr. 1205) im OA Aalen, Calw, Reutlingen etc. BHStA München, MH Nr. 5678 AG der Fried. Merz & Co Augsburg; Nr. 5679 Baumwollspinnerei u. Weberei im Stadtbach; G. Schmoller: Zur Geschichte des dt. Kleingewerbes im 19. Jhdt. 1870, S. 162 f. In Preußen verdoppelten sich die Spindeln von 1126 (1847) auf 2627 (1858), in England von 20 Mill. (1850) auf 28 Mill. (1856), 2210 Fabr. arbeiteten in England, in Preußen 127.

167 E. Grölich: Die Baumwollweberei der sächsischen Oberlausitz, 1911; WFStA Ludwigsburg, E 170, Nr. 1101, symptomatisch hierfür ist z. B. die Überlassung von Spulmaschinen aus Manchester in Pfullingen zur Ansiedlung einer Textilindustrie.

168 H. Janke: Die Wollproduktion unserer Erde und die Zukunft der deutschen Schafzucht, Breslau 1864, S. 123; Rosenberg: Krise, S. 64 ff.; WFStA Ludwigsburg, E 170, Nr. 940, 983, 985, 987 von der Aufzucht neuer Schafarten bis zur Unterstützung der Wollfabrikanten reichte die Tätigkeit der süddeutschen Subventionen, um gegen die englische Übermacht konkurrenzfähig zu werden.

169 DZA II, Rep. 120, C VIII, 1 Nr. 25, Bd. 2, ebd. Nr. 36, Bd. 1.

Dies geschah aber nicht nur aus den angeführten wirtschaftlichen Gründen. Nicht weniger entscheidend waren für die preußische Handelspolitik außenpolitische und innenpolitische Zielsetzungen. Der Zusammenhang von Freihandel und »Zollunionspolitik« liegt auf der Hand. Weniger deutlich erkennbar ist die Verbindung mit der Innenpolitik. Und doch ist diese Verbindung wesentlich zur Charakterisierung des preußischen Freihandels.

Die Möglichkeit des schnellen, sicheren, regelmäßigen und weltweiten Massenaustausches von Gütern hatte die Auflösung der alten und die Bildung einer neuen »kapitalistischen« Wirtschaftsordnung erzwungen[170]. Das »alte Haus« der »sparsamen« autarken Fürsorgepolitik und des hausväterlichen Wirtschaftsbewußtseins wurde endgültig vom neuen Wirtschaftsbewußtsein abgelöst. Unter Gewinnaspekten betrachtete vor allem der Unternehmer seine Tätigkeit und zwang den Agrarier, sich dieser neuen ökonomischen Weltauffassung anzuschließen. Dies vollzog sich nicht ohne Widerstreben. Denn die Agrarier, in Preußen die Junker, sahen durch das Aufkommen neuer, nicht mehr von der Landwirtschaft und ihrer Rendite getragenen Bürgerschichten ihre Stellung bedroht — nicht nur die wirtschaftliche, sondern vor allem auch die politische. 1848 hatte Ostelbien sich noch mit dem rheinischen Großbürgertum zur Aufrechterhaltung von Ruhe und Ordnung verbünden können, nach 1849 mußte aber eine neue »Interesseneinheit« für das Bündnis gefunden werden, denn erneut verschärften sich die Gegensätze von liberaler und konservativer Politik. Die neue »Einheit« wurde im Freihandel gefunden, denn sowohl Handelsbürgertum als auch Großagrarier wehrten sich gegen jede Verkehrsbehinderung des Handelsaustausches. Der Freihandelspolitik korrespondierte aber keine liberale Politik nach innen und nach außen, sondern eine Konservierung der traditionellen Rechte der Führungsschicht der Agrarier. Solange die Agrarier in diesem Bündnis ihre politischen und wirtschaftlichen Interessen gewahrt wußten, solange unterstützten sie die Freihandelspolitik, als aber das Handelsbürgertum daranging, auch politisch seine Stellung auszubauen, wurde das Bündnis sofort aufgegeben. Der große Wandel sollte sich dann in den Jahren 1875/1880 vollziehen, als die Agrarier sich von der Freihandelspolitik trennten und zur Schutzzollpolitik fanden — gleichzeitig dabei das Bündnis mit dem liberalen Bürgertum aufgaben und sich mit den konservativen Schwerindustriellen verbündeten. Dies war jedoch das Ergebnis der Hausse und Krise von 1873; die Hausse und die Krise der Jahre 1850/1857 hingegen festigten in Preußen das Freihandelsbündnis der politisch kontrahierenden Kräfte.

Die Hausse der fünfziger Jahre

Die Gesamtheit der wirtschaftlichen Umwälzung fand ihren beredtesten Ausdruck in der großen Zahl von Firmenneugründungen auf Aktienbasis. Allein 119 Ak-

170 W. Sombart: Moderner Kapitalismus, Bd. III, 1927, S. 292 ff.

tiengesellschaften wurden in Preußen von 1851 bis 1857 gegründet[171]. Dem Kapitalüberfluß des Jahres 1850 folgte bald – als Folge der erhöhten Investitionstätigkeit – eine Periode der Knappheit der Mittel. Bereits 1853 berichtete der Berliner Kassenverein, »daß von Staatspapieren und Actien ... weder Bestände vorhanden«, »noch ... irgendwelche Ankäufe stattfinden konnten«[172]. Die Illiquidität des Marktes hatte neben »der großen Thätigkeit und Unternehmungslust ... auf dem Gebiet der Industrie« noch weitere Gründe. »Lebhafte Umsätze im Getreidegeschäft« wurden verzeichnet, bei außerordentlich günstigen Preisen, die Geld absorbierten[173]; außerdem beteiligte sich der deutsche Handel bereits »erheblich ... im überseeischen Exportgeschäfte«. Trotz der hohen Lebensmittelpreise[174] und trotz der Orientkrise ließen die »gesteigerten Werthe der überseeischen Rohstoffe« zu großen langfristigen Kapitalanlagen verlocken. »Bei weitem« waren die Kreditinstitute trotz ihrer ständigen Vermehrung »nicht im Stande«, den an sie »gestellten Anforderungen zu entsprechen«[175]. Die Erschließung neuer Rohstoffquellen und die intensive Ausbeutung der alten, deren breite Anwendungsskala von Eisen und Stahl, die Eisenbahnen, der rasche Aufbau einer Grundstoffindustrie, vor allem aber die Kriege der fünfziger Jahre zwangen, neue Wege der Kapitalbeschaffung zu suchen und die konzentrierte Verwendung der Kapitalien zu organisieren. Das Kapital der traditionell vermögenden Schichten erwies sich für die einsetzende Industrialisierung in zunehmendem Maße als unzureichend[176]. Selbst die Ausbildung langfristiger Anlagekredite der Banken – sowohl der privaten als auch der Aktiengesellschaften – genügte den Anforderungen nicht mehr. Es galt deshalb, die kleinen und mittleren Vermögen zu sammeln und im industriellen Prozeß lukrativ einzusetzen.

Mit der 5prozentigen, zum Subskriptionspreis von 95 % aufgelegten Nationalanleihe von 1/2 Milliarde Gulden ging Österreich als erstes Land »auf die Straße«[177]. Die damit eingeleitete Entwicklung der Staatskreditbeschaffung wurde nun zum Vorbild der Industriefinanzierung in Form der Um- oder Neugründung der Aktiengesellschaft.

Der effektenkapitalistische Aufbau der deutschen und österreichischen Wirtschaft – meist in Vermittlung der Banken – führte damals schon zu einer umfassenden

171 H. Thieme: Materialien zur Konzessionierung von AG in Preußen bis 1867 (Jb. f. WG 1962) S. 282; mit einem Aktienkapital von 114 Mill. Talern gegründet, ohne Eisenbahnen und Chausseen.

172 DZA II, Rep. 120, A XI, 2 Nr. 1 Bd. 2, Jb. der Disconto-Ges. 1853, des Berliner Kassenvereins 1853.

173 v. d. Goltz: Geschichte der deut. Landwirtschaft 1903, S. 345 ff.

174 Rosenberg: Krise S. 71 ff.

175 DZA II, Rep. 120, A XI, 2 Nr. 1 Bd. 2: 28. X. 1853 Hansemann an v. d. Heydt. HHStA Wien, PA III Nr. 56; 18. III. 1856 Esterházy an Buol.

176 J. Strieder: Studien zur Geschichte der kapitalistischen Organisationsform, 1925², S. 117 f.

177 C. v. Czörnig: Österreichs Neugestaltung 1848–1858, Stuttgart 1858, S. 161 ff., B. Beer: Finanzen S. 251 ff.

»Demokratisierung des Kapitalimus«[178]. Unter der Devise von hohen Kursgewinnen, hohen Dividenden und Renten nahm das Gründungsgeschäft einen eminenten Aufschwung und erfaßte in wenigen Jahren alle Kapitalien der mittleren und höheren Gesellschaftsschichten[179]. Die Umformung flüssigen Kapitals in industrielles Investitionskapital – das »große Finanzgeschäft« – wurde für die Banken zur »Hauptaufgabe der Zeit«[180]. Wesentliche Anregung erhielt der Konjunkturaufschwung im Zollverein noch durch den Krimkrieg und durch die Bedürfnisse der Rüstungsindustrie. David Hansemann hatte recht behalten mit seiner Prognose, die er am 2. März 1854 seinem Sohn schrieb:

»Der Krieg wird also vom civilisierten Europa entfernt geführt werden, und ich glaube, daß, sobald sich Menschen wieder einmal an den Krieg gewöhnt haben, derselbe den Geschäften bei weitem nicht so viel schaden wird, als man jetzt vermutet[181].«

Für Österreich und Rußland zogen die kriegerischen Verwicklungen zwar die Vernichtung ihrer Handelsbewegung und die Zerrüttung ihrer Valuta nach sich[182]; für den Zollverein, Frankreich, England, Norwegen und Schweden und vor allem Nordamerika aber wirkte der Krieg durch die Nachfrage nach Nahrungsmitteln, Kleidung (Uniformtuch) und Rüstungsgütern in hohem Maße konjunkturbelebend. Durch die von Rußland und Österreich notgedrungen freigegebenen Märkte (in einem kleinen Rahmen im Vergleich zu den neunziger Jahren) entbrannte zugleich ein Kampf zwischen den konjunkturbegünstigten Staaten um neue Absatzmärkte (jener »1« Prozent! Gewinn) in der Levante und im Nahen Osten und Indien[182a].

»Unerachtet des Fortbestehens der politischen Verwicklung« konnte die Berliner Börse[183] 1855 daher von einer »überaus lebhaften Geschäftstätigkeit im ... Handel, in Staats- und Eisenbahnpapieren weit über den Umfang früherer Jahre hinaus« berichten. Daneben erwecke die Teuerung, der Krieg »große Geldbedürfnisse« in Silbervaluta; den großen Handelsumsätzen sei vor allem im Lombardwechselgeschäft, ein Zeichen beginnender Überhitzung, Genüge getan worden. Auf dem Höhepunkt von Spekulation und Warenumlauf betonte die Disconto-Gesellschaft die »*sehr* günstigen Verhältnisse« der allgemeinen Geschäftslage, die es erforderten, »ausschließlich dem Handel zugewandt« zu arbeiten[183]

178 Rosenberg: Krise S. 55.

179 H. Leiskow: Spekulation und öffentliche Meinung in der 1. Hälfte des 19. Jhdt. 1930, S. 6 ff.

180 Geschäftsbericht der Bank f. Handel und Industrie 1853, S. 7; Däbritz: Disc. Gründung S. 74 ff.

181 H. Münch: A. v. Hansemann, Berlin 1932, S. 10.

182 Preußisches Handelsarchiv 1858, II, S. 257.

182a Rosenberg: Krise S. 55 ff.

183 DZA II, Rep. 120, A XI, 2 Nr. 1 Bd. 2 Jb. 1855; Geschäftsbericht der Disconto-Gesell. 1856; Der Umsatz nahm bei der Disconto-Gesellschaft von 89 Mill. 1855 auf 216 Mill. 1856 zu, der Gewinn stieg von 105 000 Taler auf 1 000 000 Taler an, die Dividende von 6 1/2 % auf 10 %.

Deutschland und Österreich in der Hausse

Während der österreichische Export von 184,3 Mill. Taler im Jahre 1853 auf 150,3 Mill. Taler im Jahre 1856 zurückfiel, schnellte der des Zollvereins für die gleiche Zeit von 356,9 auf 456,1 Mill. Taler hinauf. Bis 1857 konnte Österreich die Exportmenge des Jahres 1853 bei ständig steigendem Import nicht erreichen[184]. Der Zollverein dagegen erhöhte bis zum Jahre 1856 sein Exportvolumen auf 456,7 Mill. Taler, dem ein Import von 497,0 Mill. Taler gegenüberstand. Der Gesamtumsatz des Zollvereins von 995,5 Mill. Taler betrug in den gleichen Jahren das Dreifache Österreichs von 354,2 Mill. Taler[185]. Die Zunahme des deutschen Handelsvolumens war also eingebettet in die des Welthandelsumsatzes, der sich in diesem Zeitraum von 12,1 auf 24,1 Milliarden Taler verdoppelte[186].

Hinter der Zunahme des Warenumsatzes stand vor allem eine erhöhte Bedarfsnachfrage auch bei erheblich gesteigerten Preisen[187], so vor allem auch der landwirtschaftlichen Produkte; und wiederum lag auch hier der eigentliche Preissprung beim Beginn der orientalischen Verwicklungen, die die russische Ausfuhr schlagartig aufhören ließen[188].

Das Ende des Krimkrieges und die Niederlage Rußlands brachten eine weitere Steigerung des Warenumsatzes, ein weiteres »Treiben in Waren«, dem eine hemmungslose Spekulation in Dividendenpapieren – unter Abstoß der sicheren Staats- und Obligationspapiere – parallel ging[189]. Allein in Preußen wurden im Jahr 1856 Eisenbahn-, Bergwerks- und Hüttenunternehmungen mit 116 Mill. Taler Kapital sanktioniert[190]. Um dem schnellen Geldumlauf gerecht werden zu können, bedrängten die Banken – in Preußen vornehmlich Hansemann und Mevissen – ihre Regierungen, die Stückelung großer Privatnoten und die erneute Pfandnahme fremder Valuta, die Errichtung von staatlichen Bankagenturen sowie eine Modifizierung der Bilanzvorschriften in ihrem Sinne und im Interesse ihrer Institute zuzulassen,

184 1854: 146,0 Mill. Taler, 1856: 198,1 Mill. Taler.

185 A. Soetbeer: Über die Ermittlung zutreffender Durchschnittspreise, Vierteljahresschrift für Volkswirtschaft, Politik und Kulturgeschichte 1864, II, S. 31 f.

186 Wagemann: Rhythmus und Struktur der Weltwirtschaft 1931, S. 388.

187 So hob sich an der Hamburger Börse der Preis für Getreide, bedingt durch schlechte Ernten in Preußen, von 88,4 im Jahre 1851 (100 = Durchschnittspreis 1879–1888) auf 133,25 (1856), der von Metallen von 108,74 auf 147,87 und der von Rohstoffen für Textilien sank von 130,87 auf 104,2.

188 ebd. So erhöhte sich der Getreidepreis 1854 um 30,54 Punkte, der der Metalle um 21,58, und selbst der Textilpreis zog um 4,56 Punkte an.

189 N. D. Kondratieff: Die langen Wellen der Konjunktur. Archiv f. Sozwiss. und Sozpol., Bd. 56, 1926, S. 602. HHStA Wien PA III, Nr. 56: 18. III. 1856 Esterházy an Buol.

190 Poschinger: Bankwesen und Bankpolitik II, 1879, S. 48; von 1852–1857 wurden in Preußen 59 Gesellschaften mit 70,7 Mill. gegründet. Jb. f. d. amtl. Statistik d. preuß. Staates 1863, S. 428.

um so eine Liberalisierung der Deckungs- und Umlaufmittel zu erreichen[191]. Aber dieses Drängen stand bereits unter dem ersten Zeichen nachlassender Konjunktur in Renten und Obligationen an den Börsen.

Die ersten Rückschläge

1856 nahm eine erste Erschütterung der Konjunktur ihren Ausgang von Frankreich, wo der Kapitalmarkt durch 1,7 Milliarden frcs. Eisenbahnanleihen, 2,3 Milliarden frcs. Kriegsanleihen, 4,7 Milliarden frcs. Gründungszeichnungen und große Staatsanleihen nach dem Krimkrieg Sättigungserscheinungen zeigte[192]. In Deutschland wurde infolge des Ausschlusses fremder Valuta durch die Preußische Bank gegenüber den neu errichteten deutschen Notenbanken die Baissetendenz weiter gesteigert, während gleichzeitig durch die Diskonterhöhung der Bank von England der Diskont in London auf 7 % und in New York auf 11 % kletterte[192a]. Gleichzeitig gaben auf dem Kontinent die Aktienkurse nach. So fiel die Darmstädter Bank von 400 auf 270 (!), und die in Berlin geführte Cleveland-Pittsburg-Linie gab von 56½ auf 35 nach. Trotz dieser Sturmzeichen »erregte die hohe Wechselcirkulation« noch kein Mißtrauen, und die Börsenspekulation ging weiter.

»Unerachtet der Erschütterungen« zeigte das Geschäft, wie die Berliner Börse resümiert, »höchstzufriedenen Verlauf. Der gesteigerte und anhaltende Bedarf an Baarmitteln hat ... in Verbindung mit dem ungewöhnlich hohen Zinsfuße zu ausgedehnten und vorteilhaften Anlagen reichliche Gelegenheit geboten[193].«

Der durch das Ende des Krimkrieges ausgelösten Spekulationswelle und Hochproduktion entsprach aber ein Nachlassen der Konsumtionsfähigkeit, die durch das Überangebot von (bei hohen Preisen angekauften) Gütern eine Warenhortung und Wechselprolongation zur Folge hatten[193a]. Die Lage spitzte sich noch zu, als Rußland seine alten Absatzmärkte zurückzuerobern begann, während Amerikas Kaufkraft in Europa hingegen vornehmlich von seinem gesteigerten Getreideexport abhängig war, der gerade in die ehemals russischen Absatzgebiete auf dem Kontinent ging. Der zu gute Ausfall der Ernten des Jahres 1857 und die dadurch verursachte Warenschwemme löste einen durchgreifenden Preiszerfall in Amerika aus, der seinerseits einen allgemeinen und weltweiten Zusammenbruch der Hochkonjunktur nach sich zog.

191 DZA II, Rep. 120, A XI, 2 Nr. 1 Bd. 2: 4. IX. 1857 v. d. Heydt an v. Bodelschwingh. HHStA Wien, PA III Nr. 59: 3. V. 1857 Koller an Buol; 24. VIII./26. X. 1857 dto.; Nr. 60 21. IX. 1857 Koller an Buol; 18. XII. 1857 dto.
192 Ph. Geyer: Frankreich unter Napoleon III, 1865, S. 119; Rosenberg: Krise S. 107 f.
192a HHStA Wien PA III, Nr. 59, 26. X. 1857 Koller an Buol.
193 DZA II, Rep. 120, A XI, 2 Nr. 1 Bd. 2.
193a StA Hamburg: Nachlaß Merck.

f Die Krise von 1857

Die Krise in Amerika

Nach dem Fallissement der »Ohio Life Insurance and Trust Company« am 24. August 1857 erfaßte die Bankerottwelle rasch die wenig stabilen, im Überangebot von Baumwolle und Getreide erstickenden amerikanischen Börsenplätze. In New York schnellten die Zinssätze am Monatsende auf 24 % hoch (!), anschließend brachen die Eisenbahnwerte zusammen[194]. Damit wurden die Banken zahlungsunfähig, und in ihrem Gefolge die Handelshäuser; der Diskont stieg im Oktober auf 60—100 %. 1415 amerikanische Banken mit einem Notenumlauf von 214¾ Mill. Dollar stellten ihre Zahlung ein, in New York allein waren 1857/58 von 33 Banken 32 zahlungsunfähig[195].

England

Als erstes Land reagierte England, der klassische Vermittler des Welthandels, auf die Baisse. Da London durch die chinesischen (Öffnung der Häfen) und indischen (Sepoi-Aufstand) Verwicklungen gebunden[196] und zugleich durch Silberexporte nach Ostasien und Goldabzüge nach Nordamerika gelähmt war, konnte der Markt dem Konjunkturumschlag keine flüssigen Mittel entgegensetzen, um so weniger, als auch die englische Wirtschaft durch Warenspekulation und Kreditüberspannung gekennzeichnet war. Die Folgen stellten sich rasch ein: Am 12. Oktober 1857 fallierten in Glasgow mehrere Häuser, am 27. Oktober in Liverpool, am 9. November stellte die »Western Bank of Scotland« mit 98 Filialen ihre Zahlung ein, und am 11. November gab der Londoner Markt nach. Der Diskont der »Bank of England« betrug 10 %, die Goldeinlösepflicht wurde aufgehoben[197].

Hamburg

Von England aus sprang die Krise nach Skandinavien, dem Vermittler des internationalen Warengeschäfts während des Krimkrieges, über und von hier nach Hamburg, dem wichtigsten norddeutschen Welthandelsplatz. Der vollkommene Zusammenbruch der skandinavischen Häuser ließ »alle Notierungen« in Hamburg im

194 Rosenberg: Krise S. 119.
195 Preußisches Handelsarchiv, 1859, I. S. 513.
196 v. Delbrück: Memoiren II, 1905, S. 173 ff.
197 D. M. Evans: The History of the Commercial Crisis 1857—1858, London 1859, S. 205 ff.

November 1857 »völlig nominell« werden[198], nachdem die englische Krise schon den Diskontsatz auf 8 % hatte steigen lassen, ohne »daß aber Geld aufzutreiben« gewesen wäre. Hamburgs enge Verflechtung mit der Weltwirtschaft, vor allem mit Nordamerika und mit England (in Manchester hatten mehrere Hamburger Häuser Filialen), ließ die Depression hier – Hamburg hatte 1857 400 Mill. Mark Banko ausstehende Wechselbeträge – mit voller Wucht zur Geltung kommen. Sie traf besonders die Hamburger »merchant bankers«[199] und war auch nicht von den Stützungsmaßnahmen des Senats sofort entscheidend abzufangen[200]. So notiert Ruperti von der Firma H. J. Merck & Co – der größten »merchant bank« –:

»Unsere Engagements beliefen sich auf ca. 14 Mill.; da plötzlich stockten die Retouren aus ganz Schweden, Norwegen und Dänemark, succesive, dann auch aus Rußland und Preußen, und alle Credite in London wurden gekündigt, während Consignationen aus den transatlantischen Ländern immer neue Geldauslagen forderten. Dagegen aber waren keine Waren mehr zu Geld zu machen, und die Fallissements mehrten sich hier in so grauenerregender Weise[201].« »Mit Zittern blickten viele ersten Häuser«, schreibt Goßler, »Hamburgs und Altonas auf ihre laufenden großen Engagements[202].

Erst die Gewährung einer 10-Mill.-Silberanleihe von Österreich, »geheim und schnell« und »gewiß nicht wenig von politischen Gesichtspunkten gelenkt«[203], ermöglichte es Hamburg, die Krise zu überwinden.

Der Kontinent

Weniger direkt als Hamburg traf der Rückschlag den Kontinent, hatte doch die Bereinigung hier schon schrittweise begonnen[204]. Allenthalben gab der angestiegene Diskontsatz Zeugnis von der Versteifung des Marktes[205], aber von einem

198 Schramm: Hamburg u. Übersee. S. 551 f.

199 StA Hbg., Familienarchiv H. J. Merck & Co. nach H. Tummescheit. Die Entwicklung der Hamburger »merchant bankers« unter bes. Berücksichtigung der heute noch bestehenden Firmen. Dipl. Arb. Masch. Hbg. 1962, S. 80 f. HHStA Wien, PA III Nr. 3. XII. 1857 Koller an Buol; PA VII, Nr. 93: 24. XI. 1857 Testa an Buol.

200 DZA II, AA II, Rep. 6 Nr. 543: 24. XI. 1857 Kamptz an AA; H. Treutler: Die Wirtschaftskrise von 1857, Hbg. Überseejb. 1927, S. 317 f.

201 Schramm: Hamburg und die Welt, S. 555.

202 StA Hbg., 621/2 J. H. Goßler nach Tummescheit S. 83.

203 DZA II, AA II, Rep. 6 Nr. 543: 16. XII. 1857 v. Flemming an Min. d. Ausw. HHStA Wien, PA VII, Nr. 93: 24./27. XI., 1./3./5./6./9./11. XII. 1857 Testa an Buol; Varia ebd.: 10. XII. 1857 Buol an Heckscher; PA III, Nr. 60: 14. XII. 1857 Koller an Buol.

204 In Frankreich fallierten 1856 bereits 5773 Unternehmungen, 1857 gaben 6124 ihre Existenz auf; Rosenberg S. 130 f., vgl. auch oben S. 77.

205 Bank von Frankreich: von 5½ % auf 10 %, Frankfurt 4½ % auf 6 %, Bremen 6½ % auf 10 %, Amsterdam von 4½ % auf 7 %, Preuß. Bank 5½ % auf 7½ %.

Bankenkrach konnte hier nicht die Rede sein, denn die Strukturwandlung der fünfziger Jahre blieb im Kern unangetastet. »Wenn sich auch zum erstenmale« die Berliner Banken »von Verlusten nicht (haben) freihalten können, so darf doch der Betrag derselben, der ernsten und bedenklichen Lage des Verkehrs gegenüber als eine geringe Einbuße bezeichnet werden«, stellt die Berliner Börse fest[206].

Trotz der engen Verbindung der deutschen Banken mit der Industrie, wobei die preußischen Banken eine gewisse Sonderrolle zu spielen hatten[207], fallierte keine der Neugründungen. Als Sofortreaktion auf die Krise konnten durch Dividenden-, Kapitalreduktionen, Aktienzusammenlegungen und staatliche Stützungen die unmittelbaren Folgen der Krise abgefangen werden[208].

Ebenso gut überstanden die Kohleförderung, die Schwereisenindustrie, die Maschinenindustrie, selbst die Textilindustrie rasch die finanziell bedingten Stockungen[209]. Der Ausbau der Betriebe war zum Teil schon vollzogen, wo nicht, traf die Krise ebenfalls vor allem die Geldanleger, vornehmlich das breite Publikum der Spekulanten. Zugleich trieb die Krise aber in der Großindustrie zur Verbandsbildung auf Unternehmerseite[210]. Zwar erwies sich das System, »die Privatisierung der Gewinne mit der Sozialisierung der Verluste zu verbinden«[211], zur Kri-

206 DZA II, Rep. 120, A XI, 2 Nr. 1 Bd. 2: Jahresberichte 1857, BHG hatte die größten Verluste, 0 % Dividende, Disconto-Gesell. und Berliner Kassenverein.

207 Jahresbericht der Disconto-Gesell. 1854, 1855 und vor allem 1856.

208 vgl. W. Däbritz; Gründung und Anfänge der Disconto-Gesell. 1931, S. 80 f. L. Metzler: Effektenbankwesen S. 125 ff.; A. Moser: Die Kapitalanlage in Wertpapieren, 1862, S. 552.

209 H. Meis: Der Ruhrbergbau im Wechsel der Zeiten, 1933; die Kohlenproduktion erreichte 1857 65 Mill. Tonnen, 1858 71 Mill. Tonnen und fiel erst 1859 auf 68,9 Mill. Ton., um 1860 auf 74,3 Mill. Tonnen anzusteigen. Demgegenüber stagnierte die englische, französische und belgische Förderung im Jahre 1858.
Die gleiche Entwicklung verzeichnet die Eisenindustrie. Bei stark gesunkenen Unternehmergewinnen reduzierte sich erst 1859 der Produktionswert von 2,4 Mill. Taler auf 1,5 Mill. Taler, wobei aber die Roheiseneinfuhr von 7,1 Mill. Ztr. auf 3,3 Mill. Ztr. des Jahres 1859 zurückgedrängt wurde. (Jb. f. d. amtl. Stat. d. preuß. Staates, 1863 S. 390–409; Sering, S. 294 f.)
In der Textilindustrie wurden vornehmlich die sächsischen Weber und Spinner des Vogtlandes, die Krefelder und Elberfelder Seidenfabrikanten und die rheinischen Tuchmacher getroffen. Diese konnten aber die Krise durch Umstellung ihrer Produktion auf Massenartikel überwinden; der Süden als Binnenmarktversorger hingegen konnte noch 1858 6,33 % Dividende im Durchschnitt zahlen.

210 So wurde am 17. XII. 1858 der „Verein für bergbauliche Interessen im Oberbergamtsbezirk Dortmund“ von Haniel, Hammacher, Waldthausen, Liebrecht, Flashof, Stinnes, Druckenmüller, Mulvany, Langen u. a. gegründet. 89 Gewerkschaften mit 16 000 Arbeitern waren in ihm vertreten. Der erste Vorsitzende wurde der Ehrenbürger von Essen, Duisburg, Oberhausen, Ruhrort und Meiderich Hammacher (vgl. Ruhrbergbau hrsg. von Gebhardt, Essen, 1957, S. 20, 504).

211 Rosenberg: Krise S. 194.

sensanierung der Montanindustrie als geeignet; zur raschen Wiederherstellung des »tief erschütterten Vertrauens ... zur Aktien-Gesellschaft als Organisationsform der wirtschaftlichen Ordnung«[212] konnte aber nicht darauf zurückgegriffen werden. Die »Aktien-Gesellschaft« geriet beim Publikum und bei der konservativen Staatsleitung in Mißkredit. »Kapital« mußte von nun an für 13 Jahre mit anderen Mitteln flüssig gemacht werden.

Damit bewirkte die Krise — als Ausgangspunkt einer langanhaltenden wirtschaftlichen Stagnation[213] — eine erneute Änderung der Formen zur Kapitalbeschaffung. Während die Schwerindustrie vorübergehend bis 1862 versuchte, ohne Vermittlung der Banken als Kreditgeber auszukommen, und sich ihren Kapitalbedarf auf dem Wege festverzinslicher Inhaberpapiere (Obligationen) beschaffte[214], wandten die Banken jetzt dem »regulären« Bankgeschäft ihre Hauptaufmerksamkeit zu. Ihm ordneten sie das bisher gepflegte Spekulationsgeschäft unter, das jetzt nur noch in den weniger tangierten Staatspapieren weitergeführt wurde. Verbunden hiermit war die Stützung des Handels und der Aufbau eines geographisch dezentralisierten, strukturell konzentrierten Depositensystems und vor allem die Konzentration der Bankarbeit in Berlin auf Eisenbahnaktien. Frankfurt blieb vornehmlich Staatspapierbörse, Berlin hingegen öffnete mehr den neuen Werten seinen Markt. »Man hatte gelernt, auch in sturmbewegten Zeiten mit geistiger Ruhe und kalter Überlegung zu arbeiten[215].«

Handelskrise

Die Sonderentwicklung Preußens während der Krise von 1857 ist vor allem darauf zurückzuführen, daß die Depression weniger die neuentstandenen industriellen Betriebe als vielmehr den älteren, traditionellen, freihändlerischen Teil der Wirtschaft, nämlich den Großhandel, den Getreideabsatz und von hier aus dann das mobile Kapital traf. Die Wirtschaftskrise von 1857 traf Preußen als Handelskrise, und ihre Rückwirkung zeigte sich im alteingeführten Warengeschäft, weniger aber im europäischen Gründergeschäft[216].

212 DZA II ebd. Jb. d. Berl. Kassenverein 1858.

213 Hilferding: Finanzkapital S. 108, der preuß. Diskont verharrte auf ca. 4,2 %, 1858/1860, der englische 1859 auf 2,75 %.

214 Geschäftsbericht Schaaffhausenscher Bankverein 1859; im Jahre 1859 entfielen bereits 43 Mill. von 282 Mill. Taler Anlagekapital auf Obligationen, zwischen 1859 bis 1861 wurden in Preußen nur noch 7 Gesellschaften mit 3,2 Mill. Aktienkapital gegründet. (Jb. f. d. amtliche Statistik des preuß. Staates 1863, S. 428).

215 Dieser Wandel läßt sich besonders an den Geschäftsberichten der Darmstädter Bank und des Schaaffhausenschen BV. ablesen. Während die Disconto-Gesell. von vornherein wenig »feste Anlagen« besaß, ging Hansemann nun zielbewußt an den Ausbau des »regulären« Geschäfts enger Fühlungnahme mit dem Kunden. Mevissen folgte dieser Entwicklung nur sehr zögernd.

216 Preußische Jb. 1858, I S. 97 f.

Der Fall der Engrospreise im Zollverein um 30 %[217] löste eine Umsatz- und Wertschrumpfung mit allen Folgen im Güter-, Eisenbahn- und Schiffsverkehr aus. Plötzlich einsetzend, erreichte die Krise erst 1859/60 – wiederum aufgrund »politischer Verwicklungen«[218] – ihren Höhepunkt[219].

Während aber in Preußen und im Zollverein die Rückwärtsbewegung des Gesamthandelsvolumens erst im Jahre 1859 ihren Tiefpunkt erreichte, stagnierte der österreichische Handel bereits 1857 infolge der Auswirkung des Krimkrieges[220], und auch die österreichische Montan- und Textilindustrie – im Gegensatz zur preußischen eng mit den führenden Adelshäusern verbunden – stand 1857 bereits, trotz Zunahme der Produktion, die mit dem Mittel radikaler Preissenkung erzwungen wurde[221], mitten in der Krise, die in Deutschland erst in den Jahren 1859 und 1860 zum vollen Ausbruch kam. Die Absatzkosten deckten nicht mehr die Gestehungskosten, der chronische Kapitalmangel der österreichischen Industrie hatte die Reserven bereits 1858 aufgebraucht. Die Folge dieser wirtschaftlichen Krisenlage war, daß bereits im Jahre 1857 in Österreich die Interessenten für eine schutzzöllnerisch bestimmte Handelspolitik eintraten, während in Preußen die Frage der Absatzsteigerung der Agrarprodukte und die Ankurbelung des Handelsverkehrs – auch bei gefallenen Preisen – die politische wie die wirtschaftliche Führungsschicht stärker denn je bestimmte.

Im Gesamtergebnis war also der Gegensatz zwischen Preußen und Österreich und die interessenmäßige Fundierung beider Gegner durch die Krise noch weiter akzentuiert worden, so daß der Kampf um die Zollunion jetzt erst recht in aller Schärfe entbrannte.

217 Rosenberg: Krise S. 141; Wagemann: Konjunkturlehre S. 277.

218 Jahresbericht 1859 des Berliner Kassenvereins in DZA II, Rep. 120 ebd.

219 Der Wechselumlauf der Preußischen Bank (als Barometer der wirtschaftlichen Tätigkeit ausgezeichnet) fiel von 1857: 889 Mill. Taler auf 1858: 820 Mill. Taler auf 1859: 815 Mill. Taler und erreichte im Jahre 1860 mit 766 Mill. Taler seinen Tiefpunkt. Der österreichische Umlauf reduzierte sich von 480 Mill. fl. des Jahres 1857 auf 235 Mill. fl. im Jahre 1860.

220 Soetbeer: Durchschnittspreise S. 31 f. 1858 betrug der Zollvereinshandel noch 896 Mill. Zentner und ging 1859 nur auf 886,8 Mill. Zentner zurück. Hingegen stagnierte der österreichische Handel. Er erreichte 1856 371 Mill. Wiener Zentner, 1857 354,2 Mill. WZ, 1858 389,2 Mill. WZ und sank nach diesem kurzen Aufschwung 1859 wieder auf 372,7 Mill. Wiener Zentner.

221 Sering: Eisenzölle S. 294 f. Die Produktion hielt sich in den Jahren
1857 auf 5,6 Mill. WZ.
1858 auf 5,9 Mill. WZ.
1859 auf 5,6 Mill. WZ.

g Preußen, Österreich und die Depression von 1857/58. Das Ende der ersten Phase im Kampf um die »mitteleuropäische Zollunion«

Neue Verhandlungen in Wien

In dieser Situation, der soeben überwundenen akuten Krise, die aber nur der Anfang einer allgemeinen Depression war[222], gelang es Bruck nach jahrelangen Bemühungen endlich, Preußen, Bayern und Sachsen als die bevollmächtigten Unterhändler des Zollvereins Anfang 1858 zur ersten Beratung über die bereits 1853 ins Auge gefaßten Verkehrserleichterungen zu versammeln[223].

Wie aber hatten sich seit 1853, ja seit der letzten Beratung im Jahre 1856/57 die Voraussetzungen für eine Zollvereinigung mit Deutschland geändert! Zum preußischen politischen Nein hatte sich das rein wirtschaftlich begründete Nein der österreichischen Industriellen unüberhörbar gesellt, die gegen das gemäßigt freihändlerische Programm Brucks die Forderung nach einem autonomen Schutzzoll stellten. Die erste Rückwirkung im Zeichen der Krise war die vollkommene Isolierung Brucks innerhalb des österreichischen Ministeriums. So sah der preußische Unterhändler trotz der proösterreichischen Haltung Bayerns[224] wegen Österreich »keine Veranlassung ... die Verhandlungen fortzusetzen«[225]. Von der Pfordtens Streben nach einer bayrischen Mittel- und Mittlerstellung war durch das Zusammengehen von Preußen und Sachsen vereitelt. Als dann am 10. März 1858 auch Bayern die österreichischen Vorschläge auf »Parifizierung« der Tarife, auf die Einrichtung von gemeinsamen Zoll- und Handelsämtern in den Bundesstaaten, auf Herabsetzung des Weinzolls, auf vollkommene Ersetzung der Durchfuhrzölle durch Ausgangsabgaben im Zollverein ablehnte, war eine »Verständigung« nicht mehr zu erlangen[226]. Bis April 1858 zogen sich die Verhandlungen, oft unterbrochen,

222 Wagemann a. a. O. S. 388.

223 DZA II, AA II, Rep. 6 Nr. 1190: 13. I. 1858 Delbrück an Manteuffel. Preußen vertrat R. v. Delbrück, Österreich Frhr. Carl v. Hock, Sachsen Zoll- und Steuerdirektor v. Schimpff und Bayern MR. v. Meixner; BHStA München, MH Nr. 12 251: 13. I. 1858 Meixner an v. d. Pfordten; 15. I. 1858 Dalwigk an v. d. Pfordten, 5. II. 1858 Meixner an v. d. Pfordten; WHStA Stgt. E 70 B Ges. Wien, Büschel 56: 12. III. 1858 Ow (Ges. Wien) an Hügel; HHStA Wien PA III Nr. 59: 20. X. 1857; 9. XII./19. XII. Koller an Buol; Beer: S. 181 ff.; Delbrück II, S. 108 ff; Hock: Österreichische Revue III, S. 49 ff; vgl. E. Franz: Graf Rechbergs deutsche Zollpolitik, MIÖG 46, S. 143 ff.

224 DZA II, AA II, Rep. 6 ebd. 7. II. 1858 Eulenburg an Manteuffel.

225 DZA II, AA II, Rep. 6 ebd. 21. I. 1858 Delbrück an Manteuffel.

226 DZA II, AA II, Rep. 6 ebd.: 10. III. 1858 Delbrück an Manteuffel; WHStA Stgt., E 70 B Ges. Wien, Büschel 56: 30. III./3. IV./11. IV./21. IV., vor allem 5. V. 1858 Ow an Hügel.

noch hin, aber sie blieben in den Fragen der Zollunion und der österreichischen Haupttarifforderung, der Weinzollreduktion, ergebnislos[227]. 96 Anträge, »objektive Verbesserungen des bestehenden Zustandes ... wurden beinahe ausnahmslos angenommen. Von den übrigen, auf wirkliche Zugeständnisse gerichteten Anträgen wurden ... besonders Wichtige abgelehnt«[228]. Selbst eine Schlußerklärung unterblieb[229].

Das »kleine Buch« des Herrn von Bismarck: Interessentenpolitik

Das dürftige Ergebnis der Verhandlungen entsprach den politischen Hoffnungen des preußischen Gesandten in Frankfurt, der noch während der Beratungen in Wien, im März 1858, seine Stimme erhob und diesmal in einem ausführlichen Resümee die preußische Politik dahingehend umriß, daß es für Preußen »nichts Deutscheres« geben könne »als die Entwicklung preußischer Partikularinteressen«[230]. In bewußter Übertreibung stellte Bismarck neben die politischen auch die sozialen Beziehungen, die die Mittelstaaten »im Fahrwasser der Wiener Politik erhalten« würden. Allein in der Zurückführung auf die »sicheren Grundlagen der beiderseitigen Interessen« wäre die Möglichkeit gegeben, im europäischen Rahmen sich Österreichs Konkurrenz zu entledigen und die Mittelstaaten vor die Wahl Preußen – Österreich zu stellen. Dies sei aber gar keine Wahl, da »die preußischen Interessen ... mit denen der meisten Bundes*länder* außer Österreich vollständig« zusammenfielen. Wohl würden die Regierungen opponieren, aber diese müßten eben durch den Zwang der Interessen – so wie Sachsen – gezwungen werden, erneut »was spezifisch preußisch war ... als mustergültig anzuerkennen«. Wenn auch hier nicht das Preußen eines Gerlach, sondern mehr das eines Humboldt politisch genutzt werden sollte, so war es nur konsequent, daß Bismarck im Zusammenwirken von Regierung *und* Landesvertretung (!) die »Gesamtkraft Preußens« erstehen sah – eines Preußen, das selbst ohne Zollverein »den natürlichen Kristallisationspunkt« der mittelstaatlichen Interessen bilden würde[231]. Doch vorerst entschied noch nicht Bismarck was Berlin für eine Politik verfolgte. Berlin blieb weiterhin abwartend, zurückhaltend. Es wollte nicht die Initiative übernehmen. Österreich sollte vorgehen wenn es wollte. Und es tat dies auch.

227 DZA II, AA II, Rep. 6 Nr. 1190: zahlreiche Berichte aus Wien ebenfalls in Nr. 1191; BHStA München MH Nr. 12 252: 16. V. 1858 v. d. Pfordten an König Max. WFStA Ludwigsburg, E 222, Fach 182, Nr. 892: o. D. (Konzept) Bericht Rieckes.

228 Delbrück: Memoiren II, S. 117, die rückblickende Darstellung Delbrücks ist wesentlich anders akzentuiert; GLA Karlsruhe, Abt. 48, Nr. 7028: 26. V. 1858 Savigny an Roggenbach.

229 WHStA Stgt., E 70 B Ges. Wien, Büschel 56: 5. V. 1858 Protokoll und Berichte Ow an Hügel.

230 GW II; S. 302 ff., Ende März 1858 Auszüge; Kohl: Bismarck Jb. II, S. 93 ff.

231 Nach Mommsen: S. 53.

Der letzte österreichische Vorstoß in Hannover: Delbrücks »großes Spiel«

Trotz der entmutigenden Verhandlungen im Frühjahr 1858 hoffte Bruck immer noch, sich mit der vollen Aufhebung der Durchfuhrzölle den materiellen Interessen der deutschen Staaten zu nähern. Noch einmal versuchte er am 25. Mai 1858 mit einem Appell an die Vereinsstaaten, »den voraussichtlich letzten Versuch« einer Einigung während der 13. Generalzollkonferenz des Zollvereins in Hannover Ende des Jahres nicht scheitern zu lassen. Bruck bot tatsächlich eine weitgehende Liberalisierung der Durchfahrt aller Güter durch Österreich an und forderte den Zollverein auf, diese Liberalisierung auch in Deutschland durchzufühen. Damit nahm nun der Österreicher Preußen den Wind aus den Segeln[231a] und entsprach mit seinem Angebot auf der Konferenz in Hannover deutschem Interesse[232].

Am 9. August 1858 begann die Konferenz der Zollvereinsstaaten in Hannover, auf der sämtliche Vereinsstaaten außer Hessen, Nassau und Baden mit einer Ermäßigung der Durchfuhrabgaben einverstanden waren. Preußen war in einer Zwangslage: Einerseits mußte den Reduktionen von den wirtschaftlichen Bedürfnissen her zugestimmt werden, andererseits aber durfte die hieraus resultierende Liberalisierung nicht in einen erneuten Schritt zur Zollvereinigung münden. Die Lage wurde für Delbrück noch »peinlicher«, als v. d. Heydt unter dem Einfluß Hansemanns und Mevissens nicht nur der Aufhebung von Durchgangszöllen und Rheinzöllen zustimmte[233], sondern auch der von Österreich beantragten »Parifizierung der Tarife« seine Einwilligung gab: »Er (v. d. Heydt) war eben ausschließlich erfüllt von dem Wunsche, durch weiteren Ausbau des Februarvertrages den Absatz unserer Erzeugnisse nach Österreich zu fördern«, bemerkte Delbrück mißgestimmt selbst noch in seinen Memoiren[234]. Delbrück hielt die Stellungnahme seines Ministers für »unrichtig«, konnte aber gegen v. d. Heydt nicht offen opponieren. Delbrück hatte also nur die Unterstützung von Baden, Hessen und Nassau. Aber das genügte ihm vollauf – sofern Baden strikt jede Rheinzollsenkung ohne eine Gegengabe ablehnte. Nur so konnte Delbrück einen taktischen Vorteil gewinnen: Baden stellte die Forderungen, die Preußen ablehnen würde – dieses Zweiergespann konnte dann die gesamte Zollkonferenz blockieren. So geschah es dann auch. Baden kam Delbrück zu Hilfe, stellte stur den Antrag auf »Gegengaben« – und Delbrück lehnte ab. So konnte der Preuße durch die raffinierte Verbindung von Rheinzoll und Durchgangsabgaben Zeit gewinnen, um in weiteren Verhandlungen auch das

231a HHStA Wien, PA III, Nr. 63: 10. VI. 1858 Buol an Koller.

232 WFStA Ludwigsburg, E 222, Fach 194, Nr. 1171: 9. VII. 1858 Votum und Anträge v. d. Pfordten; 13. VII. 1858 Votum Roggenbach; 17. VII. 1858 Votum Behr; 26. VII. 1858 Votum Abbee; 9. VIII. 1858 Instruktion FM Knapp an Herzog; Delbrück: Mem. II, S. 128 f.; Hock: Revue III, S. 52 f.; Bremer Handelsblatt 3. VII. 1858, Nr. 351 und Beer: S. 187 f.

233 DZA II, AA II, Rep. 6 Nr. 1192: Oktober 1858, PM v. d. Heydt an Außenminister.

234 Delbrück: Memoiren II, S. 130.

Interesse der deutschen Küstenländer an Durchfuhrabgaben wieder zu erwecken. Dies gelang nach einigen Winkelzügen und Pressionen auch. Delbrück spielte hier hemmungslos die Interessen von Nord und Süd gegeneinander und gegen Österreich aus mit dem Erfolg, daß das österreichische Angebot an den »objektiven« steuerlichen Bedürfnissen von Baden und der Steuergruppe scheiterte. Seinen Minister schließlich überging Delbrück durch einen Immediatvortrag bei Prinz Wilhelm. Dieser gab Delbrück seine Unterstützung, und damit war die Angelegenheit der »Zollunion« mal wieder verzögert, ohne daß diesmal Preußen offen gegen Österreich aufgetreten wäre[235] – ja, Delbrück gelang es sogar, Österreich den schwarzen Peter der Ablehnung zuzuschieben, denn er bot im abschließenden Protokoll der Konferenz Österreich eine so »beschränkte« Verhandlungsbasis an, daß Bruck nur die brüske Ablehnung blieb[236].

Die Hannoversche Zollkonferenz kann vielleicht als das Meisterstück Delbrücks bezeichnet werden. Gelang es ihm doch, von seinem Minister desavouiert, unterstützt nur von Baden, an der alten Politik der Negation festzuhalten, ohne daß es zu einem Machtkampf zwischen Delbrück und den Mittelstaaten kam, einem Kampf, den Delbrück ohne die Unterstützung von Handel und Großlandwirtschaft hätte führen müssen. Insofern war Hannover für Preußen ein »großes Spiel« – es war ein Kabinettsakt des regierenden Prinzen und eines Vortragenden Rates. Handelspolitik war in Hannover weniger Interessenpolitik der Interessenten – sondern Machtpolitik. Dabei war es das eigentümliche, daß sowohl Bruck als auch Delbrück unter falscher Flagge segelten.

Das Gewicht der Interessenten

Bruck hatte in Hannover alles auf eine Karte gesetzt, um noch in letzter Minute die »Zollunion« durchsetzen zu können. Je länger sich aber die Konferenz hinzog, desto deutlicher wurde es, daß Bruck sein freihändlerisches Angebot nicht aufrechterhalten konnte. Immer schärfer agitierten die österreichischen Textilindustriellen, und die Montanindustriellen verbündeten sich in einem Kampfverband, dem »Verein für die österreichische Eisenindustrie«. Hauptziel ihrer Vorstellungen beim Kaiser war die Aufgabe aller Zollunionspläne, die Erhaltung von Schutzzöllen und

235 DZA II, AA II, Rep. 6, Nr. 1193: Protokoll der Verhandlungen; 29. X. 1858 Verständigung mit Wiesbaden (Nassau) und Kassel (Kurhessen); 27. X. 1858 Stellungnahme von Baden gegen die Aufhebung der Rheinzölle ohne Gegengaben – die Preußen bestimmen konnte, aber ablehnte. BHStA München, MH Nr. 12 252; 27. XI. 1858 Bericht Meixners und Protokoll; MH Nr. 12 253: 18. XII. 1858 v. d. Pfordten an FM Bodelschwingh; Anfang 1859 (o. D.) Denkschrift Badens zur Rheinzollreduktion; GLA Karlsruhe, Abt. 48 Nr. 7029: 23. IX. 1859 Roggenbach, Note an Preußen (Konzept); WFStA Ludwigsburg, E 222, Fach 194, Nr. 1171: 3./4. XII. 1858 OFR Herzog an Knapp; die Darstellung bei Franz S. 18 f. ist falsch.

236 Delbrück: Memoiren II, S. 133.

die sofortige Ablösung Brucks. Beredtes Argument ihrer Agitation war die tiefgehende wirtschaftliche Stagnation, die nun im Jahre 1858 immer schärfere Konturen annahm. Während in Hannover die Zollkonferenz dahinlahmte und Brucks Stellung immer prekärer wurde, erzielten die österreichischen Industriellen einen großen Erfolg.

Kaiser Franz Joseph befahl seinem Finanzminister Bruck, eine eingehende Industrieenquete durchzuführen. Bruck hatte sich gegen diesen Auftrag mit aller Kraft gesträubt, wußte er doch, daß die Industriellen mit dieser Enquête Einfluß auf seine Handelspolitik gewinnen konnten; das war aber die Absicht der Industriellen. Sie wollten dafür sorgen, daß die liberalen Tendenzen der österreichischen Handelspolitik zugunsten einer nationalen Industrieschutzzollpolitik aufgegeben wurden[237]. Die Industriellen hatten somit die Möglichkeit jeder Zolltarifliberalisierung unmöglich gemacht.

Während nun die Schutzzöllner auf die österreichische Handelspolitik an Einfluß gewannen, setzte sich im Zollverein, vor allem im agrarbestimmten Norden und Osten, der Gedanke des Freihandels gegenüber der von süd-, west- und mitteldeutschen Textil- und Grundstoffindustriellen geforderten Schutzzollpolitik endgültig durch. Zugleich fand – und das war entscheidend für die deutsche Entwicklung der nächsten Jahre – der Freihandel, wenn auch zögernd, eine breite, auch politische Unterstützung bei den Liberalen in ganz Deutschland[238]. Die Freihandelsbewegung ging zunächst von Elbing und dann vor allem von Bremen aus und fand unter dem Zeichen des Kampfes für Gewerbefreiheit mit der Gründung des »Kongresses deutscher Volkswirthe« im Jahre 1858 ihre erste »Organisation« und wirksame Agitationszentrale. Eng verknüpft mit den zu Beginn der neuen Ära in ganz Deutschland entstehenden lokalen liberalen Turn-, Kultur- und Gesangvereinen[239] wurde diese Organisation zur Vorläuferin des Nationalvereins und formte zugleich den Wählerstamm der liberalen Parteien. Durch belgisches Vorbild angeregt, gestützt auf erste, dem Freihandelsprinzip huldigende Handelsorganisationen in Handelskammern und deren vornehmlich preußischer Assoziation[240], wurde auf Betreiben der Freihändler Bremens[241] in Gotha im September 1858 der erste »Kongreß deutscher Volkswirte« eröffnet. Zu ihm luden mit Doktor Lette, Prof. Schu-

237 Beer S. 190, S. 589; Matlekovits: Handelspolitik S. 951; ders. Zollpolitik S. 46 ff; Lotz: Ideen S. 34 ff. HHStA Wien, PA IV, Nr. 30, Denkschrift der Eisenindustriellen 6. IX. 1858 Wien.

238 WFStA Ludwigsburg, E 146-3. 56, Nr. 1096: 10. V. 1858 Eingabe Centralstelle für Gewerbe und Handel. HHStA Wien, PA III Nr. 64: 26. XI. 1858 Koller an Buol.

239 Eugene N. Anderson: The social and political conflict in Prussia 1858–1864, University of Nebraska Studies new series no. 12, 1954, S. 304 ff., eingehend auf Grund von Zeitungsmaterial.

240 ebd. S. 319 angehörig Königsberg, Elbing, Danzig, Stettin, Posen, Breslau, Berlin, Magdeburg, Halle, Leipzig und Köln.

241 Im Gegensatz zu Hamburg, das sich ganz seinen internationalen Handelsverbindung zuwandte und 1857 die »Quittung« der Isolierung innerhalb des norddeutschen Raumes erhalten hatte, widmete sich Bremen eigener Industrie und der Ver-

bert-Königsberg, Schulze-Delitzsch und Dr. S. Neumann namhafte Liberale von Preußen ein. Die aktive Teilnahme der Führer der deutsch-liberalen Bewegung, Schulze-Delitzsch, Otto Michaelis, Julius Faucher (letzterer gab ab 1862 die Verbandszeitschrift Vierteljahreshefte für Volkswirtschaft, Politik und Kulturgeschichte heraus), Prince-Smith, Bergius-Breslau, Hübener, Lette und Weiß von Berlin verband den Kongreß eng mit den preußischen Liberalen und sicherte Preußen in dem gesamtdeutschen Verein von vornherein Einfluß und Unterstützung. Zielsetzung und Argumentation entsprachen auch der Gesinnung der preußischen Bürokratie, die sich mit den kleindeutsch-freihändlerischen Bestrebungen des Kongresses deckte.

So wurde bereits auf dem ersten »Kongreß« – während in Hannover die Zollverhandlungen stattfanden – die preußische Haltung gegenüber Österreich unterstützt[242]. Die Ziele einer freihändlerischen Zolltarifreform, einer freien, von staatlicher Fürsorge entbundenen Wirtschaftsentfaltung wurden bereits hier mit dem Gedanken der Zollvereinsverfassung verbunden.

Die fortschreitende wirtschaftliche Depression im Jahre 1858 ließ die getreideexportierende deutsche Großlandwirtschaft, ebenso die sächsische Textilindustrie und die west- und mitteldeutsche Maschinenfabrikation auf Reduktion der Zolltarife drängen. Sie fanden nun in den »Volkswirthen« ihre »dogmatische« Interessenvertretung.

Daneben gewann der Verein seinen Rückhalt vornehmlich in den Küsten- und Handelsstädten, weniger in den Gebieten der Eisenindustrie und im Süden Deutschlands. 1861 zählte der Kongreß 520 Mitglieder; an der Spitze standen mehrere Führer der Fortschrittspartei[243], die besonders dem kaufmännisch-handwerklichen Mittelstand, dem liberalen Landadel und Kleinfabrikantentum zugehörten.

sorgung des Binnenhandels und votierte für die kleindeutsch-preußische Lösung der deutschen Frage. G. Bessell: Preußentum, Hanseatentum und ihre Bedeutung f. d. Entstehung des deutschen Reiches. (Preuß. Jahrbücher 216, 1929). Vor allem war hier die Tätigkeit des Herausgebers des »Bremer Handelsblattes« Dr. Victor Böhmert entscheidend und ebenso die Senator Gildemeisters (dessen Haltung 1861 vgl. H. Oncken I, S. 508, Anm. 1); HHStA Wien, PA VII, Nr. 91: 7. III. 1856 Smidt an Menshengen.

242 Von den 110 Teilnehmern des ersten Kongresses waren 40 Beamte, 3 Großlandbesitzer, 6 Handwerker, 10 Händler, 8 Rechtsanwälte, 12 Schriftsteller, 6 Lehrer, 2 Pastoren, 4 Bankiers, 1 Apotheker und 1 Physiker; WFStA Ludwigsburg, E 222, Fach 194, Nr. 1171: 3. XII. 1858 Protokoll von Hannover; 5. III. 1859 Hügel/Knapp an Wilhelm: Resumee der XIII. General-Konferenz; ebd. 9. V. 1859 Hügel an Knapp. Noch deutlicher wird die Kongruenz in der darauffolgenden Konferenz in Braunschweig: vgl. die Ergebnisse der »Verhandlungen der XIV. General-Konferenz in Zollvereinsangelegenheiten«, Braunschweig 1859. In zunehmendem Maße wurde selbst in Württemberg, dem Haupt der mittelstaatlichen Opposition gegen Preußen, die Stimme zur Unterstützung Preußens laut (WFStA Ludwigsburg, E 222, Fach 194, Nr. 1172: 18. IV. 1860 Riecke an Wilhelm I.).

243 Stenographische Berichte des »Kongresses deutscher Volkswirtschafter«, 1861.

Der Nationalverein

Im Jahre 1859 erhielt die Freihandelsbewegung einen weiteren Auftrieb, als die Gründer des »Nationalvereins«[244] die Ideen des »Kongresses« aufnahmen und ebenfalls in der »deutschen Mission« Preußens (die einen mehr politisch, die anderen wirtschaftspolitisch) die Möglichkeit der Verwirklichung ihrer nationalen Ziele in einer kleindeutschen Lösung sahen. Ihnen kam entgegen, daß mit Beginn der neuen Ära ein Ministerium mit liberalem Einschlag die preußische Politik führte. »Von Herzen«, so notierte Delbrück, war er mit der neuen Regierung einverstanden, »in der Mehrzahl ... begrüßte ich alte Bekannte und Freunde«[245].

Die personell enge Verbindung des »Nationalvereins« mit Preußen und dem »Kongreß« ergab sich schon aus dem Gründerkreis. Mit Schulze-Delitzsch, Franz Duncker von der »Volkszeitung«, Julius Frese, Viktor v. Unruh und Franz Zabel von der »Nationalzeitung« beteiligten sich führende preußische Liberale an der Gründung, und insgesamt acht Preußen saßen 1860 im Fünfundzwanziger-Ausschuß des Vereins[246]. Mit eben den gleichen Männern sowie Dr. Lette, Weiß, Cetto, Berger (Witten), Friedberg (Berlin), Müller (Stettin) war die Verbindung zum »Kongreß« gesichert, wenn auch, im Gegensatz zum Kongreß, der Verein nur ganz wenige Beamte[247] als Mitglieder zählte.

Die enge Verbindung zwischen Handelsorganisationen, »Nationalverein« und liberaler Parteiorganisation[248] zerfiel wieder 1862 an Bismarcks liberaler Wirtschaftspolitik, da Bismarck dem Entgegenkommen gegenüber den Liberalen in der Handelspolitik und wirtschaftlichen Gesetzgebung keine entsprechenden innenpolitischen Reformen folgen ließ. Darüber zerbrach die Einheit der Liberalen, denn den interessengebundenen Politikern genügte schon die wirtschaftliche Reform – auch ohne politisches Entgegenkommen! Die Mehrzahl der Mitglieder des Nationalvereins waren seitdem Schriftsteller, Lehrer, Professoren, einige wenige Industrielle und Kaufleute, letztere brachen aber angesichts der Bismarckschen Erfolge von 1864 und 1866 ebenfalls mit ihrer »liberalen« Vergangenheit. Die Organisation war eine vorwiegend städtische Honoratiorenvereinigung, kein Herrenhausabgeordneter war Mitglied[249].

244 R. le Mang: Deutscher Nationalverein 1859–1909, Berlin o. J., S. 9, 12 ff., 19 f.

245 Delbrück: Memoiren II, S. 133; A. Schäffle: Aus meinem Leben, Berlin 1905 I, S. 94; H. Oncken: v. Bennigsen I, S. 407 ff.; W. Mommsen: Johannes v. Miquel Bd. 1 S. 196 f., Stuttgart 1928; V. v. Unruh: Erinnerungen, Stuttgart 1895. HHStA Wien, PA III, Nr. 63, 3./6./9. XI. 1858 Trauttmannsdorff an Buol.

246 Verhandlungen der 1. Generalversammlung des deutschen Nationalvereins vom 3.–5. September 1860 in Coburg.

247 Anderson: S. 327 f. Die neue Ära bedeutete keinen Wandel in der konservativen Beamtenpolitik eines Flottwell unter Manteuffel.

248 Brandenburg LHA, Rep. 30, Berlin C, Tit. 94, Lit. D Nr. 335.

249 Brandenburg LHA ebd.

Die Schwenkung zur kleindeutschen Freihandelslösung brachte es mit sich, daß das Interesse an einer Zolleinigung mit Österreich in Deutschland, wie der von Bruck nach Deutschland gesandte Prager Professor Eberhard Jonak berichtete, »kein so allgemeines, wie jenes für die Beseitigung der Durchfuhrzölle« war[250]. Österreich mit seinen zerrütteten Finanzen und seiner mangelnden Kaufkraft schien den deutschen Industriellen 1859 – selbst den Süddeutschen – nicht mehr der gewünschte Ergänzungsmarkt zu sein[251]. Selbst die Schutzzöllner sahen in der Erhaltung des Zollvereins, da »die Dinge immer stärker als die Menschen sind«, eine materielle Notwendigkeit.

Brucks »Ende«

Trotz dieser Mißerfolge für die Politik übergab Bruck am 4. November 1859 die geforderte Enquete an Franz Joseph, lehnte die Schutzzollforderungen der österreichischen Industriellen ab und befürwortete das Projekt einer Zollunion aufgrund niederer Differentialzölle, in der Hoffnung, daß die zunehmende wirtschaftliche Erschlaffung des süddeutschen Marktes, verbunden mit den politisch sich verhärtenden Fronten innerhalb des Zollvereins, wenigstens die Süddeutschen dem Projekt nahe bringen würde[252]. Noch einmal war er mit seinem Plan im österreichischen Kabinett durchgedrungen, aber es war ein Pyrrhussieg. Die starke Position der eigenen Schutzzöllner, vor allem der niederösterreichischen Handelskammer, war nicht gebrochen. Im Gegenteil, zur fortschreitenden wirtschaftlichen Schwächung trat mit der politischen Isolierung Österreichs in Europa auch die finanzielle. Die Niederlagen der Donaumonarchie in Italien zerstörten die industrielle Erholung nach der Krise von 1857 und trafen das Vertrauen der österreichischen Anleihenehmer in vollem Maße. Vom 1. Januar bis zum 29. April 1859 sank der Kurs der österreichischen 5 %-Papiere – Métalliques – in Frankfurt von 81½ auf 36 [253]. Die Geldanlagen gingen zurück; der Zinsfuß sank, der Börsenverkehr erlahmte, die Verbindlichkeiten im Wechselgeschäft reduzierten sich auf ein Minimum. Zu einer handelspolitischen Aktivität im Sinne eines Vorgehens gegen Preußen und der Durchsetzung der Zollunion war Österreich 1859 – trotz der Unterstützung einzelner Regierungen von Süddeutschland[253a] – keine Möglichkeit gegeben, sein wirtschaftlicher Kredit war durch die Verluste in Oberitalien zerstört. »So war die Arbeit mehrerer Jahre in Rauch aufgegangen.« So sehr Delbrück bei dieser Arbeit beteiligt gewesen war, so wenig beklagte er »deren Erfolglosigkeit«[254].

250 Franz: Entscheidungskampf S. 26.
251 DZA II, AA II, Rep. 6 Nr. 1191: 30. VI. 1858 Aufzeichnungen Delbrücks; WFStA Ludwigsburg, E 222, Fach 194, Nr. 1172: 13. VI. 1859 Petition HGK Stgt.
252 Beer: Handelspolitik S. 205; Matlekovits: Zollpolitik S. 54 ff.; Franz: Entscheidungskampf S. 28.
253 Kgl. preußisches statistisches Bureau 1866, S. 143.
253a StA Darmstadt, Sta.Min.Konv. 78 Fasc. 20: 10. II. 1859 v. d. Pfordten an Dalwigk.
254 Delbrück: Memoiren II, S. 133.

Zweites Kapitel

Preußisch-französischer Handelsvertrag und die österreichischen Zollunionsprojekte

a Westeuropa und Mitteleuropa: Cobdenvertrag und Teplitz

Italienischer Krieg und Schleinitz

Bereits bei den Friedensverhandlungen zu Paris im Jahre 1856 wurde mit dem Auftreten Cavours sichtbar, daß Frankreich auf die Karte der nationalen Bewegung setzen und bei diesem Vorgehen die schweigende Unterstützung Rußlands finden würde. Mit Billigung der europäischen Großmächte vermochte Piemont-Sardinien 1859 Österreich die Rolle des Angreifers zuzuspielen, das im Vertrauen auf die Hilfe Englands und des isolierten Preußens[1] glaubte, den Angriff wagen zu können. England jedoch distanzierte sich, Rußland verhielt sich abwartend, hoffte aber auf eine Niederlage Österreichs, und um die deutsche Bundeshilfe entbrannte eine heftige Auseinandersetzung[2].

Wenn auch Schleinitz, der neue preußische Minister des Auswärtigen, nicht wie der in Petersburg »kaltgestellte« Bismarck[3] »im Bundesverhältnis ein Gebrechen Preußens« sah, »welches wir früher oder später ferro et igni werden heilen müssen, wenn wir nicht beizeiten in günstiger Jahreszeit eine Kur dagegen vornehmen«[4], so bemühte er sich doch zäh und erfolgreich, den Krieg in Italien zu »localisieren«. Es gelang ihm, Preußen die Hände frei zu halten[5] und »die militärisch-politische Hegemonie in der großen Kriegsfrage« mit der Integrität des Bundesgebietes[6] zu begründen und festzuhalten[7]. Zugleich vermochte er national und »vertragstreu«[8] den Bundesstaaten gegenüber aufzutreten, gemäß dem Programm der

1 APP I, Nr. 22: 26. XI. 1858 Koller an Buol; ebd. Nr. 27: 29. XI. 1858 Flemming an Schleinitz. HHStA Wien, PA III Nr. 63: 26. XI. 1858 Koller an Buol.

2 H. Kentmann: Preußen und die Bundeshilfe an Österreich im Jahre 1859, MIÖG Ergänz. Bd. 12, 1932.

3 B. Baron Nolde: Die Petersburger Mission Bismarcks 1859–1862, Leipzig 1936.

4 GW III, S. 38: 12. V. 1859 Bismarck Privatbrief an Schleinitz.

5 APP I, Nr. 28: 1. XII. 1858 Launay an Cavour; ebd. Nr. 141: 18. II. 1859 Flemming an Schleinitz; ebd. Nr. 378: 8. V. 1859 Instruktion für Willisen; HStA Darmstadt, Sta.Min.Konv. 78, Fasc. 20: 12. II. 1859 Verbal-Note von Schleinitz.

6 APP I, Nr. 326: 23. IV. 1859 Schleinitz an London, Paris und Petersburg.

7 APP I, Nr. 402: 19. V. 1859 Usedom an Prinzregent; ebd. Nr. 405 o. D. Instruktion an Münster.

8 APP I, Nr. 37: 11./12. XII. 1858 Schleinitz an Brassier; APP I, Nr. 131: 12. II. 1859 Schleinitz an Missionen in Deutschland.

neuen Ära: »moralische Eroberung« zu machen, um Preußen »das politische Ansehen und die Machtstellung (zu) verschaffen, die es durch seine materielle Kraft *allein* nicht zu erreichen imstand ist«[9].

Diese Politik, nicht offensichtlich »mehr Großmacht als Mitglied des Deutschen Bundes sein zu wollen«[10], sondern abzuwarten und »in selbständiger Haltung« im »richtigen Moment« in die Aktion einzutreten, »sobald die Gefahr eintritt, die Machtverhältnisse wesentlich alteriert zu sehen«, denen Preußen »nicht ruhig zusehen« könnte[11], war um so schwerer durchzuführen, als die Regierungen und die öffentliche Meinung in Süddeutschland, aber auch, wohl gedämpfter, in Preußen offen und leidenschaftlich die Partei des Hauses Habsburg und »der moralischen Kraft der Vereinigung« gegen Frankreich ergriffen und auf Krieg drängten[12].

Grundsätzlich war Preußen am 27. Februar 1859 bereit, »nicht neutral« zu bleiben, wenn Frankreich Österreich in Italien angriffe[13], die Versprechungen jedoch, zu denen sich Wien durchringen konnte[14], um Preußen zum Vorgehen zu bewegen, waren so inhaltslos[15], daß Preußen, Gewehr bei Fuß[16], ohne einzugreifen wartete, um sich »von England schieben zu lassen«[17].

9 APP I, Nr. 2: 8. XI. 1858 Prinzregent Wilhelm an Staatsministerium.
10 APP I, Nr. 118: 5. II. 1859 Koller an Buol.
11 APP I, Nr. 378: 8. V. 1859 Instruktion für Willisen; APP I, Nr. 377: 8. V. 1859 Kronrat, auf dem sich die Haltung: »Bewahrung der Großmachtstellung«, kein Eingreifen, vertreten von Schleinitz und Auerswald gegen den Prinzregenten, den Kriegsminister Bonin und Moltke, die für ein »offenes Bündnis« mit Wien eintraten, durchsetzte; HStA Darmstadt, Sta.Min.Konv. 78, Fasc. 20: 18. III. 1859 Verbal-Note Schleinitz; HHStA Wien, PA III, Nr. 65: 6./13./28. III. und 8./19. IV. 1859 Koller an Buol.
12 HStA Darmstadt, Sta.Min.Konv. 78, Fasc. 20: 10. II. 1859 v. d. Pfordten an Dalwigk; 10. II. 1859 PM (hs) Dalwigk an Großherzog; 11. V. 1859 Großherzog Ludwig an Dalwigk; HHStA Wien, PA VI, Nr. 22: 27. I., 9./18./20. II., 2./15. III., 6. IV. 1859 Handel an Buol; ebd. PA III, Nr. 65: 30. IV., 1. V. 1859 Koller an Buol; A. Mittelstädt: Der Krieg von 1859, Bismarck und die öffentliche Meinung in Deutschl., Stgt. 1904; K. Bachteler: Die öffentl. Meinung in der italienischen Krise und die Anfänge des Nationalvereins in Württemberg 1859, Diss. Tüb. 1934.
13 APP I, Nr. 162: 27. II. 1859 Protokoll des engeren Kronrates.
14 APP I, Nr. 390: 13. V. 1859 Willisen an Prinzregenten.
15 Srbik: Einheit II, S. 362 ff.
16 APP I, Nr. 391: 13. V. 1859 Koller an Buol. Die 30-Mill.-Taler-Mobilmachungsanleihe wurde unter Führung der Disconto-Gesellschaft von den großen preußischen Häusern durchgeführt. Damit legte die Disconto-Ges. den Grundstein für ihre späteren großen Staatspapiertransaktionen, ebenso wie sie sich als preußischer Hausbankier empfahl in einer Zeit tiefster wirtschaftlicher Depression. HHStA Wien, PA III, Nr. 65: 6. V. 1859 Koller an Buol.
17 APP I, Nr. 162; ebd. Nr. 288: 15. VI. 1859 Erzherzog Albrecht an Franz Joseph. HHStA Wien, PA III, Nr. 65: 1./6./12./13./17. V. 1859 ebd. Nr. 66: 3./10. VI. 1859 Koller an Buol.

Die Folgen der Niederlage Österreichs

Die Niederlagen Österreichs bei Magenta und Solferino führten, ehe England und Rußland, aber auch Preußen in das politische Geschehen eingreifen konnten, zum Waffenstillstand von Villafranca und zum Frieden in Zürich. Zurück blieb eine tiefe Verstimmung zwischen Österreich und Preußen, aber auch eine zwischen Frankreich und Preußen[18]. Die schließliche Mobilmachung Preußens hatte Frankreich verstimmt, aber auch die Südstaaten waren empört darüber, daß Preußen »den Endzweck der Mobilmachung« verhülle[18a]. »Die »Politik der schimmernden Wehr« – wie es Koller nannte – hätte Preußen nichts genützt, die »Hoffnung auf die deutsche Vormacht« sei vorbei[18b]. Die schnell inszenierten »Feindseligkeiten gegen Österreich«[18c] nach dessen Niederlagen in Italien hatten nur dazu geführt, daß die Südstaaten eine proösterreichische Haltung einnahmen[19]. Preußen schien isoliert.

»Die Macht der Umstände beugt in diesem Augenblick«, glaubte der österreichische Gesandte in Berlin, Koller, dem neuernannten Minister des Auswärtigen, Rechberg, dessen Berufung schon ein »deutsches« Konzept bedeutete, berichten zu können, »das spezifische Preußentum und zwingt es, für eine Verständigung mit Österreich Geneigtheiten an den Tag zu legen . . ., die in gewöhnlichen Verhältnissen nicht so rasch zur Reife gekommen wären[20]«. Jedoch die Niederlage Österreichs ließ Preußen in der öffentlichen Meinung Deutschlands zur Führungsmacht eines deutschen Bundesstaates berufen erscheinen. Diese Chance, sich vom Nationalverein, von der »deutschen« Geschichtsschreibung eines Gervinus, Droysen, Sybel und Treitschke als Führer zur nationalen Einheit gestützt zu sehen, ergriff Preußen und unternahm, »sich als Hort des aufblühenden, die Zukunft für sich habenden Liberalismus in Deutschland aufzustellen«, um so »den Einfluß Österreichs . . . theoretisch zu besiegen«[21].

Dieser innenpolitischen Aktivität, die öffentliche Meinung für seine Stellung einzunehmen und sowohl die Regierungen der Mittelstaaten als auch die konservativ-

18 APP I, Nr. 496: 14. VII. 1859 Prinzregent Wilhelm an Franz Joseph, hierzu Antwort Franz Joseph Anm. 1 ebd. Nr. 501: 19. VII. 1859 Reuß an Schleinitz.

18a HHStA Wien, PA VI, Nr. 22: 20. VI. 1859 Handel an Buol; ebd. PA III, Nr. 66: 10. VI. u. 7. VII. 1859 Koller an Buol.

18b ebd. Nr. 65: 30. IV., 13. V. 1859 Koller an Buol.

18c ebd. Nr. 66: 15. VII., 21. VII. 1859 Koller an Buol.

19 HStA Darmstadt, Sta.Min.Konv. 78, Fasc. 20: 11. VIII. 1859 Rechberg an Lützow; APP I, Nr. 525: 23. XI. 59 Schleinitz an Arnim; ebd. Nr. 502: 22. VII. 1859 Koller an Rechberg Anm. 1.

20 APP I, Nr. 502: 22. VII. 1859 Koller an Rechberg Anm. 1.

21 APP I, Nr. 535: 27. X. 1859 Koller an Rechberg; WHStA Stgt, E 70 B Ges. Wien, Büschel 56: Oktober 1859 Ow an Linden. HHStA Wien, PA III, Nr. 67: 9. X. 1859 Chotek an Rechberg; ebd. Nachlaß Rechberg Nr. 528: 2. VIII. 1859 Braun an Rechberg.

klerikale, zugleich liberal-partikulare großdeutsche Reformpartei eines Gagern und Frantz auszumanövrieren, entsprach eine außenpolitische: die Annäherung an Rußland[22]. Aufgrund englischer, französischer und österreichischer Gegenwirkungen[23] blieb die Annäherung aber ohne Dauer[24].

Der Cobden-Vertrag

Entscheidende Bedeutung für Preußen erhielt die »trotz aller rein politischen Differenzen«[25] durchgeführte handelspolitische Annäherung Frankreichs an England, die Hand in Hand ging mit einer radikalen englischen Zolltarifsenkung. Hinter den emsig betriebenen, vielfältigen diplomatischen Tagesfragen um Italien, um den Status quo in Mitteleuropa, um die Bundesreformen, die kurhessische Frage und die »revolutionäre« Politik Napoleons vollzog sich mit dem Abschluß des Cobden-Vertrages[26] am 23. Januar 1860 die Begründung einer freihändlerischen Interessengemeinschaft zwischen England und Frankreich. Dieser Vertragsabschluß war für das nächste Jahrzehnt nicht nur die bedeutsamste Entscheidung auf handelspolitischem Gebiet, sondern sein Abschluß übte auch auf die allgemeine Politik einen wesentlichen Einfluß aus.

Schon vor Abschluß des Cobden-Vertrages hatte der preußische Botschafter Bernstorff aus London berichtet, daß der Beginn lebhafter Handelsbeziehungen zwischen England und Frankreich es »unmöglich« machen würde, daß sich die beiden Mächte in einem Krieg gegeneinander verwickelten. Damit hätte Frankreich das Ministerium Palmerston gestützt (die gleiche Ansicht vertrat auch Rothschild, Paris) und zugleich in das europäische »Schlepptau« genommen. Deswegen sei, »solange eine starke konservative Allianz« nicht wiederhergestellt werde, »welche dem vereinten Willen und der vereinten Kraft der revolutionierenden Westmächte ... einen unübersteiglichen Damm« entgegensetzen könne, die isolierte preußische Stellung bedroht und Preußen doch noch zum Zusammengehen mit Öster-

22 APP I, Nr. 528, Anm. 2: 9. X. 1859 Schleinitz an Loen; ebd. Nr. 536: 30. X. 1859 Schleinitz an alle Missionen; vgl. AA Bonn I, AAa 15 Bd. 1.

23 APP I, Nr. 499, Anm. 1: 9. VIII. 1859 Werther an Schleinitz; Nr. 513: 1. VIII. 1859 Werther an Prinzregent; Nr. 518: 9. VIII. 1859 Werther an Schleinitz.

24 APP I, Nr. 536, Anm. 2: 28. X. 1859 Moustier an Walewski; Nr. 541 Anm. 2: 16. XI. 1859 Bernstorff an Prinzregent; Nr. 546: 29. XI. 1859 Pourtalès an Schleinitz; Nr. 553 Anm. 1: 29. XII. 1859 Croy an Schleinitz.

25 APP I, Nr. 546, Anm. 1: 30. XI. 1859 Pourtalès an Schleinitz.

26 Preußisches Handelsarchiv 1860/I S. 148–181, S. 221; II, 38. M. Paul Boiteau: Les traités de commerce, Paris 1863 S. 1–22; vgl. hier Introduction S. 18 ff., E. Franz: Die Entstehungsgeschichte des preußisch-französischen Handelsvertrags; Vierteljahrsschrift f. Soz. u. Wirtschaftsgeschichte Bd. 25, 1 S. 1 ff. HHStA Wien, F 34 SR. Nr. 7, 19. I. 1860 Apponyi an Rechberg.

reich gezwungen[27]. Schleinitz schloß sich dieser Meinung an. Als wenige Tage nach Abschluß des Cobden-Vertrages Napoleon an Preußen mit dem Angebot eines Handelsvertragsabschlusses zwischen Preußen und Frankreich herantrat[28], lehnte Schleinitz dieses Anerbieten vorerst ab[29]. Da gleichzeitig der preußische Außenminister von österreichischer Seite ein Angebot über den Abschluß einer Defensivallianz zwischen Österreich und Preußen erhielt, gewann seine Ablehnung die Bedeutung einer proösterreichischen Option[29a]. Der neue österreichische Außenminister Rechberg und der neue Botschafter Károlyi schätzten sich glücklich, Preußen offenbar mit dem Köder einer Defensivallianz locken zu können. Gelang dieser Coup – dann bestand für Rechberg die Möglichkeit, die Bundesfrage im österreichischen Sinne aufrollen zu können und dann – als letzte Konsequenz der österreichischen Deutschlandpolitik – wäre die Zollunion auch wieder erreichbar gewesen. Deswegen ignorierte Rechberg die Mittelstaaten: »Solange wir auf Preußen nicht zählen können, können wir mit Deutschland nicht rechnen« – das war seine Überzeugung im Januar 1860[29b]. Die Ablehnung des Handelsvertragsangebots Frankreichs durch Schleinitz schien die Richtigkeit seiner Ansichten zu bestätigen.

Allein der Prinzregent und die übrigen Staatsminister, vor allem v. d. Heydt und v. Patow, glaubten die Option zwischen Frankreich und Österreich, solange England und Rußland ein Interesse an der Aufrechterhaltung des Status quo in Mitteleuropa hätten, nicht vollziehen zu müssen[30]. Frankreich »mit seinem unberechenbaren Kaiser« zwinge Preußen und Österreich ohnehin aneinander. »Eine spezielle Allianz mit Österreich« sei gar nicht »nöthig«. Aber um die »deutschnationale Politik« fortzusetzen, um die antiösterreichische Stimmung auszunützen[31], wäre ein französisches Handelsvertragsangebot, »offen« dargelegt, durchaus sehr nützlich[32]. Außerdem entsprach ein intensiver Handelsverkehr mit dem Nachbarstaat den Wünschen der deutschen Freihändler[33]. Schließlich hätte Preußen durch Handelsvertragsverhandlungen mit Frankreich noch die Möglichkeit erhalten, den

27 APP II, 1 Nr. 14 Anm. 3: 17. I. 1860 Bernstorff an Schleinitz.

28 APP II, 1 ebd. Anm. 1.

29 APP II, 1 Nr. 26: 26. I. 1860 Schleinitz an Pourtales.

29a HHStA Wien, PA III, Nr. 70: Februar 1860.

29b ebd. PA III, Nr. 69: 3./21. I., 17. III. 1860 Károlyi an Rechberg; PA I, Nr. 528 Nachlaß Rechberg: 21. I. 1860 Rechberg an Schönburg.

30 APP II, 1 Nr. 13: 14. I. 1860 Bloomfield an Russell; ebd. Nr. 116: 26. III. 1860 Protokoll Kronratssitzung.

31 APP II, 1 Nr. 117: 26. III. 1860 Wilhelm an Schleinitz.

32 APP II, 1 Nr. 121; Anm. 4: Budberg an Gortschakow.

33 Ein- und Ausfuhr des Zollvereins nach und von Frankreich waren bescheiden, vgl. Bremer Handelsblatt v. 21. VII. 1860, Nr. 458: 69,6 Mill. Taler Zollvereinseinfuhr bei franz. Gesamthandel von 1074,5 Mill. Taler; Ausfuhr 56,9 Mill. T. zu 1130,3 Mill. Bei Napoleon waren ausschließlich politische Gründe für den handelspolitischen Abschluß maßgebend. Franz S. 41 ff. eingehend, aber in der Akzentuierung fehlgehend.

(laut Februarvertrag von 1853) im Jahre 1860 beginnenden Zollunionsverhandlungen auszuweichen sowie den preußischen Tarif nach den »neuen« ökonomischen und politischen Gegebenheiten zu revidieren[34].

Nach großem Widerstreben übernahm Schleinitz[35] die Ordre, sowohl mit Österreich als auch mit Frankreich zu verhandeln, selbst aber keine klare Position zu beziehen, sondern sich nur auf die »deutschnationalen« Erfolge zu beziehen. Nun nahm er die Annäherungsversuche Napoleons an[36]. Trotz englischer[37], von Bernstorff überakzentuierter Bedenken, trotz österreichischer Einwände[38] wurde am 16./17. VI. 1860 ein Zusammentreffen Wilhelms mit Napoleon in Baden-Baden arrangiert, ein Treffen, das von Preußen mit einer Zusammenkunft der deutschen Fürsten verbunden wurde[39]. So konnte Berlin von vornherein Gerüchten um eine preußisch-französische Kooperation die Spitze abbrechen und hoffen, seiner Politik »moralischer Eroberung« einen neuen Erfolg hinzufügen zu können.

Der Beginn der preußisch-französischen Kooperation ...

Ehe die Zusammenkunft stattfand[40], gestand Napoleon Preußen das von seiner Seite ausgehende »amtliche« Handelsvertragsangebot zu und willigte ein, über Preußen den Handelsvertrag mit dem Zollverein abzuschließen. Damit kam »die Angelegenheit«, wie Schleinitz v. d. Heydt und von Patow, die beide dem Versuch, mit Frankreich »vorwärts zu kommen«, solange Frankreich nicht die Initiative zeigte, skeptisch gegenüberstanden[41], mitteilte, »in eine, wie mir scheint, erwünschte Bahn«[42].

Napoleon schien, wie es der neue österreichische Gesandte in Berlin, Károlyi, sah, »durch Begünstigung der deutschen Handelswelt in Deutschland Boden zu gewinnen und sich Sympathien in deutschnationaler Richtung zu erwerben«, um dann als zweiten Schritt die Neutralisierung Preußens bei der Durchsetzung seiner wei-

34 BHStA München MH Nr. 12 235; Delbrück: Memoiren II, S. 201 ff.

35 APP II, 1 Nr. 128: 5. IV. 1860 Schleinitz an Wilhelm.

36 APP II, 1 Nr. 174, Anm. 3; La Tour an Thouvenel; ebd. 28. V. 1860 Reuß an Wilhelm; Nr. 185 Anm. 1: 31. V. 1860 La Tour an Thouvenel.

37 APP II, 1 Nr. 190: 8. VI. 1860 Bernstorff an Wilhelm.

38 APP II, 1 Nr. 195, Anm. 1: 12. V. 1860 Werther an Schleinitz.

39 APP II, 1 Nr. 198: 15. VI. 1860 Schleinitz an Werther.

40 APP II, 1 Nr. 203: 20. VI. 1860 Aufzeichnung Wilhelm, Nr. 199: 15./17. VI. 1860 Aufzeichnung Wilhelm, Nr. 204, Anm. 6: 24. VI. 1860 Reuß an Pourtales; Nr. 206: 25. VI. 1860 Schleinitz an Missionen.

41 DZA II, AA II, Rep. 6 Nr. 1193: 11. II. 1860, vgl. auch Rep. 151 neu, Abt. III. LitXV, A, Nr. 11, Bd. 4.

42 DZA II, AA II, Rep. 6 Nr. 11 936; HHStA Wien, PA III, Nr. 69: 12 V. 60 Károlyi an Rechberg.

teren Ziele am Rhein und in Süddeutschland zu gewinnen. Die Sache stehe aber, glaubte der Botschafter in Berlin, »noch in weitem Felde«[43].

Wenn auch nicht mit letztem bewußtem politischem Kalkül, so doch geschickt, begann Preußen nun die französische Karte gegen die österreichischen Pläne auszuspielen, um so Österreich zum Nachgeben in den Bundesfragen zu zwingen. Am 20. VI. 1860 informierte Preußen die Mittelstaaten über die Veränderungen und Verhandlungen in den französisch-preußischen Handelsbeziehungen und stellte den möglichen Abschluß eines preußisch-französischen Handelsvertrages in Aussicht. Damit wurde der »Vertrauensstellung« im Bund erneut ein Rückhalt gegeben und mögliche Verstimmungen der Mittelstaaten abgewehrt. Die Antworten der Mittelstaaten waren trotz österreichischer Gegenwehr nicht voll ablehnend, besonders Sachsen schloß sich dem preußischen Vorgehen an, da »die Zolleinigung ... ein notorisch unerreichbares Ziel« sei[43a].

... und die politische Konsequenz in Teplitz

Der handelspolitischen Aktion ließ König Wilhelm in einem Handschreiben an Kaiser Franz Joseph die politische Aktion folgen, indem er auf die Einigkeit der deutschen Fürsten (eine solche war aber in Baden-Baden gar nicht vorhanden gewesen) hinwies und ein Zusammengehen von Preußen und Österreich in den Fragen der europäischen Politik wünschte[44]. Der positive Widerhall in Rußland und England über ein preußisch-österreichisches, den napoleonischen Wünschen entgegenstehendes Zusammengehen[45] ließ Preußen auf ein Treffen der Monarchen drängen, dessen Invite aber, wie in der Handelspolitik von Frankreich, von Österreich auszugehen hatte.

Am 26. Juli 1860[46] – also einen Monat nach der Entrevue von Baden-Baden – fand die Zusammenkunft in Teplitz statt. Österreich erhoffte sich von diesem Treffen ein »enges Bündnis«, »eine Garantie der beiderseitigen Gesamtstaaten« und die Wiederaufnahme der Zollunionsdiskussion[46a], Preußen, noch den »guten Eindruck« von Baden-Baden zu verstärken, die antiösterreichischen Gefühle aber keineswegs

43 APP II, 1 Nr. 199, Anm. 8: 30. VI. 1860 Károlyi an Rechberg.

43a Beer: S. 208; Note Beust 7. VII. 1860 nach Franz: Entscheidungskampf S. 65; BHStA München, MH Nr. 11 965: 17. VIII. 1860 Schrenck an König Maximilian.

44 Srbik: Quellen zur deutschen Politik Österreichs, 1859–1866, I. S. 301; Sybel II: S. 365 f.

45 APP II, 1 Nr. 208: 27. VI. 1860 Bernstorff an Wilhelm; GW III, S. 84: 2./14. VII. 1860 Bismarck an Schleinitz, ebd. S. 87 ff.; HHStA Wien, PA III Nr. 69: 18. V., 15. VI. 1859 Károlyi an Rechberg.

46 APP II, 1 Nr. 217, Anm. 1: 14. VII. 1860 K. A. v. Weimar an Wilhelm, Nr. 219 Anm. 3.

46a HHStA Wien, PA III, Nr. 70: 13. VII. 1860 Károlyi an Rechberg.

zu dämpfen oder gegen sich gerichtet zu sehen[47]. Preußen, betonte Schleinitz, sei »zu schwach, (um) sein Wohlwollen für Österreich nachdrücklich zu bestätigen«. Andererseits aber hatte Preußen sich geweigert, sich »der französischen Zukunftspolitik anzuschließen«, und damit waren auch seine »Negoziationsmittel gegenüber Österreich ... wesentlich verengt«. Die Drohung einer preußisch-französischen Allianz, glaubte Schleinitz betonen zu müssen, verpuffe, da auch Preußen »in der übergreifenden französischen Politik eine Gefahr für seine eigene Sicherheit erblickte«[48]. Baden-Baden war damit politisch nicht mehr verwertbar. Damit hatte Schleinitz wiederum seine alte Politik gegenüber dem Staatsministerium akzentuiert: im Zusammengehen mit Österreich dessen europäische Bedürfnisse mit preußisch-deutschen Interessen aufzuwiegen.

Allein Rechberg, der neue Außenminister der Donaumonarchie, war nicht willens, auf diesen Plan einzugehen[49]. Er bot Preußen einen dualistischen Ausgleich nach Metternichscher Praxis an, Österreichs Rechte im Bund an Preußen abzugeben, lehnte er ab. Die Zusammenkunft der Monarchen sollte nach seiner Zielsetzung »den Schlußstein zu einer neuen Einigkeit Deutschlands unter Preußens und Österreichs Leitung« bilden, um zu verhindern, daß Europa in »völlige Abhängigkeit« von Frankreich komme. Die gegenseitige Hilfe bei einem französischen Angriff war das einzige Ergebnis der Begegnung — alles weitere aber blieb auf dem Papier[50]. Rechberg war mit »Teplitz zufrieden«[51]. England ebenfalls[52], Preußen weniger, keineswegs aber Napoleon[53]. Das Mißtrauen des französischen Kaisers wurde noch weiter bestärkt, als Preußen angesichts der möglichen politischen Übermacht Österreichs versuchte, sich auch noch mit Rußland zu verständigen[54].

Zu allem kam, daß Preußen und Österreich — wie in Teplitz verabredet — gemeinsame militärische Beratungen begannen[55] und auch Verhandlungen zur Wiederaufnahme des im Jahre 1859 vollkommen illusorisch gewordenen Zollunionsprojektes in Aussicht genommen wurden[56]. Teplitz und seine Konsequenzen, die Erneuerung der heiligen Allianz, schienen für Preußen auch in der Handelspolitik eine Wende anzudeuten.

47 APP II, 1 Nr. 219: 16. VII. 1860 Schleinitz an Wilhelm.
48 APP II, 1 Nr. 224: 20. VII. 1860 Promemoria Schleinitz.
49 APP II, 1 Nr. 226: 22./23. VII. 1860 Werther an Schleinitz.
50 APP II, 1 Nr. 229: August 1860 Aufzeichnungen Wilhelms über Unterredung mit Franz Joseph; ebd. Nr. 233: 29. VII. 1860 Schleinitz an Wien, Petersburg, London, Frankreich und Konstantinopel.
51 APP II, 1 Nr. 237: 1. VIII. 1860 Werther an Schleinitz.
52 APP II, 1 Nr. 233, Anm. 2: 11. VIII. 1860 Bernstorff an Schleinitz.
53 APP II, 1 Nr. 246 Anm. 5: 22. VIII. 1860 Reuß an Schleinitz.
54 APP II, 1 Nr. 252: 15. IX. 1860 Wilhelm an Gruner; Nr. 254 Anm. 3: Wilhelm an Zar Alexander.
55 APP II, 1 Nr. 253: 17. IX. 1860 Denkschrift Außenministerium.
56 DZA II, AA II, Rep. 6 Nr. 1193, Aug. 1860; GLA Karlsruhe Abt. 48 Nr. 7029: 21. VIII. 1860 Promemoria Károlyi.

Allein, diese mögliche Wende erlebte der Hauptträger der österreichischen »Mitteleuropapolitik«, Bruck, nicht mehr, verbittert war er während der italienischen Auseinandersetzungen aus dem Leben geschieden.

Nach dem Abschluß des italienischen Krieges nun trat der Nachfolger Buols, Graf Rechberg, das Erbe Brucks und Schwarzenbergs wieder an und hoffte, mit dem Mitteleuropaprojekt unter den veränderten Bedingungen der wirtschaftlichen Krise und politischen Richtungslosigkeit Preußen an Österreich zu binden. Trotz negativer Stellungnahme Hocks vom Finanzministerium und Freiherrn v. Kalchbergs vom Handelsministerium, die beide »unter den gegenwärtigen Verhältnissen ... die Zolleinigungsfrage« nur »studiert, erwogen, erörtert«, aber nicht vorangetrieben wissen wollten[57], drängte Rechberg darauf, die »Tauperiode« von Teplitz auch für die Handelspolitik zu nützen und die wirtschaftliche Annäherung von Frankreich und Preußen im Ansatz zu vereiteln.

Bündnis mit Westeuropa: Nationalverein und Kongreß

Nun wurden aber die Möglichkeiten von Teplitz für Rechberg durch mehrere Geschehnisse verschüttet. Einmal begannen die in Teplitz verabredeten Militärverhandlungen nur langsam und nicht mit dem von Preußen erhofften Erfolg[58], zum anderen war die österreichisch-preußische Haltung in Bundesfragen nicht festgelegt[59], und drittens opponierte das österreichische Finanzministerium mit den österreichischen Schutzzöllnern und das preußische Handels- und Landwirtschaftsministerium mit den Freihändlern gegen eine Zollunion. Schließlich drängte auch der Nationalverein in Koburg (die süddeutschen Mitglieder anerkannten hier die preußische Hegemonie in wirtschaftlichen Fragen) und der »Kongreß« in Köln in öffentlichen Resolutionen die preußische Regierung, einen freihändlerisch bestimmten Zolltarif zu schaffen und einen Handelsvertrag so schnell als möglich mit Frankreich abzuschließen. Als schärfste, gegen jede Union gerichtete Waffe wurde die Beseitigung aller 1853 schon angenommenen Differentialabgaben gefordert und die Errichtung eines allgemeinen Meistbegünstigungssystems als alleiniges Ziel befürwortet[60].

Die wenig einstimmige Haltung der österreichischen Ressorts ließ Rechberg mit der Aufnahme der abgesprochenen Unionsverhandlungen zögern. Napoleon aber

57 Franz: Entscheidungskampf S. 68.

58 APP II, 1 Nr. 296, Anm. 5: 14. XII. 1860 Werther an Schleinitz und Antwort; ebd. Nr. 300, Anm. 2.

59 APP II, 2 Nr. 295: 9. XII. 1860 Schleinitz an Roon, mit Anm.; ebd. Nr. 196: 9. XII. 1860 Schleinitz an Werther; 14. XII. 1860 Werther an Schleinitz; ebd. Nr. 314 Anm. 2: 4. I. 1861 Schleinitz an Moltke; ebd. Nr. 316: 8. I. 1861 Schleinitz an Moltke.

60 Stenographische Berichte des Volkswirtschaftlichen Kongresses, hrsg. v. M. Wirth, Frankf. 1860, S. 49 ff.; Lotz: Ideen, S. 24; H. Oncken: Bennigsen I, S. 428 ff. HHStA Wien, PA III, Nr. 70 21. VII. 1860 Károlyi an Rechberg.

nahm trotz des erneuten Drängens von Preußen wegen Teplitz ebenfalls die auf November festgelegten Verhandlungen nicht auf, im Gegenteil, er spielte nun den Zollverein gegen Preußen aus und bat, die Verhandlungen im Beisein von deutschen Kommissionären zu führen[61]. Damit wäre für Preußen sowohl die politische als auch die handelspolitische Zielsetzung blockiert gewesen. Nun entledigte sich Preußen, um Österreich abzuschütteln, seiner Vorbehalte gegenüber Frankreich. Ein Handschreiben König Wilhelms an Napoleon, das eine preußisch-französische Entente als Friedenssicherung anerkannte, ließ den Franzosen auf Verhandlungen mit Preußen eingehen[62]. Als am 11. Januar 1861 der französische Unterhändler, ministre plénipotentiaire Le Clercq, in Berlin zu Verhandlungen mit Delbrück, Pommer-Esche und Philipsborn eintraf, hatte sich Preußen für den Weg mit Frankreich gegen Österreich, erneut für den Freihandel gegen »Mitteleuropa« entschieden, glaubte aber zugleich, seine Wirtschaftspolitik durchaus mit dem politischen preußisch-österreichischen Zusammengehen verbinden zu können:

»Wir wußten recht gut, daß ein Vertrag mit Frankreich die deutsch-österreichische Zolleinigung in absolute Ferne rücken, der sogenannten Parificierung der Tarife schwer zu überwindende Hindernisse bereiten und überhaupt die weitere Ausbildung des Februarvertrags von 1853 erschweren werde, aber wir *wollten* keine deutsch-österreichische Zolleinigung«, so urteilt der damalige »Leiter« der preußischen Handelspolitik, R. v. Delbrück, »wir wollten keine Parificierung der Tarife, wir wollten, wenigstens soweit es auf mich ankam, nur eine beschränkte Ausbildung des Februarvertrages«, zu dem »wir uns niemals bekannt« hatten[63].

b Handelsvertrag mit Frankreich oder Defensivallianz mit Österreich: Preußen und Österreich im Jahre 1861

Le Clercq und Delbrück

Seit dem Januar 1861 tanzte Preußen auf zwei Hochzeiten: den preußisch-österreichischen Militärverhandlungen und den preußisch-französischen Handelsvertragsverhandlungen. Napoleon, Rechberg und Schleinitz hatten bei diesen Parallelverhandlungen alle die gleichen Ziele. Jeder wollte den Verhandlungspartner auf seine Seite ziehen, um die eigene Stellung zu verbessern. Napoleon hoffte mit einem Handelsvertrag das Defensivbündnis der deutschen Mächte zu blockieren, Rechberg wiederum suchte mit der Defensivallianz die französisch-deutsche Verhandlungsintimität zu torpedieren und Schleinitz schließlich, mit Frankreichs Hilfe, zur Re-

61 DZA II, AA II, Rep. 6 Nr. 1193: 14. XI. 1860 Pourtalès an Schleinitz.
62 APP II, 2 Nr. 326, Anm. 2: 11. I. 1861.
63 Delbrück: Memoiren II, S. 216 ff.

form der Bundeskriegsverfassung zu kommen und mit Österreichs Hilfe einen möglichst günstigen Handelsvertrag erzielen zu können. Allein – Rechbergs Rechnung ging nicht auf. Er beharrte auf seiner Defensivallianz ohne Gegengabe am Bund, und so stagnierten die Militärverhandlungen, während die Handelsvertragsverhandlungen rasch in Gang kamen[64].

Trotz gelegentlicher Gegensätze ergab sich bald eine grundsätzliche Übereinstimmung zwischen Delbrück und Le Clercq in den Fragen der gegenseitigen Zollfreiheit für Durchfuhr und Ausfuhr (Lumpen ausgenommen), der Anerkennung der gegenseitigen Meistbegünstigung und der grundsätzlichen Zustimmung Preußens zu einem »nivellement des tarifs«, allerdings nicht in der Form, wie es Frankreich gefordert hatte: »die Klassifikation« des Zollvereinstarifs aufzugeben und den französischen anzunehmen[65]. Neben diesem Gegensatz blieben noch weitere offene Fragen über die Art der Zollerhebung und der Aufhebung aller Sonderzugeständnisse des Vertrages von 1853. Am Ende der ersten Beratungsperiode, am 17. April 1861, informierte Preußen gemäß seiner Politik »moralischer Eroberungen« die Bundesstaaten über den Fortgang der Verhandlungen[66], und es wurde betont, daß die Verhandlungsgrundlage »große, nicht nur handelspolitische, sondern auch politische Bedeutung« besäße. »Über alle Erwartungen befriedigend« lauteten die Antworten der norddeutschen, weniger der süddeutschen Staaten, sah doch Bayern den Zollverein durch einen preußisch-französischen Handelsvertrag zerstört und Württemberg den »Zollverein an der Wende mit oder gegen Österreich«, wobei es gelte, 1853 »als Basis zu erhalten«[67]. Wie Preußen erhoffte aber die Mehrzahl der Länder des Zollvereins – selbst auch der Süden – von einem Handelsvertrag mit Frankreich »eine Neubelebung« des Zollvereins im Sinne liberaler Handelspolitik und den Aufschwung von Handel und Gewerbe[68]. Die gleiche Unterstützung erfuhr das

64 APP II, 2 Nr. 318, Anm. 2: 11. I. 1861 Schleinitz an Károlyi, ebd. Nr. 318: 13. I. 1860 Schleinitz an Werther, ebd. Nr. 327: 25. I. 1861 Schleinitz PM; HHStA Wien, PA III, Nr. 72: 12. I. 1861 Verbalnote Schleinitz' an Rechberg; 30. I., 2. II. 1861 Károlyi an Rechberg.

65 Delbrück: Memoiren II, S. 208 ff.; A. D. Hartmann: Der Zollverein gegenüber dem Handelsvertrag mit Frankreich, Berlin 1861.

66 DZA II, AA II, Rep. 6 Nr. 1193; WFStA Ludwigsburg, E 222, Fach 182, Nr. 885: 22. IV. 1861 Zschock an Hügel; BHStA München, MH Nr. 11 965.

67 Delbrück: Memoiren II, S. 210: BHStA München, Nr. 11 965: 27. V. 1861 Bayr. Registratur zu den Vorschlägen; WFStA Ludwigsburg, E 222, Fach 182, Nr. 885: 9. III. 1861 PM OFR Riecke.

68 DZA II, Rep. 120, C XIII, 11 Nr. 2 vol 1: 7. VIII. 1861 PM Delbrück. Wie wenig einheitlich die Interessenstützung der württembergischen Antwort war, geht aus dem Votum der offiziösen Centralstelle für Gewerbe und Handel vom 6./15. II. und 14. III. 1861 hervor. Im Anschluß an die Eingaben der HGK Heilbronn vom 12. II. 1861 und der HGK Stuttgart vom 4. II. 1861 forderte sie den Abschluß eines Handelsvertrages mit Frankreich, der den Interessen Württembergs entspräche. Gegen diese Stellungnahme votierte das Steuer-Collegium (9. III. 1861) und die

preußische Vorgehen bei den Interessenten[69] und freihändlerischen Korporationen. Der Vertrag schien den wirtschaftlichen Gegebenheiten zu entsprechen und war keineswegs nur politisch aufzufassen, wenn auch gerade die politische Auswirkung immer mehr das Entscheidende der Verhandlungen wurde[69a].

Rechbergs Opposition

Der Fortgang der Handelsvertragsberatungen wirkte sich unmittelbar auf die Defensivallianzverhandlungen aus. Preußen verzögerte die österreichischen Bemühungen[70] und nahm in der Italienfrage eine abwartende, nicht ausgesprochen öster-

Centralstelle für Landwirtschaft (27. II./6. III. 1862). Aus politischen Gründen schloß sich K. v. Riecke, Schwiegersohn des einzigen prononcierten Freihändlers der württembergischen II. Kammer, Reyscher, letzterer Stellungnahme an (26. III. 1862); (WFStA Ludwigsburg, E 222, Fach 182, Nr. 885) für Bayern sind die gleichen Differenzen bezeichnend. (BHStA München MH Nr. 11 965).

69 DZA II, Rep. 120 ebd. Petitionen der Handelskammern Bielefeld, Solingen (Kleineisenexportwaren), Elberfeld (Tuchexport), Krefeld, Koblenz, Halle, Stettin, Berlin u. a. m. Delbrück berichtet von »Aussprachen unter 4 Augen mit den Commerzienräten L. Ravené, L. Reichenheim und Kunheim«. Kunheim wird ebenso wie Ravené weiterhin eine einflußreiche Rolle in der Handelspolitik spielen. Für Ravené, mit Holstein, Caprivi, Stephan durch den Kreis der Frau Leppin bekannt, ist erwähnenswert, daß sich bei ihm früh die Assimilierung mit den herrschenden Feudalschichten vollzog.
Durch die Ehe einer Tochter R. mit E. v. Esmarch wurde Ravené verwandt mit dem Haus Schleswig-Sonderburg-Augustenburg. Prinzessin Henriette übernahm in zweiter Ehe drei Kinder der ersten Ehe Esmarch. Der erstgeborene Esmarch verheiratete sich mit Gisela von Wolzogen, der zweite mit oben erwähnter Ravené; nach der Scheidung ehelichte die Ravené einen von der Marwitz, und 1898 ging die »geb. Ravené, geschiedene Esmarch, verwitwete v. d. Marwitz« die Ehe mit dem Hauptmann v. Schack ein. Esmarch (II) wurde mit der Familie v. Voigt-Rheetz verwandt. (Brandenburg LHA Potsdam, Rep. 30, C, Tit. 94, Nr. 2583). Der Sohn R., Louis August, wiederum stand in enger Verbindung zu Berlepsch und Hohenlohe-Schillingsfürst, hatte ein Einkommen von 560–600.000 M; und erwarb als Eisen- und Stahlwarenfabrikant bis 1897 ein Vermögen von 10,210 Mill. Mark. Er war nationalliberaler Abgeordneter, 2. Vizepräsident der Berliner Ältesten-Kammer, saß im Centralausschuß der Reichsbank und im Hansabund, er starb als Geheimer Commercienrath mit sieben Aufsichtsratspositionen. (Brandenburg. LHA Potsdam, Rep. 30, C, Tit. 94, Nr. 12 623).

69a HHStA Wien, PA III, Nr. 72. Besonders der »Nationalverein« und der »Kongreß« wünschten »besonders im Hinblick auf die Zukunft der deutschen Industrie« den Abschluß des Handelsvertrages und anerkannten »Preußen als Führer Deutschlands«; (27. I./2. II. 1861 Károlyi an Rechberg); ebd. auch PA VI Nr. 24: 5./9. II. 1861 Handel an Rechberg.

70 APP II, 2 Nr. 332: 30. I. 1861 Károlyi an Rechberg; ebd. Nr. 330, Anm. 2: 31. I.

reich-freundliche Haltung ein[71]. Am 16. Februar 1861 berichtet Károlyi bereits von einem »Stocken« der Verhandlungen[72], und trotz erneutem österreichischem Drängen und Drohen[73] scheiterten die militärischen Verhandlungen Anfang April 1861[74].

Preußen versuchte nun, die Kriegsordnungsreform mit Hilfe der »Vertrauensstellung« beim Bund und mit dem Eingehen auf die mittelstaatlichen Reformvorschläge zu lösen[75]. Zugleich intensivierte es die Annäherung an Frankreich[76] und drängte auf die Fortführung der Handelsvertragsverhandlungen, die in ihrer zweiten Phase im Sommer 1861 wegen des Zollerhebungsmodus stagnierten[77].

Rechberg hingegen glaubte nach dem Scheitern der Militärverhandlungen doch noch mit Hilfe der handelspolitischen Frage die preußische Stellung im Bund unterhöhlen zu können. Deswegen wandte er sich nun mit einer äußerst entgegenkommenden Note an die Mitglieder des Zollvereins und warf hierin Preußen die Verletzung der Bestimmungen von 1853 vor[78]. Zugleich wurde die Frage eines belgisch-österreichischen Handelsvertrages ins Spiel gebracht, durch dessen Abschluß Preußen hätte gezwungen werden können, nachzugeben[79]. Durch belgisch-französische Verhandlungen jedoch schien diese Möglichkeit eher zugunsten Preußens ausgewertet werden zu können[80].

Die »Kluft« zwischen Österreich und Preußen war wieder bestimmend für ihr Verhältnis zueinander geworden[81]. Preußen, so quittierte Rechberg in einem Memorandum bitter seinen Mißerfolg, »will keinen Staatenbund, es will die volle Hegemonie in einem Bundesstaat«; mit Berlin ließe sich »nicht paktieren«. Rech-

1861 Schleinitz an Reuß; ebd. Nr. 345: 14. II. 1861 Werther an Schleinitz; Nr. 350, Anm. 1: 15. II. 1861 Aufzeichnung Moltke; ebd.: 15. II. 1861 Huyn an Rechberg.

71 APP II, 2 Nr. 323 Anm. 6: 4. II. 1861 La Tour an Thouvenel; ebd. Nr. 342, Anm. 1: 13. II. 1861 Schleinitz an Brassier; ebd. Nr. 338, Anm. 3: Launay an Cavour.

72 Srbik: Quellen I, S. 560 ff.

73 Srbik: Quellen I, S. 579 f.: 4. III. 1861 Rechberg an Károlyi; APP II, 2 Nr. 357, Anm. 3: 7. III. 1861 Werther an Gruner; ebd. 7. III. 1861 Schweinitz an Roon.

74 APP II, 2 Nr. 370: 7. IV. 1861 Werther an Schleinitz; ebd. Anm. 3. HHStA Wien, PA III, Nr. 72: 8./9./16./26. II. 1861 2./4. III. und vor allem 31. III. 1861 Károlyi an Rechberg.

75 APP II, 2 Nr. 373: 16. IV. 1861 Schleinitz an Usedom; ebd. Nr. 373 Anm. 7: 20. IV. 1861 Savigny an Schleinitz; GW III, S. 266 ff.; WHStA Stgt, E 70 B Ges. Wien, Büschel 54.

76 APP II, 2 Nr. 380, Anm. 5: 17. V. 1861 Reuß an Schleinitz; ebd. Nr. 391, Anm. 1: 14. VI. 1861 Reuß an Schleinitz; ebd. Anm. 2; WFStA Ludwigsburg E 222, Fach 182, Nr. 885: 9. VII. 1861 Schulenburg an Hügel.

77 BHStA München, MH Nr. 11950: 20. VIII./5. IX. 1861 Montgelas an Schrenck; APP II, Nr. 404; 4. VIII. 1861 Wilhelm an Napoleon.

78 Staatsarchiv III, Nr. 424: 8. IX. 1861; Franz: Entscheidungskampf S. 106 ff.

79 WFStA Ludwigsburg, E 222, Fach 182, Nr. 885: 10. V. 1861 Eingabe Centralstelle f. Gewerbe u. Handel; 12. V. 1861 Gessler an Hügel.

80 ebd. 16. V. 1861 Hügel an Gessler.

81 APP II, 2 Nr. 397, Anm. 2: 11. VII. 1861 Werther an Schleinitz.

berg gab damit das »Zählen« auf Preußen auf und mußte erneut »das Rechnen« mit den Mittelstaaten aufnehmen. Der Weg über das Zollunionsprojekt bot sich aufgrund der erwähnten Stagnation der preußisch-französischen Verhandlungen an. So kam es, daß Bayern und vor allem Württemberg bereits im Juli 1861 zu einer Spezialkonferenz mit Österreich gedrängt wurden. Auf ihr sollte die Krise des Zollvereins, die Frage der Zollunion und des Frankreichvertrags im Sinne der Union gelöst werden[82]. Als nun Preußen im September 1861 die während des Sommers verhandelten Entwürfe eines Handelsvertrages mit Frankreich den Mittelstaaten übergab, lehnte der Süden das darin angesprochene Wertzollsystem brüsk ab, sprach sich für ein Festhalten am Zollerhebungsmodus des Zollvereins aus und plädierte für ein Zusammengehen mit Österreich[82a]. Doch sofort erhoben die Freihändler und die Liberalen Einspruch gegen die Handelspolitik ihrer Regierungen. Wenn auch das »Wertzollsystem« aus dem Vereinstarif »nothwendig fern zu halten sey«, da es nur Frankreichs Interessen entspräche, so zeigten die Anhänger eines Handelsvertrags mit Frankreich im Süden auch jetzt auf die Gefahr eines Zollkrieges mit Frankreich, Belgien und Preußen hin, dem der Süden nicht gewachsen sein würde[83]. Jedoch ihre Argumentation wurde übertönt durch die Schutzzollagitation der »Württemberger« während des »Kongresses deutscher Volkswirthe« in Stuttgart. Der Gegensatz von »Nord- und Süddeutschland« trat auf diesem Kongreß »sehr scharf zu Tage«, der »Siegeszug der Gewerbefreiheit« wurde gestoppt, da die süddeutschen Baumwollspinnereien sich nicht wie die Eisenindustriellen in Köln (wenn auch mit Vorbehalten) zum Freihandel bekannten, sondern zur Erhaltung ihrer Stellung als Binnenmarktversorger Zölle forderten[84].

Zu diesem Vorgehen gesellte sich der von Österreich angeregte Versuch der Bildung eines »Vereins für deutsche Industrie«. Am 31. August 1861 verfaßte der Augsburger Baumwollspinner v. Kerstorff den Aufruf zur Bildung, dem einundfünfzig Industrielle folgten[85], die scharf gegen einen Handelsvertrag mit Frankreich auftraten[86].

82 WFStA Ludwigsburg, E 222, Fach 182, Nr. 885: 31. VII. 1861 Nota OFR Riecke.

82a WFStA Ludwigsburg, E 222, Fach 182, Nr. 885: 9. IX. 1861 Zschock an Hügel; 26. X. 1861 Bericht v. Riecke an Hügel; 8. XI. 1861 Note des IM und Antwort Hügel an Schulenburg (12. XI. 1861); 29. IX. 1861 Schrenck an Ladenberg.

83 ebd. 25. IX. 1861 Denkschrift der Centralstelle für Gewerbe und Handel.

84 Stenographische Berichte des 4. Volkswirtschaftlichen Kongresses vom 9.–12. IX. 1861 im Schloß zu Stuttgart, hrsgegb. vom Bureau des Kongresses.

85 BHStA München, MH Nr. 11 965 v. Kerstorff konnte neben den süddeutschen Textilindustriellen, die Staub-Kuchen vertrat, mit Böcking, Lueg und Vopelius die Schwereisen- und Glasindustriellen gewinnen und sich mit Keller und Levi sogar Vertreter des Frankfurter Handels verbinden, aber der Verein scheiterte an den politisch-ökonomischen differenten Zielsetzungen seiner Mitglieder, Augsburger Allgem. Zeitung 21. IX. 1861

86 ebd. 3. XII. 1861 v. Kerstorff an Schrenck.

Und die österreichische Handelspolitik erhielt noch eine weitere – nicht erwartete – Unterstützung. Im Mai 1861 hatte sich der Deutsche Handelstag konstituiert. Bereits in der ersten Resolution nun forderten die Delegierten Preußen auf, »auch über Staaten hinaus«, die nicht dem Zollverein angehören, »gern« Handelseinigung zu vermitteln[87], was aber von Preußen schroff abgelehnt wurde[88].

Der Deutsche Handelstag

Der Deutsche Handelstag war als letzte Zentralorganisation für die Vertretung der Zollvereins- und österreichischen Handelsinteressen in Heidelberg im Mai 1861 als Zusammenfassung der schon bestehenden einzelstaatlichen Handelstage (so in Preußen oder Baden[89]) mit dem Ziel gegründet worden, eine »großdeutsche« Handelspolitik zu befürworten.

Unter dem ersten Präsidium des großdeutsch denkenden, nicht ausgesprochen freihändlerisch argumentierenden Direktors der Disconto-Gesellschaft in Berlin, David Hansemann, konstituierte sich ein Ausschuß von fünfzehn Personen. In diesem Ausschuß dominierte der Süden mit Schramm aus Dresden, Hänle (München), Pucher (Nürnberg), v. Wertheim (Wien), Moll (Mannheim), Finckh (Reutlingen), Oberleitner (Olmütz), Jordan (Neustadt) gegenüber dem Norden, vertreten von Behrend (Danzig), Weigel (Breslau), Hansemann und Dietrich (Berlin), v. Sybel (Düsseldorf), Roß (Hamburg), Classen-Koppelmann (Köln). Die Vertreter des Nordwestens fehlten; nur Behrend und Roß bildeten die freihändlerische Opposition und die Verbindung zum »Kongreß«. Die übrigen Mitglieder, auch die Preußen Hansemann und Dietrich – aus Gründen der preußisch-bürokratischen Restriktionspolitik gegenüber Aktiengesellschaften – neigten mehr einer nicht preußisch geführten, auf den Plänen von der Pfordtens aufgebauten »Trias« des Zollvereins zu[90]. Bedeutsam ist bei dieser Gründung die Führung durch Interessenten, die gegen die französische und englische Kapitalübermacht den großdeutschen Raum auszuschöpfen hofften und deren wesentliche Engagements – so bei Hansemann – in einer engen deutsch-österreichischen Wirtschaftsgemeinschaft eine erhebliche Stützung erfahren hätten.

Die preußische Antwort: Berufung Bernstorffs

In dieser Zwangslage knüpfte Preußen wiederum an die außenpolitische Konstellation vor Teplitz an, indem es jetzt das »geschlagene« Österreich mit den preu-

87 WFStA Ludwigsburg, Fach 185, Nr. 951, Protokoll des DHT 1861; BHStA München MH Nr. 14 263; GLA Karlsruhe Abt. 237 Nr. 25 959.

88 DZA II, AA II, Rep. 6 Nr. 551: 29. IX. 61 Votum v. d. Heydt/Patow an Schleinitz; dto. Votum Jordan/Philipsborn vom 8. X. 1861.

89 GLA Karlsruhe, Abt. 237, Nr. 25 957, Nr. 12 245.

90 A. Soetbeer: Der Deutsche Handelstag 1861–1911, 2 Bde., Berlin 1911/13; A. Bergengrün: David Hansemann, Berlin 1901, DZA II, Rep. 92, Hansemann Nr. 34 und Nr. 33.

ßischen Beziehungen zu Frankreich und Rußland zu überspielen gedachte. Bereits Mitte des Jahres 1861 hatte Paris erneut die Möglichkeit einer Begegnung Napoleons und Wilhelms sondiert[91]. Jetzt ergriff Preußen dieses Angebot. Die Zusammenkunft in Compiègne[92], von Károlyi als »schmeichelnde Ergänzung der Badener Zusammenkunft« und als »Abschlagszahlung« betrachtet, um sich »von dem Drängen (Frankreichs) für eine Weile loszumachen«[93], brachte die Fortsetzung der handelspolitischen Verhandlungen und einen erneuten Wechsel des preußischen Auftretens gegenüber dem Bund und Österreich. Schleinitz, der Befürworter einer Annäherung an Österreich, seit seiner Isolierung im Kronrat von 1860 ohne Konzeption, wurde entlassen.

Sein Nachfolger, Bernstorff, ergriff die erste sich ihm in der Beustschen Reformdenkschrift vom 15. Oktober 1861[94] bietende Möglichkeit, um den Standpunkt Preußens im Sinne der Radowitzschen »Unionsprojekte« von 1849 gegenüber allen Bundesstaaten mit großer Schärfe darzulegen. »Solchen politischen Gedankenspielen«, wie sie Beust vorgelegt hätte, »die keine reale Macht« hinter sich hätten, ließ er den preußischen Gesandten in Frankfurt, Usedom, betonen, »könne Preußen kein großes Interesse abgewinnen«[95]. Allein in der Entstehung eines auf dem Wege freier Vereinbarung gebildeten Bundesstaates im Gesamtbund sah Bernstorff den Sinn der Bundesreform begründet[96], da Österreich nicht für die preußische Gleichberechtigung sei[97].

Mit dieser Enthüllung und Neuformulierung alter preußischer Ziele näherte sich Bernstorff auch der Argumentation Bismarcks, Italien »als natürlichen Bundesgenossen« durch die völkerrechtliche Anerkennung gegen Österreich zu gewinnen[98]. Österreich hatte nun leichteres Spiel mit den Mittel- und Kleinstaaten. Sofort schickte Rechberg Graf Blome als Sonderbotschafter an die deutschen Höfe, und Blome gelang es dann auch ohne großen Widerstand, Sachsen, Bayern, Württemberg, Hessen-Darmstadt, Nassau und Hannover zu einem Geheimvertrag mit Österreich zu verpflichten, der gegen die Hegemoniebestrebungen Preußens gerichtet sein sollte. In diesen Verträgen wurde festgelegt, daß die Staaten keinem Bundesreform-Projekt zustimmen würden, mit dem Österreich aus dem Bunde verdrängt werden könnte. Sie verpflichteten sich weiter, »kein Parlament der Bundes-Staaten anzunehmen«, Österreichs Führungsrolle anzuerkennen und gemeinsam gegen Preu-

91 APP II, 2 Nr. 401: 22. VII. 1861 Pourtales an Schleinitz; ebd. Nr. 404, Anm. 4: 11. VIII. 1861 Károlyi an Rechberg.

92 APP II, 2 Nr. 414: 11. X. 1861 Aufzeichnung Wilhelms.

93 APP II, 2 ebd. Anm. 9: 11. X. 1861 Károlyi an Rechberg.

94 Staatsarchiv II, Nr. 175, I Nr. 164 in Berlin am 14. XI. 1861 übergeben.

95 APP II, 2 Nr. 419; Anm. 4: 19. XI. 1861 Usedom an Bernstorff.

96 Staatsarchiv II, Nr. 177, vgl. APP II, 2 Nr. 434: 7. I. 1862 Werther an Bernstorff, hierzu Anm. 1; WHStA Stgt. E 70 B, Büschel Nr. 54.

97 APP II, 1 Nr. 434 Anm. 2: Bernstorff an Werther.

98 GW III, S. 315 Bismarck an Bernstorff 2./14. I. 1862; APP II, 2 Nr. 425 Anm. 2: 1. XII. 1861 La Tour an Thouvenel.

ßen vorzugehen[99]. Hochzufrieden konnte Blome zurückkehren; die verbündeten Mittelstaaten hatten zugestimmt, gegen die preußischen Pläne Stellung zu nehmen[100]; auch die übrigen Bundesstaaten rückten von Preußen ab[101].

Preußen war »gereizt«, sah sich jedoch von Rußland, das in der österreichisch-deutschen Note eine »Unbesonnenheit« erblickte[102], ebenso wie von Frankreich gestützt. Vor allem Frankreich sah in dem Plan »einer Gesamtgarantie der außerdeutschen Besitzungen Österreichs« einen Casus belli und gab nun seine Zustimmung[103] zu seinem Handelsvertrag mit Preußen, nachdem sich schon zuvor in der »stufenweisen Ermäßigung« und in der Anpassung der preußischen Zollsätze an die französischen der Ausgleich eingestellt hatte. Österreichs Aufbäumen gegen die drohende preußische Hegemonie hatte den Abschluß des Handelsvertrages nur noch beschleunigt. »Preußen sei nach Ansicht Frankreichs« weit mehr als Österreich berufen, den deutschen Gedanken zu repräsentieren[104].

Am 29. III. 1862 wurde der Vertrag paraphiert[105], dessen Ergebnis, die Öffnung

99 HHStA Wien, PA IV, Nr. 30: Protokolle mit Sachsen, Bayern, Württemberg, Hessen-Darmstadt und Nassau vom Januar 1862, von Hannover, Meiningen aus dem März; vgl. auch PA VI Nr. 25; HHStA Darmstadt, Sta. Min. Konv. 46, Fasc. 3: 29. I. 1862 Reformprotokoll und Vertrag, gez. von Blome, Dalwigk und Hügel.

100 Staatsarchiv II, Nr. 229; WHStA Stgt, E 70 B, Ges. Wien: 2. II. 1862; Zechlin: Bismarck S. 213 ff.; E. Franz: Ludwig Freihr. v. d. Pfordtens Kampf gegen den preußisch-französischen Handelsvertrag von 1862, FBPG 44, 1 S. 130 ff.

101 APP II, 2 Nr. 442 Anm. 6. Die Stellung Hannovers zu dem deutsch-franz. Handelsvertrag und der durch diesen herbeigeführten Zollvereinskrisis (Braunschweig 1862).

102 GW III, S. 329 Bismarck an Bernstorff; GW III, S. 333; 1. III. 1862 Bismarck an Wilhelm. HHStA Wien, PA III, Nr. 74: 14. II. / 8. III. 1862 Károlyi an Rechberg.

103 Bismarck Jb. VI, S. 127 ff., 21. II. 1862.

104 APP II, 2 Nr. 443 Anm. 5: 10. II. 1862 Reuß an Bernstorff.

105 vgl. zum Vertrag die entstehende zeitgenössische Literatur u. a.: A. Schäffle: Preußische Jbb. Bd. 9, Brl. 1862; Robolski: Der deutsche Zollverein Berlin 1862, S. 121 ff.; vgl. die Zusammenstellung bei Hans Rosenberg: Die nationalpolitische Publizistik Deutschlands, Bd. 2, 1935, besonders die Zeitschriftenübersicht S. 569 ff. und S. 619.

Der Handelsvertrag mit Frankreich; nebst den Ein- und Ausfuhrtarifen etc. und der Circular-Depesche des Herrn Grafen von Bernstorff vom 3. IV. 1862 die preußischen Motive enthaltend, Elberfeld 1862.

Der Vertrag legte die Zollidentität der Land- und Seeübergänge fest (Artikel 1, 2, 3), ebenso die Ausgangsabgabenfreiheit bis auf wenige Waren, unter ihnen Lumpen (Art. 4). Vor allem wurde die gegenseitige Meistbegünstigung (Art. 8), die den Art. 25 des Vertrages vom Februar 1853 aufhob, vereinbart (Art. 31). Ebenso wurde eine Ursprungsland-Definition (Art. 11), Wertzollerhebung (Art. 14) festgelegt. Die Vertragsdauer betrug zwölf Jahre. (Art. 32).

Zollsenkungen betrafen im Tarif A Roheisen, Bruchstücke von Gußeisen (2,50 auf 2 fr/100 kg.), Raffiniertes Roheisen und Brucheisen (3,25 auf 2,75), Gefrischtes Eisen (von 5 auf 4,50), Stabeisen (7 auf 6), Bandeisen und Eisenblech (8,50 auf 7,50),

des deutschen Marktes für französische Luxuswaren, Öffnung des französischen Marktes für deutsche Manufakturprodukte, den Wünschen der deutschen Freihandels-Interessenten entsprach – und das nicht nur in Preußen.

c Preußens »Ehe« mit Frankreich und Rechbergs »Großdeutsches Zolleinigungsprojekt«

Österreich nach der Paraphierung

Rechberg gab sich nach der Paraphierung des preußisch-französischen Handelsvertrages noch nicht geschlagen, denn Preußen mußte die Anerkennung des Zollvereins finden, wollte es den Verein nicht sprengen. Weniger innere – hier hatte Hock offen gegen die Zollunionskonzeption Freiherrn v. Kalchbergs vom Handelsministerium und Rechbergs Stellung genommen und die Unterstützung der »Zentra-

dünnes Blech (13 auf 10), gewalztes Blech (9,50 auf 7,50), veredeltes Eisen (16 auf 13), Eisendraht (von 14 auf 10).

Stahl wurde parallel mit der Lohnintensivierung von 15/30 auf 13/25 fr/100 kg gesenkt, ebenso Kupferprodukte (15 auf 10), gewalztes Zink (6 auf 4), Blei (5 auf 3), Zinn wurde belassen, Nickelprodukte gesenkt (15 auf 10), die Rohmaterialien blieben frei.

Die gleiche Tendenz war bei den Metallwaren zu sehen. So wurden Eisengußwaren wiederum parallel zur Lohnintensivierung von 3,50/12 auf 3/10 fr./100 kg gesenkt; Schmiedeeisen (9 auf 8), Schloßmaterialien, Werkzeuge, Geräte etc. wurden um 2 bis 4 fr. gesenkt, was einer Senkung von ungefähr 19,6 bis 20 % des Wertes entsprach. Waffen behielten den Zoll, Werkzeuge aus Schmiedeeisen, Waren von Gußeisen, Metalltücher, Kupferwaren, Zinkwaren erhielten eine Wertsenkung von 16 bis 22 %. Juwelier- und Goldprodukte behielten den Wertzoll. Der Zollsatz für Dampfmaschinen, Lokomotiven wurde bis auf 40 % des Wertes/Stück reduziert. Andere Maschinen, z. B. für Weberei, um 30%/Stück.

Halbprodukte wurden ebenfalls erheblich reduziert. So Weberblätter von 50 auf 30 fr. Spinnerei- und Webereiprodukte behielten zumeist ihren Zoll, während französische Spezialprodukte in Seide und Halbseide etc. um 5 % gesenkt wurden, z. T. auch Freistellung erhielten. Chemische Produkte blieben frei. Glas- und Kristallwaren erhielten einen Zoll von 10 % oder wurden frei gelassen.

Der Tarif B (Einführung in den Zollverein) zeigte die gleiche Systematik in der Reduktion der Zölle für Eisen- und Stahlprodukte, für Manufakturprodukte aber wurden sie noch mehr gesenkt, vor allem für französische Spezialwaren, wie feines Porzellan, Seiden und Seidenwaren, Wolle und Wollwaren, Baumwolle und Baumwollwaren.

Verglichen mit der Grundtendenz der Zollvereins-Handelspolitik entsprach der »Vereinsvertrag«, den Preußen hier im Namen des Zollvereins mit Frankreich pa-

listen«[106] gewonnen – als vielmehr äußere Gründe ließen die österreichischen Sprecher einer Zollannäherung an Deutschland nicht schweigen.

Mit seiner Aktion gegen die Bernstorffschen Reformpläne hatte Österreich wieder einen ersten Erfolg für seine Bundespolitik buchen können, nun schien die negative Reaktion von Württemberg, Bayern und Hessen-Nassau auf den Vertragsabschluß und dessen Mitteilung an die Zollvereinsstaaten[107] wenigstens wieder die Möglichkeit einer Zollunion mit den Südstaaten zu bieten. Da Baden aber offen dem preußisch-französischen Handelsvertrag zustimmte – da »die großen Städte berufen« wären, die Interessen eines Landes zu bestimmen[108] –, hoffte Rechberg Rückhalt in Bayern und Württemberg zu finden. In Bayern »steckte« dem Ministerpräsidenten Schrenck der Handelsvertragsabschluß »in allen Gliedern«, und er war gewillt, kompromißlos an der »Zollunionspolitik seines Vorgängers«, v. d. Pfordten, festzuhalten. Doch das »bayrische Programm« der Trias, der dritten unabhängigen Kraft Deutschlands, behagte dem Österreicher keineswegs[108a]. Deswegen wandte er sich an die Württemberger. Bei ihnen standen »die Industriellen, der König und die Regierung« scharf gegen den preußisch-französischen Vertrag, dessen »Zustandekommen« – nach dem Urteil Hügels, des verantwortlichen württembergischen Außenministers – » . . . von den nachtheiligsten politischen und materiellen Folgen« sein werde[108b]. Bis auf den Oberfinanzrat Riecke, den Referenten für die württembergische Handelspolitik im Finanzministerium, glaubten alle württembergischen Kabinettsmitglieder, ihre Politik gegen Preußen, Fortschritts-

raphiert hatte, ziemlich genau den Interessen Preußens, Sachsens, Hannovers und Oldenburgs, aber auch der thüringischen Länder und der süddeutschen: vorweg Baden, dann Hessen-Darmstadt, Nassau, Württembergs und Bayerns.
Sächsisches LHA Dresden, FM Nr. 6770: Vorstufen des Tarifvertrages von 1879; WFStA Ludwigsburg, E 222, Fach 185, Nr. 951: 12. II. 1862 Vortrag OFR Riecke; GLA Karlsruhe Abt. 48, Nr. 7013: 24. IV. 1862 Instruktion Roggenbach.

106 Mammroth S. 131 f.; Großindustrielle, vornehmlich aus Böhmen, Mähren, Kärnten und der Steiermark, sowie eine Vielzahl von Handelskammern traten hinter Hock und forderten Schutzzolltarife.

107 BHStA München, MH Nr. 11 966: 11. IV. 1862 Perponcher Denkschrift und Handelsvertrag; 13. IV. Schrenck an König: Denkschrift zum Handelsvertrag mit Frankreich; 19. V. 1862 Denkschrift Schrenck (Entwurf OFR Weber) an König mit einer Forderung einer Anti-Konferenz, da die süddeutsche »Individualität in Gefahr« sei; WFStA Ludwigsburg, E 222, Fach 182, Nr. 886: 11. IV. 1862 Schulenburg an Hügel; 13. IV. 1862 erste Stellungnahme OFR Rieckes, der den Vertrag für Industriewaren günstig hält; 17. IV. 1862 Beurteilung des Handelsvertrags durch OFR Riecke; GLA Karlsruhe Abt. 48, Nr. 7013: 14. IV. 1862 Burckheim (München) an Roggenbach; Delbrück: Memoiren II, S. 223 f.; Griewanck S. 133 ff.

108 GLA Karlsruhe, Abt. 48, Nr. 7013: 24. IV. 1862 Roggenbach an Hannoverschen Gesandten Heimbruch/Frankfurt; 15. IV. 1862 Mollenbeck (Berlin) an Roggenbach, dto. Antwort Roggenbachs 24. IV. 1862.

108a HHStA Wien, PA IV, Nr. 30: 12. IV. 1862 Schönburg an Rechberg.

108b ebd. PA VI, Nr. 25: 15. III. 1862 Handel an Rechberg.

partei, Nationalverein, Presse und »deutsche Historikerschaft« durchsetzen zu können[109]. Denn in Württemberg hatte die österreichische Partei mit dem Schutzzollpartikularisten Moriz Mohl und dem Tübinger Nationalökonomen und nachmaligen österreichischen Minister Albert Schäffle wortgewaltige Verfechter ihrer Sache in der Öffentlichkeit und im Parlament[110].

Da die württembergischen Industriellen, Landwirte und Weingärtner[111] auch gegen den Frankreichvertrag polemisierten, schien es Rechberg geboten, Württemberg zum Kristallisationskern einer Zollunion gegen Preußen zu machen[112].

Zur österreichischen Partei zählten Bayern, Württemberg, Hessen-Darmstadt und Nassau – zur preußischen Baden, gezwungenermaßen Sachsen, mit großem Vorbehalt Hannover, Braunschweig, Kurhessen, Frankfurt, die thüringischen Staaten, Oldenburg und die »Freien Städte«. Angesichts dieser Lage konnte Rechberg durchaus auf einen Erfolg für das Zollunionsprojekt hoffen. Aber auch der süddeutsche Block war keineswegs so fest gefügt, wie die Hügel, Dalwigk und Schrenck betonten.

Selbst in Württemberg stand die Interessenphalanx nicht sicher hinter der Regierung. Neben den Handelskammern von Reutlingen, Heilbronn und Stuttgart war sogar die »Centralstelle für Gewerbe und Handel«[112a] – wenn auch ihr Ge-

109 WFStA Ludwigsburg, E 222, Fach 185, Nr. 951: 12. II. 1862; Griewank S. 140 ff.

110 WFStA Ludwigsburg, E 170, Nr. 654 Nachlaß Mohl, Briefwechsel mit Gagern, Maucler und Varnbüler; zu Mohl weiter neben seinem Nachlaß E 222, Fach 182, Nr. 887: 1. XII. 1863 Bericht der volkswirtschaftlichen Kommission der württembergischen Kammer der Abgeordneten über den preußisch-französischen Handelsvertrag und über die im Zusammenhang damit abgeschlossenen Verträge. Die Fleißarbeit von 674 Seiten hatte Mohl nach dem Urteil Schäffles ablenken sollen und ihn während der wesentlichen württembergischen Auseinandersetzungen politisch lahmgelegt. J. Fröbel: Ein Lebenslauf, 2 Bde. Stgt. 1899, hier auch eingehend die Verhandlungen der zweiten Württembergischen Kammer des Jahres 1862; A. Schäffle: Aus meinem Leben I, Berlin 1905, S. 91 ff.; ders.: Der preußisch-französische Handelsvertrag, volkswirtschaftlich und politisch betrachtet, Deutsche Vierteljahresschrift 1862, III, S. 254 ff., IV S. 297 ff.; ders.: Die Zolleinigung mit Österreich, Wochenblatt des deutschen Reformvereins 1863, Nr. 1, 4, 18–20, 22, 28–33; O. Elben: Lebenserinnerungen, Stgt. 1931.

111 WFStA Ludwigsburg, E 146, 4. 67 Nr. 1111: 2./10. V. 1862 Gutachten der Centralstelle für Landwirtschaft; E 222, Fach 182, Nr. 886: 29. V./9. VII. 1862 Denkschrift der Centralstelle für Gewerbe und Handel; 28. VII. 1862 Denkschrift Steuer-Collegium.

112 GLA Karlsruhe Abt. 48, Nr. 7013: 2. V. 1862 Mollenbeck an Roggenbach; 15. V. 1862 FM Vogelmann an Roggenbach; BHStA München MH 11 966: 23. IV. 1862 Gise (Dresden) an Schrenck.

112a WFStA Ludwigsburg E 170, Nr. 655, die Zusammenstellung zeigt die offiziöse Stellung der vom Staat geschaffenen zentralen Vertretungsstelle der öffentlichen Belange. Am 21. Mai 1862 versammelte sich das große Collegium zur Beratung über die Zollunion: Direktor Steinbeis, ORR Bitzer, ORR Oppel, ORR Pfleiderer

samturteil ablehnend ausfiel – mehr und mehr »von der Überzeugung durchdrungen, daß sich der Zollverein der handelspolitischen Bewegung nicht entziehen kann und darf, welche den Westen von Europa erfaßt hat«.

Wenn auch erhebliche Modifikationen zur Annahme des preußisch-französischen Handelsvertrages notwendig wären, so wurde doch die Basis der Handelsfreiheit bereits von »breiten Kreisen« akzeptiert[113].

Noch kritischer beurteilte der österreichische Gesandte in Württemberg, Freiherr von Handel, die handelspolitische Situation. »Durch den Zollverein« – so ließ er seinen Außenminister wissen – »hat die königlich-preußische Regierung einen bis zum Jahre 1848 fortwährend steigenden, durch den Zollvertrag legitimirten Einfluß auf die deutschen Regierungen genommen, hat die Klasse der Industriellen an sich gefesselt, die deutsche Bureaukratie zur Dienerin preußischer Interessen gemacht und hat überdies durch die Einheit auf dem Felde der materiellen Interessen den Drang nach deutscher Einheit auf dem politischen Gebiete in den Gemüthern gehegt.« Im Jahre 1848 hätte nur der Zollverein Bestand gehabt, und auf diese »Kraft« hätte Preußen den neuen Handelsvertrag »gebaut«; Österreich müsse im Ringen auf diesem Felde immer unterliegen, Württemberg, Bayern würden immer »schwankend sein«[113a]. Rechberg überging diese Warnungen und richtete seine Politik gegen Preußen – gemäß dem süddeutschen Wunsch der »absoluten Nothwendigkeit gemeinsamer Conferenzen«[113b].

»Gottesgnadentum« und Zolleinigung

Darüber hinaus konnte Rechberg hoffen, den tiefgreifenden Stimmungswandel der deutschen Öffentlichkeit gegenüber Preußen für sich zu nützen. Bereits die Krönung Wilhelms I., »von Gottes Gnaden«, hatte die Liberalen verstimmt, die Enttäuschung über die Haltung des »Neuen-Ära«-Ministeriums wuchs während des Jahres 1861 ständig. Nationale und demokratische Ansätze erlahmten an der Herrenhausopposition, und immer mehr rückte die »Herzensangelegenheit« Wil-

(zugleich auch im Geheimen Rat), ORR Rath vertraten die amtlichen Interessen, der württembergische Handel und die Gewerbeinteressen wurden von Autenrieth, Dörtenbach, Goppelt, Grauer, Grotzinger, Lödel, Müller, v. Sybold und Staub vertreten. Zu dieser Sitzung waren noch OFR Riecke und Maehrlin, Rümelin v. der HGK Heilbronn und Schall von der HGK Ulm berufen.

113 WFStA Ludwigsburg, E 222, Fach 182, Nr. 886: Gutachten der Stuttgarter Handels- und Gewerbekammer, erstattet an die Kgl. württemberg. Centralstelle für Gewerbe und Handel über den Handelsvertrag zwischen Frankreich und dem Zollverein, Stgt. 1862; 12. V. 1862 Petition der HGK Reutlingen; 16. V. 1862 Petition HGK Heilbronn; 23. V. 1862 Denkschrift Centralstelle für Gewerbe u. Handel; 10. VII. 1862 MP Linden an AM Hügel; E 170, Nr. 655 Entwurf Denkschrift Centralstelle; E 146, 4. 67, Nr. 1111: 8. VII. 1862 Konzept Linden.

113a HHStA Wien, PA VI Nr. 26: 12. IV. 1862.

113b ebd. 19. II. 1862.

helms – die Heeresreform – in den Mittelpunkt der Auseinandersetzungen mit dem von den Liberalen beherrschten Landtag[114]. Schon 1860 konnte nur mit einem »Provisorium« der offene Bruch zwischen Regent, Regierung und Liberalen überwunden werden. Als sich nun 1861 die »Deutsche Fortschrittspartei« von der »AltliberalenPartei« abspaltete und das Programm ihrer Gründer, die gleichzeitig dem Nationalverein und dem »Kongreß« angehörten, so u. a. Max von Forckenbeck, Schulze-Delitzsch, V. v. Unruh[115], in den Wahlen von 1861 von 352 Sitzen 109 erringen konnte bei einem Rückgang der Konservativen von 57 auf 15 Sitze, steigerten sich die Gegensätze um die zukünftige Stellung des Heeres im preußischen Staat in einem Maße, daß im Laufe des Januar 1862 der Bürgerkrieg nahe schien[116]. Der Kampf um ein von »einer Kriegerkaste geführtes Qualitätsheer«[117] erhitzte sich noch mehr durch das Drängen der Liberalen im »Antrag Hagen«, für den Landtag die Kontrolle über das Militärbudget, auch in *Spezial*sachen, zu erlangen. Das wäre der Auflösung der preußisch-konservativen Ordnung gleichgekommen. Am 11. März 1862 wurde daher der Landtag gegen das Votum des Kronprinzen[118] und der liberalen Minister wieder aufgelöst. Unter einem neuen konservativen Ministerium, mit dem Ministerpräsidenten Hohenlohe-Ingelfingen an der Spitze[119], erhoffte man durch Wahlbeeinflussung (durchgeführt von der »intakt« gebliebenen Bürokratie) ein für die Militärpolitik günstiges Wahlergebnis. Die liberalen Organisationen, seit 1858 geformt, gewannen aber die Wahl[120].

114 Auf diese Fragen kann hier nicht näher eingegangen werden, vgl. F. Meinecke: Boyen und Roon, Landwehr und Landsturm seit 1814; Preußen und Deutschland im 19. und 20. Jahrhundert, Berlin 1918; vor allem G. Ritter: Staatskunst und Kriegshandwerk, Das Problem des »Militarismus« in Deutschland, Bd. 1, München 1954 S. 125 ff., S. 159 ff.; E. Zechlin: Bismarck und die Grundlegung der deutschen Großmacht, Darmstadt 1962 (1. Auflage Stuttgart 1930) S. 176 ff.
Allen Arbeiten ist gemeinsam, die grundsätzliche Erörterung über die Entwicklung des preußischen Staates und die Chancen seiner »Aktions- und Bündnismöglichkeiten« zu erhellen im Sinne einer diplomatisch-politischen Sicht. Die Hauptarbeit über die wirtschaftspolitische Thematik dieser Zeit bietet E. Franz mit gleicher Methodik und Einseitigkeit. Eine Zusammenschau fehlt und bedürfte über die hier vorgelegten Ansätze hinaus einer Sonderstudie.

115 Anderson S. 321 ff; R. Adam: Liberalismus in der Provinz Preußen zur Zeit der neuen Ära, Altpreuß. Beitr. Königsberg 1933; L. Parisius: L. Frhr. v. Hoverbeck, 1897/1900 II, 1 S 85 ff., S. 64; M. Philippson: Max v. Forckenbeck, Dresden 1898, A. Hess: Das Parlament, das Bismarck widerstrebte, Köln/Opladen 1964 S. 22 ff.

116 Zechlin: Bismarck S. 201 ff.

117 Bußmann: Bismarck S. 62; Hess: a. a. O. S 25 ff. eingehend.

118 H. O. Meisner: Der preußische Kronprinz im Verfassungskampf 1863, Berlin 1931.

119 v. d. Heydt als FM, Roon als KM, Bernstorff als Außenminister wurden als einzige übernommen. Delbrück sollte Handelsminister werden. (Delbrück Memoiren II, S. 234), neu waren Jagow, Lippe, v. Mühler und Itzenplitz.

120 Anderson S. 412 ff. HHStA Wien, PA III, Nr. 76: 8. IV./17. V. 1862 Károlyi an Rechberg.

Die Fortschrittspartei konnte 141 Sitze erringen, das »Linke Zentrum« 101, die Altliberalen fielen auseinander.

Diese Situation machte sich Rechberg zunutze. Am 7. Mai 1862 (am 6. Mai hatte die Wahl stattgefunden) ließ er in Berlin eine Note übergeben, die Preußen das Recht bestritt, »einseitig eine umfassende Änderung des ganzen Systems seiner Tarifierung« vorzunehmen, da es an den Februarvertrag von 1853 gebunden sei. Der Vertrag mit Frankreich hätte keinen anderen Zweck, als »die handelspolitische Trennung Österreichs vom übrigen Deutschland zur dauernden Tatsache zu erheben«[121].

Die Initiative zu diesem Schritt war vom Württemberger Schäffle ausgegangen. Ende April 1862 hatte Schäffle seinem österreichischen Freund diesen Rat gegeben, aufs höchste beunruhigt über die »schwankende Haltung« aller süddeutschen Staaten in den handelspolitischen Fragen[121a]; denn mittlerweile war Preußen aktiv geworden. Unmittelbar nach der Paraphierung des preußisch-französischen Handelsvertrages hatten Delbrück und Philipsborn sich aufgemacht und in einer »Rundreise« an die Höfe von Sachsen, Bayern, Württemberg, beider Hessen, Nassau und Hannover versucht, den preußischen Standpunkt zu »erläutern« und die drohende Gefahr einer »Blockbildung« zu verhindern[122]. Der Erfolg dieser Rundreise war angesichts der erregten Opposition der süddeutschen Regierungen nicht zu unterschätzen. Es gelang den Preußen, Sachsen zu einer Zustimmung zum Vertrag zu bewegen[122a], und Baden schloß sich ebenfalls »bedingungslos« an Preußen an[122b]. Die übrigen Zollvereinsstaaten verhielten sich wohl reserviert[123], aber überall hatten Delbrück und Philipsborn »die Liberalen und Freihändler zur Opposition angespornt«, und als die Räte nach Berlin zurückkehrten, schien die unmittelbare Gefahr der antipreußischen »Blockbildung« gebannt: Schwanken und Unsicherheit kennzeichneten die Ministerien der Mittelstaaten[123a]. Besonders in Württemberg bot sich ein Bild desolater Verwirrung – Neurath, Varnbüler und Hügel betonten, daß Delbrücks Reise »ihren Zweck verfehlt hätte«, Preußen solle dankbar sein, »daß es von Deutschland« nicht ausgeschlossen würde –, doch der Finanzminister Sigel und seine rechte Hand in der Handelspolitik (Riecke) waren sich keineswegs

121 DZA II, AA II, Nr. 1194: Rechberg an Bernstorff; Delbrück: Memoiren II, S. 236 ff.

121a HHStA Wien, PA VI, Nr. 25: 26. IV. 1862.

122 DZA II, Rep. 120, C XIII, 11 Nr. 2 Bd. 1, act. secr.: 11. IV. 1862 Delbrück an v. d. Heydt: Delbrück: Memoiren II, S. 230 f.; BHStA München MH Nr. 1196: 13.–18. IV. 1862 Aufzeichnungen Schrencks; WFStA Ludwigsburg E 222, Fach 182, Nr. 886: 28. IV. 1862 Notizen Rieckes, E 222 Z 61, Fach 165, IV: 29. IV. 1862 Entwurf Denkschrift OFR Riecke (hs.) für AM Hügel.

122a ebd. PA VI Nr. 25: 26. IV. 1862 Handel an Rechberg.

122b ebd. PA VII, Nr. 45: 26. IV. 1862.

123 DZA II, Rep. 120, C XIII, 11 Nr. 2 Bd. 1.

123a HHStA Wien, PA VI Nr. 25: 15./20./22./26. IV. 1862 Handel an Rechberg; PA VII, Nr. 81: 25. IV. 1862 Karnicti an Rechberg.

sicher, ob Württemberg gegen Preußen opponieren könnte. Der König schließlich erklärte, daß der Handelsvertrag wohl »nachtheilig« sei, aber »es stehe Württemberg nicht an, dem mächtigen Nachbarn im Westen den Handschuh hinzuwerfen und sich mit Preußen zu reiben«. Zudem bringe »Bayern keine Einheit auf«[123b].

Die Rechbergsche Note sollte nun für die Mittelstaaten den Startschuß zu neuen Einigungsbemühungen bedeuten. Schon drei Tage nach seiner Berlin-Note wandte sich Rechberg an Stuttgart, München und Darmstadt und bot »den Staaten, die ihre Zustimmung zum preußisch-französischen Handelsvertrag versagen, eine Zolleinigung oder ein derselben möglichst analoges Vertragsverhältnis an«[123c]. Vor allem kam es Rechberg darauf an, die »große Ängstlichkeit und Unentschlossenheit, welche in Betreff des Handelsvertrages« bei den Mittelstaaten herrschte, auszuräumen. Deswegen betonte der Österreicher, daß Preußen auf den Zollverein angewiesen sei, daß Preußen »die Auflösung« fürchte. Darum seien die Mittelstaaten »Gleichberechtigte« – wenn sie sich einigen würden, dann wäre das »Streben Preußens, Deutschland unter seinem Schutze mit Ausschluß Österreichs zu unificieren«[123d] illusionär. Rechberg konnte selbstbewußt auftreten, denn mittlerweile waren auch die österreichischen Industriellen und der Handelsminister Plener unruhig geworden, unruhig diesmal aber mehr wegen der drohenden Gefahr der »handelspolitischen Isolierung«[123e].

In einer großen Eingabe vom 11. Mai formulierte der »Centralausschuß des Vereins der österreichischen Industriellen« die Ansicht der österreichischen Interessenten. Sie erkannten, daß Preußen mit dem neuen Vertrag »den handelspolitischen Charakter des Zollvereins mit einem Schlage ändern« würde und den süddeutschen Widerstand »international zu beseitigen« trachtete. Preußen könne den neuen Vertrag akzeptieren: »das Gros seiner alten Provinzen, an einer langgestreckten, leicht zugänglichen Seeküste gelegen, von natürlichen und künstlichen Wasserstraßen durchschnitten und noch zum Überfluß mit Eisenbahnen bedeckt, findet auf diesen Wegen leichten und lohnenden Absatz für die Produkte seines hochentwickelten Ackerbaues«. Die preußische Industrie sei im Norden ohnehin »marktbeherrschend« – aber dem Süden drohe »durch den Handelsvertrag Vernichtung« und Österreich »die Isolierung«. Doch »diese Isolierung würde sich ... nicht lange auf das handelspolitische Terrain beschränken; unsere europäische Stellung sowohl« – so stellten die Industriellen fest – »als unsere inneren politischen und nationalen Verhältnisse würden bei einer längeren dauernden Isolierung aus Österreich, statt dem werkthätigen Rade im Getriebe der Politik, das es jetzt ist, Materiale zu Neubildungen anderer Natur machen«[123f]. Das Gespenst der nationalen Auflösung ließ die Industriellen nun das Zollunionsprojekt unterstützen. Rechberg

123b ebd. PA VI, Nr. 26: 26./30. IV.., 1./2./6. V. 1862.
123c ebd. PA VI, Nr. 30: 10. V. 1862.
123d ebd. PA VI, Nr. 30: 26. IV., 10. V. 1862 Handel an Rechberg.
123e ebd. F 34 SR rub. 7: 14. V. 1862 Promemoria Plener.
123f ebd. PA IV, Nr. 30.

benützte sofort die Chance. Einmal forderte er die Südstaaten auf, entweder nach Wien zu kommen oder in München sich zu treffen und sich in ihrem Vorgehen gegen Preußen abzusprechen[124] — denn gelänge der »handelspolitische Coup« Preußens — das wußte der Süden —, dann würde auch der politische gelingen, und dann würde die süddeutsche Sonderstellung verspielt sein[125]. Nach vielem Hin und Her gingen die Südstaaten auf den Konferenzvorschlag ein und beschlossen, sich in München im Juni 1862 auf einer Konferenz zu verständigen, und zur »Vorbereitung« schickte Rechberg Ende des Monats Mai eine Industriellendelegation nach München, Augsburg, Stuttgart, Karlsruhe[125a] und Frankfurt. Als am 18. Juni 1862 in München Bayern, Württemberg, Hessen und Nassau ein erstes Protokoll der gemeinsamen mittelstaatlichen Handelspolitik unterzeichneten[126], in dem die Zusammenarbeit gegen Preußen festgelegt wurde, war aber die bayrische Stellungnahme — wie die württembergische — keineswegs so einheitlich begründet, wie es Schrenck und sein Finanzminister gegenüber dem König betont hatten[127]. Von 94 Handelskammern hatten bei einer Rundfrage in Bayern im Juni 1862 immerhin 29 einen Vertrag mit Frankreich und Preußen als erwünscht bezeichnet[128]. Ein »ledigliches Negieren werde das Volk« weder in Bayern noch in Württemberg hinnehmen, betonte der württembergische Emissär Riecke in München[129]. So war die Phalanx des Südens keineswegs einheitlich und Bernstorffs Überzeugung von »der endlichen Zustimmung« zum Handelsvertrag durchaus sehr unbegründet[130]. Vor allem weil der »Südstaat« Baden Österreich sowohl industriell als auch finanziell erledigt sah und »jede Zuwendung zum industriebedürftigen, aber geldunsicheren« Osten, so wie sie

124 WFStA Ludwigsburg E 222, Fach 182, Nr. 886: 5./6. VI. 1862 Konzept OFR Riecke über Beratungsgegenstände und Bedingungen zu München, »die verhindern, daß Österreich sich entfremdet«; BHStA München MH Nr. 11 966: 7. VI. 1862 ausführliches Memorandum v. d. Pfordten; GStA München Nachlaß v. d. Pfordten Nr. 62.

125 WFStA Ludwigsburg E 222, Fach 182 Nr. 886: 6. VI. 1862 OFR Riecke an FM Sigel; BHStA München, MH Nr. 11 966: 19. V. 1862 Schrenck an König.

125a HHStA Wien, PA IV, Nr. 30: 12./13./28. V. 1862 Rechberg an München; bzw. München, Stuttgart, Karlsruhe und Frankfurt; ebd. Nr. 26 2./10. V. 1862; Nr. 25 10./16./24./26./27./31. V. und 7. VI. 1862 Handel an Rechberg.

126 BHStA München, ebd.: 28. VI. 1866 Protokoll gezeichnet von Meixner, Gompart, Weber für Bayern, Zeppelin, Bitzer, Riecke für Württemberg, Biegeleben für Hessen, Herget für Nassau, vgl. auch Berichterstattung Rieckes WFStA Ludwigsburg E 222, Fach 182 Nr. 886.

127 BHStA München MH Nr. 11 967: 8. VII. 1862 Gutachten im F. M.; 9. VII. 1862 Schrenck an Max.

128 WFStA Ludwigsburg E 222, Fach 182 Nr. 886: 17./19./23. VI. 1862 OFR Riecke an Hügel/Sigel.

129 WFStA Ludwigsburg E 222, Z 61, Fach 165, II: 18. VI. 1862 Riecke an Sigel.

130 GLA Karlsruhe Abt. 48 Nr. 7013: 2. V. 1862 Mollenbeck an Roggenbach; 20. V. 1862 Denkschrift Bernstorff.

1853 vorgezeichnet worden war, ablehnte und allein im Export nach Westen, im bedingungslosen Anschluß an Preußen seinen Vorteil erkannte[131].

Landtag und Zollvertrag

Der während dieser Aktionen neugewählte preußische Landtag war am 19. Mai zusammengerufen worden. Hauptaufgabe war die Beratung des paraphierten Handelsvertrages. »Es war nicht vorher und nicht nachher vorgekommen, daß für Verträge, welche noch nicht unterzeichnet waren, die Zustimmung der Landesvertretung begehrt wurde«, berichtet Delbrück rückschauend[131a]. Die Ausnahme des Jahres 1862 hatte aber ihren tiefen Sinn.

Als am 28. Mai 1862 Philipsborn im Ministerium des Auswärtigen für Preußen die Antwort an Rechberg entwarf und sowohl den Vorwurf, »aus politischen Gründen« den Handelsvertrag abschließen zu wollen, als auch die »Bindung« Preußens an den Vertrag von 1853 zurückwies[132], konnte er sicher sein, daß der Opposition der preußischen Liberalen in der Heeresfrage eine volle Unterstützung in der Freihandelspolitik entsprach. Ja, er konnte sicher sein, mit dem Landtag »der Welt den Beweis zu führen, daß die Handelspolitik der Regierung das Land hinter sich habe«[133].

Hatte einerseits die staatliche Unterstützung der Freihandels- und Gewerbepolitik neue Machtfaktoren entstehen lassen, die nun ihren politischen Anspruch anmeldeten und die zur Auseinandersetzung um die Grundstruktur des preußischen Staates führte, so hatte andererseits diese Stützung dazu geführt, die Aktionskraft der Liberalen, gegen den »Staat der Junker« politisch vorzugehen, empfindlich zu schwächen, da sie in den materiellen Interessen mit den Junkern geeint waren. Während der »Verfassungskonflikt« seinem Höhepunkt zuging, stimmten der »Kongreß«, der »Handelstag«, der »Nationalverein« und mit ihnen die große Mehrheit der Fortschrittspartei für die ministerielle Handelspolitik und sahen in ihr, je nach »materieller« Bindung, verschiedene Äquivalente eines möglichen politischen Kompromisses[134]. Die Wirtschaftsführer folgten den Bedürfnissen der Wirt-

131 GLA Karlsruhe ebd.: 21. VI. 1862 Roggenbach an Großherzog Friedrich.
131a Delbrück: Memoiren II, S. 238.
132 DZA II, AA II, Rep. 6 Nr. 1194: 28. V. 1862 Bernstorff an Chotek.
133 Delbrück: Memoiren II, S. 238.
134 BHStA München MH 11967: 26. VII. 1862 Montgelas an König Max. HHStA Wien PA III, Nr. 76: 14. VI. 1862 Chotek an Rechberg, vgl. L. Männer: Deutschlands Wirtschaft und Liberalismus in der Krise von 1879 (Einzelschriften zur Politik und Geschichte 28), Berlin 1928, S. 14 f.; O. Stillich: Die politischen Parteien in Deutschland II, Leipzig 1911, S. 100 ff.; W. Schunke: Die preußischen Freihändler und die Entstehung der Nationalliberalen Partei. (Heft 41 der »Leipziger historischen Abhandlungen«) Leipzig 1916, S. 15, 22, 39/40; vgl. auch Heyderhoff-Wentzcke: Liberalismus I, S. 228, 241, 245, 248, die hier anklingenden Stellung-

schaft. Ruhe und Ordnungssinn führten zu jener »Realpolitik«, die ein nur noch wirtschaftlich, kaum mehr aber politisch kämpfendes »Bürgertum« auszeichnete. Das Preußen von 1862, mit Bismarck als Ministerpräsidenten, entsprach, nachdem Bismarcks konsequente Fortsetzung der Handelspolitik deutlich wurde, ihren materiellen Interessen, und die Ablösung der »neuen Ära« konnte eine Angelegenheit des Landtages werden, da Bismarcks wirtschaftspolitisches Vorgehen im engsten Einvernehmen mit der von Delbrück geschmiedeten freihändlerischen Interessenfront von Landwirtschaft, Handel, mobilem Kapital und der Exportindustrie geschah.

Ein zweiter Zug, der die Lage des Jahres 1862 charakterisiert, wird in der Heranziehung des Redakteurs der handelspolitischen Abteilung der »Nationalen Zeitung«, Otto Michaelis, durch Delbrück deutlich. Michaelis war als Zeitungsmann Sekretär des Kongresses der Volkswirte und Mitherausgeber der »Vierteljahresschrift für Volkswirtschaft und Kulturgeschichte« und als Mitglied des »Deutschen Handelstags« geeignet, die publizistische Vertretung der Handelsverträge in die Hand zu nehmen. Allein, er stand gegen den allgemeinen politischen Kurs in Preußen. »Herr Michaelis« aber war, wie Delbrück berichtet, »eine zu gouvernementale Natur, um an der negierenden Opposition auf die Dauer gefallen zu finden, mit Freuden ergriff er die Gelegenheit, an dem positiven Schaffen der Regierung mitzuwirken«[135]. Diese Verflechtung der politischen und wirtschaftlichen Kräfte verkannten Rechberg und Hock jedoch, als sie am 10. Juli 1862 in einer Zirkularnote[136] mit der vollen Wiederaufnahme der Bruckschen Pläne Preußen zu isolieren und die »erschreckten« Mittelstaaten endgültig zu gewinnen hofften.

Nochmals: das Reich der 70 Millionen

Die Denkschrift stammte von Baron Hock, der ebenso wie die österreichischen Industriellen glaubte, u. a. mit Hilfe des »Vereins für deutsche Industrie«[137], jetzt

nahmen bei Twesten, Seydlitz, Böhmert weisen schon auf die Schwenkung vieler zur Schwerindustrie zählender Liberaler im Jahre 1866 hin. Z. B.: L. Schwartzkopff, vgl. dazu B. Beer: L. Schwartzkopff, Leipzig, 1943, S. 87; vgl. auch Hess: a. a. O. S. 36 ff., 54 f., 59 ff., 65 ff.

135 Delbrück: Memoiren II, S. 227; Die Verbindung mit dem im Jahre 1828 in Lübbeke geborenen Michaelis wurde von Delbrück weiter gepflegt. Herangezogen als Vortragender Rat (VR) im Bundeskanzleramt wurde Michaelis entscheidend am Ausbau der liberalen Gesetzgebung des Deutschen Reiches beteiligt.
Mehr Politiker als Delbrück, war er von der Notwendigkeit eines »vertieften Konstitutionalismus« überzeugt, sah aber in der Indemnitätsvorlage die Zusammenarbeit mit der Regierung gegeben, damit zugleich ein Beispiel für den Wechsel der Nationalliberalen. Die Stärkung der Bundesgewalt über Preußen war das Hauptziel des wichtigsten Mitarbeiters Delbrücks. Schuncke S. 62 ff.; Vietsch S. 23 ff.

136 DZA II, AA II, Rep. 6 Nr. 1194: Rechberg an Károlyi/Bernstorff; HHStA Wien PA III, Nr. 78.

137 GLA Karlsruhe Abt. 48 Nr. 7013. Denkschrift vom 26. IV. /18. V. 1862; 11. V.

den Zeitpunkt nutzen zu können, um die in politischer und wirtschaftspolitischer Abwehr vor Preußen stehenden Mittelstaaten zu binden[138]. Hock faßte noch einmal die seit 13 Jahren diskutierten Elemente einer deutsch-österreichischen Zollunion zusammen, und forderte, die österreichische Gesamtmonarchie sofort in den Zollverein aufzunehmen. So sollten die Grundlagen eines föderativ-mitteleuropäischen Reiches geschaffen werden, ein Gedanke, der den Intentionen der Württemberger und Bayern weitgehend entsprach[139]. »Spätestens vom 1. Januar 1866 bis zum 31. Dezember 1877« sollte »ein gemeinsames Handels- und Zollgebiet mit den gleichen Zolleinrichtungen, Gesetzen und Strafen und einer einheitlichen Leitung« geschaffen werden, dem eine Silberzollerhebung und eine Zollsatzverteilung von $^3/_8$ für Österreich, $^5/_8$ für den Zollverein verbunden werden sollte. »Nur« auf Garne, Gewebe, Papier, Leder, Eisen, Glas, Ton, Metalle und deren Waren sollten Zölle erhoben werden. Damit wären alle wesentlichen Waren des Zollvereins differenziert gewesen[140].

Hock hatte — wie der Württemberger Vayhinger schon am 9. März 1861 — erkannt, daß jetzt für eine »großdeutsche« Zolleinigung der letzte Zeitpunkt gekommen war, da »von dem Tage an, wo der Zollverein die ... Verträge mit Frankreich sich aneignete ... (die) Kaiserliche Regierung den Hauptzweck des deutsch-österreichischen Zoll- und Handelsvertrages vom 19. März 1853 als vereitelt« betrachten müßte[141].

Der Zustimmung von Bayern, Württemberg, Hannover, Nassau und Kurhessen sicher, zugleich im Bewußtsein der kurzfristigen Interesseneinheit von Agrariern und Industriellen in Österreich, nahm Rechberg den handelspolitischen Vorstoß zum Anlaß, auch die Bundesreformfrage in den gleichzeitig eröffneten »Wiener Konferenzen« hochzuspielen[142]. Damit war der Kampf »gegen das wirtschaftliche ›Kleindeutschland‹ eröffnet«. Preußen sollte seine Position im Norden aufgeben

1862 Verein österreichischer Industrieller, Petition, und am 22. V. 1862 »Die Österreichischen Interessen und der preußisch-französische Handelsvertrag«.

138 siehe Anmerkung 124! und HHStA Wien PA VI., Nr. 25: 14./29. VI. 1862 Handel an Rechberg.

139 GLA ebd.: 1. VI. 1862 Dusch an Roggenbach; BHStA München MH Nr. 11 967: 9. VII. 1862 Schrenck an Max, fordert, die Verbindung mit dem Süden, dann zu Hannover und Kurhessen, in einer »Vorkonferenz« zu festigen und sowohl aus volkswirtschaftlichen als auch politischen Gründen sowohl gegen Österreich, als auch gegen Preußen sich zu stellen, um so dann Österreich zum Ausgleich zu zwingen und die Etablierung Deutschlands als »unangreifbarem Schiedsrichter« durchzuführen. 25. VII. 1862 Akzept von Max, siehe auch Anm. 124.

140 W. Weber: S. 401/402; Delbrück: Memoiren II, S. 241 ff.; Franz, MIÖG 46, S. 158 ff.

141 DZA II, AA II, Rep. 6 Nr. 1194, Note Rechbergs, beigefügt Präliminar-Vertrag, Zollunionsentwurf und Motivation. WFStA Ludwigsburg E 222, Fach 185, Nr. 885: 9. III. 1861 Denkschrift Steuer-Collegium an Sigel.

142 Srbik: Quellen II, S. 433 ff.: Rechberg an Károlyi 2. VII. 1862; ebd. Rechberg Zirkularerlaß 19. VII. 1862, S. 459 f., hierzu APP II, 2 Nr. 473: 11. VII. 1862 Bernstorff an Werther; Griewanck/Hellwag S. 142 ff.

und sich von Frankreich distanzieren. Preußen wäre in einer großdeutschen Zolleinigung aufgrund seiner mangelnden wirtschaftlichen Potenz im Gesamtmarkt politisch der Verlierer geworden. Die autonome Zollgesetzgebung wurde somit zum verpflichtenden Programm der Erhaltung Preußens als Großmacht.

Erneute Ablehnung durch Preußen

Preußen war nun willens, wie Bernstorff Bismarck mitteilte, im Vertrauen auf Rußland, Frankreich und die seiner Meinung nach wenig »feste Phalanx der Mittelstaaten«, das Zustandekommen des Handelsvertrages zu erzwingen und, wenn nötig, »keinen Kampf auf Leben und Tod zu scheuen«[143]. Als erste Antwort auf das österreichische Vorgehen anerkannte Preußen Italien und näherte sich damit Frankreich. Dann, nach den Stellungnahmen der Gesandten und v. d. Heydts, der vor allem die Handelsbundtarife als zu hoch zurückwies[144], lehnte Bernstorff das österreichische »Anerbieten« schroff ab[145], mit dem Bewußtsein, daß Frankreich eine Zollvereinigung mit Österreich »als unmöglich« betrachten würde.

In diesem Moment meldete sich der langjährige Verfechter einer streng Preußen-zentrierten Politik, der in Paris auf »Abruf« sitzende Gesandte Bismarck: »Jede Unterhandlung (über den Handelsvertrag mit Österreich) involviert an sich«, betont er, »schon eine Einbuße an dem Ansehen innerhalb des Zollvereins[146].« Sein Drängen galt einer endgültigen Unterzeichnung des paraphierten Vertrages, zumal Rechberg als Antwort auf die preußische Absage eine Zeitungspolemik eröffnete[147] und sich in Fragen der Bundesreform in Wien mit Bayern und Württemberg, ohne Preußen zu hören, zu verständigen suchte[148].

Am 2. August 1862 wurde die endgültige Unterzeichnung des Vertrages, nachdem das preußische Abgeordnetenhaus mit 264 zu 12 Stimmen und das Herrenhaus einstimmig den Vertrag angenommen hatte, zwischen Frankreich und Preußen vollzogen. Damit war die erste Etappe zur Herausbildung einer neuen wirtschaftspolitischen Ordnung getan.

Die Annahme des preußisch-französischen Handelsvertrages hatte im Jahre 1862 noch eine tiefere Bedeutung. Nicht nur in der – immer erneut untersuchten – innenpolitischen Entwicklung Preußens, durch 1870/71 zugleich auch der neueren

143 Bismarck Jb. VI. 155, 12. VII. 1862.

144 DZA II, AA II, Rep. 6 Nr. 1194 u. a. Votum 15. VII. 1862, Jasmund-Frankfurt, Ysenburg-Hannover; Roggenbach in Baden sieht im Vorgehen Wiens einen »coup de théatre« (18. VII. 1862), ebenso lehnten Weimar (18. VII.), Dresden (18 VII.), Hamburg ab. v. d. Heydt 18. VII. 1862.

145 DZA II, AA II, ebd. 20. VII. 1862 Entwurf Delbrück.

146 DZA II, AA II, Rep. 6 Nr. 1194: 28. VII. 1862 v. Bismarck an Bernstorff.

147 DZA II, AA II, Rep. 6, ebd. Rechberg an Károlyi 25. VII. 1862, »Presse« 15. Jg. Nr. 203; 26. VII. 1862 Donau-Zeitung; Antwort Allg. Preuß. Zeitung 9. VIII. 1862.

148 Staatsarchiv III, Nr. 415, hierzu Srbik: Quellen II, S. 444 ff., 13. VIII. 1862 Bernstorff an Werther; Zechlin: Bismarck S. 268 ff.

deutschen Geschichte und ihrer Sonderstellung, war dieses Jahr von größter Entscheidung. Erst im Zusammensehen der scheinbar sich einander ausschließenden Faktoren – freihändlerische Handelspolitik und konservative Innenpolitik, Stützung auf die liberalen Kräfte des Bürgertums und Sonderstellung der Armee gegen das Votum der Volksvertretung, Hinwendung zu Frankreich und zugleich zu Rußland (und seiner politischen Struktur), Loslösung des Zollvereins von jeder mitteleuropäisch bestimmten Wirtschaftsordnung und Abwendung möglicher süddeutsch-österreichischer Ansätze einer Vereinigung – wird die Bedeutung dieses Jahres voll faßbar. Nicht nur der preußisch-konservative Staat siegte über liberal-parlamentarische Ansätze, sondern auch die Stellung der Träger der bürgerlichen Opposition hatte sich seit 1848 in Aufschwung und Krise grundlegend gewandelt. Erst im Bewußtsein dieser Wandlung – in der die Eisenindustriellen durchaus noch eine untergeordnete Rolle spielten[149] – konnte Bismarck den Kampf um die Garantierung der Rechte »der herrschenden Schicht«[150] wagen, Rechte, die nicht zuletzt in der Erhaltung der sie begünstigenden Wirtschaftsordnung verankert waren.

d Bernstorff, Bismarck, Verfassungskonflikt und Zollunion: die Frage der Kontinuität im Jahre 1862

Zollverein oder Handelsvertrag

Die Annahme des Vertrages in den preußischen Häusern ließ Bayern am 8. August[151], Württemberg am 11. August[152], Hannover am 16. August 1862[153] ihre oppositionelle Haltung gegen Preußen begründen und öffentlich feststellen, »mit den österreichischen Deduktionen« zu sein[154]. Selbst Sachsen war über die Reaktion »überrascht«[155], betonte aber am 21. August 1862 gegenüber Wien, im preußisch-französischen Handelsvertrag »kein wirkliches Hindernis der Einigung« mit Österreich zu sehen[156]. In Baden hingegen zeigte sich Roggenbach »unwillig« über die

149 Der Antrag des »Vereins für bergbauliche Interessen« nach Zöllen wurde in der Kommissionsberatung übergangen.

150 Hallgarten I, S. 128.

151 BHStA München MH 11 967: 17. VII. 1862 Schrenck an Max; Entwurf der Ablehnung vom 8. VIII. 1862.

152 WHStA Stgt., E 70B Ges. Wien: 11. VII. 1862 Hügel an Schulenburg (Abschrift); WFStA Ludwigsburg, E 222, Z 61, Fach 125, II: 6. VIII. 1862 Hügel/Sigel an Wilhelm; 9. VIII. 1862 Gutachten Geh. Rat; 12. VIII. 1862 Hügel an Sigel.

153 BHStA München, MH 11 968: 15. VIII. 1862 Quadt (Hannover) an Max.

154 DZA II, AA II, Rep. 6 Nr. 1194; Franz: Entscheidungskampf S. 227 ff.

155 DZA II, AA II ebd. 7. VIII. 1862 Savigny an Bernstorff.

156 DZA II, AA II, ebd. 21. VIII. 1862.

süddeutschen Ablehnungen, vor allem über Bayern: Schrenck »hätte vermitteln« sollen »und nicht einen *so leidenschaftlichen* Act tun«[156a]. Immerhin aber hatte Rechberg — nun einmal mit Preußens »Hilfe« — einen Fortschritt in der Handelssache gemacht. Wenn auch »die Vorschläge Österreichs zu einer Zolleinigung« von den Südstaaten, »wie sie vorliegen«, als »nicht ausführbar« beurteilt wurden, so erkannten sie doch in ihnen »einen Schirm gegen die Willkür Preußens bis zur Erneuerung des Zollvereins«. Die »dritte Kraft« hatte also noch nicht ausgeträumt; noch immer hatte für Württemberg ein »durch materielle Interessen geeinigtes Mittelreich« ohne Preußen »etwas Erschreckenderes als zur Kraftäußerung Ermannendes«[156b].

Preußen erkannte sofort seine Chance, die in diesen süddeutschen »Schwankungen« lag, und Bernstorff war gewillt, »den Weg des Dualismus« zu gehen, um so »die Mittelstaaten zu überspielen«[156c]. Der »bestärkten Haltung« Rechbergs gegenüber Preußen[157] spielten nun Delbrück, v. d. Heydt und Bernstorff, nicht an »bundesfreundliche Rücksichten« gebunden, ihren letzten Trumpf aus. Zugleich mit den Antworten an Bayern und Württemberg legte Michaelis, von Delbrück beauftragt, der preußischen Abgeordnetenhaus-Kommission, die für die Verallgemeinerung des Tarifs eingesetzt worden war, eine Resolution vor, »welche die Ablehnung des Vertrags als Ablehnung der Fortsetzung des Zollvereins mit Preußen bezeichnete« und baldige Verhandlungen mit dem Zollverein empfahl[159].

Der Antrag entsprach dem der »Kongreß«-Abgeordneten Lette und Sybel (letzterer Aufsichtsrat bei der Disconto-Gründung, der Rhein-Nahe-Bahn). Am 5. September 1862 wurde die Resolution vom Abgeordnetenhaus mit 233 gegen 26 Stimmen angenommen.

Zweifach war nun die Annahme des Handelsvertrages mit dem Fortbestehen des Zollvereins verknüpft: Einmal sollte der Vertrag erst *nach* Zustimmung der Zollvereinsstaaten ratifiziert werden, zum anderen stellte Preußen die Fortsetzung des Zollvereins bei Nichtannahme des Vertrages in Frage. Es war sicher, mit dieser schweren Waffe den bereits von Rechberg als »selbstverständlich« angesehenen österreichisch-bayrisch-württembergischen Zollbund zu verhindern[160].

156a HHStA Wien, PA VII, Nr. 45: 16. VIII. 1862 »Carlsruhe« an Rechberg.

156b ebd. PA VI Nr. 26: 2. VIII. 1862 Privatbrief Handels an Rechberg; Nr. 25: 7./16./19. VIII. 1862 dto.; PA IV Nr. 30: 2./4. VIII. 1862 Rechberg an München/Stuttgart/Hannover; 8. VIII. 1862 Schrenck an Perponcher; Adm. Reg. F 34 SR Nr. 7: 9. VIII. 1862 Plener an Rechberg.

156c ebd. PA III Nr. 78: 15. VIII. 1862 Privatbrief Károlyi an Rechberg.

157 DZA II, AA II, Rep. 6 ebd., 14. VIII. 1862 Werther an Bernstorff; BGStA II B, Fr. 1 C 5: 10. VIII. 1862 Bray an Schrenck, nach Franz S. 232; HHStA Wien, PA IV, Nr. 30: 8. VIII. 1862 Schrenck an Perponcher.

158 DZA II, AA II, Rep. 6 ebd.: 26. VIII. 1862.

159 Delbrück: Memoiren II, S. 243.

160 DZA II, AA II, Rep. 6 Nr. 1195: 7. IX. 1862 Ministerium des Auswärtigen an Flemming (Karlsruhe), 7. IX. 1862 v. d. Heydt an Bernstorff.

»Graf Rechberg ist zu einsichtig«, memoriert Bernstorff am Vorabend der Berufung Bismarcks, auf dem Höhepunkt des Verfassungskonflikts, »als daß er glauben könnte, es werde der Krieg, welchen er gegen uns auf dem politischen und handelspolitischen Gebiete mit einem anscheinenden Anfange von Erfolg führt, uns zum Verlassen unseres Standpunktes und zum Hinübergehen auf den schwankenden österreichischen Boden vermögen können. Er kennt zu genau die eigene politische, finanzielle und national-ökonomische Lage des jetzigen Österreichs und weiß zu bestimmt, daß dieselbe auch uns nicht verborgen ist, als daß er auf eine nachhaltige Wirkung der jetzigen Irreleitung eines Teiles der deutschen Regierungen und der öffentlichen Meinung in Süddeutschland rechnen und damit die Hoffnung dauernder Erfolge verbinden könnte.«

Dieser Analyse der Schwäche der österreichischen Position stellt Bernstorff/Sydow die Stärke der preußischen Position gegenüber:

»Aber er (Rechberg) täuscht sich vielleicht in bezug auf das Verhältnis unserer dermaligen inneren Schwierigkeiten zu unseren Differenzen mit Österreich, obwohl auch hierbei das Verkennen der Wahrheit schwierig ist. Welche Wendung auch die durch die Leidenschaftlichkeit der Opposition in dem jetzigen Abgeordnetenhause herbeigeführte Krisis nehmen möge, auf keinen Fall bringt sie uns einer anderen Auffassung der Feindseligkeit gegen Preußen näher, der Österreich sich jetzt rückhaltlos hingibt. Es besteht bei uns, was zunächst die handelspolitische Frage angeht, *keine irgend in Betracht kommende Meinungsverschiedenheit* gegenüber von der kalten und rücksichtslosen Weise, wie Österreich danach trachtet, unsere Interessen durch seine Aggression zu gefährden, statt ... Übereinstimmung mit den unsrigen zu wahren.«

Dann, wenn sich Österreich preußischen Interessen anschlösse, wäre selbst ein Ausbau des Vertrages von 1853 möglich und der Abschluß einer Defensivallianz greifbar[161].

Rechberg hingegen sah im preußischen Vorgehen ein »Bangemachen«, mit dem Preußen aber scheitern müsse, da es auf den Zollverein angewiesen sei[162]. Bayern und Württemberg schlossen sich in der Analyse der Lage Preußens Rechbergs Urteil an[162a], und Bayern begann nun systematisch und »eifrig«, wie es König Max von Bayern seinem Gesandten in Frankfurt, v. d. Pfordten, auftrug[163], mit »zuneh-

161 APP II, 2 Nr. 493 Konzept Sydow vertraulichst; 25. IX. 1862 Bernstorff an Werther (Hervorhebung vom Verf.).

162 WHStA Stgt. E 70 Ges. Wien, Büschel 73: 5. IX. 1862 Ow an Hügel, WFStA Ludwigsburg E 222, Fach 182, Nr. 887: 28. IX. 1862 Rechberg an Hügel.

162a HHStA Wien, PA VI Nr. 25: Zwischen Wien, Stuttgart und München begann sofort nach der preußischen Drohung, den Zollverein sprengen zu wollen, eine erregte Korrespondenz, um »mit der Schnelligkeit des Handelns« Preußen zuvorzukommen und »die Südideen zu koordinieren« (5./10./15./17./19./20. IX. 1862 Handel an Rechberg).

163 BHStA München MH Nr. 11 968: 18. VIII. 1862.

mender Leidenschaftlichkeit«[164] um Kurhessen, Baden und Hannover zu werben[165], um mit der Bildung einer starken mittelstaatlichen Position[166] zu verhindern, daß Preußen Österreich aus dem Bund ausschlösse. Denn dann könne »die praktische Durchführung der Hegemonie und die Benützung des Zollvereins zur Verwirklichung des kleindeutschen Bundesstaates« beginnen[167]. Wenn auch das bayrische Vorgehen durchaus dem österreichischen Interesse entsprach[168], so war sich Schrenck doch durchaus der »unzuverlässigen« Haltung der Österreicher, wie er es seinem König gegenüber betonte, bewußt und lehnte deswegen einen »bloßen Südbund« ab. Eine Möglichkeit, »1853« auszubauen, erkannte er nur in der Übereinstimmung mit allen deutschen Staaten, außer natürlich mit Preußen und mit Baden.

Denn gerade der vierte süddeutsche Staat hatte den bayrischen Intentionen[169] sofort bei Bekanntwerden eindeutig Valet gesagt, als Roggenbach Schrenck gegenüber ausführte, daß für Baden der Rhein »die Lebensader« seines Wirtschaftslebens sei; die Abschnürung seiner natürlichen Verkehrswege – zu der Preußen die Macht hätte – wäre der Untergang seiner politischen Selbständigkeit[170]. Trotz der Haltung Badens und trotz der hinhaltenden Erklärungen Kurhessens und auch Hannovers hoffte der Bayer die Zollunion des Zollvereins mit Österreich doch herbeiführen zu können, da die Bedingungen des französischen Handelsvertrages nach seiner Meinung »zuviel« von den deutschen Staaten fordern würden[171].

Vom Gegenteil war der Preuße überzeugt[172]. Seit seiner erneuten Berufung zum Außenminister hatte Bernstorff konsequent eine antiösterreichische Politik verfolgt, die dann von Bismarck ohne Bruch weitergeführt wurde. Gestützt auf die ökonomische Interessengemeinschaft der preußisch-deutschen Liberalen, auch mit einer konservativen Regierung, hatte Bernstorff diese Politik geführt, er war aber nicht willens, gegen die Volksvertretung budgetlos zu regieren.

Bismarcks Berufung

Während die Handelspolitik in voller Unterstützung der Fortschrittspartei durchgeführt wurde, entbrannte der Kampf um die Heeresreform in voller Schärfe[173].

164 ebd. 2. IX. 1862 OFR Weber an Max.

165 ebd. 6. IX. 1862 Thüngen (Kassel) an Max; 14./16. VIII., 4. IX. 1862 Schrenck an Max; MH Nr. 9748: 22. XI. 1862 Quadt an Schrenck.

166 WFStA Ludwigsburg ebd. 24. X. 1862 Sigel an Hügel.

167 BHStA München ebd.: 11. IX. 1862 Denkschrift OFR. Weber.

168 ebd. 19. IX. 1862 Hügel an Degenfeld, HHStA Wien PA IV, Nr. 30: 15. IX. 1862 Rechberg an Zwierzina.

169 BHStA München MH Nr. 11 968: 29. IX. 1862 Schrenck an König.

170 GLA Karlsruhe Abt. 48 Nr. 7014: 1. IX. 1862 Roggenbach an Schrenck.

171 BHStA München MH Nr. 11 968: 23. IX. 1862 Schrenck an Montgelas.

172 GLA Karlsruhe Abt. 48 Nr. 7014: 20. VI./26. VIII. 1862 Bernstorff an Roggenbach; BHStA München MH 11 968 Berichte Montgelas'.

173 Zechlin: Bismarck S. 274 ff., S. 291 ff.

Alle Vermittlungspläne eines Stavenhagen, Twesten, Sybel und Roon scheiterten an der Haltung des Monarchen, der bereit war, bei der Nichtannahme seines Programms, der dreijährigen Dienstzeit, abzudanken[174].

Von d. Heydt und Bodelschwingh – jahrelang ausgleichende liberal-konservative Elemente in der Regierung – traten zurück. Die Konfliktsituation trat ein, in der Bismarck allein willens war, für den widerstrebenden König im Gefühl eines »kurbrandenburgischen Vasallen, der seinen Lehnsherrn in Gefahr sieht«, die Militärorganisation mit dreijähriger Dienstzeit durchzuführen und gegen eine Majorität, nötigenfalls budgetlos zu regieren[175].

Empörung und Abwarten zugleich war die erste Reaktion der öffentlichen Meinung auf die Berufung des ultra-konservativen Junkers, der seit 1848/49 kein Unbekannter mehr war. Als gewaltvoll, heißspornig, franzosen- und russenfreundlich und machthungrig wurde er eingeschätzt, jedoch traute man ihm zu, eine Einigung herbeizuführen. Wenige hofften auf eine mehr als kurze Regierungszeit[176].

Die ersten Reden Bismarcks erweckten dann auch durch ihren Ton und ihre Härte Entsetzen. Wohl lehnte der deutsche Liberalismus »Eisen und Blut« nicht ab, aber in der Bismarckschen – »eines flachen Junkers« – Forderung erkannte selbst Treitschke »die Gemeinheit noch durch die Lächerlichkeit überboten«[177]. Trotzdem hoffte gerade Bismarck, den König zu einer zweijährigen Dienstzeit zu gewinnen und einen Ausgleich mit dem Landtag herbeizuführen[178], um so die tiefgehende Verstimmung mit den deutschen Liberalen zu vermeiden. Seine Anfang des Jahres zu Gortschakow geäußerte »Idee einer Volksvertretung« (wohl auch mehr taktisch gedacht), einer »Bundeszentralbehörde . . . als das wirksamste, vielleicht als das einzige und notwendige Bindemittel Deutschlands« wollte er offenbar nicht verschüttet wissen, da er die preußische Kraft wesentlich auf sich »selbst *und* auf der Kraft des eigenen *und* des deutschen Nationalgefühls« gesichert sehen wollte[179]. Die Durchführung des Plans hing aber von der Haltung des Königs ab, um so mehr, als die konservative Gruppe gegen jedes Einlenken opponierte[180]. Mit der demokratisch-liberalen Taktik der ersten Regierungswochen aber war Wilhelm nicht »bei frischem Mut und gutem Gewissen« zu halten[181].

174 Zechlin: Bismarck S. 298; W. Treue: Wollte König Wilhelm I. 1862 zurücktreten? (FBPG 51) 1939, S. 275 ff. Hess: a. a. O. S. 25 ff., 104 ff.

175 E. Zechlin: Bismarck S. 308 zum Gespräch in Babelsberg und die oft daran angeknüpften Gedanken deutscher Reichsentwicklung; Zechlin S. 308 ff.; Bußmann: Bismarck S. 65 ff.

176 Nirrnheim: Das erste Jahr des Ministeriums Bismarcks und die öffentliche Meinung, 1908, S. 73.

177 Treitschke: Briefe S. 338, Oktober 1862 an Bundesbruder W. Nock.

178 H. v. Petersdorff: Kleist-Retzow S. 341/42; Zechlin S. 334.

179 GW III, Nr. 282: 1. III. 1862 Bismarck an Wilhelm.

180 Petersdorff: ebd. S. 342.

181 Ludwig v. Gerlach, Aufzeichnung vom 11. XI. 1862, a. a. O. S. 249.

Nun suchte Bismarck in der Zuspitzung der Gegensätze die Entscheidung. Gestützt auf Armee (den König), Klerus (der König war Summus Episcopus in Preußen), Verwaltungsspitze (die konservativen Kräfte des alten Ministeriums von Roon, v. Mühler, Graf Lippe und Graf Itzenplitz wurden übernommen, Bismarck, Eulenburg, und Selchow kamen hinzu), Bürokratie (»discipliniert« wie eh und je)[182] und Besitzbürgertum, konnte er, als keine Einigung möglich war, den Landtag auflösen und »budgetlos« regieren.

Fortsetzung der Bernstorffschen Politik

Der innenpolitischen Initiative entsprach eine große außenpolitische Aktivität. Sie war durch das Vorgehen Österreichs mit den Mittelstaaten gegeben, zumal auch ein russisch-französisches Zusammengehen drohte[183].

Als Bismarck die Ministerpräsidentenschaft und das Außenministerium übernahm, hatte er neben den inneren Fragen vor allem die Durchsetzung des Handelsvertrages im Zollverein und den mittelstaatlich-österreichischen Antrag vom 14. August 1862 zur Bildung einer Delegiertenversammlung zu lösen. Innenpolitisch schien er am 13. Oktober 1862 in eine Sackgasse geraten zu sein, aus der nur eine außenpolitische und handelspolitische Aktivität zur Sicherung Preußens und der materiellen Bindung der Liberalen herausführen konnte. Bereits am 2. Oktober 1862 trat Bismarck das handelspolitische Erbe Bernstorffs an. Vor dem Herrenhaus verteidigte er die Resolution des Abgeordnetenhauses, die Zollvereinsverlängerung von der Annahme des preußisch-französischen Handelsvertrages abhängig zu machen. Das widerstrebende Haus konnte er dazu bestimmen, die Resolution anzunehmen. Zugleich wurden den Absagen Bayerns und Württembergs damit neue Alternativen gegenübergestellt[184]. Bismarck versuchte die Staaten zu entzweien[184a].

Um aber den Handelsvertrag mit Frankreich selbst nicht zu gefährden, trat Preußen mit der Bitte eines Additionalvertrages an Napoleon heran, der besagte,

182 DZA II, B III, 2 c Nr. 3: 20. X. 1862; Zechlin S. 350 ff.; Hess a. a. O. S. 73 ff.

183 Die Forschung ist sich in der Interpretation nicht einig, was die Gründe der ersten außenpolitischen Bismarckschen Schritte anbetrifft. Die »erstaunlichen« Gespräche mit Károlyi (Bußmann: Bismarck S. 69), einer Kampfansage an Österreich gleichkommend (Zechlin: Bismarck S. 368 ff.), werden von Srbik (Einheit III, S. 451 f.) als Kriegsgefahr bezeichnet, nur durch Napoleons Zögern (Zechlin S. 365 ff.) sei der Bruderkrieg vermieden worden. Ibbeken sieht unter dem innenpolitischen Zwang keinen Ausgleich gegeben (R. Ibbeken: Grundzüge der auswärtigen Politik Bismarcks, 1862/64. Forschungen und Fortschritt Jg. 8, Heft 19, 1932, S. 242 f.), während Taylor mehr die Ungeduld des Suchens des neuen Staatsmanns in Rechnung bringt. (A. J. P. Taylor: Bismarck 1955, S. 64 f.)

184 GW IV, Nr. 8: 12. XI. 1862 Bismarck an Schulenburg in Stuttgart und Perponcher in München.

184a HHStA Wien PA VI, Nr. 25: 23. XI. 1862 Handel an Rechberg.

daß der Handelsvertrag vom August 1862 an auch ohne vollzähligen Zollvereinsbeitritt in Kraft treten würde[185].

Diese bruchlose Fortführung der Handelspolitik in der Verteidigung der preußischen Stellung gegen die Mittelstaaten und Österreich war von entscheidender Bedeutung zur Festigung der Stellung des Ministeriums Bismarck[185a]. Um so mehr, als Bismarck der handelspolitischen Aktion »eine kleine Unterhaltung mit dem Kaiser« der Franzosen folgen ließ[186]. Französisch-englische Differenzen ließen Bismarck auf freie Hand gegenüber Österreich bei seinem Vorgehen zur Garantierung eines von Preußen beherrschten Norddeutschlands hoffen. Nach der Zusage Napoleons, nicht für Österreich zu optieren, eröffnete Bismarck sofort jene bekannte diplomatische Offensive gegen den Donaustaat[187].

Wirtschaftspolitik

Die von Bismarck begründete Legende will, daß er, »nicht eingearbeitet« in Zollfragen, die Handelspolitik vollkommen Delbrück überlassen habe und allein mit aller Kraft für die Trennung von handelspolitischer und politischer Sphäre in Argumentation und Aktion eingetreten sei[188]. Erst seine Nachfolger hätten diese Trennung negiert. Tatsache aber war, daß Bismarck bereits 1852 in Spezialmission, die »nur« handelspolitischen Fragen einer Zollunion gewidmet war, nach Wien gesandt worden war. Zuvor schon hatte er 1848 sein wirtschaftspolitisches Engagement in der Spezialberichterstattung zur Frage der Stellung der preußischen Seehandlung im Landtag unter Beweis gestellt[189]. Ebenso bezeugen seine Berichte aus Frankfurt, Petersburg und Paris ein enges Vertrautsein mit der handelspolitischen Materie, ihrer politischen Bedeutung für die innere wie auch äußere Politik in Preußen.

Im Gegensatz zu Delbrück aber ordnete Bismarck von früh an die Handelspolitik in die politische Konzeption einer Machtkonzentration auf das monarchische Prinzip hin ein. Schärfer als seine Vorgänger hatte Bismarck erkannt, daß es zur weiteren Beherrschung des preußischen Staates, der Reservation der Stellung des Heeres, der Fortführung einer Kabinettsaußenpolitik für die konservativen Träger der Macht unerläßlich wurde, einen *Interessen*ausgleich mit den wirtschaftlich und politisch erstarkten Liberalen zu suchen. Der vornehmste Weg schien in der Anpassung an deren wirtschaftliche Ziele zu liegen, wie sie eben auf dem »5. Kongreß

185 GW IV, Nr. 11: 4. XII. 1862 Bismarck (Entwurf Philipsborn) an Heinrich VII. Reuß; DZA II, Rep. 120 C XIII, 11 Nr. 2 act. secr.
185a HHStA Wien PA III, Nr. 77: 12. X. 1862 Károlyi an Rechberg.
186 Ringhoffer: Preußens Ehre S. 547.
187 HHStA Wien: 2. XI. 1862 nach Zechlin S. 369.
188 Reichstagsrede vom 2. V. 1879; L. Zeitlin: Bismarcks Sozial- und wirtschaftspolitische Anschauungen, Lpz. 1902, S. 149; Poschinger: Bundesrat S. 47.
189 Böthling: Bismarck als Nationalökonom, Lpz. 1908, S. 32 ff.

der deutschen Volkswirte« in Weimar formuliert worden waren[190] und die der konservativ-freihändlerischen Wirtschaftskonzeption entsprachen. Zugleich wäre in der Unterstützung der liberalen Wirtschaftsideen im Sinne der Grundlegung eines kleindeutschen, nationalen Wirtschaftsraumes die Möglichkeit einer Machtsteigerung Preußens geboten gewesen, die um so mehr Aussicht auf Erfolge haben konnte, als die österreichische Schutzzöllnerfront in Österreich erneut gegen Rechbergs Zollbundpläne aufzutreten begann[191]. Außerdem hatte die in Rechbergs Auftrage durchgeführte Rundreise des Augsburgers Kerstorff (er wollte in den Mittelstaaten für die Zolleinigungs- und Bundesreformpläne Österreichs werben) ebensowenig Erfolg[192] wie die vom österreichischen Handelsministerium angekurbelte Agitation innerhalb der Wirtschaftsorganisationen in Deutschland[193].

Im Gegensatz zu den ersten Stellungnahmen im Sommer 1862 traten Bayern[194] und Württemberg[195] in zunehmendem Maße wieder weniger für eine sklavische Unterstützung der österreichischen Pläne ein, sondern betonten vielmehr erneut die Eigenständigkeit der Ziele des »dritten Deutschlands«. Sie sahen ihre Aufgabe jetzt vornehmlich in der Verpflichtung Hannovers, »beider Hessen und Nassau« für das »großdeutsche Lager« *und* in »nothwendiger Annäherung und Ausgleich« mit Preußen und Österreich[196]. Zugleich entsprach das Programm, Groß-Deutschland zum »Schiedsrichter« in Europa zu machen, auch mehr den Wünschen der Handels- und Gewerbekammern Heilbronn, Reutlingen, Eßlingen, der oberbayrischen Handels- und Gewerbekammer, des Münchner Handelsrates, die alle mit zunehmender Intensität darauf drängten, die »große Idee« der Zusammenführung der Volkswirtschaften Westeuropas durch den Handelsvertrag mit Frankreich einzuleiten und dann erst überzuführen in eine Zollunion mit Österreich[197]. Die Zustimmung der Zollvereinsstaaten zum Programm der nach München einberufenen 15. Generalzollkonferenz schien diese Ziele ebenso zu honorieren[197a].

190 Stenograph. Berichte des 5. Volkswirtschaftlichen Kongresses in Weimar 1862. Der Kongreß forderte einen Handelsvertrag mit Frankreich, Tarifreduktion und Gleichstellung, Überwindung der Binnenschranken.

191 DZA II, AA II, Rep. 6: 4. X. 1862 Werther an Bismarck; 13. X. 1862 ders.; ebd. Petition der Handels- und Gewerbekammer Brünn 4. XI. 1862.

192 DZA II, ebd.: 16. X. 1862 Werther an Bismarck.

193 Volkswirtschaftlicher Kongreß in Weimar, Stenograph. Berichte ebd.

194 BHStA München MH Nr. 9748: 29. IX. 1862 Schrenck an Max. HHStA Wien PA IV, Nr. 30: 8./10. X./27. XI. 1862 Zwierzina an Rechberg und Weisung.

195 WFStA Ludwigsburg E 222 Fach 185 Nr. 951: 6. X. 1862 AM Hügel – FM Sigel an König Wilhelm; 24. X. 1862 FM Sigel (Entwurf Riecke) an Hügel.

196 WFStA Ludwigsburg E 222, Z 61 Fach 125, IV: 15. X. 1862 Aufzeichnung Rieckes; E 222 Fach 185, Nr. 951: 4. XI. /6. XII. 1862 Konzept (hs) zum Vortrag; BHStA München MH Nr. 9748: 31. XII. 1862 Schrenck an Montgelas.

197 WFStA Ludwigsburg E 170 Nr. 655: 29. XII. 1862 Heilbronn, Reutlingen Nr. 656 Eßlingen o. D.

197a BHStA München MH Nr. 9748: 19. XI. 1862 PM Meixner; 22. XI. 1862 Quadt; 4. XII. 1862 Gise an Schrenck.

Damit war die Haltung der Mittelstaaten von entscheidender Bedeutung für die »deutsche Politik« Bismarcks. Denn ähnlich wie unter Bernstorff, aber noch ausgeprägter, wurde die preußische Handelspolitik der Hebel, die Erneuerung des Zollvereins die Ansatzstelle, mit der Bismarck die deutsche Frage in preußischem Sinne lösen wollte. Mit ihr hoffte er, den »deutsch-liberalen« Kurs Rechbergs brechen und die notwendige »Interessen«-Brücke zur politischen Opposition herstellen zu können. So ging der politische Kampf um die Heeresreform, die Annäherung an Frankreich, der Gegensatz zu Österreich und den Mittelstaaten Hand in Hand mit einem Werben um die wirtschaftspolitische Übereinstimmung preußisch-ministerieller Handelspolitik und öffentlicher Meinung in Deutschland[197b]. Nach der Auflösung des Landtages konnte Bismarck einen ersten Erfolg seiner Politik verzeichnen.

Der Sieg Preußens auf dem Handelstag

Im Oktober 1862 befürwortete in München der Deutsche Handelstag in seiner zweiten Generalkonferenz[198] mit 104 zu 90 Stimmen – trotz heftigster Gegenwehr des österreichischen Vertreters – »das schleunige Zustandekommen« des Handelsvertrages[199]. Die österreichischen Vorschläge vom 10. Juli 1862 wurden abgelehnt, da der wirtschaftliche Dualismus »hemmend« auf die deutsche wirtschaftliche Entwicklung wirken würde. Österreich sei wirtschaftlich »nicht so entwickelt« wie Preußen, beanspruche aber im Zollverein einen Platz, »den ihm das wohlverstandene Interesse und das politische Selbstgefühl der Nation nicht einräumen kann«[200].

Als Folge dieses Beschlusses legte Hansemann das Präsidium nieder, und zu seinem Nachfolger wurde der preußische Freihändler und Verfechter der kleindeutschen Lösung, der Bankier H. v. Beckerath (Krefeld), gewählt. Der Ausschuß zeigte

197b HHStA Wien PA III Nr. 77: 12. X. 1862 Károlyi an Rechberg.

198 DZA II, AA II, Rep. 6 Nr. 551; WFStA Ludwigsburg E 146 Nr. 1111; 14.–18. X. 1862 Deutscher Handelstag II, S. 347 ff., Anlage I, S. 400 ff., 468 ff.

199 ebd. S. 372–375, Mammroth S. 151. Im Gegensatz zur Gründungsversammlung in Heidelberg, wo nur 6 österreichische und 15 bayrische Vertreter anwesend waren, bemühte sich Österreich auf dieser 2. Sitzung mit 41 Korporationen und 36 Einzelvertretern und weiteren 36 bayrischen Vertretern gegenüber den preußischen norddeutschen Stimmen den Ausschlag gegen den Handelsvertrag zu erzwingen. Den »Süden« vertraten u. a. Kerstorff-Augsburg, Gomperz-Brünn, Panzer-Wien, Staub-Kuchen, den »Norden« vertraten L. Basse-Lüdenscheid, Michaelis-Berlin, Delius-Bielefeld, H. H. Meier-Bremen, v. Beckerath-Crefeld, Sybel-Düsseldorf, eine vermittelnde Stellung nahmen Hansemann – gemäß seines 1861 entworfenen Programms – und die zahlreichen Stuttgarter, die im Gegenzug zu den württembergischen Produzenten als Handelsvertreter dem Freihandel zuneigten, so Bareis und Chevalier, ein. (HHStA Wien F 34 SR, Nr. 7: 26. VIII. 1862 Rechberg an Plener)

200 Denkschrift des Deutschen Handelstages aufgrund der 2. Generalkonferenz in München vom 14.–18. X. 1862.

mit der Ablösung G. Dietrichs (Ältestenkammer Berlin), L. Hänles (Handelskammer München und Präsident des Fabrikantenrates), Oberleitners (Handels- und Gewerbekammer Olmütz), Puschers (Handels- und Gewerbekammer Nürnberg), Roß' (Commerz-Deputation Hamburg), Schramms (Handelskammer Dresden), v. Wertheims (Handels- und Gewerbekammer Wien) und der Berufung H. H. Meiers (Bremen), Stahlbergs (Vorsteher der Kaufmannschaft Stettin), Wesenfelds (Handelskammer Elberfeld-Barmen), B. Liebermanns (Bankier, Ältestenkammer Berlin), G. Müllers (Handels- und Gewerbekammer Stuttgart), Sattlers (Handelskammer Schweinfurt und Würzburg), Scherbius' (Frankfurt) und Soetbeers (Commerz-Deputation) den gleichen durchgreifenden, handelspolitisch bedingten Wandel.

Neben dem »Kongreß deutscher Volkswirthe« wurde nun auch der »Deutsche Handelstag« als zentrale Vertretungsstelle der Handels- und Gewerbeinteressen von Deutschland ein Bundesgenosse der preußischen Handelspolitik und, als es deutlich wurde, daß Bismarck konsequent die Freihandelspolitik fortführte, daher – allen politischen Differenzen zum Trotz – auch Bismarcks Verbündeter.

Demgegenüber konnte Rechberg nur mit einem mißglückten Versuch, Württemberg zum Kern eines »Großdeutschen Reformvereins« zu machen, antworten[201]. Trotz des Widerspruchs von Schäffle, der diesen Schritt für verfrüht hielt, hatte Rechberg gehofft, mit der Zentralisierung der liberalen großdeutschen Parteigänger einen Popularitätserfolg zu gewinnen. Der Erfolg war nur, daß das württembergische Lager in eine Schäffle- und eine Mohl-Partei zerfiel und in Österreich die Schutzzöllner ungehemmt wieder zu Wort und Einfluß kamen, so daß sich der Abschluß eines neuen Zolltarifentwurfes durch den Gegensatz der österreichischen Ressorts erneut verzögerte.

Die Gretchenfrage: »Nous croiserons les bajonettes«

Diese Lage nützte Bismarck, um nun wenigstens die norddeutschen Regierungen ganz auf die preußische Linie zu zwingen. Am 4. Dezember 1862 wurde Károlyi das neue Programm eröffnet: entweder Gegnerschaft in allen lebenswichtigen Fragen oder Bundesgenossenschaft auf der Grundlage einer Teilung der Interessensphären zwischen Nord- und Süddeutschland[202]. Österreich solle seinen politischen Schwerpunkt nach Südosten, also auf den Balkan verlegen[203], Preußen die zu seiner »politischen Existenz notwendige Lebensluft« in Deutschland erhalten. Wenn Österreich nicht seine seither verfolgte Politik aufgeben würde, sei der Weg zur Abberu-

201 WHStA Stuttgart E 70, Ges. Wien, Büschel 73: 16. XII. 1862 Ow an Hügel; WFStA Ludwigsburg E 222, Fach 185, Nr. 951: 27. XII. 1862 Geheimer Rat an AM Hügel; Zechlin: Bismarck S. 372 ff.; HHStA Wien, PA VI, Nr. 25: 22. X. 1862 Handel an Rechberg.

202 APP III, Nr. 60: 5. XII. 1862 Károlyi an Rechberg; GW VII, S. 69 ff.

203 vgl. auch GW III, S. 190/191, 13. III. 1861 Bismarck an Schleinitz.

fung des preußischen Bundestagsgesandten[204], zum Ausscheiden Preußens aus dem Bund, zum offenen Bruch und Krieg vorgezeichnet. Der Ton, in dem Bismarck die Unterredungen mit Károlyi führte, war scharf, anmaßend[205]. Österreich aber gab nicht nach[206]. Bismarck fühlte sich sicher, in einer »kühnen« Außenpolitik von den inneren Problemen ablenken zu können und in einem möglichen Krieg die Armee ihre Sonderstellung selbst erkämpfen zu lassen. England stand auf seiner Seite[207], Rußland war mit Österreich verfeindet, Frankreich hatte im Oktober Zurückhaltung versprochen.

Worauf stützte sich der neue Ministerpräsident, daß er eine Entscheidung der deutschen Frage auch mit kriegerischen Mitteln im Jahre 1862 zu erzwingen bereit war? Nur auf die oft angeführten diplomatischen Faktoren des mitteleuropäischen Kräfteausgleichs, der dynastischen Beziehungen, der Stärke der preußischen Armee, oder waren noch andere, mitentscheidende Faktoren im Spiel?

Das Dezemberprogramm

Auf dem Höhepunkt der Krise am 25. Dezember 1862 gab Bismarck in einem großen Promemoria[208] für den König (und für Delbrück) die konzentrierte Zusammenfassung seiner Argumentation, die in eindeutiger Abhängigkeit und Kontinuität[209] zu der für den König Mitte des Jahres angefertigten »Denkschrift über die deutsche Frage« stand[210].

In beiden Denkschriften kommt die enge Verbindung und gegenseitige Durchdringung von diplomatischer Ranküne, ökonomischer Grundbedingung und politischem Ziel in einer Klarheit zum Ausdruck, die die Dokumente zu Schlüsseln des Verständnisses der Bismarckschen Politik im Jahre 1862 machen[211]. Beiden Denkschriften ist der Ansatz gemeinsam, daß Preußen für Deutschlands Verteidigung einzustehen habe, ohne dafür ein politisches Äquivalent von Bundesrechten zu erhalten. Die Möglichkeit der Majorisierung von Preußens Stimme am Bund sei eine »Quelle nicht der Kräftigung, sondern Lähmung der Macht und Bedeutung Preu-

204 Bismarck: Gedanken u. Erinnerungen I, S. 36 ff.
205 APP III, Nr. 71: 13. XII. 1862 Bismarck an Werther, Nr. 76: 16. XII. 1862 Werther an Bismarck.
206 GW IV. S. 43.
207 APP III, Nr. 80: 20. XII. 1862 Buchanan an Russell.
208 APP III, Nr. 86, und GW IV, Nr. 18 Anlage, Konzept nach Diktat Bismarcks; dto. Poschinger: Wirtschaftspolitik I, S. 5 ff.; Delbrück: Mem. II. S. 277 (Hervorhebungen vom Verfasser).
209 Eine Zwischenstation bildete die Unterredung mit dem hessischen Landtagsabgeordneten F. Oetker (GW VII, Nr. 50: 15. X. 1862)
210 GW III, S. 266 ff., vorgelegt Juli 1861, beendet Oktober 1861.
211 Keineswegs »macht« die Denkschrift vom 25. XII. nur »den Eindruck, als ob Bismarck den Vortrag der Zollvereinsangelegenheiten *benutzt*« (Verf.), wie Zechlin

ßens«, da die Bundesstaaten im Kriegsfall auf »den Beistand angewiesen« seien, im Frieden aber gegen es intrigieren würden. Während Bismarck Mitte des Jahres die Lösung dieser Problematik »vielleicht« in einer »nationalen Vertretung« sah, die die Handelsgesetzgebung und Wehrkraftbestimmung »durchführt«, und den Weg zu dieser Lösung über ein »Zollparlament« beschrieb, ein Plan, der die Fürsten beruhigen würde und ihnen die Erkenntnis geben würde, »daß wir nicht auf Mediatisierung« hinstrebten, resümiert die Dezember-Denkschrift das Sommerprogramm mit erheblicher Schärfe und Konsequenz. Was im Sommer noch vom »jetzigen Erfolg« abhängig gewesen war, wurde im Winter von der Gewißheit bestimmt, daß »das Handelssystem, welches durch die Verträge Frankreichs mit England, Belgien, Preußen und der Schweiz geschaffen wird ... eine Bedeutung (hat), welche es der Mehrzahl der Zollvereinsstaaten für die Dauer fast unmöglich macht, demselben ihrerseits *nicht* anzugehören«. Zusammengenommen mit der militärischen Abhängigkeit des Bundes von Preußen stünden die Mittelstaaten ohne Gegenwehr gegenüber den preußischen Forderungen. Deswegen »muß und kann« nach Bismarck mit der Nichterneuerung des Zollvereins, mit der Kündigung, der »Befreiung aus dem Netze der Bundesverträge« die Neuorganisation Deutschlands im Jahre 1862, spätestens bis zum Jahre 1866 (dem Endtermin des Vertrages mit Frankreich) durchgesetzt werden. Voraussetzung dieser Politik sei, daß Preußen die Überzeugung aufgäbe, »seine Existenz sei ohne Bund gefährdet«; denn im Gegenteil, nur »neben oder außer letzterem« erhalte Preußen seine »volle Schwerkraft«, selbst auf die Gefahr einer »Zweiteilung« Deutschlands hin[212].

»Der Weg dazu ist durch den Zollverein angebahnt. Dieselbe Einrichtung, auf welcher das gemeinschaftliche Zollsystem der Vereinsstaaten beruht, würde auch unter den dermaligen Umständen die zweckmäßigste Unterlage für gemeinsame Behandlung der materiellen und schließlich *auch* der politischen Interessen der deutschen Staaten gewähren.«

Die Bedingungen, unter denen dieser Weg gegen die »österreichisch-würzburgische Bundesmajorität« gegangen werden könnte, hänge davon ab, wie stark Preußens Stellung in Deutschland sei, sie würde aber »in dem Maße stark sein, als unser Vertragsverhältnis zu Frankreich ... gesichert und unumstößlich erscheint«. Darum wurde es nun notwendig, neben der politischen Sicherung auch eine handelspolitische einzubauen; Frankreich mußte verpflichtet werden, mit keinem Zollvereinsmitglied einen Handelsvertrag abzuschließen[213].

(Bismarck S. 387) es will, um »im Zusammenhang mit Auseinandersetzungen in den täglichen Audienzen – seine gegenwärtige *Bundes*politik zu begründen.« Vielmehr steht sie zentral in der handelspol.-ökonomischen Entwicklung Preußens, Deutschlands und Österreichs, die aber – das Buch wurde 1930 geschrieben – mit der Methode rein diplomatisch geprägter Betrachtung nicht gegriffen werden konnte.

212 BHStA München MH Nr. 9748: 13. XII. 1862 Montgelas an König.

213 GW IV, Nr. 19: 27. XII. 1862 Bismarck an Reuß; DZA II, Rep. 120, C XIII, 11 Nr. 2 act. secr.

Die »doppelte« Rückversicherung mit Frankreich aber scheiterte. Am 25. Dezember 1862 distanzierte sich Napoleon von einer Veränderung »des alten deutschen Organismus«[214]. Am 30. Dezember 1862 und 9. Januar 1863 wurde der Zusatz im Handelsvertrag als »Zumutung« abgelehnt[215]. Damit waren für Bismarck die Voraussetzungen seiner »aktiven« Politik dahingeschmolzen. Blitzschnell schwenkte Bismarck wieder ein, verständigte sich mit Frankreich[216] und bemühte sich, mit Österreich zu einem Ausgleich zu kommen, eine Politik, die darüber hinaus den süddeutschen Intentionen entsprach[217].

Rückgriff auf das Parlament, nationale Revolution und Dominanz der Interessen

Der »Bluff« wurde abgeblasen. Die Fronten in Europa, »Realitäten« und »Interessen« hatte Bismarck geprüft. Preußen war isoliert, Bismarck wollte verhindern, daß diese Situation erkennbar wurde. Um Österreich seine neue Haltung zu erläutern, kam ihm die Sondermission Thuns nach Berlin sehr gelegen. Der Gesandte berichtete denn auch prompt Rechberg, daß Bismarck »so versöhnlich als möglich« sich gebe, daß er betone, keinen »deutschen Staat schlucken zu wollen«, vielmehr suche er mit Österreich die »wahre Einigung«. Wenn Bismarck — so berichtete Thun weiter — auch »keinen Bruch des Bundes« anstrebe, so hätte er doch hervorgehoben, »daß er für schwärmerische Gefühlspolitik ... gänzlich unzugänglich« sei, daß er »für die deutsche *Nationalität* ... gar keinen Sinn« habe: »Mir ist«, so habe Bismarck die Audienz beschlossen, »ein Krieg gegen den König von Baiern oder Hannover ... gerade soviel wie gegen Frankreich.« Bismarck vermied jede Schärfe in seinem Gespräch mit Thun — ganz im Gegensatz zum Dezember, als er sich mit Károlyi »unterhielt«[217a]. Der Weg weiterer Machtbehauptung und Machtausdehnung konnte nicht im Rahmen einer unmittelbaren österreichisch-preußischen Konflagration gegangen werden. Die nächsten Schritte galten — gemäß seinem Dezemberprogramm[218] — der Durchsetzung der preußischen Führung

214 Zechlin: S. 393.
215 APP III, Nr. 87, Anm. 7.
216 DZA II, Rep. 120 C XIII, 11 Nr. 2 act. secr.; APP III, Nr. 100: 5. I. 1863 Talleyrand an Drouyn de Lhuys und Anm. 1, Nr. 87, Anm. 9 und GW IV, Nr. 51: 12. III. 1863 Bismarck an Goltz.
217 APP III, Nr. 101: 5. I. 1863 Thun an Rechberg; GW IV, S. 36 f.: 7. I. 1863 Bismarck an Sydow; GW IV, Nr. 22: 7. I. 1863 Immediatschreiben; APP III, Nr. 111: 10. I. 1863 Bismarck an Missionen; Nr. 121: 13. I. 1863 Oubril an Gortschakow; Srbik: Quellen II, Nr. 1019, Ministerrat vom 9. I. 1863, vgl. Schilderung Eyck I, S. 454, abweichend Zechlin S. 393 ff. und Srbik: Einheit III, S. 459.
217a HHStA Wien, PA III, Nr. 83: 5. I. 1863 (Privatbrief) 6. I. 1863 Thun an Rechberg.
218 GW VII, Nr. 40: Gespräch mit Keudell März 1862; ebd. Nr. 50: Gespräch mit Oetker 15. X. 1862.

in Norddeutschland in Verbindung mit der Durchführung des »preußischen Systems«[219] in der Handelspolitik und dem Versuch, die öffentliche Meinung in Deutschland mit dem Projekt einer aus öffentlichen Wahlen hervorgegangenen national-deutschen parlamentarischen Vertretung zu gewinnen. Dieses »National-Parlament«, vor allem gegen den Vielvölkerstaat gerichtet, sollte die Aufgabe haben, »die politischen Divergenzen der Regierungen zu vermitteln« auf Grund von »Majoritätsbeschlüssen« (wie sie schon lange von Preußen gefordert wurden) und nicht auf Grund von »Einstimmigkeit«[220]. Wie diese »Majoritätsbeschlüsse« dann entstehen würden, zeigte die Vorbereitung der Nordstaaten zur Beratung des von Österreich vorgelegten Bundesreformprojektes in Frankfurt[221]. »Furcht und wieder Furcht« war das Mittel, das »in den Residenzen von München bis Bückeburg Wirkung« tat[222]. Am 22. Januar 1863 wurde das österreichische Projekt abgelehnt[223]. Die neue Bismarcksche Taktik hatte einen ersten Erfolg errungen, nun konnte an die Durchsetzung des Handelsvertrages gegangen werden, denn Anfang Januar hatte Bayern die Zollfrage wieder aufgeworfen und Preußen erklärt, daß der Frankreichvertrag den Prinzipien des Zollvereins widerstrebe[223a].

Unter der außenpolitischen Drohung einer möglichen englisch-österreichisch-preußischen Allianz[224] begann Bismarck die nun von ihm vorgezeichnete »materielle Dominanz« Preußens in Deutschland auszuspielen[225]. Der Erfolg schien Bismarck trotz des Sieges des Fortschritts bei den Landtagswahlen[226], trotz der Eingaben der rheinisch-westfälischen Industriellen[227], trotz der Unterstützung, die die Liberalen in Görlitz, Halle, Memel, Breslau von Handel, Industriellen und Ban-

219 APP III, Nr. 85: 23. XII. 1862 Savigny an Bismarck; BHStA München MH Nr. 9748: 13. XII. 1862 Montgelas an König.

220 GW IV, S. 38 ff.: 19. I. 1863 (Entwurf Hepke) Bismarck an Sydow/Frankfurt.

221 APP III, Nr. 106: 8. I. 1863 Werther an Bismarck, ebd. Nr. 110: 9. I. 1863 Rechberg an Károlyi; ebd. vor allem Nr. 116/117 Werther an Bismarck bzw. Károlyi an Rechberg.

222 13. XII. 1862 / 5. I. 1863 Bismarck an Perponcher, nach Zechlin S. 404, hier auch die eingehende Analyse der diplomatischen Momentsituation.

223 GW IV, Nr. 25: 24. I. 1863 Runderlaß.

223a HHStA Wien, PA IV Nr. 31: 1./4./5. I. 1863 Schönburg an Rechberg; 7. I. 1863 Bayrische Zeitung veröffentlicht die bayrische Note an Bismarck.

224 APP III, Nr. 107: 8. I. 1863 Werther an Bismarck.

225 BHStA München, MH Nr. 9748: 3. I. 1863 Thile an OFR Henning (Abschrift); Delbrück: Memoiren II, S. 248 f.; bezeichnend hierfür ist der Plan einer Umstrukturierung des Handelsministeriums. Die Handels- und Gewerbeabteilung sollte dem AA, Berg- und Hüttenwesen dem FM, Eisenbahnen und Bauten dem Landwirtschaftsministerium gegeben werden.

226 E. Anderson: Statistic on the Prussian Elections of 1862 and 1863. Univ. Press Nebraska 1954. 1862: Lib. 284, Kons. 10, Kath. 33, Polen 23; 1863: Lib. 258, Kons. 36, Kath. 30, Polen 26.

227 DZA II, Rep. 120 C VIII, 1 Nr. 25 Bd. 3.

ken bei den Wahlen gegen Bismarck erhalten hatten[228], trotz »Verfassungsverletzungen, Beamtenverfolgungen und Presseknebelungen«[229] sicher zu sein; denn hinter den von den Liberalen »mit fliegenden Fahnen«[230] besetzten »Stellungen« vollzog sich ein entscheidender Wandel in der wirtschaftlichen Konjunktur, der bereits in den Wahlen einen ersten Ausdruck gefunden hatte[231].

Trotz Kriegsgefahr und innenpolitischer Krise wurde die Baisse von 1859/60 überwunden. In »großem Umfang« begann ein »lebhafter Handel in ausländischen Wechseln und Wertpapieren«. »Ansehnliche Umsätze bei den Banken« zeugten von zunehmenden Investitionen und Warenumsätzen. Der Ausbau der Inkassogeschäfte erreichte in Berlin Tagesumsätze von 6,248 Mill. Taler gegenüber 2,556 Mill. Taler des Jahres 1861. Der Beginn der lebhaften wirtschaftlichen Tätigkeit konnte im Jahre 1863 fortgesetzt werden. Obwohl die Auseinandersetzung Bismarcks mit dem Parlament ihren Höhepunkt erreichte, die außenpolitische Anlehnung an Rußland die Gefahr einer österreichisch-französischen Allianz erzeugte, obwohl eine mögliche Okkupation Polens durch Preußen erwogen wurde, verzeichnete die Börse in Berlin eine »vortheilhafte Verwerthung des Geldes«, »recht günstige Erfolge« und »anhaltenden Aufschwung« und – »Vertrauen« zu Bismarck[232].

228 Anderson ebd.

229 Zechlin S. 411.

230 L. Dehio: Die Taktik der Opposition, HZ 140, 1929, S. 307.

231 vgl. Wahlergebnisse von Königsberg, Köslin, Stralsund, bes. Breslau, Oppeln, Liegnitz und Merseburg.

232 DZA II, Rep. 120, A XI, 2 Nr. 1 Bd. 2, Börsenbericht von 1862 und 1863, Geschäftsberichte der Disconto-Gesellschaft 1862, Schaaffhausenscher Bankverein 1862/1863.

Drittes Kapitel
Das Ende der Bruckschen und Rechbergschen Pläne: Zollvereinskrise, Zollunion und der Sieg der Autonomie Preußens

a Alvenslebensche Konvention und Münchner Generalzollkonferenz: der große Schachzug Bismarcks

Die Chance mit Rußland

Während Bismarck 1862 mit der liberal-demokratischen Propagandaaktion vor den Bundesgesandten notgedrungen auf ein national- und wirtschaftspolitisches Vorgehen gegen Österreich einschwenken mußte, wurde ihm durch den nationalpolnischen Aufstand des Januar 1863 die Möglichkeit einer grundsätzlichen Verlagerung der europäischen Großmachtpolitik zugespielt.

Das preußische Vorgehen gegen Österreich war im Dezember 1862 an der Indifferenz von Frankreich und Rußland gescheitert. Beide Mächte hatten kein »Interesse« gezeigt, eine preußische Hegemonialstellung in Deutschland zuzulassen. Nun eröffnete der Polenaufstand die Chance, eine »Verpflichtung« Rußlands gegenüber Preußen herbeizuführen, da »Preußen« nach Bismarcks Urteil ohnehin »stets ein natürlicher Gegner der autonomen nationalen Entwicklung des Königreiches Polen« bleiben müsse. Die »Zeit von Reorganisationen im polnischen Sinne ... ist für uns vorüber ... und kann nicht wiederkommen«[1]. Bismarck war zum härtesten Vorgehen entschlossen[2], selbst zur Errichtung eines »preußischen Polens«[3]. Mit der Mission Alvenslebens und dem Abschluß der gegenseitigen preußisch-russischen Hilfskonvention[4] konnte Bismarck sein Ziel, »das Zusammengehen« Ruß-

1 APP III, Nr. 126: 15. I. 1863 Bismarck an Rechberg.

2 GW IV, Nr. 37: 11. II. 1863 Promemoria Bismarck; APP III, Nr. 184: 13. II. 1863 Talleyrand an Drouyn de Lhuys.

3 H. Rothfels: Bismarck und der deutsche Osten, Lpz. 1934, ders. Ostraum, Preußentum und Reichsgedanke, Lpz. 1935; H. Scheidt: Konvention Alvensleben und die Interventionspolitik der Mächte in der polnischen Frage, 1863 (Diss. München 1937/Würzburg 1936), H. Wendt: Bismarck und die polnische Frage, Hist. Studien 9, Halle 1922, Zechlin: Bismarck S. 412 ff. sehr eingehend auf das politisch-diplomatische Geschehen konzentriert, vgl. auch Eyck I, S. 476 f.; W. E. Mosse: The European Powers and the German Question 1848–71, 1958, S. 110; Taylor: Bismarck, 1955, S. 66; in einseitiger antipolnischer Argumentation.

4 APP II, Nr. 144 Zusammenfassung; ebd. Nr. 150: 29. I. 1863 Bismarck an Redern; ebd. Nr. 157: 17./29. I. 1863 Oubril an Gortschakow; ebd. Nr. 155: 1. II. 1863 Bis-

lands mit Frankreich »notwendig« aufhören zu lassen[5], ebenso erreichen, wie auch die preußisch-russische Freundschaft begründen. Das Zusammengehen Bismarcks mit Zar Alexander ließ Napoleon, der die Entwicklung zuwartend betrachtet hatte[6], gegen Preußen vorgehen und eine enge Verbindung mit Rechberg suchen[7]. Der drohenden diplomatischen Offensive Frankreichs[8] konnte Bismarck aber durch Absprachen mit Rußland[9] entgehen, ohne daß die neubegründete preußisch-russische Intimität zerstört wurde[10] und ohne daß England die kontinentale »balance of power« in Gefahr sah[11].

Während des Zusammengehens mit Rußland war das moralisch-politische Ansehen des Ministeriums Bismarck in Preußen und Deutschland vollkommen kompromittiert worden[12]; zudem hatte die Annäherung Frankreichs an die Mittelstaaten eine Isolierung Preußens in der deutschen Frage sichtbar werden lassen, die für das österreichische Kabinett die Möglichkeit eröffnete, die Schlappe vom Januar auszuwetzen und neben der Lösung der Bundesfrage auch endgültig in der Zollunionsfrage Preußen zu überspielen — endlich!

Die handelspolitische Offensive Rechbergs

Die Sondierungen Bismarcks (geboren aus der Gefahr einer preußischen Isolierung) während der Alvenslebenschen Mission in Wien — Österreich habe wie Preußen das Interesse, gegen »Revolution« und Umsturz vorzugehen — wurden in der Hofburg ebenso kühl betrachtet wie die Intentionen Napoleons[13], sich mit Österreich zu liieren. Dagegen eröffnete Rechberg über Bayern die handelspolitische Offensive[14] — »in der Zoll- und Handelsfrage ... konzentriert sich die Deutsche

marck an Alvensleben; vgl. GW IV, S. 48 ff. und Gedanken und Erinnerungen I, S. 307 ff.; APP III, Nr. 165: Telegramm 8. II. 1863 Bismarck an Alvensleben; ebd. Nr. 167: 9. II. 1863 Alvensleben an Wilhelm I.

5 GW IV, S. 117 Promemoria von Bismarck diktiert, undatiert.

6 APP III, Nr. 146: 28. I. 1863 Goltz an Bismarck.

7 APP III, Nr. 214: 21. II. 1863 Goltz an Bismarck; Oncken: Rheinpolitik I, Akten S. 3 ff.: 22. II. 1863 Bismarck an Goltz/Paris.

8 APP II, Nr. 217: 21. II. 1863 Entwurf d. französischen Note, dto. Nr. 268: 28. II. 1863 Bismarck an Redern.

9 APP III, Nr. 257: 27. II. 1863 Bismarck an Goltz und Bernstorff.

10 GW IV Nr. 45: 27. II. 63 Bismarck an Redern; APP III, Nr. 229: 10./22. II. 63 Oubril an Gortschakow, Nr. 246: 25. II. 1863 Werther an Bismarck.

11 Zechlin S. 488.

12 GW IV, Nr. 49: 7. II. 1863 Runderlaß Bismarcks.

13 APP III, Nr. 138: 24. I. 1863 Zirkularerlaß Bismarcks; GW IV, Nr. 40: 17. II. 1863 Bismarck an Goltz; Nr. 262: 27. II. 1863 Werther an Bismarck; Nr. 294: 3. III. 1863 Werther an Bismarck; ebd. ders. 11. III. 1863, Nr. 328.

14 WFStA Ludwigsburg, E 222, Fach 185, Nr. 951: 7. XII. 1862 Sigel an Hügel: Instruktion für München gemäß Österreichs Note vom 10. V. 62 / 15. VII. 1862;

Frage« –, mit der Rechberg und Bayerns Staatsminister Schrenck um so mehr einen Erfolg erwarten durften, als Kurhessen dem Werben und Drohen Philipsborns, sich an den preußischen Vertrag anzuschließen, nicht entgegenkam[15].

Auf den 24. März 1863 war die 15. Generalzollkonferenz nach München einberufen worden. Schon die Ablehnung des preußisch-französischen Handelsvertrages hatten Bayern und Württemberg mit dem Hinweis auf die Widersprüche zum Zollunionsvertrag von 1853 begründet[16]. Jetzt auf der Konferenz verband Bayern das Fortbestehen des Zollvereins mit der Annahme einer Erweiterung des Februarvertrages und lehnte die preußischen Ziele ab[17]. Schroff wies Bismarck am 12. März 1863 »eine solche Erweiterung der Aufgaben der Generalkonferenz zurück«[18] und drängte gleichzeitig auf die Ergänzung des preußisch-französischen Handelsvertrages durch einen preußisch-belgischen Vertrag[19], der, am 28. März unterzeichnet, am 18. April im Abgeordnetenhaus und am 15. Mai im Herrenhaus angenommen wurde, nachdem Delbrück, Philipsborn und Pommer-Esche das »Kunststück der Verabredungen«[20], jede Mitwirkung von Zollverbündeten an diesem Vertrag auszuschließen, erreicht hatten[21].

Bismarcks Axiom: Trennung von Politik und Wirtschaft; die Drohung der Revolution

Der Abschluß dieses Handelsvertrages mit Belgien löste die Drohung Österreichs aus, seinen Gesandten von Berlin zurückzuziehen. Eine solche Demonstration hätte bei der angespannten europäischen Situation den Krieg bedeuten können, der Preußen isoliert getroffen hätte. Nun griff Bismarck zu einem Hilfsmittel, das für seine Politik zum Axiom und Kennzeichen werden sollte. Um die Ansätze einer so dringend gewünschten Übereinstimmung mit Österreich in der polnischen und

BHStA München MH Nr. 9748: 31. XII. 1862 Schrenck an Montgelas; 30. I. 1863 Thile an Schrenck, 18. II. 1863 Schrenck an Stgt., Darmstadt, Hannover, Karlsruhe, Kassel, Frankfurt; mit der Einladung zur Konferenz in München wird zugleich dem Süden die Thematik der Zollkonferenz mitgeteilt, daß nämlich der Handelsvertrag die »Grundgesetze des Zollvereins bedrohe« und daß deswegen eine geschlossene Stellungnahme gegen Preußen erzwungen werden müßte.

15 GW IV, S. 55: 4. II. 1863 Erlaß an Wentzel, Nachschrift.

16 Staatsarchiv III, S. 424 f.: 13. XI. 1862; WFStA Ludwigsburg, E 222, Fach 182, Nr. 887: 3. I. 1863 Bericht des Steuer-Collegiums an FM Sigel.

17 BHStA München MH Nr. 9749: 1. III. 1863 Weber an Reigersberg, dto. Protokolle; GLA Karlsruhe Abt. 46, Nr. 7071.

18 DZA II, Rep. 6, Nr. 1195: 12. III. 1863 Bismarck an Perponcher (GW IV, Nr. 52.)

19 GW IV, Nr. 51: 12. III. 1863 Bismarck an Goltz.

20 Delbrück: Memoiren II, S. 255. HHStA Wien, PA III, Nr. 80: 4./10. IV. 62 Károlyi an Rechberg.

21 DZA II, Rep. 120, C XIII, 9 Nr. 9 Bd. 16; DZA II, AA II, Rep. 6 Nr. 1195.

auch in der (wieder einmal anstehenden) schleswigschen Frage[22] nicht zu verschütten, suggerierte er den Österreichern – ganz im Gegensatz zu seinem tatsächlichen Tun – mit beredten Worten, daß zuerst und vor allen Dingen auf dem *rein politischen* Gebiet die Gleichheit der Interessen und Handlungen angestrebt werden müßte. Diese Verständigung ließe sich erreichen, auch bei einer »nicht ... völlig identischen Auffassung *aller* politischen Tagesfragen«. »Die Vermischung beider Materien, ein Hinüberziehen von handelspolitischen und industriellen Interessen auf das politische Gebiet und umgekehrt« würde aber »eine aufrichtige Verständigung« verhindern, da Preußen »eine freisinnige Handelspolitik« durch die »unabweisbaren Bedürfnisse seines Landes« zu pflegen gezwungen sei, Österreich aber »schon jetzt« dieses System offenbar nicht annehmen könne. Die politische Relevanz erhielt diese Argumentation durch ihre Verbindung mit der Betonung »drohender Revolutionen«. Mit der Akzentuierung des »gegenseitigen Schutzes« hoffte Bismarck die »empfänglichste« Stelle Rechbergs zu treffen[23]. Von nun an wurde von Bismarck immer in außenpolitischen Gefahrensituationen und der Möglichkeit der Trennung der monarchischen Mächte von Preußen diese Taktik als politischer Hebel benutzt, trotz bestehender Interessengegensätze die Einheit der Staaten gegenüber jedem potentiellen Gegner Preußens zu erhalten.

Ganz im Gegensatz zu der hier gegenüber Rechberg vorgetragenen Ansicht – aber doch in Übereinstimmung mit seiner politischen Grundkonzeption – drohte Bismarck gegenüber Kurhessen, »daß Erschütterungen des europäischen Rechtssystems ... vorzugsweise den kleineren Staaten gefährlich werden könnten und daß die gegenseitigen politischen Beziehungen in diesem Augenblick durch die Stellung zu der Zoll- und Handelsfrage ... bedingt werde«. Kurhessen könne sich der Entwicklung »doch nicht entziehen« und solle dem preußischen System lieber jetzt beitreten[24]. Ebenso blieb der französische Additionalvertrag eine bewußt gepflegte Notbrücke zu Frankreich[25].

Das in der Bismarck-Orthodoxie so oft hervorgehobene Axiom der Trennung von politischer und wirtschaftlicher Sphäre wird hier in seiner Entstehung erkennbar. Trotz des sich abzeichnenden Erfolges der preußischen Unterhändler[25a] auf

22 APP III, Nr. 287: 2. III. 1863 Promemoria Abeken.

23 DZA II, AA II, Rep. 6 Nr. 1195 (die Zollvereinsverhandlungen und Handelsvertragsabsprachen wurden aufgrund der Durchsicht des Primärmaterials mit der APP und GW sowie den Quellen überprüft, jedoch wird die Archivalie nur bei abweichendem oder ergänzendem Sachverhalt angeführt). APP III, Nr. 395: 9. IV. 63 Bismarck an Werther, dto. GW IV, 65.

24 GW IV, Nr. 68: 15. IV. 1863 Bismarck an Münster-Meinhövel.

25 APP III, Nr. 448: 24. IV. 1863 Bismarck an Goltz; Nr. 513 o. D. 1863 Goltz an Bismarck.

25a HHStA Wien, PA IV, Nr. 31: 27. III./14. IV. u. 20. IV., 8. V. 1863 Schönburg an Rechberg; PA VII Nr. 19: 3./7. V. 1863 Ingelheim an Rechberg, PA VI, Nr. 26: 11./25. IV. 1863 Handel an Rechberg.

der Generalkonferenz bestand sowohl die Gefahr »süddeutscher Sammlungen«[26] als auch die Möglichkeit, daß der Erfolg der Alvenslebenschen Konventionen gegenüber einer österreichisch-französischen Allianzdrohung wieder fraglich wurde. Nicht weniger schien die innerpreußische Opposition gegen die Heeresreform, gegen das budgetlose Regieren es wünschenswert zu machen, die wirtschaftspolitischen Streitfragen aus dem politischen Geschehen herauszunehmen und so eine Anlehnung Österreichs an Preußen unter dem Zeichen konservativer Sammlungspolitik herbeizuführen.

Mit der »dualistischen Spitze« im Bund wäre es für Bismarck möglich geworden, »das Bundesvehikel für den augenblicklichen gefährlichen Stand im Westen«[27] ohne Gefahr zu besteigen. Ja, eine österreichisch-preußische Verständigung wäre der größte Schachzug in der Frage der politischen und handelspolitischen Autonomie Preußens gewesen. Sie hätte die Mittelstaaten isoliert, den österreichisch-französischen Allianzgedanken neutralisiert, ebenso ein österreichisch-russisches Zusammengehen verhindert und hätte zudem den großdeutsch-liberalen Forderungen entsprochen.

In der Polenfrage, der Schleswigfrage und der »bedrohlichen Lage der europäischen Verhältnisse, welche nicht nur das Ergebnis der gegenseitigen Spannung der Kabinette ist, sondern mehr noch durch die Solidarität aller revolutionären Elemente Europas bedingt wird«, glaubte Bismarck den Ansatzpunkt zu einem Ausgleich mit Österreich gefunden zu haben, und zwar ohne *»Eintritt* des Kaiserstaates in den Zollverein«[28]. Denn die Zollunion sei zweitrangig, da die Gefahr einer Revolution »für alle konservativen Elemente die Aufforderung enthalte, sich auch ihrerseits näher aneinander anzuschließen, um die Gesamtheit europäischer Rechtszustände zu befestigen und nötigenfalls zu verteidigen«. Deshalb müsse eine Verständigung »Preußens und Österreichs als Grundlage der Sicherheit und Ruhe Deutschlands erstrebt« werden[29]. Die »inneren Schwierigkeiten Preußens«, memorierte er auf Rechberg gezielt, »im gegenwärtigen Augenblick mögen im Auslande nicht überschätzt werden«.

26 BHStA München, MH Nr. 9749: 1. III. 1863 Weber an Reigersberg; 26. III. 1863 Rechberg an Schönburg (München); 18. VI. 1863 Schrenck an Stgt, Hannover, Kassel, Darmstadt; 18. VI. 1863 Schrenck an Bray; WFStA Ludwigsburg E 222, Fach 194, Nr. 1173: 30./31. III. 1863 OFR Herzog an FM Sigel; Fach 182, Nr. 887; besonders das württembergische Steuer-Collegium drängte auf eine »nationale Handelspolitik« und den Abschluß gegenüber Frankreich und England. Auf der Grundlage eines gemäßigten Schutzzolles in Revision des Tarifs von 1853 sah das Collegium in der Erschließung der Donauländer die Hauptaufgabe der deutschen Handelspolitik: Voraussetzung hierzu sei aber die Zollunion mit Österreich (3. I. 1863), dto. März 1863 Eingabe des Donaukreises.

27 GW IV, S. 142: 22. VI. 1863 Bismarck an Bernstorff.

28 GW IV Nr. 79: 28. IV. 1863 Bismarck an Werther.

Fiasko in München ...

Die von Károlyi als »gröber aufgetragen« (auch Frankreich warb um Österreich)[30] bezeichnete Bismarcksche Taktik erreichte aber ihren Zweck im Sommer 1863 noch nicht. Die Suggestion des »Gefühls der Sicherheit«[31] genügte noch nicht, um Österreich auf die preußische Seite zu ziehen, trotz Rechbergs »stets aufgeregter Sorge vor Revolutionen«. Österreich (vor allem Schmerling) beharrte darauf, »als Entgeld« der Annäherung an Preußen Konzessionen auf dem Gebiete der Handels- und deutschen Innenpolitik zu erhalten[32]; denn ehe die Zollkonferenz in München überhaupt begann, zeigte es sich, daß sich Bismarcks Hoffnung auf die »Wirkung politischer und materieller Interessen« des Zollvereins mehr und mehr erfüllte[33]. Selbst Württemberg »ging vom Gulden- zum Thalerfuß« über, die Finanzmänner der Mittelstaaten lehnten einen Bruch mit Preußen wegen »der Finanzlage« ihrer Staaten ab, und deswegen konnte Bismarck die Verhandlungen in München ohne große Beunruhigung erwarten[33a]. Um so wesentlicher war es für Rechberg, in München einen Erfolg buchen zu können.

Die Generalzollkonferenz in München kennzeichnete dann auch eine scharfe Gegensätzlichkeit zwischen den bayrischen und preußischen Wünschen. Bayern richtete seine Politik ganz nach den österreichischen Wünschen und forderte »die Erfüllung« der österreichischen Angebote vom Sommer 1863. Die preußischen Unterhändler hingegen gaben vor, »ohne Instruktion« zu sein, Preußen »verharrte und drohte« mit der Aufkündigung des Zollvereins[33b]. Gleichzeitig versuchte Delbrück, gegen den bayrischen Antrag eine Oppositionsfront zusammenzubringen. Vor allem Hannover galt das preußische Werben. Hier hatten nämlich die ultramontan-großdeutsch eingestellten Minister Hammerstein und Windthorst eine antipreußische Politik aufgenommen und versucht, die Politik der Südstaaten nun auch vom Norden zu stützen. Kurhessen schloß sich Hannover an[33c]. Doch alle Bemühungen Bayerns verpufften[34]; Sachsen, die thüringischen Staaten, Braun-

29 APP III, Nr. 496: 10. V. 1863 Bismarck an Werther (GW IV, Nr. 83).

30 APP III, Nr. 476: 2. V. 1863 Károlyi an Rechberg.

31 GW IV, Nr. 79.

32 BHStA München MH Nr. 9749: 26. III. 1863 Rechberg an Schönburg; WHStA Stgt. E 70 Ges. Wien, Büschel 54; dto. Büschel 55: Februar 1863 Rechberg an Graf Taube.

33 APP III, Nr. 498: 11. V. 1863 Bismarck an Bernstorff, ebd. Nr. 537: 4. VI. 1863 Werther an Bismarck.

33a HHStA Wien, PA VI; Nr. 26: o. D. Handel an Rechberg.

33b ebd. PA IV, Nr. 31: 23. V. 1862 Schönburg an Rechberg, ebd. 26. III. 1863.

33c GW IV, S. 55; HHStA Wien, PA VII, Nr. 19: 16. II., 3. IV. 1862 Ingelheim an Rechberg.

34 BHStA München Nr. 9749: 7. V. 1863 Bericht Webers an König, Protokolle und gedruckte Anträge; 18. VI. 1863 Erklärung Bayerns; dto. Verständigungsversuche mit Stuttgart, Hannover, Kassel; 18. VI. 1863 bayrischer Vorschlag einer »Punkta-

schweig, Oldenburg, die »Freien Städte« und Baden votierten mit Preußen für die sofortige Annahme des Frankreichvertrages. Hannover und Kurhessen lehnten die Annahme wohl ab, schlossen sich aber nicht an die Südstaaten an, sondern forderten nur die Beiziehung eines österreichischen Unterhändlers zu den Verhandlungen[35]. So blieb Bayern nur der Vorschlag von Separatverhandlungen mit Österreich[35a].

Aber nur Württemberg unterstützte – in der Überzeugung, daß Preußen auf den Süden angewiesen sei[36] – die Ultima ratio eines Sonderbundes des Südens mit Österreich in der »Bildung einer süddeutschen Zolleinigung«[37]. Preußen hatte jeder Vermittlung auf handelspolitischem Gebiete durchaus ein diplomatisches Entgegenkommen[38] gezeigt.

Bismarck hatte eine sehr »wohlwollende Sprache« geführt – offenbar »Symptom der schwierigen Stellung, in welche sich die so unruhige, und sich selbst überstür-

tion«, die Preußen zum »gemeinsamen Außenzoll verpflichtet«, dto. 18. VI. 1863 Schrenck an Bray; 8. VII. 1863 Schrenck an König; 17. VII. 1863 »besonderes Protokoll« mit Erklärung Bayern (Zollunion und Zollverein *gleichzeitig*) und Preußens (Sicherung des Zollvereins als *Voraussetzung* Zollunion); WFStA Ludwigsburg, E 222, Fach 185, Nr. 951: 17. VII. 1863 besonderes Protokoll; 14. VI. 1863 Erklärung Bayerns, E 222, Fach 194, Nr. 1173: 31. III. 1863 OFR Herzog an FM Sigel; 11./15. IV. 1863 Herzog an Sigel; E 222 Z 61, Fach 125, II: Juni/Juli Berichte Rieckes an Sigel/Hügel; 24. VI. 1863 Instruktion Sigel.

35 WFStA Ludwigsburg, E 222, Fach 194, Nr. 1173: 31. III. 1863 OFR Herzog an Sigel; BHStA München, MH Nr. 11 969: 3. III. 1863 Schrenck an König; HHStA Wien, PA IV, Nr. 31: 13. VI. 62 Schönburg an Rechberg; F 34 SR r. 7: 6./11. VI. 1863 dto.

35a ebd. PA IV, Nr. 31: 13. VI. 1862 Schönburg an Rechberg; F 34 SR r. 7: 6./11. VI. 1863 dto.

36 WFStA Ludwigsburg, E 222, Fach 185, Nr. 951: 23. VI. 1863 FM Sigel an AM Hügel.

37 DZA II, Rep. 120 C XIII, 4 Nr. 31 B: 18. VI. 1863 OFR Henning/München an Min. d. Auswärtigen; 13. VII. 1863 Promemoria und Antwort Delbrück, ebd. 13. VII. 63 Flemming/Karlsruhe an Min. d. Ausw.; ebd. Stellungnahmen Sachsen, Baden, Kurhessen, Oldenburg, Braunschweig; ebd. 31. VII. 1863 Itzenplitz an Bismarck (Entwurf Delbrück); GW IV, Nr. 101/102: 23. VI. 1863 Bismarck an Perponcher; Nr. 103: 8. VIII. 1863 Runderlaß an Stgt, Dresden, Hannover, Kassel, Karlsruhe, Frankf., Darmstadt; Verhandlungen der 15. Gewerbekammern in Zollvereinsangelegenheiten, München 1863; WFStA Ludwigsburg, E 222, Fach 185, Nr. 951: 29. V. 1863 Gutachten Geh. Rat und Instruktion für München auf Grundlage 10. V./15. VII. 1862; 7. XII. 1862 FM Sigel an AM Hügel; 23. VI. 1863 FM Sigel an AM Hügel; BHStA München MH Nr. 9749: 8. VII. 1863 Schrenck an König; GLA Karlsruhe, Abt. 237 Nr. 28 976 Protokoll der Ministerialbesprechung 17. VII. 1863. HHStA Wien, PA VI, Nr. 26: 3./20./24. VI., 4. VII. 1863 Handel an Rechberg.

38 APP III, Nr. 525: 23. V. 1863 Károlyi an Rechberg; GW IV, S. 139 ff.: 10. VI. 1863 Promemoria Philipsborn, ebd. S. 146 Anlage; BHStA München MH Nr. 9749: 17. VII. 1863 Bes. Protokoll; WFStA Ludwigsburg, E 222, Fach 194, Nr. 1173: 11. IV 1863 Herzog an Sigel.

zende Actionspolitik des Herrn von Bismarck gegen ganz Europa gebracht hat«. Ja, Bismarck hatte während der Münchner Verhandlungen die »Initiative zu einem Zusammengehen« mit Österreich ergriffen und um eine österreichisch-preußische Allianz geworben, aber auf der Basis: »Bajonette gegen Bajonette, selbst ein Schutz- und Trutzbündniß... ließe sich auch hören«[39]. Für die handelspolitische Union jedoch war er taub, sachlich hatte er jeder Zollunionsvereinbarung ein schroffes Nein entgegengesetzt[40].

... aber Preußens politische Isolation

Während die handelspolitische Aktion Bayerns und Württembergs, die »stolze Zurückweisung« der preußischen »Wohltaten nur Vergnügen« für Delbrück und Bismarck bereitete, wußten sie doch »im Voraus, daß die Industrie der beiden Staaten es verstehen werde, über den Kopf ihrer Regierungen hinweg die belgischen Zollermäßigungen sich anzueignen« und daß Preußen auch »*ohne* Bund bestehen, die kleineren und mittleren Bundesstaaten aber *nicht*« existieren könnten[41], war die politische Situation im Hochsommer 1863 für Preußen keineswegs so beruhigend. Fehlten Bayern zur Durchsetzung einer handelspolitischen Trias die Verbündeteten, so fehlten sie auch Preußen angesichts der zunehmenden Spannung mit Frankreich, zumal das Bündnisangebot des Zaren an Preußen Anfang Juni die Gefahr einer Konflagration am Rhein erhöhte[42]. Dem drohenden russischen Übergewicht, das keineswegs die Gefahr einer geheimen Verständigung Rußlands mit Frankreich[43] ausschloß, hoffte Bismarck England – dieses angestachelt durch Rheinbundintentionen Napoleons – entgegensetzen zu können. Gleichzeitig sah sich Bismarck gezwungen, sich auch mit Österreich zu verständigen. Hierzu dienten die englischen Sondierungen[44]. Darauf zielte auch sein Bemühen, Rußland und Österreich über die polnische Frage im konservativen Sinne zusammenzuführen (»wir wollen um keinen Preis zugeben,... daß ein selbständiges Polen geschaffen wird«[45]),

39 GW IV, Nr. 86: 23. V. 1863 Runderlaß aufgrund der Beustschen Mission; Beust: Memoiren I, S. 321 f.; GW IV, Nr. 88: 23. V. 1863 Bismarck an Schulenburg; HHStA Wien, PA III, Nr. 83: 21. III. u. 10./30. V. 1863 Privatbrief Károlyi an Rechberg.

40 BHStA München MH Nr. 9749, ebd. WFStA Ludwigsburg, E 222, Fach 194, Nr. 1173: 11. IV. 1863 Herzog an Sigel, 15. IV. 1863 Hügel an Sigel; 10. VII. 1863 Herzog an Sigel.

41 GW IV, S. 142 f.; Delbrück: Memoiren II, S. 256; DZA II, Rep. 120 C XIII, 4 Nr. 53 Bd. 16 Promemoria Delbrück am 8. VII. 1863.

42 APP III, Nr. 533: 20. V./1. VI. Alexander an Wilhelm I.; Nr. 557: 17. VI. 1863 Wilhelm I. an Alexander II.

43 APP III, Nr. 578: 8. VII. 1863 Reuß an Bismarck.

44 APP III, Nr. 526: 23. V. 1863 Bernstorff an Bismarck; GW IV, S. 141 f. Bismarck an Bernstorff (Entwurf Hepke) 22. VI. 1863 (APP Nr. 564).

45 APP III, Nr. 579: 8. VII. 1863 Solms an Bismarck.

ohne daß aber wiederum eine französisch-englische Allianz diese Pläne einer allseitigen Absicherung Preußens zerschlagen hätte. Gortschakow kam Bismarcks Intentionen entgegen, aber zum Entsetzen Preußens mit dem Vorschlag einer *handelspolitischen* Annäherung der drei Ostmächte[46].

Die neuerliche Annäherung Rußlands an Österreich eröffnete für Habsburg erneut die Möglichkeit, eine vermittelnde Stellung zwischen West und Ost[47] einzunehmen. Zugleich bot Österreichs Neutralitätspolitik die Hoffnung, im Bund seine Stellung politisch und wirtschaftlich ausbauen zu können, da es sowohl den Führungsanspruch Preußens in Deutschland hätte alterieren als auch die von Frankreich – trotz Napoleon – gestützten revolutionären Bewegungen hätte umgehen können, zumal Frankreich Ende Juli von England im Stich gelassen, in der Polenfrage von Rußland und Preußen überspielt wurde[48]. Damit waren beide Großmächte in Deutschland zu eigener Machtsteigerung wiederum auf den Bund angewiesen. Bundesreform, Zollunion oder Handelsvertrag wurden erneut Gegenstand schärfster Auseinandersetzungen von hochpolitischer Bedeutung.

Fürstenkongreß

Am 3. August 1863 überreichte Franz Joseph dem in Gastein weilenden preußischen König die Einladung zum Fürstenkongreß in Frankfurt[49]. In einer beigegebenen großen Denkschrift wurden die österreichischen Pläne einer umfassenden Bundesreform, der Bildung eines fünfköpfigen Direktoriums, eines Delegiertenparlaments, eines Bundesgerichts und eines periodisch tagenden Fürstenkongresses entwickelt[50]. Dies alles entsprach zwar den Bedürfnissen des Vielvölkerstaates und dem erstrebten österreichisch-mittelstaatlichen Übergewicht, aber Preußen wurde mit der Drohung eines Sonderbundes konfrontiert.

Bismarck konterte sofort. Noch am selben Tage, dem 3. August 1863, wurden die Zollvereinsmitglieder zu einer neuen Zollkonferenz nach Berlin offiziell eingeladen[51]. Am 4. August 1863 lehnte Wilhelm die Teilnahme am Fürstenkongreß ab[52], am 12. August suchte Bismarck Rückendeckung beim Zaren[53], ohne jedoch von der Möglichkeit weiterer preußisch-österreichischer Allianzmöglichkeiten Abstand zu nehmen.

46 APP III, Nr. 571: 30. VI. 1863 Redern an Bismarck.
47 APP III, Nr. 598, 599, 600: 22. VII. 1863 Werther an Bismarck; ebd. Nr. 602: 24. VII. 1863 Pirch an Bismarck.
48 APP III, Nr. 606: 27./28. VII. 63 Goltz an Bismarck.
49 GW IV, Nr. 109: 4. VIII. 63 Bismarck an Min. d. Ausw. APP III, Nr. 610: 31. VII. 63 Franz Joseph I. an Wilhelm I.
50 APP III, Nr. 617, Nr. 618: 3. VIII. 1863 Memoire Wilhelm I.
51 DZA II, AA II, Rep. 6 Nr. 1195.
52 APP III, Nr. 620 Wilhelm I. an Franz Joseph I., ebd. Nr. 621.
53 APP III, Nr. 637 Wilhelm I. an Alexander II. (Konzept Bismarcks).

Als Antwort auf die österreichischen Pläne stellte Bismarck – in Fortsetzung des Baden-Badener Programms von 1861, der Dezemberdenkschrift vom Jahre 1862 und der Erklärung vom 22. I. 1863 – ein Gegenprogramm auf, das in der Forderung des Alternats (d. h. der praktischen Gleichberechtigung von Österreich und Preußen) anstatt des Direktoriums (d. h. der Anerkennung der österreichischen Alleinführung) den preußischen Wünschen entsprach. Zugleich kam Bismarck mit seiner Forderung eines Bundesparlaments (das aus direkten Wahlen entstehen sollte) und Ministerialkonferenzen (anstelle von Fürstenkongressen) den Ideen der liberaldemokratischen Volksbewegung Deutschlands weit näher als Österreich mit seinem Plan eines Staatenbundes[54]. Die innenpolitischen Auseinandersetzungen in Preußen jedoch sprachen den Bismarckschen Plänen Hohn. Die Identität österreichischer Intentionen und mittelstaatlicher Ziele war evident, die französische Hoffnung auf Schwächung Preußens (deshalb seine Unterstützung Österreichs) erfüllte sich scheinbar[55]. Das formale Recht stand auf Österreichs Seite – aber nicht die Interessen, die auf einen deutschen Bundesstaat mit Preußen als der wirtschaftlichen und freihändlerischen Vormacht in Deutschland wiesen: »Preußen ist als deutsche Macht«, faßte Bismarck die Basis der preußischen Politik gegenüber dem König zusammen, »nicht nur Österreich ebenbürtig, sondern hat innerhalb des Bundes die größere Volkszahl«[56].

Münchener Registratur

Während in Frankfurt auf dem Fürstenkongreß die österreichischen Reformpläne unter der Bedingung einer preußischen Zustimmung angenommen wurden[57], bereitete Delbrück mit Hochdruck die für die Tarifbesprechungen nötigen Grundlagen der Berliner Konferenz vor[58].

Unmittelbar mit dem Vorgehen in der Bundesreformfrage hatten Österreich und Bayern – in Erinnerung an das Münchener Fiasko vom Frühjahr und Sommer – die Aktivierung der Zollunionsfrage abgesprochen[59] mit dem Ziel, in einer Zoll-

54 GW IV, Nr. 114: 13. VIII. 63; APP III Nr. 641, GW IV Nr. 115: 14. VIII. 63 Bismarck an Werther; APP III Nr. 642, GW IV Nr. 116: 21. VIII. 1863 Bismarck an Sydow; Nr. 124: 15. IX. 1863 Immediatbericht des Staatsmin.; Nr. 128: 22. XI. 1863 Runderlaß.
55 APP III, Nr. 645: 15. VIII. 1863 Goltz an Wilhelm I.
56 GW IV, S. 169.
57 WHStA Stgt. E 70 B Ges. Wien, Büschel 55.
58 DZA II, Rep. 120 C XIII, 4 Nr. 53 Bd. 16.
59 BHStA München MH Nr. 9691: 4. VIII. 1863 Rechberg an Schönburg (München); 8. VIII. 63 Schrenck (Konzept MR Weber) an König Max.; DZA II, AA II Rep. 6 Nr. 1195: 31. VIII. 63 Bismarck an Zollvereinsbotschaften; WHStA Stgt. E 70 B Ges. Wien, Büschel 54.

vorkonferenz zu Berlin eine feste und förmliche Koalition gegen Preußen zu bilden[60].

Zugleich versuchten Österreich und der Süden für ihre großdeutsche Agitation eine Zeitschrift im Norden zu gewinnen; aber selbst in Hannover blieb dieses Unterfangen ohne Erfolg[61]. Das preußische Programm, den Zollvereinsmitgliedern erneut am 28. September mitgeteilt[62], bot nun mit der erneuten schroffen Betonung der Alternative – Annahme des preußisch-französischen Handelsvertrags oder Zollvereinsende – direkt den Anlaß, daß Württemberg, aber auch Hannover, Hessen-Darmstadt, Kurhessen, Nassau und Frankfurt nicht nur Vorverhandlungen in München zustimmten (wie es im August schon der Fall war[63]), sondern auch die österreichisch-bayrischen Pläne unterstützten[64].

Das Beratungsergebnis der sich am 5. Oktober in München versammelnden »Sonderbündler«[65] war aber »zahm«. In der sogenannten »Münchner Registratur« vom

60 BHStA München MH Nr. 9750: 3. VIII. 1863 Schrenck an Max, spricht von der Bildung eines »wirksamsten Damms gegen Wiederholung des Verfahrens (durch) gemeinsame Verfahren Gleichgesinnter«. MH Nr. 9691: 6. VIII. 1863 Schrenck an König Max; 11. VIII. 63 Schrenck an Stgt.; dto. an v. d. Pfordten (Frankf./Darmstadt/Wiesbaden); 14. VIII. 63 an Hannover, dto. Montgelas (Berlin).

61 HStA Darmstadt, Sta. Min. Kon. 46, Fasc. 3: 20. IX. 1863 Aufzeichnung Platen, Dalwigk, Hügel, Beust, Schrenck, Abbée und Wittgenstein.

62 DZA II, AA II, Rep. 6 Nr. 1195; Rep. 120 C XIII, 4 Nr. 53 Bd. 16: Anträge und Vorarbeiten Delbrück; ebd. C XIII, 4 Nr. 31 b; WFStA Ludwigsburg, E 222 Z 61, Fach 125 II.

63 BHStA München MH Nr. 9691: 6./17. VIII. 63 Maucler; 20. VIII. 63 Dalwigk; 28. VIII. 63 Platen; DZA II, AA II, Rep. 6 Nr. 1195: 27. IX. 63 Ysenburg an Bismarck. HHStA Wien, PA VI, Nr. 26: 17. VIII. 63 Handel an Rechberg.

64 DZA II, AA II, Rep. 6 Nr. 1195: 30. IX. 1863 Landsberg (München) an Bismarck; 1. X. 1863 Ysenburg (Hannover) an Bismarck; BHStA München MH Nr. 9691. München nützte die Situation und lud am selben Tag (28. IX.) Stuttgart, Kurhessen, Hessen-Darmstadt, Nassau, Braunschweig, Hannover, Oldenburg ein. Am 30. IX. wurde die Ankunft des österreichischen Emissärs Kalchberg gemeldet. Von Frankfurt meldete Pfordten, daß die Ansichten »sehr geteilt seien«, jedoch die Mehrheit dem Süden zuneige. (30. IX. 63); WFStA Ludwigsburg, E 222, Fach 185, Nr. 951: 17. IX. 1863 Instruktionsentwurf für Riecke; 20. IX. 1863 »Anbringen« an Kg. Wilhelm I. auf der Basis des 312 Seiten Promemoria des Steuer-Collegiums (11. VII. 62/3. I. 63), der 123 S. Arbeit von Vayhinger (14. VII. 63), des Bergrats (6. V.) und des Berichts Hügel/Sigel vom 20. VII. 63. Der Bericht betont den Wegfall preußisch-sächsischer Konkurrenz, daß Preußen angewiesen sei auf den Süden und resümiert: Württemberg solle »unbeirrt auf die Zollunion lossteuern«. Am 30. IX. 63 dementsprechende Instruktion für OFR Riecke; E 222, Fach 194, Nr. 1173: 31. X. 1863 Aufzeichnungen über GK München.

65 BHStA München MH Nr. 9691 für Bayern: Weber/Meixner, Württemberg: Geßler/Riecke, Kurhessen: Bode, Hessen: Biegeleben, Nassau: Heemskerck, Frankfurt: Mettenius; MH Nr. 9750 Verhandlungsprotokolle.

12. Oktober 1863 betonten die Regierungen, am Zollverein festhalten zu wollen, der Zustimmung aber zum preußisch-französischen Handelsvertrag sollte die Eröffnung von Verhandlungen mit Österreich auf der Basis des Rechberg-Hockschen Zollunionsentwurfs vom 10. Juli 1862 *vorangehen;* auf jeden Fall müsse Österreich bei allen Handelsvertragsverhandlungen »mit bevorzugt« werden. Jedoch behielten sich die einzelnen anwesenden Regierungen die endgültige Entscheidung noch vor. Eine Einigung über den von Kalchberg offerierten Zollunionstarif konnte auch nicht erzielt werden[66]. Kalchberg hatte mit seiner Skepsis recht behalten: »Meine Hoffnungen sind sehr mäßig«, hatte er am 10. Oktober Rechberg geschrieben, da alle Zollvereinsstaaten »nur keine Sprengung des Zollvereins« dulden wollten. »Man hat Sympathien für uns«, aber »man will Österreich und Preußen«. Die Mittelstaaten wollten also die Entscheidung umgehen und taten dies auch. Als einziges blieb dem Österreicher noch, »bei einer eventuellen Kündigung des Zollvereins« Österreichs Beistand zu betonen[66a].

Als in Berlin die Generalzollverhandlungen des Zollvereins, zu denen Bismarck im August geladen hatte, begannen, stand Hannover unter der preußischen Drohung, seine im Septembervertrag von 1851 zugestandenen »Präzipuen« zu verlieren[67], Kurhessen sah seine Nordverbindung und seinen Absatzmarkt bedroht, ebenso war die Lage im Großherzogtum Hessen, in Nassau und in Frankfurt[68]. Die Stellung Preußens war »trotz des Verfassungskonflikts« und »Münchens«[69] keineswegs erschüttert. Baden, Sachsen und die thüringischen Zollvereinsstaaten unterstützten die handelspolitischen Ziele Preußens, was um so schwerer wog, da es ja in München dem österreichischen Emissär, Baron v. Kalchberg, nicht gelungen war, den österreichischen Zollunionstarifentwurf zur Annahme zu bringen. Da der Zolltarif Österreichs aber selbst nur ein Ergebnis mühsamer Verhandlungen war, wurde deutlich, daß die Opposition der österreichischen Schutzzöllner gegen jedes Zollbündnis mit freihändlerischen Preußen schon so heftig war und schon einen erheblichen Einfluß auf die Regierung gewonnen hatte, daß Kalchberg in München gar nicht mehr mit vollem Nachdruck auf einen unmittelbaren Abschluß einer Union bestehen konnte. Ein neuer Zollverein, mit Österreich als Mitglied, schied in Wien in zunehmendem Maße als Mittel zur österreichischen Machtsteigerung aus; die Verwendung der Zollunionsfrage als politischer Hebel österreichischer Machtsteigerung

66 APP V, Nr. 540 Anhang IV; BHStA München MH Nr. 9691: 12. X. 1863 Registratur; WFStA Ludwigsburg, E 222 Z 61, Fach 125: 10. X. 1863 Bericht Geßler/Riecke; Fach 185, Nr. 951: 14. X. 1863 Gesamtbericht Riecke; 26. X. 1863 FM Sigel an Geh. Rat; Gutachten Geh. Rat (28. X. 1863) zu den Fragen einer Südeinigung mit Österreich; vgl. den wesentlichen Briefwechsel Mohl und Gagern (Wien) E 170 Nr. 654.

66a HHStA Wien, PA IV, Nr. 31: 6./7./12./15. X. 1863.

67 DZA II, AA II, Rep. 6 Nr. 1195: 3. X. 1863/11. 10. 63 Bismarck an Ysenburg.

68 DZA II, Rep. 120 C XIII, 4 Nr. 31 b Promemoria Delbrücks; BHStA München MH Nr. 9691: 20. X. 1863 Bericht FR Herrmann Berlin.

69 Delbrück: Memoiren II, S. 289.

wurde in Wiener Finanz-, Handels- und Regierungs»kreisen« immer »problematischer«[70]. Um so mehr rückte aber die Trias[71] in den Mittelpunkt des handelspolitischen und auch politischen Ringens; denn nicht nur wirtschaftliche Faktoren bestimmten die Konstellation bei Beginn der Berliner Zollkonferenz am 5. November 1863, sondern auch politische.

Nürnberger und Berliner Konferenz: Rechbergs Ausgleich mit Preußen

Unmittelbar nach den Münchner »Vorverhandlungen« hatte Rechberg gehofft, auf einer Konferenz in Nürnberg die Früchte des Fürstenkongresses ernten zu können. Entgegen den Absprachen von Frankfurt verstanden sich aber die Minister jetzt auf keinen gegen Preußen gerichteten bindenden Beschluß, so daß die Konferenz mit einem erneuten Fiasko der österreichischen Deutschlandpolitik endete[72]; Mohls Idealziel, »Deutschland« eine »unangreifbare« Schiedsrichterrolle zwischen Österreich, Preußen, England und Frankreich zu geben, war offenbar zum Programm der Bayern und Württemberger geworden[73].

Zu dem Mißerfolg bei den Mittelstaaten kam für Österreich noch während der Berliner Zollkonferenz die Einladung zu einem Kongreß nach Paris[74], auf dem Napoleon mit der Drohung, eine revolutionäre Neuordnung in Europa herbeiführen zu wollen, seine Niederlage in der Polenfrage wieder wettzumachen suchte[75]. Österreich sah sich in einer Zwangslage. Einerseits bedurfte Rechberg angesichts der Gefahr einer napoleonischen Revolutionspolitik der Unterstützung Bismarcks, zum anderen aber brachte die Verständigung mit Preußen die endgültige Niederlage der Zollunionspolitik, da Österreich gezwungen gewesen wäre, bei einem Ausgleich mit Preußen die Mittelstaaten im Stich zu lassen. Rechberg entschied sich – nicht zuletzt angesichts der konservativen Schutzzollopposition – für Preußen. Bereits am 14. November betonte er, »Preußen habe ganz dasselbe Interesse wie Österreich, die Gültigkeit der Verträge von 1815 nicht als aufgehoben betrachten zu lassen«[76].

70 DZA II, AA II, Rep. 6 Nr. 1195: 15. X. 1863 Schulenburg (Stuttgart) an Bismarck; 28. X. 1863 Werther an Bismarck; vgl. Zusammenfassung APP V, Nr. 542 und 543; WFStA Ludwigsburg E 170, Nr. 654: 20. VII. 1863 Gagern an Mohl, o. D. (August 1863) Mohl an Gagern.

71 BHStA München MH Nr. 9691: 21. X. 1863 Perponcher an Schrenck; 24. X. 1863 Schrenck an Montgelas; WFStA Ludwigsburg, E 222, Fach 185, Nr. 951: 28. X. 1863 Anträge Bayerns (E 222 Z 61 Fach 125 II) und Gutachten Geh. Rat.

72 WHStA Stgt. E 70 B Ges. Wien, Büschel 55, 22. XII. 1868; Staatsarchiv VIII, S. 216 ff.

73 WFStA Ludwigsburg E 170 Nr. 654 Mohl o. D. an Maucler, Varnbüler (26. X. 63) und Gagern.

74 APP IV, Nr. 57: 5. XI. 1863 Goltz an Bismarck.

75 APP IV, Nr. 167: 1. XII. 1863 Goltz an Bismarck.

76 APP IV, Nr. 79 Anm. 1: 14. XI. 1863 Werther an Bismarck.

Napoleon arbeitete damit der preußischen Politik – wenn auch ungewollt – in die Hände; denn die Angst vor der »Revolutionierung des Vielvölkerstaates« schien Österreich nun endlich bündnisreif im Sinne Bismarcks zu machen. Seine seit Mitte des Jahres 1862 verfolgte Politik schien in Erfüllung zu gehen, Bismarcks Schachzug zu gelingen: die Bindung Österreichs an Preußen, ohne daß sich Rußland mit England oder Frankreich hätte verständigen können, war nun greifbar nahe, damit aber auch die Isolierung der Mittelstaaten erreicht[77]. In dieser Situation konkretisierte sich plötzlich die Chance, mit Österreich zusammenzuarbeiten. Der Tod des dänischen Königs rollte die schleswig-holsteinische Frage erneut auf und zwang die deutschen Führungsmächte, Preußen und Österreich, sich über eine endgültige Lösung zu einigen[78].

Die Auswirkungen, die die neue Lage ergab, zeigten sich sofort auf der am 5. November 1863 beginnenden – von Preußen im August als Gegenzug zum Frankfurter Fürstentag einberufenen – Berliner Konferenz. Während Bayern, Württemberg und Kurhessen mit den Beschlüssen von München die Konferenz »präjudizierten« und zu Trägern des Zollunionsprojektes wurden[79], verständigte sich Bismarck hinter ihrem Rücken mit Rechberg auf der »Grundlage einer gesamtdeutschen Union auf der Basis des Dualismus«, nun sicher, Rechberg »en gros et en détail«[80] an seinem politischen Leitseil führen zu können, was um so leichter war, als der Österreicher selbst kein volles Einverständnis mit den handelspolitischen Plänen der Bayern v. d. Pfordten, Schrenck und Meixner, der Württemberger Hügel, Maucler, Sigel, Geßler und Riecke und des Hannoveraners Bar zeigte[81]. Auch diese Divergenz nützte Bismarck aus, um Rechberg, Hock und Kalchberg auf die preußische Seite zu ziehen.

Der mittelstaatlichen Forderung, sofort Verhandlungen mit Österreich auf der Basis der österreichischen Vorschläge zu eröffnen, trat Bismarck deswegen nicht mit einem schroffen Nein entgegen; er anerkannte im Gegenteil die Notwendigkeit, auch mit Österreich zu einem Ausgleich zu kommen – nur sollte *zuerst* der Bestand des Zollvereins gesichert sein[82]. Auch Preußen lag »die Pflege und *Ausbildung*

77 APP IV, Nr. 93: 15. XI. 1863 Bismarck an Bernstorff, Goltz, Werther, Redern.

78 GW IV, Nr. 174: 29. XI. 1863 Bismarck Runderlaß an Missionen in Deutschland; Nr. 178: 2. XII. 1863 Bismarck an Sydow/Frankfurt; Nr. 191/192: 20. XII. 1863 Bismarck an Goltz. HHStA Wien, PA III, Nr. 81: 21./25./27./31. XI. 1863 Károlyi an Rechberg; Nr. 82: 2./13. XII. 1863 dto.

79 DZA II, AA II, Rep. 6 Nr. 1195: 31. XII. 63 Bismarck an Missionen bei Zollvereinsregierungen, Abschrift in Rep. 120 C XIII, 4 Nr. 70 vol 3, vgl. APP V, Nr. 545; BHStA München MH Nr. 9691: 1. XI. 63 8./18. XI. 63 Schrenck an Meixner; WFStA Ludwigsburg, E 222, Fach 185, Nr. 951 9./18. XI. 63 Berichte Geßlers/Rieckes dto. Z 61 Fach 125.

80 Bußmann S. 79: 24. XII. 1863 Bismarck an Goltz.

81 DZA II, AA II, Rep. 6 Nr. 1195: 28. X. 1863 Bismarck erhält von Werther dieses Schreiben.

82 DZA II, AA II, Rep. 6, ebd. 10. XI. 1863 Bismarck an Goltz; BHStA München MH

der handelspolitischen Beziehungen zu Österreich ... am Herzen«, und eine Verständigung sei eine der »Aufgaben der gegenwärtigen Konferenz«. Als Grundlage der Verhandlungen aber müsse zuerst ein gemeinsamer, den deutschen Bedürfnissen angepaßter Zolltarif von allen Zollvereinsmitgliedern angenommen werden[83]. Damit hatten sich Bismarck aus politischen Gründen, sowie — zwar widerstrebend und nur dem Diktat Bismarcks gehorchend — auch Delbrück, Philipsborn und Pommer-Esche (die Unterhändler auf preußischer Seite) scheinbar den österreichischen Zielen genähert. Rechberg und Kalchberg wurde ein preußisches Streben nach einer intimen Zollannäherung vorgetäuscht. Verabredungsgemäß stellten Baden und Sachsen den Antrag, Preußen, Sachsen und Bayern als Unterhändler mit Österreich zu nominieren, den Anschluß aller Zollunionsstaaten an den preußisch-französischen Handelsvertrag zu beschleunigen und vor allem »eine feste Basis« im neuen Tarif zu begründen, um so die »Beratungen von den hervorgetretenen prinzipiellen Meinungsverschiedenheiten (zwischen Preußen und Österreich) abzulenken — und auf ein Gebiet zu drängen, dessen Betretung die Aussicht auf eine Verständigung und auf die Gewinnung einer gemeinsamen Grundlage für die weiteren Verhandlungen darbot«[84]. Bayern, Württemberg und Kurhessen waren somit isoliert.

Die Tarifdebatten begannen und verliefen, wie Bismarck »mit Befriedigung konstatieren« konnte, ohne »grundsätzliche Meinungsverschiedenheit«. Bayern allein opponierte in Grenzen[85], aber selbst Württemberg, der Unterstützung Österreichs in der Tariffrage nicht mehr voll sicher, ging »nicht immer mit«[86]. Hessen versuchte einen »Ausgleich« anzustreben, Hannover und die übrigen Staaten »schwiegen«[87], und Österreich versuchte weiter nichts, als mit »lahmer Kraft« seinen Tarif über Bayern durchsetzen zu lassen[88].

Nr. 9691: 27./28./30. XI.; 9. XII./10. XII. Berichte Meixners; WFStA Ludwigsburg, E 222, Fach 185, Nr. 951: 27. XI. 1863 Hügel an Sigel; Z. 61 Fach 125 Konzept Bericht Rieckes 27. XI. 63.

83 APP V, Nr. 545: 31. XII. 1863 Zirkularerlaß Bismarck an Zollvereinsmissionen, Hervorhebung vom Verf.

84 ebd. S. 810 f.

85 BHStA München MH Nr. 9691: 8./18./27./28. XI. und 9./10./21. XII. 1863 Berichte Meixners.

86 WFStA Ludwigsburg E 222 Z 61 Fach 125, II: 27. XI., 17. XII. 1863 Berichte Rieckes. HHStA Wien, F 34 SR r. 7: 12. XII. 63 PM Geßler.

87 DZA II, AA II, Rep. 6 Nr. 1195: 14. XI. 1863 Philipsborn an Bismarck; GLA Karlsruhe Abt. 46 Nr. 7036: 16. XI. 1863; ebd. adh.; Delbrück: Memoiren II, S. 290 ff., Friesen II, S. 69 ff.; E. Franz: S. 348 ff.

88 BHStA München MH Nr. 9691: 28. XI. 1863 Rechberg an Schrenck; WFStA Ludwigsburg E 222 Z 61 Fach 125, II: 17. XI. 1863 Rechberg an Handel (Stgt.).

Der Schachzug gelingt: Dänemark und die preußisch-österreichische Entente

Während die Tarifdebatte ohne Schwierigkeiten abgeschlossen und der preußische Tarif als alleinige Grundlage aller weiteren Beratungen angenommen wurde, drängte Bismarck angesichts der Schleswig-Holstein-Krise auf Annahme des preußisch-belgisch-französisch-englischen Handelssystems durch den Zollverein. Zögernd hatten die Südstaaten unter der Bedingung, daß die Regelung der Zollunion noch auf *»dieser«* Konferenz festgelegt würde, der preußischen Beratungsfolge zugestimmt[89]. Während Bayern weniger, Württemberg (noch im Vertrauen auf Österreichs Rückendeckung in der Zollunionsfrage) mit Energie um die Zollunion rangen, wurde – im öffentlichen Zusammengehen Österreichs mit Preußen in der »Exekutionsfrage«[90] – die Wendung Rechbergs und das neue Bündnis Preußens mit Österreich gegen die Trias unverhüllt sichtbar. Die Kooperation fand in der schleswig-holsteinischen Frage die erste Möglichkeit der Bestätigung und Betätigung.

Mit der Annahme einer neuen dänischen Verfassung war im dänischen Reichsrat nämlich die Inkorporation Schleswigs am 13. November 1863 beschlossen worden. Als Testfall deutscher Einheitsbewegung betrachtet, löste das dänische Vorgehen einen leidenschaftlichen Protest in Deutschland aus. Namentlich führte das »deutsche Aufbegehren« zur Forderung der »Okkupation« Schleswig-Holsteins, wie sie vor allem Bayern befürwortete. Hiergegen nahmen Österreich und Preußen nun gemeinsam Stellung mit ihrem Antrag auf »Exekution« (die die Thronfolge des Dänenkönigs anerkannte), um, unter Achtung des Völkerrechts[91], die Zurückdrängung »revolutionär-nationaler Leidenschaften« auch in Deutschland und Österreich zu erreichen[92]. Nun hatte Bismarck auch für die innerdeutsche Machtprobe freie Hand. Bereits am 14. Dezember 1863 kündigte Preußen den Zollvereinsvertrag und machte eine neue Mitgliedschaft von der Annahme des preußisch-französischen Handelsvertrages, dem dann eine »Regelung« seiner Beziehungen zu Österreich folgen könne, abhängig. Der Trias war politisch und handelspolitisch die Gretchenfrage gestellt[93], die Berliner Konferenz vertagte sich.

89 DZA II, ebd. 24. XI. 1863 Philipsborn an Bismarck.

90 APP IV, Nr. 186; Beust II S. 348 ff., Dalwigk S. 131.

91 Londoner Protokoll von 1852.

92 APP IV, Nr. 187, Nr. 201.

93 DZA II, ebd. 14. XII. 63, Rep. 120 C XIII, 4 Nr. 53 Band 16 Zirkularnote vom 31. XII. 1863; BHStA München MH Nr. 9691: 10./21. XII. 63 Bericht Meixner.

b München, Berlin und Wien. Die Macht der Interessen und die Entscheidungen von London und Berlin

Die Isolierung der Mittelstaaten

Die Verhandlungspause in Berlin ließ Bayern nicht ungenutzt vorübergehen. Erneut versuchte Schrenck, die Regierungen in Stuttgart, Darmstadt, Wiesbaden, Kassel und Hannover noch einmal auf die »Registratur« der Münchner »Vorkonferenz« festzulegen[94]. Dies gelang dem Bayern wohl, aber seinem Vorschlag, die Verhandlungen in Berlin abzubrechen, wenn Preußen die Bedingungen der Registratur nicht erfüllen würde, folgten nur Dalwigk und Wittgenstein[95]. Platen in Hannover lehnte den Vorschlag ab[95a], und Stuttgart »schwankte«. Hügel und Neurath waren wohl über den Verlauf der Berliner Zollkonferenz »sehr unbefriedigt«, aber immerhin konnte doch der württembergische Emissär Riecke »einiges Entgegenkommen« von Preußen nicht leugnen[96]. So beharrten also nur noch Bayern, Hessen-Darmstadt und Nassau auf einen »vorgängigen Beginn« der Verhandlungen mit Österreich. Nur diese drei Staaten versteiften sich dann auch auf die Ablehnung des Artikels 31 des Frankreichvertrages, denn mit dem Zugeständnis, daß Frankreich mit Österreich zollpolitisch gleichgestellt werden sollte, wäre der Artikel 25 des Februarvertrages von 1853 aufgehoben[97] worden, — eine Erfüllung des Bruck-Rechbergschen Zolleinigungsplanes vom 18. Juli 1862 endgültig blockiert gewesen[98].

Doch Bayern war, als die Zollkonferenz in Berlin im Februar 1864 erneut eröffnet wurde, von Preußen nicht nur auf handelspolitischem, sondern auch auf politischem Gebiet ausmanövriert. Während Bayern versuchte, die mittelstaatliche Front »für Berlin« wiederherzustellen, hatte sich Bismarck mit Rechberg auf separate Zollverhandlungen verabredet, um so Österreich zum gemeinsamen, am 16. Januar 1863 in den »Punktationen« abgesprochenen militärischen Vorgehen

94 BHStA München MH Nr. 9692, 6. I. 64 Aufzeichnung Schrenck; 8. I. 1864 Schrenck an Stuttgart, Hannover, Frankfurt, Darmstadt und Kassel.

95 BHStA München ebd.: 21. I. 1864 Dalwigk an Schrenck; 1. II. 1864 Wittgenstein an Schrenck.

95a HHStA Wien, PA VII Nr. 20: 29. I. 1864 Ingelheim an Rechberg.

96 BHStA München ebd.: 18. I. 1864 Hügel an Schrenck; 10. I. 1864 Platen an Schrenck; WFStA Ludwigsburg E 222 Z 61 Fach 125, II: 29./30. I. 1864 Riecke (Konzept) Instruktion für Berlin.

97 DZA II, AA II, Rep. 6 Nr. 1195: Sitzungsprotokolle 5. II. 1864, vgl. Zusammenfassung APP V, Nr. 547; BHStA München MH Nr. 9692: 7./13./14./27. II. 1864 Berichte Meixner, WFStA Ludwigsburg E 222 Z 61, Fach 125: 12. I./7./12. II. 1864 Bericht Rieckes.

98 BHStA München MH Nr. 9692: 8. I. 1864 Schrenck an Südstaaten.

gegen Dänemark »mitzunehmen«[99]. Neben die politischen Gründe, die Österreich zum Vorgehen gegen eine deutsch-nationale Bewegung bestimmten, traten die handelspolitischen: »Rechberg war für Verstärkung des Gewichtes von Mitteleuropa durch eine solche Verständigung der beiden Mächte gewonnen«[100]. In Prag sollten die Zollbund-Verhandlungen zwischen Baron Hock und Delbrück stattfinden. Am 1. Februar 1864 überschritten österreichische und preußische Truppen die Eider.

Zwei Tage später schon forderte Rechberg seinen Botschafter in Berlin auf, Preußen die Annahme der österreichischen Vorschläge von 1862 »bei der beginnenden Konferenz« nahezulegen. Rechberg fühlte sich sicher, jetzt endlich die Früchte seiner Bemühungen ernten zu können. Preußen war auf Österreich »angewiesen«, die Mittelstaaten wurden energisch aufgefordert, an »der alten Politik festzuhalten« – so in die Enge getrieben, mußte Preußen – nach Ansicht Rechbergs – die Union von Österreichs Gnaden annehmen. Doch Bismarck dachte nicht daran, Rechbergs Plänen zu dienen. Nach Bismarcks Ansicht war der Österreicher in die Falle getappt. Am selben Tag, an dem Károlyi nach Wien berichtete, die Rechbergsche Zollunionsanregung hätte bei Bismarck »eine sehr günstige Aufnahme gefunden«[100a], lehnte Bismarck die Anträge Bayerns ab[101] und ließ das handelspolitische Arrangement zwischen Österreich und Preußen durchblicken[102]. »Dringend« berichtete der bayrische Unterhändler Meixner nach München, daß Preußen auf der Annahme des preußisch-französischen Handelsvertrages beharre, Württemberg, »zurückgedrängt«, die »Versöhnung« mit Preußen suche und deshalb die Verhandlungen *nicht* mehr in die erste Linie stelle. »Unerfreulich« sei auch die Haltung Kurhessens; Bayern drohe die Gefahr einer Isolation. Meixner schlug Schrenck scheinbares Nachgeben vor[103]. Damit war der Widerstand der »Trias« gebrochen[104].

Am 8. Februar 1864 schon berichtete Riecke, der württembergische Emissär, seinem Finanzminister Sigel über die »Stimmung im befreundeten Lager«:

»Hier ist zunächst bemerkbar, daß *Nassau* sowohl, als Kurhessen lau geworden sind. Dort stehen gegen die Sympathien des Herzogs für Österreich und die Preu-

99 DZA II, AA II, Rep. 6 ebd.; GW IV, Nr. 229: 18. I. 1864 Runderlaß an Missionen an den dt. Höfen; Nr. 230; 19. I. 1864 Erlaß nach Dresden, Hannover, Darmstadt und Hamburg.

100 Erinnerung und Gedanke (GW XV) S. 238 ff. Bismarck verschleiert hier den Ablauf der Sondierungsgespräche im Sommer, wobei den Vorläufern im Frühjahr ebenfalls eine erhöhte politische Bedeutung zukommt.

100a HHStA Wien, Adm. Reg. F 34 SR r. 7: 3. II. 1864 Rechberg an Károlyi; 6. II. 1864 Rechberg an Handel; 11. II. 1864 Károlyi an Rechberg.

101 APP V, Nr. 548: 11. II. 64 Erklärung Delbrücks.

102 DZA II, Rep. 120, C XIII, 4 Nr. 53 Bd. 16.

103 BHStA München MH Nr. 9692: 13. II./14. II./27. II. 64 (dringend) Meixner an Schrenck.

104 BHStA München MH ebd.: 1./14./17./25. III. 64 Meixner an Schrenck; WFStA Ludwigsburg E 222 Z 61, Fach 125: 7./12. II., 30./31. III. 64 Riecke an Sigel/Hügel. GW IV, Nr. 264.

ßen persönlich feindselige Stimmung des Fürsten Wittgenstein nicht blos die Landesvertretung und das Volk, sondern auch weitaus die große Majorität der Beamten. Commercielle und Familienbande aller Art knüpfen Nassau an den Norden und machen sich jetzt immer lauter geltend, je näher die Gefahr einer Trennung des Zollvereins herangetreten ist. *Kurhessen* aber ist durch das Hervortreten Hannovers mit der Forderung des Precipuums sichtlich verstimmt und von dem Augenblick an, wo dieses zur Parteisache gemacht werden wollte, uns nicht mehr sicher. *Hannover* sodann hat jetzt den Preis, um den es schließlich von *jedem* zu haben wäre, unverhüllt bezeichnet.« *Hessen* sei wohl »zäh bis aufs äußerste« aber seine österreichfreundliche Politik ruhe nur auf Biegeleben[105]).

Diese Lage hatten die Preußen erkannt. Bereits am 29. Februar 1864 konnte Philipsborn Bismarck »melden«:

»Bayern hat seinen Antrag nun dahin modifiziert, daß es zunächst in die Tarifberatung mit uns eintritt, es hat also darauf *verzichtet*, daß zuvor mit Österreich verhandelt werde. Württemberg ähnlich, machte etwas mehr Redensarten, tritt uns aber *noch näher*. Kurhessen ist ganz zu uns übergetreten, nimmt unseren Tarif an, nimmt den französischen Vertrag an ... Also hat sich *Kur*hessen von Hannover getrennt ... (da) Hannover nur an sein Präzipuum (mit Preußen) denke ... Hiernach werden die Konferenzen nun ihren Fortgang nehmen, die Strömung ist günstig[106].«

Bismarck nützte sofort die »günstige« »Strömung«. Nun wurde die Zolleinigungshoffnung des Österreichers immer mehr ein Mittel Bismarcks – neben den Drohungen französischer Revolutionspläne[107] –, Rechberg zu locken und ihn an Preußen heranzuziehen. Nur so glaubte er gegen englische Interventionspläne ein Gegengewicht schaffen zu können.

Die »Zollunion« im politischen Kalkül Bismarcks

Die Zollunion, als Kern einer mitteleuropäischen Einigung, spielte als taktisches Mittel in der Politik Bismarcks im Frühjahr und Sommer des Jahres 1864 eine Hauptrolle; wie später – 1878, 1885 und 1887 – bei außenpolitisch gefahrvollen Situationen griff Bismarck zu diesem Mittel engster Bindung von Österreich und Preußen, um die österreichisch-großdeutschen Pläne aufzufangen und zugleich die Position Preußens gegenüber den Mittelstaaten bzw. die Deutschlands gegenüber Rußland, England und Amerika zu stärken. »Die Zollunion hielt ich«, zeichnet Bismarck rückblickend auf, nicht ohne politische Absicht im Blick auf die Caprivische Handelspolitik, »für eine unausführbare Utopie wegen der Verschiedenheit der wirtschaftlichen und administrativen Zustände beider Teile.« »Lebensgewohn-

105 WFStA Ludwigsburg E 222, Fach 185, Nr. 952: 8. II. 1864 Riecke an Sigel.
106 APP V, Nr. 549: 29. II. 1864 Philipsborn an Bismarck.
107 GW IV, Nr. 280, 281, 283, 287, 296.

heiten« und »Konsumtionskapitel« würden es »unmöglich machen«, einen »Maßstab der Verteilung« der Zölle zu finden[108]. »Von der Unmöglichkeit der Zollunion«, aber ebenso von der »wesentlichen politischen Wirkung« einer mitteleuropäischen Einigung überzeugt, hatte er keine Bedenken, eine »Aufwertung« der Mittelstaaten in einer handelspolitischen Trias zu verhindern und Rechberg »den Dienst« eines Eingehens auf dessen Zollunionspläne zu erweisen. Rechberg vertraute der direkten Einigung mit Preußen und schloß mit Preußen am 6. März 1864[109] einen Militärvertrag, der vorsah, den Krieg über Schleswig hinaus fortzuführen, ohne daß aber festgelegt wurde, wie die »neuen Grundlagen« der verfassungsmäßigen Stellung der Herzogtümer sich gestalten würden. Damit hatte Bismarck Rechberg endgültig die Zügel im deutsch-österreichischen Gespann entwunden. Die dänische und die handelspolitische Angelegenheit »entwickelte« sich ganz nach Bismarckschen Vorstellungen. Trotz der Aufforderung Rechbergs, die Mittelstaaten »sollten an den seitherigen Prinzipien« festhalten[109a], zerfiel die Einheit des oppositionellen Lagers in Berlin immer mehr; Preußen »saß am längeren Hebel«. In Hessen bestand »keine grundsätzliche Abneigung mehr« gegen den Handelsvertrag[109b] – Hannover »müßte mit Kurhessen« gehen, in Württemberg gab »man alle Prinzipien« auf; allein Schrenck und Dalwigk hielten noch zäh an der Zollunionspolitik fest[109c]. Doch trotz dieser »trüben Aussichten für die Gegner Preußens« vertraute Rechberg unbeirrt auf den direkten Ausgleich mit Preußen; ja, am 12. März teilte er »den Erfolg« seiner Bemühungen den Mittelstaaten mit: Preußen sei auf den österreichischen Verhandlungsvorschlag eingegangen[109d]. Kein Wunder, daß dies den mittelstaatlichen Abzug in das preußische Lager nur beschleunigte.

Doch Rechberg blieb weiterhin zuversichtlich. Vor allem sein Berliner Botschafter bestärkte ihn immer erneut in dieser Politik, denn Bismarck war es gelungen, Károlyi glauben zu machen, daß »kein Grund zu Zweifeln am Ernst Preußens« bestehe: Bismarck wolle »ernsthaft« den Ausgleich. Am 16. März entwarf Rechberg deswegen für Hock die Instruktionen für die Prager Verhandlungen. Die Zollunion war für Rechberg erreicht[109e].

Prag

Am 18. März 1864 begannen die Verhandlungen in Prag, nicht wie geplant von Hock und Delbrück geführt, sondern von Hock und Oberfinanzrat Hasselbach;

108 Bismarck: Gedanke und Erinnerung, GW XV, S. 238.
109 GW IV, Nr. 303, vgl. auch Nr. 301: 3. III. 1864 Telegramm Bismarcks an Werther.
109a HHStA Wien F 34 SR r. 7: 27. II. 1864 Circular.
109b ebd. o. D. Gutachten MR Dr. Becher; 11. III. 1864 Seiller an Rechberg.
109c ebd. 5. III. 1864 Gagern an Rechberg; 8. III. 1864 Ingelheim an Rechberg; PA VI, Nr. 28: 19. III. 1864 Handel an Rechberg.
109d ebd. 18. II. 1864 Rechberg an Károlyi; 28. II. 1864 Károlyi an Rechberg; 12. III. 1864.
109e ebd. 9. III. 1864 Károlyi an Rechberg; 16. III. 1864 Instruktionen.

damit hatte Preußen von vornherein die Verhandlungen im Blick auf die Mittelstaaten gegenüber Österreich abgewertet[110].

Die Annäherung an Österreich hatte Bismarck gegen den Widerstand von Itzenplitz, Bodelschwingh, vor allem aber von Delbrück in aller Stille vollzogen. Bei den Verhandlungen in Prag aber kam nun den »technischen« Belangen erhöhte Bedeutung zu, und die Stellung Bismarcks wurde isoliert. Trotz der Haltung der Ressorts, jede Zollannäherung gegenüber Österreich zu verhindern (die Interessen Preußens »resumieren sich in der Aufrechterhaltung der Autonomie des Zollvereins ... und der Durchführung des Handelsvertrages mit Frankreich«[111]), versuchte Bismarck die Verhandlungen *so lange* zu retten, bis in der Zollkonferenz der preußische Tarif durchgesetzt war und sich im Krieg gegen Dänemark Erfolge abzeichneten.

Bismarcks Hoffnung erhielt Auftrieb, als Hasselbach aus Prag berichten konnte, daß »nach dem Ergebnis der stattgefundenen Besprechungen ... Österreich *zur Zeit* auf die Idee einer Zolleinigung« infolge des Widerstandes im eigenen Lande verzichtete[112]. Das war inkorrekt, aber von Bismarck »erwünscht« worden. Ehe Rechberg erkannte, »daß die Besprechungen in Prag über die handelspolitische Frage« zu keinem »Resultat« führen würden[113] und Preußen keineswegs »auf die beiden Hauptpunkte näher einzugehen« gewillt war, »auf welche es von hier (Wien) aus abgesehen gewesen sey, nämlich darauf, das Schädliche aus dem preußisch-französischen Handelsvertrag auszumerzen und eine Zolleinigung anzubahnen«[114], hatten die Mittelstaaten in Berlin in zweiter Lesung bis auf Unwesentliches den preußisch-französischen Tarif akzeptiert und die Fortsetzung der Verhandlungen auf April festgelegt[115]. Wie in Prag, lehnte Preußen in Berlin eine »allgemeine Zolleinigung« keineswegs ab, sondern befürwortete »Verhandlungen«. Aber die Voraussetzung hierzu hofften Delbrück, Itzenplitz und Bodelschwingh so zu gestalten, daß ein Beitritt Österreichs nur bei dessen voller wirtschaftlicher und politischer Kapitulation möglich werden konnte[116].

110 BHStA München MH Nr. 9692: 16. III. 1864 Bray-Steinburg an Schrenck; Beer S. 270 ff.; Delbrück II, S. 299 ff.; E. Franz: Graf Rechbergs deutsche Zollpolitik, MIÖG Bd. 46 S. 177 ff.

111 DZA II, AA II, Rep. 6 Nr. 1195: 9. III. 1865 Promemoria Hasselbach.

112 DZA II, AA II, Rep. 6 ebd.: 18. III./26. III. 1864 Hasselbach an Bismarck (Hervorhebung vom Verf.), BHStA München MH Nr. 9692: 6. IV. 1864 Montgelas an König.

113 APP IV, Nr. 547: 26. III. 1864 Ladenberg an Bismarck.

114 WFStA Ludwigsburg E 70 Ges. Wien, Nr. 73: 27. III. 1864 Ow (Wien) an Varnbüler.

115 APP V, Nr. 550: 23. V. 1864 Schlußerklärung Delbrücks und Anm. 1; 31. III. 1864 Zirkularerlaß Bismarcks; WFStA Ludwigsburg E 222, Fach 185, Nr. 952: 9./19. II. u. 31. III./2./4. IV. 1864 Riecke an Hügel; 17. IV. 1864 Gesamtbericht Rieckes; BHStA München MH Nr. 9692: 7./13./14./21. II. u. 1./14./17./23. III. 7. IV. 1864 Bericht Meixners.

116 DZA II, AA II, Rep. 6 Nr. 1195 o. D. (23. III. 64) Protokoll Hasselbach; dto. APP V. Nr. 550.

Zugleich brach in Wien ein Pressesturm, unterstützt von der niederösterreichischen Handelskammer, gegen die Preisgabe der handelspolitischen Position der Mittelstaaten los: »Eine solche Schwenkung werde ... nicht nur den Kern der österreichisch-deutschen Politik, sondern auch den Untergang der österreichischen Industrie herbeiführen[117].« Das Hauptziel der Angriffe war Rechberg. Dieser drängte nun Bismarck, »bei dem großen Wert, den die österreichische Regierung auf das Zusammengehen mit Preußen lege«, eine »Verständigung herbeizuführen«, da sonst »das fortdauernde Zusammengehen mit Preußen für Österreich eine Unmöglichkeit werden dürfte«: *»die handelspolitische Frage sei für Österreich eine Lebensfrage«*[118]. Hock hingegen befürwortete einen Ausgleich mit Preußen *ohne* Union und hoffte durch Überspitzung des Freihandelsprinzips die Festlegung eines autonomen österreichischen Zolltarifs zu erreichen. Baron Kalchberg, der dritte für die österreichische Handelspolitik entscheidende Referent, trat für die Schaffung einer Zolleinigung ein, die den Bedürfnissen der österreichischen Industrie entgegenkommen würde – also vornehmlich einer Verbindung mit den Südstaaten[118a]. So war also die österreichische Handelspolitik ohne Konzept und ohne einheitlichen Willen.

Das preußische Spiel mit dem Köder »Zollunion« und Rechbergs erneute Rückschwenkung

Wegen der noch nicht entschiedenen dänischen Angelegenheit faßten neben Bismarck auch, wohl widerstrebend, Handelsminister Itzenplitz, Finanzminister Bodelschwingh, Delbrück und Hasselbach die »Prager Ergebnisse optimistisch« auf. Der preußische Gesandte in Wien, Baron Werther, erhielt am 14. April 1864 die Instruktion, Rechberg mitzuteilen: Preußen beurteile wohl die österreichischen Angebote nicht für ausreichend, aber es halte »darum nicht weniger an der zuversichtlichen Hoffnung fest, daß es weiteren Verhandlungen gelingen werde ... *auch* die Zollangelegenheiten zu einem beiderseitiges Interesse befriedigenden Ziele zu führen und mit Verhandlungen zwischen Österreich, Preußen und den vom Zollverein hinzu bestimmten Bayern und Sachsen zu beginnen«[119].

Das war Hohn auf die Rechbergschen Intentionen, und dieser »dankte« auch brüsk: Hock sei über »die maßgebenden Ansichten hinausgegangen«[120], eine gemeinsame Basis sei in Prag nicht gewonnen worden, Österreich beharre auf »den Vorschlägen vom 10. Juli 1862«[121], weitere Verhandlungen könnten nur auf der

117 DZA II, AA II, Rep. 6 Nr. 1195: 21. III. 1864 Ladenberg an Bismarck.
118 APP IV, Nr. 547: 26. III. 1864 Ladenberg an Bismarck.
118a HHStA Wien F 34 SR r. 8: 19. IV. Promemoria Kalchbergs.
119 DZA II, AA II, Rep. 6 Nr. 1196: 14. IV. 1864 Bismarck an Werther; APP V, Nr. 551.
120 DZA II, Rep. 6 Nr. 1195: 13. IV. 1864 Werther an Bismarck.
121 DZA II, ebd. 20. IV. 1864 Werther an Bismarck; APP II, Nr. 605 dto. APP V, Nr. 553. HHStA Wien F 34 SR, r. 8 dto.; ebd. PA III, Nr. 86 dto.

Grundlage des Artikels 25 (also des zeitlich festgesetzten Verhandlungsbeginns) »stipuliert« werden[122]. Gleichzeitig näherte Rechberg sich wieder den Mittelstaaten und beschwor Bayern zum Vorgehen gegen Preußen[123].

Rechberg glaubte eine versteifte Haltung mit Erfolg einnehmen zu können, weil Bismarck seiner Ansicht nach bei der anstehenden Londoner Konferenz[124], die die dänische Frage in europäischem Rahmen lösen sollte, trotz des Sieges bei Düppel (18. April 1863) auf Österreich angewiesen sein würde[125]. Zugleich war in München der Widerstand gegen die preußischen Pläne keineswegs bereits vollständig gebrochen. Schon nach ersten, wenig günstigen Nachrichten aus Berlin hatte Schrenck die Notwendigkeit der Auflösung des Zollvereins und seine Neugestaltung beschlossen und in Angriff genommen[126].

Während der Prager Verhandlungen hatte Preußen seine Ziele endgültig enthüllt. Der hegemoniale Anspruch war zu deutlich geworden und erhielt durch den Sieg bei Düppel erneut Auftrieb. Bayern lehnte nun den vorgesehenen Termin für die Wiederaufnahme der Berliner Verhandlungen »als zu kurz« anberaumt ab[127] und hoffte, mit Unterstützung von Württemberg, beiden Hessen und Hannover gegen Preußen nicht isoliert zu stehen[128]. Mit Hilfe Österreichs glaubte der Süden[129] sich in einem Handelsbund vereinen zu können, der in direkte Verhandlungen mit Napoleon treten könnte. Der bayrische Staatsminister Schrenck hoffte, so Preußen ein Gegengewicht entgegensetzen zu können[130]. Alles drehte sich nun um Kurhessen, denn Kurhessen war der »Schlüssel« zum »nord-südlichen Zollbund« und zum preußisch-sächsischen »norddeutschen Zollverein«.

Trotz der selbstbewußten Betonung, daß »Preußen an den Gedanken des Zollvereins ohne Bayern seit längerer Zeit gewöhnt sei«, ohne daß dieser Gedanke Preußen »Kopfzerbrechen« gemacht hätte, da nur »gewissen Industriezweigen ein

122 DZA II, AA II, Rep. 6 Nr. 1195: 27. IV. 1864 Werther an Bismarck.

123 BHStA München MH Nr. 9692: 14. IV. 1864 Bray an Schrenck; 16. IV. 1864 Rechberg an Blome.

124 GW IV, Nr. 317: 24. III. 64 Erlaß Bismarcks an Ladenberg; Nr. 321: 29. II. 64 Runderlaß Bismarcks dto. 322.

125 APP IV, Nr. 590: 16. IV. 1864 Promemoria Ausw. Amt, Anlage GW IV, S. 390 ff.

126 BHStA München MH Nr. 9692: 10. III. 64 Schrenck an Wien, Dresden u. Stuttgart; 12. IV. 64 Schrenck an Stuttgart, Frankfurt, Kassel und Hannover.

127 BHStA München MH Nr. 9692: Vertagungsantrag 21. IV. 1864 nach Verständigung mit dem Süden übergeben am 25. IV. 1864 durch Montgelas an Bismarck. Antwort hierauf 27. IV. 1864; vgl. auch Auszüge APP V. Nr. 6 und GW IV. S. 390 ff.

128 BHStA München MH Nr. 9692: 10. IV. 64 Hügel an Schrenck; 15. IV. 1864 dto. Wittgenstein; WFStA Ludwigsburg E 222, Fach 185, Nr. 952: 21. IV. 1864 Riecke an Sigel.

129 BHStA München ebd.: 20. IV. 1864 Schrenck (MR Weber) an Blome, MH Nr. 9693: 12. V. 1863 Schrenck an Kg. Ludwig.

130 BHStA München MH Nr. 9693: 2. V. 1863 Schrenck an König Ludwig; GLA Karlsruhe Abt. 48, Nr. 7032: 19. IV. 1864 Dusch (Stgt.) an Roggenbach.

Teil des süddeutschen Marktes verloren gehen« würde, der zudem »durch die Freiheit der Entschlüsse innerhalb des Zollvereins und durch den französischen Handelsvertrag selbst aufgewogen« werden würde[131], eröffnete sich für Preußen nunmehr unerwartet, wieder einmal, die Gefahr einer Isolierung. Württemberg[132], Hessen-Darmstadt und Nassau lehnten nämlich die weitere Teilnahme an den Zollvereins-Verhandlungen (in identischen Noten) ab. Hannover entsandte nur Beobachter nach Berlin, und Kurhessen, seiner Schlüsselposition bewußt, verhielt sich abwartend[133].

Die Londoner Konferenz, die am 25. April 1864 begann, und die am 2. Mai in Berlin eröffneten Zollverhandlungen mußten in wechselseitiger Verflechtung über die politische und handelspolitische Lage in Deutschland eine wesentliche Entscheidung bringen. Denn sowohl in Preußen als auch in Bayern und Österreich waren sich die Führungskräfte bewußt, daß »die materiellen Interessen eines Volkes ... nicht bloß ein Hauptfaktor seiner Existenz bilden«, sondern daß sie auch »in den letzten Jahrzehnten so entscheidend in den Vordergrund getreten sind, daß sie in Wahrheit nicht bloß die Grundlage, sondern selbst die unerläßliche Vorbedingung einer gesunden politischen Stellung und einer jeden inneren Entwicklung bilden«. Das hieß, daß die Zukunft der »Großmacht Deutschland« von der Akzentuierung ihres handelspolitischen Zusammengehens abhängig war[134]; dieses Zusammengehen aber war wiederum wesentlich bedingt von den Interessen derer, die ihren sozialen Status auch in einer sich wandelnden Welt nicht verlieren wollten, und derer, die durch die ökonomische Wandlung eine politische Wirksamkeit zugespielt erhielten[135]. In Preußen vermochte der Adel sich mit den Ideen des Freihandels, der zugleich wesentliches Interesse der neuen liberalen Kräfte war, zu identifizieren; nicht so im Süden, wo der Trend des Freihandels und der Gewerbefreiheit auf einen Anschluß an Preußen ging und damit hier die angestammte Rolle des Adels in Frage gestellt war. Da aber dem Süden in Österreich ein »höchst bedenklicher« Bundesgenosse gegeben war, zugleich die kommerziellen Bindungen mit dem Norden immer enger wurden – so sah es der bayrische König –, wurde die Position des Südens in zunehmendem Maße »unhaltbar« und die »Nöthigung« zu einer Annäherung des Südens an den Norden war doch nur noch eine Frage der Zeit[136].

131 APP V, Nr. 554: 22. IV. 1864 Arnim an Bismarck.

132 DZA II, AA II, Rep. 6 Nr. 1196 (APP V, Nr. 1): 24. IV. 1864 Arnim an Bismarck; 26. IV. 1864 Schulenburg an Bismarck; APP V, 1 Anm. 1: 27. IV. 1864 Ablehnung Württembergs (APP V, Nr. 10).

133 DZA II, AA II, ebd.: 2. V. 1864 Ablehnung Hessens und Nassaus; 8. V. 64 Bismarck an Reuß (Kassel), APP V, Nr. 45, ebenfalls Bismarck an Baden (Flemming) 8. V. 1864 (APP V, Nr. 46); BHStA München MH Nr. 9693: 3. V. 1864 Telegramm Montgelas.

134 BHStA München MH Nr. 9693: Promemoria MR Weber.

135 W. Zorn: Wirtschafts- und sozialgeschichtliche Zusammenhänge der deutschen Reichsgründungszeit 1850–79, HZ 197 S. 324 ff.

136 BHStA München ebd.: 18. V. 1864 Ludwig II. an Schrenck.

Der Verlauf und das Ergebnis der Konferenz in London unterstützten diese Bewegung nur noch.

Die Londoner Konferenz

Der Verlauf der Verhandlungen in London war den Plänen Bismarcks günstig. Dänemark lehnte im Vertrauen auf die englische Unterstützung die Personalunion der Herzogtümer bei deren vollkommener politischer Unabhängigkeit ab[137]. Den Vorschlag Frankreichs einer nationaldemokratischen Lösung in Form einer Volksbefragung – eine Konzeption, auf die Bismarck scheinbar einging[138] – konnte Österreich nach der Struktur seines Staates nicht annehmen, und Rußland schloß sich Österreich in diesem Punkte an. Andererseits wehrten sich Frankreich, England und Österreich gegen die Annexion der Herzogtümer durch Preußen[139]. So blieb scheinbar als einzige Lösung die Kandidatur eines deutschen Fürsten, die aber Bismarck im geheimen hintertrieb[140]. Preußen blieb während der Konferenz im Hintergrund[141], ließ Österreich sich engagieren und betonte immer die Notwendigkeit gemeinsamen preußisch-österreichischen Handelns[142], da es nur so möglich sei, eine eventuell drohende revolutionäre Politik Napoleons und ein Zusammengehen des Franzosen mit England zu verhindern. Bismarck kam dabei entgegen, daß das konservative Rußland das liberale England und das potentiell national-revolutionäre Frankreich[143] skeptisch beurteilte und die konservative Solidarität Preußens gegenüber dem polnischen Aufstand im Jahre 1863 honorierte[144]. Ferner mißtraute Frankreich einem erneuten Zusammengehen mit England[145], während Österreichs

137 APP V, Nr. 37: 5. V. 1864 Bernstorff an Wilhelm; GW IV, Nr. 373: 21. V. 1864 Bismarck an Werther.

138 APP V, Nr. 3: 26. IV. 1864 Bismarck an Goltz; Nr. 61: 14. V. 1864 Goltz an Bismarck; Nr. 109: 30. V. 1864 Goltz an Bismarck; GW IV, Nr. 409: 17. VI. 1864 Bismarck an Bernstorff.

139 APP V, Nr. 23: 1. V. 1864 Bismarck an Bernstorff.

140 APP V, Nr. 91: 24. V. 1864 Rechberg an Károlyi, Nr. 98: 28. V. 1864 Bismarck an Savigny; GW IV, Nr. 394: 3. VI. 1864 Aufzeichnung Bismarcks Unterredung mit dem Erbprinzen von Augustenburg; Nr. 399: 8. VI. 1864 Bismarck an Werther (Kandidatur Großherzogs v. Oldenburg).

141 APP V, Nr. 16: 30. IV. 1863 Bismarck an Bernstorff; Nr. 55: 13. V. 1864 Bismarck an Bernstorff; Nr. 59/60: 15. V. 1864 Bismarck an Bernstorff.

142 APP V, Nr. 24: 1. V. 1864 Bismarck an Bernstorff; Nr. 82: 21. V. 1864 Bismarck an Werther; GW IV, Nr. 404: 14. VI. 1864 Bismarck an Werther (APP V, Nr. 152); APP V, Nr. 166: 21. VI. 1864 Unterredung Bismarcks mit Rechberg.

143 GW IV, Nr. 403: 14. VI. 1864 Bismarck an Werther.

144 APP V, Nr. 87: 22. V. 1864 Pirch an Bismarck; GW IV, Nr. 402: 11./13. VI. 1864 Aufzeichnung Thile/Abeken der Bismarckgespräche mit Gortschakow und Alexander II (APP V, Nr. 136).

145 GW IV, Nr. 403.

Minister des Auswärtigen sein Handeln von der Gefahr nationaler Revolutionen im eigenen Land bestimmen ließ[146].

Die Londoner Konferenz endete, wie es der Sektionschef im Ministerium des Auswärtigen in Wien und Londoner Emissär, Freiherr v. Biegeleben, bezeichnete, »als ein Fiasko«[147]. Ein Ergebnis, das Bismarcks Wünschen vollkommen entsprach[148], da nun, nach Ablauf des Waffenstillstandes, die Rechtsgrundlage des Londoner Protokolles verlassen war und allein der militärische Sieg die Entscheidung bringen mußte[149].

Bereits am 28. Juni 1864 war mit dem unter preußischem Befehl erzwungenen Übergang auf die Insel Alsen der Krieg entschieden, ohne daß England intervenierte. Damit war eine »Bundeslösung« der Holsteinfrage hinfällig geworden und die gemeinsame Verwaltung der Elbherzogtümer als Zwischenstation zur preußischen Annexion erreicht[150]. Am 1. August wurde der Präliminarfriede, am 30. Oktober 1864 in Wien der endgültige Frieden unterzeichnet. Der König von Dänemark trat seine Rechte in den Herzogtümern gemeinsam an den Kaiser von Österreich und den König von Preußen ab[151].

Südbund-Zollunion oder Nordbund-Freihandel

Gleichzeitig fiel mit dem Beitritt Kurhessens zum preußischen Handelsvertragssystem auch die Entscheidung in den Fragen der Zollunion[152]. Parallel zu den Londoner Verhandlungen hatte sich auch das Ringen um das mitteleuropäische Handelssystem vollzogen.

Als am 2. Mai 1864 die Zollvereinsverhandlungen in Berlin wieder aufgenommen wurden, schien sich noch einmal – da der Süden nicht zur Verhandlung kam[153] – eine wirtschaftliche Spaltung Deutschlands abzuzeichnen: ein »Südbund« unter Führung Bayerns mit Württemberg, Hessen, Nassau und Hannover und eventuell Kurhessen und ein »Nordbund« unter Führung Preußens mit Sachsen, Thüringen,

146 APP V, Nr. 166: 21. VI. 1864 Bismarck an Rechberg.

147 Srbik: Quellen IV, Nr. 1707: 26. VI. 1864 Privatschreiben Biegelebens an Rechberg; WHStA Stuttgart, E 70 Ges. Wien: 24. VI. 1864 Ow an Varnbüler.

148 GW IV, Nr. 417: 24. VII. 1864 Immediatbericht (Konzept Abeken); APP V, Nr. 82: 21. V. 1864 Bismarck an Werther.

149 GW IV, Nr. 418: Die preußisch-österreichische Punktation vom 24. VI. 1864 legte die Besetzung Jütlands und die »Lostrennung der Herzogtümer« in »günstigerer« Ausdehnung fest.

150 GW IV, Nr. 420: 28. VI. 1864 Bismarck an Savigny (Frankfurt); GW IV, Nr. 429: 7. VII. 1864 Bismarck an Werther.

151 APP V, Nr. 239: 1. VIII. 1864 Bismarck an AA; Nr. 321: 30. X. 1864 Bismarck an Prinz Friedr. Karl.

152 Srbik: Quellen IV, Nr. 1709 Graf Paar an Rechberg.

153 s. o. Anm. Nr. 133.

Braunschweig, Oldenburg, Frankfurt, Baden und eventuell Kurhessen. Die Zollsache wurde eine »Nervensache«. Während in Berlin die Verhandlungen aufgenommen wurden[154], begann Bayern für den Süden ein »eigenes Programm zu Verhandlungen« aufzustellen[155] und drängte auf Präliminarverhandlungen in Wien. Hier sollte endgültig auch Österreich mit der Trias verbunden werden[156]. Wenn auch der bayrische König eine Zollunion mit Württemberg *allein* und mit Österreich als »höchst bedenklich« beurteilte, so gab er doch dem Drängen Schrencks nach, jetzt in Österreich, da dort alles »von Preußen (sich) dupiert« fühle[157], das Terrain für eine Zollunion zu erobern und die Süddeutschen durch Vorkonferenzen in München gegen Preußen zusammenzuführen[158]. Auf der Grundlage des erweiterten Februarvertrages von 1853 sollte eine Einigung dann mit Preußen erzwungen werden[159]. Mit dieser Sammlungsbewegung des Südens konfrontiert, deren Hauptstoßrichtung auf die Verbindung mit Hannover und Kurhessen ging, konnte Preußen die endgültige Entscheidung nicht mehr, wie erhofft, mit der bisher verfolgten Methode erzwingen.

Preußen entschloß sich, wie es Bismarck gegenüber dem österreichischen Gesandten Chotek ausführte, »das Maximum« seiner Wünsche in der Durchsetzung einer »weitgehendsten Tarifreform« und einem Anschluß mit Sachsen und Hannover an das »westliche Zollsystem« zu sehen; Preußen würde es »sine ulla ira« hinnehmen, wenn Österreich mit der Majorität der süd- und sogar mitteldeutschen Staaten, mit deren inneren nationalökonomischen Verhältnissen es eine unleugbare Ähnlichkeit besitze, in eine völlige Zolleinigung eintreten würde[160]. Diese Antwort Bismarcks, zugleich Antwort auf die Rechbergschen Bitten vom April, war aber nicht wenig auf die Hoffnung gegründet, daß selbst mit dem Abschluß separater Handelsverträge zwischen Preußen, Sachsen und Hannover immer noch ein so starker wirtschaftlicher Block entstehen würde, mit dem sich die Trias verbinden müßte, zumal Österreichs Handelspolitik durch die Schutzzollopposition und eine katastrophale Finanzlage lahmgelegt und Rechberg seinerseits sich in London ganz auf das Bündnis mit Bismarck angewiesen gesehen hatte – sehr im Gegensatz zu seinen ursprünglichen Erwartungen.

Gerade das von Bismarck erneut hervorgehobene Bedauern, »daß die kaiserliche Regierung die seitens Preußen rein als handels-finanzieller Fachgegenstand betrachtete Angelegenheit wieder auf das rechtsverpflichtende, politische und bundessächliche Gebiet gedrängt habe«[161], betonte den von Bismarck aus taktischen Gründen

154 DZA II, AA II, Rep. 6 Nr. 1196: Protokoll der Beratung vom 2. V. 1864.
155 BHStA München MH Nr. 9693 12./14./18. V. 1864 Schrenck an Ludwig.
156 ebd. 14./19. V. 1864 Schrenck an Ludwig.
157 ebd. 23. V. 1864 Bericht Weber.
158 ebd. 18. V. 1864 Schrenck an Ludwig; ders. Randbemerkung.
159 ebd. o. D. Verh. Skizze von MR Weber.
160 APP V, Nr. 27: 1. V. 1864 Chotek an Rechberg; WHStA Stgt. E 70 Ges. Wien Nr. 73: 27. VI. Ow an Varnbüler.
161 ebd.

geleugneten – aber für seine politischen Handlungen sehr wohl bestehenden – Zusammenhang von »rein politischen Beziehungen ... Zollgesetzgebung oder Finanzsystem«. Österreich sollte mit dieser Taktik an einem aktiven Vorgehen in der Zollunionsfrage gehindert werden (dies war um so wichtiger, als die Fiktion einer direkten preußisch-österreichischen handelspolitischen Einigung in Frage gestellt worden war), während Delbrück in den Separatverhandlungen (der neuen Taktik) mit Sachsen bereits Anfang Mai einen ersten Erfolg melden konnte[162].

Beitritt Sachsens zum preußischen System

Im Gegensatz zum Bundesvertreter in London, dem sächsischen Ministerpräsidenten Beust, der eine selbständige, napoleonfreundliche, Rheinbund-Intentionen aufgeschlossene Haltung einnahm[163], vertrat sein Land in der Handelspolitik (wirtschaftsbedingt notgedrungen) ein enges interessenbestimmtes Zusammengehen mit Preußen. Am 11. Mai 1864 wurde der separate Handelsvertrag in Form eines Protokolles zwischen Sachsen und Preußen unterzeichnet[164]. Der Zollverein wurde für weitere 12 Jahre von den beiden Staaten fortgesetzt, der Handelsvertrag mit Frankreich von Sachsen voll akzeptiert, das handelspolitische Verhältnis zu Österreich »weiter auszubilden« wurde als »gemeinsame Aufgabe« betrachtet, den süddeutschen Staaten wurde ein »Präklusivtermin« bis Oktober gestellt. Vor allem erhielt Sachsen die »vom Berliner Großhandel längst ersehnten Übertragungen der Konteneinrichtung auf preußische Handelsplätze«, verbunden mit einer Erweiterung des sächsischen Valutakontingents, zugestanden[165]. Damit wurde die wirtschaftliche Verflechtung der Staaten noch enger, die Betonung der preußischen Führung trat noch schärfer hervor. Bismarck war gewiß: »Thüringen wird sogleich beitreten, ebenso Braunschweig, Baden und Frankfurt sind bereit«[166]. Nun kam alles auf den Beitritt Hannovers und Kurhessens an, dann wäre ein geographisch geschlossener Handelsraum im Norden hergestellt gewesen. Das gleiche Ziel hatte auch König Ludwig seinem Minister gesteckt[167].

Während auf der Konferenz in Berlin die Zusammenarbeit Preußens und Sachsens den Ausschlag gab, drängte Österreich nach den Wiener Präliminarabsprachen

162 DZA II, AA II, Rep. 6 Nr. 1196: 4. V. 1864; ebd. Rep. 120, C XIII, 4 Nr. 53 Bd. 16.

163 Srbik: Quellen IV, Nr. 1707: 26. VI. 1864 Biegeleben an Rechberg; Nr. 1729: 14. VII. 1864 Frhr. v. Werner an Rechberg.

164 APP V, Nr. 50 Zusammenfassung 11./13. V. 64; WFStA Ludwigsburg E 222 Fach 185 Nr. 952: 11. V. 64 Hügel an Sigel.

165 Delbrück: Memoiren II, S. 305.

166 APP V, Nr. 45: 8. V. 1864 Bismarck an Reuß/Kassel; Nr. 46: 8. V. 1864 Bismarck an Flemming.

167 BHStA München MH Nr. 9693: 18. V. 1864 Ludwig an Schrenck, Randbemerkung zum Votum Schrencks.

auf Verhandlungen der Südstaaten in München[168]. Als im Juni/Juli 1864 Stuttgart, Darmstadt, Wiesbaden, Kassel und Hannover in München endlich ihre Unterhändler versammelten, war es das Ziel der Süddeutschen, das vor allem Württemberg anstrebte, »durch rasche Bildung einer neuen Zollgruppe etwaigen Berliner Separatabkommen den Vorsprung abzugewinnen und eine kompakte Masse darzustellen, mit der Preußen unterhandeln müsse«[169]. Das aber war nicht mehr zu erreichen. Einmal erklärten in rascher Folge in Berlin Thüringen, Baden, Braunschweig, Oldenburg und Frankfurt ihren Beitritt zum preußischen Handelssystem[170], und zum anderen vermochte Bismarck Österreich durch die »feierliche Versicherung, daß die ... Aufrechterhaltung der Allianz mit Österreich«, »selbst unter Verzicht auf materielle Vorteile«, von Preußen verfolgt werde[171], zu bestimmen, das intensive Drängen auf die Zollunion vorübergehend aufzugeben. Kurhessen[172] war für Preußen nun zum Mittelpunkt des handelspolitischen Ringens und der diplomatischen Drohungen geworden, und Bismarck konzentrierte seine Bemühungen (Hannover war geographisch umzingelt und mußte ohnehin früher oder später beitreten)[173] auf die vollkommene Bindung Österreichs an Preußen[174]. »Wir betrachten den dänischen Konflikt wesentlich als Episode im Kampf des monarchischen Prinzips gegen die europäische Revolution«, wiederholte er immer wieder in Zeitpunkten österreichischen Schwankens[175], »und wir entnehmen unsere Richtschnur für die Behandlung der Frage ... welche wir von ihrer Rückwirkung auf jene größeren Zeitfragen haben«. Nur »wenn das Einverständnis und die thatkräftige Energie der Monarchen von Preußen und Österreich den berechtigten nationalen Bedürfnissen ... Befriedigung verschafft«, sei es möglich, die »großen konservativen Interessen« zu verteidigen und zum Siege zu führen; die Richtigkeit dieser Politik, die »so manche Illusion des Liberalismus« beseitige, wäre schon greifbar »im konstatierten ... Fortschritt der konservativen Gesinnung«.

168 DZA II, AA II, Rep. 6 Nr. 1196: 12. V. 1864; WFStA Ludwigsburg E 222 Fach 185 Nr. 952: 1. VI. 1864 Instruktion Riecke an Zeppelin.

169 WFStA Ludwigsburg E 222 Fach 185 Nr. 952: 1. VI. 64 Instruktionskonzept Riecke an Zeppelin; Z 61 Fach 125 o. D.: Riecke Punktationen für Münchner Vorkonferenz; 16. VI. 1864 Hügel/Sigel an Riecke.

170 DZA II, Rep. 120, C XIII, 4 Nr. 31 b.

171 APP V, Nr. 67: 15. V. 1864 Chotek an Rechberg.

172 APP V, Nr. 76: 19. V. 1864 Bismarck an Reuß; Nr. 129: 9. VI. 1864 Bismarck an Reuß; Nr. 135: 10. VI. 1864 Bismarck an Reuß.

173 ebd. Anm. 5.

174 APP V, Nr. 82: 21. V. 1864 Bismarck an Werther; GW IV, Nr. 381: 25. V. 1864 Bismarck an Werther.

175 APP V, Nr. 147 (GW IV, Nr. 403): 14. VI. 1864 Bismarck an Werther, vor allem diente die Unterredung Bismarck mit Rechberg dieser »Kettung« angesichts der von Bismarck beschworenen »Gefahr«, daß Deutschland nur noch in der »Revolution ein Mittel finden würde, um ... eine europäische Bedeutung zu gewinnen«, APP V, Nr. 166: 21. VI. 1864 Bismarck an Balan (London).

Der »Südbund« ist lahmgelegt: Rechberg revidiert erneut seine Haltung

Der Erfolg der Bismarckschen Politik wurde greifbar. Rechberg akzeptierte im Vorgehen gegen die Herzogtümer auch das Risiko einer Intervention Englands[176]. Zugleich wurde die Haltung Österreichs in der Frage der Durchführung einer Zolleinigung immer hinhaltender, unsicherer, auch die Grundlage vom 10. Juli 1862 wurde »für jetzt« aufgegeben[177]. Die Folge dieser Haltung bei gleichzeitigen preußischen Erfolgen war, daß in Kurhessen[178] und selbst in Württemberg die ministerielle Phalanx der Zollunionsanhänger ins Wanken geriet[179].

Die österreichische Beschwörung, »durch einmütiges Zusammenhalten in der jetzigen Zollkrise« Deutschland noch einmal vor dem »Joch« des französischen Handelsvertrages zu schützen und ferner die »politische Macht und Einheit Deutschlands vor einem drohenden Zusammensturz zu sichern«[180], verfing aber gegenüber dem »abgeschlossenen Vertrag zwischen Preußen und Sachsen und der drohenden Reihenfolge der Verträge mit anderen Staaten auf gleicher Basis« nicht mehr; es bedurfte nur noch einer »goldenen Brücke« von der Hand des Siegers,

176 APP V, Nr. 145: 13. VI. 1864 Werther an Bismarck.

177 DZA II, AA II, Rep. 6 Nr. 1196: 5. VI. 64 Werther an Bismarck; WHStA Stgt. E 70 Ges. Wien: 1. VII./8./11. VII. 1864 Ow an Hügel.

178 APP V, Nr. 135: 10. VI. 64 Reuß an Bismarck; BHStA München MH Nr. 9693: 29. VI. 64 Montgelas an Schrenck.

179 In Württemberg bedeutete der Tod des schutzzöllnerischen Königs Wilhelm ein weiteres Element, das zur Lösung von den österreichischen Plänen führte, da König Karl mit dem neuen Minister Varnbüler geneigt war, mehr den Petitionen der Handelskammern, die immer schärfer auf die Weiterführung des Zollvereins und einen Handelsvertrag mit Frankreich drängten, nachzugeben. vgl. WFStA Ludwigsburg E 146–4.67 Nr. 1111: 8. VI. 1864 Eingabe Centralstelle für Gewerbe und Handel; E 222, Fach 185, Nr. 952: 19. VI. 64 dto.; Z 61 Fach 125, II: 23. VI. 1864 Bericht Rieckes aus München. HHStA Wien PA VI, Nr. 28: 27. III./17 .V./14./18./21./25. VI. 64 Handel an Rechberg. Einblick in die Haltung Württembergs im Hochsommer 1864 gibt auch eine große Privataufzeichnung des Hauptträgers der Handelspolitik dieses Landes, OFR Riecke. Im Freihandelsvertrag mit Frankreich sah Riecke einen Sieg »der Zeit«, die auf »internationale Arbeitsteilung« dränge. Der Vertrag entspreche »beiderseitigen Interessen«, da Frankreich Rohstoffe benötige. Zugleich bedeute es aber für die deutsche Entwicklung die »Verstärkung des bestimmenden Einflusses der materiellen Interessen auf eine Politik der Regierung«, da seine Ablehnung die Sprengung des Zollvereins bedeute. Gegen den Handelsvertrag spreche das »sittliche Gefühl«, dann, daß der Zollverein ins Schlepptau von Frankreich geraten und die Grundlage von 1853 »zerrissen« würde. Zugleich würde Süddeutschland von Preußen »überrumpelt« werden, jedoch Württemberg sei im Weinbau, in der Baumwoll-, Papier- und Eisenindustrie auf den Norden und den Handelsvertrag angewiesen, wenn auch dabei das „Gegengewicht“ zu Österreich verlorengehe. (Z 61 Fach 125, III).

180 APP V, Nr. 135.

glaubt der preußische Geschäftsträger in Stuttgart urteilen zu können, »um ... ohne weiteren Widerstand« die Gegner einer Einigung mit Preußen »den Kampfplatz räumen zu sehen«[181].

Während Preußen Ende Juni 1864 Kurhessen ultimativ zum Beitritt in das preußische Lager aufforderte[182] und dem Kurfürsten in Kassel über Carl Mayer von Rothschild buchstäblich die »goldene Brücke« baute[183], die ein promptes Einschwenken der Hessen zur Folge hatte, stagnierten die Verhandlungen (wie erwartet) in München[184]. Die Wiener Vorschläge wurden ebenso wie die bayrischen von den Mittelstaaten als Verhandlungsgrundlage mit Preußen als unrealisierbar abgelehnt. Hannover riet zur Nachgiebigkeit, und die schließlich als annehmbar empfundenen Vorschläge Darmstadts waren »eine vollständige Modifikation der Wiener Registratur«. Unverkennbar war, daß für die meisten der in München »vertretenen Staaten das Ausscheiden aus dem Zollverein unmöglich« war[185].

Der Sieg Preußens

Die Schlacht um die handelspolitische Dominanz in Deutschland war entschieden, als am 28. Juni 1864 in Berlin die Verlängerung des Zollvereins, verbunden mit der Annahme des französischen Handelsvertrages, von Preußen, Sachsen, Thüringen, Braunschweig, Frankfurt, Baden und Kurhessen unterzeichnet wurde[186].

»Wir unterzeichnen«, hatte der kurhessische Minister Abbée dem österreichischen Gesandten Graf Paar gesagt, als er die »Niederlage« mitteilte, »nicht freiwillig, sondern weil man uns zwingt; wir konnten nicht mehr anders. Wir haben ... solange gezögert, als wir hoffen konnten, Österreich dadurch zu nützen, ohne unsere Interessen zu sehr zu gefährden. Diese Hoffnung ist vorüber; eine Verständigung Österreichs und Preußens, die wir gerade jetzt in letzter Zeit so sehnlichst erwarteten, ist nicht erfolgt. Wir mußten befürchten, am Ende zwischen zwei Stühlen zu sitzen«, nachdem auch Hannover »die guten Dienste Oldenburgs« in den Fragen der Zoll- und Steuerbevorzugung »annahm«[187]. So ging Österreich nicht nur »nach dem Fiasko der Londoner Konferenz«, sondern auch dem seiner Zollunions- und Bundespolitik »neuen Opfern und Gefahren« entgegen[188].

181 APP V, Nr. 144: 13. VI. 1864 Zschock (Stuttgart) an Bismarck.
182 APP V, Nr. 176: 25. VI. 1864 Delbrück an Bodelschwingh, Anm. 2; DZA II, AA II, Rep. 6 Nr. 1196: 28. VI. 1864 Bismarck an Bodelschwingh.
183 Delbrück: Memoiren II, S. 307.
184 BHStA München MH Nr. 9693: Protokoll Weber Juni/Juli 1864; WFStA Ludwigsburg E 222, Z 61 Fach 125, II: 16./23. VI. 64 Riecke an Hügel/Sigel, E 222, Fach 185 Nr. 952: 9. VII. 64 Riecke an Hügel. APP V, Nr. 71: 17. V. 1864 Arnim an Bismarck.
185 APP V, Nr. 177: 25. VI. 1864 Arnim an Bismarck.
186 DZA II, Rep. 120 C XIII, 4 Nr. 31b; Staatsarchiv VII, S. 231 f.
187 Srbik: Quellen IV, Nr. 1709: 30. VI. 64 Paar an Rechberg.
188 Srbik: Quellen IV, Nr. 1707: 26. VI. 1864 Biegeleben an Rechberg.

Zu gleicher Zeit eröffnete Bismarck Rechberg in Karlsbad, daß Preußen »zwar in consequenter Verfolgung einer möglichst freien Handelspolitik zu den *intimsten* kommerziellen Beziehungen mit Österreich unter gegenseitiger Gewährung aller zulässigen Erleichterungen bereit« sein werde, *»aber in keinem Falle den französischen Handelsvertrag oder einen Teil desselben aufgeben«* werde[189]. Zwar glaubte Bismarck, daß Rechberg »die Unmöglichkeit der Zolleinigung erkannt habe«[190], doch ließ er bewußt, mit Rücksicht auf die politischen und die noch offenen handelspolitischen Fragen des Zollvereins die Zollunionsfrage in der Schwebe; zumal die Gefahr einer direkten französisch-österreichischen Einigung nicht bestand[191].

Als die Verhandlungen mit Oldenburg und Hannover im Laufe des Juli zu Ende »geknebelt«[192] wurden, mußte es nach Meinung der preußischen Handels- und Finanzminister[193] auch für Bayern »einleuchten, daß gegenüber einem norddeutschen Zollverein, mit Baden als detachiertem Posten, nichts übrig bleibe, als die, auch von der öffentlichen Meinung geforderte, Unterwerfung[194]«.

c Rechberg, Bismarck und Delbrück: Zollunion, konservative Allianz und handelspolitische Autonomie (Schönbrunn)

»Zollunion« und Dänenfriede

Mit der Durchsetzung des »norddeutschen Zollvereins« im Laufe des Monats Juli, auch gegenüber Hannover, glaubten der preußische Handelsminister Itzenplitz, der Finanzminister Bodelschwingh und vor allem die treibende Kraft in der preußischen Handelspolitik, Delbrück, ihr Ziel einer Erneuerung des Zollvereins nach preußischen Wünschen erreicht zu haben. Ein Eingehen auch auf die modifiziertesten österreichisch-süddeutschen Wünsche, wie sie in München beschlossen worden waren[195], lehnten sie deswegen ab[196].

189 GW IV, Nr. 419 (APP V, Nr. 181), Hervorhebungen vom Verf.
190 ebd.
191 WHStA Stgt. E 20 Ges. Wien: 27. VI. 64 Ow an Varnbüler.
192 DZA II, AA II, Rep. 6 Nr. 1196: 10. VII. 1864.
193 DZA II, Rep. 120, C XIII, 4 Nr. 31 b.
194 Delbrück: Memoiren II, S. 311.
195 BHStA München MH Nr. 9693: 12. VII. 64 verhandelt mit Peter, Weber, Meixner (Bayern), Zeppelin, Riecke (Württemberg), Biegeleben (Hessen), Heemskerck (Nassau); WFStA Ludwigsburg E 222, Z 61, Fach 125 II: 14. VII. 1864 Bericht Riecke (Konzept), E 222 Fach 185, Nr. 952: 12. VII. 1864 Registratur; 14. VII. Bericht Zeppelin/Riecke an Hügel; DZA II, AA II, Rep. 6 Nr. 1196: 12. VII. 1864. Die Punktation von München forderte die Annäherung und Gleichstellung des Tarifs auf Grundlage des österreichischen Tarifs von 1863, Zwischenzoll und handelspolitische Annäherung an Österreich.
196 ebd. 13. VII. 1864.

Für Bismarck[197] war mit der Durchsetzung der Zollvereinsverträge im Norden das Ringen mit Österreich aber noch keineswegs entschieden. Einmal benötigte er Österreich noch zur Lösung der anstehenden Friedensverhandlungen mit Dänemark in Wien, und dann stand für ihn auch der erwartete endgültige Eintritt der Süddeutschen in den Zollverein, damit verbunden die Lösung der Bundesorganisation, bei tiefgehendem Mißtrauen der Mittelstaaten gegen Preußen[198], noch keineswegs fest. Deswegen ergrimmte ihn die unautorisierte Ablehnung des österreichischen »Anwurfs« vom 13. Juli durch die preußischen Ressorts. Da die Österreicher mit ihrem Vorschlag gehofft hatten, die Verhandlungen um die Zollunion mit Preußen wieder eröffnen zu können, und diese Aufnahme indirekt mit der anstehenden Regelung der Verwaltung der Herzogtümer verknüpft hatten, sah Bismarck durch die ablehnende Haltung Delbrücks, Bodelschwinghs und Itzenplitz' sein politisches Konzept in Frage gestellt. Zugleich war auch der mühsam am 28. Juni 1864 mit Rechberg in persönlichen Verhandlungen erreichte Kompromiß – »intimste handelspolitische Annäherung« bei gleichzeitiger Autonomiebetonung – zerschlagen. Rechberg war über die Ablehnung der preußischen Ministerien zutiefst verstimmt. Franz Joseph sah Österreich als »den Gefoppten«[199]. Die Präliminarfriedensverhandlungen drohten zu scheitern, und Bismarck war sogar willens, die Verhandlungsführung in Wien an Werther abzugeben. Nur mit Mühe vermochte Bismarck Rechberg zu bestimmen, noch einmal, nun in offizieller Form den Verhandlungsantrag zu wiederholen, um dann selbst in die preußische Stellungnahme eingreifen zu können. Philipsborn, Pommer-Esche und Delbrück waren im Urlaub.

Am 30. Juli 1864 übergab Rechberg erneut die österreichischen Punktationen[199a]. »Für jetzt« nahm Österreich Abstand vom Zollunionsprojekt und forderte nur noch Verhandlungen über die Tarifangleichungen und Festsetzung einer Zwischenzollinie. Die Beratungen, die am 1. Oktober 1864 beginnen sollten, also parallel zu den bis Oktober abzuschließenden Zollvereinsverhandlungen zwischen Preußen und Süddeutschland, machte er aber abhängig von der *vorherigen* bündigen Zusage einer »vertragsmäßigen Festlegung« der Zolleinigung, auch über die anstehende Zollvereinsperiode hinaus. Zugleich sollten die Zollbegünstigungen für Österreich *vor* Ratifikation der Verträge mit Frankreich festgestellt werden. Sollten diese Vorschläge abgelehnt werden, betonte der Österreicher, »wäre ein solches Vorgehen unvereinbar ... mit dem zwischen beiden Regierungen so glücklich bestehenden bundesfreundlichen Verhältnis«.

197 vgl. hierüber Bismarck: Erinnerung und Gedanke S. 254 ff., S. 306 ff., Delbrück: Memoiren II, S. 316 ff.; Sybel III, S. 383 ff.; Beer: S. 296 ff.; Friedjung I, S. 96 ff.; Franz: Entscheidung S. 387 ff.; Engel-Jánosi S. 148 ff.

198 WFStA Ludwigsburg E 222, Fach 185 Nr. 952: 17. VII. 1864 Hügel an Sigel; Srbik: Quellen IV, Nr. 1738, 1739: 25. VII. 1864.

199 APP V, Nr. 241: 3. VIII. 1864 Bismarck an Wilhelm I.

199a HHStA Wien PA III Nr. 86; F 34 SR r. 8.: 30. VII. 1864 Circular Rechbergs.

Chotek sorgte dafür, daß der Erlaß der Öffentlichkeit bekannt wurde[200]. Damit hielt sich Österreich die Tür zur zukünftigen Zolleinigung, die von Hock und Kalchberg aufgrund der innerwirtschaftlichen Zustände zur Zeit als »unmöglich« betrachtet wurde, offen und zwang Preußen zur definitiven Stellungnahme[201]. Bismarck unterstützte aus taktischen Gründen den Antrag und versuchte ihn gegenüber einer erneuten sofortigen Ablehnung seitens der preußischen Ressorts abzusichern. »Ich kann nur bedauern«, depeschierte er aus Wien seinem in Gastein weilenden König, »daß durch die Differenzen auf dem Gebiete der Handelspolitik die Beziehungen zu Österreich in einem Augenblick komplizierter werden, wo die günstige Gestaltung derselben auf dem politischen Felde von so großer Wichtigkeit ist«[202]. Es gelang ihm noch einmal, Österreich zu beschwichtigen, der Präliminarvertrag mit den Dänen konnte unterzeichnet werden[203].

Konservative Allianz und Zollbund

Damit waren die innerpreußischen Widerstände keineswegs überwunden; aber solange der Zollverein nicht definitiv abgeschlossen und der Friedensvertrag mit Dänemark nicht unterzeichnet war, glaubte Bismarck des gemeinsamen österreichisch-preußischen Vorgehens zu bedürfen. Ebenso vermochte Bismarck in Gastein seinen König und Kaiser Franz Joseph »zu beruhigen«[204], und selbst Delbrück, der zufällig in Gastein anwesend war, konnte er zur Annahme der österreichischen »Punktationen« und des sofortigen Verhandlungstermins[205] gewinnen. Die »Anerkennung des Zieles einer künftigen Zolleinigung« lehnte der Ministerialdirektor jedoch ab. Politische Argumentationen, wie im Winter 1862, verfingen bei ihm nicht mehr, zumal er die Fachminister und selbst den König auf seiner Seite des klaren »Nein« wußte.

Während Delbrück in Berlin die Annahme der Verhandlungen mit Österreich, bei klarer Ablehnung jeder vertragsmäßigen Anerkennung einer Zolleinigung, »fachlich« begründete und sich mit Itzenplitz, Bodelschwingh und Innenminister Eulenburg absprach[206], versuchte Bismarck die aufbrechenden innerpreußischen und preußisch-österreichischen Gegensätze mit dem Hinweis auf Trias- und Rhein-

200 DZA II, AA II, Rep. 6 Nr. 1196: 28. VII. 1864 Rechberg an Chotek; Staatsarchiv IX, S. 262 ff.
201 F. Engel-Jánosi: Die Krise des Jahres 1864 in Österreich, Festschrift Přibram, Wien 1929 S. 142 f. HHStA Wien F 34 SR r. 8.: 22./23. VI. 1864 PM Kalchberg.
202 GW IV, Nr. 447: 26. VI. 1864.
203 GW IV, Nr. 449: 27. VII. 1864 Bismarck an Wilhelm I.; Nr. 452/453: 30. VII. 1864 Bismarck an Wilhelm I.; APP V, Nr. 239: 1. VII. 64 Bismarck an AA.
204 APP V, Nr. 241: 3. VIII. 1864 Bismarck an Wilhelm I.
205 Delbrück: Memoiren II, S. 317.
206 DZA II, Rep. 120 C XIII, 4 Nr. 70 Vol. 3: 12./16. VIII. 1864 Promemoria Delbrück.

bundgelüste der Mittelstaaten, mit der scharfen Betonung der aufgrund »höherer Gesichtspunkte« notwendigen Einigkeit zu überspielen. So schrieb er am 6. August dem preußischen Gesandten in Wien, Werther:

»Eine wahrhaft deutsche und konservative Politik ist nur möglich durch die Einigkeit und unter der Leitung von Österreich und Preußen ... Die Gemeinsamkeit der Aktion in der Kriegsführung, wie in den nächsten politischen Zwecken ist von uns viel mehr als die Grundlage einer dauernden Einigung als die Basis einer festen und gesunden Gestaltung der deutschen Politik aufgefaßt worden ... Wir halten die unbestrittene Führung Deutschlands durch seine beiden Großmächte für ein unabweisliches Bedürfnis für Deutschland und für die beiden Mächte selbst.« Nur eine solche Einheit könne »denjenigen Einfluß auf die Politik Europas sichern, nach welchem die Nation mit Recht verlangt ... Zerwürfnisse zwischen Österreich und Preußen haben die kleineren Staaten teils haltlos gemacht, teils übermütig.« »Sind Preußen und Österreich uneinig, so besteht Deutschland politisch überhaupt nicht[207].«

Rechberg stimmte den auf seine und des Kaisers Mentalität wohlberechneten, »der Größe des Gegenstandes« würdigen Ausführungen zu[208], waren sie doch »in der Tat Österreichs eigenster Gedanke«[209], allein, Prüfstein dieser Haltung Preußens war ihm die Regelung der »Zollunionsfrage«. Erneut drängte Rechberg auf die Erfüllung der Zusagen von Karlsbad und Gastein[210]: Österreich könne nur so lange an seiner Haltung festhalten, drohte er über Frankfurt, »als nicht das Vorgehen Preußens selbst es unmöglich macht«[211]. Bismarck wich in den Fragen des Zollbundes Rechberg aus: »Wir waren, wenn ich nicht irre, darüber einverstanden, daß eine vollkommene Zolleinigung zwischen Preußen und Österreich untunlich wäre«, und gestand die sofortige Eröffnung der direkten Verhandlungen ohne Mitwirkung Bayerns, aber auf Grund der Münchner Punktationen zu[212].

Schönbrunn und die preußischen Ressorts

Unter diesen Vorzeichen begannen die Konferenzen in Schönbrunn[213], die den Schlußstein der dänischen Politik und den Beginn einer dualistischen Verständigungspolitik in Deutschland begründen sollten. Bismarck war nicht nur zu einem

207 GW IV, Nr. 454, S. 527.
208 Srbik: Quellen IV, Nr. 1759: 14. VIII. 64 Rechberg an Chotek.
209 ebd.
210 DZA II, AA II, Rep. 6. Nr. 1197; APP V, Nr. 250 Anm. 1: 9. VIII. 1864 Rechberg an Chotek.
211 Srbik: Quellen IV, Nr. 1758: 13. od. 14. VIII. 64 Rechberg an Kübeck.
212 BHStA München MH Nr. 9693: 16. VIII. 64 Bray an Schrenck; 17. VIII. 64 Montgelas an Schrenck, GLA Karlsruhe Abt. 48 Nr. 7036; APP V, Nr. 250: 13. VIII. 64.
213 H. Ritter v. Srbik: Die Schönbrunner Konferenzen vom August 1864, HZ 153, 1935.

Interessenausgleich auf europäischer Basis mit Österreich geneigt[214], sondern auch bereit, dem österreichischen Drängen in der Zollunionsfrage formal entgegenzukommen und selbst den Antrag Rechbergs auf Fortführung des Artikels 25 vom Februarvertrag 1853 (der den Verhandlungsbeginn der Zollunionsgespräche festlegte) zu akzeptieren.

Mittlerweile hatten die Ressorts in Berlin ihre Stellungnahmen fertiggestellt und übersandten sie am 24. August 1864 dem in Wien weilenden König[215].

Bei Annahme der Münchner Vorschläge lehnten sie die »Vorbedingung« Rechbergs (vom 28. Juli 1864) in schärfster Form ab; selbst die Andeutung einer Zolleinigung wäre zu vermeiden. Eine in dieser Form übergebene Note hätte die eben – nach Meinung Bismarcks – zum Vorteil Preußens abgesprochenen »Gemeinsamkeiten« zerstört. Es gelang Bismarck aber, den König gegen die Minister zu bestimmen, daß »in Betracht der gegenwärtigen politischen Lage ... die Ablehnung der von Österreich gestellten Vorbedingungen in diesem Augenblick nicht positiv ausgesprochen, sondern die Entscheidung darüber auf die bevorstehenden Verhandlungen verwiesen werde«. Die Ablehnung der österreichischen Forderungen sollte möglichst durch die Mittelstaaten geschehen[216].

Erneut hatte Bismarck einen Bruch vermieden und eine Entscheidung umgangen, und er teilte Rechberg offiziell mit, »Preußen sei bereit, auf der Grundlage des neuen Verein-Zolltarifs über die möglichste Annäherung und Gleichstellung der beiderseitigen Zolltarife ... zu verhandeln«, die Frage der Zollvereinigung aber könne *»nicht in der Form einer Vorbedingung«* entschieden werden, sondern Preußen sehe »in der Stellung des künftigen Zollvereins zu dem Prinzip der Zolleinigung *einen der Gegenstände* der beabsichtigten Verhandlungen«[217]. Bismarck versicherte Rechberg mündlich, »zu tun, was er vermöge«[218].

Rechberg nahm diesen letzten Rest vager preußischer Zugeständnisse an in der Hoffnung, durch direkte Unterhandlungen den Anschluß der Süddeutschen an Preußen zu verhindern. Berlin sollte Verhandlungsort sein und Hock der österreichische Emissär[219]. So war die »Sache«, wie Bismarck wünschte, »weiter in der Schwebe ... erhalten«; Rechberg, »in Betracht der ganzen politischen Lage, namentlich solange der Friede mit Dänemark nicht abgeschlossen ist«, ein zweifelhafter Erfolg zugebilligt, der aber für Bismarck »von der größten Wichtigkeit« war, um den »guten Willen des Wiener Kabinetts zu sichern und innerhalb des letzteren die Stellung der dem preußischen Bündnis günstigen Minister zu befesti-

214 Srbik: Quellen IV, Nr. 1768: 24. VIII. 1864 Vertragsentwurf (Konzept Biegeleben) eines zwischen Preußen und Österreich abzuschließenden Vertrages über Schleswig-Holstein und die Lombardei.

215 DZA II, AA II, Rep. 6 Nr. 1197.

216 DZA II, AA II, Rep. 6 Nr. 1196: 25. VII. 64 vgl. APP V. Nr. 250 Anm. 5.

217 DZA II, AA II, ebd.: 25. VIII. 64 Bismarck an Werther; APP V, Nr. 262; GW IV, Nr. 464; Staatsarchiv IX, S. 264; Poschinger, Wirtschaftspolitik I, S. 33 ff.

218 Delbrück: Memoiren II, S. 318.

219 APP V, Nr. 271 Anm. 4: 3. IV. 1864 Rechberg an Chotek.

gen«[220]. Zugleich war den Südstaaten erneut die Alternative zum schleunigen Zollvereinsbeitritt gestellt worden.

Der Süden gibt nach

Die ersten Erfolge dieser Politik, »nicht bloß die Zollfrage, sondern die Gesamtlage der auswärtigen Politik im Auge zu behalten«[221], konnte Bismarck bereits auf seiner Rückreise von Wien feststellen.

Die Stellung Schrencks in Bayern fand »er hauptsächlich wegen der Niederlage seiner Handelspolitik gefährdet«[222]. Noch am 28. Juli 1864 hatte der bayrische Ministerialrat Weber in einer großen Denkschrift betont, daß die Annahme des preußisch-französischen Handelsvertrages durch Bayern dem »Anschluß an Preußen« gleichkäme[223]. Weber war der eigentliche Kopf der bayrischen Opposition. »Ohne Weber« — so schrieb der österreichische Gesandte Blome schon im Mai nach Wien — wäre Schrenck »schon in das preußische Lager übergegangen«, denn Schrenck zeige sich »unendlich schwach«: »Jetzt jammert er unaufhörlich, klagt, daß die Handelsangelegenheiten ihn seines nächtlichen Schlafes berauben und doch ein schlechtes Ende nehmen werden[223a].« Doch Schrenck hielt trotz dieses ungünstigen Urteils an seiner Politik fest — selbst noch im August. Die einsetzende wirtschaftliche Agitation der bayrischen Handelsräte[224] für eine Fortführung des Zollvereins mit Preußen übergehend, versuchte Schrenck sich mit Württemberg zu verständigen und beharrte weiterhin auf seinem Plan[225]. Angesichts der preußisch-österreichischen intimen Verhandlungen griff nun König Ludwig II. in die bayrische politische Willensbildung ein. Er betonte, daß Bayern »keine andere Wahl« bleibe, als entweder ein Zollgebiet allein eventuell mit Württemberg zu begründen oder sich Preußen zu fügen. Eine Isolierung sei für Bayern unmöglich. Da aber Österreich die Mittelstaaten erneut verraten habe, sei bei der Hofburg kein Rückhalt mehr zu erhoffen. Da die Regierung, resümierte er befehlend, *»durch die mächtigen Interessen früher oder später doch wieder zum Anschluße an das übrige Deutschland gedrängt«* werde, sei der Anschluß schon wegen der Pfalz sofort und ohne Sträuben zu vollziehen[226]. Wenn auch Schrenck im Staatsministerium seine

220 GW IV, Nr. 467: 27. VIII. 1864 Bismarck an Bodelschwingh/Itzenplitz.

221 DZA II, AA II, Rep. 6 Nr. 1197: Promemoria Bismarcks o. D. (Ende August 1864).

222 APP V, Nr. 268 Anm. 2: 30. VIII. 1864 Bismarck an Wilhelm I; Franz: Entscheidungskampf S. 379 ff.

223 BHStA München MH Nr. 9693: 28. VII. 1864.

223a HHStA Wien, PA IV, Nr. 32: 6. V. 1864.

224 BHStA München ebd. u. a.: 29. VII. 1864 Fabrik- und Handelsrat Nürnberg; HGK Oberbayern.

225 BHStA München ebd.: 4. VIII. 1864 Schrenck an Ludwig II; 17. VIII. 1864 Varnbüler an Schrenck.

226 BHStA München ebd.: 20. VIII. 1864 Schrenck an Ludwig; 26. VIII. 1864 Ludwig an Schrenck.

Politik gegen Ludwig mit Mühe noch einmal durchsetzen konnte, so war doch seine Stellung sehr erschüttert. Nur »*sofortige* Verhandlungen« hielten seine Minister für »noch nicht an der Zeit«[227], und am 29. August 1864 war er gezwungen, Bismarck gegenüber zu betonen, er hoffe, daß bis zum 1. Oktober – dem Ultimativtermin des Beitritts der Südstaaten zum Zollverein – Preußen und Österreich sich verständigt hätten[228]. Dies war kaum wahrscheinlich.

Noch preußenfreundlicher war die Haltung Württembergs geworden. Schon am 3. August 1864 hatte Riecke für den Ministerrat die Lage Württembergs gegenüber Preußen äußerst skeptisch beurteilt: »an sich« kämpfe die Königliche Regierung doch auf »verlorener Stellung«. Auf Österreich sei »kein Verlaß«, ebensowenig wünschenswert sei es für Württemberg, sich allein mit Bayern zu liieren; der Weg Württembergs müsse dem Verlangen der Industriellen nachgehen, die den Frieden mit dem Norden wünschten[229]. Die Furcht, »Graf Rechberg habe sich am Ende wieder mit leeren Worten abspeisen lassen«[229a], bestätigten ihm die preußisch-österreichischen Verhandlungen[230]. Deswegen teilte am 30. August 1864 der württembergische Finanzminister Sigel seinem Außenminister Hügel mit, daß er nicht mehr mit Hügel »conform« gehe und nicht mehr von der bayrischen Taktik, den Ultimativtermin (1. Oktober 1864) zu »versäumen«, um dann preußische Zugeständnisse für den Beitritt des Südens zum Zollverein zu erzwingen, überzeugt sei[231]. Die »Erfolgslosigkeit bisheriger Bemühungen mit Österreich« wiesen Württemberg eine Politik, die darauf zielen müsse, »durch rechtzeitigen Beitritt« zum Zollverein mögliche »Nachtheile« gegenüber dem Norden zu verhindern[232]. Nun war Hügel bereit, auch ohne Bayern dem Zollverein beizutreten[233]. Die Vorbehalte, die München, Stuttgart, Wiesbaden und Darmstadt noch Anfang August an einen Wiedereintritt in den Zollverein gebunden hatten, schmolzen angesichts einer möglichen preußisch-österreichischen handelspolitischen Verständigung endgültig dahin[234]; den Mittelstaaten »stand das Wasser am Mund«[235]. Dalwigk und Wittgenstein waren durch die Haltung Badens ebenfalls vollkommen isoliert[236].

Je mehr nun Rechberg isoliert wurde, desto mehr drängte er – um »des gemein-

227 BHStA München ebd.: 31. VIII. 1864 Protokoll Schrenck (hs.), 2. IX. 1864 Schrenck an Ludwig II.

228 BHStA München ebd.: 29. VIII. 1864 Protokoll Schrenck.

229 WFStA Ludwigsburg E 222 Fach 185, Nr. 952: 3. VIII. 1864.

229a WFStA Ludwigsburg ebd.: 9. VIII. 1864 Bericht Rieckes.

230 WFStA Ludwigsburg ebd.: 3./10. VIII. 1864 Hügel an Sigel; 12./18./20. VIII. 1864 Riecke an Sigel.

231 WFStA Ludwigsburg ebd.: 30. VIII. 1864 Sigel an Hügel.

232 WFStA Ludwigsburg ebd.: 6. IX. 1864 Sigel an Karl.

233 APP V, Nr. 268: 3. IX. 1864 Zschock an Bismarck; WFStA Ludwigsburg ebd.: 4. IX. 1864 Hügel an Degenfeld.

234 DZA II, AA II, Rep. 6 Nr. 1196.

235 7. IX. 1864 Reyer an Rechberg, nach Franz S. 389.

236 GLA Karlsruhe Abt. 48 Nr. 7029: 12. VIII. 1864 Aufzeichnung Roggenbach.

schaftlichen Zweckes willen« – in Sorge vor der Revolution[237], die Handelsfrage nicht eine Wendung nehmen zu lassen, die störend auf das Bündnis wirken würde[238]; glaubte er doch in Schönbrunn mit »Befriedigung« auch in Preußen den Willen »einer Erneuerung und Fortbildung« des Februarvertrages von 1853 festgestellt zu haben[239].

Verhandlungen in Prag: Versuch eines preußisch-österreichischen Ausgleichs

Über diesen preußischen Willen täuschte Rechberg sich aber sehr. Die Modifizierung der Ressortdenkschrift in Schönbrunn durch Bismarck nahmen Itzenplitz und Bodelschwingh nicht widerspruchslos hin[240], zumal Österreich in mehreren holsteinischen Verwaltungsfragen Anfang September gegen Preußen auftrat[241]. In der Instruktion für die österreichisch-preußischen Verhandlungen in Prag (Bismarck hatte Berlin abgelehnt, Rechberg Dresden), die von Delbrück entworfen worden war, manifestierte die preußische Bürokratie trotz Bismarcks Verständigungsdrängen[242] ihren Widerstand in der Ablehnung jedes Entgegenkommens[243]. Bismarck wurde unsicher und versuchte Rechberg in mehreren Privatbriefen die Zollunion auszureden: Rechberg solle doch diesen »untergeordneten Fragen«, die nur »die Einheit« stören würden, keine solche Bedeutung beimessen, vielmehr sei es wichtig, »nicht über dem Irrlicht der Zolleinigung die practische Wohltat des Handelsvertrages (zu)versäumen«[243a]. Rechberg beharrte aber auf seiner Zollunion[243b], die preußischen Ressorts auf ihrer Ablehnung. Da gelang es Bismarck, mit Rückendeckung beim König, noch einmal die Instruktion so umzuändern, daß die krasse Ablehnung einer künftigen Zolleinigung nicht schon bei Beginn der Verhandlungen ausgesprochen wurde, denn damit wäre das politische Vorgehen Bismarcks, »die Aufgabe ist Verhandeln, nicht Abschluß«[244], blockiert gewesen: »Die allgemeine politische Haltung Preußens zu Österreich«, begleitet Wilhelm die Stellungnahme seines Ministerpräsidenten, »verlangt momentan diese *scheinbare Konzession*, daß sie *keine wirkliche* werde, ist mein fester Wille und haben *alle meine* Organe hiernach bei den Verhandlungen sich einzurichten[245].«

237 Srbik: Quellen IV, Nr. 1791: 13. IX. 1864 Vortrag Rechbergs bei Franz Joseph.
238 APP V Nr. 271: 6. IX. 1864 Rechberg (Privatschreiben) an Bismarck.
239 APP V, Nr. 271 Anm. 4: 3. IX. 1864 Rechberg an Chotek. HHStA Wien PA III, Nr. 86.
240 DZA II, Rep. 120 C XIII, 4 Nr. 70 Bd. III: 4. IX. 1864 Itzenplitz und Bodelschwingh an Bismarck.
241 GW IV, Nr. 474: 8. IX. 1864 Bismarck (Privatbrief) an Rechberg. (APP V, Nr. 273).
242 GW IV, Nr. 475: 9. IX. 1864 Bismarck an Itzenplitz/Bodelschwingh.
243 DZA II, Rep. 120 C XIII, 4 Nr. 70 Bd. 3.
243a HHStA Wien, PA III, Nr. 87 Varia: 6./8. IX. 1864.
243b ebd. F 34 SR r. 8: 3./12./17. IX. 1864 Rechberg an Chotek.
244 APP V, Nr. 275.
245 APP V, Nr. 275, Anm. 3: Anmerkung Wilhelms I. zum Bericht 9. IX. 1864 vgl. GW IV, Nr. 555.

Die Enge der Verhandlungsmöglichkeit für Prag war kategorisch vorgezeichnet. Unter diesen Einschränkungen gelang es Bismarck, die Zustimmung von Itzenplitz und Bodelschwingh für eine »allgemein deutsche Zolleinigung« zu gewinnen«[246]. Die preußische Instruktion sah vor, Frankreich »keinen Grund zum Mißtrauen zu geben«, das »freie Handelsystem ..., eine materielle Notwendigkeit«, durch kein »Controllsystem zu altruieren« und die Autonomie »beider Zollgebiete« festzulegen. Zugleich wurde neben »den Grenzen für wirkliche materielle Konzessionen«, dem preußischen Kommissär vertraulich mitgeteilt, daß Preußen der öffentlichen Meinung in Österreich, »solange ... keine *Verpflichtung«* übernommen werden würde, entgegenkommen könne.

»Zu diesen Konzessionen rechnet man in Wien besonders die *Offenhaltung* der Aussicht auf eine künftige Zolleinigung. Man würde es dort als einen Schlag ins Gesicht betrachten, wenn diese Aussicht sofort und kategorisch abgeschnitten werden sollte. Dazu liegt für uns keine Veranlassung vor. Je sicherer wir sind, daß die Macht der faktischen und materiellen Verhältnisse, sie nicht zustande kommen lassen (wird), um so weniger brauchen wir uns weigern, sie zum Gegenstande von Verhandlungen auch künftig ... machen zu lassen. Es ist für uns wichtig, daß sie *nicht* an unserem üblen Willen, sondern eben an diesen faktischen Verhältnissen scheitern.«

Auf letzteres konnte Bismarck sich verlassen.

Die zu Beginn der preußisch-österreichischen Verhandlungen einsetzenden Petitionen der Handelskammern und der Ältesten der Kaufmannschaften, die sich gegen jede Zollunion aussprachen[247] oder jede Vergünstigung an Österreich als »überflüssig« betrachteten[248], untermauerten die Gewißheit Bismarcks, durch »die Macht der faktischen und materiellen Verhältnisse« den Sieg über Österreich und die Süddeutschen ohne politische Verstimmung davontragen zu können.

Die Herbstverhandlungen in Prag begannen, trotz der österreichischen Verstimmung über die Entsendung Hasselbachs als preußischem Unterhändler[249], vielversprechend. Mit »sichtlicher Befriedigung« akzeptierte Hock die preußische Präambel einer »allgemeinen deutschen Zolleinigung«[250]; im weiteren Verlauf der Verhandlungen aber lehnte Preußen jede von Österreich geforderte Wein- und Papierzollkonzession ab, ebenso jedes Recht der Zwischenzollerhöhung im Falle von Tarifreduktionen des Zollvereins. Als schließlich Hock auf dem Artikel 25 im Vertrag bestand, stagnierten die Verhandlungen[251]. Die Emissäre benötigten neue Instruktionen.

246 DZA II, AA II, Rep. 6 Nr. 1197 (APP V, Nr. 275).
247 DZA II, AA II, Rep. 6 Nr. 1197, so z. B. die ÄK Magdeburg 12. IX. 1864.
248 DZA II, ebd. so z. B. Vorsteher der Kaufmannschaft Stettin 17. IX. 1864.
249 DZA II, AA II, Rep. 6 Nr. 1197: 11. IX. 1864 Balan an Bismarck.
250 DZA II, AA II, Rep. 6 Nr. 1197: 17. IX. 1864 Hasselbach an Bismarck.
251 DZA II, AA II, Rep. 6 Nr. 1197: 29. IX. 1864 Hasselbach an Bismarck, HHStA Wien PA III, Nr. 85: 25. IX. 1864 Chotek an Rechberg.

Der Briefwechsel Bismarck-Rechberg: um die »Seeschlange-Zollunion«.

Selbst der neben den Verhandlungen von Rechberg und Bismarck vertraulich geführte Briefwechsel hatte diese Entwicklung nicht zu verhindern vermocht. Für Rechberg war die »Einigkeit Österreichs und Preußens« geknüpft an das »Recht auf Zolleinigung«, wenn sie auch jetzt nicht praktikabel sei, so wäre die Möglichkeit, daß »die Zolleinigung früher oder später unausbleiblich sich vollziehen werde«, gegeben, und Österreich könne »als deutsche Macht« nicht zugeben, daß ihm eine »gemeinsame Einrichtung grundsätzlich verschlossen bleibe«[252]. Für Bismarck war »1853 abgelaufen«[253]; für ihn war die Zolleinigung »eine Utopie, eine Seeschlange« und er konnte seine Zugeständnisse von Gastein um so mehr *»eben nur* (als) *eine Redensart* bezeichnen«, da Ende September die ultimativ-erzwungenen Verhandlungen mit Hessen, Nassau, Württemberg und Bayern zum Eintritt in den Zollverein aufgenommen wurden[254]. Österreich war überspielt; Württemberg und Bayern zur »unbedingten Unterwerfung« gezwungen. Trotzdem wünschte Bismarck, Österreich nicht zu verstimmen[255], Rechberg zu halten, da es »doch immer« in der Hand Preußens läge, die Zolleinigung »nicht zustande kommen zu lassen«[256]. »Jetzt mußte die innerpreußische Entscheidung fallen«[257], da Bismarck in der Zusage des Artikels 25 keine Gefahr sah, für Delbrück aber eine solche der Grund einer »Dienstentlassung« war.

Delbrücks »großes Nein« zu jeder Bindung

In einer großen Denkschrift begründete Delbrück seinen Standpunkt: »Allen politischen und handelspolitischen Parteien Preußens — die entschieden ultramontane Partei allein ausgenommen — ist kein handelspolitischer Gedanke mehr antipathisch als derjenige einer Zolleinigung mit Österreich[258].« Nur wenn der Zustand von 1853 beendet werden würde, hätte Preußen seine Autonomie wiedererlangt.

252 APP V, Nr. 278: 17. IX. 1864 Privatbrief Rechbergs an Bismarck.
253 ebd. Anm. 6.
254 BHStA München MH Nr. 9693. Nachdem Hügel Schrenck mitgeteilt hatte, Württemberg würde ohne Bayern die Verhandlungen aufnehmen (7. IX. 1864), wurde Schrenck von dem Sta.Min. gezwungen, ebenfalls die zuwartende Position aufzugeben (14./15. IX. 1864). Am 21. IX. 1864 trat er zurück. Nachdem Dalwigk (23. IX.) Wittgenstein (25. IX.) und Varnbüler (27. IX.) die Verhandlung annahmen, erklärte Ludwig am 27. IX., auch noch vor dem 1. X. die Unterhandlungen aufzunehmen. WFStA Ludwigsburg E 222 Fach 185 Nr. 952. Am 16. IX. ratifizierte Karl den Beschluß, Verhandlungen mit Preußen aufzunehmen. Hügel demissionierte.
255 GW IV, Nr. 480: 3. X. 1864 Bismarck an Philipsborn.
256 GW IV, Nr. 475 s. o.
257 Delbrück: Memoiren II, S. 319.
258 ebd. S. 323.

»Heute ist der Zollverein rekonstituiert. Heute ist ein Vertrag zwischen dem Zollverein und Österreich wohl für Österreich, aber nicht für Preußen eine handelspolitische Notwendigkeit«[259]. Die von Bismarck als »geheimratlicher Rheumatismus im Handels- und Finanzministerium« apostrophierte Opposition[260] siegte. Der König stimmte am 30. September 1864 der Ablehnung jedes Entgegenkommens zu. Bismarck war isoliert[261]. Dem Drängen und Bitten Rechbergs[262] gegenüber griff er wieder zu seiner alten Taktik der Trennung von wirtschaftlicher und politischer Sphäre, schob den Widerstand und Einfluß der Fachminister vor und betonte treuherzig:

»Legen Sie doch aber, verehrtester Freund, nicht zu schweres Gewicht auf diese Zollsachen. Mit etwas günstiger oder übler gestalteten Zusagen für die Zukunft erledigen sich diese Dinge doch nicht. Entweder man sieht in *beiden* Ländern ein, daß die Zolleinigung nützlich ist, und dann macht sie sich ohne provisorische Verabredungen, oder man überzeugt sich nicht davon, dann wird auch 1877 nichts daraus.« Wenn die Zolleinigung »das natürliche Ergebnis der Übereinstimmung der materiellen Interessen ist« und nicht »nur das künstliche Produkt politischer Verabredung ... kommt sie als Frucht der Verhältnisse von selbst und ohne Nötigung«[263].

Viel wesentlicher sei es, daß Preußen und Österreich »gemeinsam die Politik zu *leiten* hätten, die Angelegenheit der Herzogtümer zu Ende führten und Rheinbundintentionen der Mittelstaaten »bei straffer geführten Zügeln« vereitelten. »Schonen wir daher *nur unsre* gegenseitigen Beziehungen um *jeden Preis;* durch ihre Pflege und Stärkung dienen wir Deutschland, indem wir es gemeinsam beherrschen, nicht gewalttätig ... sondern bundesfreundlich, wie die ersten unseresgleichen«[264].

Für Bismarck war der Briefwechsel beendet. Er reiste ab, nach Biarritz, und überließ die Schlußverhandlungen den Ressorts.

259 ebd. S. 322.
260 Denkwürdigkeiten aus dem Leben des Generalfeldmarschalls Kriegsminister Graf v. Roon II, S. 284.
261 GW IV, Nr. 479, Zusatz 1. X. 1864 Bismarck an Rechberg. Wien PA III Nr. 87, Varia.
262 APP V, Nr. 285: 29. IX. 1864
263 APP V, Nr. 288: 4. X. 1864 Bismarck an Rechberg. (GW IV, Nr. 481), HHStA Wien PA III Nr. 87, Varia.
264 ebd., Hervorhebung vom Verfasser.

d Um die »Phrase« des »Artikels 25«: das Ende der »Zollunion«. Rechbergs Entlassung und die Rückwirkung auf die deutsche Politik

Delbrück, Bismarck und das politische Kalkül mit der Zollunion

Bei Wiederaufnahme der Verhandlungen in Prag Anfang Oktober 1864 lehnte Hasselbach für Preußen gemäß den Beschlüssen der Ressorts jeden »Schein der Berechtigung« Österreichs für eine Zolleinigung ab[265]. Daraufhin beschloß in Wien der Ministerrat, die Verhandlungen abzubrechen[266]. Rechberg jedoch gab das Ringen noch nicht auf. Er knüpfte seine politische Existenz an die Verständigung mit Preußen. Die Durchsetzung des Artikels 25 wurde zum Garanten des österreichischen Prestiges in Deutschland, seine Annahme der »Probierstein«, ob Preußen noch »Werth auf die Allianz mit Österreich« legen würde[267]. Rechberg ließ Berlin wissen, »daß nach den hier (Wien) stattgehabten Berathungen über den Stand der Zollfrage soviel« feststehe, »daß ich dem Bruche der Verhandlungen nicht mehr vorbeugen kann, wenn von Preußen nicht wenigstens das Zugeständnis der Wiederaufnahme des in dem Vertrage vom Jahre 1853 enthaltenen Artikel 25 zugestanden werde«[267a].

Für Delbrück aber war das Rennen gelaufen. Die Südstaaten akzeptierten am 12. Oktober 1864 den »norddeutschen Zollverein«[268], Schrenck in Bayern, Hügel in Württemberg hatten ihren Abschied erhalten. Auf gesicherter Zollvereinsbasis konnten die Abschlußverhandlungen für den deutsch-französischen Handelsvertrag aufgenommen und der Ausbau eines Freihandelsvertragssystems begonnen werden.

Im Gegensatz zu dieser Auffassung fürchtete Bismarck, daß, wenn Preußen jetzt »den Kaiser fühlen (läßt), wie wenig uns im Grunde Österreichs Allianz gilt«, in der Donaumonarchie die antipreußischen Kräfte mit Minister Schmerling an der Spitze die Oberhand gewännen[269].

Mit dem Rücktritt Rechbergs, »dem Träger des preußischen Bündnisses«, sei »zunächst der Friede mit Dänemark und werden jedenfalls alle Vortheile für Preußen aus demselben in Frage gestellt«[270]. »Unverzüglich« werde Österreich,

265 Delbrück: Memoiren II, S. 324.
266 APP V, Nr. 291: 9. X. 1864 Abeken an Bismarck.
267 GW IV, Nr. 482 (APP V, Nr. 292): 10. X. 1864 Bismarck an Wilhelm I.
267a HHStA Wien, PA III Nr. 86: 8. X. 1864 Rechberg (Konzept Biegeleben) an Chotek (Telegramm); vgl. auch PM Hock/Plener vom 9. X. ebd.: vgl. auch F 34 SR r. 8 dto.
268 WHStA Stgt., E 33–34, F 65, IV: 4. XI. 1864 Geh. Rat (Gutachten) an Karl, WFStA Ludwigsburg E 222, Fach 185, Nr. 952: 2. X. 1864 Bericht Zeppelins, 23. X. 1864 Riecke Gesamtbericht an AM/IM; BHStA München MH Nr. 9694 o. D.: v. d. Pfordten an Ludwig II.
269 GW IV, Nr. 485: 16. X. 1864 Bismarck an Ministerium des Auswärtigen (APP V 301).
270 ebd.

das dann »die Zolleinigung als eine nationale Ehrensache« betrachte, »in der holsteinischen Sache mit Anträgen in mittelstaatlichem Sinne am Bunde vorgehen«. Ferner könne sich die Gefahr einer österreichischen Anlehnung an Frankreich unter Anerkennung Italiens und Verständigung mit England abzeichnen[271]. Darum drängte Bismarck, wenn es sich nicht »um eine wirkliche materielle Konzession handelt«, nachzugeben und, »mit dem Anschein, als brächten wir Rechbergs Erhaltung ein großes Opfer«, sich mit Österreich zu verständigen[272]. Wilhelm war die diplomatische Finesse Bismarcks unverständlich, da »*zu* bewilligen, was *mit* dem Vertrag *vereinbar* ist«, für ihn »*kein* Opfer« war. Aber gerade das war der Kern des Bismarckschen Handelns: Ehe mit Dänemark noch kein Definitivum abgeschlossen war, sollten die Verhandlungen mit Österreich fortgesponnen werden. Bismarck wollte sichergehen; noch glaubte er, mit Rechberg am besten »spielen« zu können und ihn zu gebrauchen.

Wilhelms Haltung war unentschieden; einerseits bestanden Itzenplitz und Pommer-Esche auf der Ablehnung des Artikels 25[273], andererseits drohte Chotek, »daß diese *Wunde* durch den Abbruch der Zollverhandlungen eine unheilbare, ja tödliche für die preußisch-österreichische Allianz werden müßte«[274], da Rechberg »bei jetziger Allianz mit Preußen« es »weder vor seinen Kollegen, noch vor seinem Lande verantworten könnte«, keine Zugeständnisse zu erhalten, »welche bei weniger erfreulichen Verhältnissen im Jahre 1853 eingeräumt worden wären«[275].

In dieser Situation bat Wilhelm Bismarck, die Rückkehr aus Biarritz zu »erwägen«[276], und befahl, die Entscheidung bis dahin noch aufzuschieben[277].

Rechbergs Rücktritt. Fazit der preußischen Politik

Ehe aber in Preußen eine Entscheidung über den Artikel 25 fiel, trat Rechberg Ende Oktober zurück[278]. Die Verhandlungen in Prag wurden daraufhin abge-

271 APP V, Nr. 293: 10. X. 1864 Bismarck an Wilhelm I. (GW IV, Nr. 483).
272 DZA II, AA II, Rep. 6 Nr. 1197: 10. X. 1864 Bismarck an Wilhelm; (GW IV, Nr. 482, APP V, 292).
273 APP V, Nr. 294: 10. X. 1864 Thile an Wilhelm.
274 APP V, Nr. 295: 10. X. 1864 Thile an Wilhelm.
275 DZA II, AA II, Rep. 6 Nr. 1197: 10. X. 1864 Werther an Min. d. Ausw.; Abeken (Baden-Baden) (APP V, Nr. 296).
276 DZA II, AA II ebd.: 12. X. 64 Thile an Bismarck, vgl. zum weiteren Schriftwechsel Bismarcks an Wilhelm APP V, Nr. 297, Nr. 300, 302, Anm. 2.
277 Hock: Österreichische Revue 1867, I., S. 1–37; Bismarck: GW XV S. 254 ff.; v. Keudell: Fürst und Fürstin Bismarck, Erinnerungen aus den Jahren 1846–72, Berlin 1902 S. 169–174; Delbrück: Memoiren II, S. 332 ff.; Friedjung: Vorherrschaft S. 100 f.
278 GW IV, Nr. 491: 27. X. 64 Bismarck an Min. d. Ausw.; APP V, Nr. 319: 27. X. 64 Werther an Bismarck.

brochen[279]. Zu diesem Zeitpunkt war der Friede mit Dänemark gesichert – am 30. Oktober 1864 wurde der Vertrag unterzeichnet, in dem der König von Dänemark auf seine Rechte in den Herzogtümern zugunsten des österreichischen Kaisers und des preußischen Königs verzichtete[280].

Jetzt hatte Bismarck die unmittelbaren Ziele seiner allgemeinen und Handelspolitik erreicht: Reform des Zolltarifs im freihändlerischen Sinne, Abschluß eines Handelsvertrages mit Frankreich und wirtschaftliche Integration des preußischen Handelssystems in das der liberalen Westmächte. Gleichzeitig hatte er die Befriedigung der wirtschaftlich-liberalen Wünsche erzwungen und mit dem Abschluß der dänischen Frage einen Wunsch der Liberalen seit 1848 erfüllt.

Die innenpolitischen Konsequenzen stellten sich rasch ein, denn die liberale Phalanx gegen Bismarcks Innenpolitik begann sich von jetzt an rasch zu zersplittern. Das letzte Ziel – Verdrängung Österreichs aus einem engen Verhältnis zum Zollverein und zum Bund –, das Ziel, den Vertrag von 1853 durch einen »ohne politische Konsequenzen« zu ersetzen, war jetzt nur noch eine Frage der Zeit. Die kleindeutsch-freihändlerische Linie hatte sich gegenüber der großdeutsch-schutzzöllnerischen durchgesetzt. Aufgrund der höher entwickelten, ähnlich strukturierten und noch rohstoffautarken Wirtschaftsordnung von Industrie, Verkehrswegen und Kapitalakkumulation hatten weder Österreich noch die Mittelstaaten[280a] das Ringen für sich entscheiden können. Die wirtschaftliche Umwälzung seit den fünfziger Jahren hatte die österreichischen Bemühungen um eine Zollunion mit Deutschland irrelevant werden lassen. Ohne die Identität von ökonomischer Grundlage und politischer Zielsetzung wäre der Sieg Preußens durchaus fraglich gewesen und der Weg Deutschlands keineswegs im preußischen Sinne vorausbestimmt gewesen. Taktische Fehler vor allem Rechbergs oder Hügels oder v. d. Pfordtens oder Schrencks wogen angesichts der massiven Pression der materiellen Interessen in den entscheidenden Augenblicken wenig.

Mit Rechbergs Entlassung und Berufung des Statthalters von Galizien, Graf Pouilly-Mensdorff, war die Phase des unbedingten preußisch-österreichischen Zu-

279 DZA II, AA II, Rep. 6 Nr. 1197: 27. IX. 64 Hasselbach an Bismarck.

280 APP V, Nr. 321: 30. X. 1864 Bismarck an Prinz Friedr. Wilhelm.

280a Zur Abhängigkeit des Südens vom Norden z. B. in Steinkohlen- und Eisenerz vgl. WFStA Ludwigsburg E 146–4. 64 Nr. 1096: 31. X. 1865 IM Geßler an Karl; 27. VII./14./28. X. 1865 Denkschrift Centralstelle für Gewerbe und Handel. Zur Abhängigkeit des Südens vom Küstenhandel und Rohstoffbezug aus Übersee vgl. E 146–3. 56 Nr. 847 Petition der Centralstelle für Wolle, Glas, etc. ebd. 4. 62 Nr. 1112: 13. IV. 65 Centralstelle f. Gewerbe und Handel an IM betr. transozean. Hindelsexpeditionen, ebd. 4. 64 Nr. 1096: 14. III. 1863 Centralstelle f. Gew. u. Handel an IM betr. Baumwollbezug, 27. IX. 62 Centralstelle betr. Papierfabrikation. Abhängigkeit vom Zollvereinshandel und Kapitalmarkt des Nordens vgl. ebd. 4. 67 Nr. 1111; 13. VI. / 8. VII. 1862 Eingabe Centralstelle an IM, E 222, Fach 166, Nr. 513, 528, 529, 3½ % 7 Mill. fl. Anleihe Korr. Rothschild; ebd. Fach 167, Nr. 529/530; vgl. auch die große Denkschrift Bechers in HHStA Wien F 34 SR-r. 8.

sammengehens beendet. Preußen war in dem Bündnis zu mächtig geworden und Mensdorff nicht willens, den bisherigen Juniorpartner im Deutschen Bund als gleichberechtigt anzuerkennen. Wenn auch der neue Minister einem sofortigen Abschwenken von der preußischen Seite nicht das Wort redete, so war für ihn die Alternative, die Baron Biegeleben, der Sektionschef im österreichischen Ministerium des Auswärtigen, angesichts der unnachgiebigen Haltung von Preußen in Prag aufgestellt hatte, in weit stärkerem Maße Programm als für seinen Vorgänger Rechberg[281].

Bismarcks Phrasenformel als Ersatz für den Artikel 25

Im Gegensatz zu Rechberg hatte Biegeleben betont, daß »die Allianz mit Preußen ... den zentrifugalen Tendenzen im Innern der Monarchie nicht imponiert« und ebensowenig den Staatskredit gestärkt habe. Was Preußen an Ansehen gewonnen habe, Österreich habe es verloren. Deswegen sei die Alternative zu stellen: »Entweder muß die Allianz mit Preußen sich konsolidieren oder zwischen Österreich und Frankreich muß eine *ernsthafte* Verständigung stattfinden«, die möglich sei, »da Frankreich wie Österreich höchstwesentlich an der foederativen Gestaltung Mitteleuropas interessiert« sei.

Die Gefahr eines österreichischen Stellungswechsels aufgrund der zollpolitischen Auseinandersetzungen hatte Bismarck früh erkannt. Nach seiner Rückkehr aus Biarritz, Anfang November, setzte er seine Idee, einen modifizierten Artikel 25 Österreich als Verhandlungsgrundlage anzubieten, gegenüber Delbrück durch, um so Mensdorff »zu unterstützen und bei Preußen zu halten«[282]. Die Möglichkeit einer Verständigung war um so mehr gegeben, als Kalchberg und Mensdorff im Ministerrat vom 31. Oktober 1864 die Zolleinigungsfrage jetzt nicht mehr »als politischen Prüfstein der Allianz mit Preußen« sehen, sondern sie lediglich »zum Zweck der Erzielung materieller Vorteile« behandelt wissen wollten. Ein Zusammengehen mit den Mittelstaaten wurde abgelehnt[283].

Bereits am 9. November 1864 offerierte Bismarck Mensdorff seine neue Formel einer handelspolitischen Verständigung. »Beide Regierungen« sollten sich nach dieser Veränderung des Artikels 25 vorbehalten, »über weitergehende Verkehrserleichterungen und über möglichste Annäherung der beiderseitigen Zolltarife und *demnächst* über die Frage der allgemeinen deutschen Zolleinigung in Verhandlungen zu einigen«[284]. Damit war die direkte Zolleinigung zwischen dem Zollverein

281 Srbik: Quellen IV, Nr. 1818: Vortrag Rechberg, Denkschrift Biegeleben und Gegendenkschrift Rechbergs 18./19./20. X. 1864. HHStA Wien ebd.: 11. XI. 64 PM Kalchberg.

282 APP V, Nr. 322; DZA II, AA II, Rep. 6 Nr. 1198: 7. XI. 64 Besprechung Bismarcks mit Bodelschwigh/Itzenplitz. Delbrück: Memoiren II, S. 332 f.

283 Srbik: Quellen IV, Nr. 1831.

284 DZA II, AA II, Rep. 6 Nr. 1198 (APP V, Nr. 330/331), GW V, Nr. 1 und 2, Hervorhebungen vom Verf.

und Österreich eliminiert und zugleich – im Gegensatz zu 1853 – von einer Tarifannäherung abhängig gemacht. Der wesentlichste Punkt des Artikels aber, die zeitliche Fixierung des Verhandlungsbeginns, wurde umgewandelt in ein vages »sobald« eine der Mächte für Verhandlungen den »*geeigneten* Zeitpunkt für gekommen erachtet«. Während ausdrücklich die »handelspolitische Autonomie eines jeden der kontrahierenden Teile«[285] anerkannt wurde, war das Zolleinigungsversprechen auf einen phrasenhaften Rest reduziert.

Neue Verhandlungen in Prag und endgültiger Sieg des »bloßen« Handelsvertrags

Preußen war mit seinen Handelsbeziehungen zufrieden, der Süden hatte sich vollkommen unterworfen[286]. Wenn es sich jetzt »im Widerspruch mit der öffentlichen Meinung des Landes« und den Ressortbedenken zu Verhandlungen herabließ, so war es »lediglich von dem Bestreben und der Hoffnung geleitet ... das gute Einvernehmen« zwischen Preußen und Österreich zu fördern[287]. Die Instruktionen für die erneuten Verhandlungen »wünschten« deshalb keine Zollunion[288].

So bildeten die mühsamen, stockenden Verhandlungen zwischen Hock, Hasselbach, Philipsborn und Moser (vom preußischen Handelsministerium), Bayern und Sachsen nur noch ein Nachspiel zum Ringen der Jahre 1853 bis 1864. Die Differenzen waren beträchtlich. Der österreichischen Hauptforderung, der Weinzollreduktion[289], setzte der Zollverein ein striktes Nein entgegen[290], ebenso allen anderen Wünschen auf differentielle Bevorzugung Österreichs, sei es bei Mühlenprodukten, sei es bei Textilien oder anderen Ursprungswaren[291].

Zur gleichen Zeit, als Bismarck die Unvereinbarkeit des preußischen und österreichischen Standpunktes in der Schleswig-Holstein-Verwaltungsfrage[292] deutlich

285 ebd.

286 WFStA Ludwigsburg E 222, Fach 185, Nr. 952: 4. XI. 64 Geh. Rat an König Karl; 15. XI. 1864 Varnbüler an Riecke; 21. XI. 1864 Bericht des Steuer-Collegiums; BHStA München MH Nr. 9694.

287 ebd.

288 DZA II, AA II, Rep. 6 Nr. 1198: 9. XI. 1864 Denkschrift Bismarck; dto. an Werther.

289 DZA II, AA II, Rep. 6 Nr. 1198: 24. XII. 1864 Philipsborn/Hasselbach an Bismarck.

290 DZA II, AA II, Rep. 6: 7. II. 1865 Bismarck an Hock; WFStA Ludwigsburg E 222, Fach 185, Nr. 952: 21. XI. 1864 Steuer-Collegium an FM; 10. XII. 1864 Geh. Rat an König Karl; E 222, Fach 182, Nr. 887: 12. I. 1865 Vortrag Riecke; GLA Karlsruhe Abt. 237 Nr. 28 976: 6. I. 1865 Türckheim-Bericht.

291 DZA II ebd.: 24. XII. 1864 Tarifzusammenstellung; 2. II. 1865 Tarifbericht Hasselbachs. HHStA Wien F-34 SR-r. 8: 3. XII. 1864 FM an AM, 13. XII. 64 Mensdorff an Blome.

292 AA Bonn I AAa 27: 29. I. 1865 Kronratsprotokoll; GW II Nr. 53: 8. II. 1865 Aufzeichnung Bismarcks, Unterredung Károlyi; ebd. Nr. 62: 22. II. 1865 Bismarck an Werther (Konzept Abeken); ebd. Nr. 63: 23. II. 1865 Bismarck an Werther.

werden ließ, war die Verständigung über die Tarifkonzessionen unmöglich geworden[293]. Der Zollverein gestand Österreich die von Bismarck angebotene Zolleinigungsphrase zu[294], sonst nichts[295]. Am 11. April 1865 wurde der Vertrag unterzeichnet; er sollte gleichzeitig mit dem Handelsvertrag mit Frankreich[296], der soeben im Abgeordneten- und Herrenhaus einstimmig akzeptiert worden war (Michaelis vertrat ihn im Abgeordnetenhaus, Rabe im Herrenhaus) in Kraft treten und bis zum Jahre 1877 gültig sein. Trotz der »Einleitung« war der Vertrag mit Österreich, auch vom Tarif her, auf eine Stufe mit den westeuropäischen Handelsverträgen zu stellen[297].

Selbst dieses Vertragswerk bedeutete aber den »Kongreßmännern« im Abgeordnetenhaus ein zu großes Entgegenkommen an Österreich. Erst nach langen Debatten, wo vor allem die »Kongreßler« Roepell aus Bremen, Benda und Loewe[298] scharf gegen den Abschluß auftraten, akzeptierte das Abgeordnetenhaus am 23. V. 1865 mit 177 gegen 99 Stimmen und das Herrenhaus einstimmig am 10. Juni 1865 den Handelsvertrag.

Österreich und der Süden waren dem preußisch-französischen Hebel gleichgerichteter wirtschaftlicher Interessen des Freihandelsvertrags unterlegen; Preußen hatte in Deutschland die unbestrittene wirtschaftliche Vorherrschaft errungen, die Trias war ohne Macht: »Mitteleuropa« im Sinne Brucks als zollgeeinte Staatenverbindung von Antwerpen bis an die Adria war tot. Die militärischen Ereignisse des Jahres 1866 untermauerten nur noch das wirtschaftliche Ergebnis und zerstörten mögliche Ansätze erneuter mitteleuropäischer Großraumbildung.

Die deutsche Landkarte veränderte sich nach 1866 stark zugunsten von Preußen. Militärisch übermächtig, wirtschaftlich führend, gestützt von Konservativen und Liberalen, bestimmte Bismarck nach Sadowa das deutsche Geschick; der bestge-

293 GW V, Nr. 64: 24. II. 1865 Bismarck an Werther; DZA II, AA II, Rep. 6 Nr. 1199: Tarifbericht Philipsborn/Hasselbach/Moser 20./22./27. II. 1865.

294 DZA II, ebd. o. D.: (10. II. 1864) Grundzüge der Beratung.

295 DZA II, ebd.: 20 III. 1865 Handelsvertragsberatungs-Bericht an Bismarck; GLA Karlsruhe Abt. 48 Nr. 7037: 8. IV. 1865 Votum zum Vereinszolltarif; WFStA Ludwigsburg E 222, Fach 182, Nr. 892: 29. IV. 1865 Bericht Rieckes an König Karl.

296 DZA II, Rep. 120 C XIII, 4 Nr. 31b: Verhandlungsbeginn 29. XI. 1864 mit Le Clercq, der Zollverein erhielt die Vergünstigung der Handelsverträge von Frankreich mit Belgien, Italien und der Schweiz, Abschluß 14. XII. 1864 Ratifikationsaustausch am 9. V. 1865.

297 Eine Ausnahme war die Beibehaltung der Zollbegünstigungen des Veredlungsverkehrs an der schlesischen und sächsischen Grenze für die Textil-, Druck-, Färbereiindustrie, sonst war der Tarif erheblich reduziert, vor allem in Metallmanufakturwaren. Zollfrei war und blieb u. a. Getreide, Mehl, Backobst, Bettfedern. Zollermäßigt wurde Butter, zollerhöht wurden Käse, Glassorten und Tonwaren. Zur Beurteilung des Vertrages vgl. auch WHStA Stgt. E 33–34 F 65, IV: 3. VII. 1865 Gutachten Geh. Rat; WFStA Ludwigsburg E 222, Fach 182, Nr. 892: 12. XI. 1865 Gutachten Riecke, GLA Karlsruhe Abt. 48 Nr. 7037: 16. V. 1865 Gutachten FM/AM.

298 DZA II, AA II, Rep. 6 Nr. 1200: 12. V. 1865 Philipsborn an Bismarck.

haßte Preuße hatte Erfolg gehabt, der Erfolg hatte seinem Handeln recht gegeben. Nun – nach 1866 – konnte er seine vor Ausbruch der Feindseligkeiten an Miquel gemachte Versicherung wahr machen: »Später, wenn wir gesiegt haben, sollen Sie Verfassung genug haben[299].«

e Zwischen 1864 und 1866: Die preußisch-deutsche Wirtschaftsentwicklung und Bismarck

Krieg oder Frieden mit Österreich: der Kronrat vom 29. Mai 1865

Fünf Tage, nachdem der preußisch-österreichische Handelsvertrag das preußische Abgeordnetenhaus passiert hatte – am 29. Mai 1865[300] –, stellte der preußische Kronrat bereits die Frage der Annexion der Elbherzogtümer durch Preußen zur Diskussion, faßte also die Möglichkeit einer kriegerischen Entscheidung mit Österreich um die Garantierung der preußischen Großmachtstellung in Deutschland ins Auge, einer Entscheidung, in der Preußen nach Moltke »zur Erreichung dieses Zieles ... auch einen Krieg gegen Österreich nicht zu scheuen haben würde«. Im Gegensatz zu dieser Ansicht, der auch der König zuneigte, widerriet Bismarck, der bisherige Vorkämpfer einer kriegerischen Auseinandersetzung mit Österreich, wenn auch »der gegenwärtige Moment zu einem kriegerischen Zusammenstoß ... günstigere Chancen darbiete« als je zuvor, aber noch einem solchen Vorgehen. Er schlug vor, sich statt dessen vorerst mit Minimalforderungen zu begnügen und vornehmlich mit der Integration Schleswig-Holsteins in den Zollverein, der Einrichtung militärischer Plätze und der Erbauung eines Nord-Ostsee-Kanals zu beginnen. Die Februarforderungen Preußens: Verschmelzung der schleswig-holsteinischen mit den preußischen Truppen und Verpflichtung zum preußischen Fahneneid, riet er vorläufig ebenfalls aufzugeben. Bismarck glaubte offensichtlich, Österreich auf friedlichem Wege aus dem Bund manövrieren zu können. Er teilte anscheinend nicht die »gereizte Stimmung und (das) gränzenlose Mißtrauen« seines Königs gegenüber Österreich[300a].

Bismarcks Haltung – seinen bisherigen Äußerungen scheinbar diametral entgegenstehend – hat vielfache Rätsel aufgegeben, die sich mit Hilfe diplomatischer und geistesgeschichtlicher Interpretationen nicht befriedigend lösen ließen[301]. Wenn auch die abwägende Feststellung: Bismarck wäre es »nie in den Sinn gekommen, den

299 GW VII, Nr. 108 S. 119: Aufzeichnung Bambergers vom 22. VI. 1873.
300 AA Bonn I AAa Nr. 27, APP V, Nr. 100.
300a HHStA Wien, PA III, Nr. 88: 10. III. 65 Chotek an Mensdorff.
301 A. O. Meyer: Der preußische Kronrat vom 29. V. 1865 Festschrift Srbik, München 1938, S. 308 ff.

Gang der Ereignisse nach einem festgelegten Plan lenken zu wollen«[302], einen Zugang zur Frage, warum der Ministerpräsident den »tour d'horizon« der Weltpolitik von 1865 [303] nicht ergriff, zu eröffnen schien, so ist doch mit der gleichbleibenden Verengung des Blickes auf die Leistung genialer politischer Raffinesse und der einfühlenden – zuweilen moralisch wertenden –, z. T. psychologisierenden Untersuchung der isolierten Gestalt Bismarcks und seiner Handlungen dieser Zugang im wesentlichen wieder verschüttet; ebenso wird dadurch das Urteil über die Gasteiner Konvention (»nicht als ein retardierendes Moment«[304]) in seinem vollen Umfang nicht begründet, und der mögliche Hinweis auf die Kräfte, mit denen Bismarck sich vor und seit seiner Ministerpräsidentur verbunden wußte, wird ebenfalls nicht relevant. Es sei damit nicht gesagt, daß die skizzenhafte Erhellung der wirtschaftlichen und sozialen Struktur Preußen-Deutschlands in den Jahren 1864/66 bereits letzte Klarheit in die momentanen, zeit- und ortsbedingten Entscheidungen des Staatsmannes, »der den Staat lenkte«, bringen kann, aber zumindest eröffnet die Kombination von wirtschaftlicher, politischer und sozialer Dimension die Möglichkeit, die gestaltenden Kräfte der Zeit zu beleuchten, in der sich auch Bismarck befangen fühlte und gebunden wußte.

Damit sei zugleich auf jenes »fert unda nec regitur« hingewiesen. Denn wenn sich auch Person und Handlungen Bismarcks isoliert und immanent erhellen ließen, so wäre doch damit über Preußen, seine Handels- und allgemeine Politik nur insofern etwas gewonnen, als in diesem Spiegel die Politik des Staates – notgedrungen verengt, verzerrt – ihre Konturen erhalten würde[305].

Aber ist wiederum die Persönlichkeit ohne ihre Voraussetzungen, ohne ihr Eingebettetsein in den »Strom der Zeit» zu erfassen? Erst im gegenseitigen Durchdringen personaler und objektivierender Betrachtung, reduziert auf die Hoffnung der Erkenntnis kausaler Verknüpfungen – wenn es überhaupt möglich ist, ein solches Idealziel bei der Komplexität historischen Geschehens aufzustellen –, scheint die Antwort (auch hier beschränkt und nur skizzenhaft gewagt) auf die Frage der Charakteristika preußischer Entwicklung im Jahre 1865/66 zu liegen.

Bismarcks Ausgleichspolitik: Zeitgewinn

Bismarcks Votum im Kronrat gegen den (sofortigen) Krieg mit Österreich ist vornehmlich durch die Ereignisse seit Herbst 1864 bestimmt. Mit der Erneuerung der

302 Bußmann: Bismarck S. 82.

303 R. Stadelmann: Das Jahr 1865 und das Problem von Bismarcks deutscher Politik HZ Beiheft 29, München 1923.

304 Bußmann: Bismarck S. 84.

305 vgl. zu dieser mehr isolierenden Betrachtung aus der Flut der Literatur, z. B. O. Becker: Bismarcks Ringen um Deutschlands Gestaltung, hrsg. v. A. Scharff, Heidelberg 1958; E. Eyck: Bismarck. Leben und Werk, Bd. 1, Zürich 1941; G. Franz: Bismarcks Nationalgefühl, Lpz. 1926; A. O. Meyer: Bismarck. Der Mensch und der Staatsmann, 1944, Neuauflage 1949; ders.: Der preußische Kronrat vom

Zollvereinsverträge, dem Abschluß des Handelsvertrages mit Österreich, des Handelsvertrages mit Frankreich, der Annahme dieser Verträge in den Zollvereinsländern[306] wurde die wirtschaftliche Integration mit dem »Westen« angebahnt, die mit den gerade zur Zeit des Kronrats vor ihrem erfolgreichen Abschluß stehenden Handelsverträgen mit England, Belgien, der Schweiz[307] vollzogen wurde[308]. Hierzu war auch der seit Juli 1864 sondierte Handelsvertrag mit Italien zu rechnen[309]. Zu dieser Integration kam ein zweites. Seit dem Jahre 1862 hatte Preußen einen vehementen wirtschaftlichen Aufschwung verzeichnen können. Zugleich hatte der Erfolg von 1864 die scheinbar so festgefügte politische Opposition gegen Bismarck in dem Maße gespalten, wie es sich bereits seit 1862 abgezeichnet hatte[310]. Die Spaltung der liberalen Opposition eröffnete nun die Möglichkeit, Bismarcks Politik der »Staatsraison« nach innen und über die Handelsverträge (so im Falle Italiens)

29. 5. 1865 in: Festschrift für H. Ritter v. Srbik, München 1938; W. Mommsen: Bismarck. Ein politisches Lebensbild, 1959; L. v. Muralt: Bismarcks Verantwortlichkeit, Göttingen 1955; G. A. Rein: Die Revolution in der Politik Bismarcks, Göttingen, Berlin, Frankfurt 1957; H. Rothfels: Bismarck und der Staat. Ausgewählte Dokumente in »Der deutsche Staatsgedanke«, München 1925. S. XXIII ff.; XXXI.

306 DZA II, AA II, Rep. 6 Nr. 1201; WFStA Ludwigsburg E 222, Fach 182, Nr. 892: 29. IV./12. VI. 1865 Bericht Riecke an Karl; WHStA Stgt. E 33–34, F 65, IV: 3. VII. 1865 Gutachten Geh. Rat; GLA Karlsruhe Abt. 48, Nr. 7037: 8. IV/16. V. 1865 Promemoria des FM, Abt. 233, Nr. 10 518: 12. XI. 1865 Prot. der Vollziehungskommission; BHStA München MH Nr. 9694; A. Devers: La politique commerciale de la France depuis 1860, in: Schriften des Vereins f. Sozialpolitik 1892, I 3 S. 145 ff.

307 Delbrück: Memoiren II, S. 340 ff.

308 Die Handelsverträge mit Belgien, Großbritannien und Irland und der Schweiz vgl. Preuß. Ges. S. 1865 S. 857 ff., 865 ff.
In die Reihe der industriebezogenen kontinental-europäischen Absprachen gehörte auch die Erneuerung der Zollvereinbarungen mit Luxemburg vom Jahre 1842 am 20./25. X. 1865 (Preuß. Ges. S. 1866, S. 207). Neben diesen Verträgen waren die vornehmlich hanseatischen Exportinteressen in Südamerika dienenden Verträge mit Mexiko (10. VI. 1855), Argentinien (19. IX. 1857), Paraguay (1. VII. 1860), Uruguay (28. VI. 1856) über Preußen (Preuß. Gesetzessammlung 1875/59 S. 405 ff. S. 457) und mit Chile und Columbien über Hamburg-Bremen-Lübeck (VFH. H. Bd. 26, S. 153) geschlossen worden, und auch gegenüber Japan (24. I. 1861), China (2. IX. 1861) und Siam (7. II. 1862) war ein festes Handelsvertragsverhältnis erzwungen worden (Preuß. Ges. S. 1865, S. 265).

309 GW IV, Nr. 425: 2. VII. 1864 Bismarck an Werther; GW V, Nr. 40: 24. XII. 1864 Bismarck an Usedom. Wiederaufnahme der Verhandlungen am 6. V. 1865. GW V: 6. V. 1865 Bismarck an Usedom und Fortführung trotz erheblicher Differenzen mit den Zollvereinsstaaten (GW V, Nr. 127: 2. VII. 1865 Bismarck an Usedom) aufgrund politischer Zielsetzung Bismarcks, vgl. auch APP VI, Nr. 49, ebd. Nr. 63, Nr. 65, Nr. 95, vor allem Anm. 3, Nr. 105, Nr. 117.

310 J. G. Droysen: Briefwechsel II, S. 830; Roon: Denkwürdigkeiten II, S. 257–258; Parisius: Hoverbeck II, S. 4 ff., S. 21 f.

auch nach außen abzusichern und für Entwicklungen, die mit dem Abschluß der dänischen Frage ihren Anfang genommen hatten, Zeit zu gewinnen[310a].

Dieser Zeitgewinn schien Bismarck notwendig zu sein. Denn noch stand Treitschke mit seinem Eintreten für die Annexion der Elbherzogtümer[311] »unter den Professoren seiner Zeit ganz einsam« da[312]. Auch hatte Bismarck in der Annexionsfrage noch nicht die Zustimmung des Nationalvereins unter Bennigsen und Miquel erhalten – wenn auch Mommsen und Twesten für die Annexion Schleswig-Holsteins eintraten[313]. Wie im Norden, so regte sich auch im Süden die Opposition und kam in der Gründung Payers und Haussmanns, der »Deutschen Volkspartei«[314], zum schroffen Ausdruck. Doch bereits während der Budgetdebatten[315], noch mehr aber in den Handelsvertragsdebatten im Preußischen Abgeordnetenhaus (und in den Landesvertretungen) war es deutlich geworden, daß die »Kongreßler« und damit die Träger, sei es des »publizistischen«, sei es des »materiellen« deutschen und preußischen Freihändlertums mit Michaelis, Loewe, Harkort an ihrer Spitze »in der Handelspolitik den Weg zu Bismarck gefunden« hatten[316]; einen Weg, der nun von der Anerkennung der Handelspolitik »zur Anerkennung der auswärtigen Politik und die Möglichkeit, an ihr teilzunehmen«, führte[317].

Die Rolle der »Volkswirthe«

Die Stellungnahme der »Volkswirthe« war für die Annäherung des preußisch-deutschen Bürgertums an den Bismarck-preußischen Staatsgedanken, wie er sich 1862 manifestiert hatte, symptomatisch. Ein Kampf gegen die preußische Heeresorganisation schien nach den Erfolgen des Heeres 1864 aussichtslos geworden zu sein[318]. Die Wandlung hatte sich bereits 1862/63 abgezeichnet und verschärfte sich nun, als Faucher und Michaelis, die Sprachrohre der »Kongreßler«, im Gegensatz zu Gneist, Waldeck, Bennigsen und Forckenbeck[318a] die Etatbewilligung (also das

310a Ritter: Konservative S. 116 ff., Tagebücher Friedrichs III, S. 530 ff.

311 H. Hjeholt: Treitschke und Schleswig-Holstein, München 1929; Preuß. Jbb. XII (1863) S. 540 ff., XIII (1864) S. 661 ff., XIV (1864) S. 456, XV (1865) S. 179 ff.

312 Hallgarten I, S. 135.

313 Oncken: Bennigsen I, S. 625 f., 647, 655, 657, 672 ff.

314 O. Elben: Lebenserinnerungen 1823–1899, Stgt. 1931, eingehend Rapp S. 77 ff.

315 Stenogr. Berichte des preuß. Abgeordnetenhauses I (15. III. 1865) S. 501 ff., 507 f., 511 ff., (16. III. 1865) S. 550 f., (17. III. 1865) S. 572 ff., 598 f., (21. III. 1865) S. 646 ff.; Eyck II, S. 45–47; W. Schunke: Die preußischen Freihändler und die Entstehung der nationalliberalen Partei, Lpzger. Hist. Abh. XLI, Lpz. 1916 S. 14 f.

316 W. Schunke: S. 29.

317 Stenogr. Berichte des Preuß. Abg.-Hauses (6. VI. 65) S. 1000, (23. V. 1865) S. 1675.

318 Unruh: Memoiren S. 898; Heyderhoff/Wentzcke I, 221, 223/24/228–330, 435/430/241; Philippson: Forckenbeck S. 124 f.

318a Heyderhoff/Wentzcke I, 238, 239, 242–243; Oncken: Bennigsen I, S. 657; Philippson: Forckenbeck S. 132; Parisius: Hoverbeck II/2 S. 28 f., 47 f.

Budgetrecht) nicht mehr als Hebel der demokratischen Opposition betrachteten, sondern sich der Zusammenarbeit »auf finanziellem Gebiet, welches die Regierung als das für sie günstigste anerkennt«, rühmten[319] und als ihr Ziel betonten: »Es stirbt die Politik, und die Volkswirtschaft *allein* belegt das gewonnene Gebiet in Beschlag«[320] – ein Ziel, das Bismarck in den Jahren 1878/79 und 1882 wörtlich wieder aufnehmen wird.

1862 und ebensowenig 1865/66 hatten große Teile der Liberalen und selbst die »Demokraten« in Preußen (Honoratioren!) »nie den Staat vergessen, in dem sie lebten«[321]. Wenn auch »Herr von Bismarck kein Cavour« war noch werden würde, so anerkannten Twesten und Michaelis doch als Sprecher der Freihändler, daß »es mit dem Ansehen und der Stärke einer wirklichen Großmacht (Preußen)... auch vereinbar sein müsse, auch die materiellen Mittel an eine solche Aufgabe heranzubringen«. Damit sagten sie der Politik der Neuen Ära Valet und schlossen sich Bismarck an, um mit ihm die Einheit Deutschlands erreichen zu können und in der nationalen Einheit die Durchsetzung ihrer liberalen Ziele; glaubten sie doch, daß »jedes Anwachsen des Staates ... jene Gewichte« verstärken würde, »die den Absolutismus zu Boden zu strecken bestimmt sind«[322]. Für die Zeit des weiteren Konfliktes standen von nun an die Freihändler geschlossen hinter Bismarck, bereit, für den preußischen Staat, als Vorhut ihrer wirtschaftlichen Ziele, jederzeit die Waffen zu ergreifen.

Die »Kongreßler« – zumeist zugleich Mitglieder des Deutschen Handelstages – im Abgeordnetenhaus aber waren nur ein Teil der Opposition, die sich Bismarck nun näherte und ihm die Möglichkeit einer inneren »Abrechnung« eröffnete. Nach dem Krieg mit Dänemark und dem handelspolitischen Sieg Preußens über Österreich nahmen die Handelsstädte der Küste mit den Herzogtümern einen aktiven Handel auf. Sie forderten deshalb die Annexion der Herzogtümer durch Preußen und anerkannten gleichzeitig in zunehmendem Maße[323] Bismarcks Führung.

Die Rolle von Industrie und Handel

Vor allem waren es die rheinische Schwerindustrie, rheinische und Berliner Kapitalien, die sich unter Führung des Gründers des Schaaffhausenschen Bankvereins, v. Mevissen, in Schleswig-Holstein engagierten. Dieser »erkannte als erster die wirtschaftliche Möglichkeit eines – wenn auch unter preußisch-konservativer Herrschaft stehenden – größeren und geeinten Wirtschaftsgebietes zwischen Nord- und Ost-

319 Stenograph. Berichte des Preuß. Abgeordnetenhauses 15. III. 1863 S. 507.
320 Vierteljahresschrift 1863, III, S. 186, nach Schunke S. 15. Hervorhebung vom Verf.
321 National-Zeitung (28. V. 1865).
322 nach Schunke S. 32 f., S. 34.
323 DZA II, Rep. 90a, F V, 1 Nr. 1 Bd. 4; Rep. 120 C XIII, 1 Nr. 4 Bd. 3: Eingaben Lübeck u. a. m.

see«[324]. Mit v. d. Heydt – Mitinhaber des Bankhauses v. d. Heydt-Kersten[325] – und Adolf Hansemann, der nach einer rheinischen »Lehrzeit« seinem am 4. Juli 1864 gestorbenen Vater in der Führung der Geschäfte der Disconto-Gesellschaft gefolgt war, gründete Mevissen das Ostseekanalkomitee, und nicht zuletzt auf ihren Druck hin wurde Kiel[326] zum preußischen Kriegshafen erklärt[327].

Das wirtschaftliche Engagement preußischer Finanzkräfte in Schleswig-Holstein, die alle auf eine Annexion der Gebiete hofften, auf einen »Machtzuwachs durch erweiterten Handel und Verkehr« drängten[328], bildete aber nur den Hintergrund zu einer sich anbahnenden tiefen Wandlung in der Einstellung der Liberalen zum politischen Leiter des preußischen Staates. Hatten sie bisher der wirtschaftlichen Ziele wegen Bismarck »ignoriert«, jedoch nicht bekämpft, so glaubten sie nach den Erfolgen von 1864, noch mehr aber nach dem Abschluß der Gasteiner Konvention vom August 1865 [329], die für sie einem ersten Schritt zur Annexion gleichkam, dem Ministerpräsidenten und zugleich dem vornehmsten Träger der von ihnen voll bejahten Handelspolitik[330] und Wirtschaftspolitik[331] die Unterstützung nicht verweigern zu können und zugleich die »unternehmerische Anwendung« dieses Vertrauens nicht mehr aufschieben zu müssen.

324 J. Hansen: G. v. Mevissen S. 743 f.; Geschäftsberichte der Disconto-Ges. 1864; Gründung der Landesbank Schleswig-Holstein, erste Zusammenarbeit der Disconto-Ges. mit der Norddeutschen Bank.

325 Bekannt geworden als Finanzier (in enger Zusammenarbeit mit der Seehandlung) zahlreicher Kolonialunternehmen, vor allem der Deutschen Ostafrika-Gesellschaft; HA-Berlin Rep. 109, Nr. 5362–5368, Nr. 5320, I–VII.

326 Poschinger: Wirtschaftspolitik I, S. 55/65/70/75/77; GW V, Nr. 95: 17. IV. 1865 Bismarck an Werther.

327 Es sei nur vermerkt, daß die Frage der Kriegsflotte von Bismarck ebenfalls als Sprengmittel der liberalen Opposition benutzt wurde (Stenogr. Berichte Abg.-Haus (1865) III, S. 1833–1903, VIII S. 1601–1615); Pflanze: Bismarck S. 274.

328 DZA II, Rep. 120 C VIII, 1 Nr. 25 Bd. 3.

329 GW V, Nr. 159 hierzu auch Nr. 169 und 170: 22. VIII. 1865, Telegramm und Erlaß an Missionen.

330 DZA II, AA II, Rep. 6 Nr. 551, Delius (Mitbegründer der »Ravensberger Spinnerei AG«, Mitglied des Landeseisenbahnrats, Mitbegründer des Verbandes deutscher Leinenindustrieller und der Präsident d. HK Bielefeld), Böhmert (der freihändlerische Hauptagitator und Redakteur des Bremer Handelsblattes), Koelle von der Handelskammer Karlsruhe, Hammacher-Essen, zugleich Vorsitzender des 1858 gegründeten Vereins für bergbauliche Interessen, Wolff (Baumwollfabrikant und Präs. d. HK Gladbach) unterstützten auf dem III. Deutschen Handelstag am 25./28. IX. 65 die handelspolitische Zielsetzung Bismarcks und Delbrücks; vgl. auch BHStA München MH Nr. 14 263, ebd., die Stellung Badens im Bismarckschen Sinne wurde vor allem auf dem 4. Bad. Handelstag (24.–26. IV. 65) deutlich.

331 DZA II, Rep. 120 A XI, Nr. 1 vol 4. In der Zulassung von Privatbahnlinien zeigte Bismarck ein Entgegenkommen an die Wünsche Harkorts, Roepells und Michaelis'; die beginnende staatlich forcierte Bahnbautätigkeit sei ebenfalls erwähnt. Poschinger: Wirtschaftspolitik I, S. 72 ff.

Die Übernahme nationaler und wirtschaftlicher Ziele der deutschen Volksbewegung durch Bismarck bedeutete die Zerstörung des einigenden Bandes der Liberalen[332]; die »Nationale Zeitung« und die »Vossische Zeitung« unterstützten immer mehr die Bismarcksche Politik[333].

Die Verwaltungstrennung der »unteilbaren« Herzogtümer am 14. August 1865, die Österreich aufgrund seiner schweren finanziellen und innenpolitischen Krise anzunehmen gezwungen war, war nicht nur ein »Olmütz« für Österreich, weil die deutsche Öffentlichkeit das konservative Bündnis vornehmlich als Verrat Österreichs an der deutschen Sache beurteilte und die Macht Preußens anzuerkennen begann[334], sondern bedeutete vor allem die weitere Demütigung der mittelstaatlichen Ziele, die vom Nachfolger Schrencks in Bayern, v. d. Pfordten, unbeirrt weiter vertreten worden waren[335]. Seit dem preußischen Erfolg in der Handelspolitik hatte sich Mensdorff ganz auf das »bundessächliche Gebiet« konzentriert. Hier war es dem Österreicher ein leichtes gewesen, die Unterstützung der Mittelstaaten zu gewinnen, denn »jetzt« – so konnte Blome bissig im Februar aus München berichten – war z. B. in Bayern der Nachfolger Schrencks, v. d. Pfordten, »so sanft und vertrauensvoll wie ein Täubchen. Einerseits weiß er recht wohl, daß er ohne uns ohnmächtig ist; andererseits haben wir den rechten Ton angeschlagen, um ihn gut zu stimmen. Häufige Mittheilungen, schmeichelhafte Redensarten und theoretische Rechtsdeduktionen. Erstere zeigen ihm, daß man in Wien auf ihn Rücksicht nimmt, letztere gewähren seiner Professorennatur unendlichen Genuß«.

»Loyal, bieder, oft kindlich naiv« – so beurteilte der Botschafter die mittelstaatlichen Regierungschefs und mokierte sich: »Es ist unglaublich, wie beschränkt der deutsche mittelstaatliche Horizont ist[335a].« Immerhin, es war nicht ganz leicht, das mittelstaatliche Staatsschiff zwischen der Scylla – einer preußischen – und der Charybdis – einer österreichischen Dominanz – hindurchzubringen. »Selbst Kind der Revolution«, war v. d. Pfordten, nach dem Urteil Blomes, »der zur Regierung gelangte liberale Despot, der sich ausschließlich das Recht vindicirt, das Maß des Liberalismus zu bestimmen, wie er ihm für die Autorität der Krone genügend erscheint«[335b]. Schrencks Beispiel warnte v. d. Pfordten und ließ ihn vorsichtig mit Österreich paktieren; doch glaubte er in der Frage der Elbherzogtümer mit »ewiger Bündnistreue« Österreichs rechnen zu können. Und deswegen engagierten sich

332 Parisius: Hoverbeck II, S. 6 ff.; Oncken: Bennigsen I, S. 644 ff.; Schulze-Delitzsch Schriften III, S. 221 ff.; Schieder: Kleindeutsche Partei S. 41 ff.; Pflanze: Bismarck S. 273 ff.

333 Schunke S. 35.

334 APP VI, Nr. 271, Anm. 2: 16. VIII. 1865 Zschock an Bismarck, Nr. 258 Unterredung Bismarcks mit Beust.

335 Srbik: Quellen Nr. 1930: 2. I. 1865 Handel (Stgt) an Mensdorff; APP VI, Nr. 177, Nr. 121, Nr. 243, Nr. 263: 21. VIII. 1865 Reuß an Bismarck Nr. 273; HStA Darmstadt, Sta. Min. Konv. 46 Fasc. 3: 9. VIII. 65 v. d. Pfordten an Dalwigk.

335a HHStA Wien PA IV Nr. 33: 19. II. 1865 an Rechberg.

335b ebd. Nr. 34: 1. IV. 1865.

er, Beust, Dalwigk, Roggenbach und Varnbüler, in dieser Frage[335c] und opponierten gegen Preußen. Gastein war für sie eine dementsprechend kalte Dusche.

Die Bedeutung von Gastein hatte der hessische Ministerpräsident v. Dalwigk mit großer Schärfe erkannt. Höchst beunruhigt schrieb er deswegen am 8. August 1865 an den »Führer« der Trias, v. d. Pfordten: »Wir betrachten das Schicksal der Herzogtümer als entscheidend für das Schicksal Deutschlands und zumal für die Zukunft der Mittelstaaten.« Mit Bayern stehe und falle alles, da es »Preußen nie wagen (wird) sein Schwert in die Waagschale zu werfen, wenn es im Voraus weiß, daß Bayern und mit ihm das übrige Süddeutschland mit Sachsen im Kriegsfall auf Seiten Österreichs und des Rechtes steht«. Er warnt vor jedem Ausgleich, vor jeder »concilianten Sprache«, da Bismarck kein Manteuffel sei. Deutschland und Österreich stehen »wieder bei Olmütz«, Österreich aber habe keinen Schwarzenberg[336]. Mit gleicher Spannung blickten Varnbüler, Beust und Roggenbach auf Gastein. Von der Pfordten im Wissen um Österreichs Schwierigkeiten konnte nur resigniert berichten, daß Österreich »sehr große Zugeständnisse« gemacht habe, eine »ruhige Haltung« um jeden Preis verfolge und nicht »das Schwert ziehen« könne[337]. Die Trias war damit auch überspielt. Der badische Minister des Auswärtigen – zugleich die bisherige »Hoffnung« der Liberalen Deutschlands – Roggenbach, nahm seinen Abschied[338]. Neben diesen Rückwirkungen bewirkte der momentane Ausgleich mit Österreich aber auch die »Zerschlagung« der Einheit des »Nationalvereins«, in dem eine ständig zunehmende Zahl seiner Mitglieder eine Beendigung der Konfliktsituation anzustreben begann[339].

Brachten die »Folgen von Gastein« schon eine erhebliche Stärkung der Bismarckschen Position und Politik, so war mit dem Aufschub der kriegerischen Verwicklungen und dem Versuch – wie bedeutsam Bismarck auch immer diesen Weg beurteilt hatte[340] – eines friedlichen Ausgleichs mit Österreich[341] Zeit gewonnen für die

335c ebd.

336 HStA Darmstadt Sta. Min. Konv. 46 Fasc. 3.

337 HStA Darmstadt ebd.: 9. VIII. 1865 v. d. Pfordten an Dalwigk.

338 APP VI, Nr. 271: 28. VIII. 1865 Flemming an Bismarck.

339 vgl. Schunke S. 38 f.; 17. X./26. X./29. XI. Nationalzeitung; Oncken: Bennigsen I, S. 685.

340 Ein charakteristisches Licht auf Bismarcks Ansicht wirft eine Bemerkung des Ministerpräsidenten gegenüber Bunsen. Nachdem im August die von Bleichröder und Hansemann in seinem Auftrag durchgeführte Prämien-Obligations-Operation der Köln-Mindener Bahn abgeschlossen, also das Geld zu einem Krieg mit Österreich »verwendbar« war (APP VI, Nr. 235, 8. VIII. 1865: Bismarck an Auswärtiges Amt, dto. Anm. 1), betonte Bismarck den rein provisorischen Charakter der Konvention (APP VI, Nr. 295). Ebenso bedeutsam ist Bismarcks Versuch, die liberalen Unternehmer an sich heranzuziehen mit dem Versuch einer Verständigung der Arbeiter, besonders der Weber, und der Beginn einer sozialen Reform; an diesem Ort kann aber auf Lassalle oder die Weberdeputation von Wüste Giersdorf nicht eingegangen werden, da sie 1863–65 keine erhöhte politische Bedeutung erhält, weil die Gefahr einer sozialen Revolution unter Lassalles protestantischer

Vollendung der innen-, handels- und wirtschaftspolitischen Ansätze, die alle zu einer Stärkung der politischen Position Preußens führen mußten, aber während des Jahres 1865 noch in den Anfängen steckten. Wenn auch Bismarcks Politik von den Konservativen, vor allem von den Militärs »als Leichtsinn« abgelehnt wurde und auf »König Wilhelms – passez moi l'expression – Beschränktheit« nicht nur in engen Hofkreisen bitter gespöttelt wurde[341a], so gaben die Erfolge Bismarcks Politik vorerst recht.

Beginn der kapitalistischen Verflechtung Preußens

Neben den schon erwähnten direkten Verbindungen mit den Elbherzogtümern, neben der Vollendung der Integration in das »westliche« Handelssystem, dem sich dann noch ein Handelsvertrag mit Rußland und Spanien anschließen sollte[342], bedeutete die mögliche Annexion der Elbherzogtümer und die handelspolitische Durchsetzung der preußischen Hegemonialstellung in Norddeutschland die Bildung eines vergrößerten, einheitlichen (wenn auch nicht staatlich fundierten), norddeutschen Wirtschaftsraumes. Er bot dem Berliner Kapital die Garantie, lukrativ in das Schwerindustriegeschäft an der Ruhr – weniger in Schlesien –, aus dem es sich 1860 hatte zurückziehen müssen, wieder einzusteigen. Zu den lokalen Finanziers der rheinischen Montanindustrie traten neben dem Schaaffhausenschen Bankverein,

»Revolutionspolitik« keineswegs den politischen Akzent erhielt wie dann in der Parteibildung der Sozialdemokraten. A. Richter: Bismarck und die Arbeiterfrage S. 252 ff.; Poschinger: Wirtschaftspolitik I, S. 20–25, 30 ff., 49, 62–65, 68–70, 76, 78–83, F. Mehring: Sozdem. III, S. 195 ff.; Pflanze: Bismarck S. 223 ff., 279 ff.; Oncken: Lassalle; S. 293 ff.; Fischer HZ 171, S. 473 ff.; Mayer: Bismarck und Lassalle, S. 28 f., 35 f., 42 f., 60 f., 81 ff., 87 f.

341 In welcher Situation sich Österreich nach dem Handelsvertrag und vor den Gasteiner Verhandlungen befand, zeigt anschaulich das Privatschreiben des österreichischen Gesandten in Bayern, Graf Blome, an Biegeleben. Blome vertraut nicht mehr den »Mitteln« seines Freundes in der Wiener Zentrale, »Preußen bange machen zu können«. »Wenn nun Bismarck peremtorisch erklärt: entweder Annexion oder Halbsouverenität oder in infinitum des Provisoriums, damit erstere sich von *selber* mache, was dann?« fragte Blome: »Der Bundestag? Risum teneatis. Derlei Illusionen kann doch höchstens ein v. d. Pfordten noch hegen. Majoritätsbeschlüsse Proteste, Protokolle, Monitoria – eitel Staub. Die Auflösung des Bundes? Bravo! Preußens reinster Gewinn, Exekution? Wollen wir wegen Nordalbingiens Preußen bekriegen und den europäischen Brand entzünden? Nicht doch. Daran denkt man in der Burg am allerwenigsten und niemand in Österreich will einen Krieg als höchstens um Venedig gegen Piemont«, und resignierend fürchtete er, daß Österreichs Widerstand gegen Preußen in einer »großartigen Düperie« enden würde. (Srbik: Quellen IV, Nr. 1999: 9. III. 1865).

341a HHStA Wien, PA IV, Nr. 33: 6. VI. 1865 Blome an Mensdorff.

342 DZA II, Rep. 6 Nr. 551.

Salomon Oppenheim jr. & Cie, Born & Co, C. G. Trinkaus & Co[343] u. a. m., nun erneut die Disconto-Gesellschaft, die Berliner Handelsgesellschaft und Bleichröder; zu den Magnaten Oberschlesiens traten ebenfalls die Berliner[344].

Zum gleichen Zeitpunkt, als der junge Hansemann in enge Beziehung zu Bismarck trat[345] (Bleichröder war seit Frankfurt Bismarcks Bankier), eine Beziehung, die bis zu Bismarcks Tod von Hansemann »nicht nur mit den Erzeugnissen der Güter: Rebhühner, Lämmer, in Pempowo bereitetem Käse, wie auch den edelsten Weinen«[346], gepflegt wurde, wurde der Kern der Engagements der Bank im Ruhrgebiet, die zur »Bochumer Bergwerks-Gesellschaft«[347] umgewandelte, zuerst in Konkurs gebrachte Zeche »Vereinigter Präsident« und die »Phönix AG für Bergbau und Hüttenbetriebe«[348], mit der von Berlin beherrschten Köln-Mindener Bahn in Verbindung gebracht[349]. Damit wurde das Ruhrgebiet an den mitteldeutschen Markt herangeführt. Gleichzeitig wurde das Projekt einer Berlin-Potsdamer und einer Berlin-Braunschweiger Bahn vorangetrieben. Diese Linien waren als Mittelstück und Ergänzung zu der ebenfalls zu diesem Zeitpunkt lancierten Oberschlesischen Eisenbahn[350] gedacht. Zusammen mit der Beteiligung an der Rhein-Nahe-Bahn, im Jahre 1860, war die Disconto-Gesellschaft damit an den Hauptabsatzwegen des Ruhrgebietes (aber auch den strategischen Hauptlinien) beteiligt. Im Hinblick auf herankommende kriegerische Verwicklungen war das »Verkehrskorsett« des preußischen Staates geknüpft, und mit dieser Argumentation war auch der Bahnbau von der Disconto-Gesellschaft gegenüber den staatlichen Organen vertreten und durchgesetzt worden: »So wie jetzt unser Handelsministerium beschaffen ist«, hatte David Hansemann zu Beginn des Eisenbahnausbaus seinem Sohn geraten, »kann man auf nichts rechnen und es erscheint mir daher dringend nothwendig, daß *persönlich, direct und indirect* beim Kriegsminister und seinen Organen geltend gemacht werde: der große Vortheil einer zweiten von Berlin ausgehenden Bahn nach dem Rhein«, sei für »Preußen Existenz nothwendig«[351]

Wie die Disconto-Gesellschaft und Bleichröder – dieser in enger Verbindung mit Mulvany[352] – engagierte sich die Berliner Handelsgesellschaft bei der Dortmunder Bergbau- und Hütten AG, ebenfalls in der Hoffnung, mit dem gesteigerten Absatz

343 Geschäftsbericht der Disconto-Ges. 1864, 1865, 1866, Geschäftsbericht der BHG 1864, 1865; Däbritz: Anfänge der Disconto-Ges. S. 129 ff.

344 DZA II, Rep. 120 C VIII, 4 Nr. 4, Gesch. Ber. d. Schlesischen Bankvereins; A. Serlo: Beiträge zur Geschichte des schles. Bergbaus in den letzten 100 Jahren, 1869.

345 E. W. Schmidt: Disconto-Gesell. 1957, S. 30.

346 Münch: Hansemann, 1932, S. 398.

347 Däbritz: Anfänge der Disconto-Ges. S. 101 ff., DZA II, Rep. 120 A XI, 13 Bd. 1.

348 DZA II, Rep. 120 A XII, 7 Nr. 57 Bd. 2.

349 H. Schacht: Zur Finanzgeschichte des Ruhrkohlenbergbaues, Schmollers Jb. 1913, S. 1260 ff.

350 Geschäftsberichte der Disconto-Ges. 1862–1864.

351 nach Münch S. 50: 20. II. 1863, Hervorhebung vom Verf.

352 siehe unten S. 340.

nach 1864 die Verluste der Jahre 1858–1862 ausgleichen zu können[353]. Zugleich waren diese Beteiligungen die ersten Schritte, das bis 1857 vorwiegend in französischen, belgischen, holländischen und englischen Händen[354] liegende Kapital des Ruhr-Kohlenbergbaus zu nationalisieren und mit dem preußischen Konservatismus zu verbinden.

Berliner Börse, Eisenbahnbau und Disconto-Gesellschaft

Die skizzierten ökonomischen Verschiebungen sind als erste Zeichen der Veränderung des deutschen volkswirtschaftlichen Raumes zu verstehen, da sich zum erstenmal das in den Aktiengesellschaften akkumulierte Kapital auf den Westen konzentrierte, so daß sich eine Spaltung zwischen dem industrialisierten, durchkapitalisierten, urbanisierten Westen (der Südosten stand unter anderen Voraussetzungen) und dem agrarstrukturierten, kapitalarmen Osten abzeichnete. Diese Veränderungen waren gleichzeitig eingebettet in einen vehementen wirtschaftlichen Aufschwung nach 1860[355].

Die Niederlage Österreichs in Italien hatte 1859 den Markt der Staatsanleihen in Frankfurt »zerstört« und zugleich den Höhepunkt der Krisenentwicklung seit 1857 gebracht. »Unter dem fortdauernden Einfluß der nicht geordneten politischen Zustände« hatte die Geschäftstätigkeit auch 1860 einen »nur befriedigenden Erfolg gezeigt«[356]. Bereits 1861 wurde die Stagnation bei steigender außenpolitischer Stabilität – trotz der inneren Krisenlage Preußens – von einer »lebhaften Tätigkeit«[357] abgelöst, die 1862 bereits einen »großen Umfang« annahm und 1863 zu »recht günstigen Erfolgen« bei »vortheilhafterer Verwerthung des Geldes« als im Jahre 1862[358] führte. Während 1864 in Berlin keine Umsätze in Staatspapiergeschäften verzeichnet wurden, war der Fortgang der Giro- und Investitionsgeschäfte trotz hoher Zinsfüße, bei »angemessenen Erträgnissen«[359], ein beredtes Zeichen der sich unter Führung von Bleichröder und Hansemann vollziehenden Spezialisierung des Berliner Marktes. Den Höhepunkt des neuen Aufschwunges erbrachte das Jahr

353 DZA I, Sekretariatsakten der Berliner Handels-Gesellschaft.

354 siehe oben S. 67, vgl. auch DZA II, Rep. 120, A XII, 5 Nr. 2a Bd. 1.

355 Es gibt keine eingehende Darstellung dieser zweiten hochkapitalistischen Aufschwungsphase. Die bisherigen Skizzen von Sartorius, Däbritz, Sombart, Lütge, Bechtel, Oelssner genügen nicht, eingehender neuerdings aufgrund von Zeitungsmaterial J. Schuchardt: Die Wirtschaftskrise von 1866, Jb. f. Wirtschaftsgeschichte Berlin 1962, II, S. 91 ff.

356 DZA II, Rep. 120 A XI, 2 Bd. 2; Geschäftsber. des Berliner Kassenvereins 1860.

357 ebd. Bericht 1861.

358 ebd. Bericht 1862/63; Geschäftsbericht der Disconto-Ges. 1860–1865; Geschäftsbericht Berliner Handelsges., Geschäftsber. Hörder BW-Verein, Geschäftsbericht des Bochumer Bergwerks-Vereins.

359 DZA II, Rep. 180 A XI 2 Bd. 2 Bericht des Berl. Kassenvereins von 1864.

1865. »Über alle Erwartungen« war der Giroverkehr, das Wechsel-, Lombard- und Inkassogeschäft gestiegen[360].

Entsprechend der Entwicklung der Börse in Berlin hatte sich auch die Disconto-Gesellschaft »entwickelt«, wobei die Bilanz des Jahres 1866 in der starken Zunahme der eigenen Wertpapiere von 7 % auf 14,9 % des Aktivsaldos gegenüber dem Jahre 1861 das unternehmerische Engagement zum Ausdruck brachte – bei gleichzeitigem Sinken des Eigenkapitals und der Reserve im Passivsaldo[361]. Damit wird der Weg der industriellen Großbankenunternehmung, entstehend auf dem Scheitelpunkt zwischen agrarisch betonter, industriell gekennzeichneter Wirtschafts- und Staatsstruktur, deutlich[362]. Die Position der anderen Aktiengesellschaftsbanken ähnelte der der Disconto-Gesellschaft, wobei sich der Schaaffhausensche Bankverein und die Darmstädter Bank aber noch erheblich intensiver am Industriegründungs- und Finanzierungsgeschäft beteiligten[363].

Der Aufschwung der Börsentätigkeit hatte seinen Grund einmal in der Anwendung technischer Neuerungen[364] und intensiverer Produktionsmethoden[365], zum anderen im Reproduktionsprozeß der Krise 1857–1860, die sich mit den Innovationen verband, und drittens in der erheblichen Zunahme der Kohleförderung[366], der Eisenerzgewinnung[367] und der Hüttenproduktion[368].

360 ebd. Bericht 1865.

361 Geschäftsbericht der Disconto-Ges. 1859/61/65, 1859: 63,94 % und 4,5 % Reserve, 1866: 52,59 % u. 4 % Reserve.

362 1873, auf einem weiteren Aufschwungsgipfel betrug bei der Disconto-Ges. das Eigenkapital noch 31,22 % (Reserve 6,5 %) des Passivsaldos bei auf 25,5 % gestiegenen Depositen (1866: 4,5 %). Diesen Einlagen entsprachen eine Wechseltätigkeit von 24,9 % (1866: 14,7 %), eigene Wertpapiere 18,7% (1866: 14,9 %) und Debitoren von 38 % (1866: 52,7 %) auf der Aktivseite. 1866 schüttete die Disconto-Ges. 8 %, 1873 14 % Dividende aus.

363 Archiv der Dresdner Bank, Frankfurt: Geschäftsbericht Schaaffhausenscher Bankverein, Darmstädter Bank 1860–1865.

364 Mit der Erfindung des Dynamo begann die Starkstromindustrie sich zu entfalten, die Produktion und Verlegung von Tiefseekabeln schuf neue Industriezweige und rückte die Märkte noch enger zueinander, neue Maschinen und gesteigerte Nutzung menschlicher Kraft trieben den wirtschaftlichen Kreislauf an, daneben entstanden mit der Erfindung des Ammoniaksoda-Verfahrens ebenfalls neue Industriegruppen. 1862 wurden die Höchster Farbwerke, 1865 die Badische Anilin- und Sodafabriken gegründet.

365 1863 wurde in Hörde das Bessemerverfahren aufgenommen.

366 DZA II, Rep. 120, A V 3 Nr. 17 Bd. 3 Oberbergamt
Dortmund: 1861 = 21 829 172 to.
1865 = 42 678 073 to.

367 ebd. Siegen 1861 = 234 000 to.
1865 = 527 540 to.

368 ebd. in der Zeitschrift für das Berg-Hütten- und Salinenwesen im Preußischen Staat Bd. 14, 1865, S. 341

Erneuter Boom

Parallel zur Expansion der Grundstoffindustrie ging eine Ausweitung der Gaserzeugung, der Eisen- und Maschinenproduktion. Der rasante Ausbau der Eisenbahnstrecken, der in zunehmendem Maße nicht mehr von Frankfurt und Rothschild, sondern von Berlin aus – Disconto-Gesellschaft, Berliner Handelsgesellschaft, Bleichröder, Warschauer (die Ostbahnen auch von Mendelssohn) – gelenkt und finanziert[369] wurde, sowie der Aufschwung der Reedereien[370] bildeten den Absatzmarkt für Grundstoffprodukte, während umgekehrt der erweiterte Transportraum und die schnelle Kommunikation auch von Massengütern die sicherste Garantie künftiger Rentabilität von Eisenbahnbauten bildeten. Zugleich bedeutete dies wiederum einen Antrieb zu erhöhtem Warenaustausch. So nahm die Einfuhr auf Frankfurt (Hauptumschlagsplatz im Rhein-Main-Zentrum und Westen Deutschlands) von Baumwolle 1864/65 um 300 %, die von rohen oder veredelten mehrdrähtigen Garnen um 70 %, die von Zinn- und Zinkwaren um 71 %, die von Papier- und Pappwaren um 69 %, von Tonwaren um 68 % zu. Während des Aufschwunges verstärkte sich die preußische Position im Zollverein fortwährend. Ungefähr 90 % der Bergbau- und Metallindustrieproduktion, 50 % der Textilindustrieproduktion und 67 % der sonstigen Industrieprodukte im Zollverein entfielen auf Preußen[371].

Der erneute Kapitalmangel, der diesem Aufschwung parallel ging, wurde überwunden durch erneute Aktiengesellschaftsgründungen, jetzt aber mit der Akzentuierung auf dem Hypothekenmarkt, da sich auf ihm nicht das »Sparkapital versagte«[372]. Zugleich drängten die Interessenten auf Erleichterung der Aktiengesellschafts-Zulassungsbestimmungen und Veränderung der Banknotengesetze[373].

Der Beginn des nordamerikanischen Bürgerkrieges dämpfte vor allem das Baumwollgeschäft; aber der drohende Rückschlag wurde durch die im Endeffekt konjunkturfördernde Wirkung des dänischen Krieges wieder aufgefangen. Der Dänenkrieg hatte den Nebeneffekt, daß viel Kapital aus den gewohnten Anlageplätzen des staatlichen Kredits zu den hochverzinslichen des industriellen hinüberwechselte,

1861 = 8 986 777 Ztr.
1865 = 15 438 052 Ztr.

369 Linhardt: Berliner Börse S. 78 ff. DZA II, Rep. 120 A XI, 1 Nr. 19.

370 Kgl. Preußische Staatsanzeiger 15. II. 1866 Nr. 39:
Einfuhr über Bremen: 1864 = 64,113 Mill. Taler
1865 = 77,294 Mill. Taler.

371 ebd. Herzfeld: Moderne Welt I, S. 157, Reichsenquête für die Baumwoll- und Leinenindustrie S. 9, 12, 73, 74.

372 Däbritz: Anfänge der Disconto-Ges. S. 115; DZA II, Rep. 120 A XI, Nr. 11 Bd. 1.

373 DZA II, Rep. 120 A XI, Nr. 1 Bd. 4: Antrag Harkort im Abgeordnetenhaus Nr. 155, Petition HK Cöln, Vorsteher der Kaufmannschaft Stettin, Älteste der Kaufmannschaft Berlin.

was die Herausbildung der deutschen Banken-Marktstruktur mit dem Schwerpunkt in Berlin beschleunigte und erleichterte.

Die neue Position Berlins erwies an einem scheinbar nebensächlichen, in Wirklichkeit aber sehr bedeutenden Vorgang ihr Schwergewicht: Bereits am 15. September 1863 hatte David Hansemann seinen Sohn auf die zerrütteten österreichischen Finanzen, besonders aber auf die notleidenden ungarischen Papiere, aufmerksam gemacht und in ihnen »soviel Stoff zu nützlichen Geschäften und Verbindungen« gesehen, daß »es lohnen dürfte, dieses Feld, mehr als in letzter Zeit geschehen ist, zu kultivieren«[374]. Daraufhin übernahm die Disconto-Gesellschaft 1864 im Zeichen der Bismarckschen Annäherung an Österreich eine Teilsilberanleihe, die sich auch, nachdem das deutsche Konsortium die Rothschildschen Aktionen ausschalten konnte, »gut verkaufte«. Sie wurde zum Ausgangspunkt der »Stellung« der Disconto-Gesellschaft in Österreich und zugleich zum Beginn der Zusammenarbeit mit den Hauptgeldgebern der Donaumonarchie, Rothschild (Wien und Frankfurt)[375] im sogenannten Rothschild-Konsortium, das aber vom Privat-Bankier aus mehr als Notgemeinschaft anzusehen war. Rothschilds (Wien und Frankfurt) begannen abzubauen, immer häufiger mußten Rothschild-Frères und Nathan Rothschild and Sons in Operationen eingreifen, um die Dominanz der deutschen Aktiengesellschaftsbanken auf dem Kontinent nicht zu deutlich werden zu lassen. Mit Frankfurt-Rothschild wurde die Verbindung so eng, daß sie später in die Übernahme des Frankfurter Hauses durch Hansemann einmündete[376].

Während aber Österreich nur mühsam dem preußischen Vorgehen gegen Dänemark folgte, sich gleichzeitig in Deutschland handelspolitisch mattgesetzt und auf dem Balkan abgedrängt sah, öffnete Preußen seinen Markt nach Westen und gewann, mit dem Zollverein im Schlepptau, den Anschluß an den atlantischen Wirtschaftsraum, dessen Anrainer die hochindustrialisierten Länder der damaligen Welt waren. Gleichzeitig wurde mit dem von den Berliner Banken angewandten Prinzip der Risikoverteilung auf mehrere Teilnehmer – bei Übernahme einer großen Staats- oder Industrietransaktion – die erste Stufe der Kapitalkonzentration erreicht. Es gelang den Berliner Banken, die ungenügenden eigenen Kapitalien mit fremden zu verbinden und damit »den internationalen Geldmarkt für die Bedürfnisse des deutschen Eisenbahnwesens zu erschließen«[377].

374 nach Münch: Hansemann S. 109.

375 Däbritz: Anfänge der Disconto-Ges. S. 114, Disconto-Ges. Festschrift S. 47.

376 Münch spricht in seiner Laudatio von einem »fast täglichen Briefwechsel« (S. 84), den Hansemann mit Karl v. Rothschild pflegte. Über Rothschild wurde die Disconto-Ges. mit Wien, Frankfurt, Paris, London, zugleich der Darmstädter Bank, Wodianer, der Österreichischen Creditanstalt und mit Bleichröder in Verbindung gebracht. »Tradition und neue Geldmacht« verbanden sich in der Bankenkapazität des Berliner Platzes.

377 Münch: Hansemann S. 136.

Erneute Krise

Im Herbst 1865 zeichnete sich das Ende der Hochkonjunktur ab. Am faßbarsten wird die beginnende Flaute in Berlin, wo »bei der ausgedehnten Thätigkeit der hiesigen Etablissements und der Vermehrung ihres Umsatzes« die Preise nachließen bei »gleichbleibend hohen Materialkosten«[378]; zugleich stellte sich im Bereich der textilverarbeitenden Industrie eine Ermüdung des Marktes ein — Überproduktion und mangelnder Absatz[379]. Dagegen konnten Essen und Köln damals noch von einem »kaum geahnten Absatz und sehr lohnenden Preisen« berichten[380]. Während aber die Börsenkurse in Berlin für die Disconto-Gesellschaft Ende Dezember mit 101 einen Höhepunkt anzeigten, dem ein Stand der Aktien des Hörder Hüttenwerks (114) und der weiteren »Klienten« der Berliner Finanz — der Bergisch-Märkischen Bahn (155 1/2), der Rheinischen Bahn (131) — entsprach, nahten die ersten Sturmzeichen kommender Absatzschwierigkeiten. Am 25. November 1865 berichtete die Vossische Zeitung: »Kohlen und Coaks, die große Nachfrage besteht nicht mehr«[381].

Als sich auf der Berliner Börse bereits eine Stagnation abzeichnete, die das Ende der Hochschwungsphase der Jahre 1864—1866 ankündigte, von der die großen Geldgeber jedoch noch nicht betroffen waren (stieg doch die mit ihnen liierte Produktion immer noch bis in den März 1866 hinein weiter an), war auch der von Bismarck über die »Kongreßler« erhoffte Ausgleich mit den Liberalen doch Ende des Jahres 1865 noch einmal illusorisch geworden, da die Forckenbeck, Waldeck nicht so schnell willens waren, dem Werben der Freihändler nachzugeben[382]. Zugleich verschlechterten sich auch außenpolitisch die preußisch-österreichischen Beziehungen in zunehmendem Maße[383]. Die Konvention von Gastein konnte als überholt gelten, denn ihre Voraussetzungen waren hinfällig geworden. Bismarck nutzte von nun an jede örtliche Spannung in Schleswig-Holstein, die aus den Bemühungen zu gemeinsamer Verwaltung entstand, und verschärfte die Gegensätze zu Österreich, als dieses Anfang Januar 1866 die von Preußen bereits 1865 abgelehnte Kandidatur des Augustenburgers als Lösung der Holsteinfrage wieder hervorholte[384]. In Bayern,

378 Bericht über den Berliner Handel 1865, S. 63 ff. nach Schuchardt: S. 97 f.

379 Preußisches Handelsarchiv: 26. I. 1866, 9. II. 1866, 2. III. 1866.

380 ebd.

381 Nach Schuchardt S. 99, 104 f. Der Preis für Schlesische Holzkohle fiel von 52 3/4 auf 46 1/4 in Berliner Notierung; der für Eisenbahnschienen stieg noch von 56 1/4 auf 57 1/2. Die gleiche Preistendenz zeigten westfälische und englische Produkte.

382 Schunke S. 38 ff.; APP VI, Nr. 333: 22. X. 1865 Bismarck an AA; Nr. 335. Nr. 339.

383 GW V, Nr. 198: 11. XI. 1865 Erlaß an Werther; ebd. Nr. 208: 5. XII. 1865 Bismarck an Ladenberg; ebd. Nr. 218: Schreiben an Manteuffel 30. XII. 1865; APP VI Nr. 341: 28. X. 1865 Werther an Bismarck; hierzu Promemoria 31. X. 1865 von Thile; ebd. Nr. 343: 29. X. 1865 Thile an Werther.

384 GW V, Nr. 219: 31. XII. 1865 Besprechung Chotek mit Hofmann; ebd. Nr. 222: 12. I. 1866 Erlaß an Ysenburg; ebd. Nr. 227: 20. I. 1866 Bismarck an Werther. APP

Württemberg und Sachsen werde »das Gefühl der Unsicherheit ein Allgemeines ... das Herannahen einer Crisis wird von jedermann empfunden und die Mutlosigkeit der Conservativen wächst in dem Maße als die Siegesgewißheit der Fortschrittspartei wächst«[384a].

Kriegsentschlossenheit in Wien und Berlin

Drohend ließ Bismarck in Wien mitteilen, Preußen werde nicht versäumen, »volle Freiheit« für seine Politik zurückzugewinnen, wenn Österreich weiterhin an der Augustenburger Lösung festhalte[385]. Nachdem am 21. Februar 1866 in Wien der Kronrat beschlossen hatte, »Preußen die Zähne zu zeigen«[386], beantwortete am 28. Februar 1866 der Preußische Kronrat[387] die Frage nach Krieg oder Frieden dahin, daß Preußen einem Krieg nicht auszuweichen brauche und notfalls seine Stellung in Deutschland aufs Spiel setzen könne. Die diplomatische Vorbereitung aber sei zu intensivieren und mit Hilfe des »langgesponnenen Handelsvertragsfadens« mit Italien[388] die »Gewinnung auswärtiger Bundesgenossen« zu beginnen[389], da der »Krieg gegen Österreich jedenfalls erfolgen« werde und »es klüger« sei, ihn bei einer uns (Preußen) günstigen Situation selbst herbeizuführen«[390]; Frankreich, Rußland und England hofften, Bismarck bei kriegerischen Verwicklungen mit Österreich neutral halten zu können[391].

Zugleich waren die Beschlüsse des Kronrats eng mit der inneren Situation Preu-

VI, Nr. 437: 25. I. 1866 Manteuffel an Wilhelm I., Nr. 444: 31. I. 1866 Werther an Bismarck; Nr. 452: 4. II. 1866 Bismarck an Werther.

384a HHStA Wien, PA IV, Nr. 34: 31. XII. 1865 Blome an Mensdorff.

385 GW V, Nr. 229/230: 26. I. 1866 Bismarck an Werther. (APP VI, Nr. 438, 439).

386 Srbik: Quellen V, I Nr. 2325.

387 GW V, Nr. 240: 14. II. 1866 Erlaß Bismarck an Heinrich VII. Reuß (München); Kronratsprotokoll AA-Bonn I AAa, Nr. 27; APP VI, Nr. 499/500 Aufzeichnung Moltke und offizielles Protokoll.

388 AA Bonn I AAa Nr. 27; GW V, Nr. 200: 14. XI. 1865 Bismarck an Usedom (Florenz), Nr. 211: 8. XII. 1865 Bismarck an Usedom; Nr. 223: 13. I. 1866 dto.; APP VI, Nr. 122, Nr. 133, Nr. 144, Nr. 147, Nr. 186, Nr. 328, Nr. 344, Nr. 365, vor allem Nr. 408.

389 APP VI, Nr. 485: 24. II. 1866 Usedom an Bismarck; GW V, Nr. 250: 28. II. 1866 Runderlaß Bismarck an Missionen.

390 APP VI Nr. 500.

391 GW V, Nr. 205: 26. XI. 1865 Bismarck an v. d. Goltz (Paris), vgl. auch APP VI, Nr. 373; ebd. Nr. 215: 18. XII. 1865 Bismarck an v. d. Goltz; APP VI, Nr. 425: 18. I. 1866 v. d. Goltz an Bismarck; GW V, Nr. 223: s. o.; Nr. 246: 22. II. 1866 Bismarck an Usedom; APP VI, Nr. 497: 27. II. 1866, GW V, Nr. 251: 1. III. 66 Immediatschreiben Bismarcks; vgl. APP VI, Nr. 499, GW V, Nr. 252: 3. III. 1866 Bismarck an Bernstorff.

ßens verknüpft. Innenminister Eulenburg glaubte, daß »ein Krieg gegen Österreich aufs neue Gelegenheit dazu bieten (würde), die dafür erforderlichen Geldmittel von den Abgeordneten zu verlangen und wenn sie durch Ablehnung den Staat in Gefahr brächten, dann eine andere Volksvertretung eintreten zu lassen«. Bismarck glaubte (nach der Niederschrift Moltkes), »daß die inneren Zustände einen Krieg nach Außen nicht nötig machen, wohl aber *noch* hinzutreten, um ihn *günstig* erscheinen zu lassen«[392].

Während der Kronrat tagte, hatte die Auseinandersetzung mit den liberalen Gegnern erneut einen Höhepunkt erreicht, ohne daß jedoch das »Zentrum« und vor allem die »Volkswirthe« – nun eng mit Delbrück, Bleichröder und Dechend, dem Präsidenten der Preußischen Bank, verbunden – sich der Opposition anschlossen; schien doch im Februar mit der Herabsetzung des Diskonts der Preußischen Bank auf 6 % eine wirtschaftliche Krise noch einmal abgewendet und eine kriegerische Verwicklung für die Öffentlichkeit noch nicht gewiß zu sein.

»Die Erwartung, daß, von billigerem Gelde unterstützt«, der Handel, vor allem das Metallgeschäft, »recht lebhaft werde«[393], erfüllte sich aber nicht. Die Transportleistung der Disconto-Gesellschaft-Klientel, der Köln-Mindener Bahn, sank um 40 %[394]. Als Ende März auch in der Öffentlichkeit »der Übergang zur feindlichen Aktion nur als eine Zeitfrage betrachtet« wurde[395] und eine kriegerische Verwicklung deutlich wurde[396], gaben die Börsenkurse nach[397].

Bundesreform, Mittelstaaten und Baisse in Preußen

Parallel zu den preußisch-italienischen und österreichisch-französischen Bündnissicherungen für den Fall eines Krieges[398] lief die Korrespondenz um den Bismarckschen Versuchsballon einer pseudoparlamentarischen Bundesreform, die zugleich die Entscheidung zum Krieg mit Österreich provozieren sollte, nachdem Italien das

392 APP VI, Nr. 500 S. 618, Hervorhebung vom Verf.
393 Vossische Zeitung 3. III. 1866 nach Schuchardt S. 101.
394 Schuchardt S. 102.
395 GW V, Nr. 250: 28. II. 1866 Runderlaß; HStA Darmstadt, Sta. Min. Konv. 46, Fasc. 3: 6. III. 1866 Dalwigk an Großherzog Ludwig.
396 GW V, Nr. 281.
397 So verlor Hörde 5 Punkte, Bergisch-Märkische Bahn 11 3/4, die Rheinische Bahn 10 3/8, Darmstädter Bank 8 Punkte und Disconto-Gesellschaft 2 1/8 Punkte.
398 GW V, Nr. 269: 20. III. 1866 Bismarck an Bernstorff (London); Nr. 274 Bismarck an v. d. Goltz; APP VI, Nr. 639: 26. III. 1866 Bismarck an v. d. Goltz; ebd. Nr. 643: 27. III. 1866 Bismarck an Usedom, Nr. 672: 30. III. 1866 Bismarck an v. d. Goltz; GW V, Nr. 282; Oncken: Rheinpolitik I, Nr. 147; Srbik: Deutsche Einheit IV, S. 408 ff.; ders.: Der Geheimvertrag Österreichs und Frankreichs vom 12. VI. 1866, Hist. Jb. 57, 1937; O. Becker: Der Sinn der dualistischen Verständigungsversuche Bismarcks vor dem Kriege 1866, HZ 169, 1949, S. 204 ff.

Bündnis mit Preußen akzeptiert hatte. Zugleich sollte die Bundesreform »im nationalen Sinne« die Liberalen Deutschlands[399] sowie die Bundesstaaten zu einer Entscheidung zwingen[400]. Die Entscheidung war nahe. Károlyi berichtete aus Berlin, daß die »dumpfe unheimliche Stille« und die »üblen Launen ... sich in banale Höflichkeit gewandelt hatten«. Preußen fühle sich »besser gerüstet« und erwarte die Auseinandersetzung mit Ruhe[400a]. Blome in München hingegen beurteilte die Ruhe in Preußen anders. Ihm war Bismarck »aufgelaufen«: innen- und außenpolitisch. Nun müßten – so rät er – »die Mittelstaaten ... haut la main nur tambour battant geführt werden«, – »Krieg«, so fordert er, »wir brauchen Krieg, Krieg«[400b]. Bismarcks Reformangebot hatte den unmittelbaren Erfolg, daß sich neun Bundesstaaten auf Einladung v. d. Pfordten in Augsburg trafen, um sich von der Anklage reinzuwaschen, wie es von der Pfordten formulierte: die »Politik der Mittelstaaten sei impotent« geworden[401]. Auf der Konferenz in Augsburg Ende April 1866[402] und auch auf der späteren in Bamberg[403] Mitte Mai wurden aber die Gegensätze in der Beurteilung der politischen Lage kraß deutlich. Während v. d. Pfordten versuchte, die Trias zu einer zwischen Österreich und Preußen vermittelnden Stellung zu führen und damit zugleich das »Wächteramt« in Deutschland für die Mittelstaaten aufzurichten[404], glaubte Beust an ein selbständiges Auftreten der Mittelstaaten, und Dalwigk drängte auf eine Entscheidung gegen Preußen[405]. Einig waren sich die Minister in der Ablehnung des preußischen Antrages, vor allem verbanden sie sich gegen die prononcierten allgemeinen Wahlen und beschlossen die

399 GW VII, Nr. 101: 22. IV. 1866 Gespräche mit Duncker; Nr. 103 mit Bernhardi 27. IV. 1866; Nr. 108: Ende Mai mit Miquel; Nr. 114: Gespräch mit Unruh 22. VI. 1866; Pflanze: Bismarck S. 297 ff.; Becker: Bismarcks Ringen S. 172 ff.

400 GW V, Nr. 256: 8. III. 1866 Bismarck Privatschreiben an Reuß; APP VI, Nr. 621: 24. III. 1866 Bismarck an Missionen (GW V, Nr. 416); Nr. 417: 24. III. 1866 Bismarck an Heinrich VII. Reuß; GW V, Nr. 290: 5. IV. 1866 Erlaß an London, Paris, Petersburg und Florenz.
der Papiere Keudells, FBPG 46, 1934.

400a HHStA Wien, PA III, Nr. 92: 5./17. II./17. III. 1866 Károlyi an Mensdorff; PA IV, Nr. 35: 3. IV. 1866 Blome an Mensdorff.

400b HHStA Wien, PA IV, Nr. 34: 11./25. II./10. III. 1866 Blome an Mensdorff; PA VI, Nr. 29: 22./24. III. Handel an Mensdorff; PA II, Nr. 91: 22./23./25. II und 9./21. III. 1866 Chotek an Mensdorff.

401 HStA Darmstadt Sta. Min. Konv. 46, Fasc. 2: 17. IV. 1866 v. d. Pfordten an Dalwigk.

402 ebd. 24. IV. 1866 Dalwigk Bericht an Ludwig; v. d. Pfordten vertrat Bayern, Beust Sachsen, Varnbüler Württemberg, Edelsheim Baden, Dalwigk Hessen, Wittgenstein Nassau, Waltzdorff Weimar, Seebach Coburg und Uttenhofen Meiningen.

403 ebd. Prot. 13./14. V. 1866.

404 ebd. 24. IV. 1866 Bericht Dalwigks. HHStA Wien, PA IV, Nr. 35: 3./10./21./26. III., 3. IV. 1866 Blome an Mensdorff.

405 HStA Darmstadt Sta. Min. Konv. 46 Fasc. 1: 9. IV. 1866 Beurteilung des preußischen Reformantrages durch Dalwigk; 10. IV. 1866 Dalwigk an Mensdorff; Konv. 46, Fasc. 2 Prot. Augsburg.

Ausarbeitung eines Gegenprojektes[406]. Am Bund wurde dann auch der preußische Antrag »verwiesen«[407]; v. d. Pfordtens Drängen auf eine Bundesreform ließ dann nach der preußischen Mobilmachung am 3. Mai[408] die Mittelstaaten noch einmal in Bamberg zusammentreffen[409]. Hier verständigten sie sich dann über die gleichlaufende »Armierung zur Erhaltung des Friedens«[410].

Parallel nun zu diesen diplomatischen Aktionen brach die wirtschaftliche Krise aus: »Wie an der Ruhr so scheint auch an der Saar eine Überschätzung des Konsums stattgefunden zu haben«[411]. »An Stelle eines gehofften Aufschwunges hat sich eine große Geschäftsstille eingestellt«[412], kein Auftragseingang, nur Exportgeschäft wurde verzeichnet; es wurde – in Erwartung der kommenden Entwicklung – wesentlich nur noch »auf Lager« gearbeitet[413].

Mehrere Faktoren zusammengenommen führten zur akuten Wirtschaftskrise: die preußische Mobilmachung bei gleichzeitig wenig entschiedener Haltung der Mittelstaaten auf den Konferenzen in Augsburg und Bamberg[414]; dazu die Möglichkeit einer preußischen Isolation im Kriegsfall[415] und schließlich der Zusammenbruch des englischen Bankhauses Overend-Guerney-Co.[416]. Der Zinsfuß kletterte im Mai 1866 von 6 % auf 9 %; die Panik ließ sich zwar überwinden, aber die »commerzielle Krise« dauerte an. So verzeichnete Düsseldorf »allseitig ausbrechende Fallissemente«[417], Köln klagte, »daß die Verlegenheit ... große Dimensionen angenommen« habe[418]. Wenn sich auch in Berlin die Preisnotierungen vor allem für Eisenbahnschienen, für westfälischen Koks und für Nußkohle[419] gehalten hatten, so zeigte die Reduktion der Kohlenförderung der Bochumer Bergwerks-Aktiengesellschaft Krisensymptome[420], die den Berliner Industriemarkt zum Fallieren hätte

406 ebd. Protokoll und Bericht Dalwigk (24. IV. 1866).
407 Konv. 46 Fasc. 1: 21. IV. 1866 Bericht Biegeleben.
408 AA Bonn I AAa Nr. 27: 3. V. 1866 Conseil-Protokoll.
409 HStA Darmstadt Sta. Min. Konv. 46, Fasc. 1: 15. IV. 1866 v. d. Pfordten an Schrenck.
410 ebd. 10. V. 1866 Einladung v. d. Pfordten; 13./14. V. 1866 Protokoll.
411 Preuß. Handelsarchiv 27. IV. 1866 Nr. 17.
412 ebd.
413 ebd. 1. VI. 66, 8. VI. 66, 29. VI. 1866.
414 GW V, Nr. 327, 328, 329: 5. V. 1866 Bismarck an Reuß, Flemming (Karlsruhe) und v. d. Goltz; ebd. Nr. 334 Telegramm an Ysenburg/Hann.; Nr. 338 Bismarck an Generalmajor Röder/Kassel; GW Nr. 345: 17. V. 66 Bismarck an Heinrich VII. Reuß.
415 GW V, Nr. 333: 7. V. 1866 Bismarck an Werther; ebd. Nr. 304: 17. IV. 66 Bismarck an Redern; HStA Darmstadt Sta. Min. Konv. 46, Fasc. 4: 27. V. 66 Biegeleben an Dalwigk, übermittelt wirtschaftspolitische Kongreßabsichten.
416 Schuchardt S. 113.
417 Preuß. Handelsarchiv 6. VII. 1866.
418 ebd.
419 nach Schuchardt S. 117. (Eisenbahnschienen nur 1½ Punkte Reduktion.)
420 ebd. S. 122; DZA II, Rep. 120, A V, 3 Nr. 37 Bd. 3.

bringen können – womit die preußische Finanzierung eines möglichen Krieges in Frage gestellt gewesen wäre[421].

Industriewirtschaft und preußische Hegemonie: Adolf Hansemann

Die ursprünglich rein agrar-merkantilistische Wirtschaftsstruktur in Preußen hatte sich im wirtschaftlichen Aufschwung von 1860 bis 1865 weiter zugunsten der industriell-kapitalistischen verändert. Zum erstenmal bedurfte es nun in der Krise von 1866 der Betonung, daß »Preußen ein überwiegend Ackerbau treibender Staat sei«, um die Hypothekenausnahmebestimmung gegenüber den Liberalen durchzusetzen[422].

Die fortschreitende Akzentverlagerung wird neben symptomatischen Einzelfällen am deutlichsten faßbar in der Entwicklung der Disconto-Gesellschaft. Hier hatte der Sohn David Hansemanns, Adolf Hansemann, zum Handwerkdepositen- und Eisenbahnemissionsgeschäft des Vaters das große Anleihegeschäft, dessen Anfänge bereits 1859 gelegt worden waren, zugefügt und die Ansätze zur breiten Industriefinanzierung, besonders im Ruhrgebiet, weiter ausgebaut. Die Existenz der Disconto-Gesellschaft war seitdem noch enger als in den Jahren 1857 oder 1859 mit dem Staat Preußen verflochten. »An Stelle des Mißtrauens« der preußischen Regierung gegenüber David Hansemann »war verständnisvolle Zusammenarbeit« getreten, die es der Disconto-Gesellschaft »ermöglichte«, »dem Staatskredit wertvolle Dienste zu leisten«[423]. Zugleich war auch die kapitalistische Verflechtung mit dem Montanbezirk schon so weit fortgeschritten, daß »Berlins Existenz« von der Bonität des Absatzes der Ruhrfabriken in zunehmendem Maße abhängig wurde. Vor allem der »Wunsch nach beschränkter Haftung« und die »breite Verkäuflichkeit der industriellen Effekten«[424] hatten in der Hochkonjunktur – aber auch in der Krise schon – die »Voraussetzung für die Zusammenballung großer Unternehmungskapitalien weit über die Grenzen auch großer privater Vermögen hinaus« in Form der Aktiengesellschaften im Ruhrgebiet und Schlesien geschaffen. Die sich nunmehr bildenden Konsortien, in denen die industriellen, aber auch staatlichen Effekten »emissionsreif gemacht wurden«, fußten in zunehmendem Maße auf einer »herangezogenen Kundschaft, welche der Bank, dank ihrem von der Bank mit veranlaßten Wohlstand getreue Gefolgschaft leisteten«. Diese Kundschaft wiederum, die die »Klaviatur« darstellte, welche der Bankier »bespielen« konnte, war aber ausschließlich an maximaler Rendite interessiert[425].

421 DZA II, Rep. 151 neu Militaria Nr. 24, Bd. 1: Denkschrift Bodelschwingh Mai 1866.
422 DZA II, Rep. 120, C XIII, 4 Nr. 84, vol. 1: Votum 11. VI. 1866; vgl. Poschinger: Wirtschaftspolitik I, S. 85 ff.
423 Däbritz: Anfänge der Disconto-Ges. S. 120.
424 Beckerath: Großindustrie S. 180.
425 Solmssen: Entwicklungstendenzen S. 10.

Im Gegensatz zum Vater war Adolf Hansemann[426] ein neuer Typus des Unternehmers: begabt mit außerordentlicher geschäftlicher Kombinationsgabe, einem patriarchalischen Ordnungssinn, ja oft zur Pedanterie neigend, beschränkte er seine Pflichterfüllung, seine Zähigkeit, Schweigsamkeit und seinen Einfluß auf den Aufbau einer kapitalstarken und einflußreichen Kreditanstalt. Die Ziele seines Vaters, den Bismarck mit »unermüdlichem Haß« verdrängt hatte[427] – politische, aktive Beteiligung in der Öffentlichkeit –, waren ihm fremd.

»Ein harter Herr«, urteilte Max. Harden in der »Zukunft« in seinem Nachruf[428], »so schien er und wurde deshalb ringsum gehaßt. Nichts Menschliches war an ihm sichtbar ... mit äußerster Verachtung blickte er auf alle Redseligen herab. Parlamente oder Generalversammlungen: immer dasselbe Blech ... Er buhlte nie um Bewunderung, wollte weder bei Hof ein Röllchen spielen, noch à la Siemens in der Presse gefeiert werden!«

Für ihn war die »Verehrung« Bismarcks nicht erst eine »Sache von 1870«, wie seine Frau Ottilie, eine Enkelin von Salomon Oppenheim, mitteilte[429].

426 A. Hansemann, 1827 geboren und 1903 gestorben, erwarb seinen großen Einfluß und seine Machtstellung vornehmlich durch die Mitfinanzierung der Kriege von 1866 und 1870. Ausgehend von innerdeutschen Operationen, so 1866/67 für Baden und Bayern, wofür er mit dem Ritterkreuz I des Zähringer Löwen-Ordens und dem Ritter- und Verdienstkreuz der Bayrischen Krone ausgezeichnet wurde, konzentrierte sich seine Tätigkeit nach 1870 auf Rumänien (Großoffizierorden und Stern und das Großkreuz der Krone von Rumänien, Österreich-Ungarisches Großkreuz des Franz-Josephordens) und Rußland (Stanislaw-Orden II u. I). Daneben übernahm er mit der Neu-Guinea-Kompagnie (Großkomturkreuz des Großherzoglich Mecklenburgisch-Schwerinischen Greifenordens) und der großen Venezuela-Eisenbahn-Ges. (Büste des Befreiers II. Klasse) wesentliche Überseetransaktionen auf Berlin. Hansemann, ein getreues Abbild der sich wandelnden »Welt« starb als Chef der größten Universalgroßfilial-Bank Deutschlands mit Tochterinstituten in London, Brasilien, Asien, Italien, Chile, Rumänien, Belgien und Aufsichtsratsvorsitzender und -mitglied zahlloser Industrieunternehmen, mit einem »Einkommen« von 1,860 Mill. Mark als zweitreichster Mann in Preußen nach Bleichröder. (Brandenbg. LHA Potsdam Rep. 30, Nr. 10 496).

427 Wolff: David Hansemann S. 11.

428 Die Zukunft, Jg. 1903, Dezember S. 456 ff.

429 Frau Hansemann war nach Hallgarten I, S. 162 eine Schwester des Legationsrates v. Kusserow, späterem Gesandten bei den Hansestädten und Mecklenburg, neben dem Sohn von Hansemann, führendem Ostmarkenpolitiker, treibende Kraft in der deutschen Kolonialpolitik. Hinzugefügt sei, daß in den Verwandtschaftsverhältnissen der Ottilie Hansemann, geb. Kusserow, die deutsche »Bankenentwicklung« in nuce faßbar wird. Als Enkelin Oppenheims, der verheiratet mit einer Fould aus der Familie der einflußreichen und kapitalstarken Privatbankiers in Paris, der den Ideen Péreires (damit dem crédit mobilier, dem Urtyp der AG-Universalbank) nahestehend, Mitgründer der Bank für Handel und Industrie in Darmstadt war und zugleich sich mit Mevissen freundschaftlich verbunden wußte, erhielt Ottilie Hanse-

Konservativer Staat und lukrative Transaktionen: Bleichröder

Noch engere Beziehungen zu Bismarck hatte der reichste Mann Preußens – wenn auch von Rothschild (Paris) sein Vermögen als das Prozent bezeichnet wurde, das er ihn verdienen lasse –, Gerson von Bleichröder[430]. Schon vor der Berufung Bismarcks zum Ministerpräsidenten hatte Bleichröder zu Bismarck in finanzieller Beziehung gestanden. Nach 1862 stellte sich der »streng konservative Privatbankier« mit seinen Beziehungen nach Rußland (vor allem in den Fragen der Polenpolitik[431]), aber auch nach Wien, Paris und London ganz in den Dienst einer konservativen Staatspolitik, deren wirtschaftliche Ziele so weit liberal waren, daß lukrative Transaktionen zur Notwendigkeit der Politik gehörten. Im Gegensatz zu Hansemann war er, als Privatbankier auf eine enge Klientel beschränkt, weniger mächtig, der stürmischen Entwicklung auf wirtschaftlichem Gebiet zu folgen.

Nicht nur im außenpolitischen Bereich konnte Bleichröder sich als »Sondergesandter« Bismarcks »nützlich« machen, sondern auch in innen- wie wirtschaftspolitischen Krisen wurde Bleichröder gerade 1866 eingesetzt. Einmal war Bleichröder (wie Hansemann) in all seinen Transaktionen mit dem Berliner Markt eng verkettet, weshalb er auf eine rasche Sanierung der notleidenden Betriebe drängte,

mann durch die Heirat mit A. v. Hansemann – wie auch er durch sie – Verbindung zu den Rothschilds in Frankfurt, Wien, Paris und London und zu Bleichröder.

430 Über diese Beziehung ist viel geheimnißt worden, in dunklen Andeutungen oft die Rolle »des Bleichen«, den Bismarck 1867 zum Geh. Kommerzienrat machte (als Dank für die Kriegsfinanzierung), auf die Bismarcksche Außenpolitik angedeutet worden. Eine Darstellung aufgrund des Nachlasses dieses »Hilfsarbeiters des Auswärtigen Amtes« wird demnächst erscheinen. Die Rolle Bleichröders wird wohl – soweit bis jetzt erkennbar – als die des Berichterstatters und bevorzugten Nachrichtenvermittlers, aber auch Trägers delikater Missionen aufgrund seiner Beziehungen zum französischen und russischen Hof umschrieben werden können. Als erster ungetaufter Jude geadelt, geben seine Ordensauszeichnungen einen getreuen Widerschein großer internationaler Transaktionen. Er besaß 1887 den Stanislaw I, den spanischen Isabellen I, das Großkreuz der Ehrenlegion Frankreichs, das Eiserne Kreuz, den Stern zum italienischen Kronenorden; 1889 gesellte sich hierzu der St. Annen I, das Großkreuz des Franz-Joseph-Ordens und 1890 das Großoffizierskreuz der Italienischen Krone, 1822 geboren und 1893 gestorben, war er mit 24 Millionen Taler Besitz und 2,2 bis 2,280 Mill. jährlichem Einkommen laut Steuerbescheid der reichste Mann Preußens. (Brandenb. LHA Potsdam Rep. 30 Nr. 8944.)

431 HA Berlin, Rep. 90a, D III, 4 k Nr. 1. Die Rolle Bleichröders beim Zusammengehen der kons. Mächte (Preußen und Rußland) war nicht unerheblich gewesen, drohten doch bei einem National-Polen alle Transaktionen auf Paris abzuschwimmen. Wie tatkräftig er dann 1864/65 mit seinem Posenprogramm für eine »allmähliche« und »allmächtige Germanisierung« eintrat, sei hier nur angeführt.

zum anderen spielte er aber als Verbindungsmann zu den »Volkswirthlern« während der Krise und der Vorbereitung zum Krieg mit Österreich eine entscheidende Rolle.

Westintegration, deutscher Krieg und deutsche Weltstellung: Siemens

Neben Hansemann und Bleichröder ist es notwendig, einen dritten Mann zu nennen, dessen Stellung zu 1864 am Vorabend der Auseinandersetzung mit Österreich, die ihm aus handelspolitischen Gründen unvermeidlich schien, mit großer Schärfe die Position der liberalen Anhänger Bismarcks umriß. Georg v. Siemens, der nachmalige Direktor der Deutschen Bank, schrieb am 28. April 1866 seinem Vater:

»Seit wir... durch Abschließung des französischen Handelsvertrages unsere ganze Handelspolitik verändert haben und aus dem Schutzzollsystem in den Freihandel übergegangen sind, seit diesem Augenblick sind wir in das westeuropäische System übergegangen und bilden nur ein Land mit Frankreich, England und Belgien. Wollen wir diesen Konkurrenten gegenüber, die uns an Kapital und an Macht... voranstehen, unsere Stellung wahren und uns nicht in den Rang von Kolonien zurückdrängen lassen, wie Portugal, die Türkei, Jamaika usw..., wollen wir nicht reiner Ackerbaustaat werden, unsere Produkte durch England absetzen lassen..., wollen wir uns nicht durch fremde Handelsleute, die aus jedem unserer Bedürfnisse eine Kommissionsgebühr für sich zu erwerben wissen, geradezu ausplündern lassen, dann müssen wir Schleswig-Holstein haben, *dann muß der Zollverein und Preußen* identisch werden[432].«

Dies sei aber nur möglich durch die Isolierung der Mittelstaaten bei vollständiger Entmachtung Österreichs.

Bereits 1866 war der junge Assessor Siemens, der mit v. Brandt[432a] und Sturzda[432b] erzogen worden war, davon überzeugt, daß für Preußen-Deutschland die Erringung einer wirtschaftspolitischen Weltstellung existenznotwendig sei. Über Hansemanns und Bleichröders gouvernementale und konservative Politik noch hinausgehend, sah Siemens, als »Schüler« von List und Carey, die wirtschaftlichen Fragen nur in Kategorien nationaler Wirtschaftspolitik. Die Elemente der Politik der Deutschen Bank, die Siemens 30 Jahre führte, aber auch seine Schwenkung zum Schutzzoll im Jahre 1879, ebenso später sein Eintreten für die Militärvorlage des Jahres 1893 sind in diesen frühen Äußerungen des jungen Assessors ebenso angesprochen wie die Laudatio des Prinzips der arbeitsteiligen gemäßigt geschütz-

432 Helfferich: Siemens Bd. 1, S. 46 (Hervorhebung v. Verfasser).

432a dem späteren 30-jährigen deutschen Gesandten in Peking und nachmaligen Aufsichtsratsmitglied der Deutsch-Asiatischen Bank (einer Tochtergesellschaft der Deutschen Bank).

432b dem späteren deutschfreundlichen Minister Rumäniens.

ten Industrie. Die Landwirtschaft ist auch für ihn (wie bei Bleichröder oder Hansemann) notwendiges Korrelat der industriellen Entwicklung.

Hansemanns, Bleichröders und Siemens' Motive, einen Krieg gegen Österreich »für wünschenswerth« zu halten und dafür unter großer Risikoübernahme die Gelder bereitzustellen, wurden »freilich von wenigen Personen anerkannt«[433]. Jedoch die wenigen standen an entscheidenden Positionen der wirtschaftlichen, politischen und militärischen Machtstruktur Preußens[434]. Und wenn auch die Hoffnung der Liberalen gouvernementaler Observanz, wie Mevissen oder Siemens, wenig mehr als Illusion war, so war doch ihre Überzeugung, daß ein Krieg mit Österreich »auch einen Wendepunkt in unserer inneren Politik« mit sich bringen würde[435], entscheidend für ihre Haltung in der zweiten großen Bismarck-Krise bei Ausbruch des Krieges.

Bismarcks jäher Rückgriff auf die Parlamentsidee am 9. April 1866 und der Abschluß eines italienisch-preußischen Bündnisses schienen diese Entwicklung anzubahnen. Das preußische Vorgehen »entlastete« zwar nicht die preußische Innenpolitik, lähmte aber doch die liberale Aktionskraft gegen Preußen, vor allem im Süden, zumal in Preußen nach Ausbruch des Krieges die Politik der Regierung volle und geschlossene Unterstützung in der öffentlichen Meinung fand[436].

Die Vorzugsaktien der Köln-Mindener Bahn (eine Transaktion Bleichröders und Hansemanns, die diese, trotz der Berliner Börsenspekulation auf Sieg Österreichs, durchführten) finanzierten den, nach den Worten Moltkes, »im Kabinett als notwendig erkannten, längst beabsichtigten und ruhig vorbereiteten Kampf nicht für Ländererwerb, Gebietserweiterungen oder materiellen Gewinn, sondern für ein ideales Gut – Machtstellung« unternommenen Krieg Preußens um die deutsche Hegemonie[437]. Mit zur Vorbereitung des Krieges gehörte die Ablösung Bodelschwinghs[438], die Berufung v. d. Heydts. Durch seine Verbindung mit Bleichröder und Hansemann, aber auch mit der rheinischen Industrie, war v. d. Heydt ausgezeichnet[439], dem preußischen Staat das fehlende, aber notwendige Geld zu beschaffen; denn wie wenig Kredit der preußische Staat bei den Kapitalhaltern hatte, zeigte kraß der Berliner Aktienzettel. Zu Beginn des Krieges hatten die Kurse, vor allem der Disconto-Gesellschaft und der Bleichröder-Klientelen, in überstürzter

433 Helfferich: S. 46; Oncken: Bennigsen I, S. 702 ff., 708 f.; Schulze-Delitzsch III, S. 282 ff.; Heyderhoff/Wentzcke I, S. 307, 312 f., 497 ff.; Pflanze: S. 317 ff., 321.

434 Hallgarten I, S. 136 weist wohl etwas verzerrend und die Bedeutung überschätzend auf die Rolle Krupps und der Marine hin.

435 Helfferich S. 50.

436 Heyderhoff/Wentzcke I, S. 269 ff., II S. 334 f.; H. Baumgarten S. 455 ff.; Stenograph. Ber. Abgeord. (1866/67) I S. 70–83; Spahn: Entstehung der nationalliberaralen Partei S. 405 ff., 413 ff.; Eyck II S. 318 f.

437 Moltke, Gesammelte Schriften III, S. 415.

438 AA-Bonn I AAa Nr. 63: 5. VI. 1866 Bodelschwingh an Bismarck.

439 GW VII Nr. 114.

Weise nachgegeben, allein ein schneller Sieg der preußischen Waffen konnte diese Krisensituation für Hansemann und Bleichröder überwinden: am 16. Juni waren die Hörder Aktien von 111 1/2 auf 100 1/2, die der Bergisch-Märkischen Bahn von 149 1/2 auf 112, die der Rheinischen Bahn von 118 1/2 auf 90, die der Preußischen Bank von 148 auf 115 gesunken, und die der Disconto-Gesellschaft, im März noch auf 96 stehend, standen auf 73[440]!

440 Nach Schuchardt S. 129.

Zweiter Abschnitt

Das »Delbrücksche Deutschland«
Freihandelsautonomie und gouvernementaler Liberalismus (1867-1876)

Industrielle Expansion und wirtschaftliche Umstrukturierung prägten die politische Entwicklung Deutschlands im 19. Jahrhundert. Der damit gegebene Trend zur Bildung umfassender Handelsräume, die finanziellen Bedürfnisse der deutschen Staaten und nicht zuletzt die Überlegenheit der preußischen Diplomatie hatten die süddeutschen und die norddeutschen Mittel- und Kleinstaaten zur wirtschaftlichen und schließlich auch politischen Zusammenarbeit mit Preußen gezwungen. Eine föderative Einigung der Mittelstaaten war Utopie geblieben. Die Wirtschaftsentwicklung hatte die Mittelstaaten auf Preußen gewiesen. Delbrück, Philipsborn, Manteuffel, Schweinitz, Schleinitz, Bernstorff und nicht zuletzt Bismarck hatten deswegen ganz bewußt das preußische Zollsystem zum Hebel preußischer Machtpolitik gemacht. Preußische Machtpolitik und preußische Handelspolitik verflochten sich im Ringen um die Vormachtstellung in Deutschland und in Mitteleuropa unlösbar. Deswegen bedeutete die Durchsetzung des Freihandelssystems im Zollverein die Konstituierung der preußischen Vormachtstellung in Deutschland und der Großmacht »Preußen«. Im Frieden von Prag erreichte Bismarck unter Schonung Österreichs innerdeutsche »Kriegsziele«, die diese Entwicklung untermauerten und festigten: die Bundesverfassung, die Schutz- und Trutzbündnisse mit den Südstaaten und die geographisch-politischen Arrondierungen Preußens durch die Annexionen von Hannover, Kurhessen, Frankfurt und Nassau. Mit der Zerschlagung des »Guldenzentrums« (Frankfurt) hatte der Taler den Gulden besiegt. Österreich wurde gleichzeitig zum Balkan »gewandt«, die latente Spannung zwischen den Ostnachbarreichen für eine unabhängige Vermittlerstellung Preußens ausgenutzt.

Der Erfolg des konservativen Staatsmannes Bismarck ermöglichte den endgültigen Ausgleich mit den liberalen Führern. Das preußisch-deutsche Wirtschaftsleben florierte, die Anhänger eines deutschen Einheitsstaates und einer Großmachtstellung Deutschlands sahen in Bismarck »ihren Mann«. Darin findet das abgewogene Entgegenkommen der preußischen Staatsführung gegenüber den Wünschen der Liberalen seine Begründung. Ohne daß den Liberalen wirkliche politische Macht eingeräumt worden wäre, verstand es Bismarck, sie dennoch zur einflußreichen Beratung zuzulassen, ihre persönlich-politischen Wünsche zu beruhigen und ihre wirtschaftspolitischen Forderungen zu erfüllen. Gleichzeitig fand jetzt die unter Stein und Hardenberg eingeleitete Änderung des Verhältnisses von Staat und Individuum ihren Abschluß. Nach der Aufhebung der Erbuntertänigkeit zu Beginn der Ablösung des »Direktionsprinzips« Mitte des 19. Jahrhunderts mußte nun der »Obrigkeitsstaat« mit dem Freizügigkeitsgesetz und der Gewerbefreiheit auch auf das letzte »sorgende Eingreifen« in die immer komplizierter werdenden Produktionsverhältnisse verzichten. Der »Staat« beschränkte sich auf die Schaffung entsprechender Existenz- und Konkurrenzbedingungen.

Der Sieg der preußischen Waffen und die damit ausgelösten politischen Wandlungen und wirtschaftspolitischen Folgen bildeten den Ausgangspunkt zu einer glänzenden wirtschaftlichen Hausse. 1870/71 erhielt dieser Aufschwung einen neuen Auftrieb durch den Sieg über Frankreich und durch die Milliardenkontribution der Franzosen. Für die wirtschaftliche und handelspolitische Entwicklung bedeutete die Reichsgründung keine Zäsur. Vielmehr sind vom wirtschaftspolitischen Standpunkt die Jahre 1866 bis 1876 als eine Einheit zu sehen, als eine Zeitspanne, die charakterisiert wurde durch die Dominanz der Handels- und Agrarinteressen in der Gesetzgebung in Preußen und den deutschen Ländern. Doch bereits zeichnete sich in diesen Jahren auch ein Wandel ab. Immer mehr trat während der Hausse die kapitalisierte Schwerindustrie in den Vordergrund des preußisch-deutschen Wirtschaftslebens. Immer mehr wurde der beherrschende Einfluß der Interessen von Feudalaristokratie und Handelsbürgertum eingeengt. So wurde dann auch die Krise der Wirtschaftsordnung von 1873 zu einer Krise der Machtverhältnisse in Preußen-Deutschland, und während dieser Krise scheiterten die Liberalen und ihre »Führer« Delbrück, Camphausen und Bennigsen an der sich in Folge der Krise formierenden neuen Solidarität von Industrie, Landwirtschaft und konservativem System.

Die Schaffung der Reichsbank und das Entstehen der Interessenverbände, der Rücktritt Delbrücks und die volle Rückwendung Bismarcks zu den konservativ-religiös-staatlichen Kräften schlossen die auf der Grundlage liberaler, autonom-freihändlerischer Prinzipien und Interessen durchgeführte Machtsteigerung des konservativen Preußen über Österreich und »Deutschland« ab – und schon empfand »Europa« die staatlich geeinte kontinentale Mitte als Übergewicht. Die traditionelle Pentarchie drohte zu zerbrechen.

Erstes Kapitel
Die wirtschaftspolitische und politische Neuordnung nach 1866. Preußischer Bundesstaat oder deutscher Staatenbund

a Die wirtschaftliche Ordnung nach Prag: Der Sieg des Talers über den Gulden

Militärischer Sieg und Überwindung der Krise im Norden: Verschuldung im Süden

Zu Beginn des Krieges mit Österreich hatte die Berliner Börse auf einen Sieg des Donaustaates spekuliert[1]. Preußische Werte wurden zum Minimalwert verschleudert. Das Mißtrauen gegenüber der staatlichen Solidität führte zu einem Sturm auf die Sparkassen[2], wodurch erneut preußische Effekten und vor allem Hypotheken verhökert werden mußten. Die Kriegsfinanzierung auf preußischer Seite wurde dadurch immer prekärer. Um so mehr fiel daher die Risikoübernahme von Bleichröder und der Discontogesellschaft (Hansemann war »wohlvorbereitet« und stellte v. d. Heydt »alle Mittel zur Verfügung«[3]) nach den schnellen preußischen Siegen ins Gewicht. Wenn es auch nicht möglich war, die Produktions- und Kreditkrise durch die rasche Beendigung des Krieges sofort zu überwinden, wenn auch »der Druck der politischen Verhältnisse, welche die Furcht vor ferneren Komplikationen nicht zu verscheuchen vermochten, ebenso schwer als vorher auf dem Roheisengeschäft lastete und die Preise ... einen so niedrigen Stand (erreichten) wie nie zuvor«[4], erholten sich die Kurse der Disconto-Gesellschaft bereits im Juli von 73 auf 93. Sie erreichten im August den Stand des Märzes und hatten im Dezember sogar den Höhepunkt der Hausse von 1860/65 mit 101 wieder erreicht[5]. Während von 113 Bergwerks- und Hüttengesellschaften 56 Aktiengesellschaften keine Dividende auswarfen, erholte sich der Hansemann-Haniel-Betrieb des Hörder Hüttenwerks von 80 1/2 auf 112. Die Aktien der mit der Disconto-Gesellschaft und Bleichröder

1 M. Wolff: Die Disconto-Gesellschaft, Berlin 1930.
2 Schuchardt S. 129 ff.
3 Däbritz: Anfänge der Disconto-Ges. S. 151; DZA II, Rep. 151 neu Militaria Nr. 241 Bd. 1.
4 Preuß. Handelsarchiv 1867 (Beilage). Bei um 32 124 Ztn. angestiegener preuß. Hüttenproduktion war der Preis 883 946 Taler gefallen; DZA II, Rep. 120 C XIII, 4 Nr. 84 vol. 1; Ztschr. f. das Berg- u. Hütten-, u. Salinewesen 1866, Bd. 14, S. 158.
5 Bericht über den Berliner Handel 1866, S. 78, nach Schuchardt S. 129.

verbundenen Bahnen erreichten ebenso wie die preußischen Fonds wieder ihre alte Kurshöhe, nachdem die preußische Diplomatie die vollkommene Bestätigung des Siegfriedens in Prag hatte durchsetzen können[6]. Die große Bedeutung der schnellen Erholung des preußischen Kapitalmarktes und auch des mit Berlin verbundenen Industriemarktes für die weitere wirtschaftliche und politische Entwicklung Deutschlands wird aber erst faßbar auf dem Hintergrund der Verschuldung von Grundbesitz und Landwirtschaft. Bei annähernden Werten von 320 Mill. Talern Grundbesitz waren 256 Mill. Taler – also vier Fünftel – mit Hypotheken belastet, die Verschuldung der Landwirtschaft wurde auf 60 % geschätzt[7]. Die Zerrüttung des hypothekarischen Kredits durch Krise und Krieg hatte eine »massenhafte Exekution« zur Folge, die vornehmlich die kleinen Bauern traf. Besonders in Süddeutschland traf die wirtschaftliche Krise und militärische Niederlage einen Bauern- und Besitzstand, der nicht wie in Preußen eine mächtige Bankorganisation[8] als Kreditgeber zur Verfügung hatte. Den Markt beherrschten, von Frankfurt abhängig, »entsprechend seiner älteren wirtschaftlichen Kultur«, Privatbankiers – meist verbunden mit Handelshäusern, so z. B. in Stuttgart Doertenbach & Co, Stahl & Federer, Keller & Söhne[9], und erst 1871 entstand eine württembergische Notenbank. Die kurzatmige Kreditierung im Süden, z. B. der württembergischen Finanzen, wird in der Vorschuß-Clearingstätigkeit des Finanzministeriums für Doertenbach, die Hofbank, für Keller & Söhne, Stahl & Federer deutlich.

Vor 1866 war die Aufnahme kurzfristiger Kurrentgelder an der Tagesordnung, nach 1866 aber wurde die Fremdfinanzierung sehr intensiviert, ohne daß jedoch ein Maximum von 500 000 fl. überschritten worden wäre[10]. Die Abhängigkeit von Frankfurt (also ausschließlich von Rothschild) wurde nicht nur in jeder Anleiheaufnahme von 1850 bis 1866 deutlich[11], sondern war vor allem in der Begebung der 4 1/2 % 14 Millionen fl. württembergischen Anleihe zur Abzahlung der Kriegskontribution an Preußen kraß erkennbar[12]. Als Rothschild im Juni 1866 in zunehmendem Maße zahlungsunfähig wurde, mußte Württemberg seine Kriegsan-

6 ebd. Preußenwerte: Juni 67 1/2, Dez. 89 1/2; 3 1/2 % Berg. Märk. EB-Prioritäten Juni 65, Dez. 81; 4 1/2 % Rhein. EB-Prioritäten Juni 78, Dez. 98 1/2, Berg. Märk. Aktien Juni 112, Dez. 155 1/2.

7 E. L. Jäger: Die Fortbildung des Bodenkredits, Stgt. 1869, S. 11; Zeitschrift für Kapital u. Rente 1867, Bd. III, S. 187, nach Schuchardt S. 130.

8 P. Wallich: Die Konzentration im Deutschen Bankwesen, Münchner VW. Beiträge, hrsg. Brentano/Lotz, Stgt./Bln. 1905, S. 46.

9 W. Mosthaf: Die württembergische Industrie- u. Handelskammer Stgt., Heilbronn, Reutlingen und Ulm I, 1955, S. 113 ff.; vgl. WFStA Ludwigsburg E 221, Fach 177, Nr. 10.

10 vgl. ebd. 27. X. 1869 Antrag Keller & Söhne, dto. 13. XI. Hofbank, dto. 7. X. 1870 Doertenbach & Co., 11. X. 70 Stahl & Federer.

11 WFStA Ludwigsburg E 222, Fach 166, Nr. 524 bis 530.

12 WFStA ebd. Nr. 530: 4./7. XI. Riecke/Renner an Karl, zu 90 1/4 aufgelegt, von Renner nur unter großem Widerstand hingenommen, trug Rothschild von 14 Mill. fl. 10, die Hofbank 2,5, Doertenbach 0,5, Keller 0,5 und Stahl 0,5.

leihen zu 6 % über Stuttgarter Banken verzinsen[13]. Am 19. Juni 1866 schließlich trat Rothschild von seiner Darlehenszusage vollkommen zurück[14]. Daraufhin war der württembergische Finanzminister gezwungen, die württembergischen Eisenbahnobligationen zu verschleudern[15], ohne daß Rothschild fähig gewesen wäre, selbst noch den Kurs von 92 1/2 zu halten. Württemberg mußte schließlich zufrieden sein, mit 91 seine Obligationen zu realisieren; Bayern erhielt für seine 4 1/2 %-Obligation nur noch 89 3/8[16]. Das war die Folge davon, daß der norddeutsche Markt für süddeutsche Werte vorübergehend verlorengegangen war. Die süddeutschen Finanzen waren ohne Reserve, Rothschild machtlos. Baden, Bayern und Württemberg begannen sich an Erlanger und an Berlin zu wenden[17].

Rothschild verliert seine dominierende Stellung

Kapitalbedarf der süddeutschen Staaten, Zerrüttung der lokalen Finanzen und Illiquidität des Frankfurter Platzes[17a] ließen den Taler — die preußische Einheit — über den Gulden[17b] — die Einheit von Frankfurt und Wien — siegen. 1859/60 hatte das Bankhaus Rothschild den Finanzbedarf Preußens noch dazu benutzen können, um für »amtliche in den Jahren 1848, 1850, 1852, 1854, 1855, 1856, 1857 und 1859 emittierte 4 1/2 % preußische Staatsanleihen« das Auflege- und Verteilermonopol für den süddeutschen Raum zu erhalten[18]. Widerstrebend nur hatte sich der Seehandlungspräsident Camphausen[19] 1860 den von Bismarck und Finanzminister Patow aus politischen Gründen akzeptierten Bedingungen (auch einer Valutagarantie) gefügt[20]. Camphausen wollte als Vertreter der Seehandlung — der preußischen Bank zur Pflege der Staatsanleihen[21] — »die Verbindung Preußens zu den Besitzern« von preußischen Rentenpapieren nicht »gebrochen« sehen[22].

13 WFStA Ludwigsburg E 222, Fach 166, Nr. 514.
14 ebd. Nr. 516: 28./30. IV. 1866 Konsortiumsprotokoll, 19. VI. 66 Rothschild an Varnbüler.
15 ebd. 9. VII. 66 Rothschild an Renner, 13. VII./7. VIII. Renner an Rothschild, 8. VIII. 66 Renner an Karl.
16 ebd. 25. VIII. 66 Rothschild an Renner.
17 ebd. 26./30. VIII. 66 Rothschild an Renner, E 222, Fach 166, Nr. 514: 17. X. 66 Geh. Rat an Karl; E 222, Fach 167, Nr. 530: 4. IX. 1866 Finanzminister Renner an Karl.
17a WFStA Ludwigsburg E 222, Fach 166, Nr. 514: 25. IX. 1866 Vortrag Renner; 17. X. 66 Geh. Rat an Karl; 22. X. 66 Aufz. Rothschild; Fach 166, Nr. 516: 25. VIII. 66 Rothschild an Renner.
17b das Wertverhältnis Gulden (fl.): Taler betrug 1866 1 : 1,75.
18 HA-Berlin: Rep. 109, Nr. 3863: 12. I. 1860 Camphausen an Rothschild.
19 ebd. 7. I. 1860 Privatbrief Rothschilds an Camphausen.
20 ebd. 8. I. 1860 Patow an Camphausen.
21 DZA II, Rep. 120 A VII, 1 Nr. 41.
22 HA-Berlin: Nr. 3863: 24. XII. 59 Camphausen an Patow.

Im Juni 1866, im Zeichen des preußisch-österreichischen Krieges, »liquidierte« nun die Seehandlung die Auslagen für die Zinscoupons[23]. Rothschild war zur termingerechten Couponablieferung aber nicht fähig, und am 26. Juni 1866 ließ der preußische Finanzminister – trotz Rothschilds beschwörendem Hinweise auf die »Bedeutung« des Frankfurter Börsenplatzes – den »Monopolvertrag« vom 12. Januar 1860 kündigen[24]. Preußen nahm seine Anleihebegebung in eigene Regie und gab die Subskription an ein preußisches Konsortium, an dessen Spitze die Seehandlung fungierte, das aber materiell von der Disconto-Gesellschaft – die sich 1859, 1864 und 1866 als Hauptkreditgeberin des Staates erwiesen hatte – geführt wurde[25]. Rothschilds Hoffnung, »daß durch diesen, von den Zeitereignissen hervorgebrachten Zwischenfall die seit einer so langen Reihe von Jahren zwischen Ihrem hochachtbaren Institute (die Seehandlung als Vertreterin des preußischen Staates, Verf.) und unserem Hause gepflogenen Geschäftsbedingungen keinen Abbruch erleiden«[26], trog. Die Kündigung blieb definitiv. Für die bei wieder beruhigten Verhältnissen angebotene »unwandelbare Dienstbeflissenheit« dankte Camphausen im Hinblick auf die »definitive Vereinigung der Stadt Frankfurt mit dem Königreich Preußen«[27]. Der Börsenplatz Frankfurt hatte ausgedient, Rothschild wurde von Hansemann in der Begebung preußischer Papiere nach dem Süden verdrängt[28]. Ab 1866 begann Süddeutschland seinen finanziellen Bedarf direkt in Berlin zu decken[29].

Kapitalverflechtung von Nord und Süd im Zeichen der Disconto-Gesellschaft

Mit der Übernahme der 4 % Badischen Staatsanleihe noch während des Krieges im Juli 1866 (20 Mill. Taler) – hälftig mit Rothschild, zusammen mit der Seehandlung – und dem Privatbankier W. H. Ladenburg & Söhne begann die finanzielle Verflechtung des Nordens mit dem Süden, und zwar nun – nach kurzem Vorspiel mit Rothschild – mit Berlin als Zentrale. Bereits 1867 wurden Baden erneut 12 Mill. Taler bewilligt[30]. Der Honorierung der badischen Haltung – vor-

23 ebd. 6. VI. 66 v. d. Heydt an Camphausen.

24 ebd. 29. V. 1866 Rothschild an Camphausen; 26. VI. 66 v. d. Heydt an Camphausen.

25 HA-Berlin, Rep. 109, Nr. 3862, 4 1/2 % Eisenbahnanleihen. Däbritz: Anfänge Disconto-Ges. S. 151.

26 HA-Berlin, Rep. 109, Nr. 3863: 27. VII. 1866 Rothschild an Camphausen.

27 HA-Berlin, Nr. 3863: 24. VIII. 66 Rothschild an Camphausen; 1. IX. 1866 Camphausen an Rothschild.

28 ebd. 6. XII. 66 Camphausen an Rothschild.

29 WFStA Ludwigsburg E 222, Fach 166, Nr. 514: 17. X. 66 Geh. Rat an Karl, ebd. Nr. 516: 30. VIII. 66 Rothschild an Renner, Fach 167, Nr. 530: 4. IX. 66 Renner an Karl.

30 Festschrift Disconto-Ges. S. 31. HA-Berlin, Rep. 109, Nr. 5012, 30. VII. 66 4 1/2 %

nehmlich in der Handelspolitik – folgte die Anleihe an Mannheim im Herbst 1868, zusammen mit Rothschild und Ladenburg über 4½ % 3,2 Mill. Gulden, und nicht weniger politische Gründe waren auch für die 4 % Bayrische Anleihe vom August/September 1866 von 28 Mill. Gulden mit der Kgl. Bayrischen Bank und Erlanger & Söhne maßgebend (31,32). Selbst die deutschen Haupthandelsplätze, Frankfurt und Hamburg, waren durch den Krieg so mitgenommen worden, daß sie die Kontributionssumme an Preußen nur mit einer Anleihe über Berlin begleichen konnten[33]. Darüber hinaus brachte die preußische Kriegspolitik nun auch Braunschweig ins Berliner Schlepptau; dasselbe geschah mit Danzig, Königsberg und anderen norddeutschen Städten; sie waren gezwungen, über die Lokalfinanzierung hinauszugehen und von Berlin Anleihen aufnehmen und unterbringen zu lassen[34].

Parallel zum Aufschwung im Staatsanleihengeschäft, das eine Annäherung von Nord und Süd auf wirtschaftlichem Gebiet[35] brachte und für das Ringen um die parlamentarische Rekonstruktion des Zollvereins von großer Bedeutung wurde[36], ging eine Zunahme der Eisenbahnemissionen. Zu den alten Werten traten neue Werte und neue Emissionen, so die Bergisch-Märkische Bahn (1867: 4½ % Obligationen/Aktien), die Thüringische Eisenbahn-Gesellschaft (1867 Aktien Lit. B), die Magdeburg-Halberstädter Bahn (1867: Aktien Lit. A, Stammprioritätsaktien Lit. B), die Mannheim-Karlsruher Bahn (4½ % Obligation), die Nordhausen-Erfurter (1867 Stammprioritätsaktien), die Alsenz-Bahn (Aktien), die Rhein-Nahe-Bahn (Garant. Aktien Lit. B), die Köln-Mindener Bahn (Aktien Lit. B) und die Oberschlesische Eisenbahn-Gesellschaft (5 % Obligationen)[37]. Als Ausdruck der raschen Erholung von der Krise nach dem Krieg darf auch die Kapitalflüssigkeit

20 Mill. T. Bis zur Jahrhundertwende wurde die Disconto-Ges. mit 300 000 000 M. badischer Anleihen in Anspruch genommen.

31 Geschäftsbericht der Disconto-Ges. 1868. HA-Berlin, Rep. 109, Nr. 5012.

32 ebd. 1867/68 DZA II, Rep. 120 A X Nr. 6 Bd. 13/14, HA-Berlin, Rep. 109, Nr. 5013; Festschrift Disconto-Gesell. S. 31 f.

33 Festschrift ebd.

34 ebd.

35 Für die preuß. Anleihepolitik, auf die in diesem Zusammenhang nicht näher eingegangen werden kann, vgl. DZA II, Rep. 151 neu HB Nr. 674: 5. III. 67 Heydt an Wilhelm; ebd. Nr. 675: 18. I. 1868 Camphausen an v. d. Heydt; ebd. Nr. 676: 20. IV. 68 Camphausen an Heydt; dto. ebd. Nr. 677. Zu den Abwehrbemühungen Rothschilds und des Südens z. B. WFStA Ludwigsburg E 222, Fach 167, Nr. 531: 12. VII. 67 PM Renner, 25. V. 67 Aufz. Geh. Rat ebd. Nr. 532: 15./16. III. 68 Rothschild an Renner.

36 siehe unten S. 249 ff.

37 Geschäftsberichte der Disconto-Ges. 1867–70. Es sei hier auf die Anleihebemühungen Hansemanns bei Baring/London hingewiesen, die aber zu keinem Erfolg führten, geschahen sie doch im Auftrag v. d. Heydts. Dafür hoffte die Disconto-Gesellschaft selbst in das große Eisenbahn-Umwandlungsgeschäft und zwar mit staatlicher Prämiierung einzusteigen. Die Englandverhandlungen scheiterten an dem englischen Wunsch nach einer deutschen Staatsgarantie. Daraufhin gedachte Hanse-

des Berliner Marktes gelten. Zum erstenmal wurde der Gedanke der Gesamtkonversion der preußischen Staatsschuld durch die Disconto-Gesellschaft in Erwägung gezogen[37a] und – in Reaktion auf die beginnende liberale Gesetzgebung des Norddeutschen Bundes – wurde die erstmalige Auflage der rheinischen und schlesischen Montanwerte an der Berliner Börse erreicht[38]. Die Preise für Roheisen erreichten im Oktober 1866 wieder die Höhe von 45 1/4 (November 1865: 44), für Eisenbahnschienen 55 (November: 56 1/2), für westfälischen Koks 16 (November: 16)[39]. Die Kohleförderung nahm bei der Bochumer Bergwerks AG von 122 226 Scheffel im Juni auf 211 188 Scheffel im August zu, der Gütertransport der Rheinbahn stieg von 149 700 Taler auf 266 295 Taler[40].

»Nationale Begeisterung und wirtschaftliche Zuversicht«[41] trotz Kriegsgefahr gaben dem sich im Jahre 1866 abzeichnenden Aufschwung weitere Impulse. Blieb auch der Handel »flau«[42], so war doch bei den Berliner Banken der »Kontokorrent sehr gut«. Aufträge kamen, bei niedrigem Zinsfuß wurden die Verkehrswege ausgebaut, im Norden zeichnete sich 1867 schon eine Konsolidierung ab. Hohes Disagio und hoher ausländischer Zinsfuß ließen auch zum erstenmal die Einführung von amerikanischen[43] neben russischen[44], italienischen und türkischen Werten zu.

Die Dividende der Disconto-Gesellschaft stieg von 8 % (1867) auf 13 % (1870). Die Hauptgewinne wurden nicht mehr aus dem laufenden Regulärgeschäft genommen, sondern in zunehmendem Maße bildeten steigende Effekten- und Konsortialgewinne die Gewinnquelle der Banken[45]. Immer mehr trugen fremde Mittel die

mann im Februar 1869 durch die Emission einer 4 % 100 Mill. Prämienanleihe für seine Bahnen (Bergisch-Märkische, Köln-Mindener, Oberschlesische und Magdeburg-Halberstädter) die Gelder mit Bewilligung des Staates zu beschaffen. Das Staatsministerium stimmte dem Plan zu, jedoch das zielbewußt eingesetzte Lobby im Abgeordneten- wie auch im Herrenhaus konnte sich gegenüber den Interessen der Landwirte noch nicht durchsetzen. Das Geschäft wurde erst 1871 in Angriff genommen und im Boom von 1873 durchgeführt (DZA II, Rep. 151 neu HB Nr. 675, 679 Disc.-Festschrift S. 96 f.).

37a ebd. S. 33 Rep. 151 neu IE Staatspap. Nr. 13, Nr. 54.

38 DZA II, Rep. 120 C XI, 1 Nr. 2 Bd. 1; Rep. 120 A X, 6 Bd. 13, Rep. 120 A X, 7.

39 nach Schuchardt S. 138.

40 ebd.

41 DZA II Rep. 77, Tit 93 Nr. 92 Bd. 3: Bericht der Ältestenkammer Berlin 1867.

42 Geschäftsbericht der Disconto-Ges. 1867.

43 so z. B. die 7 % Tax. Relief. Bonds of the City of New York, 6 % County of the City of New York.

44 neben der Moskau-Rjäsan-Bahn und der 3 % 12 Mill. Pfund Unterbeteiligung bei Thomson Bonar & Co. treten die im Konsortium d. Disconto-Ges., DaB, J. H. Schröder & Co. London übernommenen 5 % Obligationen 1716 Pfund Charkow-Krementschug-Bahn. Das Staatsanleihemonopol konnte Rothschild bis 1872 noch halten.

45 Däbritz: Anfänge Disc. S. 148. So bei der Disc. 1866: 18,5 % und 1871: 48 %.

Geschäftsausweitung bei beharrenden Depositen und Akzepten. 1870 betrug bei der Disconto-Gesellschaft das Eigenkapital nur noch ein Drittel der Bilanzsumme; d. h., wie es Hansemann formulierte: »Durch das wachsende Vertrauen in die Befestigung und Beständigkeit der politischen Lage angespornt, arbeitete der Unternehmergeist überall unausgesetzt, so daß auch im Bankgeschäft die lebhafteste Tätigkeit hervorgerufen wurde[46].«

Preußenkonsortium: Aktiengesellschaften und Privatbanken

Der Berliner Kurszettel wurde immer länger[47]. Vor allem Industriewerte drängten auf den Berliner Markt. Frankfurt behielt wohl noch die Staatsanleihenbörse, aber der Hauptplatz der deutschen Kapitalverteilung wurde in zunehmendem Maße Berlin. Wie bei der Disconto-Gesellschaft entwickelten sich die Geschäfte der Darmstädter Bank[48] und der Berliner Handelsgesellschaft[49] oft im Konsortium mit der Hansemann-Bank; nur war bei ihnen im Gegensatz zu Hansemann das Depositengeschäft noch als »gefahrvoll verpönt«[50]. Dabei ging bei den Banken meist Kassa- und Termingeschäft ineinander über, und nur die in Preußen noch scharf durchgeführten Bestimmungen des Aktiengesellschafts-Zulassungswesens verhinderten einen ausgeprägten Boom vor Aufhebung dieser Bestimmung 1870[51].

Wenn auch die Berliner Privatbankiers, die Bleichröder, Mendelssohn, Warschauer etc., oder in Frankfurt die Bethmann, Erlanger, Rothschild etc. in den neuen Industriegründungen und Eisenbahnübernahmen mitkonzernierten, so verblieb doch ihr eigentliches Geschäft – die Vermittlung von Staatsanleihen – auf eine begrenzte Klientel beschränkt[52]. Dagegen zeichnete sich jetzt schon der Charakter der führenden Aktiengesellschaftsbanken ab – besonders ausgeprägt in Berlin, Köln und Breslau. Zwar erscheinen diese Banken noch eingebettet in den Kreis honorabler Privatbanken, aber tatsächlich repräsentierten sie eine neue (nicht nur in der Organisation anders strukturierte) Unternehmungsform. In das Geflecht ihrer Geschäftsbeziehungen übernahmen die Aktiengesellschaftsbanken selbsttragend von nun an auch die Eisenbahn- und Unternehmungsfinanzierung und -führung.

Obwohl in den Jahren 1866–1870 auf dem Kontinent Wien und Paris weiterhin die führenden Börsen blieben, erreichte Berlin in der autonomen Begebung einer Reihe von großen Preußen-Anleihen, die unter Führung der Seehandlung im

46 Geschäftsber. der Disconto-Ges. 1869.
47 DZA II, Rep. 120 A X 7.
48 Archiv Dresdner Bank / Frankf.: Geschäftsber. 1867/71. G. Förstel: Entwicklung der Darmstädter Bank u. d. National-Bank für Deutschl. u. ihre Fusion. Diss. Mün.
49 DZA I, Akten der BHG; Die BHG in einem Jhdt. dt. Wirtschaft, Berlin 1956.
50 Förstel S. 49.
51 DZA II, Rep. 120 A XI, Nr. 1 Bd. 4.
52 Fürstenberg: Lebenserinnerungen S. 28 ff.

sogenannten »Preußen-Konsortium« untergebracht werden konnten, eine unabhängige Stellung[53].

Das »Preußen-Konsortium«[54] hatte von vornherein für die weitere Kreditgestaltung Preußen-Deutschlands die entscheidende Bedeutung. Denn es verband – unter Führung und Herrschaft der Disconto-Gesellschaft und Bleichröders – zur Übernahme der Deckung des gesamten preußischen Finanzbedarfs die wichtigsten preußischen Privatbanken A. M. v. Rothschild & Söhne (Frankfurt), Salomon Oppenheim jun. & Cie (Köln) mit den Berliner Privatbanken F. Magnus, Mendelssohn & Co., Gebr. Schickler, Robert Warschauer & Co. und die Berliner Handelsgesellschaft. Nicht nur regelte und bestimmte das »Preußen-Konsortium« von nun an den »Verkehr mit Staats- und Kommunalpapieren und Aktien«[55], sondern es gab auch die gleichsam finanz- und banktechnische Grundlage zum späteren industriellen Aufschwung Deutschlands ab – zu seinem Kapitalexport und damit zu seiner wirtschaftlichen Weltstellung. Zugleich sahen die Banken im »Staat« den Garanten der bestehenden wirtschaftspolitischen Ordnung. Darum leiteten sie von früh an aus ihrer neuen Stellung zum »Staat« den Anspruch auf Nutzung der staatlichen Zahlstellen und Kassen für die eigenen finanziellen Transaktionen ab[56]. Solange noch alle Konsortiale diese Stützung und »Hilfe« in Anspruch nehmen mußten, war die Stellung der Aktiengesellschaftsbanken noch nicht so dominierend innerhalb der Bankwelt – wie dann in den achtziger Jahren[57]. Als aber die ersten

53 DZA II, Rep. 151 neu HB 674: 5. III. 1867 v. d. Heydt an Wilhelm I. betr. 60 Mill. Tal. Ausgaben mit Heranziehung Rothschilds; HB Nr. 675: 18. I. 68 Camphausen an v. d. Heydt; HB Nr. 676 Camphausen an v. d. Heydt; HA Berlin, Rep. 109, Nr. 5389: 24 Mill. Tal. 4 1/2 % zu 95 3/8 Jan. 1868; 20 und 5 Mill. Tal. 4 1/2 % zu 94 Okt. 68, Rep. 109, Nr. 5003–5005, ebd. 5006–5010; ebd. 3319, DZA II, Rep. 120 A X, Nr. 38 Bd. 1: 25. XI. 1869 Votum F. M. zur Anleihenpolitik.

54 HA-Berlin, Rep. 109, Nr. 5389, Rep. 109, Nr. 3862, 4 1/2 % Anleihe 12 Mill. zu 95 % 1868. Disconto-Ges. Festschrift S. 29, S. 33 f.

55 DZA II, Rep. 120 A X, 6 vgl. 14.

56 HA-Berlin, Rep. 109, Nr. 3862. So wurde die 4 1/2 % 12 Mill. Anleihe 1868 nicht nur im eigenen Klientel der Konsorten aufgelegt, sondern die mangelnden Filialen wurden durch Hauptbank- und Regierungsbankstellen, Hauptkassen und Kommanditen ersetzt, so in Aachen, Altona, Arnsberg, Bielefeld, Breslau, Bromberg, Kassel, Koblenz, Köln, Köslin, Krefeld, Danzig, Dortmund, Düsseldorf, Elberfeld, Elbing, Emden, Erfurt, Essen, Frankfurt/a. M., Frankfurt/O., Gleiwitz, Glogau, Görlitz, Graudenz, Gumbinnen, Halle, Hannover, Insterburg, Königsberg, Landsberg, Liegnitz, Magdeburg, Marienwerder, Memel, Merseburg, Minden, Münster, Nordhausen, Oppeln, Osnabrück, Posen, Potsdam, Rendsburg, Siegen, Stettin, Stralsund, Thorn, Tilsit, Trier und Wiesbaden. Ebenso geschah es mit der 4 1/2 % 20 Mill. Anleihe, die zu 94 % 1868/69 öffentlich ausgeschrieben wurde, oder der 60 Mill. Anleihe von 1867 (DZA II, Rep. 151 neu HB 674), der 24 Mill. Anleihe von 1867 (ebd. HB Nr. 675) oder der 40 Mill. Staatsanleihe (ebd. HB Nr. 676).

57 HA-Berlin, Rep. 109, Nr. 3862. Das Konsortiumsprotokoll vom 20. XI. 1868 spricht der Seehandlung und Preußens Hauptbank 24 % der zu begebenden Summe zu,

Filialen der Disconto-Gesellschaft, der Dresdner und Deutschen Bank gegründet waren und nur mehr das Interesse der großen Kapitalverteiler auf die »Reservation des Marktes« gerichtet war, sanken die Quoten der Privatbankiers, und die Dominanz der Universalbanken wurde für das Finanzgebaren sowohl des Deutschen Reiches als auch der Länder zum entscheidenden Faktor[58].

So wurde in den Jahren 1867–1870 der Grund gelegt zu einer autonomen, gegenüber dem Süden übermächtigen Finanz- und mit ihr verbundenen Industrie- und Handelsorganisation des Nordens.

Der industrielle Aufschwung, das Ausgreifen der Berliner Banken und die Vereinheitlichung des norddeutschen Marktes, das Engangement im Süden (trotz politischer Differenzen mit Bayern, Hessen und Württemberg) und der Aufbau eines dominierenden Börsenplatzes in Berlin waren aber mit der preußisch-norddeutschen Handels- und Wirtschaftspolitik eng verflochten. In engster Verschmelzung von materiellen Interessen, Parteipolitik und ministerieller Zielsetzung vollzog sich die politische Neuordnung des norddeutschen Raumes unter der Hegemonie Preußens und die wirtschaftliche und militärische Verklammerung mit den Süddeutschen, ohne daß – solange die Möglichkeit einer friedlichen Einigung offen schien – eine Großmacht diese Evolution nach 1866 störte.

b Die politische Ordnung nach Prag: Norddeutsche Bundesverfassung, Militärbündnisse und preußische Hegemoniestellung

Deutscher Krieg und preußische Wahlen

Am selben Tag, an dem bei Königgrätz – dem 3. Juli 1866 – die militärische Entscheidung zwischen Preußen und Österreich-Sachsen fiel, wurde in Preußen, »nachdem es Ernst geworden war« und der Patriotismus »sein Recht angetreten« hatte, das Abgeordnetenhaus gewählt. Ganz unter dem Eindruck der ersten schnellen preußischen Siege beim Übergang der drei »Heersäulen« in das Böhmische

die Disconto-Ges. erhält 17 %, Rothschild 16 %, Bleichröder 12 %, Oppenheim folgt mit 6 %, Warschauer mit 5 %, Berliner Handelsgesellschaft, Magnus, Mendelssohn, Plauth und Schickler übernahmen je 4 %.

58 HA-Berlin, Rep. 109, Nr. 4993, 4 % 120 Mill. Konversions-Anleihe der 4 1/2 % Berlin-Stettin, 5 % Köln-Minden, und 4 1/2 % Hannover-Altenbeken-Prioritäten; hier sieht die Offerte vom 29. XII. 1879 für die Disconto-Ges. eine Quote von 18,9 %, für Bleichröder von 12,2 % vor. Zugleich sprach die Disconto-Ges. für Rothschild (7,5 %) und die Norddt. Bank (7 %), Bleichröder für Behrend & Söhne Hbg. (6,1 %) und Oppenheim (4,1 %). Im Vergleich zu den Aktiengesell.-Banken-Quoten von 7,4 % für DB, DaB und BHG waren Mendelssohn und Warschauer auf 4,7 %, Schickler auf 3,1 % und Plauth auf 1,3 % festgesetzt worden. Die gleiche

Becken, ging wie erwartet[59] »aller politische Groll und Hader«[60] unter in der – wie Delbrück berichtete – »Hochflut nationaler Begeisterung«[61], so daß Fortschritt und linkes Zentrum – die Gegner Bismarcks – von 253 Sitzen nur noch 148 erringen konnten, während die Konservativen – die Stützen Bismarcks – einen Anstieg von 28 auf 142 Stimmen verzeichneten[62]. Zugleich spaltete sich die bisherige liberale Oppositionspartei in jene, die, um die »Volkswirthe« und Gouvernementalisten (Michaelis, Lette, Duncker und Treitschke) gruppiert, einen Ausgleich mit Bismarck suchten, und jene, die wie Waldeck, Gneist, Virchow, Hoverbeck, Jacoby, Frentzel und Schulze-Delitzsch[63] keine »Indemnität« anzunehmen gewillt waren[64]. Der parlamentarische Erdrutsch in Preußen vollendete die »Wandlung des Urteils«[65] über die Bismarcksche Politik. Wenn auch dieser Umschwung mit individuell verschiedener Begründung vollzogen wurde[66], so konnte nun Bismarck im Endeffekt »seinen« Frieden mit dem Parlament machen und zugleich die »unabwendbaren Notwendigkeiten« (Thronrede vom 5. August) des budgetlosen Regierens, also die Ausschaltung der Volksvertretung, vom Parlament nachträglich rechtfertigen und durch den Erfolg sanktionieren lassen.

Tendenz ist bei der Konversion der Magdeburg-Halberstädter (DZA II, Rep. 151 neu, HB 695), Rhein-Nahe-Bahn (ebd. HB Nr. 694/702). Vgl. zur Literatur der Großbankenentwicklung vor allem: A. Lansburgh: Motive der Bankenkonzentration, Bankarchiv XXIX, S. 635 ff.; Blumenberg: Die Konzentration im deutschen Bankwesen, Diss. Heidelberg 1905; K. Schumacher: Die Ursachen und Wirkungen der Konzentration im deutschen Bankwesen (Schmollers Jb. XXX, 3 Lpz. 1906); P. Wallich: Die Konzentration im deutschen Bankwesen. (Münchner Volkswirtschaftliche Studien 1905).

59 AA-Bonn I AAa Nr. 27: 4. VI. 1866 Kronratsprotokoll.

60 Zur liberalen Anti-Krieg- und Anti-Bismarckstimmung vgl. Heyderhoff/Wentzcke I, S. 265 ff., S. 269 ff., 280 ff., 292 f., 299 ff.; Parisius: Hoverbeck II/2 S. 55 f., 64 ff., 67 ff., S. 70 ff.; Sten. Berichte Abg. Haus (1866) I S. 19 f., 58–83, 110–181, 222–250; L. Dehio: Taktik, HZ 140 S. 335 ff.; Spahn: Entstehung S. 383 ff.; Becker: Bismarcks Ringen S. 159 ff.

61 Delbrück: Memoiren II, S. 375; GW V, S. 393, 421, 456 f.; R. v. Keudell: Fürst u. Fürstin Bismarck S. 351 f.; v. Poschinger: Parlamentarier I, S. 60 f.

62 J. Ziekursch: Pol. Geschichte des neuen dt. Kaiserreiches, Frkf. 1925–1930, I S. 192; Parisius: Hoverbeck II/2 S. 93 f.; Ritter: Konservative S. 131 ff.

63 Sten. Ber. Abg. Haus (1866/67) I, S. 149–207; Löwenthal: Verfassungsstreit S. 302 ff.; Thorwart: Schulze-Delitzsch V, S. 267 f.; Philippson: Forckenbeck S. 154.

64 Biermann: Waldeck S. 299 ff.

65 Bußmann: S. 93.

66 AA-Bonn I AAa 23 Bd. I, vielfältige Zuschriften, u. a. typisch von Kaufmann Phil. Overlach-Köln u. a. »bevor er E.E. große Pläne begriffen ebenso zu hochdero Gegner, als er seit den glorreichen, durch E.E. Weisheit und Umsicht herbeigeführten Leistungen Preußens mit vielen Mitbürgern zu hochdero wärmsten Verehrern gehört«. Ziekursch: Pol. Geschichte I, S. 189; H. Baumgarten: Der dt. Liberalismus S. 455 f., 575 ff.; Duncker: Briefwechsel S. 428 f., S. 437; Philippson:

Bismarck hatte recht behalten, wenn er auf dem Tiefpunkt der Krise am 4./5. Juni 1866 zum französischen Journalisten Vilbort gesagt hatte:

»daß die preußische Regierung keine Angst vor einer möglichen Revolution habe: Unsere Revolutionäre sind nicht so fürchterlich. Ihre Feindseligkeit erschöpft sich hauptsächlich in Auswürfen gegen den Minister, aber vor dem König haben sie Respekt... Der Preuße,... dem man einen Arm auf einer Barrikade zerschmetterte, würde beschämt nach Hause kommen, und seine Frau würde ihn als Dummkopf auslachen. Aber im Heer ist er ein bewunderungswürdiger Soldat und schlägt sich wie ein Löwe für die Ehre seines Landes[67].«

Die »Versöhnung«[68] mit den Parteien ließ sich um so eher durchführen, da nach den Erfolgen des preußischen Generalstabs unter Moltke das Schwergewicht und die Sonderstellung der Armee in Preußen vorerst ohne Frage blieb.

Im Feldzug gegen Österreich hatte die preußische Armee ihre Schlagkraft erneut unter Beweis gestellt: die Besetzung von Kassel, Hannover und Dresden hatte sich so schnell vollzogen[69], die Entscheidung in Böhmen und am Main war so rasch gefallen, daß weder die vorbereitete Insurrektion Österreichs sich zu entfalten brauchte[70], noch Napoleon Zeit zum Eingreifen fand[71].

Kriegsziele 1866

Bereits am 29. Juni 1866 – noch vor Königgrätz – übersandte Bismarck die Richtlinien seiner Kriegsziele dem Kriegs-, Handels- und Finanzminister[72]. Zum erstenmal legte Bismarck – noch im Krieg und auf den Erfolg des preußischen Zünd-

Forckenbeck S. 158 f.; L. Dehio: Die preuß. Demokratie und der Krieg von 1866; FBPG 39, S. 258 f.; Eyck II, S. 318; Spahn S. 405 ff., 412 ff., 422; Dorpalen: Treitschke S. 124 ff. Einzig die linken Liberalen und Lassalleaner stimmten nicht rückhaltlos in die nationale Begeisterung ein; Mehring: Sozialdemokratie III, S. 239 f.; theoretisierend Th. Schieder: Das Verhältnis von politischer und gesellschaftlicher Verfassung und die Krise des bürgerlichen Liberalismus, HZ 177, 1954.

67 GW VII S. 121.

68 GW VII: 7. VIII. 1866 Gespräch Bismarcks mit Oetker Nr. 136.

69 ebd. Nr. 409: 18. VI. 1866 Bismarck an v. d. Goltz.

70 GW IV, Nr. 410: 18. VI. 1866; Nr. 428: 23. VI. 1867; AA-Bonn I Abt. Nr. 41 secr. Bismarck an Usedom/Florenz, Nr. 463: 9. VII. 1866 Bismarck an Min. d. Ausw.; Hans Raupach: Bismarck und die Tschechen im Jahre 1866, Bln. 1936. S. 7 ff.; Stefan Türr: Fürst Bismarck und die Ungarn, Reminiscenzen aus dem Jahre 1866, Deut. Revue Bd. 25/1, 1900, S. 313 ff.; H. Wendel: Bismarck und die Serben im Jahre 1866, Berlin 1937, S. 19 ff., 45 f.; T. W. Riker: The Making of Roumania, Oxford 1931, S. 557 f.

71 HStA Darmstadt Sta. Min. Konv. 46, Fasc. 4: 27. V. 1866 Biegeleben an Dalwigk; 30. V. 1866 Dalwigk an v. d. Pfordten; 30. V. 1866 Telegramm v. d. Pfordten dto. Beust; Pflanze: S. 303 ff.

72 GW VI, Nr. 444: 29. VI. 66 Bismarck an Roon, Itzenplitz und v. d. Heydt (Anlage).

nadelgewehres bauend — die Grundlinie eines deutschen Staatenbundes ohne Österreich als das traditionelle Hauptziel der preußischen Politik dar. Ausgehend vom Bundesreformprojekt des 10. Juni 1866 dachte er an einen Übergangsvertrag mit den »Staaten der Frankfurter Koalition«[73]. Durch »Offensiv- und Defensivbündnisse«, durch die Reform des Zollvereins und die Bindung des außenpolitischen Vorgehens aller Mittelstaaten an Preußen wollte er nach einer Übergangszeit von einem Jahr den »unzweideutigen Ausdruck nationaler Gemeinsamkeit« erreichen, eine »Gemeinsamkeit«, die, wie er Anfang 1867 seinem Gesandten in München, Heinrich VII. Reuß, schrieb, »gleichzeitig die Gewißheit gibt, daß die süddeutschen Staaten nicht in eine feindselige Tendenz gegen Norddeutschland in Anlehnung an fremde Muster verfallen«[74]. An Annexionen großen Stils dachte Bismarck damals noch nicht; nur wenige, Preußen »günstig gelegene« Teile von Hannover, Kurhessen, Ostfriesland und Schlesien dachte er mit Preußen zu verbinden[75]. Eine Unterdrückung des Südens war ihm als preußischem Staatsmann eine Unmöglichkeit, da Preußen »jetzt von Berlin aus München und Stuttgart nicht verdauen« könne[76]. Vielmehr vertraute Bismarck dem langfristigen Effekt auf die Mittelstaaten: waren sie erst einmal, wenn auch nur indirekt, militärisch-wirtschaftlich an Preußen gebunden, dann würde ein Widerstand gegen Preußen nicht mehr möglich sein. Mit einem Entgegenkommen gegenüber den Liberalen durch Einberufung eines Vorparlaments oder »Reichstags« glaubte er die süddeutschen Regierungen zwar langsam, aber um so sicherer in ein preußisch-deutsches Fahrwasser zwingen zu können. Trotz der Bedenken des Königs und des Staatsministeriums setzte Bismarck seine Politik vorerst durch und trieb das widerstrebende Staatsministerium zur Ausführung der Vorbereitungen seiner Pläne an[77].

Bundesreform, Frankreich und preußische Hegemonie

Während dieser Friedensvorbereitungen machten die militärischen Erfolge Preußens das Verhältnis zu Napoleon immer diffiziler, weshalb Bismarck aus taktischen Gründen von jeder allzu hegemonialbetonten Kriegszielpolitik zunächst Abstand nahm[78]. Erst nachdem der preußische Gesandte v. d. Goltz in eigenmächtiger

73 vgl. allgemein Erich Brandenburg: Untersuchungen und Aktenstücke zur Geschichte der Reichsgründung; 1916, S. 481 ff., G. Roloff: Brünn u. Nikolsburg HZ 136, S. 457 ff.

74 AA-Bonn I D Militaria: 22. I. 1867 Bismarck an Reuß, GW VI Nr. 663.

75 GW VI, Nr. 460 Anm. Kriegstagebücher Kaiser Friedrichs III. 1848—1866 hrsg. v. H. O. Meisner; J. Petrich: Bismarck und die Annexion 1866, Hbg. 1933, S. 9 ff.

76 W. Busch: Bismarck und die Entstehung des Norddeutschen Bundes, HZ 103, S. 74.

77 GW VI, Nr. 459: 8. VII. 1866 Bismarck an Sta. Min.

78 Brandenburg: Untersuchungen S. 555 f.; Schüßler: Bismarcks Kampf S. 16 ff.; J. Petrich: Der erste preuß. Präliminarentwurf in Nikolsburg 1866, Hist. Vjschrft. 30.

Überschreitung seiner Instruktion (doch letztlich ganz im Sinne Bismarcks[79]) mit Napoleon einen Kompromiß zustande gebracht hatte, konnte Bismarck handeln. Napoleon gab die Zustimmung zur Auflösung der »confédération germanique« und anerkannte die Bildung eines Norddeutschen Bundes unter preußischer Führung. Er opponierte nicht gegen den Ausschluß Österreichs aus dem Deutschen Bund und erlaubte die Konstituierung eines vom Norden unabhängigen Südbundes. Damit konnte Bismarck das Verhältnis von Nord und Süd im Sinne eines »freien gemeinsamen Einverständnisses« regeln. Der Norddeutsche Bund konnte sich konsolidieren ohne »Hineinziehung« des »süddeutsch-katholischen bayrischen Elements«. Zugleich war aber die Möglichkeit eines etappenweisen Vorgehens gegen Hessen-Darmstadt, Baden, Württemberg und Bayern nicht ausgeschlossen[80]. Unter diesen Auspizien ließ Bismarck über französische Vermittlung Waffenstillstandsverhandlungen einleiten. Er hatte für Preußen zunächst genug erreicht[81].

Daß eine »günstige Bundesreform«, wie sie Bismarck vorgeschlagen hatte, für Preußen wohl Annexion ersetzen konnte und selbst in einem deutschen Bund, dem Österreich noch angehörte, Preußen die Vormacht geben würde, war den Mittelstaaten von vornherein klar[82]. Erst recht als vollkommene Niederlage Österreichs und des Südens empfanden sie daher die von Napoleon übermittelten Vorschläge, die die Schaffung eines Deutschen Bundes ohne Österreich *und* Preußen vorsahen[83]. Denn »ganz abgesehen von den Conventionen, durch welche Sachsen, Hannover und einige andere Staaten der neuen Conföderation mit Preußen militärisch verbunden seyn würden«, würde, so urteilte der schärfste Gegner Bismarcks – Dalwigk in Hessen –, »schon das Fortbestehen des Zollvereins zwischen Preußen und seinen bisherigen Zollverbündeten – oder doch der Mehrzahl derselben – allein hinreichen, ... dem in Artikel 1 des preußischen Bundesreformprojektes verlangten Ausschlusse Österreichs aus Deutschland« gleichzukommen. Da das französische Programm neben Frankreich, das den Süden Deutschlands an sich binden wolle, allein Preußen diene, könne nur – nach dem Vorschlag Dalwigks – durch die »sobald als irgendmögliche« Vereinigung der österreichischen Kronländer mit den »bundestreuen Staaten« ein Gegengewicht des Südens zum Norden Deutschlands

79 GW VI, Nr. 417: 8. VII. 1866 Bismarck an v. d. Goltz, Nr. 460: 9. VI. 1866 Bismarck an Werther; H. Oncken: Rheinpolitik I, S. 336 f.; Brandenburg: Untersuchungen und Aktenstücke S. 283.

80 GW VI, ebd. vgl. G. Franz: Bismarcks Nationalgefühl S. 77 ff.

81 GW VI, Nr. 487: 20. VII. 1866 Bismarck an AA für v. d. Goltz; Nr. 490: 21. VII. 1866 Bismarck an Gramont; G. Franz ebd. S. 52; GW XIV S. 544; W. Busch: Bismarck und die Entstehung des Norddt. Bundes, HZ 103, S. 73 f.

82 HStA Darmstadt Sta. Min. Konv. 46, Fasc. 6: 13. VII. 1866 Dalwigk (Konzept Hofmann) an Wien; Müller S. 135, 147 ff.; Rapp. S. 189 f., S. 231 f., 239 ff.

83 Zum Komplex der süddeutsch-französischen Beziehungen: Origines Diplomatiques IX., S. 367, 377 ff.; XII. S. 35 f. Auch die Tagebuchangaben Dalwigks v. Schüßler und Vogel; G. Roloff: Bismarcks Friedensschlüsse mit den Süddt. im Jahre 1866, HZ 146 S. 1 ff.

geschaffen werden; durch direkte Wahlen, eine Bundesverfassung und ein Volkshaus müßte das »Parlament« gegen Preußen »ausgebeutet« werden; der »Parlamentarismus als Hebel« zur Umgestaltung Deutschlands im Sinne einer Staatsform, wie sie die Vereinigten Staaten von Nordamerika oder die Schweiz gefunden hätten, verwendet werden, nur dann wäre eine Borussofizierung Deutschlands zu verhindern und eine mögliche großdeutsche Lösung der deutschen Frage noch zu erreichen[84]. Die Realisierung dieser Vorschläge hätte aber die Auflösung des Vielvölkerstaates Österreich bedeutet und ferner die gesamte weitere deutsche Entwicklung mehr auf ein föderatives, eventuell mehr demokratisches Gleis geschoben. Dalwigks Vorschläge wurden aber illusorisch durch den vollkommenen Sieg der preußischen Waffen über die österreichischen bei Königgrätz.

Nikolsburg

Der in Nikolsburg am 27. Juli 1866 unterzeichnete Präliminarfrieden[85] war das Ergebnis mehrfacher Kompromisse. Einig war sich die preußische politische und militärische Leitung, daß dort »unsere Macht ... ihre Begrenzung findet, wo unser Junkermaterial zur Besetzung der Offizierstellen aufhört«[86]; danach richtete sich auch Bismarck. Gegenüber dem König und den Militärs hatte er die Annexionen von Nassau, Kurhessen, Hannover und den Elbherzogtümern sowie die Bildung einer »festen militärischen Organisation von Norddeutschland« zugeben müssen, indem im Frieden allein »die Integrität der Staaten, nicht aber die Sicherstellung seiner *bisherigen* Dynastien« festgelegt wurde und Bismarck die »bloße Existenz Kurhessens« als »geographische Drohung« für Preußen anerkannte[87]. Er erreichte aber gegen erheblichen Widerstand des Monarchen und der Militärs, daß Österreich keine Gebietsverluste und auch Sachsen keine »Bestrafung« hinzunehmen hatten[88]. Damit beugte er einer möglichen französischen Intervention und zugleich einer tiefgehenden russischen Verstimmung vor[89], ohne daß das Optimum der für Preußen »verdaubaren« Vergrößerung bis zur Maingrenze und die Möglichkeit eines gesamtdeutschen »weiteren Bundes« von Nord und Süd mit gemeinsamem

84 ebd. Rapp S. 241. Gleiche Ideen vertrat Mohl: »ein Bundesstaat ist bloß dann berechtigt, wenn wie in Nordamerika und der Schweiz der kleinste Staat soviel Recht hat, wie der größte«.

85 GW VI, Nr. 503, Nr. 505; HHStA Wien, PA IV, Nr. 35.

86 Schweinitz: Denkwürdigkeiten I, S. 259.

87 AA-Bonn, I AAa Nr. 27: 15. VIII. 1866 Kronratsprotokoll.

88 GW VI, Nr. 473: 14. VII. 1866, Nr. 474: 15. VII. 1866 Bismarck an v. d. Goltz, Nr. 498: 24. VII. 1866 Immediatbericht.

89 GW VII, Nr. 475: 15. VII. 1866 Bismarck an AA; Nr. 511: 29. VII. 1866 Bismarck an AA, Antwort an Oubril; Oncken: Rheinpolitik II, S. 21 f. (Origines Diplomatiques XI, S. 394 ff.).

90 GW VI, Nr. 473: 14. VII. 1866; Bismarck an v. d. Goltz, Nr. 498 ebd.

Bundestag, gemeinsamer Wirtschaftspolitik und gegenseitiger Garantie des Besitzstandes durch außenpolitischen Druck gefährdet worden wäre[90].

Die Härte der Auseinandersetzung zwischen Bismarcks »Staatsraison« und Wilhelms »fürstlichem Standesgefühl«[91] hat den Blick zu sehr auf den Ausgleich mit Österreich gerichtet und vergessen lassen, daß mit dem »Ausschluß« Österreichs aus dem Bunde – in Verbindung mit der Annexion von Schleswig-Holstein, Hannover, Kurhessen, Nassau und Frankfurt, der »Kettung« der thüringischen Staaten, Hessen-Darmstadts, dem »Verhältnis« zu Sachsen und den »Grundlinien« des politischen Verhaltens zu Süddeutschland – ein Ziel erreicht wurde »so groß, wie es bei Ausbruch des Krieges niemals gesteckt werden konnte«[92]. Eingeordnet in die Entwicklung zum Deutschen Reich wird die territoriale Vergrößerung Preußens im Jahre 1866 weniger real, sondern mehr moralisch, deutsch-national gewertet, obwohl gerade diese ausschließlich vom Staate Preußen her zu beurteilende politische, militärische und wirtschaftliche Machtsteigerung endgültig entscheidend wurde für die Dominanz Preußens in Deutschland.

Brücken über den Main: Taktik und Ziele Bismarcks

Mit der Annexion Frankfurts zerschlug Preußen das Zentrum der süddeutschen Kreditvermittlung. Zugleich machten die schnellen preußischen Siege und die Annexionen auch die August-September-Pläne des Bayern v. d. Pfordten, des Hessen Dalwigk und des Württembergers Varnbüler (nämlich einen Südbund in Anlehnung an Österreich und gestützt auf Frankreich zu gründen) illusorisch[93]. Doch über die unmittelbaren Folgen hinaus hatten die preußischen Siege noch eine größere Bedeutung. Denn Hand in Hand mit den Annexionen als Erfüllung der preußischen Arrondierungspolitik ging die Formung der norddeutschen Bundesverfassung[94], der Ausbau der militärischen Vormacht Preußens durch die Schutz- und Trutzbündnisse – unmittelbar unter dem Druck französischer Kompensationspläne durchgeführt[95] – und die Reform der wirtschaftspolitischen Ordnung des Zollvereins. Alle Aktionen, begonnen unmittelbar nach Kriegsende, nutzten die deutsch-nationale Begeisterung – auch im Süden – für die preußische Politik[96] und

91 Gedanke und Erinnerung II, S. 43 ff.
92 GW VI, Nr. 498.
93 APP VII, Nr. 106, Anm. 1: 12. IX. 1866 Varnbüler an v. d. Pfordten, K. A. v. Müller: Bayern im Jahre 1866 und die Berufung des Fürsten Hohenlohe, 1909, S. 147 ff.; Oncken II: S. 73, Anm. 2; W. Schüßler: Bismarcks Kampf um Süddeutschland 1867, Berlin 1929, S. 21 f.
94 Zechlin: Schwarz, Rot, Gold, APG 6, 1926, S. 178 f.; Vietsch: Reichskanzleramt S. 8 ff.; Morsey S. 21 ff.
95 Schüßler S. 20 f., Pflanze S. 305 ff.
96 Müller: Hohenlohe S. 61 ff., S. 73 ff., 77 f., Kammersession und Reichsrat S. 83 ff., A. Rapp: Die Württemberger und d. nationale Frage, Stgt. 1910 S. 201, 237, 244 ff.

geschahen unter dem Vorzeichen, das »Gitter« — nicht die »Mauer« — der Mainlinie zu durchbrechen[97]. Bismarck hoffte so, die preußische Hegemonie mit militärischen, wirtschaftlichen und verfassungspolitischen Mitteln in Deutschland durchzusetzen und die 1866 geschaffenen Machtverhältnisse zu stabilisieren, ohne jedoch partikularistische Empfindungen im Süden schroff zu verletzen noch die Interessen Österreichs, Frankreichs und Rußlands[98] zu tangieren. Jede politische Aktion Bismarcks in den Jahren 1866 bis 1868 ist von diesen Prämissen her zu beurteilen. Darum erhielt auch die Verflechtung von verfassungs-, militär- und wirtschaftspolitischer Taktik in seiner Deutschlandpolitik ein so großes Gewicht, hoffte er doch, so den friedlichen Ausbau der preußischen Machtstellung in Deutschland und die Heranführung des Südens an Berlin ohne Einmischung Frankreichs und Österreichs ohne erneuten, zu schnell folgenden Krieg zu erreichen. Die indirekte Bindung des Südens wurde in zunehmendem Maße das Ziel seiner Politik; und je mehr hier partikularistische Strömungen wieder die Oberhand gewannen und einer französisch-österreichischen antipreußischen Politik nützlich wurden, desto mehr intensivierte Bismarck sein Streben nach indirekten Bindungen und versuchte gleichzeitig die preußische Stellung durch eine Annäherung an England und Rußland zu verstärken[99].

Die komplizierte Lage der Südstaaten nach Königgrätz begünstigte auch die Verflechtung von verfassungs-, wirtschafts- und militärpolitischer Taktik in Bismarcks politischem Kalkül und wirkte sich in der konfusen Situation, in der sich die Mittelstaaten zwischen 1866 und 1870 befanden, doppelt günstig für die preußische Politik aus. Nach dem Sieg Preußens begannen die Liberalen in Deutschland — wenn auch erst zögernd — allgemein auf Preußen zu setzen. Der geschlagene Süden bot nun erst recht keine Einheitsfront mehr gegenüber der ausgreifenden Macht Preußens. Baden drängte ungestüm auf den vollen Anschluß an Preußen[100]. Bayern steuerte unter seinem Ende 1866 berufenen »reichsfreundlichen« Ministerpräsidenten Hohenlohe vor allem auf eine Reform seines Heerwesens nach preußischem Muster zu[101]. Württemberg hingegen lehnte die preußische Reform ab und plante, die Heeresreform nach schweizerischem Muster durchzuführen[102]. Während aber Württemberg die wirtschaftliche Annäherung an Preußen nun nach der Zerschlagung des Guldenraumes suchte, lehnte Bayern dies vollkommen ab. Einzig Hessen-Darmstadt verfolgte weiter seine modifiziert-großdeutsche, antipreußische Politik. So führten die jeweils verschiedenen politischen Übereinstimmungen

97 GW VI, Nr. 554: 11. VIII. 1866 Bismarck an v. d. Goltz.
98 GW VI, Nr. 555: 11. VIII. 1866 Bismarck an Bernstorff. Nr. 559: 12. VIII. 1866 Bismarck an Varnbüler.
99 GW VI, Nr. 581, 582; APP VIII, Nr. 47, 99.
100 H. Oncken: Großherzog Friedrich I. v. Baden und die deutsche Politik von 1854 bis 1871, Lpz. 1927.
101 AA-Bonn ID Milit. Nr. 43: 13. II. 1867 Flemming an Bismarck.
102 ebd. 9. I. 1867 Reuß an Bismarck.

mit preußischen Zielsetzungen zu einer Bismarckpolitik (bis 1870) wechselseitiger Anpassung.

Nachdem unter dem Druck der französischen Kompensationswünsche mit den Schutz- und Trutzbündnissen im August 1866 ein erster preußischer Erfolg verzeichnet werden konnte, intensivierte Bismarck sein »verfassungspolitisches« Vorgehen in der Hoffnung, durch parlamentarische Institutionen – denen er wohl befehlen, die ihm aber selbst nicht befehlen konnten – für seine kleindeutsch-preußische Politik einen Rückhalt in »Deutschland«, vor allem bei den Liberalen, zu gewinnen. Weil Bismarck glaubte, unmittelbar nach Nikolsburg – Anfang August 1866 – zugleich mit dem Beginn der Prager Friedensverhandlungen[103], »die Versöhnung« mit den Liberalen beginnen zu können, schlug er zuerst die verfassungspolitische Taktik ein und verzögerte das militärpolitische sowie wirtschaftspolitische Vorgehen[104].

Die »Versöhnung«

Den Ausgleich mit der bisherigen Opposition mußte schon die Neuwahl in Preußen und die emotional gesteigerte propreußisch-nationale Stimmung der öffentlichen Meinung in den Mittelstaaten[105] erleichtern. Hinzu kam eine weitreichende Umgruppierung im liberalen und konservativen Lager des preußischen Abgeordnetenhauses: Anfang August 1866 gab die volkswirtschaftliche »Fraktion« der Liberalen (Lette, Braun-Wiesbaden, Grumbrecht, Michaelis, Weigel u. a.) in Braunschweig endgültig dem Programm erstens einer wirtschaftspolitisch motivierten Unterstützung Bismarcks, zweitens der nationalen Einigung und drittens der freihändlerischen Gesetzgebung den unbedingten Vorrang gegenüber dem bisherigen politischen Programm liberal-demokratischer Forderungen. Damit hatte sich der Kern für die Partei der »Reichsgründung« und »Machtverbreiterung« gebildet. Ende 1866 formierten sich die Opponenten in Hannover und 1867 konstituierte sich die Nationalliberale Partei[106]. Zugleich wurde die rückhaltlose Hinwendung zu volkswirtschaftlichen Aufgaben symptomatisch für die parteipolitische Lage der Oppositionsparteien nach 1866. Ein Großteil ihrer Mitglieder – vornehmlich die interessengebundenen – waren nach Königgrätz nicht mehr willens, zu Bismarck in Opposition zu stehen[107]. Über dieser Frage zerbrach am 18. August 1866 mit

103 GW VI, Nr. 536: 7. VIII. 1866 Bismarck an Werther.

104 GW VI, Nr. 524/525; vgl. allgemein und eingehend G. Ritter: Die Entstehung der Indemnitätsvorlage von 1866, HZ 114 S. 44 f. HHStA Wien, PA IV, Nr. 36: 20. XII. 1866 Trauttmansdorff an Beust.

105 Müller: S. 83; Rapp: S. 184 f.

106 M. Spahn: a. a. O. S. 346 ff., 443 ff., zum Gesamtkomplex zusammenfassend neuerdings Pflanze S. 311 ff.

107 symptomatisch die Stellungnahme Schwartzkopffs gegenüber Unruh und Schulze-Delitzsch: »wenn ein Kandidat diese Frage (der Geldbewilligung für die Reg.) nicht mit Ja beantwortet, so werde ich ihm meine Stimme nicht geben und ich glaube,

dem Austritt von Michaelis, Röpell, Twesten und Krieger auch die Fraktion der Fortschrittspartei. Wenn auch die neue Gruppe, der sich Unruh, Forckenbeck und Lasker anschlossen[108], keineswegs einheitlich und sofort die ministerielle Gesetzgebung unterstützte, so bedeutete doch die Annahme der Indemnität, daß die neue liberale »Partei«, die im norddeutschen Reichstag vornehmlich ihre Anhänger aus den annektierten Gebieten erhalten sollte, willens war, durch »den positiven Anteil an der Schaffung des deutschen Staates unter den Hohenzollern ... ihre in den örtlichen Provinzen gefährdete Stellung neu zu befestigen und, der Krone sich notwendig machend, die Rechte des Volkes« wiederzugewinnen[109].

Bereits Ende 1866 konnte Lasker von der »geschichtlichen Konsistenz«, der neuen Fraktion im Abgeordnetenhaus sprechen, die Bismarck die Indemnität[110] erteilt, der auswärtigen Politik durch »einen Vertrauenskredit unter die Arme« gegriffen und »den Staatsschatz kontingentiert und ein verfassungsmäßiges Budget in verfassungsmäßiger Frist zustande« gebracht hatte[111].

Während nun die Freihändler in ihrem Zusammengehen mit Bismarck am »frühesten zu einer konstitutionellen patriotischen Auffassung des parlamentarischen Lebens« kamen und ihre »Aufgabe erfüllten«[112] – Michaelis trat als Vortragender Rat in das Finanzministerium ein –, erhob sich bei den Konservativen ein scharfer Widerspruch gegen die pseudoliberalen Anwandlungen Bismarcks[113]. Bismarck galt nun plötzlich bei den Liberalen mit seinem Drängen auf »Parlamente«, auf geheime, direkte und allgemeine Wahlen immer mehr als »Damm gegen das Hereinbrechen der Reaktion«[114]; den Konservativen aber »ruinierte (er) noch den ganzen preußischen Staat.« Bismarck war ihnen »viel zu unpreußisch, zu liberal – geradezu revolutionär«[115]. Die Konservativen wollten sich mit der militärischen, politischen und wirtschaftlichen straffen Beherrschung des Nordens begnügen. Die Liberalen jedoch drängten auf eine Verschmelzung Deutschlands unter preußischer Führung. Für ihre Politik hatten sie auch im Süden vornehmlich in der breiten Schar der auf den Norden angewiesenen Interessenten ihre Stütze[116]. Als Alter-

daß viele Wahlmänner ... hierin übereinstimmen«. (Beer: Schwartzkopff S. 87); zu Mevissen z. B. Ziekursch: Pol. Gesch. I, S. 189.

108 DZA I, Nachlaß Lasker. Über Lasker allgemein auch die Erlanger Dissertation von R. Dill: Der Parlamentarier Eduard Lasker und die parlamentarische Stilentwicklung d. Jahre 1867–1884, o. O. o. J. (1956).

109 Abgeordneter Kannegießer, nach Schunke S. 75.

110 Sten. Ber. d. Abg. Hauses 1866–1867, I S. 149–207; Spahn: Entstehung S. 423 ff.; Löwenthal S. 302 ff.

111 DZA I, Nachlaß Lasker.

112 Schunke S. 84 f.

113 G. Ritter: Konservative S. 172 ff.

114 Oncken II, S. 10: 24. IX. 1866 Linnig an Bennigsen.

115 Goldschmidt: Preußen Deutschland, S. 136 ff., S. 139 f.; 25. IX. 67 v. Koenneritz an v. Bose/Dresden; v. Brauer: Memoiren S. 49.

116 APP VIII, Nr. 89: 17. XI. 1866 Loftus an Stanley.

native zu diesen Gegensätzen hoffte Bismarck mit einer Politik der Diagonale liberale Interessen und konservative Forderungen da zu vereinen, wo sie identisch waren – im Freihandel. Bismarck glaubte dies im psychologisch günstigen Augenblick der militärischen Erfolge erreichen zu können, indem er die Befestigung einer preußisch-deutschen monarchischen Staatsgewalt und Ordnung mit der Versöhnung der Liberalen und Heranführung der Träger des wirtschaftlichen Aufschwungs an den Staat kombinierte. Nach den »rauschenden« Siegen der vom Adel geführten preußischen Armee stieß aber seine Politik, die den Ausgleich mit den Liberalen suchte, bei den Konservativen doch auf Widerstand, denn die Mehrheit der Konservativen hoffte nach dem äußeren Sieg nun auch einen gegenüber den innenpolitischen Opponenten erringen zu können. Da jedoch eine Minderheit der Partei sich mit dem neuen, liberalen Bismarckkurs zu arrangieren bereit war, zerbrach über der Indemnitätsvorlage neben der liberalen auch die konservative Partei in eine Fraktion »Bismarck sans phrase«[117] und in eine Richtung der unentwegt und rein konservativen, die weiterhin die obrigkeitliche, monarchisch-konservativ-religiöse, auf Landbesitz, Getreide-, Spiritus- und Holzverkauf beruhende Ordnung Alt-Preußens konservieren wollte[118].

Der Norddeutsche Bund erhält sein Gesicht

In enger Verbindung mit dieser parteipolitischen Umgruppierung der Liberalen und Konservativen vollzog sich in wechselseitiger Beeinflussung die Gründung des Norddeutschen Bundes in den Verträgen Preußens mit den nördlichen deutschen Staaten am 18. August sowie mit Sachsen und Frankfurt am 21. August 1866. Mit Rücksicht auf den Süden und die Liberalen wurde das Reichswahlgesetz – mit der wesentlichen Bestimmung des allgemeinen Wahlrechts – noch im Herbst 1866 im Abgeordnetenhaus und Herrenhaus gegen den Widerstand der Alt-Konservativen, Teilen der Liberalen und der Katholiken durchgepeitscht. Nun ließ Bismarck die Verfassung für den Norddeutschen Bund entwerfen[119]. Die Verfassungsentwürfe Hepkes, Buchers und Dunckers lehnte Bismarck jedoch bezeichnenderweise »als zu zentralistisch-bundesstaatlich für den einstigen Beitritt der Süddeutschen« ab, einen Beitritt, der ihm Ende 1866 greifbar nahe schien. Nach seiner Vorstellung, die er in den berühmten Putbuser Diktaten am 30. Oktober und am 19. November umriß[120], hatte die zukünftige Staatsform sich mehr an die eines »Staatenbundes« anzulehnen, dem aber »praktisch die Natur des Bundesstaates« gegeben werden müsse, »mit elastischen, unscheinbaren, aber weitgreifenden Ausdrücken«.

117 S. v. Kardorff: Kardorff S. 32 ff.
118 Ritter: Konservative S. 179 ff.; Wolfstieg: Anfänge S. 317 ff.; Viebig: Entstehung der Freikonservativen Partei S. 14 ff.
119 GW VI, Nr. 629, vor allem auch Vorbemerkung.
120 GW VI, Nr. 615, 616.

Wie beim Reichswahlgesetz, wo der »Parlamentarismus durch den Parlamentarismus stürzen« konnte, kam es Bismarck bei der Verfassung allein auf die Sicherung der preußischen Führungsrolle an, entweder in einem nur norddeutschen oder deutschen Bunde. So sollte die Aufnahme der Frankfurter Bundestagstradition in einem »Bundesrat« als Versammlung der instruierten Regierungsvertreter, zugleich Institution der Souveränität der Gesamtheit der »verbündeten Regierungen«, den partikularistisch-föderativen Zielen der Südstaatenregierungen entgegenkommen; gleichzeitig aber wurde diese föderalistische Konstruktion entwertet, da Preußen in Verfassungsangelegenheiten nie majorisiert werden konnte und sich zudem als Inhaber des Bundespräsidiums seine hegemoniale Stellung im Bund sicherte. Dem Bundespräsidenten — also Preußen — sollte die völkerrechtliche Vertretung des Bundes, die Bundeskriegserklärung, die Bundesexekution und der Bundesbefehl in Krieg und Frieden zustehen. Hauptaufgabe der Bundesgesetzgebung und zugleich Katalysator der Verschmelzung der deutschen Länderteile sollte die Feststellung der Zoll- und Handelspolitik, der Grundzüge der gewerblichen Freizügigkeit, des Zivilprozeßwesens, dann des Verkehrswesens und schließlich die Nivellierung des Münz-, Maß- und Gewichtssystems sein. Mit dieser Gesetzgebung sollte sich der aus allgemeinen und direkten Wahlen gewählte Reichstag beschäftigen. Denn sowohl die außen- wie innenpolitischen Angelegenheiten und vor allem der Heeresetat (damit also der Kern des parlamentarischen Bewilligungsrechts) sollten nach Bismarcks Willen aus der parlamentarischen Auseinandersetzung herausgehalten werden. Das Zugeständnis der allgemeinen Wahlen wurde noch weiter entwertet, da Bismarck im November 1866 dem »Reichstag« keineswegs *ein* verantwortliches Ministerium gegenüberzustellen gewillt war. Vielmehr sollte »eine 43 Plätze fassende Ministerbank« als Bundesrat die Gesetze vorlegen. Zudem sollten die Mitglieder des Bundesrates sich weniger aus eigentlichen »diplomatischen Vertretern« rekrutieren, sondern mehr aus wechselnden »Kapazitäten (aus) jedem Ressort der Gesetzgebung« und darüber hinaus auch aus hervorragenden Mitgliedern »der aristokratischen, industriellen und Handelskreise«. Mit dieser wenig straffen Konstruktion hoffte er »die Konkurrenz der uns verbündeten Regierungen« lösen zu können und auch den Süden an den Norddeutschen Bund heranzuziehen[121].

Die Vereinheitlichung von Nord und Süd

Für einen »etwaigen Zutritt der Südstaaten« bestand um die Jahreswende 1866/67 berechtigte Hoffnung — wie es sich unmittelbar nach Königgrätz schon gezeigt hatte. Baden unter Großherzog Friedrich und den Ministern Mathy und Freydorf

121 GW VI, Nr. 616, 617, 618, 619, Nr. 629 (Thimme Vorbemerkung); J. Ziekursch: a. a. O. I, S. 24 f.

wünschten Ende des Jahres aus wirtschaftlichen und militärischen Gründen den vollen Anschluß an den Norddeutschen Bund[122]; Hessen – im September noch voll antipreußisch – verstand sich Anfang 1867 widerstrebend zu einem militärischen Arrangement mit Preußen[123]; Württemberg – eine Hegemoniestellung Bayerns im Süden fürchtend – strebte, von Varnbüler geführt, eine Verschmelzung im wirtschaftlichen Bereich mit Preußen an bei gleichzeitiger Erhaltung der Souveränität in rein politischen und militärischen Angelegenheiten[124]. Bayern wiederum hatte wohl unter dem Nachfolger Schrencks – v. d. Pfordten – im August/September 1866 seine Triaspolitik keineswegs aufgegeben[125]; als aber Ende 1866 Hohenlohe-Schillingsfürst[126] Nachfolger v. d. Pfordtens wurde, schien auch bei der Vormacht des Südens – trotz partikularistischer Opposition – der Weg frei zu einem »Ausgleich« mit Preußen, hatte doch der neue Ministerpräsident als Programm den Eintritt Bayerns schon vor der Errichtung des Norddeutschen Bundes in eine kleindeutsche Nationalgemeinschaft befürwortet[127].

Ehe aber Bismarck diese Lage im Süden ausnützen konnte und wollte, verschlechterten sich die preußisch-französischen Beziehungen sowohl über der römischen als auch der luxemburgischen Kompensations-Frage[128] in einer Weise, daß es Bismarck für »thunlich« hielt, »aus Rücksicht auf Frankreich wegen der bevorstehenden Verhandlungen des norddeutschen Parlaments auf Unterhandlungen mit

122 APP VIII, Nr. 170, Anm. 1: 30. IX. 1866 Flemming an Bismarck. Nr. 62: 24. X. 1866 Flemming an Bismarck, Nr. 170: 7. I. 67 Türckheim an Freydorf, und Anm. 1.

123 AA-Bonn I AAi, Nr. 47, Bd. 1: 16./28. I. 1867 Wentzel an Bismarck, APP VIII, Nr. 138 Anm. 2: 13. XII. 1866 Flemming an Bismarck, Nr. 142: 18. XII. 1866 Wentzel an Bismarck. Götz: Die Stellung Hessens S. 32 ff.

124 Rapp: S. 227 ff., S. 251 f.; 26. XI. 1866 Varnbüler an Spitzemberg, nach Schübelin S. 21; 2. I. 1867 Circularerlaß Varnbülers, nach Schüßler S. 61; HHStA Wien, PA VI, Nr. 31: 31. I./6./8. II. 67 Chotek an Mensdorff.

125 APP VIII, Nr. 111 Anm. 2: 3. IX. 1866 Trauttmansdorff an Mensdorff, Nr. 106 Anm. 1: 12. XI. 1866 Reuß an Bismarck, Nr. 106: 28. XI. 1866 Reuß an Bismarck; HHStA Wien, PA IV, Nr. 36: 16. IX. 1866 Zwierzina an Mensdorff; Müller S. 151; Brandenburg: Untersuchungen S. 699; Schieder: Die Kleindeutsche Partei S. 120 ff.

126 Müller S. 173 ff.; vgl. zu Hohenlohe eingehend Müller, S. 89–132. HHStA ebd., 31. XII. 66 Zwierzina an Mensdorff.

127 Müller, S. 86, 130 ff., APP VIII, Nr. 157: 30. XII. 1866 Reuß an Bismarck.

128 GW VI, Nr. 573: 18. VIII. 1866 Bismarck an v. d. Goltz, 579: 20. VIII. 1866 Bismarck an v. d. Goltz, 588: 23. VIII. 1866 Bismarck an Perponcher/Haag; 613: 14. IX. 1866 Bismarck an v. d. Goltz; 627: 8. XII. 1866 Bismarck an Arnim (Rom); Nr. 630: 16. XII. 1866 Bismarck an v. d. Goltz, 634: 18. XII. 1866 Bismarck an Eulenburg; 637: 19. XII. 1866 Bismarck an v. d. Goltz; 638: 20. XII. 1866 Bismarck an v. d. Goltz; 643: 26. XII. 1866 Bismarck an v. d. Goltz; Nr. 645: 6. I. 1867 an Arnim; 646: 7. I. 1867 an Usedom (Florenz); 648: 8. I. 1867 Bismarck an v. d. Goltz; APP VIII, Nr. 6, 16, Anm. 2, 14, 18, 32, 39, 58, 69, 74, 84, 92, 113, 114, 115, 116, 134, 141, 146, 161, 167.

Süddeutschland sich nicht einzulassen«[129]. Zugleich zerrannen damit die Hoffnungen Hohenlohes, dem Bund von vornherein eine süddeutsche Akzentuierung zu geben[130]. Bismarck wollte zuerst den Norddeutschen Bund in den »Sattel« heben. Dann sollte mit dem Süden verhandelt werden. Dies schien auch schon deswegen notwendig zu sein, weil sich in Bayern der König, der Klerus, weite Kreise der Manufakturindustriellen und die Landwirte mit den Partikularisten verbanden und gegen den preußischen »Cäsarismus« und die »Säbelherrschaft« Front zu machen begannen[131]. Dem innerbayrischen Druck fügte sich Hohenlohe zunächst: das Ziel eines Deutschen Bundesstaates »direkt und unmittelbar zu verwirklichen«, hielt er Anfang 1867 für nicht mehr »an der Zeit«[132]. Jedoch kam der bayrische Widerstand gegen Preußen jetzt zu spät. Baden entsandte am 1. Januar 1867 den Bruder des Großherzogs – Prinz Wilhelm – nach Berlin, der zusammen mit Graf Sponeck und dem Gesandten Türckheim ungestüm auf Militärkonventionen mit Preußen drängte[133]. In Württemberg trat Varnbüler in öffentlicher Agitation für eine wirtschaftliche Verständigung mit dem Norden ein, und selbst Hessen schrieb »einem Süddeutschen Bunde keine Lebenskraft« mehr zu[134] und schien zu einer Militärkonvention bereit zu sein[135]. Deshalb sah sich Hohenlohe in eine – wie er sagte – »gefährliche« Isolierung geschoben, die er nun durch den Zusammenschluß des Südens – und zwar vornehmlich auf militärischem Gebiet – zu überwinden hoffte. Da aber Hessen und Baden mit Preußen über Militärkonventionen verhandelten[136] und Württemberg – nach Hohenlohes Worten – »den abenteuerlichsten Reformen« zuneigte, da es »eine Armee nach schweizerischem Muster, Turner, Jugendwehren und dergleich unpraktische und wenig kostspielige Einrichtungen« aufzubauen gedachte[137], bedurfte Bayern der preußischen Unterstützung, um seine süddeutschen Pläne vor allem gegenüber Württemberg durchzusetzen. Hohenlohe bot dafür die Verbindung Bayerns mit Preußen im Zollverein sowie eine enge militärische Allianz an; dann war Bayern bereit, den preußischen Oberbefehl im Kriegsfall anzunehmen und eine militärische Reform durchzuführen, die die süddeutsche Militärorganisation der preußischen angleichen sollte[138]. Hohenlohe hoffte auf diesem Wege die bayrische Hegemonie im Süden doch noch sichern zu können.

129 Hohenlohe I, S. 183, APP VIII, Nr. 139: 17. XII. 1866 Thile an Flemming, Nr. 164: 4. I. 67 Hofmann an Dalwigk.
130 Schüßler S. 39, Müller S. 180 ff.
131 Müller S. 160 f., 184; 10. I. 67 Le Maistre an Friesen, nach Schüßler S. 39.
132 Hohenlohe I, S. 184, Müller S. 189 ff., 197 f.
133 APP VIII, Nr. 170: 7. I. 1867 Türckheim an Freydorf.
134 APP VIII, Nr. 142: 18. XII. 1866 Wentzel an Bismarck.
135 AA-Bonn I AAi, Nr. 47, Bd. 1: 26./28. I. 1867 Wentzel an Bismarck/ID Militaria 43: 16. I. 1867 Wentzel an Bismarck; Schüßler: Tagebuch Dalwigk, S. 309.
136 Mission Graf Tauffkirchen Januar 1867, vgl. Schüßler S. 18.
137 Rapp S. 218 ff.
138 AA Bonn ID Militaria Nr. 43: 9. I. 1867 Reuß an Bismarck (APP VIII Nr. 174). HHStA Wien, PA IV, Nr. 36: 8./11./24. I. 1867 Zwierzina/Trauttmansdorff an Beust.

Hohenlohes Not und Bismarcks Taktik

Bismarck erkannte sofort, daß durch Hohenlohes Bitte um Unterstützung Preußen die Möglichkeit zugespielt wurde, nicht nur mit Baden und Hessen, sondern auch mit dem ganzen Süden in eine enge Verbindung zu treten, ohne daß Bayern oder Württemberg noch auf die Bildung und Formung eines »deutschen Bundes« Einfluß nehmen konnten. Blitzschnell verließ daher Bismarck sein bisheriges Werben um die Liberalen – bei ihnen erhoben sich ohnehin schon Stimmen gegen die durchgesickerten Verfassungsentwürfe – und führte die mit den Schutz- und Trutzbündnissen angelegte Politik fort, die die Vereinheitlichung der deutschen Armeeorganisation nach preußischem Vorbild vorsah. Bayern erhielt die Versicherung, daß es Preußen »durchaus« fernliege, »ehrgeizige Ziele auf Kosten Bayerns befriedigen zu wollen«[139]; Baden und Hessen wurden in den Fragen einer Konvention mit Preußen nach München verwiesen[140], und Württemberg machte Bismarck die Militärreform im preußischen Sinne dadurch schmackhaft, indem er darauf hinwies, daß, je ähnlicher die militärische Ausbildung, Organisation und Bewaffnung des Südens der Preußens sei, Preußen gezwungen sei, dem Süden auf wirtschaftlichem Gebiet »mehr« zuzugestehen[141]. Nachdem Hohenlohe[142] öffentlich betont hatte, bei einer zu straffen Zentralisierung des Norddeutschen Bundes mit Rücksicht auf die Würde Bayerns nicht in einen Bund mit Preußen treten zu können, versicherte Bismarck wiederholt im Laufe des Januar 1867, daß Preußen auf »dem Wege der Verschmelzung soweit gehen (würde), wie Bayern es wünschte«[143]. Oder zu Spitzemberg[144], dem Schwiegersohn Varnbülers gewandt, sagte Bismarck, »daß Preußen mit der Konzentration der Kräfte, wie sie im Norddeutschen Bunde geschehe, sich vollkommen begnüge und sein Streben nicht weiter gehe. Die süddeutschen Partikularisten fürchteten ohne Grund für ihre autonome Stellung; Preußen habe weder Ursache noch Lust, sie anzutasten.«

Auf der mit Hilfe Bismarcks zustande gebrachten Ministerkonferenz in Stuttgart Anfang Februar 1867 setzten sich dann die »Hohenloheschen Ideen« und damit die preußischen Interessen – so wie sie Bismarck beurteilte – durch[145]. Baden hatte sei-

139 APP VIII, Nr. 177.

140 AA Bonn, I AAi Nr. 47 Bd. 1: 26./28. I. 1867 Wentzel an Bismarck; GW VI, Nr. 653; AA-Bonn I D Militaria Nr. 43: 17. I. 1867 Flemming an Bismarck; GW VI, Nr. 662; 18. I. 67 Tauffkirchen an Hohenlohe, nach Schüßler S. 41.

141 APP VIII, Nr. 207/217.

142 Hohenlohe I, S. 195 ff.; Müller: Riezler-Festschrift S. 356.

143 AA-Bonn, I D Militaria Nr. 43: 22. I. 67 Bism. an Reuß (APP VIII, Nr. 198).

144 APP VIII, Nr. 217.

145 AA-Bonn, I D Militaria 34: 4./5. II. 67 Flemming an Bismarck; 15. II. 67 Freydorf an Türckheim, 1. III. 67 Flemming an Bismarck. HHStA Wien, PA III, Nr. 95; PA VI, Nr. 31: 6. II. 67 Chotek an Beust. PA IV, Nr. 36: 24. I./6./9. II. 67 Trauttmansdorff an Beust.

nen Zweck als »Bindemittel« vollbracht[146], Preußen sah sich auf dem Wege, »an ganz Deutschland das zu vollbringen, was es an sich selbst vollbracht« hatte[147].

c Großdeutsch oder Kleindeutsch: Zollparlament, Norddeutscher Bund und Hohenlohes Alternativprogramm

Die Wirtschaft wird aktiviert

Den Erfolg in Stuttgart nahm Bismarck angesichts der immer intimer werdenden österreichisch-französischen Beziehungen und der immer drängender werdenden napoleonischen Kompensationswünsche[148] zum Anlaß, nun auch die bereits während der Vorbereitungen zum Präliminarfrieden von Nikolsburg projektierte wirtschaftspolitische Neuordnung des Zollvereins voranzutreiben[149]. In Nikolsburg waren die Zollvereinsverträge vorerst noch einmal auf Widerruf verlängert worden, da sich die preußische Politik zunächst auf andere Mittel der Bindung des Südens an den Norden konzentrierte[150]. Aber schon am 6. August 1866 [151] hatte Delbrück in einer Denkschrift die Vertragszustände des Zollvereins von 1865 nur als »modus vivendi« bezeichnet und begonnen, die Grundlinien einer Zollvereinsreform zu entwerfen, und zwar mit einem vom Norden beherrschten deutschen »Zollparlament« als Ziel preußischer Handelspolitik[152]. Wie dieses »Zollparlament« aussehen, welche Aufgaben es erhalten und unter welchen Prinzipien die wirtschaftliche Einheit Preußen-Deutschlands zustande kommen sollte, umriß – in Übereinstimmung mit Delbrück – der Direktor der handelspolitischen Abteilung im Ministerium des Äußeren, Philipsborn, in einer weiteren großen Denkschrift. Zollgesetzgebung, Tarifberatung und Handelsvertragsberatungen wollte Philipsborn einer »Volksvertretung« zuweisen, die aus allgemeinen, direkten und geheimen Wahlen hervorgegangen war; das Präsidium und die Führung des Zollparlamentes müßte Preußen durch Mitgliederverteilung und Veto gesichert sein. Als Axiom der »deutschen« Handelspolitik galt, in Kongruenz zu den preußischen Interessen, die Fortführung der liberalen Handelspolitik, also weder Zollerhöhung noch Zollneueinführung, während der Süden durch den Abbau der norddeutschen »Präzipuen« und »der

146 GW VI, Nr. 676.
147 GW VI, Nr. 675.
148 GW VI, Nr. 677, APP VIII, Nr. 203, 208; Anlage 25. I. 1867 Abeken; Nr. 233: 8. II. 1867 Goltz an Bismarck.
149 APP VIII, Nr. 237: 12. II. 1867 Spitzemberg an Varnbüler.
150 DZA II, AA II, Rep. 6 Nr. 1203.
151 DZA II, Rep. 120 C XIII, 4, Nr. 84 Bd. 1.
152 DZA II, Rep. 120 C XIII, 4 Nr. 84, Bd. 1: 8. VIII. 66 Delbrück an Bismarck.

Änderung der Revenüen« einen Anreiz zum Beitritt erhalten sollte[153]. Angesichts der französisch-preußischen Spannungen (wegen der Kompensationsfrage) folgte Bismarck jedoch diesen Intentionen der Ressorts noch nicht mit großem Nachdruck. Während Preußen seine politischen und militärischen Nahziele erreichte, blieb das Programm der »Vereinigung des 29 1/2 Millionen Gebietes mit dem der 8 1/2 Millionen Süddeutschen«[154] noch unausgeführt.

Die parteipolitische Umgruppierung im Herbst 1866 in Preußen, das zunehmende Drängen der Interessenten – auch im Süden[155] – der Handelskammern[156], voran der Deutsche Handelstag[157], auf eine wirtschaftliche Vereinheitlichung Kleindeutschlands, dann vor allem die schon gezeigten politischen Gruppierungen im Süden und die sich andeutende österreichisch-französische Entente veranlaßten Bismarck Anfang 1867 auf das Delbrücksche Programm zurückzugreifen, den Zollverein zwischen Preußen und Süddeutschland »nicht zu zerstören ..., sondern der veränderten Lage entsprechend auszubilden« und »keine Zerreißung am Main« eintreten zu lassen[158]. Das neuerliche Hervortreten wirtschaftspolitischer Momente hatte aber noch weitere Gründe: nämlich wirtschaftliche und verfassungspolitische Veränderungen in Österreich.

Beust und die neue österreichische Handelspolitik

Nach seiner Niederlage im handelspolitischen Ringen im Jahre 1865 und dem Abschluß eines bloßen Handelsvertrages mit Preußen hatte Österreich mit dem Abschluß eines Handelsvertrages mit England eine prononciert freihändlerische Politik begonnen[159]. In die gleiche Richtung wies auch der verfassungspolitische »Ausgleich«[160] von 1867 als Konsequenz von Königgrätz, denn die Umbildung des

153 DZA II, AA II, Rep. 6 Nr. 558: August 1866 Promemoria Philipsborn o. D. Entwurf der Bestimmungen über Handel und Gewerbe.

154 DZA II, AA II, Rep. 6 Nr. 558.

155 WFStA Ludwigsburg, E 222, Fach 185, Nr. 957: März 1867 Betrachtungen zum Norddeutschen Bund.

156 DZA II, AA II, Rep. 6 Nr. 558 u. a.: 7. IX. 1866 AK Magdeburg tritt am prononciertesten für die Zollfreiheit ein und sieht im Norddt. Bund die Vorstufe zur wirtschaftlichen Einheit.

157 DZA II, Rep. 120, C XIII, 4 Nr. 84, vol. 2: Petition vom 11. VIII. 1866.

158 DZA II, Rep. 120 C XIII, 4 Nr. 84, Bd. 1: 8. VIII. 66 Delbrück an Bismarck.

159 DZA II, AA II, Rep. 6 Nr. 1202: 3. XII. 1865 Werther an Bismarck; 12. XI. 1865 Protokoll der Vollziehungskommission.

160 Nach dem Verlust ihrer Vormachtstellung in Deutschland vollzog die Hofburg rasch den »Ausgleich« mit Ungarn. Am 17. Februar 1867 erhielt Ungarn ein eigenes Ministerium unter Andrássy, am 27. Februar 1867 wurde der ungarische Reichstag wieder hergestellt, am 8. Juni 1867 wurde Franz Joseph zum König von Ungarn gekrönt.

Kaiserreiches in eine Doppelmonarchie hatte wirtschaftspolitisch eine große Bedeutung: Das Agrarland Ungarn erhielt nun eine eigene ministerielle Spitze, mit deren Hilfe Ungarn seine freihändlerischen Interessen innerhalb der Donaumonarchie schärfer vertreten konnte.

Als erste Rückwirkung dieser Veränderungen zeichnete sich eine Wiederaufnahme der Rechbergschen Handelspolitik durch den »gemeinsamen Außenminister« – den ehemals sächsischen Ministerpräsidenten Beust – ab. Die neue Politik zielte auf eine österreichisch-süddeutsch-französische Kooperation und bedrohte Preußens Stellung im Zollverein, da Österreich bereit war, seine eigenen handelspolitischen Ziele den süddeutschen Interessen anzupassen[161]. Andererseits wollte Bismarck aber mit der Zollvereinserneuerung nicht den »letzten Hebel« seiner deutschen Politik verlieren; denn mittlerweile trafen seine verfassungspolitischen Pläne im verfassungsberatenden Reichstag – er war ebenfalls im Februar 1867 zusammengetreten – auf erheblichen Widerstand, und auch Hohenlohe konnte sich mit seiner reichsfreundlichen Politik in Bayern gegenüber der royalistisch-partikularistisch-klerikalen und proösterreichischen Front nicht durchsetzen. Also verpuffte die verfassungs- und militärpolitische Taktik Bismarcks vorerst[161a].

Bismarck und der »weitere Bund«

Ende Januar 1867 hatte Bismarck schon – wie der württembergische Gesandte Spitzemberg in einem großen Bericht mitteilte[162] – mit aller Schärfe und berechnendem Kalkül nicht nur die Versicherung ausgesprochen, daß die Schaffung des Norddeutschen Bundes das letzte Ziel Preußens gewesen sei und daß Preußen nun »befriedigt« und »gesichert« sei, sondern auch betont, daß »auf dem weiten Gebiete der materiellen Interessen eine Einigung des ganzen Deutschlands« erfolgen könne.

»Sobald der Norddeutsche Bund fest konstituiert sei«, hatte Bismarck ausgeführt, solle »eine Allianz mit den süddeutschen Staaten abgeschlossen (werden), die darin bestände, daß für alle wirtschaftlichen Fragen die Verfassung des Norddeutschen Bundes auch für den Süden ausgedehnt würde. Der Süden würde nach dem Wahlgesetze für den Reichstag Abgeordnete in das Parlament schicken, welche

161 DZA II, AA II, Rep. 6 Nr. 1204. Am 4. I. 1867 meldete Werther aus Wien, Österreich wäre bereit zu erheblichen Reduktionen bei feinen Metallwaren, Glaswaren, »Thon und Steinwaren«; ebenso bei Roheisen und groben Eisengußwaren, bei geschmiedeten Eisenwaren und Zinkblechwaren, zugleich bot Österreich eine Reduktion auch bei wollenen Garnen an, und bei Baumwoll-, Leinen- und Wollwaren näherte es sich auch den süddeutschen Interessen; am 3. I. 1866 erkannte Philipsborn (an Delbrück) die Gefahr, die in diesen Angeboten für Preußen läge.

161a HHStA Wien, PA IV, Nr. 37: 4. II. 1867 Beust an Trauttmansdorff; Nr. 36: 19. II. 1867 Trauttmansdorff an Beust.

162 APP VIII, Nr. 217.

mit den übrigen gleichsam einen weiteren Reichstag bilden würden. Ihre Kompetenzen wären, wie gesagt, die Fragen des materiellen, wirtschaftlichen Gesamtinteresses und es würden dann dem eigentlichen norddeutschen Parlamente nur die militärischen und Marineangelegenheiten vorbehalten bleiben.«

In diesem »weiteren Bunde« sollten »die Fragen über das Bankwesen, die Erfindungspatente, den Schutz des geistigen Eigentums ... über Freizügigkeit, Heimats- und Ansiedlungsverhältnisse, den Gewerbebetrieb, Kolonisation – und Auswanderung« verhandelt werden, und im Bunde sollte auch die »Organisation des Schutzes des deutschen Handels im Auslande, der Schiffahrt, der Flagge, des Konsulatwesens etc., ferner das gesamte Eisenbahnwesen ... der Prozeßgesetzgebung, (des) Post- und Telegraphenwesens« durchgeführt werden. Diese Konzeption hatte wohl den Württemberger Varnbüler zur Annahme der bayrischen, indirekt preußischen Militärreform gebracht und die großdeutsch-föderalistische Opposition gegen eine »Militarisierung« des Südens zerschlagen[163]; aber das weitere, mit diesen »Auslassungen« verfolgte Ziel, die Heranziehung Bayerns an Preußen auch in wirtschaftlichen Fragen, gelang Bismarck nicht.

Unmittelbar nach der Stuttgarter Konferenz hatte Großherzog Friedrich von Baden – der rückhaltloseste Parteigänger Bismarcks im Süden – in Mühlacker Hohenlohe wohl das Zugeständnis abringen können, daß die »Zollvereinsfrage« das »wesentliche Mittel« bilden müsse, »um die Gleichheit der Interessen zwischen Nord und Süd zum Durchbruch zu bringen«[164], aber schon wenige Tage später, am 11. Februar 1867, meldete Hohenlohe gegenüber Varnbüler erhebliche Bedenken an, als dieser ihm erneut die Bismarckschen Pläne eines deutschen Parlamentes für die wirtschaftlichen Angelegenheiten mit dem Sitz in Berlin suggerierte[165]. Nachdem Hohenlohe wieder nach München zurückgekehrt war, distanzierte er sich dann angesichts des massiven Widerstandes des Königs und seiner Minister gegen jede Annäherung an Preußen von allen »Parlamentsplänen« in der Zollvereinsfrage[166].

Nun drängte Bismarck auf eine Entscheidung. Am 12. Februar 1867 teilte Bismarck Varnbüler mit, »der Norden sei bereit, mit dem Süden eine Verbindung einzugehen, weil sie den Interessen beider entspreche«. Präzipuen an den Zollrevenüen, die Varnbüler zuvor gefordert hatte, lehnte aber Bismarck aus taktischen Gründen ab[167].

Und nachdem Bismarck Österreich gegenüber betont hatte, er hoffe, »es werde sich mit der Zeit zwischen Nord- und Süddeutschland und den deutschen Provinzen Österreichs ein alle Teile befriedigendes Verhältnis bilden«[168], konfrontierte er

163 WHStA Stgt. E 46–48, Nr. 918: 26. II. 1867 Varnbüler an König Karl.
164 Hohenlohe I, S. 201; Oncken: Fried. v. Baden II, S. 50 ff.
165 Schüßler S. 74 ff., Schübelin S. 27.
166 Hohenlohe I, S. 201 ff., Schüßler S. 83 f.; Schübelin S. 25.
167 APP VIII, Nr. 237: 12. II. 67 Spitzemberg an Varnbüler.
168 APP VIII, Nr. 234: 9. II. 1867 Wimpffen an Beust.

den Süden am 15. Februar 1867 mit dem Hinweis auf die »sechsmonatliche Kündigung« des Zollvereins. Zugleich ließ er die süddeutschen Regierungen wissen, daß die Lösung dieser Frage »in der Bildung eines Zollparlamentes zu finden (sei), an welchem sich die süddeutschen Staaten zu beteiligen haben würden oder in der Entsendung von Abgeordneten ad hoc, sobald Zoll- und Handelsangelegenheiten im Reichstag zur Beratung kommen«[169].

Preußens Politik des »Zeitgewinnens«

Hinter der plötzlichen Aktivität Bismarcks stand vor allem der drohende Konflikt mit Frankreich. Frankreich war nicht willens, den Anschluß Süddeutschlands an den Norden – in welcher Form auch immer – ohne Widerstand hinzunehmen[170]. Da der Süden bereits die militärische Ausrichtung Deutschlands nach preußischem Muster akzeptiert habe, wäre nach Annahme der preußischen wirtschaftspolitischen Pläne – so das Urteil Benedettis – eine Angliederung faktisch vollzogen gewesen. Allein kulturpolitisch hätten sich die Mittelstaaten noch selbständig betätigen können. Zur Durchsetzung seiner wirtschaftlichen Ziele brauchte Bismarck aber noch Zeit, und diese Zeitspanne hoffte Napoleon auszunützen. Da Napoleon noch zwischen der Durchführung des »Luxemburg-Handels« mit Unterstützung Preußens und der Bildung einer antipreußischen Liga schwankte, war Bismarcks Politik nun allein auf Zeitgewinn bedacht. »Jedes Hinziehen der Verhandlungen mit Frankreich«, teilte er deswegen v. d. Goltz mit, am selben Tage (am 15. Februar), an dem er die Südstaaten zur Entscheidung in der Zollvereinsfrage drängte, sei ein Gewinn für Preußen, »indem wir dadurch Zeit zur Konsolidierung in Norddeutschland *und mit* Süddeutschland erlangen. Wir dürfen hoffen«, fuhr er fort mit dem Blick auf die Zollvereinsfrage, »in dieser Richtung in den nächsten Monaten einen entschiedenen Schritt vorwärts tun zu können und nach einem halben Jahr in verstärkter Haltung und Festigkeit dazustehen[171].« Angesichts der Kriegsgefahr und der wenig »sicheren« Haltung Bayerns glaubte Bismarck jedoch neben dem Hebel der »Zollvereinserneuerung« noch eines weiteren Mittels zu bedürfen, um den Süden auch bei einem »unzeitigen Kriegsbeginn« mit Frankreich an der Seite Preußens zu halten.

Bismarck drängte nun – wie schon im August 1866 – Hessen-Darmstadt zum Eintritt in den Norddeutschen Bund. Bei einem Beitritt Darmstadts wäre nicht nur ein Abschluß mit Baden, wohl auch mit Württemberg und möglicherweise auch mit Bayern sicher gewesen, sondern es wäre dann auch, wenn über Hessen ein Krieg

169 APP VIII, Nr. 241: 15. II. 1867 Bismarck an München, Stuttgart, Karlsruhe, Darmstadt (Konzept Philipsborn).

170 Oncken II, S. 194, APP VIII, Nr. 221, 224, 226, 233; HHStA Wien, PA III, Nr. 95: 9. II. 1867 Wimpffen an Beust.

171 GW VI, Nr. 684, APP VIII, Nr. 242: Bismarck an v. d. Goltz (Konzept Abeken).

mit Frankreich entstehen sollte, die preußische Angelegenheit zur deutsch-nationalen geworden[172]. So ist der vermeintliche »Übergang aus dem Kreis der preußischen Interessenpolitik in den größeren Kreis deutscher Nationalpolitik« – um Frankreich paralysieren zu können[173] – allein vom preußischen, keineswegs vom deutschen Interesse her zu sehen: Während der folgenden Krisenmonate bis zum Juli 1867 war *allein* das preußische Staatsinteresse für Bismarck die leitende Maxime seines Handelns, und zwar gegenüber dem Norddeutschen Bund, gegenüber dem Süden bei der Umbildung des Zollvereins in ein Zollparlament mit liberum veto, gegenüber den Hohenloheschen Plänen einer Allianz mit Österreich und gegenüber Frankreich. In zunehmendem Maße versicherte er sich – wie es sich schon als Tradition seiner Politik herausstellte – bei allen politischen Wechsellagen kontinuierlich und konsequent der Träger der materiellen Interessen Gesamtdeutschlands[173a].

Unmittelbaren Erfolg hatte Bismarck zunächst nicht. Dalwigk in Hessen verhielt sich reserviert und war schließlich nur bereit, angesichts der Luxemburg-Krise und der Aufwallung des nationalen Gefühls mit Preußen eine Militärkonvention abzuschließen[174]; und Hohenlohe hoffte, seine Minister zwischen der Scylla einer »Eingemeindung in Preußen« und der Charybdis einer bayrischen Isolierung ohne Sturz hindurchbringen zu können[175].

Noch einmal: klein- oder großdeutsch

Von März bis Juli 1867 verflochten sich nun die Fragen des Zollparlaments, der Hessenpläne, des Hohenloheschen großdeutschen Programms, Beusts handelspolitischer Aktivität, die des Krieges mit Frankreich, die Verhandlungen in London (zur Beilegung der westeuropäisch-preußischen Kompensationen) und die Umformung der norddeutschen Verfassung im Reichstag. Jede Entscheidung in diesen Fragen konnte und mußte gravierend die weitere politische Entwicklung Deutschlands bestimmen. Durch Bismarcks Initiative wurde das Ringen erneut auf handelspolitischem Gebiet ausgetragen, und noch einmal flammte der alte Gegensatz zwischen preußischer und bayrischer Politik, mit oder ohne Österreich einen deutschen Bund zu begründen, auf.

Von vornherein aber waren die Schwergewichte anders verteilt als in den fünfziger Jahren. Von vornherein waren weniger wirtschaftliche als politische Argumente für das großdeutsche Programm der Bayern ausschlaggebend. Und diese rein politisch motivierte, von partikularistischen Emotionen bestimmte Politik

172 Schüßler S. 92.

173 Bußmann S. 108.

173a HHStA Wien, PA III, Nr. 95: 3. III. 1867 Wimpffen an Beust.

174 APP VIII, Nr. 257, 258, 277, 291, 312, 324, 404, 414, 422, 430, 434, 466; GW VI, Nr. 694, 701; Schüßler: S. 99 ff., S. 137 ff. eingehend; vom akzentuiert preußischen, deutsch-nationalen Standpunkt her urteilend.

175 Hohenlohe I: S. 201 ff.: 19. II. 1867 Hohenlohe an GH Friedrich.

scheiterte dann auch am Fehlen jeder materiellen Unterstützung. Denn nach 1865 konnten selbst die bayrischen Textilindustriellen nicht mehr hoffen, ohne Zollverein und Norddeutschland zu prosperieren[176]. Von Württemberg, Baden und Hessen, die Hohenlohe dem bayrischen Programm zu verpflichten trachtete, war von materieller Seite keinerlei Unterstützung zu erwarten. Bayern stand im Grunde allein, so daß Hohenlohe – mehr gezwungen als von diesen Ideen überzeugt – am 19. Februar 1867 ein Alternativprogramm als Gegenzug zu der preußischen Initiative gegenüber dem Großherzog von Baden entwickelte.

Hohenlohe revidierte in diesem ersten »festen« bayrischen Programm seine bisherige propreußische Stellungnahme vollkommen und versuchte, so wie in Bayern auch mit dem Süden und dem Norden zu einem Kompromiß zu kommen. Er sah die Bildung eines »weiteren Bundes« als erwünscht und auch als notwendig an, wenn erstens wesentliche Teile der Gesetzgebung bei den Ländern bzw. den Kammern verblieben, zweitens nur die Gesetzgebung des Zollvereins, des Bank-, Maß-, Münz-, Gewichts- und Verkehrswesens dem »weiteren Bunde« (als erweitertem Bundesrat, nicht als Parlament) übertragen würde, und drittens, wenn »gleichzeitig« der »weitere Bund Deutschlands« ein Bündnis mit Österreich einging, welches »die Integrität des Deutschen Gebietes gegenseitig garantiert, dagegen von Österreich unter Modifizierung des Prager Friedens der deutsche Bund anerkannt wird[177].«

Baden verhielt sich diesen Plänen gegenüber vollkommen ablehnend; der Großherzog und seine Minister, vor allem Mathy und Freydorf, standen ganz auf der preußischen Seite[178] und erwarteten, in der parlamentarischen Umgestaltung des Zollvereins in ein Zollparlament den »Keim eines bundesstaatlich geeinten Deutschlands zu sehen«, eines Deutschlands, das den badischen wirtschaftlichen Interessen und seinem Schutzbedürfnis gegenüber Frankreich entsprach[179]. Württemberg tendierte unter Varnbüler und auch seinen Handelsbedürfnissen entsprechend, die nun in zunehmendem Maße von den Handelskammern vertreten wurden, ebenfalls in den wirtschaftlichen Fragen[180] mehr zu Preußen hin[181]. Dalwigk in Hessen strebte wohl eine Annäherung an Österreich an, war aber gezwungen, den materiellen Interessen seines Landes nachzugeben und mit Preußen einen Ausgleich zu suchen. In Österreich wiederum war die Erinnerung an Königgrätz noch so stark, daß eine Allianz – wie sie Hohenlohe vorschwebte – zwischen Österreich und Preußen mehr als fraglich schien.

176 BHStA München, MH 9701; HHStA Wien, PA IV, Nr. 36: 1./13. III. 67.
177 Hohenlohe I, S. 201 ff.
178 GLA Karlsruhe Abt. 233, Nr. 10 525; GW VI, Nr. 695, 699; Schüßler S. 86 ff.
179 Hohenlohe I, S. 204 ff.; Schübelin S. 25; GLA Karlsruhe Abt. 233, Nr. 10 525: 4. III. 1867 Protokoll Sta. Min. Berichte Mohls aus München; Abt. 237, Nr. 17 212: Berichte Golzers März 1867.
180 WFStA Ludwigsburg, E 170, Nr. 659: 9. I. 67; E 222 Nr. 761, Fach 125.
181 WHStA Stgt. E 14–16, Fasc. 794, WFStA Ludwigsburg, E 222, Fach 193, Nr. 1162. HHStA Wien, PA VI, Nr. 31: 25. III./26. IV. 67 Chotek an Beust.

Trotz der wenig günstigen Situation begann Hohenlohe mit der Durchsetzung seines Programms. Nur die außenpolitische Situation schien den Verhandlungen günstig, da die preußisch-französischen Spannungen Bismarcks politische Aktivität in Deutschland lähmten[182] und Hohenlohe jetzt am ehesten die Möglichkeit boten, Preußen zu einem »weiteren Bund« in Deutschland und zugleich zu einer Allianz mit Österreich zu verpflichten. Am 6. März 1867 entsandte er deswegen seinen Vertrauten, den Grafen Tauffkirchen, nach Karlsruhe, und gleichzeitig verhandelte Robert v. Mohl, der badische Gesandte, in München mit Hohenlohe[183]. Ein erster Kompromiß wurde ausgehandelt: Bayern akzeptierte einen deutschen Staatenbund unter dem Vorbehalt einer künftigen Allianz mit Österreich, und Baden schloß sich – wenn auch zögernd – der bayrischen Sonderpolitik an[184]; am 20. März 1867 wurden die Verhandlungen mit Baden in München weiter fortgeführt[185]. Zuvor schon hatte Hohenlohe die Verbindung mit Württemberg aufgenommen und erreicht, daß Varnbüler nach München kam. Ein Südbund schien endlich nahe zu sein, obwohl Varnbüler ganz für den Bismarckschen Parlamentsplan eingenommen war und in ihm »eine Forderung der Zeit ... im Sinne unserer nationalen Bedürfnisse« erkannte[186]. Die erste württembergisch-bayrische Konferenz zwischen Tauffkirchen, dem bayrischen Handelsminister Schlör und Hohenlohe endete dann auch mit einem Sieg des Bayern. Varnbüler erhob die Durchsetzung eines Zollparlaments nicht mehr zum bedingungslosen Programm der Südstaaten und akzeptierte die gleichzeitige Verbindung eines »weiteren« Deutschen Bundes mit Österreich[187]. Als Baden – von Bismarck gedrängt (er wollte die Brücke zum Süden nicht durch sofortigen Anschluß Badens an Preußen verlieren) – diesem Programm auch keinen erheblichen Widerstand entgegensetzte, schien dem großdeutschen Programm ein erster Sieg sicher zu sein[188]. Nun ließ Hohenlohe vom Spezialisten der bayrischen Handelspolitik – dem Ministerialrat Weber – »Betrachtungen über die infolge der Konstituierung des Norddeutschen Bundes notwendigen Änderungen in den Zollvereinsbestimmungen bezüglich der Verhältnisse der süddeutschen Vereinsstaaten« ausarbeiten. Der Kernpunkt dieser »Betrachtungen« war die Feststellung, daß sich in der deutschen Frage »allein der Zollverein bewährt habe«, weshalb seine »Rekonstruktion« nicht mit der Konstituierung des Norddeutschen Bun-

182 GW VI, Nr. 695: 26. II. 1867 Bismarck an Werthern. HHStA Wien, PA III, Nr. 95: 23. III. 67 Wimpffen an Beust.

183 Oncken II, S. 71 ff.; GLA Karlsruhe, Abt. 233, Nr. 10 525; BHStA München MH Nr. 9701.

184 Hohenlohe I, S. 208.

185 Müller: Mission Tauffkirchen S. 376, Schübelin S. 27. HHStA Wien, PA IV, Nr. 36 15./21. III. 67.

186 APP VIII, Nr. 263: 26. II. 1867 Pfuel (Stgt.) an Bismarck.

187 WHStA Stgt. E 46–48, Nr. 1279, WFStA Ludwigsburg, E 222, Z 61, Fach 194 VIII: 2. III. 1867 Hohenlohe an Werthern (Abschr. d. bayr. Programms); Hohenlohe I, S. 212 ff., 232 f.; Schüßler S. 122, Schübelin S. 29.

188 GLA Karlsruhe, Abt. 233, Nr. 10 525.

des verbunden werden könne und dürfe. Ferner betonte die Denkschrift die Selbständigkeit der Vereinsmitglieder, lehnte ein Zollparlament ab und forderte, »das Institut der Generalkonferenzen beizubehalten«[189]. Bereits am 21. März 1867 überreichte Hohenlohe die Denkschrift dem preußischen Gesandten[190].

Bismarck irrt sich

Bismarck hatte bisher die bayrischen Bemühungen unterstützt[191]. Er hatte dabei auf eine Konsolidierung des Südens gehofft, die, da er Württemberg, Baden und Hessen auf der preußischen Seite wähnte, nur günstig für Preußen ausfallen mußte. Zudem hatte er »Rücksichtnahme und Bescheidenheit im amtlichen Verkehr mit Bayern« angeordnet[192] und mit dem Blick auf Frankreich und mehr noch auf Hohenlohe die Schutz- und Trutzbündnisse veröffentlicht[193], um so die angenommene propreußische Position Hohenlohes zu stützen. Nun mußte er jedoch erkennen, daß die Prämissen seiner Politik hinfällig geworden waren, seine klaren und drohenden Äußerungen über die Bildung eines Zollparlaments[194] nichts bewirkt hatten, sondern der Süden offenbar nicht gewillt war, sich Preußen »bedingungslos an den Hals zu werfen«[195]. Im Gegenteil, die Veröffentlichung der Schutz- und Trutzbündnisse durch Bismarck belasteten die preußisch-französischen Beziehungen[196] erheblich und verschlechterten die Stellung Preußens vor allem gegenüber Württemberg[197].

Zu allem kam, daß gerade Ende März 1867 die Auseinandersetzungen im verfassungsberatenden Reichstag im Norden ihren Höhepunkt erreichten. Die Liberalen forderten verantwortliche Bundesminister und das jährliche Budgetbewilligungsrecht. Bismarck hatte aus konservativen und föderalistischen Erwägungen auf dem Recht einer modifizierten Budgetberatung und unverantwortlichen Bundesbeauftragten beharrt. Angesichts der innerdeutschen und außenpolitischen Spannungen wich nun Bismarck etwas zurück. Mit der Annahme des »Amendement

189 DZA II, AA II, Rep. 6 Nr. 561: 21. III. 1867; vgl. auch WFStA Ludwigsburg, E 222, Fach 185, Nr. 954; HHStA Wien, PA IV, Nr. 36.
190 APP VIII, Nr. 326.
191 APP VIII, Nr. 353, Anm. 3: 20. II. 1867 Wentzel an Bismarck; 21. II. 1867 Flemming an Bismarck; 26. II. 1867 Pfuel an Bismarck.
192 GW V, Nr. 695.
193 APP VIII, Nr. 280b; Nr. 294, Nr. 288; GW VI, Nr. 707, Schüßler S. 127, HHStA Wien, PA III, Nr. 95.
194 GW X S. 327.
195 APP VIII, Nr. 330.
196 APP VIII, Nr. 300; Nr. 314, Nr. 318; GW VI, Nr. 702, 705, 708.
197 APP VIII, Nr. 284: 9. III. 1867 Rosenberg an Bismarck, Nr. 330: 25. III. 1867 Rosenberg an Bismarck; Nr. 335: 24. III. 1867 Rosenberg an Bismarck; Nr. 330 Anm. 1 Nr. 344: 27. III. 1867 Rosenberg an Bismarck; Schüßler S. 130 f.

Bennigsen« wurde bestimmt, daß alle Bundesverfügungen des Bundespräsidiums »zu ihrer Gültigkeit der Gegenzeichnung des Bundeskanzlers bedürfen, welcher dadurch die Verantwortlichkeit übernimmt«[198]. Damit hatte Bismarck verantwortliche Bundesministerien verhindern können; ein verantwortlicher Minister ließ sich aber ertragen, besonders wenn nicht festgelegt war, wem der Minister verantwortlich sein sollte. So ist Bismarcks ursprüngliche Verfassungskonzeption trotz der liberalen Bemühungen nicht erheblich verändert worden. Die Verfassung entsprach noch seinen Intentionen: die preußische Hegemoniestellung war bewahrt, die partikularistischen Interessen der anderen deutschen Länder waren nicht allzu brüsk verletzt. Den gleichen Kompromißcharakter zeigten auch die Einzelgesetze. Während durch die Zugeständnisse der jährlichen Budgetberatung, der geheimen Stimmabgabe, des Schutzes der Redefreiheit etc. die Verfassung ein ganz deutlich liberales Kolorit erhielt, war mit der Annahme des Bundesrates die Verfassung doch so föderalistisch »weit« gehalten worden, daß die süddeutschen Staaten bei einer künftigen Aufnahme in den Bund nicht vollkommen ihr »Gesicht «verlieren würden.

Die Konstruktion entsprach aber nicht nur der »komplizierten inneren Struktur Deutschlands«[199], sondern war auch den wirtschaftlichen Belangen Deutschlands angepaßt. Je zentralistischer die Verfassungsumbildung nun ausfiel, um so mehr mußte aber Bismarck auf eine möglichst rasche Heranziehung des Südens zielen. Hier schienen aber die Hohenlohesche Aktivität und der bayrische Erfolg in München seine Hoffnungen vollkommen zu zerschlagen. Nach der »Gründung« des Norddeutschen Bundes ließ Bismarck es daher (keineswegs vorgeplant) nun auf einen Bruch mit dem Süden ankommen. Er befahl Philipsborn, eine Gegendenkschrift zu der bayrischen auszuarbeiten, die am Zollparlament festhielt[200]. Württemberg und Bayern ließ er mitteilen, daß Preußen »*noch* in der Lage« sei, »jedes europäische Bündnis eingehen zu können«[201]; Preußen würde sich eher auf die Zolleinheit im Norddeutschen Bund beschränken, als einer Zollvereinsfortsetzung mit Süddeutschland in der bisherigen Weise zuzustimmen.

Die Luxemburg-Krise hilft aus der Sackgasse

Ehe aber der preußische Ministerpräsident an den Vollzug dieser politischen und handelspolitischen Aktion ging, spielte ihm die französische Politik in Luxemburg neue Trümpfe in die Hand.

Noch im August 1866 hatte Bismarck französische Kompensationsforderungen auf deutsches Gebiet zurückgewiesen und es verstanden, Napoleon nach Luxem-

198 Artikel 17, Morsey S. 19 ff.
199 Bußmann S. 98.
200 DZA II, AA II, Rep. 6 Nr. 562.
201 GW VI, Nr. 721 (APP VIII, Nr. 353): 29. III. 1867 Bismarck an Rosenberg; Nr. 722 (354): 29. III. 1867 Bismarck an Werthern.

burg und Belgien zu verweisen[201a]. Mit hinhaltender Unterstützung förderte er, in der Hoffnung, Napoleon territorial zufriedenstellen und damit ein österreichisch-französisches Zusammengehen verhindern zu können, die Napoleonischen Wünsche, Luxemburg Holland abzukaufen. Mitte März 1867 begannen im Haag die Verhandlungen über die Abtrennung Luxemburgs. Die Holländer waren mit dem Handel einverstanden, Bismarck auch – wenn Preußens Rolle im Dunkel blieb. Als nun Wilhelm III. von Holland in Reaktion auf die Veröffentlichung der Schutzbündnisse mit den Südstaaten offiziell nach der preußischen Haltung in der Luxemburg-Angelegenheit anfragen ließ, verlor Bismarck seine geheime Mittlerrolle. Preußen sah sich mit der Luxemburg-Frage kompromittiert[202]. Der Süden und Österreich reagierten sofort. Beust und die Partikularisten hofften, das erneut Preußen gegenüber erwachte Mißtrauen nutzen zu können[203].

Ebenso schnell reagierte jedoch auch Bismarck. Er brach die Verhandlungen mit Frankreich ab[204], wies jede Verantwortung gegenüber Holland zurück[205] und schürte im Reichstag die helle Glut nationaler Begeisterung und Empörung über die Abtrennung eines deutschen Bundeslandes[206]. Europa befand sich am Rande des Krieges[207]. Nun mußte sich die Frage der Militärkonventionen gegenüber Hessen, Baden, Bayern und Württemberg entscheiden[208], selbst wenn Bismarck die bisherige Taktik, über Baden Bayern und Preußen auch in den wirtschaftlichen und verfassungspolitischen Bereichen zu verbinden, aufgeben mußte. Die geplante Auseinandersetzung mit Bayern unterblieb[209]. Das »Bündnis mit der öffentlichen Meinung« erfüllte vollauf seinen Zweck als Pressionsmittel, um den Süden an den Norden heranzuführen[210]. Gleichzeitig suchte Bismarck die Verständigung nicht nur mit England und Rußland, sondern sogar mit Wien[211].

201a Oncken: Rheinpolitik II, S. 82 f., 87 f., 94 ff.; GW VII, S. 199 f.

202 Origines Diplomatiques XII, S. 172, 193 f., 200 f., 213 ff., 226 f., 281, 311, 334 f.; Becker: Bismarcks Ringen S. 405 ff.; Oncken: Rheinpolitik II, S. 143–151, 161–168, 173, 210, 224.

203 APP VIII, Nr. 356: 29. III. 67 Werthern an Bismarck. Nr. 356 Anm. 1: Rosenberg an Bismarck.

204 APP VIII, Nr. 357, 358, 361, 367, 369, GW VI, Nr. 726, 729.

205 APP VIII, Nr. 364, 365, 360; GW VI, Nr. 727.

206 APP VIII, Nr. 356 Anm. 1; Nr. 375, 376, Nr. 376 Anm. 3.

207 APP VIII, Nr. 378, Nr. 387: 2. IV. 1867 Bismarck an München, Stuttgart, Karlsruhe, Darmstadt, Dresden, Brüssel und Haag; Nr. 391: 2. IV. 67 Bismarck an London, Petersburg, Wien; Schüßler: S. 151 ff.; HHStA Wien, PA III, Nr. 95: 8./20. IV. 67 Wimpffen an Beust.

208 Zum Problem Hessen vgl. Schüßler S. 137 ff. eingehend, aber mit verzerrender Beurteilung, APP VIII, Nr. 421, 444, GW VI, Nr. 753, 756, 772.

209 GW VI, S. 317 ff.

210 Dalwigk Tagebuch S. 362; APP VIII, Nr. 382: 2. IV. 67 Werthern an Bismarck: 394: 2. IV. 67 Werthern an Bismarck; Nr. 421: 4. IV. 1867 Rosenberg an Bismarck; Nr. 434: 6. IV. 67 Bismarck an Werthern; Nr. 444: 7. IV. 1867 Rosenberg an Bis-

Als die Luxemburg-Krise auf der Konferenz in London vom 7. bis 11. Mai 1867 durch die Festlegung der Neutralität und Unabhängigkeit Luxemburgs beigelegt werden konnte, ohne daß Frankreich (Preußen verzichtete auf seine Besatzungsrechte) oder Preußen (Luxemburg blieb im Zollverein) eine eklatante Niederlage hinnehmen mußte, hatte Preußen nicht nur außenpolitisch gewonnen, sondern auch in Deutschland das Ringen um Zollparlament oder Hohenloheschen großdeutschen Bund entschieden[212]. Wenn auch Hohenlohe während der Krise mit höchster Aktivität versucht hatte, die politische Chance zu nutzen, um Bismarck in ein deutsch-österreichisches Bündnis zu zwingen[213], und mit Württemberg am 6. Mai 1867 auch eine Konvention abschloß, die Varnbüler – in Abwehr einer preußischen Militärkonvention[214] – ganz dem bayrischen Programm[215] verpflichtete, so war doch mit dem Ende der außenpolitischen Spannung an eine Durchsetzung des großdeutschen Programms nicht mehr zu denken. Zwar war Beust während der Luxemburg-Krise scheinbar auf die Anregungen Hohenlohes eingegangen, hatte die handelspolitische Annäherung an Preußen gesucht[216] und selbst politisch einen Ausgleich mit Preußen gewünscht, den Bismarck nicht vollkommen ablehnte[217]. Beust war aber keineswegs geneigt, einen Bund des Südens mit dem Norden durch eine gleichzeitige österreichisch-deutsche Allianz für die Bayern »genießbar« zu machen[218].

marck; Nr. 450: 8. IV. 67 Bismarck an Werthern; Nr. 454: 8. IV. 67 Varnbüler an Spitzemberg; Nr. 466, Anm. 3; Rapp. S. 220 ff.

211 APP VIII, Nr. 385, 406, 409, 410, 420, 424, 431, 436, 440: 6. IV. 67 Wimpffen an Beust; Nr. 459: 9. IV. 67 Werthern an Bismarck; Nr. 464, Nr. 474: 13. IV. 67 Tauffkirchen an Ludwig II; AA-Bonn I, Österr. 41 Bd. 11: 16. IV. 1867 Tauffkirchen an Ludwig II (APP VIII, Nr. 498); APP VIII, Nr. 493: 16. IV. 67 Bernstorff an Bismarck; Nr. 501 Anm. 3, 504: 18. IV. 67 Bismarck an Reuß; Nr. 505, 507; GW VI, Nr. 731, 733, 736, 739, 750, 762, 763, 774, 782.

212 APP VIII, Nr. 506, 509, Nr. 509 Anm. 1: 19. IV. 67 v. d. Goltz an Bismarck; 513, 521, 532: 26. V. 1867 Bismarck an Bernstorff; Nr. 531, 533, 534, 539: 27. IV. 67 Bismarck an Paris, London, Wien, Petersburg, München; Nr. 570: 3. V. 1867 Bismarck an Bernstorff (Instruktion); Nr. 593, 595, Nr. 590 Anm. 3: 7. V. 1867 v. d. Goltz an Bismarck; Nr. 605, 609, 612, 620, 621, GW VI Nr. 798; APP IX, Nr. 10, Nr. 14.

213 APP VIII, Nr. 474, 498, 522; GW VI Nr. 759; Hohenlohe I, S. 222 ff.; Müller: Tauffkirchensche Mission S. 386, 392, 406 f.; Schüßler S. 174 ff.; HHStA Wien, PA III, Nr. 98.

214 Schüßler S. 221; HHStA Wien, PA IV, Nr. 36: 2./10. V. 1867.

215 GW VI, Nr. 799, 800, 804, 809; WHStA Stgt. E 46–48, Nr. 1279; WFStA Ludwigsburg, E 222, Z 61, Fach 125, VIII; BHStA München MH Nr. 9701; Hohenlohe I, S. 232; Schüßler S. 212 ff.; Schübelin S. 33 ff.

216 DZA II, AA II, Rep. 6 Nr. 1205: 27. IV./7. V. 1867 Werther an Bismarck.

217 GW VI, Nr. 747, 757: 14. IV. 1867 Unterredung Bismarck mit Wimpffen; Nr. 792. HHStA Wien, PA III, Nr. 98: 17. IV. 67 Wimpffen an Beust.

218 Hohenlohe I, S. 236; WHStA Stgt. E 70 Ges. Wien, Büschel 75: 26. V. 67 Thumb an Varnbüler.

Vielmehr strebte er danach, durch Verständigung mit Preußen und Frankreich die alte Vormachtstellung Wiens wenigstens im Süden Deutschlands wieder zurückzugewinnen. Dieses Konzept beurteilte Hohenlohe falsch, und so führte das Eingreifen Beusts in Hohenlohes großdeutsches Programm endlich zum vollkommenen Sieg Preußens.

Die Interessen führen Nord und Süd zusammen

Nach dem Abschluß der bayrisch-württembergischen Konvention lud Hohenlohe Baden und Hessen nach München zu Verhandlungen ein. Er teilte die geheime Konvention zwischen Bayern und Württemberg wohl nicht Preußen, aber Österreich mit; das war sein entscheidender Fehler. Baden hatte ohnehin nur widerstrebend und Bismarcks Rat[219] folgend die Verhandlungen aufgenommen, ohne jedoch von seiner Ansicht der »Rekonstruktion« des Zollvereins in parlamentarischer Form abzugeben. Der Gegensatz zu Bayern war somit doch unüberbrückbar[220]. Zu dieser Schwierigkeit gesellte sich eine zweite: Beust lehnte die bayrische Konvention in schroffster Form ab[221]. Nicht genug: Varnbüler entledigte sich der Bindungen vom 6. Mai, da Hohenlohe durch die Mitteilung der Konvention an Beust Form abzugehen. Der Gegensatz zu Bayern war somit doch unüberbrückbar[220]. die »Großmannssucht der Münchner« zu stützen[222a].

Die Verhandlungen im Süden hatte Bismarck bewußt mit allergrößter Zurückhaltung betrachtet. Während er aus taktischen Gründen weiterhin den »weiteren Bund« mit dem Süden behandelt wissen wollte, kristallisierte sich in Preußen angesichts der außenpolitischen Spannungen – die auch in der Londoner Konferenz nur gemildert worden waren – ein neues Minimalprogramm für die preußische Deutschlandpolitik heraus. Am 30. April 1867 hatten Handelsminister Itzenplitz und Finanzminister v. d. Heydt ihre Ideen Bismarck mitgeteilt[223]. Als Grundzüge für den deutschen Zollbund wurde die Beteiligung des Südens an den gesetzgebenden Organen des Nordens, die Beseitigung des bisherigen Liberum veto und die Errichtung eines »ewigen Bundes« zwischen den Zollvereinsstaaten aufgestellt. Auf dieses Programm griff nun Bismarck im Mai zurück, als Varnbüler in Furcht vor einem französisch-preußischen oder französisch-österreichischen Zusammengehen sich von Hohenlohe löste und Bismarck drängte, »durch baldige Regelung« der wirtschaftlichen Frage auch die Möglichkeit der Lösung der Militärkonvention zu

219 GW VI, Nr. 800, 804, APP IX Nr. 9 Anm. 2 u. 6, Nr. 17.
220 APP IX Nr. 8: 14. V. 1867 Türckheim an Freydorf; Nr. 9: 14. V. 1867 Mohl an Freydorf; Nr. 21.
221 Staatsarchiv XIV Nr. 3175 S. 223 ff.; HHStA Wien, PA IV, Nr. 37.
222 WHStA Stuttgart E 46–48, Nr. 1279: 20. V. 1867 Varnbüler an Degenfeld; Schüßler S. 226 ff., Schübelin S. 38 f.
222a HHStA Wien, PA VI, Nr. 31.
223 DZA II, AA II Rep. 6, Nr. 560; GW Nr. 805.

schaffen[224]. Letzteres sollte allerdings nur ein Lockmittel für Preußen sein, denn gerade die Isolierung der Zollsachen war Varnbülers Ziel.

Nachdem Württemberg wieder auf preußischer Seite stand, eröffnete Bismarck endgültig die Offensive in der Zollvereinsfrage[225]. Am 23. Mai 1867 ließ er Hohenlohe das preußische Programm mitteilen[226]: Erneuerung des Zollvereins in Form eines Zollbundesrates und Zollparlamentes. Bereits zwei Tage später – am 25. Mai 1867 – lud Bismarck zur Zollkonferenz ein und – dem Rat Varnbülers entsprechend – zu einer vorausgehenden Ministerkonferenz, die die Grundzüge der parlamentarischen Rekonstruktion des Zollvereins beraten sollte[227].

Als Hohenlohe nach langen Auseinandersetzungen mit Varnbüler, konfrontiert mit Beusts wahren Absichten – nun isoliert – die Verhandlungen in Berlin akzeptierte[229], waren die großdeutschen Hoffnungen wieder einmal vorbei[230].

d Bismarcks Minimalprogramm: Die wirtschaftliche Einheit Deutschlands

Das Minimalprogramm siegt

Als am 3. Juni 1867 die Ministerkonferenz zwischen dem Norddeutschen Bund und den Südstaaten in Berlin unter dem Vorsitz Bismarcks zusammentrat, konnte der preußische Ministerpräsident auf ein Entgegenkommen gegenüber Hohenlohe verzichten und die wirtschaftliche Neuordnung des Zollvereins allein nach preußischen Interessen durchführen[231]. Die Identität der süddeutschen und norddeut-

224 APP IX Nr. 15: 16. V. 1867 Varnbüler an Spitzemberg; Nr. 16: Nr. 25. HHStA Wien, PA VI, Nr. 31.

225 APP IX Nr. 26: 23. V. 1867 Bismarck an v. d. Heydt und Itzenplitz; Nr. 30: Spitzemberg an Varnbüler.

226 GW VI, Nr. 804; APP IX Nr. 26.

227 GW VI Nr. 804; APP IX Nr. 36/37: 25. V. 1867 Bismarck an Werthern; an München, Stuttgart, Karlsruhe, Darmstadt.

228 APP IX Nr. 42, Nr. 45 Anm. 4.

229 APP IX Nr. 53: 30. V. 1867 Rosenberg an Bismarck.

230 DZA II, AA II, Rep. 6 Nr. 560; APP IX Nr. 41/45: 26. V. 1867 Werthern an Bismarck; Nr. 44: 26. V. 67 Bismarck an Flemming, Nr. 46: 27. V. 1867 Flemming an Bismarck; Nr. 47: 28. V. 1867 Spitzemberg an Varnbüler, Nr. 49: 29. V. 1867 Bismarck an Stgt., Karlsruhe; Nr. 54 Anm. 2: 31. V. 1867 Werthern an Bismarck, Hohenlohe I, S. 236, 238 f., 240 ff. HHStA Wien, PA IV, Nr. 36: 31. V. 1867 Trauttmansdorff an Beust, 2. VI. 67 dto. Nr. 37: 15. V. 67 Beust an München.

231 BHStA München MH Nr. 9697; WFStA Ludwigsburg, E 222, Fach 193, Nr. 1162: Protokolle vom 4. VI. 1867; Delbrück: Memoiren I, S. 396 f.; Hohenlohe I, S. 244 ff.;

schen Wirtschaftsinteressen – die Hohenlohe und Varnbüler schon Beust gegenüber betont hatten[232] – hatte Bismarck schon im vorhinein alle Trümpfe zugespielt. Graf Bismarck werde es kaum nötig haben, berichtete dementsprechend der sächsische Geschäftsträger in München, Le Maistre, nach Dresden, das »divide« ins Werk zu setzen, um zu dem »impera« zu gelangen[233].

Die Verhandlungen zwischen Bismarck, Hohenlohe, Dalwigk, Freydorf und Varnbüler liefen glatt. Angesichts des möglichen preußisch-französischen Zusammengehens folgten Hessen, Baden und Württemberg den wirtschaftlichen Interessen ihrer Länder und akzeptierten ohne Einwände das von Delbrück und Philipsborn entworfene Protokoll. Hohenlohe war isoliert. Ihm hatte Bismarck die Bildung eines süddeutschen Zollgebietes ironisch zugestanden. Nach einigem Widerstreben nahm der Bayer das preußische Programm an[234]. Nachdem in Hessen, Baden, Württemberg und – wenn auch mit einiger Opposition – in Bayern das Zollparlamentsprotokoll von Souverän und Staatsministerium hingenommen worden war[235], konnte Bismarck die geplante Zollkonferenz nach Berlin einberufen[236]. Am 27. Juni versammelten sich die Sachverständigen der Südstaaten und des Bundes in Berlin. Bereits am 8. Juli 1867 wurde der Delbrücksche Entwurf »ohne große Veränderung«[237] angenommen; »bayrische und württembergische Velleitäten, um die Verschiedenheit der Zollvereinsorgane von den Bundesorganen zu markieren«, waren vorhanden, berichtete der badische Unterhändler Mathy, »werden aber mit wenig Nachdruck verfolgt«[238].

Mit der Annahme des revidierten Zollvereinsvertrages war der Kampf um die Richtung der deutschen wirtschaftlichen Einheitsbewegung entschieden, da im neuen

Dalwigk S. 328 ff.; Schüßler S. 252 ff.; Schübelin S. 44 ff.; Becker: Bismarcks Ringen S. 576 f.

232 Hohenlohe I, S. 240 ff.; HHStA Wien, PA VI, Nr. 31.

233 3. VI. 1867 Le Maistre an Friesen, nach Schüßler S. 251.

234 DZA II, AA II, Rep. 6 Nr. 560: 4. VI. 1867 Entwurf der Erklärung Hohenlohes, Dalwigks und Varnbülers Protokolle und Übereinkünfte (APP IX Nr. 61); Becker: Bismarcks Ringen S. 579 ff.; HHStA Wien, PA III, Nr. 96: 6. VI. 67 Wimpffen an Beust.

235 APP IX, Nr. 64, 65, 68, 69, 73; WHStA Stgt. F 65 IV: 15. VI. 1867 Gutachten des Geh. Rates an Karl.

236 APP IX Nr. 74: 20. VI. 1867 Bismarck an Werther.

237 DZA I, RKA Nr. 1567 Veto der Regierung: 8. VIII. 1867; WFStA Ludwigsburg, E 222 Z 61, Fach 125, VIII.

238 WFStA Ludwigsburg, E 222, Fach 185, Nr. 954: Bericht Rieckes und Spitzembergs 26. VI./4. VII.; Gesamtbericht an den König 16. VII. 1867; Z 61, Fach 125, VIII: Konzept Riecke der Berichterstattung; BHStA München MH Nr. 9627: Bericht Webers und Gerbigs; 19. VII. 1867 Gesamtbericht an Ludwig II.; DZA II, AA II, Rep. 6 Nr. 560: Handelsvertragsspezialia und Protokolle. Teilnehmer waren für Preußen: Pommer-Esche, Delbrück, Philipsborn. Bayern: Gerbig, Weber. Sachsen: Thümmel. Württemberg: Spitzemberg und Riecke. Baden: Mathy, Hessen: Ewald, Thüringen: Thon. Bremen-Oldenburg: v. Liebe.

Vertrag »statt eines Vertrages unabhängiger Staaten mit liberum veto eines jeden Einzelnen«[239] eine Organisation aufgebaut worden war, deren Entscheidung durch Mehrheitsbeschlüsse fiel, und damit also das alte preußische Ziel in Erfüllung ging[239a]. »Zollparlament« und »Zollbundesrat« waren nun die neuen gesetzgebenden Organe des Zollvereins. 58 Stimmen repräsentierten das »Reich« im Bundesrat, davon hatte sich Preußen 17 zugesprochen. Im Zollparlament waren die Mitglieder des norddeutschen Reichstags und Abgeordnete des Südens vertreten, die nach dem Wahlmodus des Reichstages, also allgemein, direkt und geheim gewählt wurden. Infolgedessen dominierte im Zollparlament der »völkerreichere« Norden über den Süden[240]. Die Legislaturperiode dauerte drei Jahre, eine Periodizität wurde nicht festgelegt. Die Kompetenz des Parlaments erstreckte sich auf Tarifgesetzgebung, Handels- und Schiffahrtsvertragsabschlüsse, Regelung einiger indirekter Steuern und Zollgrenzregulierungen. Das Präsidium besaß Preußen, die Abwicklung der Bürogeschäfte des Bundesrates wurde dem Bundeskanzleramt, die des Zollparlaments dem Büro des preußischen Abgeordnetenhauses überwiesen. Eine eigene Initiative konnte das Zollparlament nicht entwickeln, da weder ein Budgetrecht noch eine Periodizität festgelegt waren[240a].

Österreich und Frankreich gehen gegen Preußen zusammen

Preußen hatte damit der militärischen die offizielle und »organisierte« wirtschaftliche Vorherrschaft in Deutschland hinzugefügt. Eine straffere Zentralisierung oder gar Erweiterung der Bindungen auf militärischem und verfassungspolitischem Gebiet schien Bismarck nicht geboten, denn erstens verschlechterten sich die Beziehungen zwischen Preußen einerseits und Frankreich und Österreich andererseits, zweitens erhob sich im Süden ein scharfer Widerstand sowohl gegen die »volkswirtschaftliche Diktatur« Preußens als auch gegen die »Säbelherrschaft des preußischen Cäsarismus«[241], und drittens formten sich im norddeutschen Reichstag Parteien, mit denen Bismarck vornehmlich auf wirtschaftlichem Gebiet konform gehen konnte.

Seit dem Sieg des französischen Heeres im Jahre 1859 war Napoleon im außenpolitischen Bereich – auch bei mondialer Ausdehnung seiner Bemühungen – erfolglos geblieben[242]. Den Sieg Preußens und dessen Machtvergrößerung im Jahre 1866 hatte er ohne jede Kompensation hinnehmen müssen, die das Sicherheitsbedürfnis

239 Lotz: Ideen S. 83.
239a DZA II, Rep. 89 H III Dt. Reich Nr. 11 Bd. 5: 15. XI. 1867 Bismarck an Wilhelm I.
240 WFStA Ludwigsburg, E 222, Fach 954: 29. VIII. 1867 Vortrag Rieckes.
240a DZA II, Rep. 89 H III Deut. Reich Nr. 11 Bd. 5: 16. XI. 1867 Kabinettsordre König Wilhelms I.
241 Müller S. 160 f.
242 Pflanze S. 380 ff.

der französischen Nation gegenüber der sich festigenden preußischen Großmacht zufriedengestellt hätte. Die Londoner Übereinkunft bedeutete im Grunde nichts weiter als einen Waffenstillstand; den hatte Preußen benötigt, um sich in Deutschland durchzusetzen; Napoleon hingegen sah sich seitdem einer steigenden inneren Opposition gegenübergestellt, die ihn zwang, nicht nur mit innenpolitischen Mitteln – Übergang zum »Empire Liberal« –, sondern auch mit außenpolitischen Erfolgen die »Nation« an sein Kaisertum zu binden. Sein wesentlichstes Ziel gegenüber dem Nachbarn im Osten war deshalb die »Zementierung« der Mainlinie, über die nun aber Bismarck mit dem Abschluß des Zollparlamentsvertrages bereits hinweggegangen war[243].

Österreichs außenpolitische Zielsetzung unter Beust richtete sich ebenfalls auf die Wiedergewinnung der alten Stellung in Deutschland und die Zurückdrängung Preußens. Für Beust war der Abschluß des Zollvereinsvertrages (eine Niederlage der eigenen Politik während der außenpolitischen Krise) ebenfalls das Signal zu einer letzten politischen Initiative, die preußische Hegemonie in Deutschland doch noch zu unterbinden. Identische außenpolitische Zielsetzungen und das Interesse der Sicherung der eigenen inneren Machtstellung führten deshalb Napoleon, Franz Joseph, den Herzog von Gramont, Beust, Andrássy und Taffe im August 1867 – trotz aller früheren Gegensätze – zusammen[244]. Beust wußte, daß» Bismarck während der Vollendung der Borussoficierung von ganz Deutschland nur die Haltung ... Frankreichs ... ernstliche Besorgnisse« machte[244a]. Deswegen drängte Beust auf ein sofortiges Zusammengehen der beiden Staaten. Aber trotz gleicher Ziele vermochten die Österreicher dem französischen Bündniswerben nicht zu entsprechen. Sowohl die Rücksicht auf die 8 Millionen Deutschen im österreichischen Staatsverband als auch auf die oppositionelle Haltung der Ungarn, denen an guten Beziehungen zu Preußen[245] (nur durch 1866 war ihr »Staat« ermöglicht worden) gelegen war, hemmten Beust, sich mit Napoleon direkt über der Frage der militärischen Verdrängung Preußens zu verbinden; vielmehr hoffte Beust – mit Unterstützung Andrássys – eine gemeinsame aktive Orientpolitik mit Napoleon beginnen zu können, um Rußland von Preußen abzuwenden. Dann wäre es nach Beusts Konzeption unter Ausklammerung der deutschen Frage möglich geworden, Preußen vor die Wahl zu stellen, entweder mit Rußland gegen die Westmächte vorzugehen oder

243 APP IX Nr. 100: 13. VII. 1867 Thile an Goltz, Nr. 103: 13. VII. 67 Wimpffen an Beust; Nr. 110 Anm. 5: 20. VII. 1867 Rosenberg an Bismarck.

244 APP IX, Nr. 106: 15. VII. 1867 Goltz an Bismarck, Nr. 108: 17. VII. 1867 Werther an Thile; Nr. 110: 22. VII. 1867 Goltz an Bismarck; Nr. 112: 25. VII. 67 Sperling an Moltke; Nr. 113, Nr. 114: 26. VII. 67 Goltz an Bismarck; Nr. 118: 29. VII. 1867 Werther an Bismarck, Nr. 120 Anm. 1, Nr. 125, 126, Nr. 130: 20. VIII. Werther an Bismarck.

244a HHStA Wien, PA III, Nr. 98: 16. III. 1867 Wimpffen an Beust; Nr. 96: 13. VIII. 1867 dto.

245 APP IX, Nr. 167 Anm. 1: 12. IX. 1867 Bamberger an Bismarck, Nr. 167: 16. IX. 1867 Ladenberg an Bismarck.

isoliert zurückzuweichen. Diese Politik lehnte jedoch Napoleon ab. Zu einer Abmachung kam es auf der Salzburger Monarchenzusammenkunft nicht[246], und auch der Gegenbesuch der Österreicher in Paris im Oktober 1867 erbrachte nichts weiter als eine Bestätigung der gegenseitigen freundschaftlichen Versicherungen von Salzburg[247].

Wenn auch das französisch-österreichische Zusammengehen — akut ausgelöst durch den Abschluß des Zollvereinsvertrages[248] — zu keiner definitiven Bindung führte, so hatte es doch mehrere Rückwirkungen: Einmal wurden die gelegentlich akademisch erwogenen Ententesondierungen zwischen Preußen und Frankreich abgebrochen, außerdem ließen Beusts Orientpolitik und Napoleons Italien- und Belgienpolitik sowohl Rußland[249] als auch England[250] Annäherung an Preußen suchen, womit dessen Machtstellung erheblichen Rückhalt erhielt (die sich in Deutschland aber vorläufig nur negativ auswirkte), und schließlich war Preußen gezwungen, seine Politik einer raschen Einigung mit dem Süden zunächst aufzugeben und sich statt dessen auf ein langsameres Tempo der Einheitsbewegung einzustellen, da Beust und Napoleon die Bildung eines Südbundes anstrebten[251]. Dadurch gewann die Einberufung des Zollparlaments erhöhte Bedeutung und parallel hierzu das Bemühen, Österreich durch Abschluß eines Handelsvertrages jede Möglichkeit zu nehmen, die im Süden erwachenden emotionalen Widerstände gegen Preußen auch wirtschaftspolitisch zu nützen[252].

Der Süden wird zur Option gedrängt

Unmittelbar nach der Berliner Ministerkonferenz, Anfang Juni 1867, setzte die österreichisch-französische Pression auf die Südstaaten ein[253], ohne aber verhindern

246 APP IX, Nr. 134, Nr. 136: 26. VIII. 1867 Brassier de St. Simon an Bismarck, Nr. 137: 27. VIII. 67 Solms an Bismarck, Nr. 138: 27. VIII. 67 Werther an Bismarck, Nr. 151: 6. IX. 1867 Goltz an Bismarck, Nr. 152 Runderlaß Bismarcks, Nr. 156 dto. Nr. 157: 8. IX. 67 Ladenberg an Bismarck. HHStA Wien, PA III, Nr. 96: 26. VIII. 67 v. Walterskirchen an Beust.

247 APP IX, Nr. 278: 1. XI. 67 Runderlaß Beusts noch aus Paris an Ges. Paris, London, Berlin und Petersburg, Nr. 285: 3. XI. 1867 Goltz an Bismarck, Nr. 289: 4. XI. 67 Goltz an Wilhelm I. Nr. 304, 309, 310.

248 APP IX, Nr. 88: 5. VII. 1867 Goltz an Bismarck, Nr. 90: 8. VII. 1867 Flemming an Bismarck.

249 APP IX, Nr. 115: 27. VII. 1867 Reuß an Bismarck, Nr. 147: 2. IX. 1867 Keyserling an Bismarck, Nr. 154: 7. IX. 67 Bismarck an Keyserling, Nr. 155: 7. IX. 1867 Keyserling an Bismarck, Nr. 174: 19. IX. 1867.

250 APP IX, Nr. 102: 13. VII. 1867 Bernstorff an Wilhelm I., Nr. 222: 18. X. 1867 Loftus an Stanley, Nr. 239: 21. X. 1867 Katte an Bismarck, Nr. 277: 1. XI. 67 Katte an Bismarck, Nr. 354: 21. XI. 1867 Bernstorff an Bismarck.

251 APP IX, Nr. 45 Anm. 4: 30. V. 67 Werthern an Bismarck, Nr. 295, 299.

252 DZA I, RKA Nr. 1568: 16. I. 1868 Promemoria Delbrück.

253 Schüßler S. 259 ff.

zu können, daß der Zollvereinsvertrag Anfang Juli zustande kam. Jedoch, Bismarck erkannte schon während der Verhandlungen, daß mit der Erneuerung des Zollvereins nach preußischen Wünschen vorerst das Äußerste gegenüber dem Süden erreicht sei. »Jetzt nachdem der Zollverein unter Dach und Fach« gebracht sei, so stellte der Süden fest, müsse man sich »Preußen gegenüber fester, unabhängiger und wenn nöthig ablehnender verhalten«[253a]. »Von der Absicht einer Ausdehnung der politischen und militärischen Hegemonie Preußens« soll der Preuße, nach Mitteilung Tauffkirchens, »abgebracht worden sein«[254]. Vorerst hatte sich Bismarck mit der materiellen Interesseneinheit Deutschlands und der Unterstützung durch die Liberalen zu begnügen. Nur dann konnte er hoffen, den Widerstand Dalwigks in Hessen[255] zu brechen (»nur auf ein bis zwei Jahre« glaubte Dalwigk noch seine isolierte Stellung in Hessen behaupten zu können[256] und den Widerstand Württembergs gegenüber »weiteren« Bindungen[257] und den Bayerns gegen jede zu starke Annäherung an Preußen aufzuheben).

Als Napoleon auf der Durchreise nach Salzburg sowohl Varnbüler als auch Hohenlohe gegenüber Südbundpläne berührte[258], revidierte Bismarck sein Drängen auf die politische Einheit Deutschlands und verlagerte den Schwerpunkt seiner Politik auf den Ausbau der wirtschaftlichen Einheit Deutschlands[259]. Zugleich ließ er in München und Stuttgart, in der Hoffnung, damit von vornherein mögliche Konsequenzen der Salzburger Besprechungen im Süden zu verhindern, mitteilen, daß »der Norddeutsche Bund ... jedem Bedürfnisse der süddeutschen Regierung nach Erweiterung und Befestigung der nationalen Beziehungen zwischen dem Süden und dem Norden Deutschlands auch in Zukunft bereitwillig entgegenkommen« werde, »die Bestimmung des Maßes« jedoch, »welches die gegenseitige Annäherung inne zu haben hat«, solle »jederzeit der *freien* Entschließung unserer süddeutschen Verbündeten überlassen« bleiben[259a]! Bismarck zeigte sich »über Salzburg nicht beunruhigt« — zur »Überraschung« der Südstaaten. Er vertraute auf die »realen Interessen« Varnbülers und Hohenlohes. Denn auch sie müßten doch erkennen, daß jede Einmischung Frankreichs »die Kriegsfackel ... stets glimmend erhalten« würde. Österreich gegenüber bluffte er mit einem »Drängen Süddeutschlands auf Anschluß« und verwahrte sich zugleich gegen die Beschuldigung, daß er »ungarische Umtriebe ... angezettelt haben soll«. Vielmehr würde sein Bestreben auf eine Ver-

253a HHStA Wien, PA VI, Nr. 30: 2./11. VI. 1867 Chotek an Beust.
254 GStA München: 14. VI. 67 nach Schüßler S. 265.
255 APP IX, Nr. 105: 15. VII. 67 Wentzel an Bismarck.
256 Dalwigk S. 326: 26. V. 1867.
257 APP IX, Nr. 127: 14. VII. 1867 Rosenberg an Bismarck.
258 Oncken: Rheinpolitik II, S. 509; Hohenlohe I, S. 259. APP IX, Nr. 133; Nr. 135 Anm. 4, Nr. 142; HHStA Wien, PA III, Nr. 96: 7. IX. 1867 Wimpffen an Beust.
259 APP IX Nr. 140: 28. VIII. 1867 Bismarck an Rosenberg.
259a APP IX, Nr. 152 Runderlaß Bismarcks an Gesandte bei den Großmächten, Südstaaten, Dresden, Hamburg und Oldenburg.

bindung mit Österreich gehen, denn die Donaumonarchie könne nur von zwei Seiten bedroht werden: »von Frankreich oder von Rußland. Sind Preußen und Österreich verbunden, so hören die Gefahren von Frankreich von selbst auf, und was die Gefahren betrifft, die von Rußland drohen könnten, so wäre es dann unsere Aufgabe letzteres Stille zu halten«[259b]. Bismarcks »Zuversicht« hatte ihren leicht einsehbaren Grund.

Varnbüler zielte »immer mehr auf Unabhängigkeit«[259c], und noch hatten im Süden die Kammern den Zollvereinsvertrag nicht ratifiziert. Noch war die parlamentarische Rekonstruktion des Zollvereins nicht vollendet. Wiederum war es – angesichts der Aktivität Beusts und Napoleons im Herbst 1867 – ungewiß geworden, ob der Süden den materiellen Anschluß an den Norden sofort durchführen würde, ob die Interessen der Nationalliberalen, des Handels und der süddeutschen Exportindustriellen über das Bündnis von Konservativen, Demokraten, Partikularisten und Schutzzöllnern siegen würden. Es kam für Bismarck nun alles darauf an, den Kräften im Süden, die den Anschluß an den Norddeutschen Bund wünschten, durch eine Politik des »liberalen« Werbens Hilfestellung zu geben und zugleich gegenüber den Partikularisten zu betonen, daß sich Preußen mit dem Erreichten begnüge. Das Urteil seines treuesten Parteigängers, des Großherzogs von Baden, ging ihm deshalb viel zu weit, als dieser den Zollvertrag als ein »festeres Band mit Norddeutschland« beurteilte, »daraus noch bessere Verbindungen in politischer Beziehung« sich entwickeln würden[260], denn gerade diese »besseren« Verbindungen perhorreszierten Bayern und Württemberg auf alle Fälle[261].

Der Norden festigt seine Staatsorganisation im Blick auf den Süden

Ehe der Süden über die neuen Zollverträge in die Beratung eintrat, handelte Bismarck. In dieser politischen Situation wurde für ihn die Neuregelung des Zollvereins, die praktisch »einen erweiterten Bundesrat und Reichstag des norddeutschen Bundes bedeutete«[262], zum Anlaß, den organisatorischen Ausbau der norddeutschen Bundesexekutive festzulegen[263] und sich endgültig den Liberalen im Reichstag zu nähern. Jetzt, nach der Schaffung des Norddeutschen Bundes, dem ministeriellen Abschluß der parlamentarischen Rekonstruktion des Zollvereins und zugleich dem Abflauen der nationalen Begeisterung im Süden war die preußische

259b HHStA Wien, PA III, Nr. 96: 7./17. IX. und 12. X. 1867 Wimpffen an Beust.
259c ebd. 30. X. 1867 dto.
260 GW VIa, Nr. 934, Nr. 955, Nr. 974.
261 BHStA München MH Nr. 9667: 19. VII. 1867 MR Weber an Ludwig II, WFStA Ludwigsburg, E 222, Fach 185, Nr. 954: 12. X. 1867 Riecke an Karl, WHStA Stgt. E 33–34 F 65, IV: 17. VII. 1867 Votum Geheimer Rat.
262 Schübelin S. 53.
263 DZA I RK Nr. 1912: 18. VI. 1867 Votum Bismarcks.

Politik darauf angewiesen, entsprechend den Wünschen der Interessenten[264] und auch den Ideen des »Nationalvereins«, im forcierten Ausbau der wirtschaftlichen Bindungen und der Einrichtung »gemeinschaftlicher Organe von Nord und Süd«[265] die Grundlage der politischen Einigung bzw. die Absicherung der preußischen Machtstellung zu suchen[266]. Nun gab Bismarck sein Schwanken zwischen politisch oder handelspolitisch akzentuiertem Ausbau der norddeutschen Führungsorganisation auf. Mit der Berufung Rudolf Delbrücks, der als Ministerialdirektor im Handelsministerium tätig war, zum Präsidenten[267] des im August neugeschaffenen Bundeskanzleramtes[268] entschied sich Bismarck (wie er es schon am 29. Mai 1867 gegenüber Keudell berührt hatte[269]) für den wirtschafts- und handelspolitischen Ausbau der norddeutschen Verwaltungsspitze, um so die materielle Grundlage für die – nun von ihm nicht mehr kurzfristig erwartete – Vereinheitlichung Deutschlands zu schaffen[270].

Wie gezeigt, hatte Bismarck schon sehr eng mit Delbrück zusammengearbeitet. Die politische Nutzanwendung der Ideen des Manchesterliberalismus hatte Bismarck die Verwaltung der preußischen materiellen »Interessen« schon früh dem Hauptträger der preußischen Handelspolitik, Delbrück, anheimgeben lassen. Bismarck hatte erkannt, daß er die Liberalen am besten über den Freihandel an ein staatlich-konservatives Konzept heranführen konnte, eine Taktik, die gleichzeitig auch seinem Interesse an der Pflege und Stützung der preußischen Landwirtschaft als ökonomischer Basis der traditionellen Führungskräfte Preußens entsprach[270a]. Aus denselben Gründen berief er ihn nun zum Präsidenten der neugeschaffenen Spitzenbehörde.

»Generalstabschef der Liberalen«: Delbrück

Delbrück, 1817 in Berlin geboren, stammte aus einer niedersächsischen Theologenfamilie. Sein Vater, Friedrich Delbrück – als Superintendent gestorben –, war der Erzieher Friedrich Wilhelms IV. und des Prinzen Wilhelm gewesen und hatte seinem Sohn von früh die Tradition der »altpreußischen Beamtenwelt« anerzogen. Zu dieser Prägung durch das Elternhaus kam die Unterweisung durch den Onkel,

264 DZA I RKA Nr. 1524: zahlreiche Eingaben 16. VIII. 1867 CR Georgii, der ÄK Magdeburg, ÄK Berlin, ÄK Stettin u. a.

265 DZA I RKA Nr. 1524: Eingabe Deutscher Handelstag.

266 GW VII, Nr. 166.

267 DZA II, Rep. 89 H, II Deutsches Reich Nr. 5 Bd. 1: 12. VIII. 1867 Bismarck an Wilhelm I.

268 DZA I RK 1912: 12. VIII. 1867 König Wilhelm I., DZA II, Rep. 89 H ebd.: 10. VIII. 1867 Bismarck an Wilhelm I.

269 GW VII, Nr. 166.

270 Goldschmidt S. 34 ff.; Morsey S. 30 ff. Vietsch S. 13 ff., Keudell: Bismarck S. 363 ff.

270a DZA I, Nachlaß Hofmann.

den Kurator der Universität Halle (und Vater Adelbert Delbrücks[270b]). Delbrück, Schüler Rankes, dieselbe Generation wie Waitz und Sybel, kam 1842 – nach Abschluß seines Jurastudiums – in das preußische Handelsministerium. Während der handelspolitischen Auseinandersetzungen mit Österreich avancierte er 1849 zum Vortragenden Rat, 1859 zum Ministerialdirektor und wurde zum »spiritus rector« der preußischen Handelspolitik. 1862 sollte er das Amt des Handelsministers übernehmen, lehnte jedoch ab. Exponent des »preußischen Machtwillens« im Ringen mit Österreich[271] und Hauptförderer einer deutschen Wirtschafts- und Verkehrseinheit, sah er, wie er rückblickend aufzeichnete – geprägt durch lutherische Tradition und Hegelsche Staatsethik –, seine Pflicht »in der bewußten Hingabe meiner Person an die im Staate verkörperte Allgemeinheit ... und in der Erfüllung dieser Pflicht die Aufgabe« seines Lebens[272]. Er galt als nüchtern, sachlich, von unermüdlicher Arbeitskraft[273], ohne politische Leidenschaft[274], jedoch besessen von den freihändlerischen Ideen, die durchzusetzen er jede Möglichkeit erfaßte[275]. Durch seine Frau, eine Tochter des Oberpräsidenten der Rheinprovinz Pommer-Esche, einer verwitweten v. Dycke, war er darüber hinaus aufs engste mit der preußischen Beamtenwelt verbunden.

Mit der Berufung Delbrücks werden auch noch weitere entscheidende Momente deutlich. Einmal die Kontinuität der preußisch-norddeutschen Handelspolitik und zum anderen die Fortführung des bisherigen Bismarckschen Regierungsprinzips; Beruhigung der politischen Wünsche der Liberalen durch ein Entgegenkommen in wirtschaftlichen Bereichen. Denn die neue Kanzlerbehörde unter Delbrück entsprach – wie schon die Verfassung – mit ihren Hauptaufgaben der Zoll- und Handelspolitik, der Verwaltung des Konsulats-, Post-, Telegraphen-, Bank- und Prozeßwesens durchaus den Vorstellungen der Liberalen von einer Verwaltungsbehörde, die das Kernstück ihres deutschen Einigungsprojektes bilden sollte[276].

Die Behörde

Auch der weitere Ausbau des Bundeskanzleramtes war von diesen politischen Rücksichten getragen. In der Erneuerung der Mitarbeit Delbrücks zeigte sich erneut Bismarcks Absicht, die Liberalen wohl nicht zur Herrschaft, aber zur »einflußrei-

270b siehe unten S. 323.
271 GW XV, S. 204.
272 Delbrück: Memoiren I, S. 202
273 Lerchenfeld: Erinnerungen S. 62
274 Holstein I, S. 50 f.
275 Morsey S. 44
276 Zur Einrichtung des Bundeskanzleramtes: Morsey S. 25 ff., S. 46 ff. dort auch die Auseinandersetzung mit Goldschmidt Nr. 3 und dessen »unitarischer« Bismarck-Konzeption.

chen Beratung ... zuzulassen«. So war Otto Michaelis[277] als Kopf der »volkswirtschaftlichen« Fraktion, die als erste ihren Frieden mit dem Kanzler geschlossen hatte[278], geeignet, den Ausgleich mit den Liberalen weiter voranzutreiben; und der junge Puttkamer[279], späterer konservativer Kultus- und Innenminister, schien als junge Kraft mit Erfahrung in der Eisenbahnverwaltung, im Handelsministerium und als Landrat geeignet[280], neben dem »Muster an Pflichttreue«, dem vom Handelsministerium übernommenen Paul Eck[281], die Politik bewußter Betonung des Wirtschaftlichen und die Ausschaltung der politischen Divergenzen[282] weiter zu befestigen und deutlich zu machen. Die schnelle Rückversetzung des allzu konservativen Puttkamers in die preußische Behörde unterstrich diese Tendenz. Eben diesen Zielen diente auch die wenig feste Abgrenzung der neuen Bundeszentralbehörde gegenüber den preußischen Ressorts[283]: Auswärtiges, Heer und Finanzen, d. h. das Gerüst der Staatsverwaltung, wurden weiterhin von Preußen erledigt[284]. Auf diese preußische »Pfahlwurzel«[285] war die Bundesverwaltung angewiesen, jedoch wuchsen die Aufgaben, die der Bundesbehörde übertragen worden waren und deren Hauptarbeit von Delbrück in »lebendiger Wechselwirkung« zwischen Preußen und den Regierungen der übrigen Bundesstaaten gesehen wurde[286], rasch an und brachten der Bundesbehörde schnell ein eigenes Schwergewicht. Schon im Herbst 1867 stellte der sächsische Gesandte Koenneritz fest: die preußischen Ressorts hätten sich in ihrer Hoffnung auf »Erweiterung« (in den Bund) getäuscht, im Gegenteil, sie müßten »gar noch ein gutes Teil von ihrer Bedeutung« aufgeben »und ihren Nimbus« abtreten[287]. Für die Liberalen wurde die Behörde zum Ersatz der Kollegialminister, den altkonservativen und preußischen Ministern war sie dementsprechend ein Dorn im Auge.

Bismarck jedoch unterstützte den wirtschaftlichen und ministeriellen Ausbau des Norddeutschen Bundes, wie er sich unter Delbrück abzeichnete, aus innerpreußischen und innerdeutschen Gründen. Der »Bundeskanzler« als einziger preußischer

277 siehe oben S. 117.
278 DZA II, Rep. 89 H Deut. Reich 5 Bd. 1: 9. XI. 1867 Bismarck an Wilhelm I.
279 5. V. 1828 in Frankfurt/O. geboren, gest. 15. III. 1900 Karzin/Stolp, ev. Nach Realgymnasiums-Besuch in Köln, Universität Heidelberg, Berlin; 1854 Reg. Ass., 1860 Landrat, 1867 GRR im RKA, 1871 Reg. Präs., 1874 Bezirks-Präsident Metz, 1877 Oberpräsident in Schlesien, 1879–1881 preuß. Kultusminister, 18. VI. 1881–88 preuß. Inn. Min., 1881–88 zugleich Vizepräsident, am 7. VI. 1888 aus dem Staatsdienst ausgeschieden.
280 DZA II ebd.: 9. XI. 1867 Bismarck an Wilhelm I.
281 DZA II ebd.: 12. XII. 1867 Bismarck an Wilhelm I.
282 Meisner: Bundesrat S. 360.
283 Vietsch S. 11, Morsey S. 39.
284 ebenso die Bundesschuldenverwaltung, Morsey S. 37.
285 Meisner: Bundesrat S. 352.
286 Sten. Berichte Norddeutscher RT, S. 307.
287 Goldschmidt: Nr. 1.

Minister in Bundesangelegenheiten baute »mit dem Bund« sein faktisches Übergewicht im preußischen Staatsministeriums-Kollegium aus – ein Vorgang, der die Auseinandersetzungen bis 1879 beherrschte. Außerdem war ihm die Tätigkeit und Machtstellung der Behörde wichtig, weil er durch die materielle Einigung auf friedlichem Weg die Machtvertretung und Erhaltung der Großmacht Preußens zu erreichen hoffte; deswegen bemühte er sich, die solide Mehrheit industrieller, landwirtschaftlicher und kaufmännischer Interessenten für seine Politik zu gewinnen und sie sich ihnen verbunden zu wissen. Zielsetzungen, wie die Durchführung des Freihandels oder des Schutzzolles, die als Schlagworte und Prinzipien die handelspolitische und politische Auseinandersetzung sei es mit Österreich, sei es mit der Trias oder sei es dann mit den Liberalen beherrschten, waren ihm einerlei; für ihn war allein das politische Moment entscheidend, ob sich die wirtschaftlichen Kräfte mit der Krone Preußens verbinden ließen, Kräfte, derer die Krone zur Machtbehauptung und Machtsteigerung nach seiner Meinung – angesichts der ökonomischen Strukturveränderungen – in zunehmendem Maße bedurfte.

Das neue Gesicht der Liberalen im Reichstag

Die parteipolitischen Umstrukturierungen des preußischen Abgeordnetenhauses nach dem Sieg über Österreich im Herbst 1866 wurden nun zum erstenmal in der preußisch-deutschen Geschichte im verfassungsberatenden norddeutschen Reichstag relevant. Ende 1866 hatten sich die Sezessionisten um Michaelis (der zugleich als Exponent der freihändlerischen Gruppe um Prince-Smith und J. Faucher gelten kann) mit den liberalen Abgeordneten aus den von Preußen annektierten Provinzen verbunden und unter Führung des Hannoveraner Rittergutsbesitzers Rudolph von Bennigsen die nationalliberale Partei gegründet[288]. Die Verbreiterung der Basis, die die preußische Fraktion der Liberalen im norddeutschen Raum erfuhr, bedeutete zugleich eine Ablösung der bisherigen Führer des mehr theoretisch begründeten Freihandels. Die Inauguratoren des »Kongresses Deutscher Volkswirthe«, des »Deutschen Handelstages« wurden aus der ersten Reihe der parlamentarischen Vertreter abgelöst und ersetzt durch Politiker, die frei von Ressentiments der Konfliktsjahre gegenüber Bismarck waren und ihre politische Aufgabe weniger in der Wahrung demokratischer Kräfte gegen den preußischen Militärstaat sahen als in der Erfüllung der Einheit des Reiches. Mit ihnen verbanden sich die Vertreter der Idee einer preußisch-deutschen Großmachtbildung, so Treitschke

288 Es kann an diesem Ort nur auf die Grundzüge und keineswegs auf eine differenzierte soziologische Analyse der Parteigründung und der Mitglieder der neuen Partei eingegangen werden, vgl. L. Bergsträsser: Geschichte der politischen Parteien in Deutschland, 1964; H. Oncken: R. von Bennigsen, 2 Bde. II, S. 9 ff.; S. 85 ff.; F. Federici: Der deutsche Liberalismus, Zürich 1946; E. Brandenburg: 50 Jahre Nationalliberale Partei, Berlin 1917.

und Wehrenpfennig. Und schließlich waren die ehemaligen preußischen Oppositionsliberalen nach Königgrätz nur zu bereit, mit Bismarck vornehmlich im materiellen Bereich zusammenzuarbeiten.

Im Reichstag gesellten sich nun zu den »volkswirtschaftlichen Vertretern« der neuen Partei Praktiker und persönlich am Ausbau einer wirtschaftlichen und politischen Einheit Deutschlands Interessierte, so die Industriellen Reichenmann, von Unruh, Lent, vor allem aber der Repräsentant der rheinischen Industrie, Friedrich Hammacher[289]. Neben den Industriellen konnte auch die Berliner Finanz – vornehmlich durch die Aktiengesellschaften repräsentiert – im Laufe der Legislaturperiode des Norddeutschen Reichstags Interessenvertreter im Herrenhaus, Abgeordnetenhaus und Reichstag finden. Vor allem der Eintritt des Mitbegründers des Nationalvereins, des ehemaligen Abgeordneten der II. Hannoverschen Kammer, des Oberbürgermeisters von Osnabrück und Reichstagsabgeordneten des Wahlkreises Osnabrück/Waldeck, Johannes von Miquel[289a], in den Geschäftsinhaberkreis der Disconto-Gesellschaft machte die enge Verflechtung von parlamentarischer Repräsentanz und wirtschaftlicher Interessenvertretung deutlich. Das wurde von weiteren, ebenfalls mit der Disconto-Gesellschaft verbundenen Abgeordneten, wie z. B. Rittergutsbesitzer und Staatsminister v. Bernuth (Schlesische Boden-Credit AG., Preußische Hypothekenbank), Geheimer Oberfinanzrat Wilckens, Freiherrn v. Eckardt-Prötzel, Hardt, Scheele oder Wagner noch verstärkt[290].

Bis 1876 blieb Miquel Geschäftsinhaber der Disconto-Gesellschaft mit der Aufgabe – nach den Worten seines Chefs Hansemann[291] –, »Unterstützung ... für die Beteiligungs- und Investitionspläne der Disconto-Gesellschaft in den Parlamenten« zu gewinnen. Gerade die umfassende Anleiheübernahmetätigkeit des Berliner Institutes in den Jahren nach 1866, dem sich dann auch die Durchführung großer Eisenbahnprojekte zugesellte[292], war für die Disconto-Gesellschaft ein Grund, sich ähnlich wie die Privatbankiers – so z. B. Mendelssohn und Rothschild[293] – auch in der Volksvertretung Träger für ihre Belange zu suchen, natürlich im Sinne einer allgemeinen deutschen Wirtschaftspolitik, die der Vereinheitlichung Deutschlands unter preußischer Führung diente. Wie Miquel war auch der Führer der Liberalen, Bennigsen, den neuen »Interessen« an Bahnbau und Neuerschließung von Produktionsstätten durch zahlreiche Aufsichtsratssitze verbunden. Er sah in der Wirtschafts- und Handelspolitik Bismarcks, die Delbrück führte, unter weitgehendem

289 A. Bein: F. Hammacher, Berlin 1932, DZA I, 90 Ha 5, umfangreicher Briefwechsel.
289a siehe unten S. 315 f.
290 Disconto-Gesellschaft Festschrift S. 111; O. Glagau: Die Börse und der Gründungsschwindel in Deutschland, Lpz. 1877; Flugschrift und zugleich Anklagepamphlet vom konservativ-agrarischen Standpunkt, nach der Krise von 1873 geschrieben, dessen Argumentation Hallgarten I, S. 143 weitgehend übernimmt.
291 Schmidt: S. 36.
292 siehe oben S. 192 ff.
293 Brandenburgisches LHA Potsdam Rep. 30 c, Tit. 94, Nr. 11, 971.

Verzicht auf eine politische Aktivität, den Grund zur vorbehaltlosen Zusammenarbeit mit dem Bundeskanzler[294].

Den politischen Liberalismus vertrat von nun an die Fortschrittspartei, in der vor allem Journalisten, »niedere« Beamte und Ärzte den wesentlichen Teil der Abgeordneten stellten[295]. Durch Berufung Delbrücks zum Präsidenten der Zentralbehörde des Norddeutschen Bundes sicherte sich Bismarck aber auch die Mitarbeit dieser Partei in wirtschaftspolitischen Fragen.

Moderner Staat und konservative Partei

Ähnlich wie bei den Liberalen hatte Bismarcks Politik der offenen Annäherung an die »neuen« Liberalen zur Spaltung der Konservativen geführt[296]. Für die neue konservative Partei um den schlesischen Rittergutsbesitzer und Bergwerksinhaber, Bethusy-Huc, war aber die Gegnerschaft der Altkonservativen gegen ein Eigenleben des Norddeutschen Bundes, das ihnen einer Preisgabe preußischer Tradition gleichkam, gegenüber der Wichtigkeit der nationalökonomischen Aspekte des Norddeutschen Bundes nebensächlich. In ihr vereinigten sich aus einer gehobeneren Klasse kommende höhere Beamte, vor allem Diplomaten, Industrielle und Bankiers zu einer Partei, die »recht wesentlich von dem durchschnittlichen, ostelbischen Landjunkertum, das den Stamm der altkonservativen Partei ausmachte«, verschieden[297] war. Zudem fand die Partei ihre Unterstützung in den nicht altpreußischen Provinzen, im Rheinland und Schlesien[298].

Wie bei den Nationalliberalen, von denen sich die Freikonservativen nur dadurch unterschieden, daß sie »zu magnatisch-feudal (waren), um als liberal zu gelten«[299], war der verbindende Gedanke der Partei die uneingeschränkte Bejahung der Ereignisse von 1866. Bedingungslos stellten sich die Freikonservativen hinter die Innen- und Außenpolitik Bismarcks, um so das »nationale« Ziel eines einheitlichen deutschen Wirtschaftsraumes zu erzwingen. Denn für die Banken, die Industrie und für den Handel war es eine Lebensfrage geworden, daß der Absatzradius der preußischen Produkte durch eine staatlich gesicherte Marktvergrößerung erweitert wurde. Nur so konnten die seit 1864 angeknüpften internationalen Beziehungen der Banken in Berlin (also vornehmlich der Disconto-Gesellschaft,

294 Oncken: Bennigsen II, Stgt./Lpz., S. 100 ff.

295 Reichstag des Norddeutschen Bundes, 1. Legislaturperiode Mitgliederverzeichnis.

296 G. Ritter: Konservative S. 172 ff.

297 Ritter S. 181, siehe oben S. 400 ff.

298 A. Wolfstieg: Die Anfänge der Freikonservativen Partei, Berl. 1908; K. Viebig: Die Entstehung der Freikonservativen und Reichspartei, so erhielt die Partei in Schlesien 11, im Rheinland 15 Abg., während z. B. die Altkonservativen in Ostpreußen allein 14 Plätze erringen konnten.

299 Hallgarten I, S. 159.

Bleichröder, Mendelssohn und der Berliner Handelsgesellschaft[300]) ausgebaut werden, nur so konnte die 1864 angekurbelte, aber 1866 abgeflaute Konjunktur wiederbelebt werden. Ebenso war es nur in »verständnisvoller Zusammenarbeit«[301] mit der Regierung möglich, den Aufbau einer nationalen Schwer- und Rüstungsindustrie, vor allem im Westen, in Berlin und Schlesien, voranzutreiben, die Krise von 1866 zu überwinden und die notwendigen Eisenbahnlinien – wirtschaftlich-strategisch begründet – mit einem Höchstmaß an Rendite zu erbauen. Nur dann konnten die seit 1862 geführten Verhandlungen um den französischen Handelsvertrag für die Interessenten ihren Sinn haben und der Vertrag ausgenützt werden, wenn zugleich die innenpolitische Struktur durch den wirtschaftlichen Aufschwung gefestigt wurde. Deswegen stellten die Freikonservativen die alte Schutzzollforderung der Schwerindustriellen weitgehend zugunsten des größeren Zieles – Etablierung des Reiches – vorerst noch zurück.

Die in dieser Partei zum Ausdruck kommende beginnende »Kapitalisierung der Feudalität und Feudalisierung des Kapitalismus«[302], die einen Grundzug der späten Bismarck- und Wilhelminischen Zeit bilden wird, manifestierte sich in den Persönlichkeiten, die sich ihr anschlossen: v. Bethusy-Huc, Hohenlohe-Ujest[303], Henckel v. Donnersmarck/Neudeck, v. Pleß, v. Ratibor, Renard. Interessenbewußter Liberalismus und Konservativismus trafen sich im Aufbau einer deutschen kapitalstrukturierten Wirtschaftsordnung, die gleichzeitig die Konservierung der alten politisch-sozialen Ordnung bedeutete.

Wie die Fortschrittspartei die liberalen, so verteidigte die altkonservative Partei die konservativen Prinzipien. Aber auch ihre Anhänger stellten sich aus eigenem agrarischem Interesse einem liberalen Ausbau der wirtschaftlichen Gesetzgebung so lange nicht entgegen, wie der Freihandel dem Interesse der kapitalisierten Großlandwirtschaft am ungehinderten Getreideexport, billigen Eisenwaren und gesicherten Spirituspreisen entsprach. Auch hierfür schien Delbrücks Berufung – trotz aller Gegensätze – die Garantie zu bieten.

Aber nicht nur die parteipolitischen Umgruppierungen wiesen Bismarck bei der zunehmenden Opposition von Frankreich und Österreich und vom Süden auf den Weg der materiellen Einigung, sondern auch die ersten parlamentarischen »Ergebnisse« des verfassungsgebenden Norddeutschen Reichstages.

300 siehe oben S. 191 ff. Däbritz: Anfänge der Disconto-Gesellschaft S. 158 ff.
301 DZA I Sekretariatsakten Berliner Handelsgesellschaft.
302 Hallgarten I, S. 159.
303 zu den Persönlichkeiten eingehender siehe unten S. 336 ff.

Liberale Erfüllungspolitik im Norden ...

Entsprechend der überwältigenden Mehrheit der Mitglieder des Reichstages[304], die oft unmittelbar, direkt und persönlich am Ergebnis der Verfassungsberatungen interessiert waren, hatte die Verfassung eine Gestalt erhalten, bei der mehr oder weniger wirtschaftliche Vorteile mit machtpolitischen Zielen verflochten wurden. Die gelungene Fundierung des Schutzes und der gemeinsamen Vertretung von Wirtschaftsinteressen im norddeutschen Raum, denen auch die Interessen des Südens entsprachen, kennzeichnete aber auch die Schaffung einer Verwaltung nach liberal-demokratischen Wünschen, ohne daß jedoch die Rechte der alten Führungsklassen abgelöst wurden. Die Verfassung entsprach gleichzeitig der »komplizierten inneren Struktur«[305] Deutschlands und den sozialen und den wirtschaftlichen Belangen seiner versammelten Vertreter. Als erste Aufgabe der parlamentarischen Gesetzes-

304 In der Honoratiorenversammlung des Norddeutschen Reichstags bildeten die Beamten mit 108 Mitgliedern und die Rittergutsbesitzer mit 93 (wovon 37 zugleich Beamtenaufgaben erfüllten) die entscheidende Mehrheit. Die übrigen Sitze teilten sich 18 Kaufleute, 12 Ärzte, 8 Fabrikanten, 8 Journalisten, 5 Handwerker und 5 Soldaten. Kennzeichnend war weiter der hohe Anteil Adliger mit 134 Sitzen, denen 146 Bürgerliche gegenüberstanden. Allein 116 der Bürgerlichen hatten eine akademische Ausbildung, 2/3 aller Mitglieder waren Juristen, 9/10 hatten Großgrundbesitz und Großverdienste. (Die Angaben bedeuten nur Annäherungswerte). Unter den Beamten befanden sich höchste Rangstufen, so Bismarck, v. Bodelschwingh, Camphausen, v. Diest-Daber, v. Frankenberg, v. Hammerstein, v. d. Heydt, v. Itzenplitz, v. Melle, v. Mühler, v. Münchhausen, v. Pückler, v. Schwerin-Putzar, Windthorst. Die Rittergutsbesitzer geben einen repräsentativen Querschnitt der preußischen und neupreußischen Landaristokratie: v. Arnim (Heinrichsdorf und Kröchendorf), von Bassewitz, Baudissin, v. Below, v. Bennigsen, v. Bethmann Hollweg, Biron v. Curland, v. Blankenburg, v. Blumenthal-Suckow, v. Bockum-Dolffs, v. Buchowsky, v. Chlapowski, v. Denzin, zu Dohna-Finckenstein, v. Helldorf, v. Hompesch, zu Solms-Baruth, v. Vincke; die Magnaten mit Hohenlohe, Renard, Henckel, Putbus, Pleß u. a. vertreten ebenfalls repräsentativ die Interessen ihrer schlesischen Besitzungen. Unter den Kaufleuten war mit v. Melle, Ross-Hamburg das Großhandels-Interesse ebenso vertreten, wie mit Schläger, Mammen der Binnenhandel, die Industrie hatte mit v. Unruh, Stumm, Wachler, v. Mallingrodt ihre Sprecher und die Konservativen sahen in v. Roon, v. Steinmetz die Garantien konservativer Ordnung begründet. Die unmittelbare Vertretung des Großkapitals hatte in v. Rothschild ihren repräsentativsten Namen.

305 Herzfeld, Moderne Welt I, S. 197; in den allgemeinen Beurteilungen und in den speziellen Darstellungen von Triepel, Meisner, Becker, Vietsch und Morsey überwiegt die rein staatliche, theoretische Sichtweise und ihre Beurteilungen erhalten auch nur in der politischen Relevanz ihre Begründung. Die verfassungsberatende Vertretung wird zu einsinnig als »gegeben« hingenommen und ihre Tätigkeit wird im Hinblick entweder auf die deutsche Einigung, d. h. deutsche Machtsteigerung oder die Stellung Bismarcks gesehen.

arbeit nahm der Reichstag – den Interessen der versammelten Vertreter entsprechend – den Ausbau der wirtschaftlichen Gesetzgebung mit der Aufhebung des Paßzwanges, der Freizügigkeit, der einheitlichen Maß- und Gewichtsordnung etc. in Angriff.

... und Zollparlamentsannahme in den süddeutschen Kammern

Die Akzentuierung allein des materiellen Ausbaus des Norddeutschen Bundes und damit die Grundlegung der Prinzipien, in der die deutsche Einheit errungen werden sollte, hatte aber nicht nur ihren Grund in den außenpolitischen Spannungen, den parteipolitischen und sozialen Verhältnissen des Nordens. Parallel zu der beginnenden parlamentarischen Arbeit im Norden ratifizierten die Kammern der Südstaaten die Verträge zur parlamentarischen Rekonstruktion des Zollvereins[306]. Die erheblichen und scharfen Widerstände, die dabei vor allem in den Kammern Württembergs[307] und Bayerns[308] gegenüber dem Zollparlamentsprojekt deutlich wurden, zeigten Bismarck, daß die Opposition gegen eine preußische Hegemonie keineswegs erloschen war, sondern im Gegenteil wieder erheblich stieg. Zugleich

306 In Baden erfolgte die Vorlage und Beratung am 19. X. 1867. Beide Kammern akzeptierten einstimmig den Antrag. Hauptsprecher waren der Handelskammerpräsident von Karlsruhe und der Deutsche Handelstagsmann Koelle, dann der Heidelberger Staatsrechtler Bluntschli. Beide sahen im »Zollstaat« den beginnenden Gesamtstaat. (GLA Karlsruhe Abt. 233, Nr. 10 561, Abt. 237, Nr. 17 170, Sitzungsprotokoll II. Kammer Beilage VI. S. 26 ff., Stenogr. Berichte I. Kammer 23. X. 67, Schübelin S. 59 ff.). Hessen akzeptierte mit 31 zu 6 Stimmen, Schübelin S. 66.

307 Am 22. VIII. 1867 hatte König Karl nach der gutachtlichen Äußerung seines Geheimen Rates vom 17. VIII. 1867 den Vertrag angenommen, und nach der »Darstellung und Begründung« der parlamentarischen Rekonstruktion des Zollvereins durch Riecke (29. VIII. 67) wurde im Oktober 1867 mit der Beratung in den Kammern begonnen. (WFStA Ludwigsburg, E 222, Fach 185, Nr. 954.) Die Verhandlungen spitzten sich von vornherein zu, da die Volkswirtschaftliche Kommission der II. Württemb. Kammer die Annahme des Vertrags als Verfassungsänderung beurteilte. Schärfster Gegner jedes Zollvertrages war Moriz Mohl. Trotz vehement geführter Opposition konnte sich die Regierung aber ihre Handelspolitik mit 76 zu 13 Stimmen bestätigen lassen. (Verhandlungen der Württembergischen Kammer der Abgeordneten 1866/68, I Protokolle, APP IX Nr. 236, Anm. 2, Nr. 242, 248, Nr. 253, 260, 268, Rapp S. 247 ff., 250 ff., S. 255 ff.; Schübelin S. 62 f.). Das württembergische Wahlgesetz wurde nach Vorarbeit von Riecke nicht im Plenum angenommen, sondern verordnet.

308 Mit dem Bericht Webers vom 19. VII. 1867 wurde die Vorlage des Zollvereinsvertrages vor den Kammern eingeleitet. (BHStA München MH Nr. 9697). Zusammen mit einem Rechenschaftsbericht seiner politischen Tätigkeit legte Hohenlohe am 8. X. 67 die Verträge der II. Kammer vor. Zustimmung (Völk und Barth) und scharfe Ablehnung (Jörg, Ruhland, Edel) wechselten. Mit 117 zu 17 Stimmen

wurde aber auch deutlich, daß die süddeutsche Opposition bei den Trägern der Wirtschaftsinteressen nur wenig Unterstützung fand. Die Handelskammern[309], vor allem aber auch die Exportindustrie[310], die antiklerikalen Protestanten, die »reichen Kaufleute, Militärs und Offiziere« forderten in Württemberg[311] und in Bayern[312] die Verschmelzung mit dem norddeutschen Absatzgebiet und der preußischen Militärmacht im gleichen Maße, wie Demokraten, Klerikale und Partikularisten zum Kampf gegen die protestantische Militärmacht des Nordens aufriefen[313].

Auf dem Wege zur wirtschaftlichen Einheit

Als Ende Oktober 1867 Bismarck von Baden, Bayern und Württemberg[314] die Zustimmung zum neuen Zollverein erhielt, glaubte er mit den militärischen und wirtschaftlichen Klammern, die er nun um den Süden gelegt hatte und mit den Verhandlungen der Militärkonvention noch legte[315], allmählich auch das verfassungspolitische Aufgehen der Südstaaten in einem preußisch-deutschen Bundesstaat erreichen zu können[315a]. Deswegen begegnete er dem österreichischen Vorstoß in Stuttgart, München und Darmstadt, der Idee eines Südbundes neues Leben zu verleihen, nachdem Preußen Gulden und Soldaten genug habe[316], keineswegs mit Ablehnung, glaubte er doch, daß ein Nord- und Südparlament sich sofort vereinigen würden[317]. Darum beschied er das auf sofortigen Nordanschluß drängende Baden, vorläufig zu warten[318]. Gleichzeitig drängte Bismarck auf die Durchführung

wurde der Vertrag angenommen. Nur äußerst knapp erreichte der Zollvertrag im Reichsrat die 2/3 Mehrheit, mit 35 zu 13 Stimmen. Hohenlohe I S. 268 f., S. 274 f.; APP IX Nr. 235, 247, 249, 250, 253, 256, 258, 259, 271, 274; Schübelin S. 67 ff.

309 WFStA Ludwigsburg E 146—4.67 Nr. 1111: 18. X. 67 Petition HGK Heilbronn; 21. X. 1867 HGK Heidenheim, ebd. Petition der Centralstelle für Gewerbe und Handel; HHStA Wien, PA IV, Nr. 37: 5./24. X. 67 Zwierzina an Beust.

310 WFStA ebd.; HHStA Wien, PA VI, Nr. 31: 25. IX. 67 Chotek an Beust.

311 Rapp. S. 191.

312 Schübelin S. 70, BHStA München MH Nr. 9701.

313 APP IX Nr. 242: 22. X. 67 Rosenberg an Bismarck, Nr. 243, 247: 24. X. 67 Werthern an Bismarck, Nr. 248, 249, 250, 253.

314 APP IX Nr. 271, 272, 274, 286.

315 APP IX Nr. 268: 30. X. 1867 Rosenberg an Bismarck.

315a vgl. S. 266, Anm. 318a.

316 Hohenlohe I, S. 278 f.; Beust II, S. 138; APP IX Nr. 299, Nr. 310: 12. XI. 1867 Werthern an Bismarck, Nr. 318, Nr. 388, Nr. 409, Anm. 4. HHStA Wien, PA IV, Nr. 31: 15. XI. 67 Beust an München; F 34 SR r 3: 10. XI. 67 Beust an Andrassy.

317 Dalwigk S. 350: 19. XI. 1867 Spitzemberg an Varnbüler, nach Schüßler S. 273; GW VII, Nr. 149: 24. I. 1867 Gespräch mit Kronprinz Wilhelm; Nr. 151: Ende Februar 1867 Gespräch mit General Stefan Türr; APP IX Nr. 291, Nr. 339, Nr. 383: Thile an München, Stuttgart, Karlsruhe und Darmstadt.

318 APP IX Nr. 315: 13. XI. 1867 Bismarck an Flemming, Nr. 331: 16. XI. 1867 Türk-

der Zollparlamentswahlen im Süden und auf die Einberufung des Zollparlaments. Denn die lautgewordene süddeutsche Opposition in den Kammern – so hoffte er – würde in den allgemeinen Wahlen zum Zollparlament angesichts der nationalen Sache zum Schweigen kommen[319].

Die Ziele des »Minimalprogramms« schienen erreicht zu sein, trotz des Widerstandes von Beust und Napoleon, trotz der ständig wechselnden Stimmungslage der Regierungen Hohenlohe, Varnbüler und Dalwigk. Die parlamentarische Form des Zollvereins als Durchgangsstadium zur endgültigen Einheit schien erreicht[320], die »zweite« Schlacht bei Königgrätz geschlagen[321]. Mit großen Erwartungen sah Bismarck den vorerst alles entscheidenden Südwahlen, der Einberufung und Tätigkeit des Zollparlamentes (des einzigen politischen Aktivpostens seiner Deutschlandpolitik) entgegen, im Vertrauen darauf, daß »das Kind die vier Wände anschreien und damit für lebensfähig anerkannt werde«[322]. Den ersten Beweis seiner Lebensfähigkeit sollte das Zollparlament im Abschluß des Handelsvertrages mit Österreich bringen, dessen Verhandlungen Beust ja schon während der Luxemburgkrise angestrengt hatte[323] und die er nun, Ende des Jahres, zugleich mit seinen Südbundplänen erneut aktivierte[324].

heim an Freydorf, Nr. 331 Anm. 1, Nr. 356, 357, Nr. 374: 28. XI. 1867 Flemming an Bismarck, Nr. 396.

318a DZA II Rep. 89 H III Deut. Reich 11 Bd. 5: 18. XI. 1867 Bismarck an Wilhelm; 16. XI. 67 KO. Wilhelm.

319 Norddeutsche Allgemeine Zeitung Nr. 264: 10. XI. 1867; APP IX Nr. 315, Nr. 339, Nr. 356; Oncken: Großherzog von Baden II, S. 109 Anm. Nr. 3; die steigende süddeutsche Opposition wird von Schüßler S. 280 vollkommen verzerrt dargestellt, Varnbülers Haltung S. 287 fast böswillig von seinem stupid-nationalistischen Standpunkt verurteilt, ohne daß erkannt wird, daß Varnbüler in all seinen Handlungen nur darauf hinzielte, eine Annäherung zu erreichen, wie sie ihm aus wirtschaftlichen Gründen notwendig schien. Bismarcks Vorgehen mit dem Aufsatz in der Norddeutschen Allgemeinen Zeitung vom 10. XI., in dem betont wurde, daß mit dem Zollparlament die »Zeit gekommen sei«, mit der Einheitslösung zu beginnen, trieb Varnbüler deswegen sofort an die Beustsche Seite (APP IX Nr. 409; Rapp S. 259 ff.).

320 GW VIa Nr. 934, 935, 974.

321 Rapp S. 257.

322 10. XI. 1867 Tauffkirchen an Hohenlohe, nach Schübelin S. 58.

323 siehe oben S. 245 ff.

324 DZA I RKA Nr. 1568; DZA II Rep. 89 H III Deut. Reich Nr. 11 Bd. 5. Bevollmächtigte des Bundesrates des Zollvereins wurden von Preußen u. a. GOFR Henning (12. II. 1868 KO. Wilhelm), Kriegsminister Roon (29. IV. 1869), FR Hasselbach (2. VIII. 1869 für den verstorbenen Henning), Min. Dir. Moser, Oberbaudirektor Weishaupt (9. I. 1879), GOFR Wollny, ORR Nathanius (28. II. 1870) und Generalpostmeister Stephan (27. IV. 1870).

Zweites Kapitel

Festigung der autonomen freihändlerischen Handelspolitik: Zollparlament, Reichsgründung und der Boom der Milliarden

a Bismarcks Politik der materiellen Einigung in der Krise. Das Nein im Süden

Wirtschaftlicher Ausgleich mit Österreich

Nach dem Abschluß des neuen Zollvereinsvertrages bemühten sich Hohenlohe und Varnbüler, ihre Unabhängigkeit von Preußen zu betonen. »Die Bildung eines süddeutschen Bundes«, konnte der österreichische Gesandte in München, Graf Trauttmansdorff, Ende Januar 1868 nach Wien berichten, habe »in letzterer Zeit an Opportunität nur gewonnen«[1]. Wenn sich auch die Südbund- und die Militärunionspläne der Bayern auf den Konferenzen mit den Württembergern nicht erfüllten, so steuerte doch für Bismarck die süddeutsche Regierungspolitik im Herbst und Winter 1867 unübersehbar im Fahrwasser der aufflammenden antipreußischen Agitation im Süden[1a]. Der Süden lehnte einen »Nordeintritt« ab und verstand sich nur dazu, ein »föderatives Zusammenstehen« eventuell »anzubahnen«. Beust und Napoleon nützten sofort die antipreußische Stimmung im Süden[2] und versuchten jede weitere Machtausdehnung Preußens zu verhindern. So war Ende des Jahres 1867 die preußische Deutschlandpolitik zu einem scheinbaren Stillstand gezwungen[3].

In dieser Situation griff Bismarck nun wieder auf die handelspolitische Taktik zurück und akzeptierte nun – dem Rat Delbrücks folgend[4] – den Wunsch Beusts,

1 HHStA Wien, PA IV, Nr. 39: 29. I. 1868.

1a Rapp S. 258 ff.; Schübelin S. 71 ff.; APP IX Nr. 306, Nr. 335, 335 Anm. 4, Nr. 439: 13. XII. 1867 Rosenberg an Bismarck, Nr. 443, 445, 466, 494, Nr. 494 Anm. 3, Nr. 499; HHStA Wien, PA IV, Nr. 37: 1./17./24. XI., 10./29. XII. 1867 Trauttmansdorff an Beust, ebd. PA VI, Nr. 31: 3./25. XI./6. XII. 1867 Chotek an Beust.

2 APP IX Nr. 295, 299, 310, 388; 30. XI. 1867 Flemming an Bismarck, Nr. 409, 449, Nr. 494 Anm. 2 und 3.

3 APP IX Nr. 302, 315, 339: 19. XI. 1867 Bismarck an Werthern, Nr. 340: 19. XI. 1867 Bismarck an Goltz, Nr. 356, 357, 383: 29. XI. 1867 Thile an Südstaaten Missionen, Nr. 386: 29. XI. 1867 Rosenberg an Wilhelm I, Nr. 395, 397.

4 DZA I RKA Nr. 1568: 16. I. 68 Promemoria Delbrück.

»über Preußen« zu einem neuen definitiven Handelsvertrag zwischen Österreich und dem Zollverein zu kommen[5].

Bei der Aufnahme dieser Handelsvertragsverhandlungen leiteten Bismarcks Politik primär politische Gesichtspunkte. Angesichts der unerwarteten, vehementen partikularistischen Wahlpropaganda im Süden schwand Bismarck immer mehr die Hoffnung, mit dem Zollparlament – der materiellen Einigung Deutschlands – den erhofften Schritt zur politischen Einheit tun zu können. Neue Mittel mußten die Süddeutschen zum »Eintritt in den Norden« zwingen. Darum bemühte er sich nun, den Faden zu Österreich nicht vollkommen abreißen zu lassen[6], und lockte Österreich zur Annäherung an Preußen mit dem Köder einer eventuellen Weinzollsenkung – einem alten österreichischen Wunsch[6a]. Zugleich hoffte Bismarck bei einem materiellen Ausgleich mit Österreich und einem prononcierten Verzicht auf weitere Südanschlußpläne über Beust auch mit Frankreich eventuell wieder ein freundliches Verhältnis gewinnen zu können[7]. Schon im November konnte Bismarck konstatieren, daß Beust auf seine »Conjekturen« einging und Preußen »soweit als möglich« entgegenkommen wollte; ja Beust betonte, daß Österreich – sollte Preußen den Weinzoll reduzieren – »noch einmal« die Wünsche des Norddeutschen Bundes in Paris unterstützen wollte[7a]. Napoleon »erwartete« darum auch die Verhandlungsaufnahme seitens Bismarcks wegen der »Weinzollfrage«, und Beust schätzte sich glücklich, »das Object des Zugeständnisses« so gewählt zu sehen, »daß dasselbe sowohl für Österreich als für Frankreich einen Vortheil böte«[7b]. Doch so schnell wollte der Preuße sein Pulver nicht verschießen.

Mit Rücksicht auf Rußland[8] und im Hinblick auf die Zuspitzung der österreichisch-rumänischen Gegensätze Ende des Jahres 1867[9] konnte und wollte Bismarck die Annäherung an Beust und Napoleon nur in äußerst vorsichtiger Form vollziehen[10]. Denn seine Politik verfolgte mit diesen Annäherungsversuchen hauptsächlich den Zweck, die Südstaaten zu beschwichtigen, zu isolieren und dadurch schließlich an Preußen heranzuziehen[11]. Dabei sah er sich von einer heftigen deutsch-nationa-

5 DZA II, AA II, Rep. 6 Nr. 1204; Zimmermann: Handelspolitik S. 62 f.

6 APP IX Nr. 467: 25. XII. 1867 Bismarck an Werther, Nr. 502, 503 Anm. 3.

6a HHStA Wien, ebd. 7. IX. 1867 Beust an Waldkirchen; 17. IX. 1867 Waldkirchen an Beust; 7./8. X. 1867 Beust an Becker und Milinen.

7 APP IX Nr. 465 Anm. 3, Nr. 471, 484: 4. I. 1868 Wimpffen an Beust, Nr. 495.

7a HHStA Wien ebd. 19. XI. 1868 Beust an Wimpffen.

7b ebd. 13. XI. 1867 Wimpffen an Beust, 15. XI. 1867 Metternich an Beust.

8 APP IX Nr. 441, Nr. 473.

9 APP IX, (Nr. 467: 25. XII. 1867 Bismarck an Werther, Nr. 502, 503 Anm. 3), Nr. 385, 413, 432, 451.

10 APP IX Nr. 515, Anm. 2: 11. I. 1868 Reuß an Bismarck.

11 APP IX Nr. 544: 1. II. 1868 Bismarck an Dresden, München, Karlsruhe, selbst Rußland wurde in den »Dienst« gestellt, aufgrund seiner verwandtschaftlichen Beziehungen zu Württemberg gegen demokratisch-partikularistische Wahlen vorzugehen.

len und liberalen Propaganda für die preußische »Einheitspolitik«, die jetzt auf die süddeutsche Opposition gegen Preußen antwortete, unterstützt[12]. Allerdings war Bismarck weit davon entfernt, seine Politik nach liberalen Wünschen zu richten. Vielmehr betrieb er an der Jahreswende 1867/68 wegen der österreichischen, französischen, russischen und innerdeutschen Spannungen eine Politik des prononcierten Desinteressements und der »Saturiertheit« und war nicht willens, sich wegen »Deutschland« oder Rußland in einen Krieg mit Frankreich und Österreich hineinziehen zu lassen[13]. Deswegen brach er vorerst die soeben in Gang gekommenen Tarifverhandlungen mit Frankreich wieder ab und wartete nun seinerseits auf die Angebote von Beust und Napoleon – überzeugt davon, daß Frankreich und Österreich »wie in allem, so auch in dieser Frage seine materiellen Vortheile politischen Motiven unterordne«[13a]. Beust und Napoleon hingegen hofften, »daß Graf Bismarck qui a tout intérêt à ne pas tenir les choses en suspens den niedrigen Satz doch annehmen wird«[13b].

Sie setzten dabei auf Delbrück. Im Gegensatz zu Bismarck waren für Delbrück in stärkerem Maße wirtschaftliche Gründe – denen Bismarck zwar rückhaltlos beistimmte – zur Aufnahme von Verhandlungen mit Beust und Napoleon maßgebend gewesen[14]. Delbrück hatte erkannt, daß Beust mit seiner Annäherung an den Süden Deutschlands die Paralysierung der preußischen Zollparlamentspolitik durch die Errichtung einer Zollunion zu Österreich und einem »Südbund« anstrebte. Dem wollte er sofort zuvorkommen, jeden »Schein« eines Zollbundgedankens verhindern[15]. Dabei verfolgte Delbrück noch ein weiteres preußisches Ziel: die Loslösung Mecklenburgs aus den Spezialbindungen eines separaten Handelsvertrages mit Frankreich[16]. Delbrück spielte nun – unterstützt von Bismarck – die Frage der Reduktion des Weinzolls hoch und fand die sofortige Unterstützung der Österreicher – die mit der Aussicht auf freie Weineinfuhr in den Zollverein von weiteren Zollbundinitiativen Abstand nahmen. Ja, es gelang Delbrück sogar, Beust zu bestimmen, daß dieser seinen Handelsvertragsspezialisten de Pretis zu Verhandlungen nach Paris schickte mit dem Auftrag, im preußischen Interesse bei Napoleon zu intervenieren, nachdem Bismarck die direkten preußisch-französischen Verhandlun-

12 APP IX Nr. 533: 25. I. 1868 Bismarck an Werther.

13 APP IX Nr. 465 Anm. 4 Nr. 484: 4. I. 1868 Wimpffen an Beust, Nr. 495: 7. I. 1868 Spitzemberg an Varnbüler, Nr. 500, Nr. 501, 502, 507, 508, Anm. 3: 11. I. 1868 Loftus an Stanley, Nr. 518, 524, Nr. 524 Anm. 1, 525, 528, 529, Nr. 532: 24. I. 1868 Spitzemberg an Varnbüler, Nr. 535, 536, 537: 29. I. 1868 Bismarck an Paris, London, Wien, Petersburg, Florenz, Dresden, Brüssel, Nr. 538: 30. I. 1868 Thile an Reuß, Nr. 539: 31. I. 1868 Bismarck an Reuß, Nr. 540, 541, 456: 1. II. 1868 Wimpffen an Beust, Nr. 549, Nr. 550: 4. II. 1868 Bismarck an Reuß.

13a HHStA Wien, F 34 r 3 und 4.

13b ebd. 23. XI. 1867 Metternich an Beust.

14 DZA, I RKA 1568: 16. I. 1868 Promemoria Delbrück.

15 DZA I RKA Nr. 1568: 10. II. 1868 Huber an v. d. Heydt und Itzenplitz.

16 Zimmermann S. 62.

gen aus politischen Gründen abgebrochen hatte[16a]. Nach einer kurzen Auseinandersetzung mit Napoleon, in der de Pretis Preußen »verteidigte«, da »Frankreich unangemessene Forderungen stelle«[16b], stimmte Napoleon dem Eintritt Mecklenburgs in den Zollverein zu. Der Franzose hatte also Preußen die Bildung eines einheitlichen norddeutschen volkswirtschaftlichen Raumes zugestanden und dafür einige Liberalisierungen des Zollvereinstarifs »erhandelt« – Vergünstigungen, die aber für Delbrücks Freihandelspolitik keine Zugeständnisse bedeuteten[17]. Nach diesem preußischen Erfolg begannen die Handelsvertragsverhandlungen mit Österreich. Sie sollten, nach der Absicht Delbrücks, zur Tilgung auch der letzten übriggebliebenen Zollunionsphrasen im Vertrag von 1865 führen; darüber hinaus hoffte Delbrück, daß der Zolltarif – besonders für Eisen – radikal gesenkt würde, und schließlich erstrebte der Preuße die Generalisierung und Bindung aller Tarife in allen bestehenden und zukünftigen Handelsverträgen. Diesen nach streng autonomen und pointiert freihändlerischen Prinzipien ausgehandelten Vertrag mit Österreich beabsichtigten Delbrück und Bismarck zur Grundlage für die zukünftige preußisch-deutsche Handelspolitik im Zollparlament zu machen[19]. Dies vor allem anderen schien Delbrück erstrebenswert. Denn Ende 1867 und in zunehmendem Maße im Januar und Februar 1868 kristallisierte sich im Wahlkampf in Süddeutschland immer schärfer eine schutzzöllnerisch-partikularistisch-klerikale Einheitsfront gegen Preußen heraus, die in Bayern, Hessen und vor allem in Württemberg die Unterstützung der Regierungen erhielt[20].

Im Süden wächst die Opposition

Wenn auch die zahlreichen Eingaben, z. B. der westpreußischen Landwirte[21], der preußischen Handelskammern[22] und des Deutschen Handelstages[23] – die von Del-

16a HHStA Wien, F 34 SR r 3: 23. XI., 2./16./20. XII. 1867 Wimpffen an Beust; 2./6. XII. 1867 Metternich an Beust; 30. XI. 1867 Beust an Becker.
16b ebd. 7./20. I. 1868 Beust an Metternich: 19. I. 1868 Wimpffen an Beust.
17 Vgl. allgemein hierzu: DZA I, RKA Nr. 1568/1569.
18 DZA I RKA Nr. 1568: 16. I. 1868 Promemoria Delbrück; Nr. 1581: 18. II. 1868 Promemoria Delbrück.
19 DZA I RKA Nr. 1581: 18. II. 1868 Bismarck (Entwurf Delbrück) an Wilhelm.
20 APP IX Nr. 494: 7. I. 1868 Werther an Bismarck; Nr. 481, 481 Anm. 1, Nr. 521: 20. I. 1868 Werther an Bismarck; Nr. 533, Nr. 543, 551, 553, Nr. 553 Anm. 2, Nr. 563 Anm. 3, Nr. 577; HHStA Wien, PA IV, Nr. 38: 9./29./31. I., 14. II. 1868 Trauttmansdorff an Beust; PA VI, Nr. 32: 17. I./3. II. 1868 Chotek an Beust.
21 DZA I RKA Nr. 1603.
22 DZA I RKA Nr. 199, z. B. 14. I. 1868 HK Breslau, Stettin, Königsberg und Hamburg.
23 DZA I RKA Nr. 1524: 28. II. 1868, RKA Nr. 199: 15. I., 19. II. 1868.

brück bewußt als Agitationsmittel im Süden benutzt wurden[24] —, die freihändlerische Handelspolitik Preußens unterstützten, so drohte 1868 Delbrücks Handelspolitik dennoch erstmals die Gefahr einer gewichtigen Opposition. Eine süddeutsch-westdeutsche schutzzöllnerische Verständigung schien sich zwischen den schroffen Gegnern jeder Preußenannäherung, so vor allem M. Mohl, Vayhinger, Neurath und Schäffle in Württemberg, Meixner, Weber und Schlör in Bayern und den Schwerindustriellen des Rheinlandes[25], anzubahnen. Eine solche Oppositionskoalition beschwor für Delbrück die Gefahr herauf, daß die Arbeit des Zollparlaments, die — nach seinen Vorstellungen[26] — der langerstrebten, einheitlich geführten, radikal freihändlerischen, preußisch-deutschen Wirtschaftspolitik dienen und nach dem Konzept Bismarcks zur politischen Einheit Deutschlands führen sollte, von vornherein blockiert gewesen wäre.

Trotz der ersten krassen Niederlagen der nationalen »klein-deutschen« Parteien bei den Zollparlamentswahlen in Baden und Bayern, trotz der sich im Februar 1868 weiter verschlechternden Beziehungen zwischen Frankreich, Österreich und Rußland, die Preußen in zunehmendem Maße in eine Isolierung trieben, da Bismarck nicht willens war, sich einseitig an Rußland zu binden[26a], und England keiner »bonne entente« mit Preußen bedurfte[27], gelang es, die Verhandlungen mit Österreich schnell zu einem Ergebnis zu führen, das den preußischen Staatsintentionen vollauf entsprach[28]. Anfang März 1868 wurde der Vertrag paraphiert, mit dem die bisher noch gemäßigt schutzzöllnerische Handelspolitik aufgegeben wurde. Österreich verzichtete auf jede Zollbevorzugung oder Zollbundberücksichtigung. Der Vertrag entsprach Delbrücks Plänen, Preußen war »zuvorkommend« gewesen, und die Österreicher waren mit den Verhandlungen auch »ganz zufrieden«. Die innerösterreichische Opposition der Industriellen konnten Beust und de Pretis mit dem Hinweis auf die ungarischen Wünsche übergehen[28a]. Für die Herabsetzung

24 WFStA Ludwigsburg, E 143, Nr. 5514: Eingabe westpreußischer Landwirte, Petition Königsberg (Abschrift), Stettin, Breslau, Hamburg (18. I. 1868), vgl. auch StA Hbg. BR Bevollmächtg. IX, 26, BHStA München MH Nr. 9697.

25 DZA I RKA Nr. 1603: 27. I. 1868 Petition Hörder Bergwerksverein über Reg. Düsseldorf drängte auf Stabilisierung der handelspolitischen Verhältnisse ohne weitere Tarifreduktion, dto. Hagen, HK Essen.

26 DZA I RKA Nr. 1581: 18. II. 1868 Bismarck (entworfen von Delbrück) an König Wilhelm; Nr. 1584: 17. II. 68 Delbrück an Rosenberg.

26a APP IX Nr. 537, 538, 539, 540, 541, 549, vor allem Nr. 550: 4. II. 1868 Bismarck an Reuß, Nr. 555, 556, 559, 560, 561: 5. II. 1868 Reuß an Wilhelm, Reuß an Bismarck, Nr. 603, 607, 636, 637, 644: 4. III. 1868 Reuß an Wilhelm, Nr. 593, 594, 597.

27 APP IX Nr. 581: 13. II. 1868 Bismarck an Bernstorff.

28 DZA I RKA Nr. 1569: 10. II. 1868 Huber an v. d. Heydt und Itzenplitz.

28a HHStA Wien F 34 SR r. 3: 23. I. 1868 Wimpffen / de Pretis Vortrag bei Seiner Majestät; 31. I. 1868 Beust an Wimpffen (Instruktion); 7. II./1. III. 1868 Protokoll der Zolltarifsitzung im österreichischen HM unter Ritter von Maty bzw. HM Edler von Plener, 10./15./18. II., 28./29. II. 1868 Berichte Wimpffen / de Pretis an Beust.

seines Weinzolles und die Bindung der Zollfreiheit für Getreide und Vieh bis 1877 hatte Preußen erhebliche Vorteile für den Export der deutschen Glas-, Ton-, Metall-, Leder-, Färberei- und Papierindustrie erzielt[29]. Wenn auch der Handelsvertrag noch keineswegs den mitteldeutschen Manufakturinteressen und den Wünschen der Küstenstädte entsprach – sie drängten auf völlige Zollbefreiung des Warenaustausches[30] –, so war doch beim Zusammentritt des Zollbundesrates Anfang März 1868[31] die Linie der Handelspolitik, in der sich dann auch tatsächlich die weiteren Handelsvertragsabschlüsse vollzogen, vorgezeichnet.

Das Ergebnis des österreichischen Handelsvertrages war um so bedeutsamer, als sich Ende März 1868 mit den Zollparlamentswahlen in Württemberg die katastrophale Niederlage der Bismarckschen Zollparlaments- und Einigungspolitik abzeichnete, die die Hoffnungen des Preußen auf eine friedliche Einigung, erzwungen durch die materiellen Interessen, momentan vollkommen zerstörte.

Der Süden wählt: gegen »Steuer zahlen ... Soldat sein ... Maul halten«

Im Dezember 1867 und Januar 1868 hatte im Süden der von Preußen so lange erwartete Wahlkampf begonnen, von dessen Ergebnis Bismarck angesichts der außenpolitischen Spannungen im Herbst und Winter 1867 seine ganze Deutschlandpolitik abhängig gemacht hatte. In der wahltaktischen Auseinandersetzung

29 ebd.

30 DZA I RKA Nr. 199: 15. I. 1868 Petition Eisenbahnwagenfabrik Görlitz, o. D. Petition ÄK Berlin; 14. I. 1868 HK Breslau, Magdeburg; StA Hbg. BR-Bevollm. IX, 26; vgl. auch DZA II Rep. 120 C VII, 1 Nr. 10, Bd. 13; WFStA Ludwigsburg E 143 Nr. 5514: 26. IV. 1868 Petition von Memel, Tilsit, Insterburg, Königsberg, Elbing, Danzig, Thorn, Stolp, Kolberg, Swinemünde, Stettin, Anklam, Greifswald, Stralsund, Wolgast, Rostock, Wismar, Lübeck, Kiel, Rendsburg, Schleswig, Flensburg, Apenrade, Tönningen, Altona, Hamburg, Bremen, Emden, Leer, Norden: sie traten vor allem für Zollbefreiung u. a. für Baumwolle und Baumwollwaren ein, dann für Bleiwaren, Bürstenbinder-, Drogerie- und Farbwaren, vor allem für Eisen-, Stahl- und entsprechende Waren. Daneben wird Ermäßigung bzw. Freiheit auf Häute, Felle, Instrumente, Maschinen, Fahrzeuge, Leinenwaren, Konsumartikel (vor allem Butter, Reis, Tabak und Zucker) gefordert; ebd. 27./28./29./30. V. 1868 forderte die III. Delegierten-Konferenz der Handelsplätze Norddeutscher Seegegenden »die erhebliche Herabsetzung« des Zuckerzolls und Eisenzolls, Befreiung des Roheisens und Aufbau eines Zollkreditsystems, StA Hbg.: 18. I. 1868 HK Hamburg fordert »gänzliche Beseitigung aller Zölle.«

31 APP IX, Nr. 645: 5. III. 1868 Hofmann an Dalwigk; WFStA Ludwigsburg, E 222, Z 61, Fach 125 XI, die wesentlichen Sektionen führte Preußen: so Steuer- und Zollsachen Pommer-Esche mit dem Bayern Weber, dem Sachsen Thümmel und dem Württemberger Riecke; Handel und Verkehr wurde von Delbrück mit Riecke und dem Hamburger Kirchenpauer geführt.

rückten die wirtschaftlichen Belange sofort in den Hintergrund, und die politischen Ziele beherrschten allein die Aktionen im Wahlkampf.

In Baden wurde die konfessionelle, kulturpolitische Frage in den Vordergrund gespielt, mit dem Erfolg, daß am 18. Februar 1868 die Deutschnationalen nur 8 von 14 möglichen Mandaten erringen konnten. Liberale Führer, wie z. B. der Karlsruher Bankier Koelle, wurden nicht gewählt; andere, so z. B. Roggenbach, Fauler, Dennig, Diffiné, Herth und Bluntschli, konnten nur mühsam ihre Stimmen aus städtischen und protestantischen Kreisen sammeln. Damit erhielt die kleindeutschnationale Politik der badischen Kammern, die einstimmig das Zollparlamentsprojekt akzeptiert hatten, eine eindeutige Niederlage[32].

Zuvor schon, am 10. Februar 1868, hatten in Bayern der bayrische Klerus, Wittelsbach und »Großdeutschland« gegen die Anhänger der »protestantischen Militärmacht« gesiegt. Von 48 Sitzen errangen die Partikularisten 26 Sitze; allein 15 Freiherrn, Barone und Grafen zogen als bayrische Vertreter in das Zollparlament ein. Die Industriellen als Träger der Nationalen Partei hatten sich gegenüber Regierung und Klerus nicht durchsetzen können[33].

Am schärfsten wurde der Wahlkampf in Württemberg gegen »Steuer zahlen ... Soldat sein ... Maul halten«[34] geführt. Von 17 Sitzen errangen am 24. März 1867 die »Nationalen« keinen einzigen. 6 Sitze konnte die »Regierung« mit Varnbüler, Mittnacht, Bankier Dörtenbach, KR Knosp, Kaufmann Ramm und Reibel gewinnen, 10 die »Großdeutschen« mit Innenminister Neurath, Ammermüller, Deffner, Freisleben, Österlen, Probst, Erath, Tafel und den beiden prononciertesten Schutzzöllnern Mohl und Vayhinger. Mit der Wahl des Staatsrechtlers Schäffle wurde das antipreußische Ergebnis[35] abgerundet.

32 DZA I RKA Nr. 1580; APP IX Nr. 620; Schübelin S. 77, Windell S. 124 ff.

33 APP IX Nr. 596, 608; BHStA München MH 9697; DZA I RKA 1580 mit Schlör, Hohenlohe, Meixner, Neumayr, Ow, Schrenck, v. Thüngen, v. Stauffenberg, v. Guttenberg waren die Regierungsvertreter in repräsentativem Querschnitt gewählt. Jordan-Deidesheim, Barth und der Augsburger Völk und die Bankiers und Kaufleute Wild, Feustel, Jansen, Vester repräsentierten die Nationalen, in Jörg (Archivar aus Landshut) hatten die Partikularisten ihren wortgewaltigsten Vertreter. HHStA Wien, PA IV, Nr. 38: 14./22. II. 68 Trauttmansdorff an Beust. Vgl. Schübelin S. 100 ff.; H. Spiethofer: Bayrische Parteien und Parteipublizistik in ihrer Stellung zur deutschen Frage 1863–1870, in: Obb. Archiv, 1922, Bd. 63, S. 197; Schieder: Kleindeutsche S. 156 ff., Windell S. 124 ff., Becker: Bismarcks Ringen S. 583 ff.

34 Rapp S. 279. AA Bonn, AAn Nr. 26, 10. III. 1868 Rosenberg an Bismarck.

35 HHStA Wien, PA VI, Nr. 32: 24. III. 68 Chotek an Beust; Rapp S. 271 ff., S. 282, 286 f.; Schübelin S. 86 ff., Windell S. 131 ff., DZA I RKA Nr. 1580; zur württembergischen regierungsamtlichen Wahltaktik vgl. auch DZA I RKA Nr. 1579; WFStA Ludwigsburg, E 222, Fach 193, Nr. 1162; betr. die Beschwerden und WFStA Ludwigsburg, E 143, Nr. 4499, 4501, 4510, 4512, APP IX Nr. 657, 689, 689 Anm. 1 und 3, Nr. 692, 693.

In Hessen schließlich konnte am 31. März 1868 die Deutsche Partei von 6 doch immerhin 3 Sitze gewinnen: Metz, Bamberger, Kugler[36].

Der Wahlkampf war mit leidenschafterregender Schärfe geführt worden, um so tiefer war die Wirkung seines Ergebnisses[37]. Im Süden feierten die Demokraten und Patrioten ihren Sieg mit großem Triumph:

»Siegen – wir hattens nötig ... Seit Königgrätz kein Sonnenblick, Verpreußung überall. Abfall durchgehends. Lumpokratie unten, Schurkokratie oben. Vaterland verloren, Freiheit verloren. Da tritt das Volk auf den Plan ... Die das Richtbeil küssen, das Deutschland zerschlagen ... sie liegen im Staube. Die den Henker verehren, die das Vaterland getötet – die liegen im Staube«[38].

Weniger vehement als die »Demokratische Korrespondenz« Württembergs kommentierte der »Staatsanzeiger« das Ergebnis der Wahl: es zeige »die vollste Übereinstimmung« darüber, »daß diejenige Grenze, welche der Vertrag vom 8. Juli v. J. dem Zollparlament gezogen hat, nicht überschritten werden solle«[39]. Diese Maxime vereinte die Vertreter der süddeutschen Regierungen, des Klerus, des Adels und der Demokraten gegen Preußen. Zugleich verband die Gegner jeder Kompetenzerweiterung des Zollparlaments[40] die Betonung der historischen Selbständigkeit ihrer Länder[40a].

»Kleindeutschland« wird im Süden abgelehnt

Während die »nationalen« Abgeordneten des Südens im Zollparlament Anschluß an die Liberalen oder an den Fortschritt suchten, vereinten sich die »Patrioten« in der »Süddeutschen Fraktion«. Mit ihrer großen Zahl von hohen Regierungsbeamten und Vertretern des süddeutschen Adels repräsentierte die Fraktion die gleichen sozialen Schichten wie die Altkonservativen im Norddeutschen Reichstag[41]. Und süd- und norddeutsche Konservative verbündeten sich dann auch sofort gegen Bismarcks pseudoliberale Politik. Selbst Hohenlohe wurde die »Zuneigung der Natio-

36 DZA I RKA 1580, WFStA Ludwigsburg, E 222, Fach 193, Nr. 1162; BHStA München MH Nr. 9697, E. Götz: Die Stellung Hessen-Darmstadt zur deutschen Einigungsfrage in den Jahren 1866–1871, Diss., Darmstadt 1914, S. 43.

37 APP IX Nr. 622, 657 Anm. 2, 697.

38 nach Rapp S. 286.

39 ebd.

40 WFStA Ludwigsburg, E 222 Z 61, Fach 125, XI: Bericht Rieckes April 1868.

40a HHStA Wien, PA IV, Nr. 38: 19. IV. 1868 Zwierzina an Beust.

41 Die Zusammensetzung des Zollparlamentes zeigte gegenüber dem Norddeutschen Reichstag zwei bedeutsame Veränderungen: einmal erhielten die Journalisten, Ärzte, Professoren, Handwerker und Soldaten einen verschwindend geringen Zuwachs, zum anderen gesellten sich zu den 108 Beamten weitere 70, womit die Großlandwirte, meist Adlige, mitgezählt werden müssen, da sie zugleich staatliche Funktion, z. B. als Landräte, ausübten. Auch bei den bürgerlichen Vertretern do-

nalliberalen ... ordentlich unheimlich«[42], unterhöhlte doch ihre Unterstützung seine Stellung in Bayern[42a]. Die Bedeutung der süddeutschen Opposition und ihrer wechselnden Verbündeten kam schon bei den ersten Debatten um das Präsidium[43], um die württembergischen Wahlergebnisse[44] und um die Einigungsadresse Bennigsens[45] an Wilhelm I. zum Ausdruck.

In allen Fragen setzten sich die Süddeutschen dem liberalen Bemühen der Einigungspolitik, moralische Erfolge zu gewinnen, entgegen und siegten[46]. Schon nach Abschluß der ersten Sitzungsperiode konnte Graf Trauttmansdorff Beust berichten, daß nach seiner »Auffassung ... durch die Zollparlamentssession, die Tendenz welche pure auf eine Erweiterung des Nordbundes gerichtet ist kaum Fortschritte gemacht hat«. »Vielmehr« habe »die Parthei, welche dieses Ziel verfolgen will«, bei der preußischen Regierung »keine thätige oder sichtbare Unterstützung« gefunden[46a].

Bismarck paßt sich an

Bismarcks und der Liberalen Hoffnung auf das Zollparlament war nun endgültig gescheitert, seine Politik der materiellen, friedlichen Einigung war in eine Krise geraten. Schon dem Eröffnungsgottesdienst des Zollparlaments lag der Text zugrunde: » ... und ich habe Schafe, die sind nicht aus meinem Stalle ...«

minierte die akademische, ausschließlich juristische Ausbildung. Im Gegensatz zum Norden konnten sich im Süden weniger Industrielle, sondern mehr Bankiers und Kaufleute durchsetzen. Unter den 10 Vertretern sind vor allem der Bayreuther Feustel und der Württemberger Dörtenbach zu nennen. Überhaupt repräsentierten den Süden in noch ausgesprochenerem Maße als im Norden Regierungs- und Staatsvertreter, ganz entsprechend seiner noch weniger industrialisierten ökonomischen Struktur (WFStA Ludwigsburg, E 222, Fach 193, Nr. 1162.)

42 Hohenlohe I S. 304.

42a APP X Nr. 47: 29. V. 1868 Radowitz an Bismarck.

43 Bluntschli: Denkwürdigkeiten II, S. 187 ff.; DZA I RKA Nr. 1588, Protokoll 1868 S. 10 ff.

44 DZA I ebd. Protokolle S. 27 ff.

45 DZA I ebd. Protokoll Beilage Nr. 7 S. 95 ff.; APP X Nr. 18 Anm. 3: 7. V. 1868 Wilhelm I. an Königin Augusta, 18. V. 1868 Wimpffen an Beust.

46 APP X Nr. 24: 14. V. 1868 Türckheim an Freydorff, Nr. 37: 23. V. 68 Türckheim an Freydorff, Nr. 37 Anm. 1: 21. V. 68 Wilhelm an Augusta; 23. V. 68 Hofmann an Dalwigk; 23. V. 68 Bliss an Steward, 3. VI. 68 Rosenberg an Bismarck; 10. VI. 68 Gessler an Ludwig II.; HHStA Wien, PA IV, Nr. 38: 20./30. V. 1868 Trauttdansdorff an Beust; PA VI, Nr. 32: 8. V. 1868 Chotek an Beust; PA III, Nr. 99: 3./5./13./23. V. 1868 Wimpffen an Beust. Schübelin S. 106 ff., S. 112 ff., S. 119 ff., Rapp, S. 289 ff.

46a HHStA Wien, PA IV, Nr. 38: 30. V. 1868.

»Die Wahlen zum Zollparlament«, resumierte er deswegen vorerst resignierend gegenüber dem württembergischen Generalstabschef von Suckow, »wie sie nun einmal ausgefallen sind, haben gezeigt, daß der Süden vorerst keine weitere Verbindung mit dem Norden haben will, als Zollvertrag und Allianzvertrag. Der Norden hat keinen Grund, mehr zu verlangen, denn militärisch ist die Verbindung mit dem Süden keine Verstärkung für uns strategisch genommen, und politisch haben wir kein Bedürfnis, uns mit den heterogenen Elementen im Süden zu verschmelzen, wo man nicht weiß, ob die Partikularisten oder die Demokraten die ärgeren Freunde Preußens sind«. Weil »von diesem Zollparlament ... nichts weiteres zu erwarten« sei, betonte Bismarck seine nun verfolgte abwartende Politik, sollten »die Vertreter im Zollparlament ein paar Jahre beieinander gesessen sein, dann wird Versöhnlichkeit eingetreten sein. Wir tragen alle die nationale Einigung im Herzen, aber für den rechnenden Politiker kommt zuerst das Notwendige und dann das Wünschenswerte, also zuerst der Ausbau des Hauses und dann dessen Erweiterung[47].«

An dieses politische Konzept – »Ausbau des Hauses« –, das Bismarck in den ersten Wochen der Zollparlamentssession noch öfter betonte[48], hielt er sich. Trotz zum Teil schärfster Opposition der Konservativen im Norden trieb Bismarck in den folgenden Jahren die wirtschaftliche Gesetzgebung des Norddeutschen Bundes voran und arbeitete mit Delbrück bis 1870 an der Erfüllung der liberalwirtschaftlichen Zielsetzung »vieler Jahrzehnte«[49]. Mit dem Süden versuchte er im Zollparlament, trotz der Politik der Negation durch die »Süddeutsche Fraktion« wenigstens in der Handelspolitik zum gemeinsamen Handeln zu kommen und die Chance der »moralischen Werbung« für ein kleindeutsches Reich in allen Steuer- und Zolldebatten wahrzunehmen[50]. Als Mittel für seine »deutsche« Politik aber hatte das Zollparlament ausgedient[51]. Von nun an benützte er eine andere Taktik zur Sicherung und Verbreiterung der preußischen Großmachtstellung: innenpolitisch hoffte er auf die politische Relevanz des wirtschaftlichen Ausbaues des norddeutschen »Hauses«, und außenpolitisch griff er wieder ganz auf den Stil der Kabinettspolitik zurück – ohne jedoch das Leitseil zur nationalen Bewegung zu verlieren –, die Freundschaft mit Rußland zu halten, Österreich damit zu paralysieren, die Freundschaft mit England zu suchen, ohne sich jedoch im Orient zu engagieren, und bei allen Aktionen die Gefahr der französischen Eifersucht nicht zu

47 GW VII Nr. 201: 11. V. 1868 Gespräch mit Suckow.

48 GW VII Nr. 199, 202, 203.

49 Treitschke: Reichstag und Parteien S. 644.

50 DZA I RKA Nr. 1588; Stenogr. Berichte 15. V. 1868 S. 206 z. B. bei der Tabaksteuer; Becker: Bismarcks Ringen S. 591 ff. vertritt die gegensätzliche Meinung, ohne Dokumente anzuführen.

51 So erschien Bismarck in der zweiten Sessionsperiode noch einmal, im Jahre 1870 blieb er der Tagung fern, Schübelin S. 130 f., Becker: Bismarcks Ringen S. 592; Pflanze S. 399 ff.

unterschätzen; er war nicht willens, die Uhren vorzustellen, aber bemüht, »die Verhältnisse« so zu entwickeln, daß er sie als »Vorbedingung practischer Politik« im richtigen Augenblick entscheidend für die preußische Zielsetzung einsetzen konnte[52].

b Konstitutionalismus und liberales Wirtschaftssystem: Von der materiellen zur politischen Einheit

Die Entente Frankreich – Österreich

Sofort nach der Gründung des Bundeskanzleramtes hatte mit der wirtschaftlichen Gesetzgebung das »Umsetzen der Verfassungsartikel in die Praxis«[53] begonnen. Ganz im Zeichen der Realisierung freihändlerisch-liberaler Ideen, zugleich als moralische Werbung gegenüber dem Süden (auch als vorübergehende Anpassung an dessen wirtschaftlich-fortgeschrittenere Gewerbegesetzgebung) gedacht, war die Aufhebung des Paßzwanges (10. Dezember 1867) und die Kodifizierung der wirtschaftlichen Freizügigkeit (1. November 1867) ratifiziert worden. Auch das Scheitern der Zollparlamentspolitik im März 1868 führte nicht von der eingeschlagenen Linie ab; im Gegenteil, die Aufgabe, den vorläufig auf den norddeutschen Raum beschränkten wirtschaftlichen und verfassungspolitischen Ausbau des Bundes – gleichsam als Modell der späteren Reichsstruktur – voranzutreiben, rückten Delbrück und Bismarck nun erst recht in den Mittelpunkt ihrer innenpolitischen Arbeit, die für Bismarck zugleich wesentliche Bedeutung für die außenpolitische Sicherung der neuen politischen Ordnung nach 1866 hatte[54].

Mit der Einberufung des Zollparlaments waren die vorübergehenden Annäherungsversuche Preußens an Frankreich und Österreich[55] wieder abgebrochen worden. Beust verhielt sich äußerst reserviert gegenüber Preußen; er betonte, mit dem Zollparlament sei die äußerste Grenze des im Prager Frieden festgelegten Status erreicht[56]. Drohend ließ er Bismarck wissen, daß er hoffe, »daß es Bismarck gelingen werde, die Thätigkeit jener Versammlung auf das handelspolitische Gebieth zu beschränken ... im entgegengesetzten Falle es uns nicht gestattet (sein) würde *gleichgültige* Zuschauer von Demonstrationen zu bleiben, welche die Natur des Zoll-

52 GW VI b Nr. 1327: 26. II. 1869 Bismarck an Werther.

53 Morsey S. 51

54 GW VII, Nr. 201, 203.

55 s. o. S. 267 f.

56 APP IX Nr. 729: 14. IV. 68 Beust an Wimpffen; Nr. 745: 20. IV. 68 Wimpffen an Beust, Nr. 746, 747: 21. IV. 68 Bismarck an Werther, Nr. 753, 755: 23. IV. 68 Werther an Bismarck; vgl. wesentlich die Anm. 10, APP X Nr. 5: 1. V. 68 Bismarck an Werther; vgl. auch AA Bonn I. Östr. Bd. 11a; APP X Nr. 20, Nr. 20 Anm. 3.

vereins verändern«[56a]. Gleichzeitig versuchte nun der Österreicher mit allen Mitteln, seine Orientpolitik zu aktivieren[57] mit dem Ziel, sowohl die »Nordmacht« Preußen im Süden Deutschlands als ein Anhängsel Rußlands zu kompromittieren und dadurch zu isolieren als auch ein französisch-österreichisches Bündnis über die Orientfrage[57a] zu erreichen.

Nicht zuletzt diente Beusts außenpolitische Aktivität auch dazu, von den inner-österreichischen Auseinandersetzungen um den preußisch-österreichischen Handelsvertrag abzulenken. Der freihändlerische Vertrag mit Preußen traf nämlich in Wien auf den erbittertsten Widerstand der alten schutzzöllnerischen Garde[58] und trieb Beust zur diplomatischen Aktion der Öffnung und Reservierung des Balkanmarktes für die österreichische Industrie. Zugleich begann 1868 die enge kapitalistische Verflechtung zwischen Wien und Paris. Im Zeichen der Absatzbeschaffung für die österreichischen Industriellen wurden neue große Eisenbahnprojekte geschaffen, so die Elisabeth-West-Bahn, die Ferdinands-Nordbahn und die ungarische Ostbahn[59]. Die Kapitalien für diese Bauten beschaffte zumeist das Rothschildkonsortium Wien-Paris, das seine »Sicherheit« in dem französisch-österreichischen Zusammengehen gegeben sah. Während die Berliner Finanz, die nach 1866 zum Geldgeber Deutschlands wurde, mühsam ihre Vermittlerrolle durch Konsortialoperationen 1867/68 fortführte, wurde 1868 das Konsortium der »Société générale« – Durand-Rothschild »mittels der ihm aus dem französischen Ministerium der Auswärtigen Angelegenheiten zufließenden politischen Nachrichten Herr der Hauptbörsen Europas« und intensivierte über die Bahnbautätigkeit in Österreich vor allem das Anleihegeschäft mit der Türkei und Griechenland. »Sicherheit« dieser Transaktionen war wiederum die Kooperation mit der Hofburg, die nicht nur wegen ihrer politischen Zielsetzung »gern« zum Schuldner Frankreichs wurde, sondern sich auch an den Transaktionen mit Gewinn beteiligen konnte. Zugleich wurde die »Korruption unter den höchsten österreichischen Beamten maßlos . . . die Erteilung von Eisenbahn- und anderen Konzessionen in Wien förmlich tarifiert«[61]. Auf dieser Basis lukrativer Spekulationen ist, sie bedingend und von ihr abhängig zugleich, die französisch-österreichische Entente des Jahres 1868 zu sehen.

56a HHStA Wien, PA III, Nr. 99: 15. IV. 1868.

57 Die diplomatischen Schachzüge der beiden Parteien – Beust-Napoleon und Bismarck-Gortschakow – können in diesem Zusammenhang in ihrer politischen Relevanz nur gesehen werden, soweit sie das Problem der deutschen Handelspolitik wesentlich berührten. APP X Nr. 31: 20. V. 1868 Bismarck an Bernstorff, Nr. 55: 8. VI. 1868 Gagern an Dalwigk, Nr. 56: 9. VI. 1868 Keyserling an Bismarck, Nr. 63: 12. V. 1868 Goltz an Bismarck, Nr. 65: 12. VI. 1868 Wimpffen an Beust.

57a APP IX Nr. 704: 3. IV. 1868 Brassier St. Simon an Bismarck. APP X Nr. 32: 20. VI. 68 Werther an Bismarck.

58 Zimmermann S. 63.

59 s. u. S. 321.

60 APP X, Nr. 416 Anm. 6: 6. I. 1869 Bamberger an Bismarck.

61 ebd. 12. I. 1869 Bamberger an Keudell.

Eine europäische, katholische Wirtschaftsliga?

Hatte Napoleon sich noch im Herbst 1867 den Plänen Beusts gegenüber reserviert verhalten, so veränderte die Einberufung des Zollparlaments erneut seine Haltung[62]. Giftig ließ er in Berlin anfragen, »ob die Fürsten einen Eid auf Preußen leisten« würden? Die politische Konversation zwischen Preußen und Frankreich schlief wieder einmal ein[63]. Napoleon intensivierte nun neben der Unterstützung für Beusts[64] Orientpolitik und der Pflege der württembergischen Opposition gegen Preußen[65] und auch der Welfenaspirationen[66] sein Bemühen um einen Zollbund mit Belgien und Holland[67] und hoffte zugleich auf eine Zollverbindung mit Italien und Österreich[68]. Mit dieser »katholisch-wirtschaftlichen Liga«, an die sich dann auch ein deutsch-österreichisch-schweizerisch-württembergisch-bayrischer Südbund[69] anlehnen sollte, wäre die politische Aktivität Rußlands, dessen Ententefreund Preußen war, zugunsten Österreichs gebremst worden. Außerdem wäre eine weitere Ausbreitung der norddeutschen Großmacht über den Main hinaus blockiert gewesen. Das Projekt blieb keineswegs eine nur akademische Erwägung, sondern wurde mit einer gezielten Pressekampagne[70] und bewußten Indiskretionen[71] im Juli/August durchgespielt. Auch im Norddeutschen Bund wurde Napoleons Bemühen mit »Sorge« verfolgt und sein Projekt als »nicht ganz unbegründet«[72] angesehen, wenigstens was die »Bildung von Militairconventionen«[73] betraf. Die französische öffentliche Meinung – nach Eulenburg durch »Wohlhabenheit und Preußenfeindlichkeit«[74] gekennzeichnet – unterstützte die antipreußische Operation

62 APP IX Nr. 706: 3. IV. 68 Goltz an Bismarck, 695 Anm. 2: 10. IV. 1868 Privatbrief aus Paris; Nr. 726: 14. IV. 1868 Bernstorff an Bismarck, APP X Nr. 2: 29. IV. 1868 Goltz an Bismarck, Nr. 4: 1. V. 1868 Bismarck an Goltz, Nr. 26 Anm. 2.

63 AA Bonn I, Österreich 54 Bd. 11 a: 29. IV. 1868 v. d. Goltz an Bismarck.

64 APP X Nr. 28 Anm. 1; Nr. 28, 31; Nr. 56: 9. VI. 68 Keyserling an Bismarck; Nr. 30.

65 APP X Nr. 50: 4. VI. 68 Rosenberg an Wilhelm, Nr. 53: 6. VI. 68 Radowitz an Bismarck; Nr. 75, 93: 13. VII. 68 Rosenberg an Bismarck, Rapp S. 303 ff.

66 APP X Nr. 58: 9. VI. 68 Goltz an Wilhelm; Nr. 59, Nr. 59 Anm. 5 und 8; Nr. 61: 10. VI. 68 Goltz an Bismarck.

67 AA Bonn I AB c (Frankr.) Nr. 64: 7. VII. 68 Balan an Bismarck.

68 APP IX Nr. 695: 1. IV. 1868 Arnim an Bismarck, APP X Nr. 13: 7. V. 1868 Goltz an Bismarck; Nr. 96: 17. VII. 1868 Usedom an Bismarck; Nr. 103: 27. VII. Übel an Bismarck; GW VI a, Nr. 1176 – Nr. 1179.

69 AA Bonn I ABc (Frankreich) Nr. 64: 8. VII. 1868; Rapp S. 312 ff.; HHStA Wien, PA IV, Nr. 38 / PA III, Nr. 99: 22. VII. 68 Münch an Beust.

70 APP X Nr. 34, Nr. 34 Anm. 5; Nr. 45; Nr. 45 Anm. 2; AA Bonn ebd. 17. VII. 1868 Usedom an Bismarck; 8. VII. 68 Artikel der »Indépendance«.

71 APP X Nr. 95: 15. VII. 1868 Solms an Bismarck; AA Bonn ebd. 23. VII. 1868.

72 AA Bonn ebd. 29. VII. 1868 Alvensleben an Bismarck.

73 AA Bonn ebd. 29. VII. 1868 Alvensleben an Bismarck, 2. IX. 1868 Werthern an Bismarck, 4. X. 1868 Perponcher an Bismarck.

74 AA Bonn I AAa Nr. 63: 19. IX. 1868 Eulenburg an Bismarck.

Napoleons und lähmte Bismarcks weiteres Vorgehen in der Deutschlandfrage. Bismarck versuchte wohl sofort, die Napoleonische »Kontinentalsperre« in England politisch nutzen zu können, und hoffte, England an Preußen heranzuziehen. Doch London verhielt sich gegenüber den Zollbundplänen Napoleons vollkommen passiv[75]. In Italien hatte Bismarck mehr Glück. Hier gelang es ihm, durch ein Eingehen auf dessen »natürliche« Wünsche, Italien zu »neutralisieren«[76]. Doch schwierig war die preußische Stellung weiterhin; denn mit Rußland, mit dem Bismarck Mitte März – wenn auch kein Bündnis abgeschlossen wurde – doch erneut seine »Solidarität« befestigt hatte[77], konnte sich Preußen wegen der Orientfragen nicht vorbehaltlos verbinden[78].

So war Preußens Stellung trotz der preußisch-russischen Solidarität Mitte 1868 isoliert, wie es sich z. B. im Ausgang der Landtagswahlen in Württemberg, die wiederum einen vollständigen Sieg der großdeutsch-klerikalen-demokratischen Parteien ergaben[79], und zum anderen im Verlauf des »Deutschen Schützenfestes« im »Deutschen Wien« im Hochsommer 1868 zeigte. Als Demonstration der Einheit des Deutschtums gegen Großpreußen gedacht[80], erfüllte das Schützenfest vollkommen seinen Zweck. Besonders in Württemberg wurde immer schärfer die antipreußische Stellung betont: »Auch die Eisen- und Blutpolitik ist zu schwach, zwischen Österreich und Süddeutschland eine Kluft zu reißen«[80a], berichtete der Besigheimer Karl Mayer nach Hause, und die Demokraten Württembergs sahen ihre Hauptaufgabe darin, »die Gefahr der Verpreußung zu bannen«. Die Wahlerfolge unterstützten ihre Politik: »Großpreußen zieht die Klauen ein; Deutsch-Österreich ist wieder eine Macht ... wir wehrten uns gegen Groß-Preußen, um uns für Deutschland zu retten«[81]. Gerade die Überzeugung, für Deutschland zu arbeiten und gegen die preußische Knechtschaft anzutreten, beseelte in zunehmendem Maße auch die süddeutschen Volksvertretungen, und – wenn auch modifiziert – die Regierungen. Das alte Programm der Trias wurde wieder lebendig. Hohenlohe ver-

75 AA Bonn I ABc (Frankreich) Nr. 64: 1. VIII. 1868 Katte an Bismarck.
76 APP X Nr. 96 Anm. 1; Nr. 108 Anm. 2: Thile an Usedom. Nr. 111, Nr. 116: 12. VIII. 1868 Thile an Werther.
77 APP IX Nr. 538, 546, 444, 559, 560: 5. II. 1868 Reuß an Wilhelm; Nr. 561: an Bismarck; Nr. 603: 18. II. 1868 Zar Alexander an Wilhelm; Nr. 644: 4. III. 1868 Reuß an Wilhelm, Nr. 662: 12. III. 1868 dto.; Nr. 678; Nr. 690: 27. III. 1868 Reuß an Bismarck; Nr. 716; Nr. 716 Anm. 1. Zum Hintergrund dieser Verhandlungen seit 1866 vgl. W. E. Mosse: European Powers S. 253 ff.; Becker S. 625 ff.; G. Heinze: Bismarck und Rußland bis zur Reichsgründung, Würzburg 1939, S. 74 ff.; W. Ebel: Bismarck und Rußland vom Prager Frieden bis zum Ausbruch des Krieges von 1870, Gelnhausen 1936, S. 48 ff.
78 APP IX Nr. 681, 688, 710: 7. IV. 1868 Bismarck an Reuß.
79 Rapp S. 303, HHStA Wien PA VI, Nr. 32.
80 APP X Nr. 104: Werther an Thile; Nr. 104 Anm. 3: Promemoria Thile.
80a Rapp S. 308.
81 nach Rapp S. 314.

suchte sofort, die Konjunktur für seine Militärpläne zu benutzen, zeigte gegenüber Österreich »gute Stimmung« und rief Varnbüler zu erneuten Militärverhandlungen nach München – die sich aber ohne großen Erfolg bis Oktober 1868 hinschleppten[82].

Bismarcks Germanentheorie

Die süddeutsche Opposition war also noch nicht gebrochen. Hinzu kam, daß der preußische Staatshaushalt durch die Kriege von 1864 und 1866 und durch die danach einsetzende wirtschaftliche Hausse vollkommen erschöpft war[82a]. So blieb Bismarck nur die demonstrative Beteuerung der friedlichen Absichten Preußens[83] und der Ausbau der Militärkonventionen mit dem Süden, die er auch im Juni erreichte[84]. Zwar betonte Bismarck gegenüber dem Heidelberger Staatsrechtler und badischen Zollparlamentsabgeordneten Bluntschli selbstbewußt, »die Scheu vor Frankreich hält mich keinen Augenblick von weiterem Vorgehen in deutschen Sachen zurück ... Alle unsere Generale haben dieselbe Meinung... Österreich wird unter allen Umständen neutral bleiben ... Den Russen brauchen wir gar nichts zu geben für einen Krieg mit Frankreich. Ihre schwache Seite ist Polen ... Mit England stehen wir ausgezeichnet ... in Italien (ist) ein uns feindliches Ministerium nicht möglich«[85], dennoch war »man« in Preußen weit davon entfernt, handeln zu können. Hieraus auch resultierte die Ansicht Bismarcks, daß eine kriegerische Lösung des Südanschlusses den innenpolitischen Kampf nur fortschleppen würde. Der Südanschluß sollte nicht mehr sofort erzwungen werden. Diese Ansicht enthüllte Bismarck nun nicht direkt. Gegenüber dem glühenden Nationalisten Bluntschli umschrieb er seine neue Taktik in der Deutschlandpolitik behutsam – aber ganz der Ideenwelt und dem Wunschdenken des Heidelberger Staatsrechtlers angepaßt: »Die Germanen sind so sehr männlich«, resümierte Bismarck nach einem »phantastischen« Vergleich – in Übernahme von Gedanken Gobineaus – über die männliche (Germanen) und weibliche (Russen und Kelten) Natur der Völker, »daß sie für sich allein geradezu unregierbar sind.« Vornehmlich »die Westfalen und Schwaben« hatte er – bezeichnenderweise gegenüber Bluntschli – im Auge als »echte

82 HHStA Wien, PA III Nr. 99: 25. V., 27. VII., 5. VIII. 1868 Wimpffen an Beust, PA IV Nr. 38: 3./17. VII., 10. VIII., 7./18./26. IX.: 10./19./24. X. 1868: Trauttmansdorff an Beust.

82a Disconto-Festschrift 1903 S. 32 f., S. 110 ff.; HA-Berlin Rep. 109, Nr. 3075 vor allem 5380 und 5003 bis 5010 betreff 4 1/2 % Staatsanleihen 1867 und 1868, DZA II Rep. 151 neu HB Nr. 674, 675, 676 ebd. Tit. 30, 9 Nr. 14a ebd. Tit. 24 Nr. 12 Pack 831. HHStA Wien, PA V, Nr. 36: 18. IV. 68/22. V. 69 Werner an Beust.

83 So durch die über Rothschild publikgemachte Beurteilung der preußischen Truppen, AA Bonn IAAa Nr. 63: 23. IV. 1868 Keudell an Bismarck.

84 APP X Nr. 83: 29. VI. 68 Moltke an Bismarck Nr. 89.

85 GW VII, Nr. 199: 30. IV. 1868.

Germanen ... die schwer an den Staat zu gewöhnen seien, im Gegensatz zum germanisch-slawischen Mischvolk der Preußen«, deren »staatliche Brauchbarkeit« von Bismarck gerade in dieser Mischung gesehen wurde. Jedoch auch die »reinen« Germanen wären zu führen, »wenn sie«, so memorierte er, »von einem *nationalen Gedanken* erfaßt sind«, wenn sie »wild werden, so schlagen sie Felsen zusammen«[86]. Damit hatte er seine neue Taktik in der Deutschlandfrage — bewußt gerade gegenüber dem national gestimmten Badener, wie gegenüber dem Württemberger Suckow[86a] — deutlich gemacht und zugleich ein Prävenire gegenüber Frankreich, wenn auch nicht abgelehnt, so doch erheblich modifiziert. Das Reich sollte so lange friedlich zusammenwachsen, bis sich die Möglichkeit zu bieten schien, »die deutsche Einheit durch gewaltsame Ereignisse« außen- und innenpolitisch mit der Wahrscheinlichkeit des Erfolges herbeizuführen. Nicht auf einer »gewaltsamen Katastrophe« sollte das Reich gebaut werden, sondern auf entwickelten »Verhältnissen«[87]. Diese Vorbedingungen waren aber 1868/69 noch nicht gegeben.

»Vertagungspolitik« war deswegen die neue politische Maxime Bismarcks[87a]. »Bittere Enttäuschung« herrschte in Berlin über die Resultatlosigkeit des Zollparlaments: »eine vollständige Windstille« konnte Wimpffen bei Bismarck mit Genugtuung feststellen[87b]. Trotzdem blieben Napoleon und Beust Preußen gegenüber argwöhnisch. Denn trotz Bismarcks Politik, »die darauf ziele, den Krieg vergessen zu machen«, beunruhigten seine wohlgezielten Indiskretionen Österreich und Frankreich weiterhin. So besuchte Bismarck z. B. im Mai 1868 Krupp in Essen und ließ gleichzeitig durch Bleichröder verbreiten, daß »ein Krieg im Herbst unvermeidlich sei«, schließlich betonte er — wiederum über seinen Privatbankier —, daß »ein bewaffneter Friede auf die Dauer unerträglich sei«, und last not least schickte Bismarck Bleichröder im Hochsommer 1868 nach Spanien; »Preußisches Geld und spanische Intrigen gehen zusammen«, wußte der österreichische Geschäftsträger Münch aus Berlin zu berichten[87c]. Doch vorerst blieb die Bismarcksche Politik noch auf die »Erhaltung des Friedensglaubens« gerichtet.

Der wirtschaftliche Ausbau des »norddeutschen Hauses«

Angesichts der antipreußischen Agitation in Süddeutschland[88], angesichts der Spannungen im Orient[89], angesichts der wirtschaftlichen und politischen Zusammenarbeit

86 ebd.
86a GW VII Nr. 201.
87 GW VI b Nr. 1327.
87a HHStA Wien, PA III Nr. 99: 13. V. 1868 Wimpffen an Beust.
87b ebd. 10. VI. 1868.
87c ebd. 1./22. VII. 1868 Wimpffen/Münch an Beust.
88 APP X Nr. 126: 1. IX. 1868 Radowitz an Bismarck.
89 APP X Nr. 127: 1. IX. 1868 Münch an Beust.

Österreichs und Frankreichs[90] erhielt die preußische Wirtschaftspolitik – gekoppelt mit einer zurückhaltenden und abwartenden »offiziellen« Außenpolitik[91] – im Norddeutschen Bund die wesentlichste politische Bedeutung, da mit ihr die Hoffnung verknüpft wurde, das wirtschaftlich »ausgebaute Haus« später politisch relevant werden zu lassen. Dank dieser Taktik wuchs wiederum dem Bundeskanzleramt unter Bismarck die führende Rolle der Deutschlandpolitik und zugleich die Schlüsselstellung zwischen den Länderregierungen und den Parlamenten zu. Entgegen seiner ursprünglichen Aufgabe, »die gesetzgeberischen Arbeiten des Bundes in lebendiger Wechselwirkung sowohl mit den preußischen Ministerien als auch mit den übrigen Bundesstaaten«[92] vorzubereiten, übernahm das Amt in Bismarcks Sinne in zunehmendem Maße die Initiative der wirtschaftspolitischen Gesetzgebung – eingekleidet in Präsidialanträge[93] – und drängte die »verbündeten Regierungen« (auch Preußen) in die zweite Linie[94]. Zugleich erwarb der Chef der Behörde, Delbrück, im Bundesrat in Vertretung Bismarcks Vorsitzender[95], in wachsendem Maße »das größte Vertrauen« des norddeutschen Reichstags und der Regierungen, da seine Politik des radikalen, sogenannten »passiven« Freihandels, der wirtschaftlichen Freizügigkeit und der handelspolitischen Autonomie von allen Parteien des Reichstags und allen politischen Schattierungen des Nordens – mit Ausnahme der Schwerindustriellen, die gegen die weitere Senkung des Eisenzolles opponierten[96] – die Unterstützung fand[97].

90 APP X Nr. 141: 17. IX. 1868 Flemming an Bismarck, Nr. 142: 17. IX. 1868 Annecke an Bismarck, Nr. 148, 149, Nr. 151: 23. IX. 1868 Solms an Bismarck.

91 APP X Nr. 44: 27. V. 1868 Wimpffen an Beust, Nr. 62, Nr. 108 Anm. 2: 2. VIII. 1868 Thile an Usedom, Nr. 124, Nr. 129, Nr. 166 Anm. 3: 2. X. 1868 Niederschrift Keudells, Nr. 166 Anm. 4, Nr. 170: 5. X. 1868 Thile an Paris, London, Wien und Petersburg, Nr. 178: 14. X. 1868 Wimpffen an Beust, Nr. 198: 18. X. 1868 Wimpffen an Beust, Nr. 279: 8. XIII. 1868 Thile an Missionen London, Paris, St. Petersburg, Nr. 372: 25. XII. 1868 Thile an Solms.

92 Morsey S. 47.

93 Meisner S. 367; vgl. DZA I, B/RKA Nr. 87, 199/200, 407, 1594.

94 Vietsch S. 26 f.

95 Meisner S. 368, Morsey S. 51.

96 DZA I RKA Nr. 199/200: Petition Haniel (Hörder Bergwerksverein) Hagen, Essen, Bochum u. a.; ebd. Nr. 1603, Hörde, Deutz, Hagen (Sept. 1869: Verhandlungen des 10. »Kongresses deutscher Volkswirthe« zu Breslau: 1.–3. IX. 1868) Opposition von Kardorff, Bethusy-Huc, StA Hbg. Bundesrat Bevollmächtigte IX, Nr. 33: 6. I. 1868 Deklaration des Handels- und Gewerbevereins von Rheinland und Westfalen; 27. I. 68 Anschluß des Zollvereinsländischen Eisenhüttenvereins an Bismarck; 27. IV. 1868 dto. an Zollparlament, Jahresbericht der Handelskammer Elberfeld, und Barmen 1867; Jahresbericht der HK Essen 1867/1868.

97 DZA II Rep. 89 H III Dt. Reich 11 Bd. 6: 26. IV. 1869 Bismarck an Wilhelm, Mitteilung aus Merseburg vom 21. I. 1964. StA Hbg. IX, Nr. 33: Petition VK Königsberg, 6. III. 68 ebd. C LI, Lit. T vol. 2 b Fasc. 1: 29. X. 1867 Bericht Kirchenpauer; HK Hamburg 20 A I; Denkschrift des Vereins f. Handelsfreiheit dto. Flugblätter

Unter den 84 Gesetzen und 40 Verträgen, den zahllosen Präsidialerlassen etc., die der norddeutsche Reichstag bis 1870 annahm, ragen im Jahre 1868 die Vereinheitlichung der Maß- und Gewichtsnormen (17. August), im Jahre 1869 die Vereinheitlichung des Handelsrechts (5. Juni), die Errichtung des obersten Handelsgerichtshofes mit Sitz in Leipzig (12. Juni), die Gewerbeordnung mit der allgemeinen Gewerbefreiheit (21. Juni) und im Jahr 1870 die Ratifizierung des norddeutschen Strafgesetzbuches hervor[98]. Die wichtigste Neuerung aber war die Festsetzung der Freizügigkeit des Aktienwesens und die Aufhebung der Zulassungspflicht bei Errichtung von Aktiengesellschaften[99]. Dieses Gesetz bildete den Höhepunkt und ersten Abschluß der Delbrückschen Zusammenarbeit mit den norddeutschen Freikonservativen und Liberalen. Wenn auch alle deutschen Staaten diese Zulassungspflicht ausgeübt hatten, so war doch ihre Durchführung nirgends so politisch bedingt gewesen wie in Preußen[100]. Mit dieser Handhabe hatten die konservativen Kräfte in Preußen »sorgend« und bremsend in den Kapitalisierungs- und Industrialisierungsprozeß eingegriffen und die Ausdehnung der Aktiengesellschaften bei den Kreditgesellschaften als Unternehmungsform über den Rahmen, der 1857 erreicht worden war, hinaus verhindert und so die agrarbestimmte Struktur Preußens erneut stabilisiert.

Die »historische Enge« wird gesprengt

Erst 1870 gelang es den Mulvany, Harkort, Waldthausen, Haniel, Hammacher, Hohenlohe-Ujest, Pless, Renard, Hansemann, Bennigsen, Braun, Miquel u. a., über den durch allgemeine Wahlen gewählten Reichstag in die »historische Enge«[101] Preußens und des Nordens einzubrechen und die gesetzliche Basis zu schaffen, auf der dann der Milliardenboom von 1871/72 sich entwickeln konnte. Denn mit der Aufhebung der Zulassungspflicht war die Möglichkeit des lukrativen Großbankengeschäfts eröffnet, der liberal-freihändlerische Rahmen entworfen worden, in dem sich eine Fülle von Banken- und Industrieneu- und Umgründungen entfalten konnte. Diese Neugründungen, meist in der Hausse auf Spekulationsgewinn hin geschaffen, verloren in der Krise schnell ihre Liquidität. Sie boten deswegen den Anreiz zur Expansion noch solventer Institute. Damit war die deutsche Großfilial-Universalbank geschaffen, die so wesentlich für die deutsche Wirtschaftsentwicklung und so typisch für die deutsche Wirtschaftsordnung werden sollte.

des Vereins März 1868; Bericht über die Verhandlungen IX. Kongresses deutscher Volkswirte zu Hamburg 26./29. VIII. 1867, ebd. 20 B I Nr. 1 Petition des allgemeinen Mecklenburger Handelsvereins und des Mecklenburger Finanzministers.

98 Sartorius WG S. 225 ff.

99 DZA II Rep. 120 AX, 6 Bd. 14, ebd. A XI, 1 Nr. 1 Bd. 4 und 5, Rep. 120 A XII, 5 Nr. 1 Bd. 6.

100 s. o. S. 57 ff.

101 Herzfeld: Miquel I, S. 79.

Aber nicht nur für die Bankenentwicklung gewann dieses Gesetz höchste Bedeutung. Mit ihm setzte auch die breite und intensive Kapitalverflechtung von Großfinanz und Schwerindustrie ein, ein Vorgang, der sich auf die weitere politische und wirtschaftspolitische Entwicklung Deutschlands entscheidend auswirken sollte. Jetzt endlich erreichten die Banken die Freizügigkeit einer liberalen Marktwirtschaft, entledigten sich jeder staatlichen Bevormundung. Nun konnten durch das Bankensystem Mittel des kurzfristigen Geldmarktes in Daueranlage als industrielles Unternehmerkapital »mobilisiert« werden, nun konnten die Unternehmer mit Hilfe der Finanziers neue Formen der Produktionsorganisation, neue Produktionsverfahren entwickeln und begründen[102]. Nun gelang es, die mangelnde Fremdfinanzierung, die bis 1870 das Wachstum der deutschen Schwerindustrie gehemmt hatte, durch eine deutsche Industriefinanzierung zu ersetzen. Gleichzeitig übernahmen die Banken in dieser Frühphase auch die Gründung und Führung der Betriebe, später auch weitgehend der Konzerne und der Kartelle[103].

Zugleich fand die ökonomische Umschichtung seit 1850 auch in gewandelten Verhältnissen von Staatsverwaltung und privatwirtschaftlicher Unternehmeraktivität ihren Ausdruck. Die Initiative der produktiven, kapitalistischen Wirtschaftsführung ging jetzt ganz auf den Fabrikanten, Bankier und Großkaufmann über, wenn auch um 1870 die Einheit des Eigner-Direktionsprinzips noch nicht vollständig vom System des vom Aufsichtsrat beauftragten Generaldirektors abgelöst war. Dieser Zustand wurde erst durch die Hausse und Krise von 1871/73 erreicht. Der »Staat« zog sich von nun an auf die Schaffung gleicher Existenz- und Konkurrenzbedingungen zurück, Bedingungen allerdings, deren Voraussetzungen nun vom Unternehmer allein im »national«-ökonomischen Sinne bestimmt wurden.

Diese neue Gesetzgebung, gegen die sich die preußische Landaristokratie mit aller Kraft gestemmt hatte[103a], war durch einen ersten Kompromiß der »neuen

102 Jos. Schumpeter: Theorie der wirtschaftlichen Entwicklung, München 1912/Berlin 1952; v. Beckerath: Großindustrie und Gesellschaftsform, Tüb. 1954, S. 17 f.

103 vgl. vor allem O. Jeidels: Das Verhältnis der deutschen Großbanken zur Industrie mit besonderer Berücksichtigung der Eisenindustrie, Schmollers Staatswiss. Forschung XXIV/2.

103a Erst 1868/69 war noch ein »großartiges« Geschäft der Disconto-Gesellschaft als Führerin des Preußenkonsortiums, das auf die Umwandlung der preußischen Staatsschuld in eine immerwährende Rentenschuld zielte und das das Preußenkonsortium mit einem Schlag die Gesamtheit der staatlichen Unternehmerleistung in Eisenbahn-, Straßen- und Kanalbau, Bergwerkserweiterungen etc. hätte kontrollieren lassen und zugleich die Banken zur Drehscheibe zwischen Staat und Grundstoffindustrie, den Trägern der die agrarische Struktur ablösenden kapitalistischen Ordnung, gemacht hätte, am Widerstand der Altkonservativen in Preußen gescheitert. (Disconto-Festschrift S. 32 ff.; DZA II, Rep. 151 neu HB Nr. 676, ebd. I E, Staatspapiere Nr. 54, ebd. I E Staatspapiere Nr. 34). Ebenso scheiterte die Ablösung des Bahnportefeuilles der Disconto-Gesellschaft mittels staatlich garantierter Prämienanleihen. (ebd. S. 95, DZA II, Rep. 151 neu HB Nr. 675/676).

Kräfte«, der »Industriellen«, und der »alten Mächte«, der »Agrarier« möglich geworden. Man hatte sich über den Fragen der Eisenzollreduzierung geeinigt. Hier hatten die Industriellen – wie immer, aber jetzt nach 1866 mit mehr Nachdruck – Schutzzölle gefordert. Nun gaben sie gegen die Zugeständnisse in der Aktiengesetzgebung diese Forderung auf, da die Ostelbier sowohl am ungehinderten Export ihrer Produkte als auch am Bezug billiger Eisenwaren (Pflüge, Eggen, Maschinen etc.) stärker noch interessiert waren als an der Aufrechterhaltung der restringierenden Privilegien gegenüber den Aktiengesellschaften[104].

Der Handelsvertrag mit Österreich-Ungarn

Der niedrige Eisenzoll wurde für die Agrarier um so wichtiger, als Delbrück – parallel zum Ausbau der wirtschaftlichen Grundlagen des norddeutschen Bundes – die handelspolitische Verflechtung Deutschlands mit dem Kontinent und den überseeischen Ländern weiter vorantrieb, und zwar unter den radikal freihändlerischen Prinzipien, die im Handelsvertrag mit Österreich nach den Vorschlägen des Norddeutschen Reichstags[105] festgelegt worden waren[106].

104 DZA I RKA Nr. 1603: 24. V. 1867 Ostsee Ztg. und Börsennachrichten d. Ostsee, J. Croner: Geschichte der agrarischen Bewegung, Brl. S. 25 f., 1868 wurde der Kongreß Norddeutscher Landwirte gebildet, Nitzsche S. 20, Zorn: Wirtschafts- u. sozialgeschichtliche Zusammenhänge HZ 197, 1963, S. 326 f.

105 DZA I RKA Nr. 199; DZA II Rep. 89 H III Deut. Reich 11 Bd. 6 nach Mitteilung von Merseburg 30. I. 1964. HK Hamburg 20 B I Nr. 1 Deutscher Handelstag-Rundbrief an HK und Antwort von HK Bochum, Essen, Elberfeld-Barmen, Breslau und Luxemburg, opponierten gegen Eisenzollreduktion; HGK Oberbayern, HGK Schwaben-Neuburg, Karlsruhe, Freiburg, Heidelberg, Mannheim, Offenburg und Rastatt gegen Senkung des Baumwoll-, Leinenzolls. Beide Gruppen fielen gegenüber dem norddeutsch-preußischen Wunsch der allgemeinen Reduktion, die dann einen ungefähren Wert von 1,252 Mill. und 0,614 Mill. Taler betrug, nicht ins Gewicht. Im Vergleich zu 1865 reduzierte der Tarif folgende Positionen: Gardinenstoffe (gebleicht und appretiert) 180 auf 160 M/100 kg, undichte Gewebe (jaconet, mousselin etc.) 180 auf 158 M/100 kg, Ätznatron von 20 auf 6 M/100 kg, Wasserglas von 6 auf 3 M/100 kg, Eisenvitriol von 6 auf 0,20 M/100 kg, dann die wesentlichste Tarifreduktion: Roheisen aller Art von 1,50 auf 1 M/100 kg, dann Luppeneisen von 3,50 auf 3 M/100 kg, feine Eisenwaren (z. B. Schlittschuhe, Hämmer etc.) 16 auf 8 M/100 kg. Getreide und alle Cerealien, ebenso auch landwirtschaftliche Nebenprodukte wie Flachs blieben frei.
In der Glasproduktion wurde der Zoll für Kronleuchtergehänge von 16 auf 4 M/100 kg reduziert, musikalische Instrumente von 24 auf 12 M/100 kg, Kautschukgewebe erhielten einen Nachlaß von 150 (90) auf 90 M/100 kg, und eine erhebliche Reduzierung erhielt Leinengarn in feinerer Qualität, so englisch Nr. 8 bis über Nr. 35 12 auf 3 M/100 kg, ebenso erhielt Leinengarn gefärbt eine Reduktion von 18 auf 10 M/100 kg, Seile 24 auf 3 M/100 kg. Die erheblichste Ausgleichs-

Der Handelsvertrag mit Österreich hatte im April/Mai 1868 wohl das Zollparlament passiert, aber gegen erhebliche Widerstände, besonders der süd- und westdeutschen Schutzzöllner[107]. Moriz Mohl vor allem und Thüngen-Roßbach, der Führer der süddeutschen Fraktion, griffen unermüdlich und erbittert die freihändlerischen Maximen Delbrücks an. »Die Hunnen und Vandalen«, beschwor Mohl die Zollparlamentarier, würden »sie durch Deutschland ziehen und die Städte verbrennen«, könnten nicht mehr »den Gewerbetreibenden ruinieren« als der Freihandel[108].

Der Widerstand der »süddeutschen Fraktion« (selbst gespalten in ein großdeutsches und schutzzöllnerisches Lager) war vergebens gewesen; erstens waren sie in der Minderheit, und zweitens erkannten diejenigen Liberalen, die aus Interessenbedürftigkeit mehr dem Schutzzoll zuneigten – so z. B. Hammacher und Miquel –, in Zolltarif und Freihandel ein glänzendes Handelsobjekt, um sich mit den Konservativen in den Fragen der Liberalisierung der Gewerbegesetzgebung zu einigen[109].

Abbau des radikalen Freihandelsvertragssystems

Im Zeichen dieser Kompromisse vollzog sich die tarifliche Generalisierung der kontinentalen Handelsverträge und die zollparlamentarische Annahme des neuen Zolltarifs, der die preußisch-französischen und österreichisch-preußischen Handels-

zugabe war die Reduktion von Wein in Fässern von 24 auf 16 und Schaumwein von 24 auf 16 M/100 kg, dann wurden von den Finanzzöllen noch reduziert: Fischkonserven 66 auf 42 M/100 kg, Konfitüren von 42 auf 32, Kraftmehl und Stärke etc. von 12 auf 3 M/100 kg, Packpapier wurde frei, Alabaster von 24 auf 3 M/100 kg und Schilf- und Bastwaren von 12 (4) auf 1 M/100 kg. Stiere, Ochsen und Kühe erhielten eine Reduktion von 7,50/4,50 auf 4/3 Mark pro Stück. vgl. Karl Krökel: Das preußisch-deutsche Zolltarifsystem in seiner historischen Entwicklung seit 1818, Jena 1881.

106 Drucksachen des Bundesrates des Deutschen Zollvereins 1868 Nr. 48.

107 DZA I RKA I Nr. 199/200: 22. V. 1868 Erklärung der Mitglieder der süddeutschen Fraktion des Zollparlaments, Protokolle I, 1 S. 142 ff., 155 f. Die heftigsten Schutzzöllner waren in Württemberg Mohl und Vayhinger, in Bayern Schlör und Lucas. Von preußischer Seite trat wohl nur Stumm öffentlich gegen den Vertrag auf, ebd. S. 53, aber Kardorff, Bethusy-Huc u. a. unterstützten seine Stellungnahme, die dann mit Rücksicht auf die Generallinie der Freikonservativen zurückgestellt wurde. Nur 17 Abgeordnete stimmten schließlich gegen den Vertrag, ebd. S. 186 ff.

108 DZA I RKA Nr. 1588/Nr. 200 Stenogr. Berichte des Zollparlamentes I, 1 1868 S. 132: 9. V. 1868 S. 132, Rückschauend Thüngen im Bayrischen Reichsrat 23. X. 1867.

109 Lotz: Ideen S. 97; nach Mitteilung von Merseburg vom 21. I. 1964.

vertragstarife zusammenfaßte[110]. Zugleich wurden durch neue Handelsverträge überseeische Rohstoffländer – mit denen der hanseatische Handel schon verbunden war – in das deutsche Handelssystem einbezogen: so im Handelsvertrag mit Spanien, Cuba, Puerto Rico und den Philippinischen Inseln (1868), Japan (1869), Tonga (1870), Mexiko (1869) und Salvador (1870). Zusammen mit der umfassenden und weltweiten Rohstoff- und Handelssicherung für die deutsche Schiffahrt und den deutschen Handel tauchten auch erste Kolonialprojekte auf, die nun im Bundeskanzleramt eingehender beurteilt wurden, z. B. Besiedlung des La Plata[111], Erwerbung Formosas[112], Gründung einer Kolonie in »Papua«[113] oder Errichtung von Marinestationen im Indischen und Pazifischen Ozean[114]. Ein Projekt der Bewässerung Algeriens und Mesopotamiens fehlte ebensowenig in dieser ersten Welle deutscher Kolonialpetitionen wie mondiale Kolonialaspekte: Neu-Seeland, Neu-Guinea, Java als deutsche Kolonien[115]. Diesen Projekten lagen zumeist sehr reale hanseatische Handelsinteressen zugrunde, führten aber unmittelbar, so z. B. im Falle Formosas, nur zum »Aufhänger« einer erneuten englisch-preußischen Freundschaftsbeteuerung[116] ohne preußisches Realengagement.

Hatte auch der Handelsvertrag mit Österreich im April 1868 unter dem Protest der Schutzzöllner das Zollparlament passiert, so war doch seine Aufnahme bei den Interessenten keineswegs so zustimmend, wie die vorherige Absprache zwischen dem Handelstag, Itzenplitz und Delbrück hätten erwarten lassen können. Den Handelsinteressenten waren die Reduktionen zu gering: sie drängten weiter auf eine vollkommene Aufhebung der Zölle. Den Schwerindustriellen hingegen war die Zollpreisgabe, ohne differentielle Bevorzugung der deutschen Eisen- und Stahlprodukte, besonders für den österreichischen Eisenbahnbau, zu hoch[117], und die Textilindustriellen forderten eine Aufhebung der Rohstoffzölle und zugleich einen höheren Schutz der feineren Qualitäten[118]. Der Gegensatz von Freihandel und Schutzzoll brach mit Schärfe auf. Doch die Freihändler beherrschten noch die Handelspolitik.

110 Drucksachen des Bundesrats des Deutschen Zollvereins I, 1 1868 Anlage Nr. 36, Zolltarif-Sonderdruck in G. Hirths Annalen 1868.
111 DZA I RKA Nr. 87: 6. IV. 1868 Promemoria.
112 ebd. 4. X. 1868 Denkschrift Bluhm.
113 ebd. 2. VI. 1868.
114 ebd. 5. VI. 1865.
115 ebd. 2./24./VIII. 1868/7. IX. 1870.
116 APP X Nr. 52: 5. VI. 1868 Rehfues an Bismarck, dto. Anm. 1.
117 Bericht über die Verhandlungen des X. Kongresses deutscher Volkswirte zu Bremen 31. VIII./1.–3. IX. 1868. DZA II Rep. 89 H III Deut. Reich 11, Bd. 6: 26. IV. 1868 Bismarck an Wilhelm. Jahresbericht HK Essen-Bochum, Elberfeld-Barmen 1867/1868.
118 DZA I RKA Nr. 199 so Petitionen HGK Oberbayern, HGK Schwaben-Neuburg, dann war den Petitionen der badischen Handelskammern auch nicht entsprochen worden.

Weitere Reduktionen im deutschen Tarif

Darum wurde der Tarif von 1868 nur zum Anlaß weiterer Zollreduktionen und Vereinfachungen des Zollschemas. In Übereinstimmung mit den deutschen See- und Handelsstädten, voran Königsberg, Danzig, Stettin, Lübeck und Hamburg[119], dem »Kongreß deutscher Volkswirte«[120], dem Deutschen Handelstag[121], der überwiegenden Zahl der norddeutschen Handelskammern[122] und den preußischen Agrariern, von denen sich 1868 ein Teil zum »Kongreß Norddeutscher Landwirthe« zusammenschloß[123], trieben Delbrück und Michaelis systematisch und radikal die Zollreduktionen und die Tarifverallgemeinerungen voran[123a] – ohne vom Ausland Gegengaben zu fordern[124]. Die Preußen erreichten schließlich, gegen nicht unerheblichen Widerstand der Eisenindustriellen, aber auch der Süddeutschen[125], daß der Eisenzoll 1870 erneut um die Hälfte reduziert wurde (von 1 M je 100 kg auf 0,50 je 100 kg). Mit dem Tarif von 1870 hatte die preußisch-deutsche Handelspolitik, wie sie parallel zur Wirtschaftsgesetzgebung allen zeitweiligen Schwankungen zum Trotz konsequent seit den fünfziger Jahren verfolgt wurde, zweifellos ihren Höhepunkt erreicht, da diese Politik im Jahre 1870 verhältnismäßig geschlossen von Regierung, Reichstag und Abgeordnetenhausmehrheit getragen wurde[126].

119 StA Hbg. IX: 26: 27. V. 1869 Protokoll der Deputation für Handel und Gewerbe, HK Hbg. 20 B I Nr. 1: 13. IV. 1870 Denkschrift HK Hbg., ebd. HK Lpz., HK Dresden, die Delegiertenkonferenz der norddeutschen See-Gegenden 21. IV. 1868/22.–24. IV. 1870, O. Schneider: Bismarcks Finanz- und Wirtschaftspolitik S. 65, Lotz: Ideen S. 90 ff., Lambi: Free Trade S. 32 ff., 44 ff.

120 DZA I RKA Nr. 200, Bericht über d. Verh. des X. Kongresses.

121 ebd. 27. X. 1868 Berichte und Verhandlungen des DHT, vgl. HK Hbg. 20 B I Nr. 1.

122 StA Hbg. IX. 26: 18. V. 1869 Soetbeer (HK-Hbg.) an Kirchenpauer. Soetbeer fragt an, ob eine Petition der Handelskammern der Seehandlungsplätze an den Reichstag oder »eine Massen-Petition der Börse besser am Platze sein würde« zur Durchsetzung der weiteren Reduktion der Zölle.

123 J. Croner: Agrarbewegung S. 25 ff.

123a DZA II Rep. 89 H III Deut. Reich 11 Bd. 6: 14. V. 1870 Delbrück an Wilhelm.

124 StA Hbg. 132–5/4 IX, 26: 14. IV. 1870 Protokoll der Deputation f. Handel und Gewerbe, ebd. 14. IV. 1870 HK Hbg. an Deputation.

125 s. o. S. 270 ff., DZA I RKA Nr. 1603; zahlreiche Eingaben Haniel, Eisenhüttenleute mit Lueg, Hagen, Essen, Bochum etc. ebd. Nr. 199/200; WFStA Ludwigsburg E 222 Fach 189 Nr. 1045/1046; BHStA München MH Nr. 9699/9700.

126 Sächs. LHA Dresden, Ges. Berlin Nr. 2973, vergleicht man die Tarife von 1868 und 1870, so ergeben sich erhebliche Differenzen: so ist nun neben Rohbaumwolle auch Baumwollwatte frei (vorher 9 M/100 kg), drei und mehrdrähtiges, roh, gezwirntes Garn von (6 auf 24 M/100 kg), ebenso zweidrähtiges von 36 auf 24 und Dochte ebenfalls von 36 auf 24 gesenkt. Gardinenstoffe, undichte Gewebe und Spitzen werden vereinfacht von 160/180 auf 156 M/100 kg. Bei Blei, Zinn, Zink, Spießglanz, Blei, Zink- oder Zinnlegierung werden nur noch feine Bleiwaren mit

Die »Maschine Bismarcks« steht still

Während nun Bismarck und Delbrück im Norden bis zum Jahre 1870 den wirtschaftlichen Ausbau ihres »Hauses« vorantrieben und die materiellen Grundlagen für die erwartete Reichseinheit schufen, wurde die Hoffnung auf die »Interesseneinheit« Deutschlands immer mehr illusorisch. Bismarcks Hoffnung, durch das Zusammengehen mit den Liberalen »moralische Eroberungen« im Süden machen zu können, trog ebenso, wie seine Erwartung auf einen süddeutschen Interessenausgleich mit dem Norden auch in politischen Fragen. Hatte die wirtschaftliche Dominanz Preußens auch zur wirtschaftlichen Einheit Preußen-Deutschlands geführt – die politische Einheit war allein mit wirtschaftlichen Mitteln offenbar nicht zu erreichen. In zunehmendem Maße löste in den Jahren 1868–1870 die bisherige Parallelität preußisch-deutscher Machtentfaltung und wirtschaftlicher Führungsstellung eine politisch und zunehmend auch wirtschaftlich motivierte Gegensätzlichkeit ab. Die als drohend empfundene politische Vorherrschaft Preußens als Folge seines wirtschaftlichen Übergewichtes provozierte im Süden 1868/70 verstärktes Mißtrauen und Unbehagen. Varnbülers und Dalwigks Politik war konsequent auf die strikte Verneinung eines Großpreußentums abgestellt, und Hohenlohe mußte schließlich Bray-Steinburg weichen, da auch in Bayern immer mehr die ultramontanen, großdeutschen, demokratischen, aber auch schutzzöllnerischen Kräfte gegen die Stimmen der kleindeutsch gesinnten, überwiegend protestantischen, freihändlerischen Kaufleute und Kleinindustriellen an Einfluß gewannen[127]. Hatte der Süden im Zollparlament auch den preußischen Zollreduktionen zugestimmt, neue

24 M/100 kg verzollt. Blei, Bleiwaren etc. sind frei. Die gleiche Tendenz wird in Pos. 4 »Bürstenbinder- und Siebmacherwaren« festgestellt, grobe Waren frei. Stärkste Vereinfachung weisen »Drogerie-Apotheker- und Farbwaren« auf. Äther, Essenzen-Extrakte pp. werden vereinfacht auf eine Position: 24 auf 20 M/100 kg, die meisten Farbwaren und rohe Erzeugnisse werden vereinfacht und reduziert, zumeist freigestellt, so z. B. Abschnitt »m« mit 9 Untergruppen mit einer Zollhöhe von 0.20 bis 12 M/100 kg wird zollfrei gestellt. In Pos. 6 Eisen- und Eisenwaren, sind nicht Roheisen aller Art auf 0.50 M/100 kg gesenkt worden, sondern auch schmiedbares Eisen (Eisenbahnschienen-Laschen-, Radkränze pp.) von 3.50/5.– auf 2 M/100 kg. Rohschienen 2.40 auf 1.– M/100 kg. Platten und Bleche, auch poliert, verzinkt auf Draht 5/7 auf 2 M/100 kg. Eisengußwaren 2.40 auf 2 M/100 kg. Eisenwaren (grobe) 3.50 auf 2.– M/100 kg. Eisenwaren, die Tarif 1868 noch mit 8 M verzollt, erhalten noch 5 M/100 kg Zoll (Ketten werden freigestellt), feine Eisenwaren erhalten weiter ihren Zoll. Damit hatte die Pos. 6 im Hinblick auf die Bedürfnisse der Landwirtschaft die kräftigste Reduktion hinnehmen müssen. Nun wurden auch Glas- und Haarwaren (bis auf Perücken) revidiert oder frei gestellt, ebenso Pelzwerkrohwaren und grobe Holzwaren (3 auf frei). Nun fielen auch die letzten Viehzölle und für feine Wollwaren wurden einige Zollreduktionen angenommen (gewebte Staubtücher) 150 auf 105 M/100 kg.

127 G. G. Windell: Catholics S. 124 ff., Rapp S. 356. HHStA Wien PA IV, Nr. 39: 1. 1. 1869 Ingelheim an Beust.

Steuern, die den Einnahmeausfall der Zölle decken sollten, lehnte er in Verbindung mit wechselnden Bundesgenossen (den Konservativen bei der landwirtschaftlichen Kreditbeschränkung, den Liberalen in Fragen der Ausgabenkontrolle) erfolgreich ab[128].

Die Haltung der Süddeutschen unterstützte Beust mit Geschick. Auf die österreichische Seite konnte er zwar die Südstaaten nicht ziehen, aber sein Rat, daß Süddeutschland »durch Vermeidung weiterer Annäherung an den Norden wesentlich zur Beseitigung der Kriegsgefahr« beitrage, wurde von Dalwigk, Varnbüler und selbst Hohenlohe angenommen. Südbundpläne tauchten wieder auf, und selbst Varnbüler »zielte auf eine neue Verständigung mit den Großdeutschen«[128a]. Wenn auch die süddeutsche Politik selbst von Bayern und Württemberg als »auf die Dauer« unhaltbar angesehen wurde, so hofften sie doch, den erreichten Zustand in der deutschen Sache noch lange konsolidieren zu können. Bismarck war »höchst ungehalten über die zuwartende Haltung« des Südens[128b], denn Preußen »stagnierte«, das Zollparlament »blieb ohne Bedeutung«[128c]. »Wenn auch die Tendenzen« zur Einheit Deutschlands vorhanden wären und »nur einen Stillstand« nach dem Urteil Bismarcks »zuließen«, so blieb ihm doch nichts weiter übrig, als in der deutschen Frage »nicht mehr zu drängen« und Preußen als »saturiert« erscheinen zu lassen[128d]. Selbst »Gerüchte« über eine preußisch-österreichische Annäherung konnten die Süddeutschen nicht mehr beunruhigen[128e]: denn Österreich hatte, wie es Beust versicherte, »ein berechtigtes Interesse an der Selbstständigkeit Süddeutschlands, welche für die Befestigung des Friedens auch heute nicht gleichgültig ist«. Österreich gab sich nicht einmal mehr »den Schein ... als beabsichtige (es), sich ... an der Entwicklung der Dinge in Deutschland durch positive Einwirkung in irgend einer besonderen Richtung zu betheiligen«[128f]. Das einzige, was Bismarck blieb, war, über Sachsen den »Anschluß der Süddeutschen zu erwünschen«[128g] und zu versuchen, über das Zollparlament doch noch zu einer »Einheit« zu kommen[128h]. Doch hier bestimmte der Süden die Gangart der Verhandlungen.

128 DZA II, Rep. 89 H, III Deut. Reich 11 Bd. 6: 14. V. 1870 Delbrück an Wilhelm, StA Hbg. CL I, Lit. T Nr. 3 vol. 26. Fasc. 5./29. IV., 1. V./5./6./7. V. 1870 Bericht Kirchenpauers, vgl. auch die Tätigkeit Mohls, Schlörs und Günthers: Stenogr. Ber. Zollparlament I, 1 1868 S. 291 f., S. 297 ff., 314 ff., 336 ff.; 1869/I, 2 S. 61 ff., 88 ff., 96 ff.; 1870/I, 3 S. 114 ff. u. 167 ff., Rapp. S. 354 f.

128a HHStA Wien, PA IV Nr. 40: 23. I. 1869 Beust an Ingelheim; Nr. 39: 1./22. I., 5. II. 1869 Ingelheim an Beust; PA VI Nr. 32: 16. II. 1869 Chotek an Beust.

128b ebd. PA IV Nr. 39: 19. III. 1869 Ingelheim an Beust.

128c ebd. PA VI, Nr. 32: 12. VI., 9. VII. 1869 Chotek an Beust.

128d ebd. PA IV Nr. 38: 1. VII. 1869 Ingelheim an Beust; PA III Nr. 100: 10./20./24. IV. 1869 Wimpffen an Beust.

128e ebd. 26. IX. 1869 Ingelheim an Beust.

128f ebd. PA IV, Nr. 40: 4. IV. 1869 Beust an München, Konstantinopel, Petersburg, Dresden, Berlin, Stockholm, Rom.

128g ebd. PA V, Nr. 36: 19. VI. 1869 Werner an Beust.

128h ebd. PA III Nr. 100: 3./5. VI. 1869 Wimpffen an Beust.

Daher scheint die »Behauptung« einer Notwendigkeit der Umwandlung des Zollvereins in das »Deutsche Reich« von Preußens Gnade angesichts der Quellenlage schon zu weit zu gehen. Von einem »Beweis« gar kann keine Rede sein[129]. Wenn auch bis 1866/67 die Gesamtentwicklung auf das »Reich« unter preußischer Führung hinging und Delbrück, Schleinitz, Bernstorff und dann Bismarck jeden Widerstand der Trias oder Österreichs überspielen konnten – die unmittelbaren und letztlich entscheidenden Schritte Bismarcks, die zur politischen Vollendung des Reiches führten, fanden in der wirtschaftlichen Entwicklung wohl ihre Unterstützung, waren aber für die Schnelligkeit der Reichsgründung nicht ausschlaggebend. Das »Reich«, so wie es Varnbüler, Hohenlohe und Dalwigk sahen, war 1868 wirtschaftlich geschaffen und nach preußischem Prinzip ausgerichtet worden; der Übergang zur politischen Einheit innerhalb weniger Jahre jedoch widersprach vollkommen der langsameren Entwicklung wirtschaftlicher Zustände.

Aber nicht nur die süddeutsche Opposition im Zollparlament und die Politik Beusts und Napoleons ließen »die Maschine Bismarcks« stillstehen, wie es die »Demokratische Korrespondenz« am 2. Juli 1868 als »frohe Botschaft« verkündete[130], sondern auch innerpreußische Gegensätze, die im Verlauf der Auseinandersetzungen um Zolltarifreduktionen und Liberalisierung der Gewerbegesetzgebung in den Vordergrund getreten waren, lähmten die Aktivität Bismarcks[130a].

Da die machtpolitische Seite der Handelspolitik, die Preußen im Kampf mit Österreich zum Vertreter des Freihandels werden ließ, mit den Verträgen von 1865[131] und von 1868[132] für die handelspolitischen Entscheidungen im norddeutschen Bund weggefallen war, verlagerte sich die Entscheidung für oder wider den Freihandel immer mehr in die Sphäre der Auseinandersetzung zwischen konservativer oder liberaler Staatsführung[132a]. Die Handelspolitik mit ihren radikalen Zollreduktionen verflocht sich nun immer mehr mit der Finanzpolitik. Der Einnahmeausfall der Zölle des Zollvereins aber wirkte auf den preußischen Etat zurück und ließ die Fragen einer Steuerreform, damit die Fragen der Geldbewilligung, letztlich also das Grundproblem von Heeresbudget und Konstitutionalismus, akut werden.

Die gespannte Budgetlage im größten Bundesstaat – hervorgerufen durch Kriege und Annexionen, durch den Übergang der Zoll-, Post- und indirekten Steuereinnahmen an den Bund – verschärfte sich noch durch die rasche, wenn auch nicht überhitzte Expansion der Berliner Banken nach dem Westen und Süden[132b]. Durch den zügigen Ausbau des Eisenbahnnetzes, das selbst geographische Hindernisse wie

129 Zorn HZ 197 S. 342.
130 Nach Rapp S. 327.
130a HHStA Wien PA III, Nr. 100: 10. IV. 1869 Wimpffen an Beust.
131 s. o. S. 181 f.
132 s. o. S. 267 f.
132a HHStA Wien ebd.: 2. VII. 1869 Wimpffen an Beust.
132b ebd., PA V, Nr. 36: 22. V. 69 Werner an Beust.

die Alpen zu überwinden suchte[133], wurde die Kapitaldecke in Preußen noch mehr verkürzt, zumal die durch die neuen Bahnen ermöglichte schnelle Kommunikation von Gütern neue Märkte eröffnete, die ihrerseits neuen Kapitalbedarf anmeldeten. Schließlich investierte Paris sein Kapital nicht in Deutschland, sondern in Österreich und auf dem Balkan, während England, die einzige noch mögliche Clearing-Stelle für deutsche Werte, Sicherheiten verlangte, die Preußen ablehnte[134]. Diese angespannte Finanzlage Preußens erkannte der Süden rasch; vorweg der württembergische Finanzminister Renner. Er gab strikte Order, jede Steuereinführung im Zollparlament zu verhindern[135], um dadurch jede weitere Zollreduktion zu blokkieren; Hessen und auch Bayern schlossen sich ihm an[136].

Der erste Streit um die Führung im Norden

So war nicht nur die Hoffnung auf die materielle Interesseneinheit von Süd und Nord zerstört, sondern auch das Zollparlament als Faktor für Bismarcks Finanzpolitik unbrauchbar geworden. Nun versuchte Bismarck die Geldklemme des Norddeutschen Bundes[137] und Preußens durch die Ablösung der Matrikularbeiträge Preußens und durch Einführung von neuen Bundessteuern[138] zu überwinden. Eine Stärkung der finanziellen Einnahmen des Bundes hätte Preußen auch innenpolitisch entlastet, da es sich parlamentarische Auseinandersetzungen um die finanzielle Notlage Preußens erspart hätte. Ferner wäre der »Bund« finanziell und politisch gegenüber Preußen selbständiger geworden, und Bismarcks Stellung als Bundeskanzler hätte im preußischen Staatsministerium eine praktische Verstärkung erfahren. Und schließlich hätte die erneute Betonung einer föderalistisch akzentuierten Bundesfinanzpolitik einen propagandistischen Effekt gegenüber dem Süden gehabt. Das Projekt, geplant von Finanzminister v. d. Heydt[139], scheiterte aber am Widerstand von Michaelis (er wollte einen Kampf mit dem Parlament, das an der jährlichen Bewilligung der Matrikularbeiträge festhielt, vermeiden[140]) und dann auch an v. d. Heydt selbst, der gemeinsam mit dem preußischen Staatsministerium

133 so der Plan der Gotthard-Bahn, Disconto-Gesell. Festschrift 1903, S. 97 ff.

134 Disconto Gesell. Festschrift 1903, S. 95.

135 WHStA Stgt. E 74 I, Ges. Berlin 24: 14. IV. 1870.

136 StA Hbg. Archiv Hanseat. Gesandtschaft, Berl. Ältere Registratur F III a Fasc. 3: 7. VI. 1870 Aufzeichnung Merck.

137 Ausgaben 1868: 227,4 Mill. Taler; Einnahmen 148,8 Mill. Taler.

138 GW XIV, 2 Nr. 1264, 1275; O. Schneider: Finanzpolitik S. 5 ff.; Wilmowski: S. 190 eingehend Zuchard: Die Finanzpolitik Bismarcks und die Parteien im norddeutschen Reichstag, Berl. 1908, Vietsch S. 35 ff., Morsey S. 54 ff., beide vom verwaltungstechnisch-organisatorischen Standpunkt aus; Lambi S. 50 ff.

139 DZA II Rep. 89 H III, Deut. Reich 1 Bd. 1: 19. IV. 1869 Immediatbericht Bismarcks.

140 GW VI a Nr. 1192.

schließlich doch der Umwandlung der Matrikularbeiträge in Bundessteuern widerstrebte[140a]. Bismarcks Finanzpolitik, von ihm als »Brandenburgischer Vasall« durchgeführt[141], war am gemeinsamen Widerstand der liberal- und konservativ-preußischen Kräfte festgefahren. Die einen wollten mehr wegen des Bewilligungsrechts, die anderen mehr wegen der unbedingten Aufrechterhaltung der preußischen Führungsrolle am Bund die Finanzhoheit nicht an den Bund abgeben.

Die fortschreitende Zollreduktion ließ aber die Liberalen das ungelöste Finanzproblem immer mehr in den Mittelpunkt ihrer Politik rücken. Hofften sie doch, über das Vehikel des Bewilligungsrechts der notwendigen neuen Steuern Bismarck zur Einsetzung verantwortlicher Bundesminister[142] zwingen zu können. Angesichts der süddeutschen Opposition gegen jede preußisch-norddeutsche Aktivität in der Deutschlandfrage, der Opposition der Liberalen gegen jede Finanzreform ohne politische Gegengabe, der Opposition der Konservativen gegen eine zu liberale Politik, der Opposition der Schwerindustriellen gegen weitere Zollreduktionen sah sich Bismarck gezwungen, seine nach 1866 eingeschlagene »liberale« Politik zu überprüfen und sich vorerst wieder ganz der Sicherung seiner Machtstellung in Preußen zuzuwenden. Den Anlaß bot ihm v. d. Heydts Vorschlag vom Frühjahr 1869, die Stundungsfristen für Zölle und für die Branntwein- und Rübenzuckersteuer von 9 auf 3 Monate zu kürzen[143]. Trotz der Ablehnung Bismarcks wiederholte der Finanzminister im September erneut das Projekt, das nach Bismarck die Sicherheit der preußischen Agrarstruktur und damit das preußische Machtgefüge gefährdet hätte. In verletzend scharfer Form antwortete Bismarck nun nicht v. d. Heydt, sondern einem Vortragenden Rat im Staatsministerium, Wehrmann, und lehnte es ab, »aus den Activis des Staates laufende und dauernde Ausgaben zu bestreiten«[144]. Die damit ausgelöste Krise um v. d. Heydt entschied Bismarck zu seinen Gunsten[145]; v. d. Heydt nahm seinen Abschied[146].

Nun hatte Bismarck die Möglichkeit, das Verhältnis Bund – Preußen, zugleich das Problem »Zentralismus - Föderalismus« zu regeln. Sein Plan, Delbrück auch das Finanzministerium zu übertragen und so die finanzielle »Pfahlwurzel« des Bundes, Preußen, von Bundesinteressen – die zu diktieren Bismarck durch kein Kollegialministerium gehindert wurde – stärker bestimmen zu lassen, scheiterte aber an der Ablehnung Delbrücks[147]. Auf Vorschlag Delbrücks wurde Otto Camphausen, Bruder des Märzministers, selbst Liberaler, der als Präsident der Seehandlung in enger Verbindung mit Hansemann, Bleichröder, Mendelssohn u. a. gestanden

140a GW XIV 2 Nr. 1224, 1228, 1229, GW VI a 1198, Vietsch S. 33 ff., Morsey S. 55 f.
141 GW VI b Nr. 1431.
142 Vietsch S. 35 ff., Morsey S. 57.
143 A. Bergengrün: Staatsminister August Frh. v. d. Heydt, Lpz. 1908, S. 362 f.
144 GW VI b Nr. 1433: 15. IX. 1869 Bismarck an Wehrmann, Poschinger Aktenstücke I, S. 136 ff., offizielle Antwort 2. X. 1869.
145 Roon: Denkwürdigkeiten III S. 133 ff., 138 ff., 141 f., 144.
146 GW VI b Nr. 1442, 1443: 22. X. 1869 Bismarck an Wilhelm I.
147 GW XIV, 2 Nr. 1274.

hatte, zum Minister im Finanzministerium ernannt[148]. Gleichzeitig erhöhte und verselbständigte Bismarck die Stellung Delbrücks[149] und drängte auf das Mitzeichnungsrecht Delbrücks in Bundessachen. Aber auch das lehnte Delbrück ab und schlug das Mitzeichnungsrecht für Camphausen vor. Bismarck jedoch sträubte sich, die Bundesangelegenheiten »zu sehr auf der Sandbank der preußischen Staatsministerialsitzung« festfahren zu lassen[150]. Zudem wollte er den Nationalliberalen nicht so weit entgegenkommen. Denn das Mitzeichnungsrecht eines preußischen Ministers in Bundessachen wäre ein wichtiger Schritt zu Bundesministerien gewesen. Dies aber perhorreszierte Bismarck.

Schließlich sah er in Delbrücks Lösung, der Ernennung Camphausens zum preußischen Finanzminister und zum Mitglied des Bundesrates und der Charakterisierung Delbrücks als preußischem Staatsminister[151], seine Wünsche erfüllt. Seine eigene Stellung im preußischen Kollegialministerium sah er durch Camphausen und Delbrück gestützt. Zugleich hatten die Liberalen mit der Berufung zweier Manchestermänner in das konservative Ministerium auch einen Erfolg buchen können. Sie waren also beruhigt und nahmen es hin, daß erneut die Einrichtung der Institution verantwortlicher Bundesminister aufgeschoben wurde. Weiterhin blieb das Nebeneinander von zwei Verfassungen erhalten[152]: die weitere »Reichsentwicklung« blieb — und das hatte Bismarck vor allem angestrebt — in der Schwebe. Trotzdem war durch die Ernennung Camphausens zum Bundesratsmitglied die institutionelle Betonung Preußens als Finanzmacht des Bundes erfolgt. Und dies war wiederum für die Beruhigung der Konservativen wesentlich: denn äußerlich gesehen dominierte nach dieser Reform Preußen über den Bund[153], zugleich schien aber auch durchaus Preußen im Bund aufzugehen[154], die eventuelle Koppelung von Preußen und Bund im Bundesrat[155] erreicht oder wenigstens in Delbrück das »Bundesgewissen im preußischen Staatsministerium« verankert zu sein[156].

Dadurch hat die Reform in der Forschung eine sehr unterschiedliche Beurteilung erhalten. Die Interpretation erscheint auch sehr schwierig, weil es Bismarck offenbar darauf ankam, »unbestimmte Verhältnisse« zu schaffen, die nur über seine Person jeweils geregelt werden konnten. Wird nur das Problem Bund — Preußen fixiert, so bleibt die Antwort widersprüchlich, ja es scheint, daß Bismarck die Frage, ob 1869 der Bund oder ob Preußen dominierte, ziemlich unberührt ließ. Vielmehr war es Bismarck um die Frage einer akzentuiert zentralistischen oder

148 GW VI b Nr. 1443/1445.
149 GW XIV/2 Nr. 1272.
150 GW XIV/2 Nr. 1275.
151 DZA II, Rep. 89 H II Dt. Reich 5 vol. 1: 24. XI. 1869 Bismarck an Wilhelm I; GW VI b Nr. 1450.
152 DZA II, Rep. 92, Nachlaß Zitelmann.
153 Vietsch S. 38.
154 Goldschmidt S. 12 f.
155 Demmler: Bismarcks Gedanken über die Reichsführung S. 33.
156 Morsey S. 61.

föderalistischen Verwaltungspraxis gegangen. Und auch hier weniger axiomatisch beurteilt, als vielmehr vom unmittelbaren Nutz- und Propagandaeffekt her gesehen. Dem Bund war das Bewilligungsrecht entwunden. Zugleich hatte aber auch die Ernennung Delbrücks zum Staatsminister ihre hohe, vor allem wirtschaftspolitische Bedeutung. Bund und Preußen waren jetzt nicht nur in der Person Bismarcks verbunden. Darüber hinaus erhielt die Ernennung Delbrücks auch im Hinblick auf die aufbrechenden Gegensätze von Großgrundbesitzern und Schwerindustriellen ihre Bedeutung. Die Interessenvertretung der Schutzzöllner wurde jetzt mit der Gesamtheit der freihändlerischen Interessen Norddeutschlands und nicht mehr nur Preußens konfrontiert.

Darüber hinaus kam es Bismarck weniger auf die grundsätzliche, endgültige Regelung des Verhältnisses Reich-Preußen an (wenn das je für ihn in dieser Fragestellung ein Problem war), sondern viel wesentlicher scheint für die Beurteilung der Verwaltungsreform von 1869 zu sein, daß Bismarck versuchte, die norddeutsche Staatsorganisation angesichts der äußeren und innerdeutschen Spannungen nicht öffentlich durch Preußen majorisieren zu lassen. Nur dann konnte er hoffen, den noch notwendigen nationalliberalen Anhang in Deutschland nicht zu verlieren. Zudem hätte jede zentralistische Lösung des Problems die süddeutschen Staaten argwöhnisch werden lassen. Aber auch die Preußisch-Konservativen durften keinen Grund zum Aufbegehren haben. Und dies um so mehr, als bereits erste Oppositionsstimmen gegen das von Bismarck berufene liberale »Triumvirat« Delbrück, Camphausen und Wehrmann[157] laut wurden. Die Konservativen akzeptierten zwar die Reform, aber nicht unter liberalem Vorzeichen. Nun, Bismarck konnte auch diese Opposition dämpfen[158]; Preußen bestimmte die Finanzgestaltung des Bundes, Preußen dominierte in der Bundes-Handelspolitik, Preußen stellte den einzigen »Bundesminister« – nämlich Bismarck; jeder Schritt zu einer norddeutschen Ministerverantwortlichkeit, zur Konstituierung einer norddeutschen Zentralgewalt neben dem preußischen Staatsministerium war vermieden worden, ohne daß der Süden und die norddeutschen Staaten die Dominanz Preußens als zu schroff und verletzend empfunden hätten. Allein in seiner Person liefen alle politischen Fäden zusammen. Das Gleichgewicht liberaler und konservativer Interessenvertretung im preußischen Staatsministerium sicherte ihm seine Unabhängigkeit auch in Preußen. Schließlich gelang es Bismarck außerdem, die Junker in der Tarifreform von 1870 (die »den Beigeschmack eines Handelsgeschäfts, bei welchem ... in letzter Linie das

157 Roon II, S. 416; Bismarcks Jahrbuch 4 S. 91, vgl. auch das Gespräch mit Diest-Daber vom 17. I. 1870 (GW VII, Nr. 226), wo Delbrück als »Schlimmer Manchestermann« beurteilt, und Camphausen als »Feind des Grundbesitzes« apostrophiert wird, wie auch v. d. Heydt »aus dieser Kategorie« genommen worden sei. Diest sieht hierin die Folge, »daß die Gesetzgebung auch fast ausschließlich dem Handel, der Großindustrie und der Börse zugute komme, und der Grundbesitz der Lastträger sei«. Bismarck gab ihm in mehreren Punkten recht.

158 Ritter: Konservative, S. 275 ff.

Interesse des Grundbesitzes den Ausschlag gab«, kaum verhehlen konnte[159], wirtschaftlich zufriedenzustellen.

Im Warten auf die Chance

Bismarck hatte die Grenze seiner liberalen Politik im Inneren deutlich gemacht. Eingebettet in den Rahmen der Politik des Abwartens[160], blieb »das ferner liegende und größere Ziel ... die nationale Einigung Deutschlands«[161], trotz der ablehnenden Haltung des Südens, trotz des vorläufigen Scheiterns seiner Politik, die materielle Einheit in eine politische überzuleiten. Diesem Ziel hatte die Verwaltungsreform gedient[162]. Bismarck gab sich gewiß, daß die Einheit »mit Sicherheit im Laufe der Zeit und von der natürlichen nationalen Entwicklung, welche jedes Jahr Fortschritte mache«, zu erwarten sei[163]. Nur schien ihm die außenpolitische Lage der Jahre 1868/69 eine preußische Offensive zu verbieten. Die Verkaufsverhandlungen um die belgische Luxemburgbahn[164], Englands Abneigung vor einem Zusammengehen mit Preußen, die französich-italienischen Allianzverhandlungen[165]

159 Lotz: S. 97.

160 APP X Nr. 270: 6. XII. 1868 Bismarck an Werthern, Nr. 535: 19. II. 1869 Solms an Bismarck; GW VI b Nr. 1327, Nr. 1331: 3. III. 1869 Bismarck an Rosenberg, Nr. 1357: Bismarck an Rosenberg, Nr. 1366, 1378, Nr. 1412: 23. VI. 1869 Bismarck an Solms, 1449: 20. XI. 1869 Bismarck an Wilhelm, und Anlage, 1497, 1503, 1504, 1517: 28. II. 1870 Bismarck an Flemming.

161 GW VI b Nr. 1449: Anlage Diktat Bismarcks.

162 GW VI b Nr. 1460. HHStA Wien PA III Nr. 101.

163 GW ebd.; hierher gehört auch die Ablehnung des norddeutschen Kaiserplans (GW VI b Nr. 1478, 1541: 25. III. 1870 Bismarck an Bernstorff, G. Roloff: Abrüstung und Kaiserplan vor dem Kriege 1870, Preußische Jahrbücher 214, S. 189 ff., W. Platzhoff: England und der Kaiserplan vom Frühjahr 1870, HZ 127, S. 454 ff.), oder der Vorstoß der Liberalen, Baden auch ohne Beitritt Württembergs und Bayerns aufzunehmen (Stenogr. Berichte RT I (1870) S. 58 ff., GW VII, Nr. 227. Vgl. HHStA Wien PA III Nr. 101 12./25./26. II. 1870).

164 APP X Nr. 143, GW VI b Nr. 1344 auch Vorbem.: 16. III. 1869 Bismarck an Bernstorff, Nr. 1445, 1351, 1358, 1365, 1368, 1371, 1383 und Anlage vom 3. V. 1869, Nr. 1416: 29. VI. 1869 Bismarck an Bernstorff; K. Rheindorf: Der belgisch-französische Eisenbahnkonflikt und die großen Mächte 1868/1869. Deutsche Rundschau 195 (1923 S. 113—136).

165 AA Bonn I ABc Nr. 68: 10. II. 1869 Usedom an Bismarck berichtet von Tripelallianz Frankreich-Österreich-Italien auf Kosten »Südtyrol«, dazu Randbemerkung Bismarcks: »Was soll dergleichen Conjekturalquatsch«, 2. III. 1869 Bismarck an Wesdehlen; 12. IV. 1869 Wesdehlen an Bismarck, APP X Nr. 505: 4. II. 1869 Solms an Bismarck, hierzu Anm. 1, 2, 3, 4. GW VI b Nr. 1339; 1362, Nr. 1410: 22. VI. 1869 Bismarck an Reuß; Oncken: Rheinpolitik III, S. 65 ff. APP X Nr. 410: 6. I. 1869 Bismarck an London, Paris, Petersburg, Wien, Dresden, Brüssel, München,

und die Propagierung der Abrüstungsidee[166], ganz zu schweigen von der Haltung Varnbülers, Dalwigks und Brays, die selbst die Bedeutung der Militärkonventionen wieder fraglich werden ließen[167] – alle diese Faktoren bestimmten Bismarck zum Abwarten. Bismarck war gezwungen, »Entsagungspolitik« zu treiben[168].

Während das Jahr 1870 eine erste Vollendung des wirtschaftlichen Ausbaues und des Handelsvertragssystems brachte, war die außenpolitische Konstellation für Preußen äußerst ungünstig. Zu allem kam, daß nach der radikalen Zollsenkung von 1870 eine umfassende Steuerreform nicht mehr zu umgehen war und die wirtschaftliche Expansion, auf einer zu schmalen Kapitalbasis aufgebaut, in eine Inflation zu gleiten drohte. In dieser wenig günstigen inneren und äußeren Situation spielte jedoch die französische Politik in ihrem Bemühen, auch nur den Schein einer deutschen Festsetzung in Spanien zu verhindern, Bismarck die Möglichkeit zu, überraschend schnell die preußischen Interessen mit dem deutschen Nationalenthusiasmus zu verbinden – eine Chance, von der er bereits 1867 und 1868 gesprochen hatte und die er Mitte 1870 entschlossen nutzte.

c Die Gründung des Reiches und die Fortführung der Handelspolitik: Artikel XI des Frankfurter Friedensvertrages und der Tarif von 1873

Bismarck verbindet die preußische mit der »deutschen Sache«

Mit dem Sturz der Königin von Spanien, Isabella, und der Kandidatur Leopolds aus dem Haus Hohenzollern-Sigmaringen – also der katholischen Linie – hatte sich für Bismarck die Chance ergeben, der österreichisch-französischen politischen Offensive gegen Preußen ein Gegengewicht entgegenzustellen. Bleichröder hatte seit 1868 in ständiger geheimer Beziehung zu Spanien gestanden. Angesichts der innerdeutschen und innerpreußischen Spannungen konnte Bismarck dieses politische Guthaben aber nicht sofort aktivieren[169]. Erst nachdem im Februar 1870 der offizielle

Stuttgart, Karlsruhe, Konstantinopel und Florenz. Nr. 417, 446; GW VI b Nr. 1399: 7. VI. 1869 Bismarck an Bernstorff, Nr. 1402; Oncken: Rheinpolitik III, S. 19–24, 33–37, 53, 72 ff., S. 111–113, 158 ff., 185–188, 245 ff., 253 f., 270 f.

166 GW VI b Nr. 1496.

167 AA Bonn I AAi Nr. 47, Bd. 2: 1. III. 1869 Bismarck an Wentzel; 20. III. 1869 Wentzel an Bismarck; 26. X. 1869 Wentzel an Bismarck; I AAd Nr. 42: 4. I. 1870 Werthern an Bismarck.

168 HHStA Wien PA III Nr. 101: 15. III. 1870 Wimpffen an Beust.

169 GW VI a Nr. 1186 S. 412 f., 422 f., 426 f., 474; GW VI b Nr. 1389; Origines Diplomatiques XXIV 104, 116, 118, 169, 285, 303; APP X Nr. 99 und Anm. 1, 2 Nr. 181, 182, 188, 189, 190, 223, 223, Anm. 2; Nr. 502: 3. II. 1869 Bismarck an Solms; Robert H. Lord: The Origins of the war 1870, Cambridge 1924, S. 13 ff.;

Antrag an die Sigmaringer erging und gleichzeitig Erzherzog Albrecht zu militärischen Besprechungen in Paris weilte, eröffnete Bismarck – nicht zuletzt auch durch die vorübergehende Lösung der innerpreußischen Probleme und die Vollendung des wirtschaftlichen Ausbaus des norddeutschen Bundes wieder aktionsfähig geworden – die politische Gegenoffensive. Er rückte jetzt die Kandidatur in den »Mittelpunkt seiner politischen Bestrebungen«[170], mit dem Ziel, jede weitere Machtsteigerung des österreichischen und französischen Lagers zu blockieren und eine eventuelle Abschwenkung des Südens – sollte die Kandidatur den Wittelsbachern angeboten werden – zu verhindern und die nationale »Weltstellung« der Hohenzollern-Dynastie zu erhöhen[171].

Bismarck war willens, die Kandidatur zum Testfall der deutschen Frage zu machen, ohne jedoch von vornherein auf einen Krieg zuzusteuern[172] – sollte jedoch die Krise in die Konflagration münden, dann war er ebenso entschlossen, unter den Bedingungen eines »Nationalkrieges« die Auseinandersetzung mit Frankreich nicht zu umgehen[173].

Die Bedingungen aber, unter denen Bismarck die diplomatische Offensive führte: Geheimhaltung und Isolierung der machtpolitischen Gegensätze in familiär-dynastischen Angelegenheiten, mißlang[174]; die Kandidatur wurde vorzeitig bekannt. Die französische Gegenaktion erzwang den Verzicht der Sigmaringer, ohne daß es Bismarck gelungen wäre, mit der preußischen die deutsch-nationale Sache zu verbinden; Bismarck mußte zurückweichen[175]. In dieser Situation spielte die sehr

G. Bonnin: Bismarck and the Hohenzollern Candidature for the Spanish Throne, London 1957; Benedetti: Ma Mission en Prusse, S. 306 ff., B. Schot: Die Geschichte der Hohenzollerischen Thronkandidatur im Lichte neuer Veröffentlichungen, Hohenzoll. Jahreshefte XIII, Jg. 1963 S. 173 ff.

170 Bußmann S. 115.

171 GW VI b Nr. 1521: 9. III. 1870 Bismarck an Wilhelm I. Keudell: Memoiren S. 429 ff.; Origines Diplomatiques XXIV S. 279 ff.; Bonnin: Candidature S. 13 ff., 68–73, S. 291 ff.; Lord: S. 269 f., v. Wertheim: Kronprinz Friedrich Wilhelm und die spanische Thronkandidatur, Preuß. Jahrb. 205, S. 273 ff.; R. Morsey: Geschichtsschreibung und amtliche Zensur, HZ 184 (1957) S. 555 f., ders.: Die Hohenzollersche Thronkandidatur in Spanien, HZ 186 (1958) S. 573 ff.; L. v. Muralt: Der Ausbruch des Krieges 1870/71, Jb. d. ostdt. Kulturrates V, 1958 S. 438 ff.; E. Eyck: Bismarck, Wilhelm I. und die spanische Thronkandidatur, Deutsche Rundschau 84, 1958, S. 723 f.; L. D. Steefel: Bismarck, the Hohenzollern Candidacy and the Franco-German war of 1870, Cambridge UP 1962, hierzu Rezension Morsey HZ 197 S. 421 ff., M. Howard: The Franco-Prussian war, London 1961.

172 Becker: Bismarcks Ringen S. 669, 682; Muralt S. 364 ff.

173 J. Dittrich: Bismarck, Frankreich und die Hohenzollernkandidatur, WaG XII 1953, S. 44 f.; Pflanze: Bismarck S. 449.

174 GW VI b Nr. 1557 und Vorbemerkung.

175 Lord: Origins S. 201 ff., 215, 261 f., Clark: Bismarck, Russia and the War of 1870 S. 200 f.; S. W. Halperin: Bismarck and the Italien Envoy in Berlin on the Eve of Franco-Prussian War (Journal of Modern History 33, 1961) S. 35 f., Steefel S. 165 ff.

aggressive Rede Gramonts vor der französischen Kammer, in der eine Festsetzung der Hohenzollern in Spanien (trotz des bereits ausgesprochenen Verzichts) als Störung des Gleichgewichts in Europa bezeichnet wurde, Bismarck doch noch die Möglichkeit zu, preußische Interessen mit deutsch-nationalem Enthusiasmus zu verbinden. Frankreich drohte Preußen mit Krieg; Bismarck ergriff sofort die Chance und drängte Werther in Paris auf provozierende Klarstellung der französischen Position[176]. Schon liefen aus Stuttgart erste Nachrichten ein, die »das nationale Gefühl in Württemberg« verletzen würden[177].

Gortschakow versicherte Preußen der russischen Freundschaft, und Englands Neutralität war angesichts der Gramontschen Forderung ziemlich sicher[178]. Auch Österreich schwieg, trotz der Entente von 1868, die eine Offensiv- und Defensivallianz beinhaltete »en tout éventualité«[178a]. Es fehlte nur noch der Funke, um Preußens Haltung von Deutschland gestützt zu wissen. Dies erfolgte, als der Franzose sich nicht mit einem einfachen Verzicht zufriedengeben wollte, sondern auf eine offensichtliche Niederlage Preußens hinarbeitete. Benedettis Auftrag, die »Garantieerklärung« des Hohenzollernverzichts von König Wilhelm zu erhalten, erbrachte dann auch die Möglichkeit für Bismarck, in äußerster Zuspitzung und Verschärfung der Berichterstattung Abekens in der berühmt gewordenen »Emser Depesche« die deutsche öffentliche Meinung für die preußische Sache zu gewinnen und zugleich Frankreich zu isolieren. Die spanische Kandidatur verschwand und die »deutsche Sache« begann[179]. Nachdem die süddeutsche Bündnistreue sichergestellt war und der Kriegsursprung seine offizielle Begründung erfahren hatte[180], traf dann am 19. Juli 1870 die französische Kriegserklärung ein. Der Krieg begann unter günstigen Voraussetzungen für Preußen[181]; denn Zar Alexander II. drohte Beust, in Galizien anzugreifen, sollte Österreich Preußen attackieren[181a]. Außerdem hatten die französischen und österreichischen Bemühungen um ein Offensiv- und Defensivbündnis mit Italien keinen Erfolg. Beust lehnte ein Zusammengehen mit Napoleon ab und entschied sich für ein österreich-ungarisch-italienisches Bündnis.

176 GW VI b Nr. 1604: 13. VII. 1870 Bismarck an Werther.

177 GW VI b Nr. 1608: 13. VII. 1870 Immediat; Lord: Origins S. 205, 219 ff., E. Walder: Die Emser Depesche, Quellen zur neueren Geschichte, hrsg. Hist. Sem., Bern; Bd. 27–29, 1959, S. 62 ff.

178 Lord: Origins S. 194 ff., Clark: Bismarck S. 199 ff., Platzhoff S. 299.

178a HHStA Wien, PA IX Nr. 177.

179 GW VI b Nr. 1612: 13. VII. 1870 Telegramm an Dresden, München, Stuttgart, Karlsruhe, Darmstadt, Hamburg, hierzu die Vorbemerkung Nr. 1013, 1614, 1615, 1616, 1617, 1618, 1619, 1621, 1622, 1623, 1625, 1629, 1630, 1652: 17. VII. 1870 Bismarck an Werthern, 1663, 1665.

180 GW VI b Nr. 1663: 18. VII. 1870 Runderlaß.

181 GW VI b Nr. 1674.

181a HHStA Wien, PA IX Nr. 177: 20. VII./4. VIII. 1870 Beust an Chotek.

Österreich blieb neutral[181b]. Beust schickte seinen Vertrauten, Vitzthum, sofort in Sondermission nach Florenz. Doch die Verhandlungen zeitigten keinen Erfolg. Vitzthum hatte genug Zeit, die toskanische Landschaft in Versen zu besingen. Am 9. August schließlich – ein preußischer Sieg zeichnete sich bereits ab – wurde Vitzthum wieder abberufen[181c].

Kriegsziele 1870/71

Den schnell an der deutschen Westgrenze aufmarschierenden 500 000 Mann starken Truppen hatten die Franzosen, gelähmt durch die nicht eintretende Kooperation Österreichs und gehemmt durch defensive Heeresgliederung, nur 290 000 Mann entgegenzustellen. Zugleich kam Moltke dem Versuch einer französischen Offensive zuvor, warf die Franzosen – nach dem Vorbild von Königgrätz – mit drei umklammernden Armeen zurück und vermochte Napoleon in Sedan einzukreisen und zu schlagen. Am 2. September kapitulierte Napoleon[182]; 100 000 Franzosen gingen in deutsche Gefangenschaft; in Paris wurde die Republik proklamiert und zum weiteren Widerstand aufgerufen[183].

Die ersten – ungeplanten – Kriegsauseinandersetzungen und preußisch-deutschen Siege bei Weißenburg, Wörth und Spichern hatten den nationalen Enthusiasmus der Deutschen eminent gesteigert. Die blutigen Siege bei Vionville-Mars la Tour, Gravelotte-St. Privat und schließlich Sedan hatten nicht nur die Bestätigung der »Überlegenheit deutschen Wesens« gebracht[184], sondern auch die preußische Staatsstruktur durch die Siege selbst befestigt und für Deutschland zum Vorbild und zur Bestimmung werden lassen. Der erste Teil des Krieges ging als verbindliches Erbe in die deutschen Geschichtsbücher ebenso ein, wie die Heimführung des deutschen Bodens und des deutschen Volkstums im Elsaß und in Lothringen angesichts der »herrlichen« Siege zum unabdingbaren Kriegsziel Preußen-Deutschlands wurde[185] – ganz so, wie es das Sprachrohr der deutschen Finanziers (vor allem Hansemann

181b ebd. 17./19. VII. 1870 Gramont an Beust; 27. VII. 1870 Beust an Metternich; PA III Nr. 101: 25. VII. 1870.

181c ebd. PA IX Nr. 177: 31. VII./2. VIII. 1870 Vitzthum an Beust; 9. VIII. 1870 Beust an Vitzthum.

182 GW VI b Nr. 1773, 1774: 2. IX. 1870 Immediatbericht.

183 GW VI b Nr. 1801.

184 vgl. hierzu Leitlinien der Preßpolemik GW VI b Nr. 1814, 1821, 1973, vor allem AA Bonn I AAa Nr. 29.

185 GW VI b Nr. 1747, 1759, 1781, 1783, 1787: 6. IX. 1870 Bismarck an Frhr. v. Manteuffel; 1794, 1808. Doeberl: Reichsgründung S. 49; Roon: Denkwürdigkeiten III, S. 186; M. Spahn: Elsaß-Lothringen, Berl. 1919, S. 246, Briefe Kaiser Wilhelm I., Lpz. 1911, S. 244 ff.

und Bleichröder, mit deren Anleihen auch dieser Krieg nur geführt werden konnte[186]), das »Berliner Börsenblatt«, noch ehe der Krieg begann, gefordert hatte[187].

Unmittelbar nach den blutigen Augustsiegen, die den Annexionswillen der deutschen öffentlichen Meinung, ihr Selbstbewußtsein, angestachelt von der Nationalhysterie eines Treitschke[188], noch mehr aufputschte (nur Sozialdemokraten und Liberaldemokraten wollten die neue Republik geschont wissen[189]), eröffnete Bismarck – der selbst nach den Augustsiegen den Krieg bald beendet sah[190] – die Verhandlungen mit den Südstaaten. Nun, angesichts der preußisch-deutschen Waffenerfolge, der Tat des »furor teutonicus«, konnte er die verfassungspolitische Einheit Deutschlands festlegen. Keineswegs als Ergebnis einer Volksbewegung, sondern aus diplomatischen Einzelverhandlungen, mit Rücksicht auf überkommene Rechte, mit autonomen Reservationen, abgestimmt auf die Mentalität der jeweiligen Souveräne, entstand das Reich[191].

186 DZA II, Rep. 151 neu Tit. 24 Nr. 12, Pak. 831 Tit. 32 Nr. 62. Militaria Nr. 246, HA Berlin Rep. 109 Nr. 3546 und 3547. Erwähnenswert in diesem Zusammenhang ist die Berufung der freikonservativen Magnaten und Klienten der Berliner Finanz, Renard und Henckel-Donnersmark ins Hauptquartier als Präfektur- und Generalgouverneurkandidaten für Lothringen; vgl. Aufzeich. Henckel: Eine Unterredung mit Bismarck im August 1870, Erinnerungen hrsg. v. Müller/Marcks S. 87 f.

187 Hirth u. Gosen: Tagebuch des deutsch-französischen Krieges 1870–1871, Berl. 1871, I, S. 93, S. 399 ff.; E. Malcolm Caroll: Germany and the Great Powers 1866–1914, New York 1938, S. 75; G. Körner: Die norddeutsche Publizistik und die Annexionsforderung im Jahre 1870, Hannover 1907, S. 17 ff., S. 38 ff.

188 Hirth und Gosen II, S. 1619 ff., 1638 ff., 1648 ff., Körner S. 33 ff., Preuß. Jbb. XXVI (1870) S. 367–409.

189 Duncker: Briefwechsel S. 589, Bamberger: Ges. Schriften II, S. 123 ff.; Busch: Bismarck I S. 91 ff.

190 GW VI b Nr. 1755.

191 GW VI b Nr. 1752, 1756, 1777: 3. IX. 1870 Bismarck an Delbrück (Vorbem.); Nr. 1795: 12. IX. 1870 Bismarck an Flemming; Nr. 1818: 19. IX. 1870 Bismarck an Eichmann (Dresden); Nr. 1829, 1841, 1557: 11. X. 1870 Telegramm Bismarcks an Werthern; Nr. 1861; 1862; 1870; 1882–1884; 1905; Nr. 1906 Vorbem.; Nr. 1910: 7. XI. 1870 Bismarck (Konzept Delbrück) an Roon; Nr. 1914; 1921: 20. XI. 1870 Bismarck an Delbrück (Vorbem.); Nr. 1929: 26. XI. 1870 Erlaß an Delbrück; AA Bonn I AAb Nr. 95, Bd. 1: 26. VIII. 1870 Thile an Bismarck; Mittnacht: Rückblick S. 51 ff., S. 136–138; Brandenburg: Reichsgründung I, S. 3 ff.; Bray: Denkwürdigkeiten S. 130 ff.; Oncken: Großherzog von Baden II, S. 128 f., S. 132 ff., 137 f., S. 182 f., S. 207; M. Doeberl: Reichsgründung S. 43 ff., 110 f., 117 ff., S. 294 ff., 305 ff,; O. Becker: Bismarcks Ringen um Deutschland S. 691 ff.; E. Vogt: Die hess. Politik in d. Zeit der Reichsgründung 1868–1871 (Hist. Bibliothek Bd. 34), München 1914, S. 188 ff.; Rapp S. 363 ff.; Th. Schieder: Kleindeutsche Partei S. 251 ff.; H. Baumgarten: Staatsminister Jolly, Tüb. 1897 S. 175 ff.; W. Seefried: Mittnacht und die Reichsgründung S. 84 ff.

Das Reich wird gegründet

Zu den Verhandlungen mit den Südstaaten rief Bismarck Delbrück in das Hauptquartier nach Versailles[192]. Die Voraussetzungen für die Konstituierung eines Reiches nach Bismarcks Willen und gemäß den preußischen Interessen waren günstig. »Preußenfreundliche Umstände« herrschten in den Südstaaten; Österreich hatte schon im Herbst 1870 sein Einverständnis zur »Konstitution Deutschlands« gegeben[192a]. In Versailles gelang es nun den Preußen, ein Zusammengehen der Süddeutschen zu verhindern[193]. Bayern war damit isoliert. Bray konnte seine Hoffnung auf eine Revision und eine Neukonstruktion der Allianz- und Zollvereinsverträge begraben[194]. Aber auch Hohenlohes Pläne – er war mittlerweile zur »grauen Eminenz« in Bayern geworden[194a] – blieben bei Delbrück und Bismarck unberücksichtigt. Einen weiteren und engeren deutschen Bund, eine gemeinschaftliche völkerrechtliche Vertretung des Bundes durch den König von Bayern und das Präsidium des Norddeutschen Bundes – also den König von Preußen – lehnten die Preußen ab[195]. Mit dem Angebot einer Reihe von Sonder- und Ehrenrechten konnte Bismarck einen künftigen Dualismus in Deutschland verhindern. Bayern gewann er durch die Überlassung der Militärhoheit im Frieden, der Staatshoheit in Eisenbahn-, Post- und Telegraphenwesen, ebenso der Besteuerung des Biers und Branntweins. Auf die gleiche Weise gelang es ihm, Württemberg zu gewinnen, das aber nur die selbständige Telegraphen- und Posthoheit erhielt; das württembergische Armeecorps gehörte fortan zum preußischen Heer[196]. Ende November akzeptierten die Staaten den Verfassungskompromiß[197], und Anfang Januar wurde im Rückgriff auf die verschwommene, aber im politisch-deutschen Gefühl und in

192 GW VI b Nr. 1777; 1802: 15. IX. 1870 Bismarck an Rosenberg, Vorbem.; Nr. 1843, Vorbem.

192a HHStA Wien, PA IV Nr. 40: 17. X. 1870 Beust an Bruck; 16. VII. 1870 Privatbrief Haas an Beust.

193 GW VI b Nr. 1914; Suckow S. 176 ff.; Mittnacht S. 136 ff. Doeberl S. 290 f.

194 AA-Bonn I AAb Nr. 95 Bd. 1: 17. VIII. 1870 Brassier St. Simon an Bismarck.

194a HHStA Wien, ebd.

195 Es kann hier nicht auf die Fülle der Literatur, die sich um dieses nationale Ereignis schart, eingegangen werden. Es ist auch unmöglich, hier die Masse der Belege aus der Literatur anzuführen. GW VI b Nr. 1905: 4. XI. 1870 Bismarck an Bray; Busch: Tagebuchblätter II, S. 115 f.; Bray: Denkwürdigkeiten S. 180 ff.; Delbrück: Memoiren II S. 413 f.; K. A. v. Müller: Bismarck und Ludwig II. im September 1870, HZ 111 S. 118 f.; Becker: Bismarcks Ringen S. 715; Doeberl: Reichsgründung S. 91 ff., 256 ff.

196 GW VI b Nr. 1929: 26. XI. 1870 Erlaß an Delbrück; RGBl 1, 1871 S. 63 ff.; H. Triepel: Unitarismus und Föderalismus im dt. Reich, Tüb. 1905, S. 46; E. Deuerlein: Bundesratsausschuß f. die Auswärt. Angelegenheiten 1870–1918, 1955.

197 GW VI b Nr. 1926: 23. XI. 1870 Telegr. an Delbrück; Doeberl: Reichsgründung S. 125 ff.; Mittnacht: Rückblicke S. 139 ff., Becker: Bismarcks Ringen S. 739 ff.

der Bürgerideologie lebendige Reichsidee mit dem deutschen Kaisertum Wilhelms der Schlußstein des neuen Reiches in einer stupend höfisch-militärischen Feier gelegt[198]. Am 18. Januar wurde der Deutsche Kaiser proklamiert, am 28. Januar der Waffenstillstand angenommen, am 10. Mai 1871 der Friede in Frankfurt unterzeichnet. Das Reich begann vertragsmäßig zu existieren.

Der Krieg brachte eine Änderung der Organisationsformen in der deutschen Staatsordnung, aber keine Unterbrechung der Kontinuität der freihändlerisch-liberalen Gesetzgebung und keine Umschichtung in der für den Norddeutschen Bund charakteristischen Verflechtung von politischer Zielsetzung und wirtschaftlicher Interessenvertretung. Aus dem Nebeneinander eines Norddeutschen und Zollbundesrats, eines norddeutschen Reichstags und Zollparlaments wurde nun *ein* Reichstag und *ein* Bundesrat. Die Zollgesetzgebung und Handelspolitik wurden Reichssache, Zölle und indirekte Steuern wurden Reichseinnahmen (die Erhebung verblieb weiterhin bei den Einzelstaaten). Die Zentralbehörde des Norddeutschen Bundes, das Bundeskanzleramt, wurde als »Reichskanzleramt« die Verwaltungszentrale. Sie erhielt »die Funktion eines kombinierten Handels- und Finanzministeriums in der Reichsverwaltung« – wobei aber die entscheidenden Finanzsachen doch mehr oder weniger preußische Angelegenheit blieben. Reichsverwaltung war vornehmlich – nun organisatorisch auf das Reich ausgedehnt – Wirtschaftsführung[199].

Trotz dieser Kontinuität der nationalliberalen Erfüllungspolitik bewirkte die Reichsgründung – verbunden mit den militärischen Siegen des von preußischen Offizieren geführten Heeres[199a] – eine erneute Intensivierung des konservativen Elementes in Preußen-Deutschland. Im neuen Reichstag von 1871 waren von 357 Abgeordneten 147 Adelige[200], und sie legten mit Elan Zeugnis ab vom »zunehmenden deutschen Gesinnungsmilitarismus«[201]. Ihm ging eine wirtschaftliche und politische Assimilierung der süddeutschen Staaten parallel, deren Bevölkerung im Reichsverband in zunehmendem Maße – trotz der föderativen Zugeständnisse – die Tradition Preußens als eine deutsche übernahm. Damit dominierte – aber nur vorübergehend[201a] – erneut der Einfluß der ostelbisch-agrarischen, preußisch-kon-

198 GW VI b Nr. 1930; 1937; 1942; 1943; 1946: 5. XII. 1870 Bismarck an Itzenplitz; Nr. 1960; 1965; 1967; 1968; 1970; 1972; 1980, Vorbem.: 17. XII. 1870 Immediat; 1988; 1996: 5. I. 1871 Immediatber.; Nr. 2004, 2007: 17. I. 1871 Bismarck an Itzenplitz; Doeberl: Reichsgründung S. 151 ff.; Becker: Bismarcks Ringen S. 790 ff.

199 DZA II, Rep. 90a, B III 2 b Nr. 6 Bd. 83: Protokoll 11. XI. 1871, vgl. zur Ausbildung der Verfassung und Neuorganisation des Amtes Morsey S. 64 ff.; E. Zechlin, APG 6, 1926; Goldschmidt Nr. 19; dann auch die allgemeinen Darstellungen bei Marcks, Eyck, Bußmann, Brandenburg.

199a K. Demeter: Das deutsche Offizierskorps S. 17 ff.

200 N. v. Preradovich: Die Führungsschichten S. 157.

201 Zorn, HZ 197 S. 340.

201a gegen Zorn ebd., der die Vorgänge mehr konstruierend, exemplarisch und noch zu wenig differenziert behandelt.

servativen Führungsschicht gegenüber den Liberalen, dem deutschen Industriellen und Kaufmann, nun aber im Rahmen des Reiches.

Des Kanzlers Verfassung und des »Volkes« Interessen

Der gleiche Trend war auch in der verfassungspolitischen Auseinandersetzung mit den Südstaaten deutlich geworden. Während die Nationalliberalen ihr erstes Ziel, die Reichseinigung, 1871 erfüllt sahen, bereitete ihnen Bismarck mit der Verstärkung der föderativen Elemente im Verfassungsbau eine neue Niederlage. Nach 1862 und 1866 hatten die Liberalen nun auch noch die Nichterfüllung ihres national-militärischen und unitarischen Programmes hinzunehmen. Damit wurde die Grundentscheidung der Bismarckschen Verfassungspolitik von 1862 und 1866/67 – nämlich keine verantwortlichen Bundesminister und keine Einflußnahme auf das Heeresbudget durch die Volksvertretung zuzulassen – erneut unterstrichen. Der Reichskanzler, zumeist preußischer Ministerpräsident und Minister des Auswärtigen von Preußen, einziger gegen König und Gott verantwortlicher Reichsminister ohne Kollegium, ohne Verantwortung gegenüber dem Reichstag, ungebunden in der äußeren Politik, innenpolitisch durch Budgetrecht und Gesetzesratifikation dem Reichstag nur scheinbar verpflichtet, behauptete seine Machtfülle auch im neuen Reich. Der Zustand der »Schwebe«, der als Resultat der Reorganisation der Jahre 1868/69 erreicht worden war, wurde beibehalten. Und diese Machtverhältnisse einer konservierenden monarchisch-autoritären Struktur wurden durch die Sonderstellung der Armee unterstützt. Nur ökonomisch konnte und sollte sich der Liberalismus ausleben, aber auch da gebunden an Militärbedarf und Adelsvorherrschaft[201b].

»Dem Deutschen Volke« gegeben, bestimmte die Verfassung »als Ausdruck der monarchischen Tradition«[201c], daß der Zoll- und Verbrauchssteuerpolitik das politische Hauptgewicht der Reichs- und Reichstagspolitik beigemessen wurde. Daraus ergab sich, daß nur diejenige Partei mit der Regierung zusammenarbeiten bzw. eventuell Einfluß auf sie erhalten konnte, »welche mittels Zöllen und Steuern die Voraussetzung der Machtentfaltung des Reiches zu liefern gewillt war«[202]. Die Mittel zu dieser Machtentfaltung – sollten sie benötigt werden – aber waren wiederum gebunden an die Prosperität der produzierenden Stände von Landwirtschaft und Industrie. So war vor allem für die Industriearbeiterschaft »soziologisch im Reichsbau« kein Raum (Rassow). Eine direkte parlamentarische Opposition hatte in einer solchen politischen Ordnung von vornherein keine Aussicht auf Erfolg. Nur auf indirektem Wege konnte der Reichstag in der Heeres- und Außenpolitik Einfluß nehmen.

201b HHStA Wien, PA V, Nr. 40: 23. VII. 1872 Franckenstein an Andrássy.
201c DZA I, RdI Nr. 16 681.
202 Lotz: Ideen S. 99.

Noch waren die wesentlichen Mitarbeiter im Reich und in Preußen die Liberalen, die Freikonservativen und die Konservativen, deren wirtschaftliche Interessen sich mehr oder weniger unter den Generalnenner des Freihandels subsumieren ließen; und noch war die Landwirtschaft für die preußisch-deutsche Wirtschaftspolitik ausschlaggebend. Noch wog die volkswirtschaftliche Erfüllungspolitik Delbrücks und die nationale Begeisterung über die endlich begründete Einheit die politisch-demokratischen Interessen der Liberalen auf; noch waren die Petitionen der Schwerindustriellen nur auf die Erhaltung eines Minimalschutzes von Eisen- und Stahlwaren gerichtet.

Bismarck konnte um so sicherer die konservativen Elemente der Reichsverfassung mit der Fortführung der Wirtschaftspolitik koppeln, als auch das deutsche Besitzbürgertum durch den Krieg und die damit verbundenen Rüstungen, Vernichtung von Gütern und die Schaffung neuer Geldbedürfnisse eine höchst zufriedenstellende Ertrags- und Produktionslage erhalten hatte. Zugleich entzog die emotionale Begeisterung über die Reichsgründung den süddeutschen Partikularisten die Basis ihrer bisherigen Opposition. Durch die Reichsgründung erhielt vor allem die preußische Industrie- und Bankenwelt einen wesentlich verbreiterten Absatzraum. Das Geschäft wurde nicht mehr durch politische Momente beeinträchtigt, was gleichzeitig eine eminente Herabsetzung des jeweiligen Investitionsrisikos bedeutete.

Berlin löst sich von Paris

Während so der Krieg die wirtschaftliche Expansion Preußens in den sechziger Jahren in der neuen Einheit fortsetzte, brachte er für die Berliner Finanz die Lösung vom Pariser Markt. Vor allem die großen Anleihen, die der zweite Teil des Krieges notwendig gemacht hatte, ließen den Berliner Platz auch für die Geldbedürfnisse des Staatsanleihenkredits der deutschen Staaten dominant werden und legten die beherrschende Rolle des Preußen-Konsortiums im deutschen Finanzgebaren endgültig fest. Unter Führung der Disconto-Gesellschaft, mit Hilfe staatlicher Bankstellen und Postkassen und mit der Rückversicherung in England waren die Kriegsanleihen untergebracht worden[203]. Nun, nach dem Krieg und der An-

203 HA-Berlin Rep. 109 Nr. 5031. Die Finanzierung der ersten Kriegsoperationen wurde durchgeführt mit 30 Mill. Talern des Bundesschatzamtes und 120 Mill. Talern National-Anleihe, die entgegen Hansemanns und Mendelssohns Rat mit 88 % aufgelegt wurde und – abgeschlossen vor Wörth – ein Mißerfolg wurde. Die Fortführung des Krieges über die geplante »Wochendauer« hinaus zwang die preußische Finanzverwaltung, Camphausen, v. Dechend (Hauptdirektor der Preußischen Bank) und v. Günther (Seehandlung), die weitere Emission von 51 Mill. 5 % Schatzanweisung ganz einem von Hansemann gebildeten Konsortium der Seehandlung, Oppenheim, Bleichröder, Berliner Handelsgesellschaft, Gebr. Schickler, Warschauer, H. C. Plauth, Magnus, Mendelssohn und der preußischen Central-Bodencredit AG. zu überlassen (HA-Berlin Rep. 109 Nr. 5032: 28. XI. 1870 Hansemann

nexion von Elsaß und Lothringen, das mit seiner hochentwickelten Textil- und Eisenindustrie eine Verschärfung des Wettbewerbs innerhalb Deutschlands auslöste, wurden vor allem für die süd- und westdeutschen Industriellen große Kapitalinvestitionen notwendig, um weiterhin auch im deutschen Markt konkurrenzfähig zu bleiben. Die gesteigerte Konkurrenz ließ aber gerade den Süden, dessen Textilindustrielle sich unmittelbar vor dem Krieg zum Interessentenverband der »Süddeutschen Textilindustriellen« (mit den Führern A. Staub [Kuchen] und Th. Haßler [Augsburg]) zusammengeschlossen hatten[204], immer intensiver nach Bundesgenossen im Kampf gegen die weitere Reduzierung der Zölle suchen. Die Süddeutschen fanden sie nun in zunehmendem Maße in den Schwerindustriellen. Diese hatten sich im Jahre 1871 zum »Verein zur Wahrung der gemeinsamen wirtschaftlichen Interessen für Rheinland und Westfalen« zusammengeschlossen. Und unter dem Vorsitz Mulvanys (Hibernia [Düsseldorf]), Bertelsmanns (Bielefeld), Lindemanns, Nathorps (beide Essen) und Simons (Mönchen-Gladbach) bemühten sie sich, die Revision der Eisenbahntarife in schutzzöllnerischem Sinne durchzusetzen, ohne jedoch direkt die Zollfrage in den Mittelpunkt ihrer Agitation zu stellen[204a]. Wenn auch dieses sich anbahnende Bündnis der Textil- und Schwerindustrie-Inter-

an Günther), und zwar unter den Bedingungen von 92½ % Auflagekurs, der Einbeziehung englischer Bankhäuser und daß »bei der zu eröffnenden Subscription ... die Ober-Postkassen des Norddeutschen Bundes die preußischen Regierungshauptkassen, die Kreiskasse in Frankfurt, die Seehandlungs-Kasse, sowie die Kassen der preuß. Banken und ihrer Zweig-Anstalten an bedeutenden Orten ihre Mitwirkung verleihen«. Die Disconto-Ges. sicherte sich bei der glänzend verkauften Anleihe 7,2 % Anteil. Preußen war gezwungen, in »allen Punkten« (ebd. 30. XI. 1870 Günther an Hansemann) anzunehmen, ein anderes Angebot gab es nicht. (ebd. 28. XI. 1870 Günther an Camphausen).

Die Joint Stock Bank in Verbindung mit Donald Carnach & Co., W. Bird, G. Th. Brooking, Ph. W. Flower, Fr. B. Goldway, J. G. Mac Leon konnte von Hansemann für ½ % Kommission und ¼ % Courtage gewonnen werden. (ebd. 3. XII. 1870 London Joint Stock an Günther). Gleichzeitig begann ein Drängen der übrigen deutschen Banken, so in Karlsruhe, Stuttgart, München etc. (HA-Berlin Rep. 109 Nr. 3547) um Beteiligung am bereits verteilten Geschäft, das in seiner Durchführung zum erstenmal den Berliner Markt in seiner Monopolstellung gegenüber Frankfurt klar deutlich werden ließ. Eine weitere Anleihe vom April 1871 wurde nicht mehr benötigt, dafür erhielten die Disconto-Gesell. und Bleichröder die Abwicklung der 220 020 800-Taler-Kriegsschuld mit Rothschild frères, dem »Träger« der französischen Kriegskontribution.

Die Tätigkeit der Disconto-Gesellschaft bei den Kriegsanleihen von 1859, 1864, 1866 und 1870 bildete die Bemessungsgrundlage für die Quotenverteilung der weiteren 64 Mill. M. Preußen- und der 142 Mill. M. Reichsanleihen bis zum Jahre 1880, von denen die Disconto-Gesellschaft zwischen 18—23 % übernahm, der Berliner Markt allein 88—94 % (vgl. hierzu HA-Berlin, Rep. 109 Nr. 3346 und 3331).

204 Lambi S. 55.

204a Bueck I, S. 123.

essenten noch keinen Einfluß auf die wirtschaftliche und politische Führung Preußen-Deutschlands ausüben konnte, so wies doch die sich hier anbahnende neue Interessenkonstellation auf einen immer schärfer werdenden Kampf um die Zölle in naher Zukunft hin. Denn nicht nur die Ostelbier hatten durch den Krieg ihre Stellung gefestigt, sondern auch die Industriellen. Ihre Macht sollte in dem Moment von höchster Aktualität werden, als die weitgehende Homogenität der Interessen, die Bismarcks Politik gestützt hatte, durch den Umschwung der wirtschaftlichen Lage des Reichs infolge Überkonjunktur, des Eisenbahnbooms und Milliardensegens zerstört wurde.

Meistbegünstigung auf ewig: der Artikel XI im Frankfurter Frieden

Vorerst jedoch und parallel zur durch den gewonnenen Krieg erneut angekurbelten Konjunktur folgte die Reichsgesetzgebung und die deutsche Handelspolitik den zur Zeit des Norddeutschen Bundes vorgezeichneten Bahnen[205]. Dies zeigte sich bei den Friedensverhandlungen mit Frankreich in Frankfurt. Nach dem Sturz Napoleons gewannen in Frankreich schutzzöllnerische Bestrebungen Einfluß auf die Handelspolitik. Die französischen Unterhändler in Frankfurt, Thiers und Poyer-Quertiers, versuchten nun, ein neues Handelssystem in Frankfurt zu begründen, und es gelang ihnen auch, dies durchzusetzen. Delbrück mußte auf die Erneuerung des alten Handelsvertrages von 1862/64 verzichten. Jedoch konnte Delbrück die gegenseitige Meistbegünstigung im Artikel XI des Friedensvertrages auf »ewig« festlegen. Damit hatte der Preuße für Deutschland sein angestrebtes Monopolsystem der offenen Märkte in Mitteleuropa durchgesetzt. Dank der Meistbegünstigung hatte Deutschland (oder Frankreich) immer teil an den jeweils günstigsten, »meistbegünstigenden«, französischen oder deutschen Zollsätzen. Darüber hinaus partizipierte Deutschland an allen zolltariflichen Begünstigungen Frankreichs in dessen Handelsverkehr mit England, Belgien, Holland, Österreich-Ungarn, der Schweiz und Rußland[206]. Bewußt waren aus dieser Regelung, die bis auf Rußland ungefähr ähnlich strukturierte Länder betraf, die skandinavischen und die um das Mittelmeer gruppierten europäischen Länder ausgenommen. Mit diesen Ländern sollte jeder der beiden Nationen die Möglichkeit individueller Handelsverträge offen-

205 AA-Bonn, I AA Nr. 27: 6. II. 1871 Sta. Min. Protokolle; Frankreich 72, Bd. 6: 21. IV. 1871 PM von Arnim an Bismarck, ebd. 25. IV. 1871 Bismarck an Arnim (GP I, Nr. 5/6), es sei angemerkt, daß die veröffentlichten Akten der GP wie bei den Akten der APP durchgehend mit dem Original verglichen wurden und bei Abweichungen und wesentlichen Zusätzen die Akte zitiert wird.

206 Sartorius v. Waltershausen: Der Paragraph 11 des Frankfurter Friedens, 1915; M. Nitzsche: Die handelspolitische Reaktion in Deutschland, Münch, VW. Studien 72, Stgt. 1905, S. 12; Lotz: Ideen S. 100 f.; A. Oncken: L'Article 11 du traité de paix de Francfort, Revue d'Economie Politique, 1892; vgl. zum Vertrag AA-Bonn: Verträge IE Nr. 38 (GP I Nr. 1).

stehen. Doch auch diese »individuellen«, »nationalen« Vergünstigungen hätten wechselseitig den beiden Staaten wiederum zur Verfügung gestanden.

Auf der Grundlage des autonom-freihändlerischen Zolltarifs von 1870 hatten Bismarck und Delbrück die Interessen der Landwirtschaft, des Handels und auch der überwiegenden Zahl der exportinteressierten industriellen Produzenten gegenüber Frankreich (und dessen Handelspartnern) gesichert. Gleichzeitig war jeder autonomen Schutzzollbestrebung Frankreichs ein Riegel vorgeschoben[206a].

Frankreich konnte sich nun isolieren oder weiterhin seine Zollgrenzen dem Warenverkehr offenhalten, an jedem französischen Handelsvertragssystem, an jeder französischen Zollreduktion hätte Deutschland seinen Anteil gehabt. Zugleich aber hatte sich auch Preußen-Deutschland gebunden, bei einem möglichen mitteleuropäischen Schutzzollsystem deutscher Provenienz konnte Frankreich nie differenziert, sondern nur eingeschlossen werden[207]. Doch letzterer Gedanke beunruhigte Delbrück kaum.

Der Tarif von 1873 als erster Kompromiß zwischen Freihandel und Schutzzoll

Die Möglichkeit eines deutschen Schutzzolles schien vollkommen außerhalb der Prinzipien preußisch-deutscher Handelspolitik zu liegen. Sofort nach dem Friedensschluß ging Delbrück dazu über, konsequent den völligen Abbau der deutschen Zölle anzustreben[208]. Delbrück, Michaelis und die Preußenminister wußten sich bei ihrem Vorgehen unterstützt von den Großgrundbesitzern Nord- und Nordostdeutschlands[209], dem Handelsbürgertum[210] und den dogmatischen Freihändlern

206a HHStA Wien, F 69–40. Diese handelspolitische Regelung war Delbrück deswegen von höchster Wichtigkeit, weil Österreich schon 1871 versuchte, in Alexandrien, Belgrad, Beirut, Korfu, Konstantinopel, Genua, Jassy, Livorno, Liverpool, London, Lissabon, Neapel, New York, Odessa, Rio de Janeiro, Rustschuk, Smyrna, Tanger, Tunis und Bombay anstelle »von Frankreich und Deutschland« in das Handelsgeschäft einzudringen.

207 AA-Bonn I AAa Nr. 27: 26. II. 1871 Prot. Sta. Min.; F. Graf v. Brockdorff: Deutsche Handelspolitik im 19. Jhdt. insbesondere seit 1879, Diss. Erlangen 1899 S. 34 ff.; Zimmermann: Handelspolitik S. 1.

208 DZA II, Rep. 120 C VII, 1 Nr. 10 Bd. 15: 6. V. 1873 Delbrück an Itzenplitz, ebd. Rep. 89 H III, Deut. Reich 11 Bd. 6: 16. V. 1873 Bismarck an Wilhelm; WHStA Stgt. E 46–48 Nr. 369 Berichte 23. V. 1871, 24. V. 1871; GLA Karlsruhe Abt. 237 Nr. 28 976: 17. IV. 1871 Protokoll d. BR. Sächs. LHA Dresden, Ges. Berlin Nr. 2972; BA Koblenz P. 135 Nr. 8844.

209 Sie hatten sich 1872 angesichts der Reichstagsdebatte über die Tarifreform im »Deutschen Landwirtschaftsrat« auf deutscher Basis zusammengeschlossen. (8. bis 19. IV. 1872 Bericht über die erste und constituierende Versammlung des Deutschen Landwirtschaftsrats, Berlin 1872).

210 XII. Kongreß Deutscher Volkswirte, Stenogr. Berichte von 1871, Hbg. Börsen-Halle, 15. VIII. 1872 »Zur Reform des Zollvereins-Tarifs«; HK Hbg. 20 B I Nr. 2:

professoraler Provenienz, denen vor allem in den Hamburger Nachrichten, in der Vierteljahresschrift für Volkswirtschaft und Kulturgeschichte, in der Hamburger Börsen-Halle, der Ostseezeitung und der Hamburger Correspondenz die wichtigsten Organe »des deutschen Handels« zur Verfügung standen[211]. Als am 28. Mai 1872 die Tariffrage vor den Reichstag kam, hatten sich die agrarischen Freihändler in der »Freien wirtschaftlichen Commission« zusammengeschlossen. Hier übernahmen die Konservativen, Birnbaum, Wilmanns, Behr[211a], und der Präsident des neugegründeten Landwirtschaftsrates, v. Wedell-Malchow, die Führung[212]. Ihrem wirtschaftlichen Ziel, der vollkommenen Reduktion der Eisenzölle, verband sich nicht nur die überwiegende Zahl der nationalliberalen Abgeordneten, sondern auch das Zentrum: Windthorst, Frhr. v. Franckenstein und Bischof v. Ketteler. Die konservativ-freihändlerische Front glaubte um so leichter zu einem Erfolg gelangen zu können, als gerade in der ersten Hälfte des Jahres 1873 Börsentaumel, Auftragseingang und Produktionssteigerung[212a] den Industriellen jede Opposition unmöglich machen mußten. Und doch gelang es den über dem freihändlerischen Axiom – »das man nicht beweist« – vereinigten Politikern nicht, die schutzzöllnerische Opposition eines Kardorff, Mohl, Miquel, Hammacher, Stumm und Varnbüler vollkommen zu besiegen. Der Initiativantrag des Konservativen Behr, unterstützt von Below-Saleske[213], Graf Dohna-Finckenstein, Graf Eulenburg, Graf Franken-

30. VIII. 1870 Ausschuß des DHT an den Bundesrat, ebd. HK Cottbus an DHT, Protokoll der VI. Delegierten-Konferenz Norddeutscher See- und Handelsplätze 27. XI. 1872.

211 vgl. Vierteljahresschrift Bd. 34, 1871; Hamburger Nachrichten vom 23. II. 1872, 29. IV. 1873, 25. VI. 1873; Hamburger Börsenhalle vom 14. XII. 1870, 15. VIII. 1872, 2. III. 1873, 21. VI. 1873, 8. VII. 1873; Hamburger Correspondenz 11. VIII. 1872.

211a Felix Wilhelm Leonhard Graf v. Behr-Bandelin wurde 1834 als Sohn des preuß. Kammerherrn Felix Hans und einer von Bugenhagen auf Dombeck und Borrentin geboren. 1865 Preuß. Freiherr, 1878 preuß. Graf. Er war als Besitzer des Fideikommisses Bandelin mit Stresow und Hohenmühl, sowie der Seniorratsstiftung, Erbherr auf Schlagtow, Kiesow, Groß- und Klein-Bestland von Anfang der Interessenbewegung an in der ersten Reihe der agrarischen Vertretung.

212 Augsburger Allgemeine Zeitung 25. V. 1873, nach Lambi S. 62, Friedrich von Wedel, geb. am 23. IV. 1823 in Malchow, ev., bezog in dieser Auseinandersetzung zum erstenmal den Posten der parlamentarischen Vertretung agrarisch-konservativer Belange, die er im preußischen Abgeordnetenhaus von 1866–1890 und im Reichstag von 1871–1873 und 1877–1890 vertrat. Nach juristischen und kameralwissenschaftlichen Studien in Bonn, Berlin und Reisen nach England, Frankreich, Italien und der Schweiz war er 1848 nach der zweiten juristischen Staatsprüfung aus dem Staatsdienst ausgeschieden, wurde 1856 in den Uckermärkischen Ritterschaftsrat berufen und war als Besitzer der Rittergüter Malchow und Polzow prädestinierter Vertreter des preußischen Landadels im Landwirtschaftsrat (als dessen Präsident) geworden. 1875 wurde er Ritterschaftsdirektor.

212a siehe unten 328 ff.

213 Below-Saleske wurde geb. am 11. X. 1837 in Brest-Litowsk, nahm 1854 in der rus-

berg, v. Minnigerode[214], v. Wedell-Malchow, Windthorst, Hirsch, Prince-Smith und Bamberger, der auf die vollkommene Beseitigung der Zölle zielte[214a], wurde abgebogen. Den Vertretern der Baumwollindustriellen Süddeutschlands, der Schwerindustrie an Rhein, Ruhr, Oder und Saar gelang es, einen Kompromiß auszuhandeln. Wohl konnten sie die erhebliche Reduktion des Zolltarifs nicht verhindern, auch Roheisen und kalziniertes Soda[215] wurden frei, aber der Eintritt der völligen Zollfreiheit, vor allem für feine Eisenwaren, wurde auf den 1. Januar 1877 verschoben[216]. So blieb z. B. die Weißblechfabrikation noch geschützt, und vor allem behielten Landwirtschafts-, Baumwollspinn- und Turbinenmaschinen noch einen Zoll[217]. Mit dem Termin der endgültigen Aufhebung aller Eisenwarenzölle war zugleich der Endtermin der Laufzeit des deutsch-österreichischen Handelsvertrages

sischen Armee am Krimkrieg teil und wurde danach Leutnant im preuß. Garde-Husarenregiment, als solcher beteiligte er sich nach einem landwirtschaftlichen Studium in Bonn und Hohenheim (1862) an den Feldzügen 1866/1870/71. Verheiratete sich mit einer Tochter des württembg. Ministerpräsidenten Varnbüler, Mitglied des Abgeordnetenhauses und Reichstags, seit 1894 im Herrenhaus, war er als Besitzer der Güter Saleske und Gohren bei Stojentin/Pommern mit ein Hauptagitator der Belange des preußischen Landadels.

214 1820 in Kassel geb., war verheiratet mit Caroline v. Valtier de Valtmartin, Erbherr auf Wollershausen, Rothenburger Haus, Lindenberg, Bokelnhagen, Silkerode, Wilrode u. a., Rechtsritter des Johanniter-Ordens, Mitglied des Herrenhauses und des Reichstages.

214a Anlagen zur Verhandlung des RT 1873, I Nr. 430, Festenberg-Packisch: Deutschlands Zoll- und Handelspolitik, Berlin 1879 S. 136 ff.

215 J. Goldstein: Deutschlands Sodaindustrie in Vergangenheit und Gegenwart. Münchner Volkswirtschaftliche Studien 13, 1896 S. 57 ff.

216 Sten. Ber. d. RT 1873, S. 832, 844 ff., 853, 1056 ff., 1274, Kompromißvorschlag Hammacher/Miquel S. 1289, 1294 ff., 1302 f., 1391 f.; DZA II, Rep. 89 H, III Deut. Reich 11, Bd. 6: 4. VII. 1873 Delbrück an Wilhelm I. Der Erfolg der Industriellen im RT war um so höher zu bewerten, da im Bundesrat Bayern mit seiner mehr schutzzöllnerischen Position, nämlich den französischen Ausführprämien (titres d'acquit à caution) Zölle entgegenzusetzen, vollkommen isoliert war, vgl. Drucksachen des Bundesrates 1873 Nr. 100, dto. Anlagen zu den Verhandlungen im RT; BHStA München MH Nr. 9712: 16. VI. 1873 Bericht. StA Hbg. Hans. Ges. Berlin Alt. Reg. F III a, Fasc. 3: 15. VI. 1873; WHStA Stgt. E 46—48, Nr. 369: Commissionsberichte vom Juni 1873; Sächs. LHA Dresden Ges. Berlin Nr. 2973: 13. XII. 1873 Zenker an FM; BA Koblenz P. 135 Nr. 8844; Zimmermann S. 221 ff.; Lambi S. 61 ff.

217 BA Koblenz P 135 Nr. 8844; Sächs. LHA Dresden Ges. Berlin Nr. 2972; BHStA München MH Nr. 9712; Krökel: a. a. O. In der Gruppe der Baumwollproduktion wurden Fischernetze von 96 auf 3 M/p. 100 kg. gesenkt, kalziniertes Soda erfuhr eine Senkung von 4 auf 1,50 M/100 kg. Im Hauptstreitobjekt Eisen und Eisenwaren wurde schmiedbares Eisen (Winkeleisen, Radkränze, Eisenbahnschienen) von 3,50/5 auf 2 M/100 kg., Luppeneisen von 2,40 auf 1 M/100 kg, rohe Bleche/Platten von 5 auf 2 M/100 kg, veredelte Bleche von 7 auf 2 M/100 kg, und Draht von

fixiert worden. Sowohl Delbrück – vor allem dessen rechte Hand in Zolltariffragen, der aus württembergischen Diensten in das Reichskanzleramt übernommene Otto Huber[218] – als auch Bismarck hofften, zu diesem Zeitpunkt die mit Frankreich festgelegte Meistbegünstigung mittels zollfreien Sätzen ausdehnen zu können.

Es sollte jedoch anders kommen. Bereits im Oktober 1875 lehnte Bismarck den Abschluß eines Handelsvertrages mit Italien ab, obwohl Delbrück bereits in Verhandlungen mit den Italienern eingetreten war[219]. Und als schließlich die deutsch-österreichischen Verhandlungen zur Erneuerung des Handelsvertrages 1876 aufge-

5/3,50 auf 2 M/100 kg reduziert. Ebenfalls auf den 2-Mark-Satz wurden Eisenwaren aus Guß (1870: 2,40), Eisenwaren (Ambosse, Eisenbahnachsen etc. 1870: 3,50) festgesetzt. Auf einen Satz von 5 M wurde der 8-Mark-Tarif des Jahres 1870 von gewalzten und gezogenen Röhren, von groben veredelten und holzverbundenen Eisenwaren herabgesetzt. Feine Eisenwaren behielten den Zoll. Der Maschinenzoll wurde von 9 auf 4 M/100 kg reduziert. Mit der Ausnahme, die die Bindung des Handelsvertrages mit der Schweiz, so unter anderem Müllereimaschinen, elektrische Maschinen, Baumwollspinnmaschinen, Dampf- und Werkzeugmaschinen und Turbinen festlegte. Der einzige Ausfuhrzoll, auf Lumpen, fiel jetzt auch weg.

218 Der neue Vortragende Rat im Reichskanzleramt, geb. am 6. X. 1836 in Ellwangen, trat im Januar 1861 in württembergischen Staatsdienst und wurde unter Riecke zum führenden Tariftechniker der württembergischen Behörde, wobei er in enger Zusammenarbeit mit der »Centralstelle für Gewerbe und Handel« sich immer mehr freihändlerischen Prinzipien zuwandte. Der Opposition in württembergischem Dienst entzog er sich nach 1870 durch den Eintritt als Assessor in die Verwaltung des Reichslandes Elsaß (27. V. 1872). Bereits am 20. VII. 1872 wurde er in das RKA berufen.
Mit ihm wurde eine weitere Kraft, Hofkammerrat Aschenborn, ins RKA übernommen, der wie Huber nach juristischer Ausbildung, Bestallung als Auskultator (28. III. 1860) und Gerichtsassessor (2. VIII. 60) am 12. VIII. 1872 der zentralen Reichsbehörde beigegeben wurde. (DZA II, Rep. 89 H II, Deut. Reich 5 Bd. 1: 20. VII. / 12. VIII. 1872 Bismarck an Wilhelm I.).
Zuvor schon war die Neugliederung des RKA, das die Konsulatssachen 1870 auf das an den Bund übergegangene AA delegiert hatte, mit der Ernennung Michaelis zum Geheimen Oberregierungsrat (ebd. 7. XII. 1871), Nieberdings zum »Hülfsarbeiter« (ebd. 11. I. 1872) durchgeführt worden. Morsey S. 61 verkennt etwas die Schlüsselposition, die die Handels- und Finanzpolitik auch für die äußere Politik Bismarcks in der Zentralbehörde einnimmt, wenn er das Amt wesentlich als »Innenministerium« des Bundes bezeichnet, »das zudem die gesamte Handels- und Finanzpolitik, das Post- und Telegraphenwesen, sowie die Geschäfte des Präsidiums des Zollvereins abwickelte«. Morsey steht dabei in der Tradition deutscher, von Bismarck begründeter Anschauungen, die die Handelspolitik wesentlich den innerpolitischen Fragen zuordnet, ohne jedoch die Funktion der Wirtschaft im gegenseitig sich bedingenden Abhängigkeitsverhältnis der scheinbar geschiedenen Quellen von äußerer und innerer Staatsführung zu erkennen.

219 Poschinger: Aktenstücke I, S. 202 f., S. 242; Nitzsche: Handelspolitische Reaktion S. 126.

nommen werden sollten, hatte Bismarck nicht nur zwei Vorlagen zur Erhebung von Vergeltungsschutzzöllen gegenüber französischen prämiengestützten Ausfuhrartikeln eingebracht[220], sondern auch der Führer der preußischen und deutschen autonom-freihändlerischen Handels- und Wirtschaftspolitik, der Präsident des Reichskanzleramtes, Rudolph von Delbrück, hatte seinen Abschied erhalten.

Was war geschehen? Eine neue Hausse und eine neue Krise hatten, wie 1857, in den Jahren 1872/73 die materiellen Grundlagen der Handels- und Wirtschaftspolitik Preußen-Deutschlands und damit zugleich die deutschen Machtverhältnisse vollkommen verändert.

Exkurs 1 Die Opponenten von 1873

Wenn auch im Jahre 1873 die Aufhebung der Zölle von der überwältigenden Mehrheit des Reichstages angenommen wurde und auch die Fortführung der liberalen Gesetzgebung[221] weiterhin die volle Unterstützung des Reichstages mit seinen bekanntesten liberalen Führern Bamberger, Lasker oder Braun-Wiesbaden fand, so zeigte doch die Verschleppung der sofortigen Zollaufhebung[222] die Erstarkung der wirtschaftlichen Kräfte, die hinter dem Auftreten Hammachers, Miquels, Varnbülers, Mohls, Stumms und Kardorffs standen. Ihr relativer Erfolg manifestierte zum erstenmal die politische Bedeutung, die nun die deutsche Schwerindustrie und mit ihr verbunden die Banken in der politischen Willensbildung des Reiches erreicht hatten und von nun an immer mehr ausbauten.

Ludwig Bamberger

Wenn Ludwig Bamberger[223] als Repräsentant der älteren freihändlerisch-liberalen Mehrheit gelten konnte, deren Vertreter geprägt waren durch ihre Schriftstellerleistung und durch ihre Handels- oder Privatbankbeziehungen, so waren die wenigen Vertreter des Schutzzollgedankens im Reichstag überwiegend Repräsentan-

220 DZA II, Rep. 90 a B III, 2 b Nr. 6 Bd. 88: 15. X. 1876 Poschinger: Aktenstücke I, S. 240; Festenberg-Packisch S. 481 ff. S. 690 ff.

221 DZA II Rep. 120 A X Nr. 27 a Bd. 1/2; Rep. 120 A X, Nr. 40 Bd. 1; 9. Juni 1873 Münzgesetz — 14. III. 1875 Bank- und Börsengesetz — 20. II. 1877 Strafprozeß-, Konkurs- und Zivilprozeßordnung — 27./30. I. 1877 Gerichtsverfassung.

222 DZA I RKA Nr. 1603 u. a. Petitionen der HK Essen, Hagen, Barmen-Elberfeld; Nr. 1604 u. a. 12. V. 1873 Petition der Dillinger Hüttenwerke; BA Koblenz R 13/I Nr. 338: 10. VI. 1873 Petition der HK Bochum.

223 L. Bamberger, seine Schriften: 1894–98, Bismarck posthumus, 1898, Erinnerungen, hrsg. P. Nathan 1899, Ausgewählte Aufsätze über Geld und Bankwesen, hrsg. K.

ten der schwerindustriellen Mächte, die nach dem Krieg, in Verflechtung mit den Banken, den Durchbruch zur neuen, in rasch zunehmendem Maße industriell geprägten preußisch-deutschen Wirtschaftsordnung erzwangen.

Fast gleich alt, waren Bamberger und Hammacher Prototypen der alten und neuen Parlamentarierschicht. Nach dem Studium in Gießen, Heidelberg und Göttingen beteiligte sich der junge Wissenschaftler Bamberger als radikal-republikanischer Journalist in Rheinhessen 1848 an der Revolution; 1849 in die Schweiz geflohen, kehrte er nach 16 Jahren Banktätigkeit in führenden Stellungen in Antwerpen, Amsterdam und Paris nach Deutschland zurück und wurde 1868 für Mainz in das Zollparlament delegiert, wo er sich vorerst den Nationalliberalen anschloß. 1870 holte Bismarck den Frankreichkenner zur Bearbeitung der liberalen Presse in das Hauptquartier, und diese gouvernementale Funktion führte Bamberger dann als treibende Kraft in der Münzgesetzgebung, der Goldwährung und Reichsbankengründungen fort.

Friedrich Hammacher

Die wirtschaftlichen Kräfte, denen sich Bamberger verbunden wußte, waren vornehmlich der internationale Handel, Privatbanken und Handwerksbürgertum, Verbindungen und geistige Umwelt, die tief von Hammacher verschieden waren. Denn Hammacher stand in engster Beziehung zu wesentlichen Bergbaugesellschaften an der Ruhr, so der Arensbergschen Bergbau Ges., des Bergbau Pluto, des Bergbau Neu-Essen, der Steinhauser Hütte, der Wittener Gußstahlfabrik, des Bergbau und Hüttenwerkes Perm, des Bergwerkes Tremortia. Neben seinen zahlreichen Verbindungen mit der Grundstoffindustrie hatte er auch enge Beziehungen zur Westdeutschen Versicherungsgesellschaft, der Essener gemeinnützigen Aktiengesellschaft, der Märkischen Portland Zementfabrik, der Deutschen Eisenbahn-Gesellschaft, der Magdeburger und Leipziger Bahn. Zentrum dieser vielfältigen Beziehungen war sein Engagement bei der Deutschen Unionsbank in Berlin, die als Gründung der Privatbankiers F. W. Krause, A. v. Mayer, Dr. Strauß und des Industriellen Herz mit einem Aktienkapital von 12 Mill. Talern zur ersten Spekulationsbank in Eisenbahngeschäften und Um- und Neugründungen von Hütten wurde und als erste Bank in umfassender Weise Lokalbanken errichtete, Banken fusionierte und den Beginn eines Filialbanksystems darstellte[224].

Helfferich 1900; E. Feder: Bismarcks großes Spiel, Die geheimen Tagebücher Ludwig Bambergers, 1932. Nach dem Übergang Bismarcks zum Schutzzoll sezessionierte der »Manchestermann« von den Nationalliberalen, ohne aber in den letzten Jahrzehnten seines Lebens – er starb 1899 – die Resignation seines gescheiterten politischen Wirkens überwinden zu können.

224 Ihr Engagement war aber so spekulativ, daß sie 1873 die wirtschaftliche Krise nicht durchstand und 1876 von der Deutschen Bank übernommen wurde (Rießer: Großbanken S. 648; Glagau S. 430 f.)

Die Stellung des Ehrenbürgers von Essen, Mühlheim und Duisburg im Ruhrbergbau, der von 1863 bis 1898 im preußischen Abgeordnetenhaus und von 1868 bis 1873, dann von 1877 bis 1898 im Reichstag saß, wird aber erst in seiner Funktion als Vorsitzender des »Vereins für bergbauliche Interessen im Oberbergamtsbezirk Dortmund« deutlich. Er hatte mit Mulvany im Jahre 1858 diesen Verein zur Abwehr und Überwindung der Krisenerscheinungen von 1857 gegründet[225] und war dessen Vorsitzender von 1858 bis 1890. Aus der vielfältigen Initiatorenleistung dieses Industrierepräsentanten, der in enger Verbindung mit den Schwerindustriellen, den Mulvany, Grillo, Müller, Heyland, Haniel, Lueg, Thyssen, Stinnes etc., aber auch den Bankiers Hansemann, Bleichröder, Mendelssohn und Georg von Siemens und den Konzernherren der Elektroindustrie Siemens und Rathenau stand, ragte noch besonders die Mitgründung der deutschen Kolonialgesellschaft hervor. Mit den Verbindungen und dem vielfältigen Engagement in Parlament, Pressure groups und Industrie kann sein Lebenslauf, wie der Hansemanns, Siemens, Stumms und Baares, als symptomatisch gewertet werden für die Kräfte, die nach 1879 hinter Bismarcks Reich standen und in ihm die Erfüllung ihrer politischen Wünsche und ihrer materiellen Interessen sahen[226].

Johannes von Miquel

Wie Hammacher kann auch Miquel in diesen Jahren als Repräsentant der sich durchsetzenden kapitalistischen deutschen Wirtschaftsordnung gelten. Geboren am 19. Februar 1828 (nur wenig jünger als Hammacher) als Sohn des Hofmedikus und Bürgermeisters von Neuenhaus in der Grafschaft Bentheim, war Miquel, nachdem er als Mitbegründer des Nationalvereins, Geschäftsführer der Nationalvereins-Gruppe für Schleswig-Holstein und Abgeordneter der II. hannoverschen Kammer hervorgetreten war, 1865 Bürgermeister von Osnabrück[227], 1867 Reichstags- und Abgeordnetenhausmitglied geworden[228]. 1869 war er als Geschäftsinhaber in die »Direktion der Disconto-Gesellschaft« eingetreten[229], und seit 1870 war er als Direktor des neugegründeten »Tochterunternehmens«, der »Provinzial-Disconto-Gesellschaft«, tätig[230]. In dieser Eigenschaft hatte er sich eng mit fast allen großen Eisenbahnprojekten der Zeit, mit den wesentlichsten Gründungs- und Spekulationsgeschäften der größten deutschen Banken verbunden. Das

225 S. o. S. 80.
226 DZA I, Nachlaß Hammacher, zahlreicher Briefwechsel, auf den an diesem Ort nicht weiter eingegangen werden kann. A. Bein / H. Goldschmidt: Friedrich Hammacher, Lebensbild eines Parlamentariers und Wirtschaftsführers 1824–1904, Berlin 1932, für die Parlamentsdiskussion S. 69 ff.
227 Herzfeld: Miquel I, S. 187 ff.
228 ebd. S. 58 ff., 78 ff., 221 ff., 227 ff.
229 ebd. S. 207 ff.
230 ebd. S. 365 f.

Engagement bei der Gründung des damals größten deutschen Konzerns, der Dortmunder Union, ließ ihn ebenfalls zum unmittelbar Interessierten an der Erhaltung des Eisenzolls werden; und dies verstärkte sich, je mehr die Ertragslage bei abnehmender Konjunktur gespannt wurde[231]. Aber nicht nur im Industriegeschäft, sondern auch im Hypothekengeschäft war er – der parlamentarische Vertreter der Hansemann-Interessen – tätig. Und es gelang der Disconto-Gesellschaft, Bleichröder und Oppenheim nun, in der »würdigsten« Gründung der Disconto-Gesellschaft – der Central-Boden AG – die Zerschlagung des lokalorganisierten Agrarkredits zu erreichen[232]. Von den 12 Millionen Gründungskapital waren bei dieser für 1872 typischen Gründung nur 5 % eingezahlt. Dafür garantierten die Mitglieder des Aufsichtsrates für die Sicherheit des Unternehmens. Neben Staatsminister a. D. v. Bernuth, v. Bethmann Hollweg, Braun (Wiesbaden), v. Sänger-Grabowo, v. Wedell-Malchow, dem Geheimen Finanzrat Scheele (der erst 1869 aus dem preußischen Finanzministerium zur Disconto-Gesellschaft überwechselte und dann 1873 wieder Chef des Reichseisenbahnamtes wurde [233]) und Kardorff war es vor allem Miquel, der die Durchführung dieses Projektes staatlich-privater »Zusammenarbeit« erreichte. 1876 zog sich Miquel dann wieder als Bürgermeister von Osnabrück von der »Reichszentrale« zurück, ohne jedoch seinen wesentlichen Einfluß bei den Nationalliberalen zu verlieren; 1879 wurde er Bürgermeister von Frankfurt, und 1890 wurde er von Wilhelm II. wegen seinen »Verwaltungsfähigkeiten«[233a] zum preußischen Finanzminister berufen, nachdem Miquel zuvor im Heidelberger Programm die Nationalliberalen Bismarck unterworfen hatte und er 1887 wieder in den Reichstag gewählt worden war. 1888 wurde er Vizepräsident des Herrenhauses, und im Sommer 1897 in Anerkennung der im konservativen Sinne durchgeführten Finanzreform Vizepräsident des preußischen Staatsministeriums. Hier wurde er zum Hauptbefürworter der Sammlungspolitik der staatserhaltenden Kräfte durch Ablenkung des »revolutionären Elements« in die Kolonialpolitik[234].

Wilhelm von Kardorff

Das Hypothekenprojekt der Berliner Großfinanz hatte Miquel mit dem eloquenten Verteidiger der Eisenzölle und Vertreter der Bleichröderschen Belange im Parlament, dem Mitbegründer der Freikonservativen Partei, Wilhelm von Kardorff, zu-

231 ebd. S. 215 f., 363 ff., 377 ff.
232 ebd. S. 217 ff.; Glagau S. 524; E. W. Schmid S. 36.
233 AA-Bonn I AAa Nr. 47: 15. IX. 1873 Scheele an Bismarck, GW XIV 2 Nr. 1251; Morsey S. 143 f.
233a DZA II Rep. 53 J Lit. B Nr. 7.
234 DZA II, Rep. 90 a B III, 2 b Nr. 6 Bd. 131: 22. XI. 97 Votum Miquels in der Staatsministeriums-Sitzung. Eingehend die Arbeiten von Herzfeld und Mommsen über Miquel. Hierauf soll an anderer Stelle eingegangen werden.

sammengeführt. Auch er — im gleichen Jahr wie Miquel, als Sohn eines Amtmannes von Cismar und einer Dalwigk-Lichtenfels in Neustrelitz geboren — repräsentierte die neue Schicht wirtschaftsnationaler, bismarckverehrender Abgeordneter. Nach dem obligaten Jurastudium (in Heidelberg, Berlin und Halle) wurde er Referendar in Naumburg, Berlin und Stralsund. Im Mai 1866 trat er mit der Verteidigung der Bismarckschen Kriegspolitik zum erstenmal an die Öffentlichkeit und wurde im gleichen Jahr durch Nachwahl ins preußische Abgeordnetenhaus gewählt — ein Platz, den er bis 1903 behauptete. Zusammen mit Bethusy-Huc, Renard[235] und v. d. Knesebeck begründete er noch im gleichen Jahr die Partei Bismarcks »sans phrase«. Seit 1868 saß Kardorff ebenfalls bis 1903 als Abgeordneter Breslaus im Reichstag. Die enge Verbindung des Rittergutsbesitzers auf Wabnitz und späteren Landrats von Oels (1884—1895) mit der schlesischen Industrie vertiefte sich während des großen Aufschwungs von 1872/73. Er war direkt an Bleichröderschen Spekulationen — so der Neugründung der Königs- und Laurahütte, der 1. Preußischen Hypothekenbank und der Centralbodencredit AG — beteiligt. Ebenso partizipierte er an der Deutschen Reichs- und Continental-Eisenbahn-Gesellschaft und der strategisch bedeutsamen Kreuzburg-Posen-Bahn[235a]. Als Gründer des Centralverbandes Deutscher Industrieller sollte er im Jahre 1876 seine größte Bedeutung erlangen — und im Übergang Bismarcks zum Schutzzoll seinen größten politischen Erfolg. Auch er war an allen Stationen deutscher Machtpolitik, sei es im Kolonialverein, sei es in Flottenfragen oder in der Gewerbegesetzgebung beteiligt. Seit den neunziger Jahren wurde er immer mehr zum Parteigänger der konservativen Agrarier, und auch hier beeinflußte er wesentlich die Entwicklung der deutschen Handels- und allgemeinen Politik. So z. B. durch seine scharfe Opposition und Agitation gegen Caprivi — doch ganz verlor er die Verbindung zur Industrie nicht. 1907, in seinem Todesjahr, verzeichnet das Handbuch der Aktiengesellschaften ihn noch als Aufsichtsrat des Donnersmarckbetriebes, der Schlesischen Aktiengesellschaft für Bergbau und Zinkhüttenbetriebe, Lipine/Oberschlesien[236].

Carl Ferdinand Frhr. v. Stumm-Halberg

Der vierte Sprecher der schutzzöllnerischen Opposition schließlich, v. Stumm-Halberg, war selbst Führer der stark expandierenden Stummschen Grundstoffindustriewerke und war über seine Frau Ida seit 1860 zudem mit den Böcking verwandt. 1867 in das Preußische Abgeordnetenhaus und in den Reichstag gewählt, stand der erst 1836 geborene, 1872, nach dem Studium in Bonn und Berlin, zum Leiter sei-

235 Johann Maria, geb. 1829 in Gr. Strehlitz, vertrat von 1862 bis 1874 als Zentrums-Abgeordneter den Wahlkreis Oppeln, von 1867–1873 im RT, von 1868–1874 Vors. des Verw. Rates der Forst-Hütten- und Bergbau Ges. Minerva, an die sein Vater Andreas Maria (1795—1875) 1855 seinen Besitz verkauft hatte.

235a Glagau S. 560.

236 S. v. Kardorff: Wilhelm v. Kardorff Berlin 1936.

nes Familienbesitzes berufene Kreisdeputierte und Vorsitzende der Saarbrücker Handelskammer erst am Anfang sowohl seiner politischen als auch wirtschaftlichen Laufbahn. Die starke Interessenbezogenheit seines politischen Standpunktes sollte im deutschen Reichstag noch sprichwörtlich werden – in der Debatte um die Eisenzollsätze 1873 war der Ton angesichts der freihändlerischen Majorität noch gemäßigt. 1876 trat Stumm dem Verein für Sozialpolitik bei und wurde in den Reichsvolkswirtschaftsrat berufen, als Begründer der »Südwestlichen Gruppe des Vereins deutscher Eisen- und Stahlindustrieller«, des »Vereins zur Wahrung der gemeinsamen wirtschaftlichen Interessen der Saarindustrie« und der »Südwestdeutschen Eisenberufsgenossenschaft« trat er aber erst 1884 dem Centralverband deutscher Industrieller bei. Mitunterzeichner des Gründungsaufrufs des Kolonialvereins, paarte »König Stumm« souveräne Führung seiner Panzerplattenindustrie (als Freund Stoschs übernahm er die Marinearmierung seit 1883 in das Programm seiner Dillinger Hütte) mit ausgeprägter Interessenpolitik in Fragen der Sozial- und Wirtschaftspolitik, wobei er sowohl unter Bismarck als auch unter Caprivi, Hohenlohe – und in direkter Beziehung zu Wilhelm II. – erheblichen Einfluß erhielt, der noch durch sein Freundschaftsverhältnis zu Achenbach, Kardorff, Lucius, Frankenberg, Varnbüler, Hohenlohe-Langenburg, Bennigsen, Hammacher, Oechelhäuser, Helldorf und v. Puttkamer unterstützt wurde. 1890 wurde er in den Staatsrat berufen[237].

Louis Baare

Dem parlamentarischen Auftreten von Hammacher, Miquel und Stumm entsprach ein Lobby der Schwerindustriellen (wohl erst in den Anfängen sichtbar), das, geführt von Louis Baare, die Eingaben der Handelskammern Bochum, Essen[238] und anderen industriellen Interessenträgern organisiert hatte. Schon in der Frühphase der schutzzöllnerischen Agitation der Schwerindustriellen zeichnete sich der 1821 in München als Sohn eines Tabakfabrikanten und Spediteurs geborene Louis Baare neben Haniel, Lueg und Servaes[239] aus. Bis 1854 war Baare im Amt für Zollangelegenheiten in Bremen tätig; dann wurde er zum Leiter des Bochumer Vereins für Bergbau und Gußstahlfabrikation berufen. Unter seiner Leitung erwarb der Bochumer Verein Kohlenzechen, Erzgruben, ging zur Thomas- und Siemens-Martin-Stahlproduktion über. Bis zum Jahre 1876, dem Beginn eigener Hochofenproduktion, stieg die Belegschaft des Werkes von 300 auf 9000 Mann, und der Betrieb wurde neben Krupp eines der größten deutschen kombinierten Montanwerke. Der eigentliche Durchbruch zum Mammutbetrieb vollzog sich in der Hausse von 1872/73; die Ende des Jahres 1873 einsetzende Krise ließ aber für Baare den Be-

237 Hellwig: Ferdinand v. Stumm-Halberg, Heidelberg 1936.
238 BA Koblenz R 13/I Nr. 338.
239 s. unten S. 363 f.

stand seiner Werke fraglich werden. So begann Baare in Zusammenarbeit mit dem »old man« der Maschinenindustriellen, Harkort, und seinem Schwiegersohn, dem Reichstagsabgeordneten Löwe-Calbe, für Eisenzölle zu plädieren. Gestützt von G. Frielinghaus (Zeche Dannenbaum), T. Müllensiefen (Crengeldanz), Louis Berger (Witten), W. Boeker (Gute Hoffnungshütte - Haniel), Graff (Hibernia - Mulvany), F. Vowinkel (Gelsenkirchen), Geh. Kommerzienrat Körte (Bochum) und Kirdorf (Gelsenkirchener Bergwerksgesellschaft – Hansemann) baute Baare die Handels- und Industriekammer Bochum zu einem Schwerpunkt der rheinisch-westfälischen Schutzzollagitation innerhalb und neben dem »Langnamverein« unter Bueck auf. Bereits 1873 eröffneten Baare und »seine« Kammer mit einer öffentlichen Demonstration das Ringen um zollgeschützte deutsche Eisenwaren, und ab 1875 wurde Baare zum Vorkämpfer der »innigen Solidarität« deutscher Produktionsinteressen in strikt schutzzöllnerischem Sinne[240]. In Freundschaft mit dem Großherzog von Baden verbunden, wohlwollend beurteilt vom preußischen Kronprinzen, nahe befreundet mit dem Chef der Reichskanzlei, Tiedemann, gelang es ihm, schon 1876 auf den Kaiser und 1877 auf Bismarck Einfluß zu gewinnen[241]. Seine Stellungnahme in der Eisenenquête-Kommission sollte für den Übergang zu den Schutzzöllen entscheidend sein; aber noch wesentlicher sollte seine Bedeutung als »geistiger Urheber« der Unfallversicherungsgesetzgebung werden. Baare, Staatsrat, Landes- und Bezirkseisenbahnrat, Provinzialrat, Handelskammerpräsident und Leiter des Bochumer Vereins – der bei »allen Behörden« (nach dem Urteil des preußischen Kriegsministeriums) »sich größter Achtung« erfreute und das »vollste Vertrauen« besaß, »stets an der Spitze patriotischer und wohltätiger Unternehmen stehend« – war wie Hansemann, Hammacher, Miquel und Stumm in politicis ein unbedingter Anhänger und Verehrer Bismarcks, war doch die Machtstellung und Machtbehauptung des neuen Reiches seit 1875 in steigendem Maße eine Frage der Armierung des Heeres und der Aufrüstung einer Flotte geworden[242].

Moriz Mohl und K. F. Gottlob Varnbüler von und zu Hemmingen

Im Gegensatz zu den Repräsentanten der neudeutschen Schwerindustrieinteressen war die Schutzzollagitation der Württemberger, Mohl und Varnbüler, mehr von theoretisch-systematischen Überlegungen geprägt, stärker durch das Bedürfnis der Textilindustrie ihrer engeren Heimat geleitet. Während Mohl, traditionell partikularistisch, den Schutzzoll als ein Mittel zur Abwehr Großpreußens beurteilte[243], war für die Parteinahme des ehemaligen württembergischen Ministerpräsidenten, Ministers des Äußeren und des Verkehrs, Varnbüler, die Erfahrung entscheidend,

240 Bacmeister: Baare S. 195 f., 198.
241 DZA RK Nr. 463; Bacmeister S. 206.
242 Brandenburg LHA Potsdam Rep. 30 Nr. 9142.
243 s. oben S. 171 f.

die Varnbüler als Leiter einer von seinem Schwiegervater übernommenen Maschinenfabrik in Wien während der Jahre 1849 bis 1853 gemacht hatte. 1809 als Sohn des späteren württembergischen Finanzministers Karl v. Varnbüler in Hemmingen geboren, war er eine Generation älter als die Industriellen des Westens und gehörte auch, trotz eines Studienaufenthaltes in Berlin, ganz dem süddeutsch-österreichischen Lebenskreis an. Nach der Assessorenzeit von 1833 bis 1839 in Ludwigsburg und Reisen nach Österreich, Italien, Frankreich, Belgien, Holland, Dänemark und Schweden widmete er sich der Führung seiner Güter Hemmingen, Höfingen und Ludwigshöhe; 1845 wurde er als Vertreter der Ritterschaft des Neckarkreises in den Landtag delegiert. Das Jahr 1848 sah ihn als glühenden Verfechter der obrigkeitlichen Rechte. Die Leitung der Wiener Maschinenfabrik in jenen ersten entscheidenden Jahren des handelspolitischen Ringens mit Preußen ließ ihn zum Schutzzöllner, zum Vertreter der Gewerbefreiheit und zum Anhänger eines wirtschaftlichen Anschlusses Württembergs an Preußen werden – unter strikter Wahrung der politischen Selbständigkeit seines württembergischen Vaterlandes. Als er 1864 mit der Führung des Landes unter dem neuen König Karl beauftragt wurde, waren diese Prinzipien ausschlaggebend für seine Landes- und Zollparlamentspolitik. Mit Erfolg führte er diese durch, bis er durch die Ereignisse des Jahres 1870 weichen mußte. Als Reichstagsabgeordneter von 1872 bis 1881 wurde er zum Sprecher der schutzzöllnerischen Front der Reichspartei. Dabei näherte er sich immer mehr Bismarck, der ihn – zugleich durch seine Tochter Freiin von Spitzemberg freundschaftlich mit dem Kanzler verbunden – sogar in den Reichsdienst ziehen wollte. Seinen größten Erfolg und seinen höchsten Einfluß gewann Varnbüler in der Reichspolitik als Vorsitzender der Zolltarifkommission des Bundesrates. 1889 starb er in Berlin[244].

d Der Milliardenboom von 1871/73 und der Durchbruch der kapitalistisch-industriellen Wirtschaftsordnung Deutschlands. Die Achse Oberschlesien–Berlin–Ruhrgebiet

Wenn auch die Skizzierung der Opponenten von 1873 schon in Umrissen die Bedeutung der Hausse und der Krise von 1871/73 für die deutsche Wirtschaftspolitik deutlich werden ließ, so eröffnet doch erst die Analyse des Milliardenbooms den Zugang zum Verständnis der Umschichtung der Machtverhältnisse in Deutschland und ihrer Bedeutung für Deutschland.

Der wirtschaftliche Aufschwung der Jahre 1871/73 war gekennzeichnet durch die

244 F. E. Hellwig: Varnbüler und die deutsche Frage 1864 bis 1866. Darstellungen aus der württembergischen Geschichte Nr. 25, 1934.

Überlagerung und Potenzierung mehrerer weltumfassender, zum Teil nachkriegsbedingter, absatz- und produktionsbeschleunigender Faktoren[245].

Nach 1868 setzte in Österreich eine ziemlich starke wirtschaftliche Konjunkturbelebung ein. Während Deutschland schon 1864/65 die tiefe Depression von 1857/1859 überwinden konnte, gelang es Österreichs Wirtschaft erst, unmittelbar nach der Niederlage von 1866 und dem Ausgleich mit Ungarn diese Stagnation zu überwinden. Denn Frankreich begann sich aus politischen Gründen um eine wirtschaftliche Stabilisierung der Doppelmonarchie zu bemühen, um so gegen Deutschland einen Verbündeten zu gewinnen. Die französische Unterstützung fand besonders im Ausbau des österreichisch-ungarischen und vor allem auch des südosteuropäischen Eisenbahnnetzes ihren Niederschlag[246]. Allein 23 neue Effektenwerte erschienen 1868 an der Wiener Börse, und 1869 waren es sogar 55! Diese Entwicklung, die sich trotz der französischen Niederlage von 1871 fortsetzte[247], hatte eine eminente Rückwirkung auch in Preußen und Berlin, da Wien mit Berlin über Rothschild, Bleichröder und Hansemann verbunden war. Nach dem Krieg hatte sich in Preußen die Konjunktur zuerst zögernd, dann — angesichts der liberalen Wirtschaftsgesetzgebung und der Lockerung der einschränkenden Aktiengesellschaftsbestimmungen mit Rasanz erholt und war in eine immer belebter werdende Produktions- und Investitionstätigkeit übergegangen[248].

245 Zum Problem der Krisen als zyklische Erscheinung weltweiter Depressionen, wie sie zum erstenmal 1857 weltumfassend in Erscheinung trat, und mit steigender Industrialisierung und Differenzierung des Wirtschaftslebens heftigere Ausmaße annahm, vgl. C. Juglar: Des crises commerciales et de leur retour periodique en France, en Angleterre et aux Etats Unis, Paris 1860; N. D. Kondratieff: Die langen Wellen der Konjunktur, Archiv f. Sozialwiss. und Sozialpolitik 1926, S. 573–609; W. Woytinsky: Das Rätsel der langen Wellen. Schmollers Jb. 1931, S. 577 ff.; R. Stucken: Die Konjunkturen im Wirtschaftsleben, Jena 1932; J. Schumpeter: Business Cycles, New York 1939; G. Schmölders: Konjunkturen und Krisen, Hbg. 1955. A. Predöhl: Das Ende der Weltwirtschaftskrise, Hamburg 1962, S. 35 ff.

246 So wurden u. a. die Aktien der ungarischen Ostbahn, der Kaiser-Ferdinands-Nordbahn, die vor allem Wien mit den böhmisch-mährischen Industriebezirken verband, der Kaiserin Elisabeth-Westbahn, die den Anschluß an die bayrisch-schweizerischen Linien suchte, der Südbahn, der Buschterader Eisenbahn aufgelegt. Wirth: Geschichte der Handelskrisen, Frankfurt 1874, S. 144 ff. Siehe oben S. 278.

247 1871 waren es 72 Neuemissionen, darunter allein 17 Banken mit einem eingezahlten Betrag von 49,9 Mill. fl., 12 Eisenbahnwerte und 24 Eisenbahnprioritäten mit einem Betrag von 92,343 bzw. 319,185 Mill. fl. — 16 Industriewerte mit 34,100 Mill. fl., 1872 stieg die Gründungstätigkeit noch weiter an: 66 Banken mit 204,150 Mill. fl., 33 Eisenbahn-Effekten mit 472,860 Mill. fl. und 73 Industriewerte mit 153,850 Mill. fl. wurden in Wien neu aufgelegt, vgl. spezifiziert Wirth: Handelskrisen S. 484 ff., 469 ff.

248 H. Gebhard: Die Berliner Börse von den Anfängen bis zum Jahr 1905, 1928; A. Weber: Depositenbanken und Spekulationsbanken, 1938; Roos: Das Verhältnis der

Der Privatbankier verliert seine dominierende Stellung

Das rasche wirtschaftliche Wachstum in Europa und die Größe der Aufgaben verlangten immer größere Kapitalmengen. Nur noch die größten internationalen Privatbanken, so z. B. die Rothschilds mit ihren Zentren in Paris und London, konnten diese Summen aufbringen. Aber selbst diese vermochten die Geldmittel nur noch in Verbindung mit den alten und neugegründeten Aktienbanken aufzubringen. So wurden für Berlin und Wien in dem einsetzenden Boom nach 1866 immer mehr die Dünne der Kapitaldecke und die Knappheit der Finanzierungsmittel typisch. Damit waren der Investitionstätigkeit der Banken enge Grenzen gezogen[249]. Hinzu kam noch, daß die Mittelstaaten in ihrem Versuch, selbständig zwischen den europäischen Großmächten zu agieren, dazu übergingen, eigene Bankzentralen zu schaffen, um unabhängig von Rothschild und Berlin zu werden. Der Erfolg war eine eminente Zunahme der Umlaufmittel, die zwar die deutschen Industriemärkte überschwemmten, aber keine konzentrierte Verwendung als Investitionen ermöglichten. Vielmehr unterstützte das Vorgehen der Süddeutschen den Zug zur inflationären Überhitzung der Konjunktur nur noch[250]. Zur Überwindung der Kapitalknappheit versuchten die Banken in Preußen die Ausgabe kleinerer Notenwerte und die Aufhebung der auf den Inhaber lautenden Wertpapiere – ein altes Mittel der Inflationspolitik – durchzusetzen. Sie hofften durch diese Maßnahme die Investitionsmittelknappheit, die während des Krieges natürlich noch gesteigert wurde, zu beheben[251]. Aber diese Aushilfen reichten für die Privatbankiers nicht aus, die Knappheit ihres Kapitals, die Enge ihrer Klientel zu überwinden[252]. So entstanden noch vor der Verabschiedung des neuen Aktiengesetzes – meist getragen von einem Konsortium von Privatbanken – in Deutschland neue Aktienbanken, wie die Deutsche Bank oder die Commerzbank[253]. Gegenüber den

Banken zur rheinisch-westfälischen Schwerindustrie vom Beginn des 19. Jhdt. bis 1875, Diss. Köln ms. 1953.

249 W. Wisskirchen: Burkhardt & Co., Privatbankiers im Herzen des Ruhrgebietes, Tradition 2, 1957; E. Achterberg: Berliner Banken im Wandel der Zeit, 75jähriges Bestehen von Hardy & Co., 1956; DZA I Sekretariatsakten BHG; vgl. auch (R. E. Lüke): Die Berliner Handelsgeschäfte in einem Jahrhundert deutscher Wirtschaft, 1956; Geschäftsberichte der Disconto-Gesellschaft 1867, 1868, 1869, 1870 dto.; Archiv Dresdner Bank: Geschäftsbericht Darmstädter Bank 1867–1870; H. Rachel/P. Wallich: Berliner Großkaufleute und Kapitalisten, 1939.

250 DZA II, Rep. 120 A X Nr. 6 Bd. 15: Eingabe HK Essen vom 31. VII. 1870; Votum o. D. Camphausen an Wilhelm I.; WFStA Ludwigsburg, E 222, Fach 167, Nr. 533/534, vgl. auch E 222, Fach 71, Fasc. 10; Mosthaf: Die Württembergischen Handelskammern Stgt., Heilbronn, Reutlingen und Ulm 1955, S. 113 ff.; Wirth, S. 40, Bayr. Hypotheken- und Wechselbank München S. 15 f.; J. Ruby: Die Badische Bank 1870–1908, 1911.

251 DZA II Rep. 120 A X Nr. 6 Bd. 15 o. D. Camphausen an Wilhelm I.

252 H. Hassmann: Die Gestalt der Privatbankiers, 1953.

253 DZA II Rep. 120 C III, 15 Nr. 1 Bd. 4: 11. III. 1870 GK Redlich an Itzenplitz.

Gründungen der Montan- und Bauindustrie[254] aber blieben diese Gründungen noch vereinzelt. Zudem war die Zulassung der Deutschen Bank weniger mit dem Argument der Überwindung innerdeutscher Kapitalknappheit erzwungen worden als vielmehr mit dem der Notwendigkeit einer Außenhandelsbank[255].

Die Gründung der Deutschen Bank: Weltmarkt und Großmachtstellung

Mit der von Delbrück eingeleiteten und fortgeführten Stabilisierung der handelspolitischen Weltverflechtung des deutschen Handels war die Frage der Finanzierung des gesteigerten Handelsaustausches vor allem in Hamburg akut geworden. Eine Eigenfinanzierung war bei der Breite des Geschäftes unmöglich, die Eigenmittel der lokalen Merchant-bankers waren zu knapp geworden. Darum verbanden sich in Hamburg H. J. Merck & Co, Godeffroy, Berenberg-Gossler & Co, Schröder Gebr. & Co u. a. m. zur Gründung einer »Internationalen Bank, mit dem Ziel, die Ausführung von Bank- und Handelsgeschäften« und die Gründung *»sonstiger* Unternehmen«, also Reedereien, Faktoreien, Plantagen und Eisenbahnlinien in Übersee zu übernehmen[256]. Diese Hamburger Gründung nahm der Berliner Privatbankier Adelbert Delbrück[257] – ein Neffe des Präsidenten des Reichskanzleramts –, Präsident des Deutschen Handelstages, Mitglied der Ältesten der Kaufmannschaft Berlin und Stadtverordneter von Berlin, zusammen mit v. d. Heydt zum Anlaß, auch für Berlin die »Notwendigkeit« einer Aktiengesellschaftsbank zu

254 1870 zeigte der Berliner Börsenzettel 64 Eisenbahnstamm- und Stammprioritätsaktien, 83 Montan-Prioritäten und Obligationen neben 34 ausländischen Eisenbahnpapieren. Nach den Eisenbahnwerten waren für Berlin 47 preußische, 13 deutsche und 39 ausländische Fonds wesentlich.

255 DZA II Rep. 120 A XII, 5 Nr. 1 vol. 9: 10. II. 1870 GRR Jacobi an JM Leonhardt, Mai 1870 Promemoria GRR Jacobi.

256 DZA II Rep. 120 C III, 15 Nr. 1 Bd. 4: 9. II. 1870 GK Redlich an Itzenplitz, ebd. Rep. 120 A XI 2 Nr. 24 Bd. 1.

257 Delbrück, 1822 geboren, war der Sohn des GORR und Kurators der Universität Halle, Gottlieb Delbrück; verheiratet mit einer Enkelin des preußischen Ministers v. Schwerin, verwandt mit Dryander und dem Direktor im AA, Michelet, leitete er das angestammte Bankhaus der Hohenzollern Delbrück, Schickler & Co. In dieser Eigenschaft war er an 154 Gründungen beteiligt, von denen die Deutsche Bank und deren Tochtergesellschaften die bekanntesten wurden. Zugleich war er Mitbegründer des Deutschen Industrie- und Handelstages und von 1870–1885 Vorsitzender des DHT.
Sein Sohn Ludwig führte die Arbeit fort; streng konservativ, wurde er kaiserlicher Schatullenverwalter unter Wilhelm II., Mitglied des Herrenhauses, Vizepräsident der Kaiser-Wilhelm-Gesellschaft und Mitglied des Zentralausschusses der Reichsbank. Als einziges Nichtfamilienmitglied war er 1913 im Aufsichtsrat von Krupp, und hatte vor allem enge Verbindung zur Elektroindustrie: so der AEG, der Aluminiumindustrie AG Neuhausen/Schweiz, der Berliner Elektrizitätswerke,

betonen. Sie sollte die Ablösung der überseeischen Handelsgeschäfte »von England und Frankreich« vollziehen[258]. Angesichts der »Konkurrenzsituation« mit Hamburg wurde die Zulassung — seit 1848 die erste — ausgesprochen[259]. Die Bank erhielt den »symptomatischen« Namen »Deutsche Bank«, und zu ihrem Leiter wurde Georg von Siemens, der für die Elektrowerke seiner Verwandten verschiedene ausländische Streitfälle zu Ende geführt hatte, bestellt[260]. Damit war die Sonderstellung begründet, die die Deutsche Bank sowohl in der Hausse als auch in der Krise einnehmen sollte. Von allen Berliner Banken beteiligte sie sich relativ am wenigsten am Industrie- und Eisenbahngeschäft[261], sondern engagierte sich mehr beim Aufbau eines deutschen Banknetzes. Die Ziele der Bank waren vornehmlich auf den Ausbau eines überseeischen Clearing-Netzes gerichtet — mit dem Zentrum Berlin und den Vorposten Bremen, Hamburg und London. »Tratten auf Deutschland gezogen« führten, wie Wallich, einer der ersten Direktoren der Bank, aufzeichnete, in den ersten außereuropäischen Niederlassungen der Bank — in Schanghai und Yokohama — »die wenig gebräuchliche« deutsche Valuta ein. Gemäß dem Programm ihres Ersten Direktors, Siemens, verfolgte sie auch in den Krisenjahren als Hauptziel ihrer Tätigkeit die Ausschaltung des Londoner Geld- und Vermittlungsmarktes und weniger die Intensivierung des Handels mit kontinentalen Werten auf dem Berliner Markt[262].

Als letzte Zulassungsgründung vor dem neuen Aktiengesetz kennzeichnete die Errichtung der Deutschen Bank den Endpunkt dieses ersten, durch Kapitalknappheit charakterisierten wirtschaftlichen Aufschwungs, in den 1870 der Krieg hineinplatzte. Der Konsumtionsaufschwung, den der Krieg auslöste, die Annäherung an den Geldmarkt London, den er notwendig machte[263], die Annexion von Elsaß-Lothringen, die er brachte, die Verbindung zwischen Minetteerz und Ruhrkohle, die er schuf, heizten die schon sehr belebte Konjunktur so stark an, daß sich mit der weitgehenden Fertigstellung der Haupteisenbahnlinien in Europa und der damit ermöglichten Verbreiterung der Handelsräume und Steigerung des Handels und

der Deutsch-Überseeischen Elektrogesellschaft, der Elektrolieferungs-Gesellschaft und der Bank für elektrische Unternehmungen/Zürich. Weiter war er im Aufsichtsrat der Hypothekenbank Hamburg, dem Donnersmarck-Betrieb Schlesische AG für Bergbau und Hüttenbetriebe in Lipine/Obschl., der Archimedes Stahlwerke AG der Deutschen Continental-Gasgesellschaft Dessau, der Frankfurter Gasgesellschaft und der Vereinigten Chemischen Fabriken Leopoldshall. Brandenburg. LHA Potsdam Rep. 30 Nr. 9650, Berliner Börsenkurier 27. V. 1890.

258 DZA II Rep. 120 A XII 5,5 Nr. 1 Bd. 9: 25. II. 1870 Eingabe an Itzenplitz, 8. III. 70 JM/HM an Wilhelm.

259 DZA II ebd.; Berl. Börsenkurier 5. IV. / 16. X. 95.

260 K. Helfferich: G. v. Siemens, Bd. I, 1923.

261 M. Steinthal: H. Wallich. Der deutsche Volkswirt, Nr. 36, 8. VI. 1928, S. 1231 ff., Geschäftsberichte 1872, 1873, 1874.

262 DZA II Rep. 120 A XI, 2 Nr. 24 Bd. 1.

263 s. oben S. 306 f. Anm. 203.

Absatzes[264] in der deutschen Volkswirtschaft in wenigen Jahren die industriell-großkapitalistische Struktur endgültig durchsetzte.

Der Boom wird von den Milliarden angeheizt

Der wesentlichste Antrieb für die Konjunktur waren die 5 Milliarden Francs (1,4 Milliarden Taler) französische Kriegskontribution, die Bismarck, dem Rat Bleichröders und Graf Henckel-Donnersmarcks folgend, nicht zuletzt aber auch aus politischen Gründen, festsetzte[265]. Frankreich gelang es nun, durch den glänzenden Erfolg einer internationalen Anleihe — die 14fach überzeichnet wurde — in unvorhergesehen kurzer Zeit die Gesamtsumme zumeist in fremden Sorten über Rothschild an Bleichröder und Hansemann zu überweisen[266].

Bereits am 20. Mai 1873 hatte Frankreich nach der Feststellung Finanzministers Camphausen 1 395 545 946,7 Taler bezahlt. Dies hieß, daß nach Abzug von 86,7 Mill. Taler für die elsaß-lothringischen Bahnen und der Reservation von 400 Mill. Taler noch ca. 995 Mill. Taler zur sofortigen Verwendung übrigblieben. Neben der Verwendung des Geldes zum Festungsbau und zur Reorganisation des Heeres[267] — beides unproduktive, geldaufwendige, konjunkturfördernde Anlagen — verwandte der Norddeutsche Bund von seinem Anteil von 591 Mill. 200 Mill. Taler zur sofortigen Rückzahlung seiner Kriegsanleihen[268]. Diesem Vorbild folgten die Bundesstaaten[269], und somit überfluteten festverzinsliche, zumeist ausländische Werte an-

264 100 Jahre deutsche Eisenbahnen, hrsg. vom Reichseisenbahnamt, 1938; G. Sommer: 100 Jahre deutsche Eisenbahnen, 1935; L. Pohle: Das deutsche Wirtschaftsleben seit Beginn des 19. Jhdts., 1930[3]; W. Herrmann: Entwicklungslinien montanindustrieller Unternehmungen im rheinisch-westfälischen Industriegebiet an der Saar und seine hauptsächlichsten Industriezweige, 1912; W. Treue: Caesar Wollheim, Tradition 5/6. S. 65 ff., S. 197 ff.

265 AA Bonn Frankreich 72 Bd. 6: 21. IV. 1871 Promemoria an Arnim; ebd. Bd. 16: 26. IX. 1871 Delbrück an Arnim; ebd. Bd. 17: 12. X. 1871; Frankreich 70 Bd. 126: 23. VIII. 1871 Waldersee an Bismarck; ebd. 27. VIII. 1871; ebd. Bd. 133: 12. V. 1872 Bismarck an Arnim; ebd. 138: 3. III. 1873 Anlage (GP I, Nr. 5, 34, 36, 50, 55, 70, 74, 101 Anlage).

266 Bei der ersten Transferierung waren 20 %, bei der zweiten 58 % der Summe nichtfranzösisches Geld. Die Summe setzte sich aus 694.817.233 Talern, 99.877.147 fl., 141.298.445 Marc-Banco (Hbg. Währung), 1.016.584.613 fr., 25.233.861 Pfund und 117.099.389 hfl. zusammen. DZA I RKA Nr. 317; Däbritz S. 179; A. Müller-Jabusch: Aus den Flegeljahren der Aktiengesellschaft, Industriekurier Juli, August 1957; vgl. auch StA Hbg. BRbevollm. IX, Nr. 3; Sartorius S. 274 f.; A. Soetbeer: Die 5 Milliarden, 1874.

267 DZA I RKA Nr. 317, 318, 319, 320, 321, 322, 323, eingehende Abrechnung und spezielle Aufstellung über die Verwendung des Geldes, die nachfolgender Analyse zugrunde gelegt werden.

268 DZA I RKA Nr. 317: 3. VI. 1872 Delbrück an Wilhelm I.

269 DZA I RKA Nr. 323.

lagesuchend die deutschen Märkte. Ebenso suchten die 187 Mill. Taler des Invalidenfonds, die 87 Mill. Taler der »Kriegsentschädigungen«, die 18 Mill. Taler zur Herstellung der elsaß-lothringischen Eisenbahnen und vor allem die 780 Mill. Taler, die zur Aufrüstung und dem Ausbau der Eisenbahnlinien[270] bestimmt waren, Investitionsmöglichkeiten[271].

Damit war der Markt für festverzinsliche Werte in Deutschland viel zu klein geworden. Der Zinsfuß für diese Werte fiel, der für Montanwerte stieg[272]. Das flüssige Geld suchte erhöhte Rendite und fand sie vor allem in der Schwer- und Bauindustrie. Hier wurden große Kapitalmengen auch bei steigendem Zinsfuß[272] benötigt, denn diese Industriezweige waren sowohl am Rüstungs- als auch am, zum Teil zinsgarantierten, Eisenbahngeschäft die Nutznießer.

Der erhöhte Bedarf rief Überproduktion, Neugründungen und vehemente Expansion der Unternehmen hervor. Somit bewirkte die Verteilung und Verwendung der Milliarden eine krasse Überhitzung der Konjunktur[273]. Die Steinkohlenproduktion schnellte hinauf[274], ebenso die Eisenerzförderung[275]. Ähnlich erhöhte die verarbeitende Industrie ihre Produktion und ihren Umsatz um fast das Doppelte[276].

Der rasanten Expansion der Grundstoffindustrie entsprach eine breite Zunahme der Gesamtproduktion der deutschen Volkswirtschaft[277]. Sie regte eine erhebliche Steigerung der Warenfluktuation an, die verbunden war mit einer sehr starken Zunahme der Geldzirkulation und einem Anstieg der Preise – vor allem für Luxuswaren[278]. Der Preissteigerung folgte eine Zunahme der Einkommen, und hiermit ging Hand in Hand eine Zunahme des deutschen Wechselverkehrs um

270 AA-Bonn, I AA a Nr. 47: 1. III. 1873 Protokoll Sta. Min. Konferenz.

271 DZA I RKA Nr. 322–324, 472, 810 Mill. waren für das »Retablissement« der Armee, 13,240 Mill. für Heer und Marine bereitgestellt. 90 Mill. wurden dem Kriegsschatz zugewiesen.

272 Kahn: S. 190 ff.

273 Kral, F.: Geldwert und Preisbewegungen im Deutschen Reiche, 1871–84, Jena 1887, S. 89, S. 96.

274 Statistische Jahrbücher 1883–1885 Nr. 4/6 S. 27. Im Jahre 1870 betrug die Steinkohlenförderung 26,397 Mill. t. oder 163 Mill. M, 1873: 36,392 Mill. t. mit einem Umsatzwert von ca. 404 Mill. M.

275 ebd. 1870: 3.839 t. (24 Mill. M), 1873: 6.177,6 t. (43 Mill. M).

276 ebd. 1870: 39.089,7 t. (248 Mill. M), 1873: 54.008,4 t. (535 Mill. M).

277 ebd. so z. B. Juteerzeugnisse von 176 Mill. M im Jahre 1870 auf 359 Mill. M 1873.

278 Kral berechnet die Zunahme des Geldumlaufes mit 13,81 %. Den Preisanstieg für die Rüstungsindustrie läßt die Indexanalyse an der Hamburger Warenbörse sehr klar erkennen. Während Cerealpreise nur um 10–15 % anstiegen, so z. B. loco-Weizen Hamburg (1871–100) 1872/73 um 10,61 %, schnellten die Luxusgüterpreise stark in die Höhe, so z. B. Kaffee um 64,99 %, Nelken um 258,80 %, weniger Tabak 7,84 %. Während die Rohstoffpreise für die Schwerindustrie im Sog der sehr gesteigerten Bedarfsnachfrage um 603,09 % des Gesamtindex anstiegen, erreichte Baumwolle sogar eine rückläufige Tendenz von 29,30 %, und ebenso stagnierten Woll- und Leinenwaren, ja auch Holz, Gummi- und andere landwirt-

40,41 %[279]. In den Jahren von 1871 bis 1873 waren 31,29 % mehr ungedeckte Banknoten als 1871 im Umlauf, und der »Geldvorrat« hatte um 51,54 % zugenommen[280].

Boom und Banken

Parallel zur Verstärkung der deutschen Kapitaldecke ging eine starke Nationalisierung der Investitionsrichtung des Kapitals. Die Mittel, die vor 1870 aus politischen Gründen zurückgehalten oder nur festverzinslich angelegt worden waren, lockte nun der hohe Zins von 5 %[281]. Vor allem die nationale Begeisterung über die Einheit des Reichs »enthemmte« die Kapitalhalter. Bisher zurückgehaltenes Geld kam zur Anlage in deutschen Industrie- und Eisenbahneffekten. Die Einheit Preußen-Deutschlands hatte dem Anlagegeschäft die Dämpfung des politischen Risikos genommen[282]. Sprunghaft vervielfachte sich zwischen 1870 und 1873 die Bilanzsumme der Banken – vor allem in Berlin[283]. Ebenso schnell weitete sich das Geschäftsfeld dieser Institute, die bereits begannen, über Berlin hinauszugreifen, um durch den Aufbau eines verzweigten Filialsystems das Fundament ihrer großen Emissions- und Finanzierungsübernahmen zu legen. Darüber hinaus sollte die Verflechtung des Provinzial-Banknetzes mit der Berliner Zentrale dazu dienen, die Beziehungen zwischen Eisenbahnen, Hütten und Banken zu festigen[284]. Die Banken wurden zu »ständigen Begleitern« der deutschen Industrie. Oft waren sie Gründer neuer Anlagen. Ihre Tätigkeit richtete sich vor allem auf einen sicheren, hohen und

schaftliche Einfuhrprodukte. Sie konnten keine rasanten Preiserhöhungen verzeichnen, wie die Schwerindustrieprodukte, vielmehr gaben hier die Preise etwas nach. Den stärksten Spezialindexanstieg verzeichnete 1872/73 die Schwerindustrie mit 103,87 %, dicht gefolgt von der verarbeitenden Industrie mit 89,27 %, und der Steinkohle 78,20 %. Selbst die Massenwaren, Schienen, Stahlwaren konnten im Massenabsatz Steigerungen von 12,85 %, bzw. 37,45 % verzeichnen. In der Bauindustrie zogen Zement, Kalk und Steine um 199,62 % an und in der chemischen Industrie wurden die Rohmaterialpreise um 406,27 % hochgetrieben (vgl. Kral S. 262 ff.,

279 Kral S. 57.

280 Kral S. 57.

281 Kral S. 93.

282 Däbritz: Anfänge der Disconto-Gesellschaft. S. 183.

283 so z. B. bei der Disconto-Ges. 1870: 30,9 Mill. Taler, 1873: 84,6 Mill. T., Geschäftsbericht 1870/1873.

284 Diesem Zweck diente z. B. die Gründung der Provinzial-Disconto-Gesellschaft im November 1871 mit 10 Mill. Taler Aktienkapital. Im AR waren Hansemann, Salomonsohn und Miquel. Filialen und Kommanditen wurden schnell in Duisburg, Bernburg, Hameln, Hannover, Hamburg, Straßburg, Ludwigshafen und Halle errichtet, zumeist in Verbindung mit Privatbanken, so in Hamburg mit Warburg oder auch in Konsortialgründungen, z. B. der Aachener Disconto-Gesellschaft.

dauernden Ertrag ihres industriellen Portefeuilles, welches sie nicht nur selbst besaßen, »sondern in deren Besitz und Verwaltung sie ihrem *dauernden* Klientel von kapitalanlagesuchenden Kapitalisten« zur Seite standen[285].

Die Ausbreitung und Zunahme des Bank-Industriegeschäfts tangierte vor allem die Privatbanken[286]. Die Weigerung der preußischen Regierung, nach dem Schaaffhausenschen Bankverein noch weiteren Aktiengesellschaftsbanken die Konzession zu geben[287], hatte jede Veränderung der Konkurrenzsituation bei den Banken in Preußen unterbunden, so daß sich in Berlin die Bleichröder, Schickler, Delbrück, Mendelssohn, Warschauer, Plauth, Krause und Magnus neben der Disconto-Gesellschaft und Berliner Handelsgesellschaft noch bis zum Jahre 1870 zu behaupten vermochten. Das änderte sich nun nach 1871[288].

Boom, Banken und Montanindustrie

Wenn sich auch die wenigen kapitalstarken Kapitalgesellschaften in Deutschland, die Disconto-Gesellschaft und die Berliner Handels-Gesellschaft in Berlin, die Bank für Handel und Industrie in Darmstadt, der Schaaffhausensche Bankverein in Köln und die Norddeutsche Bank und Vereinsbank in Hamburg, in der Anlage ihres Kapitals und in ihrer Unternehmerinitiative von den Privatbanken kaum unterschieden, so waren doch schon 1870 sehr wesentliche Differenzen in der Bankpolitik zwischen den Privat- und den Aktiengesellschafts- und Kommanditbanken festzustellen. Bei den Aktiengesellschaftsbanken beherrschte das Staatsanleihengeschäft nicht so ausschließlich den Geschäftsgang wie bei den Privatbanken. Im Gegenteil, bei den AG-Banken schoben sich immer mehr die Eisenbahnpapiere und Industriewerte in den Vordergrund[289]. Je mehr aber durch die Einführung des Bessemer-

285 Beckerath S. 18; W. Däbritz: Entstehung und Aufbau des rheinisch-westfälischen Industriebezirks, Beiträge zur Geschichte der Technik und Industrie 15, 1925; K. Wiedenfeld: Ein Jahrhundert rheinischer Montan-Industrie 1815 (1916); B. Kuske: Grundlinien westfälischer Wirtschaftsgeschichte, 1955. So stiegen zwischen 1870 und 1873 bei der Disc.-Ges. der Wechselakzept von 2,5 Mill. T. auf 9,4 Mill. Taler, die Depositen von 5,6 Mill. T. auf 21,6 Mill. T., der Effektenumsatz steigerte sich von 164 auf 555 Mill. Taler im Jahr 1872.

286 F. Conte Corti: Das Haus Rothschild, 1927, 2 Bde. A. Krüger: Das Kölner Bankiergewerbe bis 1875, 1925.

287 DZA II, Rep. 120 A XI, 3 Nr. 1 Bd. 2, A XI, Nr. 2 Bd. 1–5, A XI 5 Nr. 7 Bd. 1/2.

288 ebd.

289 DZA II Rep. 120 A XI, 2 Nr. 5, vgl. die Geschäftsberichte der Banken von 1867, 1869, 1870, und zwar von der Vereinsbank Hamburg, der Norddeutschen Bank Hamburg, der Mitteldeutschen Credit-Anstalt, der Darmstädter Bank, der Disconto-Gesellschaft und der Berliner Handelsgesellschaft. Es sei angemerkt, daß die eigentümliche Struktur zwischen Aktienbank und Kommanditgesellschaft, die sowohl die Disconto-Ges. als auch die BHG hatten, nicht näher spezifiziert wird,

verfahrens die Stahlherstellung (der Herstellungsprozeß konnte von 1½ Tage auf 20 Minuten gesenkt werden) zur Massenproduktion überging[290], Massenbedarf also durch Massenproduktion gedeckt werden konnte und mußte, desto mehr Kapital wurde benötigt. Die Erhöhung der Produktionsleistung der Grundstoffindustrie war zugleich Folge und Antrieb der Erschließung neuer Absatzwege durch Eisenbahn und Schiff[291]. Die neuen Verwendungsmöglichkeiten des Eisens aber, z. B. im Eisenbeton, zwangen zu neuen Abbaumethoden des Rohmaterials, so z. B. die Niederbringung von Schächten in sumpfigen Gebieten an Rhein, Emscher und Lippe[292]. Und überall wurde ein gesteigerter Kapitalbedarf angemeldet.

Im Zuge dieser Entwicklung gingen die Berliner Aktiengesellschaftsbanken dazu über, zur Deckung und Beschaffung ihrer großen Industriekredite systematisch das »reguläre« Geschäft von Kontokorrent, Wechselakzept und Depositenannahme mit breitem Kundenkreis auszubauen. Dagegen blieben die Privatbanken weiterhin auf ihren traditionellen, zwar individuell kapitalkräftigen, aber insgesamt zahlenmäßig beschränkten Kundenstamm — zumeist adliger Provenienz — angewiesen. Sie wurden daher immer weniger fähig, große Summen langfristig und risikoreich anzulegen[293]. Aber gerade diese Kapitalbereitstellung wurde während der Hausse von 1871/1873 immer notwendiger, da gleichzeitig die Kapitalfülle und die damit verbundene Spekulation und Agiotage zu überhitzten Bankengründungen den Anlaß geboten hatte. Zum erstenmal wurde Deutschland mit einem Netz von Aktiengesellschafts-Kreditinstituten überzogen. Diese neuen Banken waren aber im Vergleich zu den Instituten aus der ersten Gründungsphase von 1853 bis 1857 ziemlich kapitalschwach[294], und sie konnten keineswegs den Kapitalforderungen der

und diese Banken zu den reinen AG-Banken gerechnet werden, da Geschäftsgebaren, Ausweispflicht und Direktorialprinzip gleich waren und nicht durch die persönliche Haftung des Geschäftsinhabers, im Gegensatz zum Direktor der AG, geändert wird.

290 Sering S. 180, in Österreich-Ungarn um 334 %, in den USA um 142 %, in Deutschland um 136 % von 1869—1876.

291 Bochumer HK-Festschrift S. 181; F. Schulz: Die Entwicklung des deutschen Steinkohlenhandels, 1911; H. Meis: Der Ruhrbergbau im Wandel der Zeiten, 1933. E. Gothein: Geschichtliche Entwicklung der Rheinschiffahrt, 1903; H. Lehmann: Duisburgs Großhandel und Spedition vom Ende des 18. Jhdt. bis 1905, Duisburger Forschungen BH 1, 1958.

292 so z. B. die Gewerkschaft Deutscher Kaiser; vgl. 125 Jahre Niederrheinische Industrie- und Handelskammer Duisburg-Wesel S. 125 f.

293 D. S. Landes: The Structure of Enterprise in the 19th. Century, XIe Congres Int. d. Sciences Historiques, Rapports 5, Stockholm 1960; W. Treue: Industrialisierung als ein Faktor des wirtschaftlichen Wachstums seit dem Anfang des 18. Jhdt. ebd. Contributions, Communications Stockholm 1960.

294 1872 existierten in Deutschland ca. 139 Aktiengesellschaftsbanken mit einem Kapital von 1,1 Milliarden Mark. Der Schwerpunkt der Neugründungen lag im Norden und hier wieder in Berlin. So wurden in Aachen die Aachener Bank für Handel und Industrie und die Aachener Disconto-Ges. mit je 2,4 Mill. AK eröffnet,

Industrie gerecht werden, die, angetrieben durch die Verstädterung und den Ausbau der Eisenbahnlinien und die Weltmarktverflechtung mit Amerika und England, in sehr starkem Maße expandierte[294a].

In welchem Umfang nach 1871 das Effektengründungsgeschäft zunahm, läßt der Berliner Börsenzettel gut erkennen[295]. Er zeigte Anfang 1871 allein 71 »Bank- und Industriewerte« mit einem emittierten Grundkapital von 120 110 000 Taler an. Hiervon entfielen auf Süddeutschland und Österreich aber nur 15 Werte, hingegen auf Banken mit dem Sitz Berlin allein 21; weiter verzeichnete der Börsenzettel 15 Baubanken mit 40 Millionen Taler und 26 Industriewerte mit 23 Mill. Taler, darunter die Steinhauser Hütte und der Bergisch-Märkische Bergverein zu Dortmund. 10 729 143 Taler emittiertes Grundkapital entfiel auf Brauereien, darunter hatte wiederum allein Berlin 4 Millionen. Neben chemischen und Zementfabriken nahmen Dampfschiffahrtsgesellschaften, Eisenbahngesellschaften und Eisenbahnma-

in Aschaffenburg der Bankverein mit 1,5, in Augsburg die Augsburger Bank mit 2,4 Mill. AK. In Berlin dominierten die Allgemeine Bau- und Handelsbank (1,2 Mill. AK), die Allgemeine Deutsche Handelsgesellschaft (3,0 Mill. AK), die Berliner Bank (8,4 Mill. AK), die Börsen-Bank für Maklergeschäfte, der Berliner Bankverein (18,0 Mill. AK), der Handelsverein (3,6 Mill. AK), die Centralbank für Handel und Industrie (22,5 Mill. AK), die Commissions- und Maklerbank (3,0 Mill. AK), die Berliner Commerz- und Wechselbank (4,5 Mill. AK), die Unionsbank (36,0 Mill. AK), die Generalbank für Maklergeschäfte (3,0 Mill. AK), die Hamburg-Berliner Bank (9,0 Mill. AK), die Bank für Internationale Handelsgeschäfte (5,2 Mill. AK), die Berliner Lombard-Bank (1,5 Mill. AK), die Berliner Maklerbank (2,4 Mill. AK), die Maklervereinsbank (2,4 Mill. AK), die Preußische Creditanstalt (15,0 Mill. AK), die Provinzial-Disconto-Ges. (18,0 Mill. AK), die Provinzial-Gewerbebank, die Vereinsbank Quistorp & Co. (7,5 Mill. AK), die Wechselstuben AG (4,5 Mill. AK) und die Berliner Wechslerbank. Zum Vergleich: die Disconto-Ges. hatte 60 Mill. M Aktienkapital, die Berliner Handelsgesellschaft 31,5 AK und die Darmstädter Bank 45 Mill. AK.
Weitere Schwerpunkte waren Breslau mit 7 Neugründungen und 55 Mill. AK, davon die Breslauer Disconto-Bank allein 30 Mill. AK, dann folgte Dresden mit 6 Neugründungen und 35 Mill. AK, Leipzig mit 6 Gründungen und 30 Mill. AK. Frankfurt wies 7 Neugründungen mit 95 Mill. AK auf, Bayern verzeichnete in München eine Gründung mit 3,6 Mill. AK und Württemberg in Stuttgart 3 Gründungen mit 17 Mill. AK.
Zur Gesamtaufstellung der AG-Banken in Barmen, Bremen, Beuthen, Bielefeld, Braunschweig, Bromberg, Chemnitz, Coburg, Cottbus, Danzig, Dessau, Elberfeld, Essen (Essener Creditanstalt 9 Mill. AK), Freiberg, Geestemünde, Gera, Görlitz, Grünberg, Halle/S., Hamburg, Hannover, Kassel, Krefeld, Kiel, Köln, Königsberg, Leer, Lübeck, Magdeburg, Mannheim, Mühlhausen, Nürnberg, Oldenburg, Posen, Ratibor, Rostock, Stettin, Straßburg, Wismar, Zittau und Zwickau, vgl. Deutscher Ökonomist 24, Nr. 1205, Rießer: Großbanken, S. 648 ff.

294a M. Wirth, S. 467 ff., S. 493.

295 DZA II Rep. 120 A X Nr. 7.

terialfabriken nach Anzahl und Wert den breitesten Raum ein — 75 Unternehmen mit einem Grundkapital von 140 Millionen Taler.

Die Börse Berlin dominiert

Bei allen Emissionen aber zeigte Berlin bereits seine unangefochtene Führerrolle, sowohl als eigener Markt bei der Neugründung von 21 Banken mit 67 250 000 T., von 7 Baugesellschaften mit 25 200 000, von 34 Industrieunternehmungen mit 21 242 000 als auch als Clearingstelle nationaler und internationaler Transportgesellschaften. Von den 287 neugegründeten Gesellschaften domizilierten allein 265 im norddeutschen Raum, 89 davon in Berlin. Bei einem emittierten Aktienkapital von 475 521 670 Taler entfielen auf den Norden 390 680 836, und davon wiederum auf Berlin 194 849 166[296].

Im Jahre 1872 beschleunigte sich diese Entwicklung noch weiter: Von 494 preußischen Gesellschaften mit einem Aktienkapital von 507 Millionen wurden 167 Unternehmen mit 211 Mill. Aktienkapital in Berlin gegründet. An erster Stelle standen weiterhin die Eisenbahngesellschaften mit 54,6 Mill. Aktienkapital vor den Baubanken mit 41,520 und den Banken mit 39,850 Mill. Jetzt drängten aber die Montanwerte bereits stark in den Vordergrund. Waren im Jahre 1871 erst 3 Gründungen mit einem Aktienkapital von 7 Mill. (Norddeutschland 26 Gründungen mit 21,790 Mill.) in Berlin aufgelegt worden, so erschienen 1872 bereits 15 Neu- und Umgründungen mit 41,520 Mill. Aktienkapital. Diese Gründungen erhielten für Berlin um so mehr Bedeutung, als die Lokalgründungen an der Ruhr und in Oberschlesien wohl zahlenmäßig groß waren, ihre Kapitalausstattung aber schwach und zudem aufgesplittert war[297]. Die Aufwärtsbewegung von 1871/72 setzte sich im Jahre 1873 — wenn auch schon gedämpfter — fort. Nun beherrschten die Bergwerks- und Maschinenfabriken mit 63 Gründungen und ca. 83,7 Mill. Aktienkapital den Emissionsmarkt in Berlin[298]; die übrigen 150 Gründungen in Deutschland fielen für Berlin nicht mehr so ins Gewicht.

Die patriarchalische Unternehmungsführung wird abgelöst

Bei all diesen industriellen Erweiterungen wurde der Weg der Aktienkapitalerhöhungen beschritten, denn allein hierdurch konnten auf dem Kapitalmarkt am schnellsten die notwendigen Mittel durch Aktienausgaben beschafft werden[299].

296 Banken: 67.250.000 und Eisenbahnen: 60.560.500 Baugesellschaften: 23.600.000.
297 Wirth S. 58; 65 Gründungen mit 65,429 Mill. M. Aktienkapital; Riesser: S. 109 errechnet 1872 = 479 Neugründungen mit 1477 Mill. Mark, was für eine Gründung ca. 3,85 Mill. Mark Aktienkapital bedeuten würde.
298 Wirth S. 81.
299 Wiederum sei die Disconto-Ges. angeführt. 1870 betrug ihr AK noch 11,278 und 1873

So veränderte die Hausse der siebziger Jahre die Ordnung der deutschen Wirtschaft und ermöglichte den Durchbruch zu der seit den fünfziger Jahren sich entwickelnden kapitalistisch-industriellen Wirtschaftsführung. Die Aktiengesellschaft war als Organisationsform der traditionellen Privatbank in der Beschaffung von Geldern überlegen. Große, risikoverbundene Fusionsgründungen[300], wie z. B. die Dortmunder Union[301], die Gelsenkirchner Bergwerksgesellschaft AG[302], die Umgründung zahlreicher Bau-, Handels- und Eisenbahngesellschaften, konnten nur Aktiengesellschaftsbanken übernehmen. Nur sie konnten der Aufgabe der »organischen Verbindung von Umlaufs- und Anlagegeschäft«[303], mit der Möglichkeit ständiger Eigenmittelbeschaffung – im Gegensatz zu den Privatbanken –, gerecht werden. Dem wachsenden Geldbedarf blieb nur die Organisationsform gewachsen, die selbst Spekulationsobjekt war.

Charakteristisch für den wirtschaftlichen Ausbau war, daß bei schon bestehenden Anlagen, wie Hütten, Eisenbahnen oder Maschinenfabriken, eine starke Produktionserweiterung mittels Umgründung von Privatfirmen in Aktiengesellschaften durchgeführt wurde[304]. Ferner wurden industrielle Erfindungen sofort in großem Maßstab ausgenützt, indem ihre Produktion in Form von Aktiengesellschafts-Neugründungen organisiert wurde[305]. Den Absatz sahen die Gründer im Reich und in seiner Aufrüstung vollauf gesichert. Allen Aktionen dieser Art war die Hoff-

20,176 Mill. Betrug 1870 das Eigenkapital noch 36,45 % der Fremdmittel, so waren es 1873 noch 23,85 %. Die Dividende schnellte von 13 % auf 27 %.

300 E. Büchner: 125 Jahre Gutehoffnungshütte, Oberhausen 1935, S. 16 ff.; Donnersmarckhütte: Denkschrift zum 50jährigen Bestehen, Berlin 1923, S. 27 f.; W. Jutzi: 50 Jahre Carlswerk 1874–1924 / Felten & Guilleaume AG Mühlheim, Köln 1926, S. 15 ff.; P. Uffermann / C. Hügelin: Die AEG, Berlin 1922, S. 8 f.; W. Däbritz: Essener Credit-Anstalt, 1922, S. 49 f., 52 f., 55 ff.; C. Matschoß: Ein Jahrhundert deutscher Maschinenbau, 1919; P. H. Mertes: Das Werden der Dortmunder Wirtschaft, 1940; H. W. Hinkers: Die geschichtliche Entwicklung der Dortmunder Schwerindustrie seit der Mitte des 19. Jhdt., 1926; H. Schäfer: Die Geschichte von Herne, 1912; H. v. Festenberg-Packisch: Die Entwicklung des niederschlesischen Steinkohlenbergbaus, 1917; W. Treue: Die Geschichte der Ilseder Hütte 1856–1956, 1960; W. Born: Die wirtschaftliche Entwicklung der Saarländischen Großeisenindustrie seit der Mitte des 19. Jhdt., 1919; Festschrift Hörder Bergwerks- und Hüttenverein, 1902; Eisen- und Stahlwerke Hoesch AG 1871–1921; C. Brinkmann: Entwicklung und Gestaltung der rhein. Wirtschaft, Schmollers Jb. 66, 1942.

301 K. Mews: Hasslinger Hütte, Neu-Schottland, Dortmunder Union, Eisenwerke Steele 1856–1956, Beiträge zur Geschichte von Stadt und Stift Essen 1956.

302 Ruhrbergbau hrsg. G. Gebhardt, Essen 1957, S. 194. Im Aufsichtsrat von 1873 waren Hansemann, Rauendahl, Landau, Salomonsohn, Godeffroy, Grillo, Russell, Funcke, Oppenheim, v. Born, Movius, Eltzbacher und Kirdorf, also 9 Bankiers und 3 von der Disconto-Bank.

303 Däbritz: Anfänge der Disconto-Gesellschaft S. 201.

304 Wirth S. 52 ff.

305 Herrmann: Leitlinien S. 20 f.

nung auf die Ausschöpfung des neugeschaffenen deutschen Wirtschaftsraumes gemeinsam. Dabei wurden nahezu alle in der ersten Gründerphase errichteten Unternehmen, z. B. die eines Egestorff, eines Schwarzkopff etc., vergesellschaftet. Neben den Eigner-Direktoren traten nun — vor allem in der Schwerindustrie — der Manager und der Direktor, so z. B. Kirdorf[306]. Wenn auch viele Industriezweige im Zusammenhang mit der neuen Rüstungstätigkeit aufblühten (so die Ersatzindustrie, der Festungsbau und die Erneuerung der Verkehrsmittel), so lag doch der Schwerpunkt der Tätigkeit der großen Aktien- und Privatbanken in Berlin im Ausbau der Achse Oberschlesien — Berlin — Ruhrgebiet. Der Süden wurde dabei vollkommen kapitalentblößt, sich selbst überlassen, bzw. die weniger kapitalbedürftige, breiter im Besitz gestreute Agrar-Manufaktur-Struktur des Südens bedurfte nicht in dem Umfange der Kapitalien wie der Westen, Berlin und der Osten.

Der Aufbau der Achse Ruhrgebiet — Berlin — Oberschlesien

Während sich die Berliner Banken vor 1870 wegen der Kapitalknappheit nur vereinzelt am Gründungsgeschäft des Ruhrgebietes betätigt hatten (nur Hansemann hatte das Engagement seines Vaters ausgebaut), ohne jedoch die Kapitalorganisation der Gewerken auf lokaler Basis ablösen zu können[307], so trat mit dem neuen Aktiengesetz und der Aussicht auf hohen Kohlen- und Stahlwarenabsatz sehr schnell ein Wandel ein. Berlin kam nun mit den Führern der Zechen und Hütten in West und Ost in engste Verbindung. Waldthausen[308], Haniel[309], Grillo[310],

306 H. Sachtler: Wandlungen des industriellen Unternehmers in Deutschland seit Beginn des 19. Jhdts., Diss., Halle 1927; K. Wiedenfeld: Die Herkunft des Unternehmers und Kapitalisten im Aufbau der kapitalistischen Zeit, WWA 72, 1954; W. Treue: Deutsche Wirtschaftsführer im 19. Jhdt., HZ 167, 1942, vgl. zu diesem Fragenkreis auch Tradition BH 1, 1959.

307 H. Schacht: Zur Finanzgeschichte des Ruhrkohlenbergbaues, Schmollers Jb. 1913, S. 172 f.; Däbritz: Hansemann S. 45 ff., ders. Grillo S. 35, 37 f.

308 K. Mews: Ernst Waldthausen, Essener Beitr. 41, 1913. Wie bei Ravené ist bei den Waldthausen, Fideikommisherrn auf Bassenheim, frühzeitig die Verbindung zur Diplomatie hergestellt; der Sohn Waldthausens, Julius Wilhelm, verheiratet mit einer Böcking, Dr. jur. und AR der Rhein. Stahlwerke, Johanniter, Wirklicher Geh. Rat und Exzellenz, war in seiner konsularischen Laufbahn zum »Vertreter deutscher Spezialprodukte« geworden, und zwar in Madrid, Tanger, Tokio, St. Petersburg, Rom, Kalkutta, Buenos Aires, Kopenhagen und Bukarest. Die industrielle Macht, die um die Jahrhundertwende hinter den Waldthausen stand, wird bei Gottfried W. deutlich: Leibdragoner und AR der Essener Credit-Anstalt, der Deutschen Bank, der Preußag, Hibernia, Rheinisch-Westf. Elektrizitätswerke und der Börse Essen (und während des 1. Weltkriegs im Verwaltungsstab Rumänien und Riga).

309 H. Spethmann: Franz Haniel, 1956, s. unten S. 389.

310 T. Kellen: Friedrich Grillo, 1913.

Baare[311], Servaes, Mulvany[312], Frielinghaus, Renard und Henckel von Donnersmarck[313], um nur wenige zu nennen, waren gezwungen, in Berlin das Kapital für die Expansion ihrer Unternehmen zu besorgen. Innerhalb eines Jahres übernahmen die Industriepapiere (neben den Eisenbahnwerten) die führende Rolle an der Berliner Börse und verdrängten die bis dahin führenden Fonds von 4½ % und 4 % preußischen Anleihen und Staatsschuldscheinen. Die Werte der österreichischen Südbahn, der österreichischen Creditanstalt, vor allem aber auch die amerikanischen, italienischen und türkischen Bahnanleihen, die »Amerikaner«, »Lombarden« und »Franzosen«, selbst die altgehandelten Werte der Bergisch-Märkischen Bahn, der Rheinischen Eisenbahn, der Darmstädter Bank und Disconto-Gesellschaft verloren ihre dominierende Rolle an die neuen Montanpapiere. Hatten 1870 die Aktien der Heinrichshütte, des Hörder Bergwerksvereins und des Phönix Bergbau noch eine sehr untergeordnete Rolle in Berlin gespielt[314], so wurden sie nun Hauptobjekte der Spekulation, zusammen mit den Aktien von Neuschottland, des Berg-Märkischen Bergwerksvereins, der Rheinischen Stahlwerke, der Gelsenkirchner Bergwerks AG, der Gutehoffnungshütte, des Essener Bergwerksvereins, der Hibernia und vor allem der Dortmunder Union.

Von 1871 bis 1873 erfolgten im Steinkohlenbergbau 13 Gründungen mit einem Aktienkapital von 96 Millionen Mark, in der gesamten Montanindustrie 174 Gründungen mit einem Kapital von 613 Millionen Mark. Meist waren die Berliner Banken alleiniger Risikoträger bei diesen Unternehmen; so z. B. die Disconto-Gesellschaft bei der berühmten Fusionsgründung der Dortmunder Union, die Hansemann nach den Vorschlägen Friedrich Grillos durchführte und die zum erstenmal die seit 1866 angewandten Prinzipien der Verbindung von Kohle und Erz in größtem Stil praktizierte[315]. Zugleich zeigte die »Dortmunder Union« den Höhepunkt und den im Jahre 1873 erreichten Endpunkt der Entwicklung an. Entstanden aus der Heinrichs-Hütte, Neu-Schottland, Dortmunder Hütte und Glückauf Tiefbau (zum Teil Unternehmen der Strousbergschen Bankrott-Erbschaft[316]), war die »Union« »an Größe ohne Beispiel«.

Sie war 1873 mit der Hoffnung gegründet worden, die Möglichkeiten der gesteigerten Konsumtion auszunützen. Vor allem sollte die »Union« den von der

311 Bacmeister: Louis Baare, s. oben S. 318 f.
312 B. Bloemers: William Thomas Mulvany, 1922.
313 J. Bitter: Guido Graf Henckel von Donnersmarck, 1922.
314 Müller-Jabusch: Industriekurier 15. VIII. 1957.
315 Däbritz: Grillo S. 38, ders. Anfänge der Disconto-Ges. S. 222, Glagau S. 529.
316 G. Reitböck: Der Eisenbahnkönig Strousberg und seine Bedeutung für das europäische Wirtschaftsleben, Beitr. f. d. Gesch. der Technik und Industrie 7, 1924. Auf die eminente Bedeutung des Strousbergschen Bankrotts für die Entwicklung der Disconto-Ges. zur Großbank und ihr Engagement in Rumänien sei hier nur hingewiesen.

Disconto-Gesellschaft übernommenen inländischen wie ausländischen Eisenbahnvorhaben[317] »eigene Mittel«[318] (Grube und Hütte) zur Seite stellen.

F. Grillo: der »Stinnes« der Hausse und Krise 1873

Der Initiator dieses Projektes, Friedrich Grillo, und die gesicherte Absatzlage schienen Hansemann, Miquel und Salomonsohn – zumal die preußische Staatsbank, die Seehandlung, sich beteiligte[319] – Garanten eines über alle Maßen lukrativen Geschäfts zu sein. Denn wenn auch das Prinzip des Verbundbetriebes bislang erst in kleinerem Maßstab erprobt worden war, so war doch Grillo es gewesen, der diese Betriebe mit Erfolg gegründet und geführt hatte.

Als Sohn eines Eisen- und Tuchwarenhändlers in Essen 1825 geboren – also eine Generation mit Hammacher und Miquel –, hatte er die ersten Verbindungen zum Revier über seinen Schwiegervater, den Privatbankier und Kreditgeber mehrerer Zentralzechen, Carl von Born, erhalten. Mit dessen Hilfe eröffnete Friedrich Grillo 1854 seine erste Eisengießerei und begründete zusammen mit Thies und Waldthausen 1856 – also während der ersten deutschen Gründungsperiode – die Gewerkschaft »Neu-Essen«. 1869, im erneuten wirtschaftlichen Aufschwung, betrat Grillo zum erstenmal das Feld des Verbund- und Großbetriebes. Er faßte 17 alte Grubenfelder in einer Gewerkschaft unter dem Namen »Graf Bismarck« zusammen. In Zusammenarbeit mit Hansemann faßte er nun 1871 den Plan, unter Ausnutzung günstiger geologischer und förderungstechnischer Bedingungen und kaufmännischer Spekulationen den größten Verbundbetrieb in Deutschland, die »Dortmunder Union«, zu gründen.

Gleichzeitig versuchte er aber auch durch wechselnde Bankverbindungen zu Oppenheim (Köln), zum Schaaffhausenschen Bankverein, zur Darmstädter Bank und zur Berliner Handelsgesellschaft neue Wege der Montanfinanzierung zu erschließen. Hierdurch hoffte er, nicht von einem Berliner Institut abhängig zu werden. Diese Versuche mündeten endlich in der Gründung einer eigenen, für das Revier und seine Kapitalbedürfnisse bestimmten Aktiengesellschaft, der Essener Credit-

317 So der Gotthard-Bahn, der Galizischen Karls-Bahn, der Ludwigsbahn, der Aussig-Teplitzer Bahn, der Rumänischen Eisenbahn, der Berg-Märkischen Bahn, der Halle-Sorau-Guben Bahn, der Magdeburg-Halberstädter Bahn, der Berlin-Görlitzer Bahn, der Berlin-Potsdam-Magdeburger, der Hannover-Altenbeken, der Köln-Mindener Bahn u. a. m., vgl. Geschäftsbericht Disconto-Ges. 1872/73.

318 ebd.

319 HA Berlin, Rep. 109, Nr. 3260, 3075, 3116. Im Februar 1872 mit 13,2 Mill. T. gegründet, hinzu kamen noch 12 Mill. Hypotheken und andere Belastungen. 1872/73 konnte eine Dividende von 12 % ausgeschüttet, 1873/74 wurde ein nichtgedeckter Verlust von 2 Mill. festgestellt. Eingeführt an der Börse mit 110, notierten die Aktien 288 auf ihrem Höchststand.

anstalt[320]. Den gleichen Zielen diente die Gründung des Bergisch-Märkischen Bankvereins[321], der Duisburg-Ruhrort Bank[322] und die von William Thomas Mulvany zusammen mit dem Privatbankhaus Trinkaus geschaffene Börse in Düsseldorf. Die Kapazität der neugegründeten Revier-Banken reichte jedoch nicht aus, die während der Hausse begründete Abhängigkeit vom Berliner Markt abzulösen. Die Revier-Banken existierten wohl weitgehend selbständig bis zur Jahrhundertwende, aber an Kapitalkraft und Einfluß konnten sie es nie mit den Berliner Banken aufnehmen[323].

Der Osten

Ähnlich wie das Ruhrgebiet war Oberschlesien – dem Berliner Markt näher gelegen – und seine Kohle und Eisenindustrie in das Gründungsfieber hineingezogen worden[324]. Allerdings gab es hier – im Gegensatz zum Ruhrgebiet[324a] – eine stärkere Unternehmer- und Magnatenschicht, so Henckel-Donnersmarck[325], Hohenlohe-

320 Däbritz: Denkschrift zum 65jährigen Bestehen der Essener Credit-Anstalt in Essen, 1922, S. 65 ff., S. 79; Lindsiepe: Die Essener Credit-Anstalt, Essen 1914.

321 Ad. Weber: Die Rheinisch-westfälischen Provinzialbanken und die Krise von 1873, S. 342 ff.; Bericht über das 25jährige Bestehen der Bergisch-Märkischen Bank, 1896.

322 Salings Börsenjahrbuch III, 1875, S. 407; Deutscher Ökonomist 1902, S. 604; Klinker: Studien zur Entwicklung und Typenbildung von 4 rheinisch-westfälischen Provinzaktienbanken, Karlsruhe 1913; eingehend auf die Beziehungen von Schwerindustrie und Großbanken O. Jeidels: S. 101 ff.

323 Däbritz: Essener Credit-Anstalt S. 83, S. 86 f.

324 u. a. Hütten-Forst-Bergbaugesellschaft Minerva, (A. Hempelmann: Die Minerva, Berlin 1936) Aktienkapital 5 Millionen, Aufsichtsrat u. a. Abgeordneter v. Hohenlohe; Oberschlesisches Eisenwalzwerk Parnoschowitz; G. Mammroth: Eisenbahnwaggonbau vormals Linke's Söhne (Aktienkapital 1,6 Mill. im Aufsichtsrat u. a. Robert Caro, E. Friedländer, M. Pringsheim; Kurs 1873: 115 – 1876: 60!).

324a Hier war es nur Krupp gelungen, eine verhältnismäßig selbständige Stellung zu erhalten; Bredow: Krupp S. 246 f.

325 Guido Fürst von Henckel-Donnersmarck, geb. am 10. VIII. 1830 in Breslau, wurde 1864 Fid. Kom.-Herr auf Tarnowitz-Neudeck und der freien Standesherrschaft Beuthen, dem Stift und Fid. Kom. Zyglin und Repten, der Herrschaft Zabrze, den Rittergütern Kamin, Chropaczow und Schwientochlowitz, den Gütern Tabkowice und Dobierzovice und der Herrschaft Lipowice in Galizien. Die Besitzungen umfaßten 23 395 ha in Preußen, 1125 ha in Polen und 3076 ha in Galizien. Ab 1864 verband Henckel Donnersmarck damit Großgrundbesitz mit seiner Gründung von 1853, der Schlesischen AG f. Bergbau und Zinkhüttenbetriebe, deren AR-Vorsitzender er bis 1916 war. 1863 kam hierzu noch das Chromwerk Blachownia und das Drahtwalzwerk Puschkinhütte. Auf dieser Basis baute er den Donnersmarck-Komplex aus. 1884 nahm er Beziehungen auf zur Herrschaft Starachowice (im Gouv. Radom/Rußland) mit 120 000 Morgen Wald. Er scheiterte jedoch bei diesem

Ujest[326], Graf Renard[327], Graf v. Ballestrem[328], v. Tiele-Winkler[329], v. Schaffgotsch[330], Albert[331] und Arnold Borsig[332] sowie Hegenscheidt[333] und Caro[334]. Ihnen gelang es, die Verbindung zu den Geldverteilern und Gründern in Berlin so einzurichten, daß sie selbst meistens die Hauptrolle beim Ausbau und bei der Umgründung ihrer Werke spielten. Vor allem Henckel von Donnersmarck/Neudeck versuchte, ähnlich wie Grillo im Westen, mit eigenen Banken, dem Schlesischen Bankverein[335], einer Berliner Zentrale, dem Berliner Bankverein, Hüttenwerke und Zechen so zusammenzufügen, daß unter Ausnutzung aller Standorts- und Arbeitsvorteile der deutsche Markt von seinen Werken optimal erreicht und

umfangreichen Landerwerb an den russischen Behörden; sein Plan wurde aber den oberschlesischen Industriellen zum verpflichtenden Erbe. Schon 1870 hatte Donnersmarck sich an Zinkgruben in Südfrankreich und Sardinien beteiligt, seine Rolle als Präfekt von Metz wurde schon erwähnt, und 1896 bemühte er sich um schwedischen Grubenbesitz. Seit 1887 saß er im Herrenhaus, seit 1899 war er Wirklicher Geh. Rat, zugleich freier Standesherr, Erbobermundschenk im Herzogtum Schlesien, Mitgl. des Staatsrates und des Zentralausschusses der Reichsbank. Die wesentlichsten Aufsichtsratssitze dieses – neben Krupp – reichsten Mannes Preußens waren die schon erwähnte Schlesische AG, das Eisenwerk zu Kratzwiek, die Donnersmarck-Hütte und das Lothringer Eisenwerk, und hinzu kam noch die deutsche Waffen- und Munitionsfabrik in Berlin.

326 Hugo, erster Herzog von Ujest, 4. Fürst zu Hohenlohe-Öhringen, geb. 1816 zu Stuttgart, verheiratet mit Pauline, Prinzessin zu Fürstenberg, konzentrierte nach 1871 seine unternehmerische Tätigkeit mit der Hohenlohe-Hütte/Bittkow auf die Zinkproduktion und war mit dem Kauf der Theresia-Zinkhütte/Michalkowitz und der Pachtung der Godulla-Hütte von Schaffgotsch seit 1892 der größte Zinkproduzent der Welt. Wird 1910 als drittreichster Mann in Preußen bezeichnet.
D. Voltz: Bergwerks- und Hüttenverwaltung S. 128 f.; Fechner: Geschichte des schlesischen Bergbau- und Hüttenwesens, Zt. f. Berg-, Hütten- und Salinenwesen 50, 1902, S. 475/691 ff., S. 757, Knochenhauer S. 116 ff.

327 Voltz S. 37 ff., Knochenhauer S. 27 ff.

328 Voltz S. 2 ff., H. Ehren: Graf von Ballestrem, Breslau 1935, s. unten S. 377.

329 Gustav Viktor Graf von Tiele-Winckler, geb. 1823 in Kominen (Schweden) kam durch Heirat mit Valeska v. Winckler, der Erbin des Mechtaler Gruben- und Grundbesitzes, der Herrschaft Kattowitz und Myslowitz zu großem Einfluß in Oberschlesien, den sein Sohn Franz Hubert (seit 1901 im Herrenhaus) noch ausbaute. Tiele-Winckler erwarb Grundbesitz in Beuthen, Kattowitz, Pleß, Rybnik, Neustadt, Gr. Strehlitz, Mecklenburg, Ungarn. Das Hauptwerk war die Kattowitzer AG für Bergbau und Eisenhüttenbetriebe. Voltz S. 130 ff.

330 Gotha, Gräfliche Häuser, 1878, S. 786/792.

331 ADB 7, S. 795.

332 Stahl u. Eisen 17, S. 378 f., Biogr. Jb. 1900, S. 44 f.

333 Stahl u. Eisen 28, S. 353 f.

334 Voltz: S. 42 ff., Budniok S. 27.

335 Festschrift Schl. Bankverein 1856–1906, S. 9 f.

versorgt werden konnte[336]. Trotz dieser Voraussetzungen und Bemühungen wurde aber immer mehr der Absatzmarkt Berlin und die Berliner Börse der Mittelpunkt auch des ostdeutschen Eisen- und Kohlengeschäftes. Automatisch sahen sich dadurch die Bankenneugründungen in Breslau – und sei es auch mit reicher Kapitalausstattung[337] – als auch der seit 1856 bestehende und von Donnersmarck unterstützte Schlesische Bankverein trotz seiner 22 500 000 Mark Aktienkapital in eine Nebenrolle abgedrängt[338].

Die Loslösung der oberschlesischen Industrie aus »staatlich« gebundenen Betrieben in Aktiengesellschaften war parallel gegangen mit dem Ausbau der Eisenbahnlinien. Ausgangspunkt des Gründergeschäfts der Berliner Banken waren hier weniger unmittelbares Engagement an den Gruben oder Hütten gewesen (wie im Westen), sondern mehr die Übernahme der Strousbergschen Erbschaft an den Ostbahnen, besonders an der Halle-Sorau-Guben-Bahn, an der ostpreußischen Südbahn, der Rechten-Oderufer-Bahn. Überall waren hier oberschlesische Hüttenbesitzer engagiert gewesen[339]. Nicht zuletzt verhalf der Disconto-Gesellschaft auch die Übernahme der bankrotten Strousbergschen Rumänenbanken zum Einstieg in das oberschlesische Geschäft, da auch bei dieser »Generalentrepreneuraktion« Strousbergs Ujest, Ratibor und Lehndorff engagiert waren.

Ost- und Westentwicklung in gleichen Bahnen

Im übrigen vollzog sich die Hausse im Osten in den gleichen Bahnen wie im Westen. Im Vormilliardenaufschwung hatte Hugo von Henckel-Donnersmarck[340] die Königshütte übernommen, und 1871 wurde sie nun mit Bleichröders Hilfe in

336 zum Grundsätzlichen vgl. Jeidels S. 109; 50 Jahre Donnersmarckhütte S. 27, B. Knochenhauer S. 111 ff., M. Czoja: Der industrielle Aufstieg der Beuthen-Simianowitzer und Tarnowitzer-Neudecker Linie der Henckel v. Donnersmarck bis zum Weltkrieg, Diss. München 1936.

337 Breslauer Disconto-Bank (30 Mill. AK), Breslauer Maklerbank (1,8 Mill. AK), Provinzialmakler-Bank (2,4 Mill. AK), Breslauer Wechslerbank (9 Mill. AK), die Maklervereinsbank (1,8 Mill. AK), die Görlitzer Vereinsbank (2,4 Mill. AK) der Oberschlesische Creditverein in Ratibor (1 Mill. AK).

338 vgl.: trotz Aufsichtsratsmitgliedschaft eines Hohenlohe, Schaffgotsch, Serlo, Mauve war seit 1896 die Deutsche Bank mit Rudolf Koch im Aufsichtsrat, 1901 hatte Koch den Vorsitz des Schles. Bankvereins, Festschrift S. 37 ff., HK Breslau Denkschrift S. 30 ff.

339 Däbritz/Hansemann S. 87 ff.

340 Karl Hugo Graf von Henckel-Donnersmarck, geb. 1811, verh. mit Laura Gräfin Hardenberg, konsolidiert 15 kleine Fundgruben zu den Siemianowitzer Steinkohlengruben, die (zusammen mit der Laura-Hütte von 1837 und der Königshütte von 1837 und der Königshütte von 1869) 1871 die Basis für die Königs- und Laura-Hütte abgaben, zu der 1889 die Eisenerzgruben der Oberschlesischen Eisenindustrie Gleiwitz und 1883 die Lazy-Hütte kamen. Knochenhauer S. 28 f.

das bekannteste Ostunternehmen — die Königs- und Laura-Hütte — umgegründet. Daneben entstanden mit Berliner Hilfe 1872 die Bismarck- und Donnersmarckhütten — ebenfalls als Aktiengesellschaften. Immer mehr traten auch im Osten die Eigner-Direktoren, die Magnaten, in den Hintergrund der Unternehmungsführung und überließen den bestellten Generaldirektoren die Verantwortung für die Massenproduktion, Liquidität und vor allem für die Bonität der Unternehmungen: so der Geheime Kommerzienrat Karl Richter in der Königs- und Laurahütte[341], der Bergrat Jüngst als Hütteninspektor und ab 1872 als Direktor in den Gleiwitzer Hüttenwerken[342], so W. Kollmann in der Kattowitzer Aktiengesellschaft für Eisenhüttenbetriebe[343] oder Eduard Meier, der über Halle und Hörde zur Friedenshütte kam[344].

Überblickt man die Grundzüge der gesamten Kapitalverteilung während der Jahre 1871/1873, so wird deutlich, daß Berlin — das gleichzeitig eine eigene große Maschinenindustrie entfaltete, mit Schwartzkopff und Borsig an der Spitze — zum Drehpunkt zwischen Ruhrgebiet und Oberschlesien wurde. Ruhrgebiet — Berlin — Oberschlesien, hier lagen die Aktivgeschäfte der Aktienbanken; das übrige Deutschland wurde mehr und mehr zum Reservoir für die Finanzierung dieser Schwerpunkte. Und je mehr sich die Banken ausdehnten und zu Großbanken wurden, desto deutlicher trat dieser Grundzug hervor. Als klassisch zu nennendes Beispiel dieser These kann die Beziehung Hansemanns — nun, nach dem Krieg ge-

341 Perlick: S. 186 f.; H. A. Bueck: Stahl und Eisen, 13, 1893 S. 825 ff.
Karl Richter, 1828 in Malpane geb., war der Initiator zum Kauf der Königshütte und zur Umgründung der Königs- und Laura-Hütte, deren Generaldirektor er zeitlebens blieb. Er war Vorsitzender des Vereins Deutscher Eisen- und Stahlindustrieller und auch dessen östlicher Gruppe, 1893 gestorben.

342 Karl Jüngst, geb. 1831 in Lingen/Ems, nach dem Studium in Clausthal unternahm er 1855 bis 57 und dann 1865 Reisen durch Gesamtdeutschland, Österreich und Ostfrankreich, wurde 1871 Hütteninspektor und 1872 Hüttendirektor der Gleiwitzer Hütte bis 1902. War 1872—1902 Vors. der Schles. ostdt. Gruppe des Vereins deutscher Eisengießereien, 1883 Bergrat, 1891 Geh. Bergrat, Dr. Ing. e. h., 1888—1918 Mitglied des Hauptvorstandes des Vereins Deutscher Eisen- und Stahlindustrieller, seit 1902 Ehrenmitglied.

343 Wilhelm Kollmann, geb. 1839 in Hagen, Direktor der Zechen Nachtigall Tiefbau und Kandanghausen, Gründungsmitglied des »Langnamvereins«. 1865 von Hegenscheidt zum Hüttendirektor berufen und 1873 Leiter der Kattowitzer AG für Eisen-Hütten-Betriebe, die auf sein Betreiben in Bismarck-Hütte umbenannt wurde. Er saß im AR der Dresdner Bank und der Breslauer Disconto-Bank. 1913 in Baden-Baden gestorben. Zeitschrift der Vereinigung dt. Ing. 57, S. 1505 f.; A. Friederich: Oberschlesische Industriekapitäne: in »Nord und Süd« 40, 1916, S. 101 f.

344 O. Wiedfeldt: Stat. Studien zur Entwicklungsgeschichte der Berl. Industrie 1770–1890, 1898.

adelt – zu Friedrich Grillo im Westen[345] und zu Tiele-Winckler im Osten gelten[346]. Dieselbe Arbeitsteilung und Stoßrichtung zeigten die Tätigkeit Gerson Bleichröders und Paul Schwabachs oder die Conrads von der Berliner Handelsgesellschaft. Im Westen arbeiteten sie mit dem Iren T. Mulvany[347] bei den Umgründungen von Hibernia[348] und Shamrock[349] zusammen, im Osten mit Henckel bei der Gründung der Königs- und Laurahütte[350].

Die neuen Interessengemeinschaften und Verbindungen, die der Boom – dessen Höhe Mitte des Jahres 1873 erreicht wurde – innerhalb von zwei Jahren schuf, sollten sehr schnell deutlich werden, als die Überhitzung der Konjunktur in eine von Wien ausgehende Krise umschlug, die den Bestand der 1871 bis 1873 zusammenspekulierten Unternehmen und die neue industrielle Struktur wohl in Frage stellte, gleichzeitig aber erst jetzt im Fegefeuer der Krise diese Ordnung erhärtete.

345 W. Däbritz: Unternehmergestalten S. 37 ff. ders. Hansemann S. 76 f.; W. Herrmann: Entwicklungslinien S. 22 f.

346 Knochenhauer S. 110 f., Perlick S. 57 f., Voltz: S. 130 ff.

347 William T. Mulvany, geb. am 11. III. 1806 in Sandymount/Dublin, war 1846 Royal Commissioner und ab 1. III. 1855 Repräsentant der irischen Gewerkschaften im Ruhrgebiet. 1856 gründete er die Hibernia, und 1858 trat er an die Spitze der ersten Interessenverbandsbildung des Reviers. Seit 1873 war er ein energischer Fürsprecher einer Schutzzollverbandbildung und 1877 trat er an die Spitze des westfälischen Kohlen-Ausfuhrvereins. Er starb 1885.

348 Gebhard: Ruhrbergbau S. 330 ff.; Unsere Hibernia 14.

349 Shamrock I/II S. 39 f.; F. Mariaux: Gedenkwort zum 100jährigen Bestehen der Industrie- und Handelskammer Bochum, 1956, S. 196.

350 Glagau S. 527; D. Junghann: Geschichte und Weiterentwicklung der Königshütte 1902, S. 57 ff.; Budniok S. 12.

Drittes Kapitel

Die große Baisse von 1873 und ihre Folgen. Die Entstehung der Schutzzoll-Verbände und das Scheitern der liberalen Politik in Preußen-Deutschland (Krise der Wirtschaftsordnung und Krise der Staatsstruktur)

a Der Krach von 1873 und die wirtschaftlichen Kräfte: Großbanken und Großindustrie

Die Wiener Börse gibt nach

Als sich im Spätherbst 1872 zum erstenmal an der Börse in Wien eine Abflachung der Konjunktur abzeichnete, ließ sich der sofortige Beginn einer umfassenden Baisse noch einmal durch die Aussicht auf die im Frühjahr 1873 stattfindende Weltausstellung und die damit verknüpfte Hoffnung einer weiteren Absatzsteigerung überwinden. Jedoch bereits Anfang 1873 gingen in Wien die disponiblen Mittel endgültig und ziemlich schnell zu Ende. Die Baisse war nicht mehr aufzufangen. Überspekulation, Überproduktion und damit verbunden die industrielle Großexpansion fanden keinen Kredit, keinen Absatz und keine Nachfrage mehr. Während der Diskontsatz weiter stieg, die Preise und die Produktionskosten ebenfalls weiter in die Höhe gingen, sanken die Börsenkurse. Gründungs- und Emissionsgewinne, verwegene Agiotage und die Hoffnung auf schnelles Reichwerden – der Antrieb der Hausse – schwanden dahin. Die Unternehmungslust wurde gedämpft, und trotz Eröffnung der Weltausstellung leitete Wien am 1. Mai 1873 die Deroute ein. Bereits am 8. Mai 1873 meldete die Donaumetropole 100 Insolventen und 300 Mill. fl. Verluste. Damit war der Börsenkrach trotz Stützungsmaßnahmen – immerhin hatten in Wien als Aufsichtsräte der Bank- und Eisenbahn-Aktiengesellschaften 1 Herzog, 13 Fürsten, 1 Landgraf, 88 Grafen, 4 Barone und Freiherrn und 45 »sonstige« Adlige fungiert – nicht mehr aufzuhalten. Am 9. Mai 1873 wurde unter tumultartigen Begleitumständen »eine rapide unaufhaltsame Entwertung«[1] verzeichnet, die am 13. Mai 1873 zur Aufhebung der Bankakte führte und die am 15. Mai 1873 in einen »Compensationskurs« mündete, der ungefähr dem Stand von 1869 entsprach. Die Initiative der österreichischen Bank- und Industriewelt war gelähmt; von einem Handelsaustausch konnte keine Rede mehr sein.

1 Wirth: Handelskrisen S. 518.

Weltweite Baisse

Die Rückwirkung der Wiener Kreditkrise war vor allem in München, Stuttgart und Frankfurt eminent; aber auch Berlin »litt« unter der österreichischen Stagnation[2]. Zu einem sofortigen Zusammenbruch jedoch führten die Wiener Bankrotte in Berlin noch nicht. Preußen-Deutschland konnte dank seiner Milliarden und seiner deswegen etwas mehr kapitalgepolsterten Banken und Unternehmen – nicht zuletzt auch wegen seiner lukrativen Eisenbahntransaktionen mit Nordamerika – hoffen, die Geschäftsflaute im Südosten zu überwinden. Da zerstörte der Zusammenbruch des New Yorker Bankhauses Jay, Cook & Co., des amerikanischen Regierungsbankiers und Haupthalters des amerikanischen Hauptspekulationspapiers, der Northern Pacific, endgültig die Hoffnung auf Fortführung der Hausse[2a].

Wie 1853/57 hatte der Aufschwung von 1871/72 zu einer engen Verbindung des europäischen Kapitalmarktes mit dem amerikanischen geführt. Trotz des wirtschaftlichen Niederganges nach dem Sezessionskrieg partizipierte die »alte Welt« mit ihrer Geldfülle in großem Maße an der Finanzierung der Verdoppelung des amerikanischen Eisenbahnnetzes[3]. Die amerikanischen Börsen verzeichneten denn auch bei einem Zinssatz von 5–8 % einen Emissionsumsatz von 1,1 Milliarden frcs. Die amerikanischen Industrie- und Eisenbahnwerte übertrafen damit noch die deutschen, die sich bei einem Zinssatz von 4–5 % auf 913 Millionen frcs. beliefen[4]. Die amerikanischen Geschäfte waren mit höchstem Spekulationsrisiko durchgeführt[5] worden, und dementsprechend groß war der Rückschlag, als es Jay, Cook & Co. zusammen mit Rothschild (Paris) nicht gelang, eine 6 % 300 Mill. Obligation abzusetzen. Europa verhielt sich gegenüber den neuen Eisenbahnwerten »indifferent«. Die »Krise« eröffnete nun der Bankrott der New Yorker Warehouse and Security Comp., ihr folgte Kenyor Cox. & Co., dann Jay, Cook & Co., und mit ihm Fisk & Hatch. Am 20. September 1873 wurde die New Yorker Fonds Börse geschlossen: 83 Bahnen mit 250 Mill. Dollar waren zahlungsunfähig. 40 000 Arbeiter wurden entlassen. Und schon schloß in London Mac Culloch seine Schalter; eine erneute Panik drohte; die Bank von England setzte den Diskontsatz auf 9 %[6].

2 Wirth: Handelskrisen S. 518.

2a HHStA Wien, F 34 SR 3–2/1–2.

3 1864 = 33 400 / 1873 ca. = 60 000 Meilen.

4 Frankreich legte 193,1 Mill. frcs. in Industriewerten, Österreich 517,2 Mill. frcs. an; nach Wirth, S. 469.

5 so war z. B. die Northern Pacific mit 2 Mill. Dollar für 500 Meilen gegründet, wovon nur 10 % einbezahlt waren.

6 Wirth: Handelskrisen S. 540, 544, 548, ders. Die Krise von 1873 S. 203 ff. Zur Parallelität der weltweiten Depression der Krise vgl. F. X. v. Neumann-Spallert, Übersichten der Weltwirtschaft II, 1879/1880, S. 20 ff., S. 83–89; F. C. Huber: 50 Jahre deutschen Wirtschaftslebens, Berlin 1906, S. 34, 78 ff.; J. Trachtenberg: Monetary Crises (1821–1938) S. 695, 703–708.

Der Niedergang der Obligationen der Pacific-Bahn[7] zerstörte die Kreditbasis einer der Hauptspekulationsbanken in Berlin: der Quistorpschen Vereinsbank. Ihr Fallissement bedeutete den Beginn der Baisse nun auch an der Berliner Börse[8], wo der Zusammenbruch der Makler-, Raten-, Renten-, Kassen-, Agentur-, Gewerbe-, Report-Kapitalistenbanken[9] wiederum zum Ausgangspunk des Bankrotts der Makler- und Wechslerbanken an jedem größeren Ort in Deutschland wurde. Allein 61 Banken, 116 Industriegesellschaften und 4 Eisenbahn-Gesellschaften liquidierten Anfang 1874.

Baisse und Banken

Wie 1857 – aber jetzt ungehemmt von staatlicher Reglementierung – versuchten die Banken die Kreditknappheit durch Liquidation, Reduktion und vor allem Fusion zu überwinden. Und wie in der Hausse, so zeigte sich nun auch in der Baisse die Aktiengesellschaft der Privatunternehmung überlegen. Die Baisse zerstörte keineswegs die 1871/72 zum Durchbruch gekommene Wirtschaftsordnung. Im Gegenteil, die Krise erhärtete und modifizierte die neue Ordnung in charakteristischer Weise. Auch nach der Krise blieb die Aktiengesellschaft als Unternehmungsform für das deutsche Wirtschaftsleben dominierend[10]. – Damit war also weiterhin die Möglichkeit des Wechselspiels zwischen Bank- und Industrieunternehmung gegeben[10a]. Ferner – und dies war für die weitere wirtschaftliche Entwicklung von prä-

7 Jan. 1872 = 102; Nov. 1873 = 62 1/8.

8 M. Wirth: Krise 1873, S. 164, ders. Handelskrisen S. 567; Däbritz: Disconto-Gesellschaft S. 197; Müller-Jabusch: Industrie-Kurier 10. IX. 1957. HHStA Wien, F 34 SR - 3 - 2/1–2: 10. X. 73 Münch an Wien.

9 Sartorius S. 280 f.

10 DZA II, Rep. 120 A XII 5 Nr. 1 Bd. 9: 6. VII. 1878 Kgl. Stat. Bureau an Maybach. Nach der teilweise bis 1874 abgeschlossenen Liquidation ergibt sich folgendes Anlagebild bei den 857 zwischen 1870 und 1874 neugegründeten Aktiengesellschaften mit einem Aktienkapital von 3,3 Milliarden Mark oder 1,429 Milliarden Talern: 93 Gesellschaften mit 131 Millionen Talern Aktienkapital in der Bergbau- und Hüttenindustrie; 85 Unternehmen mit 65 Mill. Talern AK in der Maschinenindustrie repräsentierten mit der Bauindustrie mit 102 Unternehmen und 162 Millionen Talern Aktienkapital die wesentlichsten Gruppen der deutschen Produktion. 141 Unternehmen mit 56,7 Millionen Talern waren in der Nahrungsmittelindustrie beschäftigt und zeigten wie die 59 Brauereien (23,9 Mill. Aktienkapital), 26 Textilfabriken (22,2 Mill. AK), daß diese Industriezweige noch eine mittlere Position zwischen Aktiengesellschaft und Privatunternehmung einnahmen. Die chemische Industrie mit 30 Unternehmen und 15,2 Mill. AK, die Heiz- und Leuchtstoffindustrie mit 12 Unternehmen und 6,9 Mill. AK, die Papier- und Lederindustrie mit 26 Unternehmen und 11,2 Mill. AK hatten noch nicht das Schwergewicht wie eine Generation später.

10a HHStA Wien F 34 SR - 3–2 / –2: 1. XI. 1873 Münch an Andrássy.

gender Bedeutung – wurde durch die Krise die Vielzahl der Kleinunternehmen und Neugründungen zu wenigen großen zusammengeschlossen, oder sie wurden von wenigen übernommen[11]. Im Jahre 1873 wurde damit das Fundament gelegt, auf dem die großen Kapital- und Produktionsassoziationen aufbauen konnten. Da die Krise vornehmlich eine Börsenkrise gewesen war – erst später folgte wegen der Kreditspanne auch eine Warenstagnation –, traten deshalb auch im Bankensektor sofort die entscheidenden wirtschaftlichen Folgen in den Vordergrund.

Der Zusammenbruch des europäischen Kapitalmarktes führte zum Zusammenbruch zahlreicher Bank-Neugründungen. Die Neugründungen wurden nun vornehmlich von den Instituten übernommen, die in unmittelbarer Verbindung zum staatlichen Kredit standen und ein festes Klientel besaßen (so vor allem die Disconto-Gesellschaft, die Darmstädter Bank, die Berliner Handelsgesellschaft und die Berliner Privatbanken), oder die sich weniger intensiv am einheimischen Industrie-, Bau- und Eisenbahn-Spekulationstreiben beteiligt hatten, dafür aber im Handels- und Exportgeschäft ihre feste Kundschaft fanden (so die Deutsche Bank und die Dresdner Bank). Trotz hohen Kursverlusten, trotz großem Gründungsengagement und hohen Bilanzverlusten[12] überwanden – nach dem Urteil der Börse – die Disconto-Gesellschaft[13], die BHG[14], die Darmstädter Bank[15], die Deutsche Bank[16], die Dresdner Bank (als Zentralbank Sachsens[17]) und selbst das zentrale Kreditinstitut des Reviers, die Mevissen- und Hansemann-Gründung von 1848 – der Schaaffhausensche Bankverein[18] – die Stagnation von 1873 ohne Konkurs. Trotz stärkerer Belastung und Verluste notierten die Berliner Banken höher an der Börse als die zum Teil wesentlich besser salvierten Provinzbanken[19].

11 Siehe unten S. 346 ff.
12 Däbritz: Disconto-Gesell. S. 82.
13 Wirth: Handelskrisen S. 165: 12,7 Mill. Mark.
14 (R. E. Lüke): Die Berliner Handelsgesellschaft in einem Jahrhundert deutscher Wirtschaft; 1956, 2,1 Mill. Mark Defizit.
15 G. Förstel: Die Entwicklung der Darmstädter Bank und National-Bank. Diese Bank hatte sich gemäß ihrer Tradition nach 1870 im Gründungsgeschäft, vor allem auf dem schlesischen und ostpreußischen Markt mit der Schlesischen Disconto-Bank und der Ostbank für Handel und Gewerbe sehr stark engagiert. Sie mußte 1873 einen Verlust von 2,8 Mill. M. hinnehmen. 1877 befand sich die Bank am Rande des Konkurses, und Mevissen, der Begründer der Bank, trat vom Aufsichtsratsvorsitz zurück. Die Sanierung gelang mit Mühe. Die Verluste, die die Darmstädter Bank in Ostpreußen erlitt, führten zur fast vollkommenen Aufgabe ihres umfangreichen Bankaktiv-Geschäftes im agrarischen Osten (Riesser: Großbanken S. 180, 269).
16 Geschäftsbericht 1874 = 1,6 Mill. Mark Defizit.
17 1,28 Mill. Mark Defizit; Archiv Dresdner Bank/Frankfurt.
18 E. Königs: Erinnerungsschriften zum 50jährigen Bestehen des A. Schaaffhausenschen Bankvereins 1898.
19 so der Schlesische Bankverein, vgl. Denkschrift 1856–1906; Darmstädter Bank 1876 = 100, 1877 = 101,25, 1879 = 148,75; DB 1876 = 80,00, 1877 = 89,10,

Diese höhere Notierung der Berliner Banken führte dazu, daß die alteingesessenen Aktiengesellschaftsbanken – trotz eigener Verluste – zahlreiche neugegründete Aktiengesellschaftsbanken übernahmen, die nun in der Krise (ohne Klientel, mit zu hoch spekulierten Effektenpaketen) notleidend geworden waren. Die Provinz- und Spekulations-Banken boten nun für die *noch* etwas besser stehenden, die Disconto-Gesellschaft, Dresdner Bank und Deutsche Bank, die Möglichkeit, durch die Übernahme der *noch* liquiden Bestände aus der Bankrottmasse von 1873 ihren Einfluß auszudehnen und ihre Verbindungen zu verbreitern.

Die Deutsche Bank in der Krise

Als Beispiel dieser Entwicklung seien die Deutsche Bank und die Dresdner Bank gewählt. Die Deutsche Bank hatte – 1870 gegründet – mit ihrem Programm »der Einführung der deutschen Valuta auf überseeischen Plätzen«[20] und »der Etablierung auf verschiedenen Plätzen in Übersee« schnell die »größten und wertvollsten Verbindungen«[21] gewonnen. Das Ansehen der Bank stieg noch dadurch, daß neben Siemens in Hermann Wallich ein Direktor bei der Deutschen Bank verpflichtet wurde, der nicht nur »geschäftliche Erfahrung bei der Führung der Übersee-Etablissements« mitbrachte[22], sondern auch der Bank »schnell eine erhebliche Zahl anderer Geschäftsfreunde« zuführte. 1872 verzeichnete die Bank ein »überaus befriedigendes Geschäft«. »Die Erträge« waren auch »im Verhältnis zum vermehrten Kapital die gleichen geblieben«. Ja, dieselben gestalteten sich nach dem Urteil Georg v. Siemens' noch günstiger, »als die Einnahmen für Effekten und Consortialgewinne einen geringeren Procentsatz der Gesamteinnahmen« ausmachten als 1871. Die Bank expandierte mit viel Elan. In London wurde eine Filiale eingerichtet mit dem Ziel, London als Remboursevermittlung für den deutschen Handel allmählich auszuschalten. Dann wurden in Yokohama und Schanghai Filialen errichtet. Mit ihnen sollte die Direkteinfuhr und die Direktbezahlung des deutschen Ostasienhandels eingeleitet werden. Der Beginn war vielversprechend, und die Bank ging bereits daran, enge Verbindungen mit Nord- und Südamerika, Südafrika und dem Nahen Osten anzuknüpfen[23], da brachte die Silberentwertung – infolge der Umstellung der deutschen Valuta auf Gold – und die Krise im Effektengeschäft eine Stockung des überseeischen Warenverkehrs. Damit war die Bank gezwungen, »da

1879 = 145,30; Disc. Ges. 1876 = 107,25, 1877 = 100,50, 1879 = 193,25; Mitteldeutsche Creditanstalt 1876 = 65,50, 1877 = 67,70, 1879 = 90,56; nur die Berliner Handelsgesellschaft war schwach 1876/77 = 69,00–66,00, 1879 = 83,50 (Pfahl: Mitteldeutsche Privatbank AG 1856–1911, Düsseldorf 1912).

20 Geschäftsbericht der DB 1873.

21 ebd.

22 Geschäftsbericht der DB 1872.

23 Diouritch S. 358 ff., Filialen und Kommanditen bei Knoblauch und Lichtenstein/New York, Weisweiler & Goldschmidt/Paris, Göterbock, Hoswitz & Co./Wien.

die Konkurrenz kraft unserer heimischen Industrie schwächer wurde«, wegen »Überfüllung des chinesischen Marktes« und wegen »Überschätzung des japanischen Marktes«[24] als erstes die Ostasienfilialen zu schließen.

1874 aber »bewährte sich London noch vortrefflich«. Deswegen übernahm die Deutsche Bank die von der Disconto-Gesellschaft gegründete Deutsch-Belgische La Plata-Bank[24a]. Siemens hoffte, damit den »größten Häutestapelplatz der Welt« mit dem »fabrikreichen Deutschland«[25] zusammenzuschließen. Jedoch auch diese Filiale mußte bereits 1875 wieder aufgegeben werden[26]. Der erste Versuch, ein nationales, weltumfassendes Clearing-System aufzubauen, war vorerst gescheitert:

»Ausdrücklich« aber, so betonte der Geschäftsbericht 1875, »wollen wir hervorheben, daß wir unser Programm ... nicht aufgeben ..., sondern mit London stetig weiter verfolgen, wenngleich wir unsere Versuche, die deutsche Valuta auf den überseeischen Plätzen einzuführen, bei der Abnahme des deutschen Exports vorläufig zu sistieren gezwungen sind«[27].

Da jedoch die »vermittelten Transaktionen« den Geschäftskreis der Banken in kürzester Zeit ohne Spekulation eminent erweitert hatten[28], weil die Bank »dem deutschen Kaufmann die Möglichkeit (gab), bei Benutzung unserer Kredite von jeder Kursfluctuation ... Vortheile zu ziehen«[29], konnte Siemens die Verluste in Übersee kompensieren und bereits 1874 betonen: »Die Hauptgrundlage für unser inländisches Geschäft bleibt nach wie vor das Commissions- und Contocorrentgeschäft«[30]. Dieses Geschäft hätte nämlich Siemens schon 1870/73 aufgebaut, und jetzt bewährte sich auch bereits die Übernahme einer Vielzahl von Banken während der Krise. »Die ausnahmsweisen Vortheile«, so betonte der Chef der Deutschen Bank, »welche wir in Folge unserer gleichzeitigen Etablierung an verschiedenen Plätzen zu gewähren im Stande sind«, haben der Bank »manche wertvolle Verbindung« vor allem in der Eisenbahn- und Manufakturindustrie zugeführt. Diese »Verbindungen« sollten jetzt vorerst ausgebaut werden.

Sofort nach dem Krach von 1873 begann Siemens den Umschwung vom überseeischen zum kontinentalen Geschäft einzuleiten. Er erkannte in der Depression »eine Durchgangsperiode zur Heilung vorhandener moralischer und materieller Schäden« und konnte sie nützen, da die Bank »den Schwerpunkt« ihrer Verbindungen »mehr in den eines vorübergehenden Credites bedürfenden handeltreibenden Kreises« gelegt hatte »als in den einer dauernden Kredit beanspruchenden Industrie«[30a]. Vor allem kam es Siemens und seinen Mitdirektoren darauf an, das

24 Geschäftsbericht 1873.
24a Geschäftsbericht der Disconto-Ges. 1870–72.
25 Geschäftsbericht Deutsche Bank 1874.
26 Diouritch S. 295 ff.
27 Geschäftsbericht DB 1872.
28 Geschäftsbericht DB 1872.
29 Geschäftsbericht DB 1871.
30 Geschäftsbericht DB 1874.
30a Geschäftsbericht DB 1876.

Depositensystem, »die beliebte und fleißig benutzte Einrichtung der Gegend«[31], mit dem großen Übernahmegeschäft zu verbinden[32]: »Wir genießen dabei den Vorteil«, betonte er gegenüber Wallich, »daß unsere Kundschaft fester an uns gebunden würde[33].« Denn »wie langsam diese Entwicklung auch vor sich geht« – allein in der festen Kundenbeziehung sah die Deutsche Bank die Basis für den Aufbau einer unabhängigen Stellung in Berlin gegenüber den traditionellen Geldgebern. Gemäß diesem Programm übernahm die Bank 1874 die Allgemeine Depositenbank mit 73 Filialen, dann die Elberfelder Disconto- und Wechslerbank mit zahlreichen Filialen, und im gleichen Jahr fügte sie noch die Fusion mit dem Berliner Bankverein mit 75 Filialen hinzu. Schon 1875 betont Siemens: er hoffe, »daß diese Zunahme ... noch steigen wird. Denn die gegenwärtige Lage ..., welche namentlich die jüngeren Banken hart betrifft, hat manche derselben teils zur Reduktion, ... teils zur Liquidation veranlaßt[34].« Bereits 1876 bestätigte sich diese Voraussicht. Die Unionbank, in deren Portefeuille schon die Generalbank für Makler-Geschäfte, die Kommissions- und Makler-Bank Berlin, der Padersteinsche Bankverein und vor allem die Berliner Wechslerbank mit 76 Filialen übernommen worden waren[35], zog »die Liquidation der drohenden Stagnation vor«[36]. Sie wurde von der Deutschen Bank übernommen. Die Eisenbahnverpflichtungen der Unionbank wurden an die preußische und sächsische Regierung abgestoßen. Die »Verbindungen« aber vor allem über Hammacher zum Ruhrgebiet wurde dem neu eingerichteten Konto »dauernder Beteiligungen« zugefügt[37]. Die Deutsche Bank »konnte mit dem Geschäftsverlauf zufrieden sein«; wir »halten diese Bewegung«, kommentiert Siemens, »für eine durchaus vernünftige und zeitgemäße«, da die Entwicklung zur Formung von Großbetrieben dränge[38]: »Wenn daher im Laufe des Jahres die Gelegenheit an uns herantritt, bei Durchführung dieser Bewegung behilflich zu sein, so haben wir ... bereitwilligst zugesagt[39].« Dabei gewann die Bank bis zum Jahre 1876 einen erheblichen Einfluß – weniger auf die Schwerindustrie als auf die Berliner und deutsche Exportindustrie.

31 Geschäftsbericht DB 1876.

32 G. Motschmann: Das Depositengeschäft der Berliner Großbanken, Schr. d. Vereins f. Soz. pol. 154, München 1915.

33 Archiv DB-Düsseldorf, Geschäftsbericht 1876.

34 Geschäftsbericht DB 1875.

35 Glagau S. 525 ff.

36 Geschäftsbericht DB 1876.

37 Geschäftsbericht DB: 1874 = 3.889.291 M/1875 = 17.975.968 M.

38 Mitteilungen des Archivars der DB, Max Müller-Jabusch vom 3. IV. 1960.

39 Geschäftsbericht 1876. Das Schicksal der Akten der Deutschen Bank ist etwas dunkel; ausgelagert im Krieg, befindet sich ein Teil der Sekretariatsakten in Berlin, wobei aber die Akten aus der Frühzeit der Bank verlorengegangen zu sein scheinen; (Mitteilungen des Dt. Wirtschaftsinstituts vom 29. VI. 1962) die Nachfolgeinstitute in Düsseldorf, Frankfurt und Hamburg haben keine Bestände mehr (Mitteilung vom 22. I. 1960). Weniges zur Effektenpolitik DZA I, Börsenkommissariat Nr. 259–262.

Krise und Dresdner Bank

Eine ähnliche Politik und eine ähnliche Konzentrationsbewegung wie bei der Deutschen Bank läßt sich bei der zweiten »jungen« Aktienbank, der Dresdner Bank, feststellen. Sie konnte ebenfalls ihren Einfluß durch die Krise von 1873 steigern. 1872 aus einer Dresdner Privatbank – M. Kaskel – mit Berliner, Leipziger und Frankfurter Hilfe (der Berliner Handelsgesellschaft, der Deutschen Bank, der Allgemeinen deutschen Kreditanstalt und der Vereinsbank Frankfurt) zu einer Aktiengesellschaft umgegründet[40], sollte die Bank von Dresden aus die sächsisch-böhmische Textilindustrie, die mitteldeutsche Braunkohlenindustrie[41], den mitteldeutschen Kalibergbau, vor allem aber den preußisch-sächsisch-böhmischen Handel mit Kapital versorgen. Zugleich sollte die Bank ein eigenes sächsisches Kapitalzentrum aufbauen[42]. »Unvorhergesehen ... überraschend ... ohne vorgeplante Heftigkeit, Ausbreitung und Dauer«[43] traf die Krise die Bank, ohne jedoch deren »stetiges Wachsen« hemmen zu können, da »trotz der Ungunst der Zeiten ... die sächsische Kundschaft« in erheblichem Maße der Dresdner Bank »die Treue hielt«. Die Bank konnte ohne Verluste – trotz schlechter österreichischer Effektenlage – die Krise überstehen. Da das »Hauptaugenmerk« der Bank »auf die Pflege des regelmäßigen täglichen Verkehrs« gerichtet war, hatte die Bank sich nur in geringem Umfange an der Spekulationshausse beteiligt. Nun zog sie – wie der Direktor Gutmann an Kaskel mitteilte – »aus dem ruhigen Tempo der Entwicklung nur Nutzen«.

1873 wurden der Sächsische Bankverein mit 74 Filialstellen, 1874 die Dresdner Handelsbank mit 73 Filialen und 1877/78 die Sächsische Kreditbank und die Thüringische Bank übernommen. Damit war die Bank zur Beherrscherin des mitteldeutschen Industrie-, Handels- und Staatskredites geworden[43a], ohne sich jedoch »neben« Berlin behaupten zu können. Schon 1876 genügte die Verbindung mit der deutschen Hauptbörse über Bleichröder nicht mehr[44]. Das große mitteldeutsche Klientel drängte nach einer direkten Verbindung zwischen Dresden und Berlin. Gutmann mußte die noch 1873 festgelegte Bankpolitik, nicht selbständig »ein außerhalb des Bankbetriebes liegendes Unternehmen zu betreiben«[45], Ende der fünfziger Jahre wieder aufgeben. Die Dresdner Bank richtete nach großen und heftigen internen Auseinandersetzungen zuerst eine Filiale und dann eine Hauptstelle in Berlin ein. Nur mit Mühe hatte sich Gutmanns Standpunkt einer zentra-

40 Archiv Dresdner Bank-Frankfurt: Jüdell: Die Dresdner Bank, Privatdruck 1929.
41 A. Zander: Die wirtschaftliche Entwicklung der Provinz Sachsen im 19. Jhdt., Phil. Diss. Halle 1929, S. 126 f.
42 Archiv Dresdner Bank: Gutmann vor Generalversammlung 10. IX. 1879, HK-Bericht Lpz. 1893, S. 29 ff.
43 ebd.
43a ebd.: Jüdell S. 18.
44 ebd. 4. II. 1876 Bleichröder an Baron Kaskel.
45 ebd. Jüdell S. 8.

listischen, unitarisch-industriellen Bankpolitik gegenüber der partikularistisch-lokal und manufakturgebundenen Argumentation Kaskels und der Dresdner Aktionäre durchsetzen können[46]. Auch der Beginn ihrer Berliner Tätigkeit wich charakteristisch vom Geschäftgebaren anderer Provinzbanken ab und war in Dresden keineswegs unumstritten[47]. Ohne Kommandite – nur auf die sächsische Basis gestellt – versuchte die Dresdner Bank einen eigenen Kundenkreis auf der Grundlage eines breiten und durch eine Vielzahl von Filialen und Depositenstellen gestützten Kommissions- und Kontokorrentgeschäfts in Berlin zu schaffen. Wie die Deutsche Bank – jedoch ohne deren überseeische Zielsetzungen – wuchs sie zunächst über Eisenbahnprojekte in Österreich in Konsortialstellungen erster Berliner Häuser hinein, um dann schließlich im großen Maßstab neben der Deutschen und Darmstädter Bank, der Berliner Handelsgesellschaft und Disconto-Gesellschaft zur Kreditgeberin der deutschen Industrie und zur Unternehmungsführerin zu werden[48].

Baisse, Banken und Schwerindustrie

Hatte die Deutsche Bank die Konzentration der Finanzierung des Übersee- und norddeutschen Handelsgeschäfts in Berlin erbracht, so bedeutete die Integration der Dresdner Bank in Berlin die Bindung des sächsisch-mitteldeutschen Raumes an die norddeutsche Zentrale. Gerade aber die Zentralisierung der beiden »Handelsbanken« in Berlin ist darauf zurückzuführen, daß die Hausse der Milliarden den Berliner Banken in allen Teilen Deutschlands Verbindungen zugeführt hatte, die auch die Baisse nicht mehr zerstören konnte. Zum Teil wurden die Banken, die sich stark im »einheimischen Industriegründungs-Geschäft« engagiert hatten, wohl zurückgeworfen, zu Aktienkapitalrestriktionen gezwungen und zur Auflösung von Filialen (so z. B. die Provinzialdisconto-Gesellschaft) getrieben, aber die einmal errichteten Verbindungen konnten sich trotz der Krise und der sich anschließenden wirtschaftlichen Flaute weiterentwickeln. Die Berliner Papiere behaupteten ungefähr-

46 ebd. 17. I. 1880, Protokoll Generalversammlung.
47 Riesser S. 332 f.
48 vgl. Schriftwechsel Gutmann mit Hohenemser und mit M. Goldschmidt 1881, vgl. auch Instruktionen für Dresden und Berlin vom 18. V. 1884 (Archiv Dr. B./Frankfurt). Die überwiegenden Teile der Sekretariatsakten der Dresdner Bank sind bei Überführung von Berlin nach Frankfurt – laut Mitteilung Dr. Müllers, Dresdner Bank vom 28. III. 1960 – vernichtet worden. Mikrofilmduplikate sollen sich bei der Statna Banka Prag befinden, die dieselbe über die Nachfolgerin der Filiale Karlsbad – Zivnostenska Banka – erhalten haben soll. Zur Effektenpolitik der Dresdner Bank vgl. DZA I, Börsenkommissariat Nr. 262–263, vgl. R. Banck: Geschichte der sächsischen Banken mit Berücksichtigung der Wirtschaftsverhältnisse, Diss. phil. Berlin 1896, vgl. Diouritch, S. 448, G. Müller: Dresdner Bank, in: Encyklopädisches Lexikon f. Geld, Bank- und Börsenwesen S. 3 (Sonderdruck).

det den Kurs von 1870 – auch auf dem Höhepunkt der Krise[49]; und auch von den Montanpapieren wurden weder die Dortmunder Union noch die Gelsenkirchener Bergwerks-Aktiengesellschaft, weder die Hibernia, Lauchhammer, Oberschlesische Eisenbahnbedarfs-Aktiengesellschaft noch die Phönix-Bergbau u. a. trotz katastrophal niederen Kursen liquidiert[50]. Die Unternehmungen, die trotz prekärer Finanzlage die Krise überstanden, hatten entweder ihren Sitz, ihren Markt oder ihr Kapital in Berlin – und hier war es wieder vor allem die Disconto-Gesellschaft, die trotz 12,6 Millionen Mark Verlusts weiterhin Zentralvermittlerin des staatlichen und industriellen Finanzgeschäfts blieb. Ja, die Krise verflocht die Berliner Banken (Hansemann, Gelpcke, Bleichröder) mit den expandierten Kombinationsunternehmen (Grillo, Kirdorf, Mulvany, Jüngst, Richter, Servaes etc.) nur noch mehr und brachte darüber hinaus der Darmstädter Bank, der Berliner Handelsgesellschaft und der Disconto-Gesellschaft durch die Übernahme und Fusion noch illiquiderer Unternehmen und Banken neue Verbindungen. Gerade diese Verbindungen wogen um so schwerer, als nun auch die Berliner Banken dazu übergingen, dem »regulären Geschäft« wieder den Vorzug zu geben, ohne jedoch, wie die Deutsche Bank und die Dresdner Bank, sofort und konsequent das Depositenwesen und die Handelsunterstützung anzukurbeln. Die »alten« Aktiengesellschaftsbanken blieben vornehmlich Industriebanken und Staatsanleihevermittler[51]. Trotz erheb-

49 Wirth: Handelskrisen S. 514:

14. III. 1870 Prämien Anl. $116\frac{1}{2}$	15. IX. 1873 :	$128\frac{1}{2}$
14. III. 1870 Köln-Mindener 123	15. IX. 1873 :	148
14. III. 1870 Rhein-Bahn $114\frac{3}{4}$	15. IX. 1873 :	141

50 Wirth: Handelskrisen S. 166.

Die Dortmunder Union	1873 :	83
	1876 :	5,10
	1877 :	4,00
Gelsenkirchener Bergwerks AG	1877 :	85
Hibernia ...	1876 :	34
	1878 :	40
	1879 :	94
Lauchhammer ...	1877 :	17,50
	1879 :	42,25
Oberschles. Eisenbahnbedarfs AG	1876 :	26
	1877 :	20,60
	1879 :	23,60
Phönix Bergbau AG	1876 :	33
	1879 :	84,25

Ebensolche Verluste hatte die Laurahütte, von 1,6 Mill. M., die Donnersmarckhütte von 1,8 Mill. M., die Rheinische Eisenbahnges. von 3,9 Mill. Mark. Die Köln-Mindener v. 7,0, die Berg.-Märk. 5,2 Mill. M.

51 Als Beispiel sei die Disconto-Ges. herangezogen, deren Wechselbilanz sich zwischen 1872 und 1877 von 22 Mill. M. auf 110, deren Akzepte sich von 23 auf 38 Mill. M. und deren Depositen sich von 38 auf 41 Mill. Mark erhöhten. Riesser: Großbanken S. 177 f., S. 268; Diouritch S. 358 ff.

licher Verluste blieben die Berliner Banken das Zentrum der Kapitalverteilung einer nunmehr deutschen Wirtschaft, deren Baugewerbe eine Aktienkapitalvermehrung um das 27fache (von 17,42 auf 468,64 Mill.), deren Bankgewerbe eine Vermehrung um das 9fache (von 94,55 auf 838,27 Mill. Mark) und deren metallverarbeitende Industrie eine 7fache Vermehrung erfahren hatte[52]. Diese ungeheure Kapitalvermehrung fand innerhalb der 3 Jahre nach dem Deutsch-Französischen Kriege statt!

Aus der großen Zahl der neugegründeten Banken und Unternehmen schälten sich damit in der Krise wenige Groß-Aktiengesellschaftsbanken mit dem Sitz in Berlin heraus. Neben ihnen zählten für die Vermittlung des »deutschen Kredits« nur noch die Berliner Handelsgesellschaft und die wenigen großen Privatbanken, wie Bleichröder, Mendelssohn und Warschauer, Rothschild (Frankfurt), Warburg (Hamburg), Oppenheim (Köln) und Trinkaus (Düsseldorf), Finck (München). – Zugleich hatten die AG-Banken in ersten Ansätzen über ganz Deutschland ihre Filialen verstreut, und ihr Engagement mit dem Schwerpunkt an der Ruhr, in Hamburg und in Oberschlesien war fest begründet.

Die Konzentrationsbewegung hatte zur Folge, daß durch »die Absorption« der vielen Neugründungen in wenige große Aktiengesellschaftsbanken nicht nur ein »gutes Teil Geld verdient wurde, sondern auch« – wie es Direktor Rosencrantz von der Dresdner Bank an Baron Kaskel bei der Übernahme des Direktors Arnstädt vom Sächsischen Bankverein formulierte – »tüchtige, feingebildete und mit Energie und Willen begabte fähige Direktionskräfte« an die jetzt nur noch wenigen Führungsspitzen des deutschen Wirtschaftslebens kamen[53]. So reduzierte die Krise von 1873 durch ihren »Auslese«- und Konzentrationseffekt den ohnehin schon kleinen Kreis der Verantwortlichen, die wesentlichen Einfluß auf die deutsche Industrie- und Handelspolitik gewannen.

Die Privatbanken und die Krise

Der Aufstieg der wenigen Berliner Großbanken mit ihrem potenten Industrie- und Handelsklientel erhob gleichzeitig auch die Berliner Börse endgültig zum alleinigen Zentrum des deutschen Geldmarktes, so daß sich die Börsen in München, Düsseldorf, Frankfurt, Köln und Hamburg in die zweite Reihe abgedrängt sahen[53a]. Der Versuch großer Provinzbanken, nach 1873 in Berlin Fuß zu fassen, scheiterte (bis

52 Riesser: Großbanken S. 105; M. Marcuse: Das Filialsystem d. deutschen Großbanken, Diss. phil. Berlin 1933, S. 65 f.; H. Strebel: Staat und Banken im preußischen Anleihewesen von 1871–1913, Berl. 1935.

53 Archiv Dresdner Bank/Frankfurt: 16. IV. 1874, ebd. Dir. Arnstädt blieb nach 1874 Jahrzehnte an führender Stellung der Dresdner Bank tätig und führte vor allem das Filial-Kontokorrent- »und Regierungsgeschäft« der Bank, ebd. Jüdell S. 13 ff.

53a H. Weber: Börsenplatz Berlin, Köln 1957, S. 35.

auf die Ausnahme der Dresdner Bank) vollkommen. Hingegen wurden die Provinzialbanken in steigendem Maße von den Berliner Konsortien abhängig[53b]. Nach 1873 kontrollierten die Berliner Konsortien sowohl das große Industriegeschäft als auch die Vermittlung der preußischen, deutschen und ausländischen Staatsanleihen. Geldvermittlung, Arbeits- und Produktionsbeschaffung lagen somit Ende des Jahrhunderts vornehmlich in einer Hand, nämlich bei den Berliner Großbanken.

Zugleich bedeutete der nun für das Bankgeschäft charakteristisch werdende Bank-Industrie-Konzentrationsprozeß, der am Vorabend des ersten Weltkrieges mit der Herausbildung weniger Mammutbanken und Industriekonzerne seinen ersten Höhepunkt erreichte, das Ende der einflußreichen Tätigkeit der Privatbankiers. In zunehmendem Maße verloren die Privathäuser ihre Kommandite an die Aktiengesellschaftsbanken, so Delbrück & Co. an den Schaaffhausenschen Bankverein, Müller & Co. an die Mitteldeutsche Creditanstalt oder Bleichröder an die Darmstädter Bank. Immer mehr fungierten die Bankiers nur noch als Träger »adliger« Geldverbindungen, und ihre Existenz wurde mehr und mehr »Ausdruck des politischen Systems«. Je mächtiger der Einfluß der Aktiengesellschaftsbanken in der Vermittlung von Industriekrediten und Eisenbahnanleihen wurde, je enger die »Provinz« mit »Berlin« verflochten wurde und je klarer die Dominanz der Aktiengesellschaftsbanken in der Vermittlung der Auslandsgeschäfte wurde[54], desto intensiver schlossen sich nämlich die Privatbankiers an den »monarchischen Staat«

53b Däbritz: Anfänge der Disconto-Gesellschaft S. 212 ff.

54 Paul Wallich: Die Konzentration im deutschen Bankwesen, Stgt. 1905; W. Strauß: Die Konzentrationsbewegung im deutschen Bankgewerbe, Berl. 1928; H. Jopp: Die Bedeutung und der Einfluß des Bankkapitals in der industriellen Entwicklung, Diss. Münster 1925. Die Strukturgeschichte ist zum Teil mit Methoden der historischen Schule der Nationalökonomie bearbeitet, H. Schumacher: Die Ursachen und Wirkungen der Konzentration im deutschen Bankwesen; Jahrbücher für Gesetzgebung, Verwaltung und Volkswirtschaft, hrsg. G. Schmoller NF 3, 1906, S. 4 ff., S. 10 f., S. 15 f., S. 22, 28 f., S. 36, S. 39 f.; C. Sattler: Die Effektenbanken, Lpz. 1890; P. Model: Die großen Berliner Effektenbanken, Jena 1896, S. 129 ff.; Fleischhauer: Die Konzentration im deutschen Bankwesen; Schmollers Jb. 1900, vor allem die Habilitationsschrift Ad. Webers: Depositenbanken und Spekulationsbanken, Lpz. 1902; das Verhältnis der Großbanken zur rheinischen Schwerindustrie, besonders nach 1890 stellt O. Jeidels: Das Verhältnis der deutschen Großbanken zur Industrie, Lpz. 1905, Staats- und Sozialwissenschaftliche Forschungen, hrsg. v. Schmoller/Sering Nr. 24, vgl. S. 2 f., 7, 9, 19 f., 24, 28 f., besonders S. 32 ff., S. 50, 59, S. 79 ff., S. 96 f., S. 110 ff., S. 135, S. 268 ff. in den Mittelpunkt seiner Arbeit. Noch ausführlicher behandelt der ehemalige Direktor der Darmstädter Bank, J. Riesser, dieses Problem in: Die deutschen Großbanken und ihre Konzentration im Zusammenhange mit der Entwicklung der Gesamtwirtschaft in Deutschland, Jena, 1912, S. 65, 74, S. 109, 651, S. 654 ff., 657, 665, 719 ff., 732 ff., 737 ff. Blumenberg: Die Konzentration im deutschen Bankwesen, Heidelberg Diss. 1905; Steinberg: Die Konzentration im Bankgewerbe, Berlin 1906.

an. Bleichröder – später Schwabach –, Delbrück oder Mendelssohn u. a., durchweg nobilitiert, national-konservativ, behaupteten bis zum Ende des Kaiserreiches ihren Einfluß nur noch als Teilhaber der Emissionen des monarchischen Staates. Immer mehr waren sie in ihren Transaktionen auf die Kapitalfülle der Aktiengesellschafts-Konkurrenz »angewiesen«[55] und wurden von diesen schließlich als bloße »Aushängeschilder« benutzt.

55 Brandenburg. LHA Potsdam Rep. 30 (Tit. 94 Nr. 11791), so z. B. Franz Mendelssohn, geb. 1829, dem 1879 der Geh. Kommerzienrat »als wohlangemessen« zugesprochen wurde und der als Besitzer des Bankhauses Mendelssohn & Co. 1888 nobilitiert wurde (dafür angeblich 250 000 M. für die Gedächtniskirche gab), Mitglied der Ältesten der Kaufmannschaft Berlin war, im Zentralausschuß der Reichsbank und im Verwaltungsrat des Berliner Kassenvereins saß, nach Polizeibericht vom 28. III. 1879 »Kassenverwalter vieler mildtätiger und patriotischer Stiftungen«, war ausgezeichnet durch »den Zutritt zu den ersten Kreisen der Residenz«. Sein Geschäftsengagement – Einkommen 300 000 bis 360 000 Mark – war vornehmlich auf die Vermittlung russischer, schwedisch-norwegischer und spanischer Anleihen gerichtet, wofür er bereits 1865 den Stanislaws-Orden II, später dann das Großkreuz des spanischen Isabellenordens erhielt.
Sein Sohn und Teilhaber Robert, geb. 1857, erwarb sich nicht nur portugiesischen, spanischen, italienischen und russischen Ordenssegen – sei es der Stanislaw-, der Isabellen-, der Wasaorden, der Lazarus- und St. Mauritius-Orden – sondern in Anerkennung seiner »Dienste als Hauptschatzmeister des Flottenvereins« wurde er 1900 mit dem Kronen-Orden III honoriert, und 1910 wurde seinem Einkommen von 1,1 Mill. M. seinem Besitz von 18 Mill. Mark, seinem »großen Vertrauen in den meisten europäischen Staaten« und seinem »sehr guten Renommé«, der Kronen-Orden II und die Berufung ins Herrenhaus zugefügt. Als 1. Vizepräsident der Bank von Marokko wurde er »Ehrenlegionär«, und zusammen mit Steinthal von der Deutschen Bank, Salomonsohn von der Disconto-Ges. und Blaschke erhielt er 1914 das Komturkreuz des Franz-Josephs-Ordens.
Die gleiche enge Verbindung – »SM. ist Schwabach wohlbekannt« (Brandenburg. LHA Potsdam Rep. 30, Nr. 13 431) – zur »Residenz« hatte der an »erster Stelle der haute finance« stehende Mitinhaber Bleichröders, der englische Generalkonsul in Berlin, Paul von Schwabach, mit einem Einkommen (1902) von 900 000 Mark und einem Vermögen von 7,340 Mill. M. Die Verbindungen des »Rothschild-Zöglings« am Vorabend des Weltkrieges geben ein klassisches Bild der Verflechtung des letzten deutschen großen Privat-Bankhauses zu Industrie und imperialer Expansion. So war Schwabach im Aufsichtsrat u. a. der Königs-Laurahütte, der Hibernia, der Deutschen Waffen- und Munitionsfabriken Berlin, der Felten- und Guilleaume Lahmeyer-Werke AG, der russ. Montanindustrie, des Norddeutschen Lloyd, der Nordstern-Versicherung, der deutsch-niederländischen und deutsch-südamerikanischen Telegraphen-Gesellschaft, der Anglo-Continent Guano-Werke, der Central-Boden-Credit-Bank, der Vulcan Werft und der Deutschen Erdöl-AG. Letzterer Aufsichtsrat verband ihn mit der Banca generale Romana und der Banca Commerciale Mailand. Als Aufsichtsrat saß er in wesentlichen deutschen Auslandsgründungen, so in der Bagdad-Bahn, der türk. Tabak-Regie, der

Produktionskrise, Preisverfall und Schutzzoll

Zu diesen im Bankensektor strukturverändernden Rückwirkungen der Börsenkrise von 1873 kam als weitere und wesentlichste Folge der Kreditknappheit die große Absatz- und Produktionskrise. Sie setzte 1874 ein und erreichte 1876/77 ihren Höhepunkt. Hatte die Börsenkrise vom September 1873 die Industrieführer an der Ruhr und in Oberschlesien direkt wenig tangiert — sie war in ihren Auswirkungen schließlich mehr eine Angelegenheit des Börsenpublikums geworden, die durch die Sozialisierung der Verluste »aufgewogen« werden konnte —, so zog das Ende der Überproduktion und die weltweite Absatzstockung auch die Schwerindustrie in Mitleidenschaft. Die Schwerindustrie hatte nämlich in der Hausse mit dem Spekulationsgeld und im Vertrauen auf weiter steigenden Absatz erhebliche Investitionen vorgenommen und ihre Produktionskapazität stark erweitert. Der Absatz der erheblich gesteigerten Produktion, dazu noch zu erhöhten Preisen, wurde nun nach 1873 in Frage gestellt, ohne daß sich die Produktion auf die neue Situation einstellte. So sank zwar der Eisenverbrauch in Deutschland zwischen 1873 und 1879 (von 68,5 kg auf 49,9 kg je Kopf) [56], aber die Produktion stieg von 1,9 Mill. to (1872) auf 2,2 Mill. to (1878) an; und die Ausfuhr erreichte in denselben Jahren sogar ein Maximum von 31,0 % gegenüber 18,6 % Import[57]. Die Folge war ein starker Preisrückgang von 50—60 % in den Jahren 1873 bis 1878[58].

Mit der Einführung des Thomasverfahrens verschärfte sich diese Lage noch weiter, da nun lothringisches Minetteerz zur Stahlaufbereitung verwendbar wurde, ebenso trieb die Erfindung des Siemens-Martin-Ofens zur weiteren Expansion und Verbreiterung des Absatzes an[59]. 1877 produzierte die deutsche Schwerindustrie zum Selbstkostenpreis, eventuell sogar, wie die Königs- und Laurahütte[60] oder die Lokomotivfabriken, 5—10 % unter dem Fixkostenpreis[61]. Die 1873 von der expandierten deutschen Eisen-Kohle-Industrie und den mit ihr verbundenen lokalen und Berliner Banken begründete Ordnung schien nunmehr doch in Frage gestellt

deutschen Kolonial-Eisenbahnbau- und Betriebsgesell. und der dt. Kolonialbahngesellschaft für Süd-Westafrika und der Otavi-Minen- und Eisenbahngesell. Zu guter Letzt war er, wie Mendelssohn und Delbrück, Mitglied des Zentralausschusses der Reichsbank.

56 Stat. Jahrbuch 1882.

57 Sering S. 229, Nitzsche S. 46.

58 Statistisches Jahrbuch 1881 S. 86.

59 Stahl- und Formguß S. 27; W. Däbritz: Bochumer Verein für Bergbau und Gußstahlfabrikation in Bochum, Düsseldorf 1934, S. 174 f.; Gutehoffnungshütte S. 19.

60 DZA I RK Nr. 2140.

61 ebd. die einzige Quelle, die Einblick in die Produktionslage und die Geschäftsergebnisse der Eisen- und Stahl-Industrie gewährt, ist die Zusammenstellung des Vereins deutscher Eisen- und Stahlindustrieller vom Juli 1877 und die Vernehmungen der Eisenenquetekommission von 1878/79. Als »Denkschrift« oder als »Aktion« in der Eisenzollagitation gedacht und gewertet, müssen diese Quellen

zu sein[62]. Vor allem deswegen, weil die mächtigsten Stützen des preußischen Staates, die Vertreter des Großhandels und die Mehrheit im Reichstag und im Abgeordnetenhaus weiterhin überzeugte und »interessierte« Freihändler waren, die jeden Eisenzoll ablehnten[63]. Der Eisenschutzzoll wurde aber immer mehr zum einzigen, von den Industriellen und Bankiers erstrebten »Auskunftsmittel«. Nur mit Schutzzöllen glaubten sie die Krise überwinden zu können. Denn wenn auch der Preisverfall, die Übergründungen und Bankrotte zur Herausbildung erster Konzerne und Kartelle geführt hatten und noch durch Lohnreduktion um 50—70 % aufgefangen werden konnten, so waren doch neue »Preisverbände« — nicht nur in der Eisenindustrie — ohne Schutzzölle weiterhin der Konkurrenz des Auslandes ausgesetzt und damit wertlos[64]. Statt Konkurrenzaufnahme wandten sich die Führer der Montanindustrie deshalb vom »lebhaften Wettbewerb« ab und hofften,

aber mit äußerster Vorsicht benutzt werden und können keineswegs Anspruch erheben, objektiv die Produktionslage der Schwerindustrie darzulegen, wie es Lambi S. 78 ff. unternimmt.

62 Nur wenige Werke seien herausgegriffen, so der Hörder Bergwerksverein: 1852 gegründet, hatte er bei einem AK von 14,7 Mill. M. 1873 4472 Arbeiter beschäftigt, 1877 noch 3021 bei einer Unterbilanz von 340.474 M. und 626.767 M. Abschreibung. Absatzpreisen von 120—148 Mark/to. stand ein Kostenpreis von 120 M. gegenüber.
Der Bochumer Verein, 1853 gegründet mit 15 Mill. AK, beschäftigte 1873 = 4900 Arbeiter, 1877 noch 2500; seinem Selbstkostenpreis von 129 Mark/to. stand ein Verkaufspreis von 115—145 M/to. gegenüber. Die Phönix AG, 1855 gegründet mit 16,2 Mill. AK, beschäftigte 5453 Arbeiter im Jahre 1873, 1877 noch 4369; ihre Kosten- und Absatzpreise verhielten sich 126 : 135—145 M./to.
Die Gutehoffnungshütte, 1872 mit 30 Mill. AK gegründet, beschäftigte seit 1877 noch 5745 Arbeiter von ursprünglich 8337 bei einer Unterbilanz von 3,7 Mill. M. Die gleiche Unterbilanz verzeichnete die Dortmunder Union; 1872 mit 41,4 Mill. Mark AK gegründet, beschäftigte sie 1877 noch 6152 Arbeiter von ursprünglich 10 496. Die ungünstige Verkaufslage zwang auch die Königs- und Laura-Hütte, die 1871 mit 27 Mill. Mark AK gegründet wurde, ihre Dividende auf 2 % zu revidieren, bei einem Unterfixkostenpreis pro Tonne Stahl von 15,0—15,50 Mark. Die Arbeiterentlassung beschränkte sich aber bei diesem Werk auf eine verhältnismäßig geringe Zahl: von ursprünglich 7842 waren 1877 noch 7742 beschäftigt. Überblickt man die Dividendenlage der schwerindustriellen Betriebe, so zahlte von den Eisen-Hüttenwerken 1877 nur noch die Luxemburger Bergwerks AG eine Dividende von 10 %. Die übrigen 55 Hütten warfen meist keine Dividende mehr aus. Bei einer Generalunterbilanz von 7,77 % entsprach die Kreditaufnahme der Betriebe von 99,4 Mill. Mark 33,4 % des Gesamtkapitalvolumens von 297,000 Mill. Mark und verschärfte die wirtschaftliche Situation noch erheblich. Ein ähnliches Bild vermittelt auch das Geschäftsergebnis, das bei den Maschinenbau-Fabriken und bei den Eisengießereien festgestellt wurde: 8,90 % Unterbilanz und eine Kreditaufnahme von 25,2 % des Aktienkapitals.

63 Drucksachen des Bundesrates Nr. 24, S. 67, 103, 133, 232.

64 Rittershausen: Zeitschrift f. d. ges. Staatswissenschaft 105, 1, S. 131.

durch Schutzzölle gesichert, die preisdrückende ausländische Konkurrenz ebenso auszuschalten wie die inländische Konkurrenz der mittleren und kleineren Fabriken, die als Lokalversorger billiger arbeiten konnten als die auf einen hohen Absatz angewiesenen Mammutbetriebe der Grundindustrie.

Schutzzollverbündete im Parlament ...

Die Durchsetzung der Schutzzölle glaubten die Industriellen aufgrund der zahlreichen Verbindungen erreichen zu können, die sich während der Hausse zwischen preußischem Abgeordnetenhaus, Herrenhaus, Berliner Banken, Rhein-Ruhr-Gründungen[65] und oberschlesischen Unternehmen[66] angeknüpft hatten. Zwei Argumente beherrschten von früh an die auf Bismarcks Mentalität gezielte schutzzöllnerische Agitation: einmal die nationale Notwendigkeit einer prosperierenden Schwerindustrie angesichts der Kriege von 1864/66 und 1870 und der Kriege-in-Sicht-Krise und dann die unermüdlich beschworene Gefahr der sozialen Revolution, die ausgelöst werden würde durch massive Arbeiterentlassungen und Lohnkürzungen auf ein Existenzminimum.

65 so war u. a. Justizminister a. D. v. Bernuth über die Disconto-Ges. im Aufsichtsrat der Dortmunder Union, ebenso Oberbürgermeister Bredt aus Barmen in der Bergisch-Märkischen Industrie-Gesellschaft, desgleichen Frhr. v. Diergardt im Schaaffhausenschen Bankverein und der Disconto-Ges., von Mevissen als Gründer des Schaaffhausenschen Bankvereins in der Bergwerksgesellschaft Dahlbusch (alle im Herrenhaus); Goecke in der Westphälischen Union. Rhein-Ruhr-Kanal AG; Hammacher u. a. in Bergbau Pluto, Bergbau Neu-Essen; Keller (Oberbürgermeister in Duisburg) in der Provinz-Disconto-Ges.; Miquel (Geschäftsinhaber der Disc.-Ges.) u. a. in der Dortmunder Union, Bochumer Bergwerks-Ges.; Overweg im Hoerder Bergwerk, Schaaffhausenschen Bankverein; v. Rönne in der Disconto-Ges. (alle im Abgeordnetenhaus).

66 Schlesische Industrieinteressen vertraten u. a. im Herrenhaus von Ratibor und v. Ujest, im Abgeordnetenhaus v. Carnall, (Berghauptmann, Oberschlesische Bergbahnen, Königs- und Laurahütte, Oberschlesischer Creditverein Ratibor), dann weiter G. Henckel v. Donnersmarck; H. Henckel von Donnersmarck, v. Hohenlohe, Graf Renard, Pleß, Jacobs (Oberschlesisches Eisenwalzwerk) und v. Kardorff. Vgl. die Tendenzschriften: O. Glagau und R. Meyer mit breitem Material; auch Post Jg. 1871–73. Glagau, Mitarbeiter der Nationalzeitung, Spezialist für russische Literatur, verlor seine Ersparnisse bei der Spekulation mit Aktien des Lindenbauvereins (Berlin), selbst »Urbild« des frühen Antisemitismus in der Verbindung mit der Abwehr des Industriestaates: »Deutschland ist ein Ackerbaustaat«, der Abwehr der Industrialisierung: »Die *alten* Maße entsprachen der Natur«, der Ablehnung der Markwährung als Goldvaluta, »eine semitisch-nationalliberale AG.«, war seine Quellensammlung entscheidend für die moralische Urteilsbildung eines Sartorius, Stampfer und Lütge sowie Sombart und Hallgarten.

... bei den Textilindustriellen ...

Darüber hinaus fanden die Montanindustriellen bei den Wollindustriellen und bei den Führern der Banken alte und neue Verbündete. Die Wollindustrie mit ihren Zweigen der Streichgarn- und Kammgarnspinnereien und Webereien, ebenso die Leinen- und Baumwollindustrie waren, wie die Schwerindustrie, traditionell schutzzöllnerisch eingestellt und aus Gründen der Produktionsbedingungen nie dem Freihandelsaxiom gefolgt[67]. Englische und schweizerische Konkurrenz wurde durch die Zollsenkung schon seit 1865 fühlbar. Nach dem Krieg und der Annexion des Elsaß steigerte sich die Spindelzahl in Deutschland um 56 %, die der mechanischen Webstühle um 88 % und die der Druckmaschinen für Baumwollstoffe um 100 %[68]. Diese Zunahme ließ eine Überproduktion entstehen, die durch die Vergesellschaftung und Gründung größerer Spinnereien und Webereien noch verschärft wurde. Trotz größter Betriebsorganisation lagen die Anlagekosten der deutschen Spindeln weiterhin erheblich über den Kosten der englischen[69].

Absatzstockung und Bankerotte ließen die Textilindustrie nach 1873 mit allem Nachdruck erneut Schutzzölle fordern[70]. Besonders in Süddeutschland drängten die Baumwollspinner auf die Ausschaltung der ausländischen Konkurrenz[71].

... und Banken

Der zweite Verbündete der Montanindustriellen waren die Banken. Sie, die bislang die Wortführer liberaler Handelspolitik gewesen waren, wurden nun Sprecher des Schutzzolls; »solidarisch« mit den Interessen der von ihnen geschaffenen Industrieunternehmen, suchten die Banken den Schutz der »nationalen Arbeit« zu begründen und zu sichern. Ihre Motive macht ein Blick auf den Börsenzettel am Tiefpunkt der Baisse deutlich: Dem nominellen Aktienkapital von 178,7 Mill. der 16 führenden Hüttenwerke Deutschlands entsprach ein Kurswert von 21,0 Mill. Mark Aktienkapital. Der Kursverlust, den der Hoerder Hüttenverein, der Bergische Hüttenverein Hochdahl, die Vereinigte Königs- und Laurahütte, die Donnersmarckhütte, die Oberschlesische Eisenbahnbedarfsgesellschaft und die Dortmunder Union hinzunehmen hatten – um nur wenige zu nennen –, betrug in sechs Jahren

67 E. Waibel: Abriß der Entwicklung des Zollschemas und der Zollsätze für Baumwollene Garne und Gewebe von 1822–1872 S. 16 f.

68 Jannasch S. 23 f.

69 ebd. 45, 15–50, 15 frcs.: 23, 30–29, 70 frcs.

70 vgl. W. Genzmer: 100 Jahre Augsburger Kammgarn-Spinnerei 1836–1936, S. 71; W. Hilz: Entwicklung und Handelspolitische Lage der deutschen Kammgarnspinnerei, Diss. rer. pol. Halle/Wittenberg 1933 S. 7 f., Drucksachen des Bundesrates 1878/79 Nr. 39, S. 19 ff., 21 f., 37, 39, 57, 60, 231, 456.

71 ebd. Hilz S. 21, Drucksachen des Bundesrates Nr. 39, S. 78, 83, 89, 131 ff.

70,5 %[72]! Gerade an der zuletzt genannten größten Neugründung, der Dortmunder Union, und ihrer Entwicklung ist abzulesen, in welchem Maße Eisenpreisverfall, falsche Einschätzung der Marktlage und Überkapitalisierung aufgrund der französischen Milliarden dazu beigetragen hatten, die Forderung nach einem zollgeschützten Markt bei den damals noch als »kosmopolitisch« geltenden Bankiers in Berlin (Hansemann, Bleichröder, Warschauer, Mendelssohn etc.) hervorzurufen[73]. Wenn auch die Dortmunder Union einen besonders krassen Fall von Kapitalverlust und dementsprechender Belastung darstellt, so ist doch z. B. bei den Umgründungen von Bleichröder (Hibernia und Shamrock) die gleiche Tendenz nachzuweisen wie auch bei den meisten neugegründeten Montan-Aktiengesellschaften[74].

Aber nicht nur der schlechte Kursstand der einheimischen Industriewerke führte zur Solidarität der Banken und Industrie. Auch die Marktlage außerhalb Deutschlands trieb die Banken zum Anschluß an die Schutzzollbewegung, da der Hauptabnehmer deutscher Waren, die USA, als Selbstproduzent den »Markt verschloß«, die englischen Kolonien »von jeher wenig zugänglich« und Westindien und Südamerika »infolge der Handelskrise geschwächt« waren, für »andere Gebiete aber die deutsche Industrie noch zu wenig organisiert war«[75]. Die Banken hofften, mit dem Volumen der durch den reservierten Markt wiedererstarkten Industrieproduktion die ersten gescheiterten Versuche einer Expansion nach Argentinien und Ostasien wieder aufnehmen zu können, um dann endgültig London als Vermittler des deutschen Warenverkehrs abzulösen[76]. Überblickt man diese Entwicklung nach 1873, so ist festzustellen, daß die deutschen Banken in ihren Beziehungen wohl international geblieben sind, in ihren bankpolitischen Zielen aber vollkommen »nationale Unternehmen« wurden[77].

Interessengeprägter Wirtschaftsnationalismus hatte Banken, Schwer- und Wollindustrielle in der Forderung nach Schutzzöllen zusammengeführt. Noch standen allerdings die Agrarier gegen jede Zollerhöhung – und es kam nun darauf an, ob es dem neuen Wirtschaftsnationalismus gelingen würde, die Sorge vor der drohenden sozialen Gefahr als »neue innerdeutsche Integrationskraft an die Stelle der verblassenden freihändlerischen Interessengemeinschaft«[78] zwischen preußischem Osten und preußisch-deutschem Süden und Westen zu setzen. In zunehmendem Maße lehnten die Wirtschaftsführer die Handelspolitik Delbrücks ab, während sie

72 DZA RK Nr. 2140.

73 Das AK der Dortmunder Union von 41,6 Mill. M. entsprach bei einem Kurs von 6,80 noch 2,8 Mill. M. Realisationswert.

74 Die Hibernia wurde im März 1873 von Bleichröder und der BHG mit einem Kapital von 5,6 Mill. Thaler gegründet. Eingeführt mit 160, notierte die Aktie nach dem Höchststand von 200 1876 noch 25. Im Aufsichtsrat der Gesellschaft war unter anderem auch Kardorff.

75 Geschäftsbericht DB 1876.

76 Exkurs 2.

77 Steinmetz: Die dt. Großbanken im Dienste des Kapitalexports, Luxemburg 1913, S. 135 ff.

78 W. Zorn, HZ 197, S. 335.

gleichzeitig in vollem Umfang die Struktur und Machtverteilung des Bismarckschen Staates anerkannten (der »rote« Siemens blieb hier eine Ausnahme). »Reden und Majoritätsbeschlüsse« widersprachen der »streng sachlichen Natur und dem autokratischen Sinn« eines Hansemann ebenso wie dem eines Stumm, eines Krupp, Lueg, Haniel, Grillo, Richter, Kollmann, Baare, Bernhardi, eines Rathenau, Gutmann, Massenez, Bleichröder oder Mendelssohn; in »tiefer Verehrung«[79] stand nun nach 1864/66 und 1870/71 das neudeutsche Groß-Bürgertum dem »großen Kanzler« gegenüber, der mit »fester Hand« den Staat führte, und gerade das, was vielleicht die größte Schwäche Bismarckscher Regierungskunst war, wurde von ihnen verherrlicht: die Gewalt autoritärer Herrschaft und die Verwendung der Menschen als Mittel, wie es sich beim Wechsel der Handelspolitik in den Jahren 1878/79 mit aller Kraßheit zeigen sollte.

b Die unmittelbaren Folgen der Krise: die Entstehung des Vereins Deutscher Eisen- und Stahlindustrieller und erste Interessenkämpfe um eine neue Basis der Handelspolitik

Die Eisen- und Stahlindustriellen organisieren sich im Westen

Im Zeichen der Hausse waren Mitte 1873 die Entscheidungen im Kampf um den Zolltarif, um die Basis der preußisch-deutschen Handelspolitik noch nicht gefallen – die Schutzzollbewegung aber erhielt durch die Krise ihren eigentlichen Auftrieb. Wenn auch die »Schutzzöllner« (oder besser noch: bloßen »Zollanhänger«) um Hammacher einen Erfolg gegen das radikale Freihandelsprinzip buchen konnten, so war doch die absolute Majorität des Reichstages unbestritten für die Fortführung der liberalen freihändlerischen Wirtschafts- und Handelspolitik gewesen.

Unter dem Eindruck des Börsenkrachs und des Beginns der wirtschaftlichen Flaute, gegen die weder Delbrück, Bamberger noch Braun ein sofort wirkendes Heilmittel parat hatten, wurden nun Ende des Jahres 1875, besonders im traditionell schutzzöllnerischen Süden, immer mehr oppositionelle Stimmen laut, die im freihändlerischen Axiom nicht mehr den unbestrittenen Grundsatz staatlicher Wirtschaftspolitik anerkannten. Als nun der Absatz bei sprunghaft weichenden Preisen zu stocken begann, wurden die 1871 gegründeten ersten Interessenverbindungen, im Süden der Verein deutscher Textilindustrieller unter A. Staub (Kuchen) und T. Haßler (Augsburg) und im Westen der »Langnamverein«, zu Kernzellen und Sammelpunkten weiterer Interessenorganisationen der Schutzzöllner.

Als Antwort auf die parlamentarische »Niederlage« der Eisenleute Mitte 1873 versammelten sich bereits am 12. November 1873 »mehrere Hochofenbesitzer des

79 Däbritz S. 66.

rheinisch-westfälischen Industriebezirks zur Besprechung der Lage der Eisenindustrie in Dortmund«[80]. Sie konstituierten ein »Comité«[81] und luden zum 24. November 1873 90 Hochofenvertreter aus dem Siegerland, Nassau, Luxemburg, Rheinland und Westfalen unter dem Präsidium des älteren Mulvany nach Düsseldorf ein. Unbestrittener Wortführer auf der »Constitutionsversammlung« des späteren »Vereins Deutscher Stahl- und Eisenindustrieller« vom 24. November war der Generaldirektor des Bochumer Vereins, Louis Baare. Ausgehend von der Analyse, »daß die Krisis auf dem Geldmarkt den Unternehmungsgeist gelähmt habe«, und zwar in so starker Weise, daß sich »die Kohlenindustrie den Einwirkungen des allgemeinen Rückschlages ... auf die Dauer nicht entziehen« könne, »namentlich, wenn die Consumenten eine größere Einmüthigkeit documentiren« würden, unterstützte Baare vollauf den Hauptgedanken Mulvanys, einen Verein zu bilden, um den Staat zu größerer »Auftragsgebung« zu »veranlassen«. Sofort plädierte Baare aber für »ein Zusammengehen« mit den schlesischen Hüttenbesitzern, um dann »gemeinsam« auf die Regierung einwirken zu können, daß diese mit dem Eisenbahnbau energisch »vorgehen« solle[82]. Baares Intentionen gingen über die Mulvanys aber auch in anderer Weise noch hinaus. Für ihn war es notwendig, daß sich »die Industrie mehr als bisher im Reichstag vertreten« lasse, »da dort der Schwerpunkt für die wirtschaftliche Gesetzgebung liege«, einer Gesetzgebung, die unbedingt im industriellen Sinne geführt werden müsse. Die Eisenzollkonservierung auch über den 1. Januar 1877 hinaus müsse zur Hauptaufgabe des Vereins werden. Für den Augenblick sei nach der Meinung Baares »Hilfe nicht zu gewinnen, seine Vorschläge werden aber für die Zukunft helfen«[83].

80 BA Koblenz R 13/I Nr. 1.

81 Die Mitglieder waren W. T. Mulvany, T. O. Mulvany, Ludwig und Carl von Born, Schott und Coutehe.

82 Wie aktuell diese Forderung war, wird deutlich in der gleichzeitigen provisorischen Instruktion, die der Discontomann Scheele für Bismarck zur Organisation des gegen preußischen, sächsisch-württembergischen und bayrischen Widerstand gegründeten Reichseisenbahnamtes (27. VI. 1873) am 15. IX. 1873 entwarf (AA-Bonn I, AAa Nr. 47). Zuvor schon, Ende 1872, war ein Gesetzentwurf über die Eisenbahnen in Deutschland »festgestellt« worden (ebd. 30. XII. 1872), und Anfang 1873 hatte Bismarck Roon im preußischen Staatsministerium vornehmlich aus strategischen Gründen, der »Regelmäßigkeit, Kriegssicherheit« wegen die Verstaatlichung der Eisenbahnen anempfohlen (ebd. 1. III. 1873, Poschinger: Aktenstücke I, S. 173 ff.). Gegen den Widerstand der Partikularisten setzte sich Bismarck unter Deckung durch die Petitionen der mittelrheinischen Fabrikanten, des Ausschusses des Deutschen Handelstages, vorerst mit dem Projekt durch, schien sich doch in der Bildung des Reichseisenbahnamtes ein neues Bindeglied im Reichsbau anzubieten. Das Reichseisenbahnamt konnte jedoch seinen Zweck nicht erfüllen. (Morsey S. 139 ff., bes. S. 141; Friesen: Erinnerungen III, S. 303 ff., 307; Elben: Lebenserinnerungen S. 175).

83 BA Koblenz R 13/I Nr. 1: 24. XI. 1873 Protokoll Bueck.

Deswegen wurde auch die Frage des Schutzzolles von Baare nicht prononciert, da bei der Zusammensetzung des neugewählten Reichstages kaum Hoffnung auf sofortige Durchsetzung einer Schutzzollpolitik bestand. Auch wollte die Mehrheit der Gründungsversammlung vor allem die belgische und englische Konkurrenz besonders bei Staatsaufträgen für Eisenbahnen ausgeschaltet wissen. Einig waren sich die Baare, Mulvany, Grillo und Born vorerst nur in ihrem taktischen Vorgehen: Vorerst sollte die Eisenzollkonservierung über den Januar 1877 (der ja als Endpunkt jeder Eisenzollerhebung 1873 bestimmt wurde) hinaus durchgesetzt werden[84]. Nach Annahme dieses Programmes wurde das Comité vom 12. November mit Mulvany, Born, Schott und Heyland bestätigt und auf Vorschlag Luegs Baare, Müller[85], Schaeffner, Noh, Grillo und Lueg selbst kooptiert[85a].

Der Osten geht mit

Zunächst galt es für die Westgruppe, die Verbindung zum Osten herzustellen. Schon am 25. November 1873 setzte sich der Sekretär des »Langnamvereins« und der des »Comités«, Henry Axel Bueck, mit Generaldirektor Richter von der Königs- und Laurahütte in Verbindung[86]. Bueck teilte Richter die Konstituierung eines »Vorcomités« im Westen mit und nannte als Hauptaufgabe des Vereins, die »Calamität gemeinsam mit Schlesien« zu beheben, um sich sowohl gegenseitig eine »unliebsame Concurrenz vom Halse« zu halten, als auch einen Schutz der deut-

84 ebd.

85 Wilhelm H. Müller, 1838 geb., war 1863 — nach einem USA-Aufenthalt — Direktor von Neuschottland geworden. Als Freund Grillos übernahm er 1872 die Leitung der Dortmunder Union und führt den »faulen« Betrieb bis 1876. 1876 lehnte er Baares Angebot, die Leitung des Bochumer Bergwerksvereins zu übernehmen, ab und wies auch Kirdorfs Angebot zurück und eröffnete die W. Hr. Müller & Co. Agentur als Commissionsgeschäft für Bergwerks- und Hüttenprodukte.

85a Neben den Brüdern Haniel waren Heinrich und Carl Lueg — oft mit den Haniels geschäftlich verbunden — Repräsentanten des Reviers, die als Geh. Kommerzienräte und Herrenhausabgeordnete auch die Anerkennung des preuß. Staates für ihre »Verdienste« fanden. Als Besitzer der Firma Haniel und Lueg, Aufsichtsrats-Vors. der Rhein-Nahe-Bahn, als Aufsichtsratsmitglied der Gußstahlwerke Witten/Ruhr, der Düsseldorfer Eisen- und Drahtindustrie, der Allianz-Versicherungs AG., der Hibernia, der Deutschen Bank, der Elektrizitätswerke AG., vorm. Lahmeyer & Co., der Westf. Kupfer und Messingwerke AG., der Felten & Guilleaume AG., war Heinrich Lueg eng mit dem Aufstieg des Reviers, der Versicherungen und Banken verbunden; die gleiche Trias zeigte auch das Engagement seines Bruders Carl: Aufsichtsratsmitglied der Niederrhein. Güter-Assecuranz Ges. Wesel, der Concordia Bergbau AG., dann des Schaaffhausenschen Bankvereins und der Siemens und Halske AG. Berlin. Beide Unternehmer gruppierten also ihre Arbeit Ende der achtziger Jahre zum finanziellen Kern der Deutschen Bank.

86 BA Koblenz ebd.

schen Industrie dann desto eher erzwingen zu können. Schon am 13. Dezember 1873 trafen sich Mulvany und Bueck mit Richter in Berlin. Die gleichen Gründe, die Mulvany (Bleichrödergründung Hibernia[87]), Lueg (Gutehoffnungshütte im Klientel der Disconto-Gesellschaft[88]), Servaes (Phönix im Klientel der Disconto-Gesellschaft und Darmstädter Bank[89]) und Grillo (Dortmunder Union im Klientel der Disconto-Gesellschaft[90]) zur Vereinsgründung und zur Agitation für die Eisenzollerhaltung bewogen, ließen die »Oberschlesier« Richter (Königs- und Laurahütte im Klientel Bleichröder), Jüngst (Gleiwitzer Hütte im Klientel der Disconto-Gesellschaft[91]), Kollmann (Bismarckhütte, verbunden mit der Disconto-Gesellschaft[92]) und von Tiele-Winkler (v. Tiele-Winklersche Gesamtverwaltung, verbunden mit der Disconto-Gesellschaft[93]), ihre Zustimmung zum Programm Baares und Mulvanys geben[94].

Zwei Monate nach dem Ausbruch der Baisse waren sich die Vertreter der preußischen Schwerindustrie über die Gründung eines gesamtdeutschen Interessenvereins mit regionalen Untergliederungen einig. Sein Ziel war die Stützung der Monopolbildung, der Absatzsteigerung und Erhaltung und schließlich der eventuellen Steigerung der Eisenzölle[95]. Nach dieser grundsätzlichen Einigung beauftragten die »Oberschlesier« den Westen, die Statuten auszuarbeiten. Bereits am 28. Februar 1874 waren sie fertiggestellt. Auf einer weiteren Beratung zwischen Richter, v. Ruffer (Breslau)[96], Heyland und Rosendahl (beide aus Essen[97]) wurde beschlossen, »schleunigst die schlesische und rheinische Gruppe des Vereins zu konstituieren«[98].

Wieder zwei Monate später konstituierte sich die »Nord-westliche Gruppe des Vereins Deutscher Eisen- und Stahl-Industrieller«. In ihr waren – da sie die schutzzöllnerische Tradition des »zollvereinsländischen Hüttenvereins« und des »Langnamvereins« fortführte – »sofort sämtliche bedeutende Werke der Eisen- und Stahlindustrie« in Rheinland, Westfalen, Nassau, Luxemburg, Hannover und

87 Gebhardt: Ruhrbergbau S. 330.
88 ebd. S. 440 ff.
89 s. unten S. 363 f.
90 s. oben S. 335 f.
91 s. oben S. 339.
92 s. oben S. 339.
93 s. oben S. 337.
94 BA Koblenz ebd. 21. XII. 1873 Aufzeichnung Bueck.
95 BA Koblenz ebd.
96 Perlick S. 77.
97 Bruno Rosendahl, Direktor der Arenbergschen AG für Bergbau und Hüttenbetriebe-Essen, war eng mit Hammacher befreundet und über die Dortmunder Union mit Hansemann verbunden. Als Delegierter der »Nord-westlichen Gruppe« war er 1874/75 Mitglied des Hauptvorstandes des Verbandes dt. Eisen- u. Stahlind. Heyland war Mitbegründer des Schalker Gruben- und Hüttenvereins.
98 Bueck S. 125.
99 Bueck S. 126

an der Saar vertreten[99]. Auf Vorschlag Stumms ernannte die »Saar« schon im »Langnamverein« den Generaldirektor Schäffner-Dillingen und Flamm von der Burbacher Hütte als ihre Repräsentanten[100]. Daneben existierte selbständig der »Langnamverein« weiter (aber eng mit der neuen Organisation verbunden), da sowohl der Vorsitzende des »Langnamvereins«, Generaldirektor Servaes von Phönix, als auch dessen Sekretär Bueck zum Präsidenten bzw. Sekretär der neugegründeten Vereinsgruppe des VDEStI. gewählt wurden.

Der Gesamtverband unter Richter und Servaes

Das Gewicht der Interessen und die organisierte Interesseneinheit des Reviers gab der Westgruppe von vornherein das ausschlaggebende politische Gewicht[101] innerhalb der in Berlin am 21. Oktober 1874 konstituierten Gesamtgruppe, nachdem sich zuvor in der schlesischen Gruppe die wesentlichsten oberschlesischen Unternehmen zusammengeschlossen hatten[102]. Bewußt trat die westliche Gruppe nicht in den Vordergrund der Vereinsleitung. Die in Berlin versammelten Vertreter – für den Westen Servaes, Lueg, Rosendahl, Schaeffner, Druckenmüller (Essen[103]), Kreutz,

100 Hellwig: Stumm S. 139 f., 141.

101 BA Koblenz R 13/I Nr. 274: 16. XI. 1876 Bericht Dr. Rentzsch.

102 BA Koblenz R 13/I Nr. 1, am 21. X. 1874 lud Bueck u. a. Lucke-Tarnowitz, Kreussier-Eintrachtshütte, Müller-Donnersmarckhütte, Schmider, Glaser-Redenhütte, Kollmann-Kattowitz/Bismarckhütte, Ficinus-Donnersmarck-Carlshof, Jüngst, v. Tiele-Winkler, Borsig und Ruffer zur Berliner Gründungsversammlung ein, und am 27. XI. 1874 umriß der Sekretär der östlichen Gruppe – Schimmelfennig (BA Koblenz R 13/I Nr. 14) die Mitgliederzahl mit 14 bei 834½ Einheiten, wobei namentlich folgende Betriebe aufgezählt wurden: Tiele-Winklersche Gesamtverwaltung (12½), Ruffer (34½), Gleiwitzer Hütte (15), Oberschlesische Eisenbahnbedarf AG. (87½), Bismarckhütte (23), Herzoglich Ratiborer Hüttenamt (5), H. Henckel v. Donnersmarck, Gen. Direktion Carlshof (49), Königs- und Laurahütte (39½), Tarnowitz AG (30), Hegenscheidt (30), Schoenawa Hoffnungshütte (24), Hohenlohesche Domänen-Direktion in Slawentitz (13), J. Caro (39), Marienhütte (4), Bosig, Ganz & Co., Redenhütte und G. Henckel v. Donnersmarck (36). 1875 kam noch die Gräflich Bethusy-Hucsche Hüttenverwaltung hinzu: 1877 zählte die Gruppe 22 Mitglieder, wobei W. Hegenscheidt/Gleiwitz, die beiden Henckel v. Donnersmarck, v. Ruffer, Schoenawa persönlich angeführt werden. Neu kam noch die Moritz Hütte/Beuthen, Fürstl. Hohenlohesche Hütten-Verwaltung, Koschentin, Verwaltung & Co. / Gleiwitz und das Kgl. Hüttenamt Gleiwitz hinzu (DZA I, RKA Nr. 89/1).

103 Druckenmüller, 1806 in Trier geb., war bis 1846 Leiter der Höheren Bürgerschule Trier, 1849 als Vortragender Rat in das preuß. Handelsministerium übernommen zur Bearbeitung der Gewerbeschulsachen. 1855 wurde er als Kommissar auf die Pariser Weltausstellung geschickt, und hier warb ihn Neuschottland als Generaldir. an. 1856 schied er aus dem Staatsdienst aus. 1858 wurde er Vorstandsmitglied

Baare und Bueck, und für den Osten Richter, Mauve, Lucke und Sekretär Schimmelfennig[104] – wählten Richter zum Vorsitzenden[105] und bestellten den ehemaligen Freihändler Dr. Rentzsch[106] zum Generalsekretär. Aber Richter und Rentzsch hatten gegenüber den von 56 Mitgliedern und 3738 Einheiten getragenen Westdeutschen nur die repräsentative und organisatorische Leitung. Die Politik wurde von Düsseldorf und Bochum von Bueck, Servaes, Baare und dessen Schwiegersohn, dem Reichstagsabgeordneten Löwe (vor seiner Heirat ein prononcierter Freihändler), gemacht.

Hier war es neben Baare, der zwar kein repräsentatives Amt in den neuen Organisationen annahm, jedoch immer mehr zum führenden Kopf der Industriellen wurde, vor allem Servaes, der die organisatorische Führung der Eisen- und Kohleleute in die Hand nahm. Daneben nahm Servaes eine zentrale Stellung in den Organisationen der deutschen Wirtschaft ein. Servaes, 1832 in Düsseldorf geboren, Generaldirektor des Phönix von 1859 bis 1903, war seit 1871 Vorsitzender des »Langnamvereins«, eine Stellung, die er mit wenigen Unterbrechungen bis Anfang des 20. Jahrhunderts innehatte. Zugleich war er erster Mann der Nordwestlichen Gruppe des Vereins Deutscher Eisen- und Stahlindustrieller und saß von 1882 bis 1889 im Ausschuß des Centralverbands deutscher Industrieller.

1877 wurde er Mitglied des Reichstages und Vorsitzender der Handelskammer Ruhrort. Seine breiten wirtschaftlichen Verbindungen dokumentierte die Vielzahl seiner Aufsichtsratssitze – so im Aufsichtsrat der Gewerkschaft Hohenzollern (Saarbrücken), der Aktiengesellschaft Westfälische Drahtwerke und im A. Schaaffhausenschen Bankverein Köln. Mit dieser »Grundindustriellen-Basis« verband er einmal das Versicherungsgeschäft durch Aufsichtsratssitze in der Rheinisch-Westfälischen Lloyd Transport-Versicherungsgesellschaft (Mönchengladbach) und der Rheinisch-westfälischen Rückversicherungs-Aktiengesellschaft, der Kölner Unfallversicherungs AG. und später noch das Elektrogeschäft über die Elektro-AG. vorm.

des Ver. f. bergbauliche Interessen des Oberbergamtsbezirks Dortmund und Essen, 1859 Leiter der Schienenverkaufs-Vereinigung. Nach dem Tod Wilhelm Luegs rückte er als Vorsitzender des Zollvereinsländ. Eisenhütten-Vereins in die erste Linie der Interessenvertreter, und 1874 war er dann im Vorstand der Nord-westlichen Gruppe des VDEStI.

104 BA Koblenz R 13/I Nr. 14. Schimmelfennig, als Hauptmann a. D. empfohlen, übte das Amt bis zum 31. III. 1895 aus.

105 geb. 1828 in Malpane, regte Richter 1870 Hugo von Henckel Donnersmarck zum Kauf der Königs-Hütte und zur Umgründung dieser Hütte in die Vereinigte Königs- und Laurahütte an (2. VI. 1871). Als ihr erster Generaldirektor wird er zum Vorsitzenden der östlichen Gruppe und dann des Hauptvorstandes des VDEStI. Bis zu seinem Tode 1893 blieb er repräsentatives Haupt des Verbandes.

106 Bleibt bis 1892 General-Sekr. 1875 übernimmt er noch die Geschäftsführung der norddeutschen Gruppe, und 1885 wird er Geschäftsführer des Vereins deutscher Schiffswerften im VDEStI, 1876 Mitverfasser der CdI-Satzungen und 1878 in den Reichstag gewählt.

W. Lahmeyer & Co. (hier mit Lueg verbunden) und die Lech-Elektro-Werke, Augsburg.

H. A Bueck: der »Kopf« der Bewegung

Die eigentliche »organisatorische Seele« der neuen schwerindustriellen Handelspolitik war aber der Generalsekretär des »Langnamvereins«, der Nordwestlichen Gruppe im Verein Deutscher Eisen- und Stahlindustrieller und schließlich ab 1876 des Centralverbandes deutscher Industrieller: Henry Axel Bueck. Als Arztsohn am 12. Dezember 1830 in Bischofsburg (Ostpreußen) geboren, wurde er nach der mittleren Reife und einer landwirtschaftlichen Ausbildung 12 Jahre Inspektor und Gutsverwalter bei Gumbinnen und ab 1860 Besitzer eines 400-Morgen-Besitzes, den er zum Mustergut ausbaute. Nebenamtlich seit 1866 Generalsekretär des landwirtschaftlichen Zentralvereins für den litauischen und masurischen Landesteil (mit einem Gehalt von 900 Talern), wurde er in dieser Funktion auf den Kongressen norddeutscher Landwirte betonter Vertreter der freihändlerischen Prinzipien mit einem so »ausgeprägten Verständnis für allgemeine politische und volkswirtschaftliche Fragen«, daß die rheinischen Industriellen ihn am 1. Juli 1873 zum Sekretär des »Langnamvereins« beriefen. Am 14. April 1874 übernahm er in Personalunion die Sekretärstelle der Nordwestlichen Gruppe im VDEStI. Schon im September 1875 gelang es ihm, die Verbindung zu den süddeutschen Baumwollindustriellen und 1876, als Geschäftsführer, später als Generalsekretär (seine dritte Sekretärstelle) des Centralverbandes deutscher Industrieller, auch die Verbindung zu den Agrariern herzustellen. Damit wurde er zur »Seele des Abwehrgedankens« und zum Hauptorganisator des »Umbaues« der deutschen Handelspolitik.

Als »Großer im Reiche der vaterländischen Arbeit« im Nachruf vom Jahre 1916, als Mitschöpfer der »Grundlagen unserer Weltgeltung« bezeichnet, verband er landwirtschaftliche Interessen mit schwerindustriellen Zielsetzungen. Er organisierte den Centralverband Deutscher Industrieller und machte den Centralverband zur entscheidenden Pressure group für die Handels- und Sozialpolitik des Deutschen Reiches. Wie unter Bismarck, so gelang es ihm auch, unter Caprivi und Hohenlohe »Referent« für die wesentlichen sozial- und handelspolitischen Fragen deutscher Wirtschaftspolitik zu werden. Seit 1910 Ehrenmitglied des Centralverbandes Deutscher Industrieller, des »Langnamvereins« und weiterer Verbände, starb er am 4. Juli 1916.

In Bueck repräsentierten sich die tragenden Schichten des deutschen Reiches und fanden alte und neue Kräfte ihre politische Form. Beherrscht von dem staatsdienenden, obrigkeitlichen Prinzip der Machtausübung, diente er selbst der Unternehmerschicht und dem preußisch-deutschen monarchischen Staat. Der Aufbau einer hierarchisch geordneten Staatspyramide war ihm als göttliches Gebot ebenso Gesetz wie die Unterstützung deutscher Wirtschaftspolitik im Dienste weltpolitischer Zielsetzung der deutschen Großmacht.

Die Verbandsstruktur

Mit der Gründung des Verbandes Deutscher Stahl- und Eisenindustrieller war die erste, ganz Deutschland umfassende Interessenvertretung geschaffen, in der die wirtschaftlichen, handels- und sozialpolitischen Ziele der mit Berliner Bankunterstützung und -initiative neugeschaffenen Aktiengesellschaften der Schwerindustrie bestimmend waren. Als Ergebnis der wirtschaftlichen Wandlungen seit Beginn des 19. Jahrhunderts, angetrieben durch die Krisen von 1848, 1866 und 1873, fiel nun die Entstehungszeit der industriellen Verbandsorganisation zusammen »mit dem endgültigen Sieg des kapitalistischen Systems«[107].

107 S. Tschierschky: Die Organisation der industriellen Interessen in Deutschland S. 19; 1876 verzeichnete der VDEStI nach eigenen Angaben 214 Betriebe, aufgestellt in 6 Regionalgruppen; (DZA I, RKA Nr. 89/1; BA Koblenz R 13/I Nr. 274). Die größte und bedeutendste Gruppe war die »Nordwestliche«. Hier waren u. a. folgende Betriebe vertreten: Aachener Hütten-AG. Rothe Erde mit Kirdorf, dem Bruder des Direktors der Disconto-Gründung Gelsenkirchener Bergwerksgesellschaft (die aber nur Mitglied im Langnamverein war). Dann die AG. Eisenwerk Salzgitter, AG f. Eisenindustrie Styrum/Oberhausen, die AG Heinrichs-Hütte, AG Rolandshütte/b. Siegen, Baroper Maschinenbau AG, die Bergbau- und Hütten-AG Lenne, Bergischer Gruben und Hüttenverein Hochdahl und Dahlbusch (Gebhardt: Ruhrbergbau S. 116 f.). Der Bergwerksverein Friedrich-Wilhelmshütte AG/Mühlheim, die Gebr. Böcking, Halberger Hütte, die Concordia Hütte, Dillinger Hüttenwerke, Düsseldorfer Röhren- und Eisenwalzwerk, Funcke & Elbershagen, die Germaniahütte, die Gutehoffnungs-Hütte AG, Peter Harkort & Sohn/Wetter, die Hörder Bergwerks AG, E. Hösch & Sohn/Düren, F. Krupp, Luxemburger Bergwerks- und Saarbrücker Eisenhütten-Verein, die Phönix AG, Pönsgen, Giesbers & Co./Düsseldorf, die Preuß. Bergwerks- und Hütten AG, Niederrheinische Hütten AG, die Rheinischen Stahlwerke, Gebr. Stumm/Neunkirchen, Union AG f. Eisen und Stahlindustrie/Dortmund, Thießen & Cie./Mühlheim. Als Einzelvertreter wurden Baare, Carl von Born, Druckenmüller-Essen, W. Müller und F. Goebel aufgeführt.
Die zweitstärkste Gruppe war die ostdeutsche (siehe oben S. 363), dann folgte die mitteldeutsche mit 23, vornehmlich in Chemnitz, in Dresden und in Halle zentrierten Maschinenbau-Anstalten, u. a. AG Lauchammer Riesa, Hallesche Maschinenfabrik und Eisengießerei AG, die Hallesche Pudlings, Hammer- und Walzwerk L. H. Spatz & Danel, Maschinenbauverein zu Chemnitz vorm. C. F. Schelleberg und Sächsische Gußstahlfabriken Döhlen / Dresden, die vierte, süddeutsche Gruppe umschloß u. a. die Augsburger Maschinenfabrik, die Maximilianshütte/München, Gebr. Epple/Sonthofen, Kgl. Hüttenwerke Bergen/Bodenwöhr, Sonthofen, Weiherhammer und Obereichstätt, dann Krauss & Co. / München, J. A. Maffei und die Maschinenbaugesellschaft/Heilbronn. Schwerpunkt waren im Süden München, Augsburg und der Raum um Stuttgart.
Als fünfte Gruppe repräsentierte die »Südwestdeutsche« badische und elsässisch-lothringische Betriebe, u. a. Heitmann-Ducommun & Steinlen/Mühlhausen, des petits fils de Francois de Wendel & Cie. Hyingen, Jahiet-Gorand-Lamotte et. Cie.

Erste Agitation und erste Ablehnung

Parallel zur Konstituierung des Verbands Deutscher Eisen- und Stahlindustrieller im Laufe des Jahres 1874 vollzog sich der Niedergang der Konjunktur, und die Flaute nahm immer krassere Formen an. Immer mehr waren die deutschen Industriellen gezwungen, im Ausland Aufträge – zu niedrigsten Preisen –, vor allem in Rußland, hereinzuholen. So reiste z. B. Schwartzkopff, der Chef der nach Borsig größten Berliner Lokomotivenfabrik, durch Rußland und berichtete, daß »es ihm unmöglich sei ..., nur einigermaßen genau zu rapportieren. ..., was für endlose Laufereien (er) ... durchzumachen habe – wo und wie« er sich »schinde ..., bei der Menge ofs und ky's ... festen Fuß zu fassen«[108].

Gleichzeitig wurde zwar der Ruf nach Erhaltung der Eisenzölle über das Jahr 1877 hinaus immer lauter[109] – aber die parlamentarische Reaktion auf die Petitionen und die Stellungnahmen der Regierung zeigten, daß die »Basis und der Einfluß der »Eisenzöllner« weiterhin schwach blieben. Dies erfuhr vor allem Baare vom Bochumer Verein, als er 1874 »mit anderen« Industriellen nach dem Handelstag in Berlin, auf dem die Eisenindustriellen in Fragen des Eisenbahnbaues einen Erfolg erringen konnten[110], noch in Berlin geblieben war, »um wegen Submissionen pp. bei den Ministern allerlei Reklamationen zu machen«. Dabei brachte Baare »auch die Zollfrage aufs Tapet«. Aber sowohl im Reichskanzleramt bei Delbrück als auch im preußischen Finanzministerium bei Camphausen, der seit dem 17. Januar 1874 zugleich Vizepräsident des preußischen Staatsministeriums war[111], blitzten die Industriellen ab: »Die Eisenindustrie«, wurde ihnen beschieden, »habe in den letzten Jahren zuviel Geld verdient; man habe deshalb keine Träne für sie zu vergießen, wenn es jetzt mal anders ginge«. »Dies hatte die Herren so heiß-

Ottingen, dann die Fürstl. Fürstenbergische Maschinenfabrik in Immendingen. Zur sechsten, der »Norddeutschen Gruppe«, zählte Berlin mit der Berliner AG für Centralheizungs-, Wasser- und Gasanlagen, die Berliner AG für Eisengießerei, Charlottenburg, die Berliner Maschinenbau AG (vorm. L. Schwartzkopff), der Berliner »Phönix«, dann folgten Borsig, Gruson in Buckau, Heckmann in Berlin, als »persönliche« Mitglieder, ihnen schloß sich die AG Ilseder Hütte und AG Peiner Walzwerk und die Hannoversche Maschinenbau AG (vorm. Georg Egestorff) Linden an. Die Mittelwestdeutsche Gruppe mit u. a. Gebrüder Buderus, Buschbaum, Henschel & Sohn und den Zentren Darmstadt-Kassel bildete den Abschluß.

108 B. Beer: Schwartzkopff S. 117.

109 Jb. HK Essen 1874; ebd. Petitionen des Vereins deutscher Eisengießereien mit 88 Firmen; Mitteilungen des Vereins zur Wahrung der gemeinsamen wirtschaftlichen Interessen im Rheinland und Westfalen 1874, S. 385 ff.; BHStA München MH Nr. 14263: Stellungnahmen und Petitionen der HK des Rheinlandes, Essen, Hagen, Ruhrort auf der Delegiertenkonferenz in Düsseldorf 12. VI. 1874.

110 BHStA München MH Nr. 14263.

111 DZA II, Rep. 89 H II, Gen. Nr. 1 Bd. 5.

spornig gemacht«, wußte nun am 20. November 1874 Schäffner-Dillingen »König« Stumm zu berichten, daß sie bei der vorgestrigen Düsseldorfer Generalversammlung des rheinisch-westfälischen Interessen-Vereins einen »fulminanten Antrag einbringen wollten«[112]. Aus taktischen Gründen ließ jedoch Baare – dem Rat Löwes folgend – den »fulminanten« Antrag auf Schutzzölle fallen und forderte, zunächst nur die Eisenzollerhaltung zum Inhalt der Agitation bei den Handelskammern, im Deutschen Handelstag und bei den industriellen Organisationen zu machen.

So wurde Anfang Januar 1875, sofort nach Abschluß der organisatorischen Gründungsarbeit, auf einer der ersten Vorstandssitzungen von Mulvany ein »sofortiges und dringliches Vorgehen« des neuen Vereins in der Zoll- und Eisenbahnfrage verlangt. Baare, Rentzsch, Bueck und v. Ruffer waren mit ihm einig, aus taktischen Gründen »keinen Schutzzoll«, so doch »practische Maßnahmen zu fordern«, die darauf hinzielten, die Eisenzölle über den 1. Januar 1877 hinaus aufrechtzuerhalten[113].

Angesichts möglicher Handelsvertragsverhandlungen mit Italien und Österreich eröffneten die Handelskammern von Elberfeld-Barmen, Lüdenscheid, Düsseldorf und Augsburg, Krefeld, Hagen u. a. in Petitionen an Delbrück[114] und an Camphausen[115] die Auseinandersetzungen um die Entwicklung, die die deutschen Zölle nach dem 1. Januar 1877 nehmen sollten. Ihnen gingen Petitionen von Reutlingen, Ulm, Heidenheim und Heilbronn in Württemberg[116] und Bayreuth und Augsburg an das Staatsministerium in München parallel[117]. Durchgängig wollten die Kammern ein »Präjudiz« bei den anstehenden Handelsvertragsverhandlungen[118] verhindert wissen. Während Deutschland nach dem Axiom des radikalen Freihandels weiterhin die Zölle reduzierte[119], könnten, so fürchteten sie, Italien und Österreich zu Zöllen zurückkehren. Am schärfsten auf Zollkurs agierte die Augsburger Kammer unter Führung Haßlers. Nur mit Schutzzöllen könne »die Erhaltung von Konsum und Absatz«[120] garantiert werden, denn bei den kommenden Verhandlungen gelte es – wie Haßler gegenüber dem bayrischen Minister Pfretzschner betonte –, »einen Kampf um Lebensfragen« zu bestehen, in denen »die wirtschaftlichen Interessen der Industriegruppen«, Handels- und Gewerbeinteressen des Südens identisch mit den norddeutschen seien und auf Zollerhaltung und Zollerhöhung hinzielen würden[121].

112 Hellwig: Stumm-Halberg S. 141; 20. XI. 1874 Schäffner an Stumm.
113 BA Koblenz R 13/Nr. 79: 17. I. 1875 Protokolle.
114 DZA I RKA Nr. 214 Eingaben vom 18. I./20. I./22. I., 1./3./18./31. III. 1875.
115 DZA II, Rep. 120 C XIII, 1 Nr. 4 adh. 1 Bd. 1 Eingaben vom 22. I./8. II./3. II./12. III./31. III./30. VI. 1875.
116 WHStA Stgt. E -130 W IV, 1 Fasc. 1, März/April 75.
117 BHStA München MH Nr. 12 268 und 12 286 April 1875.
118 DZA I RKA Nr. 214: 3. II. 1875 Petition HK Düsseldorf.
119 DZA II, Rep. 120 C XIII, 1 Nr. 4 adh. 1 Bd. 1: 30. VI. 1875 Eingabe HK Elberfeld.
120 ebd. April 1875 Eingabe HK Augsburg.
121 BHStA München MH Nr. 12 268/Nr. 12 286 Eingabe April 1875.

Die Taktik des Vereins

Ähnlich wie Haßler im Süden, hoffte auch Baare im Westen auf eine Zusammenarbeit mit den schon etablierten regionalen Interessenverbänden. Ebenso baute er auf eine einheitliche Agitation, wenigstens für die Zollerhaltung über das Jahr 1876 hinaus. Gemäß dieser Taktik beschloß der Verband Deutscher Eisen- und Stahlindustrieller mit Richter, Servaes, Baare, Druckenmüller, Lueg, Ficinus, v. Ruffer, Mauve, Bueck und Schimmelfennig Anfang März 1875[122], mit der Organisation einer deutschen Zollagitation zu beginnen[123]. Ferner wurde die Verkehrsfrage und die damit zusammenhängenden Lieferungs- und Bauaufträge sowohl durch die volle Heranziehung der Maschinenbau- und Eisengießereiindustrie an den Verband[124] als auch durch die Entsendung von Mitgliedern des Vereins deutscher Eisen- und Stahlindustrieller in die Eisenbahnräte vorangetrieben[125]. Gleichzeitig wurde die Beschickung der Weltausstellung in Philadelphia abgelehnt – die deutsche Industrie sollte sich ganz auf den deutschen Markt konzentrieren.

Die anlaufende Agitation[126] erzielte erste Erfolge in der »Gleichschaltung« der rheinischen und einer größeren Anzahl süddeutscher Handelskammern und Maschinenbauer in der Zollfrage mit dem Eisen-Verband[127]. Überhaupt waren die Süddeutschen nach der Baisse von 1873 schnell wieder in eine schärfere Opposition zu Delbrück gegangen, was z. B. in Eingaben Neuffers aus Regensburg seinen brüsken Ausdruck fand, wenn dieser seinem König gegenüber betonte, seit 1866/67 habe Bayern »nur in Politik und Religion gemacht und die Pflege unseres wirtschaftlichen Lebens vernachläßigt«; dies habe »zum traurigen Resultat geführt«, daß »Deutschland ... das Freihandels-System nicht ertragen« könne[128]. Die bayrische Regierung führte die Baisse aber weiterhin »offiziell« auf die Verwendung der Milliarden und auf die Kriegskonsumtionssteigerung zurück[129] und lehnte die

122 BA Koblenz R 13/I Nr. 79: 7. III. 1875 Protokolle.

123 BA Koblenz R 13/I Nr. 274: 22. III. 1875 Baare an Rentzsch; 24. III. 1875 Rentzsch an Baare; 14. IV. 1875 Rentzsch an Baare, Richter, Ruffer, Servaes, Schimmelfennig.

124 BA Koblenz R 13/I Nr. 338: 24. III. 1875 Rentzsch an Baare, Servaes, Bueck, Schimmelfennig.

125 WHStA Stgt. E 46–48 Nr. 462. In den Beratungen im Reichseisenbahnamt am 22./23. VII./31. VII./1. VIII. 1874 war nur Bueck als Vertreter der Eisenindustrie vertreten, ihm standen gegenüber A. Meyer (DHT), Dietrich (ÄK Berlin/DHT), Ritzhaupt (ÄK Königsberg), A. Röder (Mannheim), Oelßner (Lpz.), Mohrs (HK Hannover), Weidert (HGK München) und Witte (HK Rostock).

126 BA Koblenz R 13/I Nr. 274: 14. IV. 1875 Rundbrief Rentzsch, 17. IV. 1875 Baare an Rentzsch; 9. IV. 1875 Ruffer an Rentzsch.

127 DZA I, RKA Nr. 214, vgl. Eingabe Hagen, Krefeld, Düsseldorf, DZA II, Rep. 120 C XIII, I Nr. 4 adh. 1 Bd. 1 Eingaben Elberfeld, Köln, BHStA München MH Nr. 9712 Petit. Kraus & Co., MAN, Maffei.

128 BHStA München MH Nr. 9112: 16. XII. 1874.

129 ebd. 3. I. 1875 Votum Papellier.

Zölle noch als »die Lebenskosten verteuernd« ab[130]. Doch wurde in der Reaktion auf die Petition Neuffers und auf die zentralgesteuerten Eingaben, die im September und Oktober 1875 Maffei[130a] im Auftrag der süddeutschen Gruppe des Vereins Deutscher Eisen- und Stahlindustrieller dem bayrischen und württembergischen Staatsministerium übergaben[131], auch schon deutlich, daß die bayrische und auch die württembergische Regierung immer mehr schutzzöllnerischen Ansichten zuneigten. 1876 faßte dann Oberregierungsrat Herrmann diese Ansichten dahin zusammen, »daß es gefährlich« wäre, wenn »die deutsche Industrie ihren einheimischen Markt verliert, ohne einen fremden zu gewinnen«[132].

Der Erfolg von München

Mit beeinflußt wurde diese Haltung durch den Erfolg, den Baare und Bueck in München auf dem »16. Kongreß Deutscher Volkswirthe« Anfang September 1875 erringen konnten. Gemäß ihrem Programm vom März, die Basis der »Zollerhalter« zu vergrößern und aus taktischen Gründen Verbündete selbst bei den Freihändlern zu suchen, hatte Baare im Sommer mit den Agrariern[133] Verbindung aufnehmen lassen. Auch von dem in Berlin versammelten Vorstand des Vereins Deutscher Eisen- und Stahlindustrieller erhielt er die Zustimmung zu diesem Vorgehen[134]. In die gleiche Richtung ging die von Löwe angeregte Taktik, keine öffentliche Verbindung zu den prononcierten Schutzzöllnern, den süddeutschen Textilindustriellen, zu suchen. Vielmehr wollte man den liberalen Prinzipien soweit ostentativen Lippendienst leisten, um so mit dem Rückhalt bei der freihändlerischen Reichstags-

130 BHStA München ebd. 7. II. 1875 Riedel an Eisenhart.

130a Hugo Ritter und Edler von Maffei, 1836 in Bamberg geboren, war für Bayern die zentrale Unternehmergestalt der Schwer- und Maschinenbauindustrie. Vorsitzender des Aufsichtsrats der Eisenwerke Maximilianshütte, der Elektro AG. vormals Schuckert & Co., dann im Aufsichtsrat der Bayrischen Hypotheken- und Wechselbank München, der Bayrischen Notenbank, der Bayr. Versicherungsbank und dann der Siemens- und Schuckert AG. Weiter saß er in der »Allianz«, der Bayrischen AG für chemische und landwirtschaftlich-chemische Fab., der Continental Gas, der Münchener Rückversicherungs AG und in anderen mehr.

131 BHStA München MH Nr. 9712: 1. IX. 1875 u. a. Kraus & Co., Maffei, Maschinenfabrik Eßlingen, 19. IX. 1875 Maffei an Riedel. Übergabe der Denkschrift. »Die gegenwärtige Lage der deutschen Eisen- und Stahlindustrie mit besonderer Berücksichtigung der Zollverhältnisse«, Berlin 1875; 5. X. 1875 Weitergabe an König Ludwig II.; WHStA Stgt. E 130 W IV, 1 Fasc. 1; WFStA Ludwigsburg Nr. 574; GLA Karlsruhe Abt. 237 Nr. 28 976.

132 ebd.

133 BA Koblenz R 13/I Nr. 274: 10. VIII. 1875 Baare an Rentzsch.

134 BA Koblenz R 13/I Nr. 79: 11. VIII. 1875 Protokoll, anwesend u. a. Richter, Druckenmüller, Kuhn, Meyer, Lueg, Rosendahl, Servaes, Türckheim, de Gargau (de Wendel), Bueck und Rentzsch.

mehrheit wenigstens die Politik von 1873 fortsetzen zu können[135]. Daher beschloß und befürwortete der Vorstand die möglichst breite Aufteilung des Verbandes in Regionalgruppen und die Absendung eines ersten Zoll-Gutachtens an die Einzelregierungen[136].

Während das »Gutachten« des Verbandes bei den deutschen Staatsministerien »einlief«[137], konnte sich Sekretär Rentzsch bereits mit Stöpel von den süddeutschen Textilindustriellen verständigen[138]. Auch die Süddeutschen hatten, um eine vollkommene Isolierung zu vermeiden, Mitte 1875 die Taktik des Vereins Deutscher Eisen- und Stahlindustrieller übernommen. Erstes Ziel der schutzzöllnerischen »Annäherung« an freihändlerische Prinzipien war, eine Hochburg der Freihändler zu erobern – den »Kongreß Deutscher Volkswirthe«. Dieser hatte für Anfang September nach München eingeladen[139].

Die Taktik gelang. Mit 62 zu 58 Stimmen nahmen die Delegierten einen zollfreundlichen Antrag Stöpels an, der die Unterstützung Baares, Buecks, Rentzschs und Haßlers erhielt. Der von Karl Braun eingebrachte Freihandelsantrag jedoch wurde von dem bisher traditionell freihändlerischen Kongreß abgelehnt[140]. Der Verein Deutscher Eisen- und Stahlindustrieller feierte seinen ersten größeren Erfolg. Durch ihn gestärkt, suchte Baare weiterhin neue Verbündete und glaubte sie in dem 1872 gegründeten Verein für Sozialpolitik zu finden[141].

Die Mißerfolge mit dem Verein für Sozialpolitik und mit den Agrariern

Die Aussichten schienen günstig, denn der Verein für Sozialpolitik vertrat angesichts der entstehenden sozialen Problematik und »Gefahr«, die Krise, Lohnabfall und Menschenballung in wenigen Industriezentren Deutschlands mit sich brachte, den Gedanken einer Sozialreform und systematischen Sozialpolitik zur »Herbeiführung eines Ausgleichs von Staat und Gesellschaft«[142]. Der Verein befürwortete eine gemäßigte schutzzöllnerische Handelspolitik als Rahmen des von ihm gefor-

135 BA Koblenz R 13/I Nr. 274: 11. VIII. 1875 Löwe an Baare.
136 BA Koblenz R 13/I Nr. 79: Protokoll, ebd. Nr. 338.
137 BA Koblenz ebd. 24. VIII. 1875 an preuß. Staatsmin. an Bundesrat; BHStA München MH 9712; WHStA Stgt. E 130 W IV., 1 Fasc. 1.
138 BA Koblenz R 13/I Nr. 276: 15./19. VIII. 1875 Schriftwechsel Rentzsch-Stöpel.
139 BA Koblenz R 13/I Nr. 79, Nr. 274: 10. VIII. 1875 Protokoll.
140 Bericht über die Verhand. des XVI. Kongresses Dt. Volkswirte in München am 1./2. u. 3. September 1875 Berl. 1876, S. 163, S. 172 ff.; Rede Baares S. 188 ff., 196 ff., Bueck S. 130 f.
141 BA Koblenz R 13/I Nr 276: 2. X. 1875 Baare an Rentzsch.
142 BA Koblenz Nachlaß Brentano Nr. 57: 20. IX. 1872 Schmoller an Brentano; DZA II, Rep. 92 Nr. 44: Nachlaß Schmoller; F. Boese: Geschichte des Vereins f. Sozialpolitik 1872–1932, Berlin 1939.

derten staatlichen Interventionismus. Schon in seiner ersten Rede zu Eisenach auf der öffentlichen Gründungstagung stellte G. Schmoller merkantilistische Handelsprinzipien in den Mittelpunkt seiner vornehmlich gegen die Führer der Freihändler – Braun, H. B. Oppenheim, Bamberger, Faucher und Prince-Smith – gerichteten Ausführungen. Für Schmoller waren der Staatsinterventionismus, unternehmerische Sozialpolitik und Schutzzollpolitik die Voraussetzung der Sozialreform. In der Versammlung der »ersten Geister« der konservativen Sozialpolitik und des sozialen Liberalismus in Deutschland (Roscher, Engel, Hildebrand, Wagner, Conrad Knapp, Brentano, v. Eckard, Meier, Anschütz, Helldorf, Schmoller u. a.)[143] schien damit die Zollerhaltungspolitik Baares, Rentzschs und Buecks ihre wissenschaftlich hoch angesehenen Befürworter finden zu können. Aber in politischer Zielsetzung und praktischer Ausführung bestand schon in der Frühzeit der »Kathedersozialisten« keine Einigkeit. Der Antrag Rodbertus' auf Unterstützung der Schutzzollforderung von Mitte Oktober 1875 fand keine Unterstützung[144].

Diese Niederlage im Verein für Sozialpolitik hatte für die Eisenzöllner um so mehr Bedeutung, da auch die Agrarier – wohl nicht so radikal – im Oktober die Verbindung mit Baare ausschlugen[145]. Außerdem hatte der Verein deutscher Eisen- und Stahlindustrieller gerade nach dem Erfolg bei den Volkswirten in München – und in der Hoffnung auf die Verbündeten in Landwirtschaft und Wissenschaft – eine allgemeine Zolloffensive gegen die noch freihändlerischen Handelskammern der Großhandelsstädte München, Stuttgart, Berlin und Leipzig[146] eröffnet. Zudem war er an Bismarck, den Bundesrat, den Reichstag und die Länderregierungen mit Petitionen herangetreten. In diesen Petitionen wurde zum erstenmal die Notwendigkeit des Industrieschutzes aus nationalen und militärischen Gründen zum Ausdruck gebracht[147]. Der schutzzöllnerischen Offensive arbeitete aber bereits eine

143 DZA II, Rep. 196 A Nr. 1.

144 StA Hbg. 13. X. 1875 Hamburger Correspondenz.

145 Lambi S. 99; Stenogr. Berichte des RT 1875/76 S. 210, 453.

146 BA Koblenz R 13/I Nr. 338: 6. XI. 1875 Baare an HK Leipzig; BHStA München MH Nr. 9712: 29. XI. 75 HGK München an VDStEI; BA Koblenz R 13/I Nr. 339: 30. X. 1875 Rentzsch an HGK München.

147 BA Koblenz R 13/I Nr. 79: 9. X. 1875 Protokoll Vorstandssitzung; ebd. Nr. 171 Okt. 1875 Denkschrift der Eisenindustriellen zur Eisenbahn-Transportfrage; ebd. Nr. 272: 18. XI. 1875 Riedlinger an Rentzsch; Nr. 276: Okt. 1875 Petition des Vereins dt. Eisen- und Stahlindustrieller betr. die Verlagerung der für den 1. Jan. 1877 beschlossenen Aufhebung der Eingangszölle auf Eisen- und Stahlwaren sowie auf Maschinen an den Reichstag; 24. X. 1875 an den Bundesrat (ebd. Nr. 338), 19. XI. 1875 an Bismarck, ebd. 278: 23. XI. 1875 Baare an Rentzsch, ebd. Nr. 339: 17. XI. 1875 Petition des »Langnamvereins«; DZA I RKA Nr. 1605: Petition 24. X. 1875, unterzeichnet u. a. von Richter, Baare, Druckenmüller, Fromm, Lueg, Maffei, Mauve, Mayer, Mulvany, Rosendahl, Ruffer, Schaeffner, Schimmelbusch, Schwartzkopff, Servaes und de Wendel; ebd. Nr. 1606: 10. X. 1875 Petition des

Gegenaktion vornehmlich der Seehandelsstädte[148], der größten Handelsplätze in Deutschland (Hamburg, Frankfurt, Berlin und München)[149] und der Agrarier[150] entgegen. »Händler« und Agrarier, aufgeschreckt durch den Erfolg Baares und Haßlers auf dem »Kongreß« in München, bliesen zum Sammeln und überschwemm-

VDEStI; ebd. Nr. 1607: 15. XI. 1875 HK Bochum an RegPräs. Steinmann; 28. X. 1875 Baare an Bismarck.

148 DZA I RKA Nr. 1605: 9. IX. 1875 Antrag des Vorsteher-Amtes der Kaufmannschaft in Königsberg auf Einberufung der Delegiertenkonferenz Norddeutscher See- und Handelsplätze; 25. IX. 1875 »Petition der VII. Delegierten-Konferenz von den Handelplätzen Norddeutscher Seegegenden«; 1./25. IX. 1875 Anregung und Gegenagitationskonferenz in Danzig u. a. mit Danzig, Elbing, Graudenz, Thorn, Wandsburg, Löbau, den Kreisausschüssen von Danzig, Rosenberg, Preußen-Stargard, Schwetz, Conitz, Neustadt und den HK in Königsberg, Danzig, Thorn und Graudenz. 1. XI. 1875 Oberpräs. Prov. Ostpreußen Bericht und Denkschrift der VK Danzig (2. XI. 1875) ebd. Nr. 1606 »Zur Kritik der schutzzöllnerischen Agitation. Eine Denkschrift der Hauptverwaltung des Centralvereins Westpreußischer Landwirte und des Vorsteher-Amtes der Kaufmannschaft zu Danzig«, vgl. auch Hamburgische Börsen-Halle 6. IX./8. XI. 1875; StA Hbg. CL I, Lit. T, Nr. 21 Bd. 2, Fasc. I Inv. 17. DZA I RKA Nr. 88 und DZA II, Rep. 120 C XIII, 1 Nr. 4 adh. 1 Nr. 1: 15. I. 1876 ÄK Berlin, ÄK Königsberg, HK Hamburg: Gutachten an DHT und Delbrück vgl. auch HK Hamburg 77/23 A 1 Nr. 1 Bd. 1.

149 HK Hamburg ebd. 16. I. 1876; DZA II RKA Nr. 214: 31. XII. 1875 Rothschild Eingabe und HK Frankfurt, ebd. Nr. 88: 25. I. 1876 ÄK Berlin; BHStA München MH Nr. 9712: 29. XI. 1875 HGK Oberbayern.

150 Zusammen mit den Handelskorporationen Ostelbiens gingen die Agrarier gegen die anhebende »Schutzzollagitation« vor; DZA I RKA Nr. 1605, Sept. HHStA Wien, F 34 SR, 1—1/54—2 Petitionen und Teilnahme am Agitationskongreß in Danzig: Hauptverwaltung des Centralvereins Westpreußischer Landwirte, der ostpreußischen landwirtschaftlichen Zentralstelle in Königsberg, ebenfalls u. a. Schwetz, Putzig, Zoppot, Neustadt, Thorn, Marienwerder, Löbau, Cuhnsee, Johannesdorf, Elbing, Conitz, Lichtfelde und der Zweigverband deutscher Mühleninteressenten/Dirschau; daneben unterstützten das Vorgehen der Ostelbier der deutsche Landwirtschaftsrat (19. X. 1875), das preußische Landesökonomiekollegium, vgl. ebd. Protokolle 12.—22. X. 1875, S. 5 f., ebd. Nr. 1606; zahllose Zollreduktionspetitionen agrarischer Lokalorganisationen u. a. 3. XI. 1875 der Baltische Landwirtschaftsverein mit Behr-Behrenhoff, Behr-Bandelin, Loesewitz-Clenschow, Flügge-Blumenhagen.

Behr, 1835 auf Behrenhoff geboren, bedeutete zugleich die Verbindung mit Pommern. Nach der Schulbildung in Dresden, Gotha und Universitätszeit in Heidelberg und Berlin verwaltete er nach Reisen in England, Frankreich, Italien, Belgien und Holland seine Güter Behrenhoff u. Dargezin. 1873 in Stralsund ins Abgeordnetenhaus gewählt, war er zugleich Mitglied des Pommerschen Landtages und Provinzial-Ausschusses seit 1878 bis 90, auch im Reichstag als Abgeordneter, dann am 7. X. 1875 Camenzer Landwirtschaftlicher Verein; RKA Nr. 1607 Petitionen zahlloser westpreußischer Einzelorganisationen vom September 1875 bis Anfang 1876.

ten mit ihren freihändlerischen Bittschriften die Staats- und Handelsministerien der Bundesstaaten[151] und das Reichskanzleramt.

Freihandel und Schutzzoll im Reichstag

Einen ersten Höhepunkt erreichte der erste größere Interessentenkonflikt um den deutschen Zolltarif während der Debatten im Reichstag Ende des Jahres 1875. Begleitet wurden die Debatten von einer scharfen Pressecampagne[152], die Baare ein Bündnis mit dem Zentrum, den Freikonservativen und Baumwollindustriellen suchen ließ[153]. Trotz der Landwirtschaftspetitionen hofften Baare, Servaes, Haniel, Richter, Türckheim, Schaeffner und Meyer[154], die Früchte ihrer Taktik im Jahre 1875 ernten zu können. Es verbanden sich nämlich mit den Schutzzöllnern in öffentlicher Agitation nun auch die Stadtvertretungen von Essen (Hache), Duisburg (Wegner), Witten (Geigenheimer), Hamm (Staude), Hörde (Marchner), Dortmund, Hattingen und Haspe[155], dann die Handelskammern von Essen, Reichenbach, Halle, Schweidnitz-Waldenburg, Breslau, Offenbach, Gießen, Luxemburg und Bayern bis auf München[156], dann die westdeutschen Tuchfabrikanten[157], die westdeutschen Kleineisenfabrikanten[158], die süddeutschen Textilindustriellen[159], die im Eisengießerei- oder »Langnamverein« vertretenen Fabrikanten[160] und schließlich die Sodahersteller[161].

151 vgl. zu obigen auch DZA II, Rep. 120 C XIII, 1 Nr. 4 adh. 1 Bd. 1; BHStA München MH Nr. 9712, WHStA Stgt. E 130 W IV, 1 Fasc. 1; WFStA Ludwigsburg, E 222, Fach 182, Nr. 893, E 170 Nr. 557, 567, 568, GLA Karlsruhe Abt. 237 Nr. 28 976, Nr. 17 168, 17 212.

152 Die Freihändler hatten ihre Sprachrohre vor allem in der Hamburgischen Börsen-Halle und im Hamburger Correspondenten, die Schutzzöller in der »Post« und den rechtsliberalen Blättern, aber auch beim Zentrum, so der Kölnischen Volkszeitung.

153 BA Koblenz R 13/I Nr. 278: 27. XI. 1875 Baare an Rentzsch betr. Westfäl. Volkszeitung, Germania, Berliner Post, Frankfurter Zeitung, Augsburger Allg. Zeitung.

154 DZA I RKA Nr. 1607: 2. XII. 1875 Petitionen.

155 DZA I RKA Nr. 1606: 22. X. 1875, WFStA Stgt. E 130 W IV. L Fasc. 1: 29. XI. 75.

156 BA Koblenz R 13/I Nr. 278: 25. XI. 1875 Bueck an Rentzsch.

157 DZA I RKA Nr. 88: 13. XI. 1875 Denkschrift Paasche.

158 DZA I ebd. 19. XII. 1875 Eingabe Burscheid, ebd. Nr. 1607: 15. XI. 1875 Petition Funcke-Hagen an Bismarck; 13. X. 1875 Bueck an Delbrück.

159 DZA I RKA Nr. 88: 15. XII. 1875 Petition des Vereins süddeutscher Baumwollindustrieller und der Handelskammer Augsburg vgl. auch DZA II, Rep. 120 C XIII, 1 Nr. 4 adh. 1 Bd. 1.

160 dieselben gaben auch Spezialadressen an das Handelsministerium und Reichskanzleramt ein, so z. B. DZA I RKA Nr. 1607: 8. XI. 1875: Petition Königshütte (vgl. auch BA Koblenz R 13/I Nr. 339); 12. X. 1875 Petition des »Langnamvereins«, Verabredung zwischen Rentzsch und Bueck vgl. BA Koblenz Nr. 339: 17. XI. 1875.

161 BHStA München MH Nr. 9712: 5. X. 1875 Petition von Griesheim, Badische Ani-

Delbrücks Zwangslage ...

Dem Ausgang der Verhandlungen im Reichstag maßen beide Gruppen – radikale Freihändler und modifizierte Schutzzöllner – besondere Bedeutung zu, da die Handelsvertragsverhandlungen mit Österreich-Ungarn anstanden, obwohl die Donaumonarchie »keine Lust zu einem Handelsvertrag« mit Deutschland hatte[162]; denn auch in Österreich-Ungarn bestanden erhebliche Divergenzen über die einzuschlagende Handelspolitik. In Österreich forderten die einflußreichen Industriellen von Böhmen und Mähren Schutzzölle[163], während Ungarns Landwirte Freihändler waren und vor allem[164] Wein und Bier zollfrei tarifiert haben wollten.

Angesichts der massiven Agitation von Agrariern, Handelsstädten, Stahl- und Eisen-Industriellen trieb die Delbrücksche Handelspolitik in einen Zwiespalt; denn die Freihändler konnten bei der wirtschaftlichen Stagnation im Jahre 1875 nicht mehr an ihren radikalen Laissez-faire-Prinzipien festhalten. Zumindest war die Annahme eines Handelsvertrages, mit einseitigen österreichischen Zollerhöhungen, wie ihn Österreich forderte, äußerst diffizil geworden; und die Wein- und Bierzollsteuerfrage war seit der Gründung des Zollvereins die Gretchenfrage im Verhältnis von Preußen zu den Südstaaten. Aber trotz Agitation und trotz Wirtschaftsflaute beharrten Delbrück und seine Mitarbeiter unbeirrt auf den radikal freihändlerischen Prinzipien.

... und Kaiser Wilhelm

Schon im Frühjahr 1875 hatte Delbrück einen schutzzöllnerischen Vorstoß der Fabrikanten von Berg und Mark und Oppenheims in Köln über König Wilhelm[165] mit dem Hinweis abgewehrt, daß wohl die überhitzten Profite der Eisenindustrie gesunken, dagegen aber Produktion und Export, ein Zeichen im Grunde gesunder Wirtschaftsführung, gestiegen seien; die Preisreduktionen kämen dazu vor allem den Agrariern Ostelbiens zugute[166]. Wenn auch Wilhelm sich den Argumenten Delbrücks beugte, so war er doch keineswegs von diesen überzeugt. Nach dem Urteil des Königs schaute Delbrück »rückwärts und vergleicht« – Oppenheim und die Eisenindustriellen schauen vorwärts und würden auf die Fakten stilliegender Fabriken, zerrütteter Kurswerte und französischer Ausfuhrprämien verweisen[167].

lin- und Sodafabrik, Nürnberger Sodafabrik, Bayr. AG für chem. und landwirtschaftliche Fabriken.

162 DZA I RKA Nr. 201: 8. IX. 1875 Bülow an Delbrück.

163 ebd. 23. XI. 1875 Schweinitz an Bülow.

164 ebd. 8. IX. 1875 Bülow an Delbrück.

165 DZA II Rep. 89 H III, Deut. Reich 11, Bd. 6: 29. IV. 1875; Juni 1875 Frhr. v. Oppenheim an Wilhelm I.

166 DZA II ebd. 31. VIII. 1875: 13. IX. 1875 Delbrück an Wilhelm I.

167 ebd. Sept. 1875 vollzogener Erlaß Wilhelms.

Darum erbat der König eine erneute Fixierung und Motivation des ministeriellen Standpunktes – vor allem auch wegen der immer schärfer werdenden Auseinandersetzungen in der Öffentlichkeit. In einer erneuten Denkschrift, von Huber ausgearbeitet[168], wies das Reichskanzleramt (das preußische Handelsministerium und Finanzministerium unterstützte dieses Votum[169]) darauf hin, daß für die Behebung des »Mißverhältnisses« für die Überwindung der Krise nicht Zollfragen, sondern strukturelle Momente entscheidend seien; »nämlich die Produktionskosten müssen vermindert und das Absatzgebiet vergrößert werden ... Beides aber wird durch die Schutzzölle nicht erreicht.« Aber auch diese Stellungnahme, entgegnete Wilhelm, würde in ihrer kurzen, unmotivierten Erwiderung auf die Eingabe des Vereins Deutscher Eisen- und Stahlindustrieller kaum der Bedeutung der Eisenfrage gerecht werden[170]. Und öffentlich betonte der Kaiser, daß er eine weitere Eisenzollreduktion angesichts der französischen prämiengestützten Ausfuhr nicht »verstehen könne«[171].

Trotz der kaiserlichen Stellungnahme, die dieser am Vorabend der Zolldiskussion im Reichstag, am 6. Dezember 1875, noch einmal im persönlichen Gespräch mit Delbrück, Achenbach und Camphausen wiederholte[172], war Delbrück aber nur bereit, »sich nicht *so* die Hände« zu binden, daß man weiteren französischen Prämien ohne Antwort ausgeliefert werden könnte. Dem Kaiser, der sich »seit dem Monat Juny ... unausgesetzt« mit der Eisenzollfrage beschäftigt hatte, der es aber wegen dieser Frage nicht zu einer Ministerkrise kommen lassen wollte, blieb »nichts übrig«, als die Hoffnungen Haniels und der Eisenleute zu enttäuschen. Er konnte ihnen auf ihre Petitionen nur antworten:

»das(s) ich in der Conferenz als Direktive den drei Ministern für die heutige und morgendliche Debatte gegeben hatte, d. h. die *Verhandlungen* mit Frankreich über Änderung der acquit etc.: und das fernere im *Auge behalten* der ganzen Frage bis zum 1. Januar 1877 (»scharf ins Auge zu fassen«), ob sich im Laufe 1876, Besserung oder Verschlimmerung der Eisenindustrie zeigen werde, um danach weitere Beschlüße zu fassen«[173].

Delbrück hatte sich noch einmal durchgesetzt; der Bundesrat leitete ohnehin die Petitionen an ihn weiter[174], und Camphausen und Achenbach stimmten mit Delbrück überein. So war die Chance der Eisenindustriellen, sich im Reichstag gegenüber Freihändlern und Regierung durchzusetzen, gering geworden.

168 DZA I RKA Nr. 1616 Okt. 1875 Huber an Wilmowsky.
169 DZA II, Rep. 120 C VII, 1 Nr. 31; Rep. 120 C VII, 2 Nr. 8 Bd. 16.
170 DZA II, Rep. 89 H, III Deutsches Reich 11 Bd. 6: 16. X. 1875 Wilmowsky an Delbrück.
171 Lucius: Bismarck-Erinnerungen S. 79.
172 AA-Bonn I AA Nr. 8: 6. XII. 1875 hs. Wilhelm Privatnotiz an Bismarck.
173 AA-Bonn I AA Nr. 8: 6. XII. 1875 Wilhelm (hs) an Bismarck; der Text ist im Original syntaktisch nicht korrekt.
174 StA Hbg. CL I, Lit. T Nr. 3 vol. 2 b, Fasc. 12: 13./17./30. X. 1875 Berichte Krügers.

Ein weiterer Sieg der Freihändler

Die Hoffnungen von Löwe[175] und Baare[176] zerschlugen sich dann auch an der ministeriellen Übermacht. Trotz ihrer Betonung der nationalen und sozialen Aufgaben, die die Grundindustrie trage[177], trotz ihrer Hoffnung, mit dem von ihnen prononcierten Wirtschaftsnationalismus im Parlament Anhänger zu werben, war ihrer Taktik von 1875 – also in Anlehnung an die Freihändler, den Zoll über 1876 hinaus zu erhalten – kein Erfolg beschieden. Ihre Petitionen wurden abgelehnt[178]. Kardorff, Löwe und Graf Ballestrem[179] konnten sich gegenüber Bamberger und Braun nicht durchsetzen. Aber auch deren Argumente fanden nicht mehr die volle Unterstützung der Agrarier in allen Fragen der Laissez-faire-Politik. Wenn auch Minnigerode als Sprecher der Agrarier die Zollfreiheit weiterhin unterstützte, so sah er doch die wirtschaftliche Depression als Folge der liberalen Wirtschaftspolitik an, als Folge »von Aktiengesellschaften, Münzreform und Goldvaluta«; Minnigerode deutete also die Zersetzung der Homogenität der konservativ-liberalen Interesseneinheit an[180].

Für Delbrück jedoch war Ende 1875 die Zollfrage trotz der sich abzeichnenden Interessengegensätze vorerst erledigt: wieder einmal hatte sich seine traditionelle Sachkenntnis mit der Mehrheit im Bundesrat und Reichstag verbinden können und gesiegt. Gleichzeitig war auch ein erster »Abschluß« der Neuordnung der wirtschaftlichen Struktur Deutschlands mit der Errichtung der »Reichsbank« erreicht worden[181]; die Zentralnotenbank des Reiches entstand nach dem Willen Delbrücks, Camphausens und Ludwig Bambergers als Kompromiß aus der »Preußischen Bank«[182].

175 Sten. Berichte RT 1875/76 S. 444 f., 450.
176 BA Koblenz R 13/Nr. 278: 5. XII. 1875.
177 BA Koblenz R 13/I Nr. 272: 18. XI. 1875 L. A. Riedlinger an Rentzsch.
178 Festenberg-Packisch S. 375 f., 383 f., 584 f., 612 f., 638 f.
179 Ballestrem vertrat hier nicht nur die Interessen der oberschlesischen Industrie, so der Kattowitzer Bergbau AG, der Carlshütte u. a., sondern er vertrat auch die katholischen Belange. 1834 in Plawniowitz geboren, trat er 1855 nach Schulbesuch in Lemberg, Gr. Glogau, Namur, der Universität in Lüttich, in das Preußische Infanterieregiment Nr. 19 ein. 1857 war er nach der Heirat mit einer Gräfin v. Saurma-Jeltsch Leutnant im Leib-Kürassier Regiment Nr. 1, 1863/64, 1866 und 1870/71 zuletzt als Rittmeister eingesetzt. Seit 1872 war er im Reichstag bis 1893, dann von 1898–1903. Im Preußischen Abgeordnetenhaus von 1891–1903, und ab 1903 im Herrenhaus. Als Majoratsherr auf Costau, Obergläserdorf, Zirkwitz, Nippern und Saarawenze war er im schlesischen Provinz. Landtag, im Kreistag von Gleiwitz und Zabrze; 1890 zum Vizepräsident des Reichstags gewählt, war er ab 1898 Präsident und ab 1900 Wirklicher Geheimer Rat. Von den vielen Auszeichnungen ragt seine Stellung als päpstlicher Geh. Kämmerer di spada e cappa hervor.
180 Sten. Bericht RT 1875/76 S. 210.
181 DZA II, Rep. 89 H, Handel und Gewerbe XIII, Gen. Nr. 15, Bd. 2: 24. II. 1875 Staatsministerium an Wilhelm I.
182 OZAI, RKA Nr. 34–38, 41–42, 52–55, Sten. Ber. RT 1874, S. 183, 208 f., 216.

So schien die weitere kontinuierliche Entwicklung der liberal-freihändlerischen Wirtschafts- und Handelspolitik gesichert, zumal sich Bismarck in diesen Fragen seit 1870 vollkommen zurückgehalten hatte. Aber gerade Bismarck war 1874 aus verschiedenen Gründen keineswegs mehr bereit, Delbrück weiterhin am langen Zügel agieren zu lassen.

c Bismarck und die Fortführung der liberalen Reichspolitik: Aeternat, Kulturkampf, Krieg-in-Sicht-Krise

Herrenhausreform, Schwerindustrie und Bismarck

Nach der Reichsgründung hatte sich Bismarck voll der außenpolitischen Sicherung des Reiches innerhalb des neugeschaffenen wirtschaftspolitischen Mächtesystems zugewandt[183], ein Vorhaben, das durch die Auseinandersetzung mit der katholischen Kirche und der Sozialdemokratie auch eng mit innenpolitischen Fragen des Reichsausbaus verflochten war[183a]. Daher überließ Bismarck Delbrück – wie selten vor 1870 – verhältnismäßig freie Hand in der Zusammenarbeit mit den Liberalen. Mehrere Faktoren beeinträchtigten nun Bismarcks Politik in zunehmendem Maße, mit der Folge, daß er sich wieder intensiv den Fragen der Wirtschaftspolitik zuwandte. Die Entwicklung des Jahres 1875 gab nur den letzten Ausschlag; denn im Gegensatz zu Delbrück – und auch zu Wilhelm I. – erkannte er, daß sich durch die Kriege und die Krise in dem Bündnis von Großbanken und Schwerindustrie eine neue tragende »Säule« neben die traditionelle der Landwirtschaft und der Landaristokratie gestellt hatte, eine Säule, auf der die Wehrhaftigkeit des Staates, sein Machtanspruch und seine Machtbehauptung ebenso ruhte wie auf der »Vasallenpflicht« der konservativen Träger der preußisch-deutschen Kaiserkrone; ja, Bismarck sah, daß mit der zunehmenden Industrialisierung dieser neuen Kraft immer mehr Bedeutung zuwachsen würde[183b]. Ein Konflikt dieser Grundelemente hätte aber wiederum zur Krise der preußischen Staatsstruktur und zur Machtverlage-

183 GW VI b Nr. 1973, 2023, 2040, 2045, 2046; GW VI c. Nr. 31; H. Herzfeld: Deutschland und das geschlagene Frankreich, Bln. 1924; G. P. Gooch: Franco-German-Relations 1871–1918, London 1932; O. Becker: Bismarcks Bündnispolitik, Berlin 1923; Langer: Alliances S. 19 ff.

183a GW VI b Nr. 1986; GW VI c Nr. 2, 3: 17. IV. 1871 Bismarck an Werthern, Nr. 9: 30. VI. 1871 Bismarck an Tauffkirchen; Nr. 14, 18: 16. II. 1872 Bismarck an Tauffkirchen; Vorbem. und GW XI, S. 224 ff.; GW VI c Nr. 39: 27. I. 1873 Bismarck an Schweinitz; Nr. 51, 52, 53, 59, 60 vgl. vor allem H. Bornkamm: Die Staatsidee im Kulturkampf, HZ 169, 1949.

183b DZA II, Rep. 90a B III, 2 c Nr. 3 Bd. 4; DZA I, RKA Nr. 201; ebd. 1616 mehrere Aufzeichnungen o. D. von der Hand Herbert v. Bismarcks (Ende 1875), vgl. auch Nr. 1607/1608.

rung in Preußen-Deutschland geführt, deren Überwindung sich vor allem in der Solidarität von agrarischen und industriellen Interessen anbot.

Einen ersten Versuch, diese Solidarität zu begründen, hatte Bismarck mit der Herrenhausreform im Jahre 1872 unternommen. Auf dem Höhepunkt der neuen schwerindustriellen Machtentfaltung versuchte er, »das Herrenhaus« wieder so »zusammenzusetzen, daß es die ganze besitzende Klasse repräsentiere«. Notfalls wollte er das Herrenhaus als »Ständeparlament«, als »Staatsrat« gegen das Abgeordnetenhaus ausspielen können. Da sich im alten Herrenhaus »die Aristokratie isoliert« habe, sei eine Rekonstruktion des Hauses notwendig. Nur so könne das Haus politisch eingesetzt werden; aus diesem Grund müsse sich das Haus – so forderte er – »nicht allein aus der Aristokratie, sondern aus dem Grundbesitz überhaupt, und nicht nur aus diesem allein, sondern aus dem Besitz im allgemeinen zusammensetzen – möge man unter diesem auch die Millionäre verstehen«[184].

Diese Pläne, denen Bismarck größte Bedeutung zur Überwindung der altkonservativen Opposition[185] in Preußen beimaß[186], scheiterten aber am König. Wilhelm I. lehnte die umfassende Reform, das Herrenhaus »einem Staatsrate ähnlich zu machen, der Krone näher zu bringen und mit einem größeren Gewicht dem Lande und dem Abgeordnetenhause gegenüber auszustatten«[187], ab, da die Reform (nach Wilhelm) »uns einen Factor schafft, der nicht mehr den höheren Grundbesitz repräsentiert, also conservativ zusammenwürfelt, wie das Abgeordnetenhaus an sich ist«[188]. Wilhelm glaubte, die »Krise« – den Widerstand des Herrenhauses gegen Bismarck – durch einen »geringen Pairschub« überstehen zu können – und er setzte sich gegenüber Bismarck durch. Als Antwort demissionierte Bismarck als preußischer Ministerpräsident[189] und ließ Roon zu seinem Nachfolger in Preußen berufen[190]. Der Plan Bismarcks, »mit möglichst geringem Machtverlust«[191] gegen den preußischen Partikularismus und die Altkonservativen vom Reich her vorgehen zu können[192], scheiterte aber an Roon. Roon begnügte sich nicht mit der formellen Übernahme des Ministerpräsidentenamtes. Und auch Delbrück verfolgte nach Meinung Bismarcks weiterhin mehr preußische als Reichspolitik[193]. Zu allem

184 Unruh: Erinnerungen S. 343 ff.; AA-Bonn I AAa Nr. 46 Bd. 1; DZA II Rep. 77 Tit. 496 b Nr. 3 Bd. 4 vgl. allgemein W. Frauendienst: Bismarck und das Herrenhaus FBPG 45, 1933, S. 304 ff.

185 GW VI c Nr. 32: 29. X. 1872 Bismarck an Eulenburg, GW XIV Nr. 839.

186 GW VI c Nr. 33, GW XI S. 249 ff., GW XV S. 347 ff.

187 ebd.

188 AA-Bonn IAAa Nr. 46 Bd. 1: 12. XII. 1872 Wilhelm an Bismarck.

189 GW VI c Nr. 36: 20. XII. 1872 Immediatbericht; GW XIV S. 844 f.; Goldschmidt: Reich und Preußen S. 17 f., S. 161: 13. XII. 1872 Bismarck an Roon, Roon: Denkwürdigkeiten II, S. 575 ff.

190 Morsey S. 67 ff.

191 Goldschmidt: S. 18.

192 Busch: Tagebuchblätter II, S. 382 f.

193 GW VI c Nr. 49, Nr. 50; GW VIII Nr. 60 Morsey S. 71 f.

kam die Problematik des Kulturkampfes und die Widerstände der Liberalen – auf die Bismarck im Reich vollkommen angewiesen war – gegen alle Pläne Bismarcks, die finanzielle Absicherung und den Ausbau der Reichsorganisation voranzutreiben. So erkannte Bismarck – nach fünf Monaten Ämtertrennung –, »ohne preußische Wurzel« das preußisch-deutsche Reich nicht führen zu können; »machen Sie mich allein zum Reichsminister«, urteilte er 1877 vor dem Reichstag rückblickend, »so glaube ich, bin ich so einflußlos wie ein anderer«[194]. »Reuevoll«[195] übernahm Bismarck Ende 1873 wieder das Ministerpräsidentenamt. Die Probleme aber hatten sich nur noch weiter verschärft[196].

Der Zwist mit den Liberalen beginnt: Heeresbudget, Steuerreform und Eisenbahnfrage

Da war als erstes die Frage der Steuerreform und des Heeresbudgets. Mit »Blut und Eisen« hatte sich – im Endeffekt – die Gründung Deutschlands vollzogen; die Milliarden der Franzosen waren überwiegend zum Ausbau von Rüstungsanlagen und zur Wiederaufrüstung des Heeres verwandt worden. Dabei wurde eine rasante Ausgabensteigerung für das Heer ausgelöst, ohne daß aber für kontinuierliche Einnahmen gesorgt gewesen wäre, denn gleichzeitig wurden die Zölle – Hauptträger der indirekten Steuern – abgebaut. Das Reich wurde immer mehr zum »Kostgänger« der Einzelstaaten, vor allem Preußens, die mit ihren direkten Steuereinnahmen den passiven Haushalt des Reiches auszugleichen hatten[197]. – Die Eingaben- und Ausgabenfestsetzung aber war das wesentlichste Recht des mit demokratischem Wahlrecht gewählten Reichstages.

1874 entzündeten sich zum erstenmal im neuen Reichstag die Gegensätze zwischen Liberalismus und Regierung an der endgültigen Regelung der Heeresausgaben. Die Liberalen lehnten[198] das von Bismarck vorgelegte Aeternat ab, denn

194 GW XI, S. 496; Trotzdem hat Bismarck später noch öfter mit dem Gedanken der Trennung gespielt, GW VIII Nr. 127, 141, 368, 370, 373, 481, 483.

195 GW XI S. 496.

196 GW VI c Nr. 49/50.

197 Heinz Röttger: Bismarck und Eugen Richter im Reichstag 1879–1890, Diss. phil. Münster 1932, S. 5; Nitzsche S. 11 f.; S. Cohn: Die Finanzen des Deutschen Reiches seit seiner Begründung, Berlin 1899, S. 178 ff. 1872 wurden 4,3 Millionen für das Auswärtige Amt, 266,784 Mill. M. für die Verwaltung des Heeres aufgebracht; 1875 = 5,6 : 318,933 / 1878/79 = 318,677, hinzugenommen die Marineverwaltung mit 14,8 bzw. 17,7 bzw. 22,6 Mill. Mark. Den gesamten fortdauernden Ausgaben von 338,4 Mill. M. (1872) standen 1872 = 324,2 Mill. M. fortdauernde Einnahmen gegenüber, davon 94,8 Mill. M. Zolleinnahmen, 1878/79 = 416,902 Mill. M. Ausgaben : 450,3 Mill. M. Einnahmen mit 101 Mill. M. Zölle und 87,3 Mill. M. Matrikularbeiträgen (1878 noch 67,144 Mill. M.).

198 Oncken: Bennigsen S. 178 f., Roon: Denkwürdigkeiten III, S. 423 ff.; GW VIII Nr. 76 bis 81.

die Annahme der »ewigen« Ausgabenfestsetzung für das Heer hätte »die einzig reale Machtgrundlage des Reichstages illusorisch gemacht«[199]. Obwohl die Liberalen – unter dem Druck der öffentlichen Meinung, die eine Niederlage der Regierung in ihrem »Stolz auf die Armee« nicht hingenommen hätte, und angesichts des Kulturkampfes – sich mit Bismarck zum Septennat verständigten, hatte doch die Auseinandersetzung zwei wesentliche Folgen: Einmal hatte der Reichstag mit seinem Verzicht auf das volle Budgetrecht sein »1862« hingenommen, und zum anderen (wesentlich für die unmittelbar folgende politische Entwicklung) wurde die Auseinandersetzung mit den Liberalen für Bismarck zum Ausgangspunkt der innen- und handelspolitischen Wandlung. Denn wenn auch schließlich die überwiegende Mehrheit der Liberalen dem Kompromiß zustimmte, so war doch deutlich geworden, daß sie im Reich und auch in Preußen (so in der preußischen Kreis- und Provinzialordnungsreform) immer stärkeres Mitspracherecht an der politischen Gestaltung des Reiches forderten. Sie hielten ihre Aussichten für günstig, da Bismarck nach den Neuwahlen zum preußischen Abgeordnetenhaus (Herbst 1873) und zum Reichstag (Januar 1874[200]) sowohl im Kulturkampf als auch im Streit mit den Altkonservativen auf ihre Hilfe angewiesen war. Hinzu kam, daß Bismarck auch beim rechten Flügel der Nationalliberalen und der Freikonservativen wegen der Delbrückschen Handelspolitik auf zunehmenden Widerstand stieß und so wiederum auf die fortschrittlich-liberale Unterstützung angewiesen schien. Der Ausbau der Finanzen wurde immer mehr zum Hauptproblem der Reichspolitik, da Bismarck Finanz- und Reichsorganisation immer mehr ineinander verflocht, ohne daß er willens gewesen wäre, verantwortliche Ministerien einzurichten. Im Gegenteil, Bismarck versuchte, seine Kanzlerstellung immer mehr zum alleinigen Träger der Reichspolitik zu entwickeln[201].

Zu diesen Gegensätzen trat mit den Bismarckschen Eisenbahnplänen ein weiterer »Streitfall«. Auch dieser Weg Bismarcks zu einem »unabhängigen« Reichsbudget scheiterte am Widerstand der Liberalen, zu denen sich in dieser Frage auch die süddeutschen Regierungen gesellten[203]. Grundsätzlich waren die Liberalen für eine einheitliche Reichsorganisation der Eisenbahnen eingetreten, aber angesichts einer weiteren Aushöhlung des Budgetrechts, die eine weitere Entmachtung der Liberalen bedeutet hätte, opponierten sie gegen Bismarck – ganz im Gegensatz zu den Wünschen des Handelstages, des Landwirtschaftsrates und des Vereins Deut-

199 Bußmann S. 155.

200 Die Nationalliberalen gewannen 152 (120) Mandate, Fortschritt 49 (45), der große Gewinner war das Zentrum mit 1,5 Mill. Stimmen (0,7) und die Sozialisten 0,352 Mill. Stimmen (0,102). Verlierer waren die Konservativen (21 Altkonservative und 33 Freikonservative Abgeordnete).

201 Morsey S. 73.

202 GW VI c Nr. 67.

203 Annalen 1877, S. 683 ff.; GW VI c Nr. 77.

scher Eisen- und Stahlindustrieller[204]. Mit dem Fortschritt opponierten auch die »Liberalen« im preußischen Staatsministerium, Achenbach, Camphausen und vor allem Delbrück; die Verstaatlichung des Eisenbahnwesens widersprach auch ihrem Grundsatz freier Konkurrenz.

»Ökonomische Verwilderung« und Bismarcks außenpolitisches Konzept

So war Bismarck innenpolitisch um die Jahreswende 1875/76 mit seiner Politik des gemäßigten, am konservativen Zügel geführten Liberalismus in eine Sackgasse geraten. Den Konservativen zu liberal, den Liberalen zu konservativ, scheiterten seine wesentlichen Finanzprojekte[206], die auf eine Verselbständigung des Reiches hinzielten. Ebenso waren seine Eisenbahnprojekte aufgelaufen[207], ja seine gesamte »Reichspolitik« seit 1870 war am Widerstand der Parlamente, der preußischen Minister, an den »deutschen« Beamten[208] Delbrück und Michaelis und am »Kulturkampf« festgefahren. Schließlich hatte der Krach von 1873, die »ökonomische Verwilderung«[209], bis zum Jahre 1875 verheerende Folgen gezeitigt: »Beamte und Bürger vielfach um ihr kleines Vermögen gebracht, die Arbeiter brotlos oder Hungerlöhnen sich mürrisch beugend«; Berlin – die Hauptstadt des Reiches – war »gedrückt und unfroh«[210]. Und die Schwerindustriellen forderten mit ständig verschärfter Agitation einen Wechsel der Handelspolitik. So erschien der Gegensatz und Konflikt, der an der Jahreswende 1875/76 zwischen Handelsbürgertum, Agrariern und Delbrück einerseits und den Eisenindustriellen und dem Kaiser andererseits aufbrach, Bismarck symptomatisch für »die Gesamtlage« des Reiches.

Bismarck drohte Mitte 1875 also eine innenpolitische Isolierung und – wenn auch nur aufleuchtend – eine außenpolitische. Nach dem siegreich beendeten Krieg von 1870 war es Bismarcks außenpolitisches Hauptziel gewesen, gegenüber den »republikanischen und sozialistischen Elementen« in Frankreich die »monarchisch-konservativen Elemente« (Preußen-Deutschland, Rußland, Österreich-Ungarn) fester zusammenzuschließen. Er hoffte so, die Verschiebung des europäischen Mächtesystems ebenso wie die Annexion Elsaß-Lothringens absichern zu können[211]. Schon während der ersten Verhandlungen mit Frankreich über die Abwicklung der

204 Männer S. 25, Schneider S. 19 ff., S. 92 ff.; GW VI c Nr. 77; Herzfeld: Miquel I S. 289; Elben: Memoiren S. 196; Wehrenpfennig: Preuß. Jbb 38, S. 456.
205 GW VI c Nr. 77; GW XI S. 371 ff., 411 ff., 480 ff., GW XIV S. 879 f.
206 Gerloff S. 59 f., S. 63, 71 f.; Schneider S. 24 ff.
207 Schneider S. 24 ff.; Morsey S. 141 ff.; Goldschmidt Nr. 22, F. Jungnickel: Staatsminister Albert von Maybach Stgt./Berl. 1910 S. 46.
208 GW XIV 2 Nr. 1560/ HStA Hbg. G IV a 7: 18. VI. 76 Bericht Krüger.
209 StA Hbg. ebd.
210 Brauer: Im Dienste Bismarcks S. 39.
211 AA-Bonn IAAa Nr. 39 Bd. 2 o. D. Denkschrift o. D. zur Sozialdemokratie, »soweit sie Deutschland berühren«. 21. IX. 1871 Exposé der Gasteiner Besprechungen;

Milliardenkontribution legte Bismarck sein außenpolitisches Konzept der wirtschaftlichen und politischen Isolierung Frankreichs durch ein Zusammengehen mit Österreich und Rußland dar[212], ein Bündnis, dem, wie er zuversichtlich hoffte, sich England anschließen würde[213]. Voraussetzung für dieses konservative Entente-System war aber die Erhaltung eines sozialrevolutionären Regimes in Frankreich als Gefahr und abschreckendes Beispiel für die monarchischen Staaten in Europa[214].

Mit dem Schlagwort der drohenden revolutionären Gefahr umging Bismarck bei der Zusammenkunft der Monarchen im Jahre 1872 in Berlin die einseitige Bindung Deutschlands an Österreichs Balkanpolitik oder an Rußlands Zielsetzungen und ermöglichte dadurch eine gegenseitige Annäherung der Staaten, die 1873 dann auch zustande kam[215]. Das Drei-Kaiser-Abkommen, geschlossen »in gemeinsamer Abwehr gegen die Gefahr, welche in der Fanatisierung der ungebildeten Massen gegen die Staatsautorität liegt«[216] (also auch gegen Sozialisten und Ultramontane) – Restbestand modifizierter einseitiger Defensivallianzen –, vermochte aber weder die französische Isolation zu erzwingen, noch dämpfte es die Spannung zwischen Österreich und Rußland. Ebensowenig schwächte es das Mißtrauen Englands gegenüber der »Hegemoniepolitik« Bismarcks[217]. Wenn auch Petersburg und Wien betonten, daß ihr Verhältnis zu Berlin »vortrefflich und solid« sei, so blieb doch Bismarck mißtrauisch[217a]. Denn es konnte ihm nicht entgehen, »daß trotz der Freundschaftlichen Familienbeziehungen, die zwischen den ... Kaisern bestehen«, in Rußland »sowohl die Großfürsten als (auch) die russischen Staatsmänner im Allgemeinen nicht mit zuviel Vertrauen in die Zukunft blicken, und daß namentlich« – so sah es der österreichische Botschafter – »die ungestüme, nervöse Politik

ebd. Bd. 4 23. I. 1872 Bismarck an Eichmann/Dresden 29. I. 1872 o. V. zur Gefahr »der lavierenden Liberalen«.

212 AA-Bonn Frankreich 70 Bd. 133: 17. V. 1872 Arnim an Bismarck (GP Nr. 74) Frankr. Nr. 75 Bd. 2: 3. X. 1872 Arnim an Bismarck (Nr. 90), ebd. Bd. 3: 20. XII. 72 Bismarck an Arnim (Nr. 95).

213 GW VIII S. 125 ff.

214 Zur Arnim-Affäre vgl. F. Hartung: Bismarck und Graf Harry Arnim, HZ 171, AA-Bonn, Frk. 75, Bd. 2: 3./14. X. 1872, ebd. Bd. 3: 23. XI. 1872 Balan an Arnim; 20. XII. 1875 dto. GP I Nr. 90, 92, 93, 95.

215 AA-Bonn, Europa gen. 44 Bd. 1: 17. IV. 1872 Reuß an Bismarck, Frnk. 70 Bd. 137: 2. II. 1873, Verträge 23; (GP/I Nr. 126), 10. XI. 1873; Frnk. 82: 29. IX. 73 Arnim an Bismarck; Langer: Alliances S. 20 f. Hierzu A. Meyendorff: Conversation of Gortschakow with Andrássy and Bismarck in 1872, Slavonic Review 8 (1929/30), ebd. W. Taffs: Conversation between Lord Odo Russell and Andrássy, Bismarck and Gortschakow in September 1872.

216 AA-Bonn I AAi, 63 Bd. 4: 24. IV. 1875 Bismarck an Schweinitz.

217 StA Hbg. G IV a Bd. 7: 21. I. 1877 Bericht Krüger; Lucius: Memoiren S. 21 f.; AA-Bonn AA1 41 adh.

217a HHStA Wien, PA X Nr. 68: 25. XII. 1874/6. I. 1875 Langenau an Andrássy; 29. I./29. II. 1875 dto.

des Fürsten Bismarck zu manchen Besorgnissen Veranlassung gibt«[217b]. In zunehmendem Maße war Bismarck im Frühjahr 1875 – nach dem Urteil Schuwaloffs – »sehr aufgeregt, für die Zukunft besorgt, und von der Situation in Europa sehr präoccupiert«[217c], wußte er doch, daß »die Freundschaft Berlin-Petersburg nur auf den Souveränen beruhe«. Aber selbst der Zar verriet »auch mehr Sympathien für Frankreich ... als man in Berlin vielleicht glauben möchte«[217d].

Preußen-Deutschland ist isoliert

Die erste Belastungsprobe des Drei-Kaiser-Abkommens – von Bismarck vielleicht selbst provoziert[218] – beim »Lärm«[219] der Krieg-in-Sicht-Krise enthüllte eine außenpolitische Isolierung des neugeschaffenen Deutschen Reiches. Bismarck rief sich die Vereinsamung Preußens im Siebenjährigen Krieg ins Bewußtsein[220]. Die Interessen der Nachbarn Deutschlands verbanden sich in einer »seltsamen Verquickung von Revanche und Religion«[221] und manövrierten Deutschland in eine Isolierung hinein, die angesichts der wirtschaftlichen Flaute und Baissespekulation um so schwerer wog[222]. Zudem belasteten zum erstenmal auch wirtschaftliche Faktoren das diplomatische Spiel Gesamteuropas: Frankreich baute einen autonomen Zoll auf, Rußland ging zum Goldwertzoll über, und Österreich wich von seiner seit 1868 verfolgten freihändlerischen Handelspolitik ab[223]. Da aber Ende 1875 der deutsche Reichstag Retorsionen gegen diese »Veränderungen« abgelehnt hatte und weiterhin am radikalen Freihandel festhielt, war Deutschland neben England noch die einzige Macht mit einer fast vollständigen Zollfreiheit (Deutschland hatte ja noch wenige Eisenzölle)[224].

Zwar hatte Bismarck die Krise von 1875 durch strikte Zurückhaltung Deutschlands überwinden können[225]. Deutschland jedoch war zu einer Option zwischen Rußland und Österreich gezwungen worden[226]. Aber seine Politik, »sich nicht beiden Kaiserreichen gegenüberzustellen«[227], »Zurückhaltung und Verzicht auf jede

217b ebd. 13./1. III. 1875.
217c ebd. 14. III./2. IV. 1875 Langenau an Andrássy.
217d ebd. 22. III./6. IV. 1875.
218 Langer: Alliances S. 55; HHStA Wien, PA X, Nr. 68, 22. III. 75 Langenau an Andrássy.
219 AA-Bonn I AAi 41 adh.: 27. V. 1875 Diktat Bismarck, Aufzeichnung Graf Wilhelm.
220 ebd.
221 AA-Bonn Frk. 82: 29. IX. 1875.
222 AA-Bonn Frankreich 83 secr. Bd. 1.
223 DZA I RK Nr. 449: 27. VI. 1876 Bismarck an Hofmann; Sartorius S. 295.
224 Poschinger: Volkswirte I, S. 24.
225 AA-Bonn I AAa Nr. 50 Bd. 1: 3. VIII. 1875 Herbert von Bismarck an Radowitz, ebd. 6. VIII. 1875 Promemoria Bismarck.
226 AA-Bonn I AAa Nr. 50 Bd. 1: 11. VIII. 1875 Promemoria Bismarck.
227 AA-Bonn ebd. 3. VIII. 1875.

Initiative«[228] zu üben und nur »mit Wien und Petersburg soweit (zu) gehen, soweit sie einig sind und diesseitige politische Interessen ganz außer Spiel bleiben«, mußte scheitern, wenn die beiden Verbündeten Deutschlands sich gegeneinander wandten. So war außenpolitisch für Bismarck Anfang 1876 das System der monarchisch-konservativen Sicherung gescheitert[229]. Rußland und Österreich mißtrauten Deutschland »hauptsächlich wegen der gefährlichen Politik« Bismarcks. Frankreich konnte ab 1875 wieder hoffen, »daß Europa bei einem neuerlichen Überfall nicht zusehen würde«. So sah es der Österreicher Langenau in Berlin[229a]. Wenn auch Bismarck das russische Auftreten – Deutschland »zum russischen Exekutor auf dem Balkan gegen Österreich« zu bestimmen – nicht aus der Initiative des Zaren ableitete, so war ihm doch die russisch-preußische Freundschaft nicht mehr eine »heilige Angelegenheit«[230].

Bismarck mußte sich nach neuen Sicherungen umschauen. Und er tat dies sehr konsequent, wenn es ihm jetzt »ein Gebot der Vorsicht« wurde, »die guten Beziehungen zu Österreich zu cultivieren«[231], Andrássy »zu schonen«[232] und den »Gedanken eines warmen Freundschaftsbundes« zwischen Deutschland und Österreich (also ohne Rußland) unter »vollständigem Verzicht auf die Ideen der Vergeltung«[233] zu pflegen. Gleichzeitig bot Bismarck Rußland »die Arrondierung ... in Bessarabien an und Österreich-Ungarn in Bosnien«. Offenbar war der deutsche Staatsmann – dem weder Russen noch Österreicher »eine Uneigennützigkeit«, nach dem Urteil Langenaus, zutrauten – bestrebt, damit einen »Zuwachs von Verlegenheiten bei seinen Freunden« zu initiieren, um so Deutschlands Stellung als Bündnispartner aufzuwerten. Österreich und Rußland verhielten sich dann dementsprechend passiv, ja, der Russe wünschte sogar ein Zusammengehen mit Andrassy[233a].

Neue »Verbündete«: Delbrück wird »abgebaut«

In dieser außen- und innenpolitischen Stagnation boten sich Bismarck in den Schwerindustriellen und Großbanken neue Verbündete an, die willens waren, vorbehaltlos seinem Budgetprogramm, seiner Steuerreform, seinen Eisenbahn- und seinen Reichsorganisationsplänen zuzustimmen[234]. Was für Louis Baare, den Füh-

228 ebd. 6. VIII. 1875.
229 StA Hbg. G IV a Bd. 7: 10. VII. 1876 Krüger-Bericht.
229a HHStA Wien, PA X, Nr. 68: 22. III./6. IV./16. V./4. VI. 1875.
230 AA-Bonn I AAa Nr. 50 Bd. 1: 21. IX. 1875.
231 ebd. 17. IX. 1875.
232 ebd. 8. IX. 1875 Herbert Bismarck an AA.
233 AA-Bonn I AAi 41 adh.: 27. V. 1875 Aufzeichnung Andrássy.
233a HHStA Wien, PA X, Nr. 69: 14./26. I. 1876 Langenau an Andrássy, 12./31. III. 1876 dto.
234 Stenogr. Ber. Reichstag / I S. 1183–1187; BA Koblenz R 13/I Nr. 79, 161, 169, 338; Elben: Lebenserinnerungen S. 175; Goldschmidt Nr. 22; zu Scheele Morsey

rer des Bochumer Vereins und Hauptagitators der Eisenindustriellen, galt, war für die Wirtschaftsführer allgemein zutreffend: »Bismarck, Deutschland, Politik, Wirtschaft, Eisenindustrie und Bochumer Verein sind ... für ihn ein und dasselbe[235].« Für Bismarck war nur die Frage, ob die Sprecher der Großindustrie und Banken, die dazu noch mit süddeutschen Partikularisten durchsetzt waren, genügend Rückhalt bei der Bevölkerung finden konnten. Konnte er mit ihnen die Handelspolitik ändern? Bismarck agierte vorsichtig, er ließ bewußt ihre Hauptforderung auf Zollerhaltung offen, aber ihrer zweiten Forderung der Entlassung Delbrücks, des »Generalstabschefs« der Freihändler, stimmte er Ende 1875 ohne Skrupel zu.

Schon 1874 (kurz nachdem sich die Industriellen formiert hatten) hatte Bismarck zum erstenmal gegen Delbrücks Tätigkeit Stellung genommen und die politische Exekutivgewalt des Reichskanzlers in den Vordergrund gestellt[236]. Von diesem Zeitpunkt an häuften sich Bismarcks Äußerungen, den Geschäftsumfang des Reichskanzleramtes abbauen zu wollen[237]. Parallel zu diesen Äußerungen gingen erste Planungen zur Errichtung von Reichsministerien[238], die auf eine »Verkleinerung« der Amtsgewalt Delbrücks[239] zielten, ohne daß dadurch aber die Machtfülle des Reichskanzlers beeinträchtigt werden sollte. Zugleich war der »Abbau« Delbrücks auch eine Kampfansage an die preußischen Minister, vornehmlich an Camphausen und Achenbach. In zunehmendem Maße – besonders wieder in der Eisenbahnfrage – sah Bismarck gerade ihre Politik eines konstitutionell-liberalen, wirtschaftlich-freihändlerischen, preußisch-deutschen Staatsaufbaues als Gefahr für seine Person an[240], zumal ihm die vorübergehende Trennung der Reichs- und preußischen Ämter im Jahre 1873 gezeigt hatte, wie sehr seine Stellung im Reich auf der Macht in Preußen beruhte[241].

Da angesichts der außenpolitischen Lage dem innenpolitischen Machtausbau erhöhte Bedeutung zukam, war für Bismarck die Zurückdrängung Preußens[242] sowie die Ablösung Delbrücks[243], der Umbau der Behördenorganisation sowohl im Reich

S. 143; JB HK Bochum, HK Dortmund, Essen, Bochumer Verein S. 166, Dahlbusch S. 244.

235 HK Bochum-Festschrift S. 218.

236 GW VIII Nr. 78; GW XI, Lucius S. 39.

237 DZA I RdI Nr. 16681 Aug. 1875 PM Bismarck, AA-Bonn IAAa 61, Sächs. LHA Dresden: 28. V. 1874 Nostitz an Friesen, GW VI c Nr. 61, 74, GW VIII Nr. 71, 77, 78, 106–107, 111, 112, 138, 162; GW XI S. 373, S. 481, GW XIV, 2 Nr. 1548, zum Gesamtkomplex Morsey S. 73–88.

238 Oncken: Bennigsen II, S. 287, GW XII S. 312, durch die Aufteilung des RKA wurden die Handels-, Zoll- und Finanz-Abteilung Kernzellen der späteren Reichsämter; Goldschmidt Nr. 28. DZA I, RdI Nr. 16456.

239 Morsey S. 80, Vietsch S. 107 ff., S. 111.

240 Kohl VI, S. 211 f.

241 Poschinger: Parlamentarier S. 91, Goldschmidt Nr. 40.

242 GW VI c Nr. 61.

243 Morsey S. 73.

als auch in Preußen (in der preußischen Behördenorganisation wurzelte die Macht der Minister) das erste Ziel seiner Politik ab Ende des Jahres 1875[244]. Der Weg zur »Wiedergewinnung« Preußens mußte aber gegen die Liberalen in Preußen, also über das Reich gehen. Hier waren die einzigen Verbündeten nicht bei den Freihändlern – den Anhängern Delbrücks –, sondern bei den Eisen- und Stahlindustriellen zu suchen, so daß sich Innen-, Außen- und Handelspolitik weiter verzahnten, zumal sich nach dem Zolltarifsieg der Freihändler eine weitere Verschärfung der Interessengegensätze abzeichnete; allerdings bemühten sich jetzt die Eisenzöllner, mit Ostelbien zu einem Ausgleich zu kommen.

d Im Zeichen der endgültigen Organisation deutscher Interessenvertretungen: Centralverband Deutscher Industrieller, Steuer- und Wirtschaftsreformer und Deutscher Handelstag

Ein harter Schutzzollkurs zeichnet sich ab

Schon vor der »Niederlage« des Vereins Deutscher Eisen- und Stahlindustrieller in der Reichstagszolldebatte waren Oppositionsstimmen in den Reihen der Eisen- und Stahlinteressenten laut geworden, die die Taktik Richters, Rentzschs, Baares und vor allem Löwes, »das Freihandelsprinzip als solches« nicht abzulehnen[245], als verfehlt »mißbilligten«. Die Gegensätze entflammten vor allem nach der Generalversammlung des VDEStI im Oktober 1875, auf der jede Prononcierung der Schutzzollfrage (also über die bloße Zollkonservierung weitergehend zur Neueinführung von Zöllen) und jede *öffentliche* Verbindung mit anderen schutzzöllnerischen Gruppen abgelehnt worden war. Einen halben Monat zuvor schon hatten nämlich Bueck und Servaes im »Verein zur Wahrung der gemeinsamen Interessen von Rheinland-Westfalen« auf Drängen der Textilindustriellen Meckel und Wolff (Elberfeld)[246] Subkommissionen und Handelskommissionen gebildet mit dem Zweck, die gemeinsame Zollagitation aller »produzierenden Klassen« zum Ausdruck zu bringen[247]. Die latenten Spannungen zwischen den Verbänden brachen bereits über die Art der Berichterstattung Rentzschs vor der Generalversammlung des Vereins deutscher Eisen- und Stahlindustrieller auf. Nur mit Mühe konnte Servaes verhindern, »daß beispielsweise Herr Direktor Schimmelbusch in Hoch-

244 Lucius: S. 39, S. 47, S. 90.
245 BA-Koblenz R 13/I Nr. 276: 6. XI. 1875 Servaes an Rentzsch.
246 Mitteilungen des Vereins Nr. 9: Okt. 1875, S. 315 ff.
247 DZA I RKA Nr. 1607: 13. X. 1875 Bueck-Bericht; 12. X. 1875 Mitteilungen der Handelskommission: Vorsitzende waren Mulvany, Meckel, Funcke, Lindemann und Erckelenz.

dahl« seinen Entschluß, »aus dem Verein zu scheiden und einen neuen Verein zu bilden, in welchem das Prinzip des Schutzzolles anerkannt und schärfer betont werden sollte«, ausführte. Auch Servaes konnte »sich der Überzeugung nicht verschließen, daß ein derartiges Vorgehen viele Anhänger und Nachfolger gefunden haben würde«[248]. Zugleich erhielt Rentzsch von Servaes einen scharfen Verweis: »daß sich meine Freunde und ich lediglich aus bekannten tactischen Rücksichten nur dazu verstanden haben, in unseren Eingaben und Petitionen das Freihandelsprinzip als solches vorauszustellen, daß wir dasselbe aber durchaus nicht als richtig anerkennen, sondern im Grunde fordern und erwarten, daß vorläufig zum Stillstand gebracht, unsere Handelspolitik wieder in die Bahnen eines, an den realen Verhältnissen bemessenen gemäßigten Schutzzollsystems einlenken werde«.

Diesen »Gesichtspunkten Rechnung tragen zu wollen«, sei die vornehmste Aufgabe Rentzschs. Zudem veränderte Servaes bereits jetzt unter dem Einfluß Haniels und Mulvanys die Stoßrichtung der Agitation: nicht mehr an das Parlament, sondern »so viel als möglich« sei »direct an den Reichskanzler zu gehen«[249], um durch Zollerhaltung und »durch spezielle Handelsverträge mit den einzelnen Staaten« die Sanierung des Absatz- und Preisgefüges in Deutschland zu erreichen[250]. Dies war nun die neue Taktik der Industriellen. Bereits bei ihrem ersten Besuch beim Kanzler konnten Kardorff und Stumm im Zeichen dieser Taktik einen großen Erfolg buchen. Politische Gesichtspunkte, taktische Erwägungen und persönliche Affronts hatten sich bei Bismarck mit der Aufforderung an die Schutzzöllner verbunden, die »Regierung« ruhig kräftig anzugreifen, Delbrück wolle er ihnen gern »preisgeben«[251]. Dieser Ermunterung war zugleich ein »Rat« beigegeben, sich doch enger mit den Agrariern zu verbinden, die doch soeben — Ende November — erhebliche Kritik an der Politik des Laissez faire geübt hätten[252].

Kardorff richtete sich nach diesen »Vorschlägen«, und so trat neben die Sammelbewegung der harten Schutzzöllner im »Langnamverein« und in der nordwestlichen Gruppe des Vereins Deutscher Eisen- und Stahlindustrieller[253] eine zweite unter Führung Kardorffs. Ende November 1874 lud Kardorff die Spitzen der deutschen Schwer- und Textilindustrie nach Berlin ein. Gleichzeitig trat er mit einer berühmt gewordenen Broschüre, »Gegen den Strom« (der Handelspolitik), an die Öffentlichkeit und forderte das Zusammengehen von Industrie und Landwirtschaft in Fragen der Zollpolitik, da ohne gleichzeitiges Gedeihen der nationalen Produktion in Industrie und Landwirtschaft beide Gruppen untergingen in der Überflutung des deutschen Marktes durch ausländische Konkurrenz. In der Reichstagszolldebatte waren die Forderungen Kardorffs noch extremer und schroffer als

248 BA Koblenz R 13/I Nr. 276: 6. XI. 1875 Servaes an Rentzsch.
249 ebd.
250 BA-Koblenz ebd. 6. XI. 1875 Mulvany an Rentzsch.
251 Poschinger: Bundesrat III, S. 177; ders. Parlamentarier III S. 57.
252 DZA I RKA Nr. 1607.
253 BA-Koblenz R 13/I Nr. 276; GW des Langnamvereins am 17. XI. 1875.

die Löwes, der die alte Taktik des Vereins Deutscher Eisen- und Stahlindustrieller fortsetzte; Kardorff jedoch fand bereits zu diesem Zeitpunkt die volle Unterstützung des Westens.

Kardorff und die Gründung des Centralverbandes deutscher Industrieller

Nach der Niederlage im Reichstag forderte vor allem auch Bueck ein Zusammengehen des VDEStI mit den Agrariern[254]. Aber immer noch zögerten Rentzsch, Baare und Löwe, der neuen Taktik zu folgen[255], so daß dem Verein die Spaltung drohte. Seine Dezemberverhandlungen mußten verschoben werden. Druckenmüller, Bueck und Massenez[256] ließen sich als »krank« entschuldigen[257] und folgten der Einladung Kardorffs nach Berlin. Hier versammelten sich nun am 14. Dezember 1875[258] sowohl die aktivste als auch zugleich die mächtigste Wirtschaftsführerschicht der größten Industrieunternehmen des neuen deutschen Reiches, Unternehmen, die soeben in den Kriegen ihre Leistungsfähigkeit bewiesen und in der Krise ihr kapitalassoziatives Schwergewicht erworben hatten und die nun auch auf politischen Einfluß drängten.

Die einflußreichste Gruppe stellten die Schwerindustriellen – und unter ihnen besonders die aus dem Westen, vorweg Generalsekretär Bueck, dann Druckenmüller, J. Massenez, unterstützt von den Zustimmungsadressen eines Haniel[259], Schäffner (Dillingen)[260] und Schwartzkopff (Berlin), Lindemann (Essen) und auch Baares. Angesichts der freihändlerischen Dominanz im Reichstag und des Übergewichts des »Langnamvereins« verschloß sich der Verein Deutscher Eisen- und Stahlindustriel-

254 Bacmeister S. 189.
255 Bueck I, S. 126.
256 geb. 1839 in Grünstadt, kam nach dem Studium über Ruhrort, Duisburg und Salzgitter 1873 zum Hörder Bergwerksverein als »technischer Leiter«; unter seiner Leitung wurde hier 1879 die erste Thomascharge angestochen. 1891 zum »Zivilingenieur« ernannt, starb er 1923 als Ehrenmitglied zahlloser Verbände, unter ihnen des VDEStI.
257 BA Koblenz R 13/I Nr. 79 4. II. 1876.
258 BA Koblenz R 13/I Nr. 50, Kardorff 127; Bueck S. 137 ff.
259 Während Hugo Haniel als Geheimer Kommerzienrat sich mehr der Verbandsarbeit im CDI zuwandte – er war im Ausschuß von 1876–1891 – war Franz Haniel stärker in der rheinischen Industrie tätig als Mitinhaber der Firma Haniel und Lueg – Maschinenfabrik Düsseldorf und Franz Haniel und Co., Ruhrort. Zugleich war er eng mit Mulvany verbunden durch den Aufsichtsratssitz in der Hibernia, in der Rhein-Bahn-Gesell. der E. Schüss Werkzeugmasch. Fabrik AG Düsseldorf und der REW.
260 Schäffner ist immer als Delegat Stumms zu sehen, dessen Dillinger Hütte er als Direktor führte. So war er 1871 zum Mitglied des Ausschusses des »Langnamvereins« gewählt worden und 1874 in den Hauptvorstand des VDEStI berufen worden, wo er bis 1883 blieb.

ler nicht vollkommen dem »schroffen Produzentenstandpunkt« eines Schimmelbusch und Heimendahl[261]. Rentzsch, Richter (immerhin war er Direktor der Laurahütte, in deren Aufsichtsrat Kardorff saß) und Schimmelfennig beteiligten sich an der Versammlung, unterstützt von den Adressen Erbs-Beuten und Henckel-Neudecks. Als zweite Gruppe traten nun unter der Führung des Augsburgers Haßler[262], unterstützt von Frommel (Augsburg), v. Neuffer (Regensburg), Schlumberger[263] und Staub, die süddeutschen Textilindustriellen zu den Schwerindustriellen. Ihre Stellung wurde noch von den Sachsen (Fraenkel, Dietel, Zschille) unter der Führung Vogels[264] und den Preußen E. Hessel, A. u. J. Lehmann, Dahlheim, Fricke,

261 BA Koblenz R 13/I Nr. 339: 23. XII. 1875 Baare an Rentzsch.

262 1828 geboren in Ulm als Sohn eines Gymnasial-Professors, wurde Haßler 1843 Lehrling, 1847 Volontär in verschiedenen süddeutschen Mechanikerbetrieben. Nach dem Studium 1847—49 arbeitete er sich vom Praktikanten der C. Reichenbachschen Maschinenfabrik in der Gründerzeit der fünfziger Jahre bis zum General-Direktor der Baumwollspinnerei am Stadtbach in Augsburg empor. Im selben Jahr seiner Berufung zum Generaldirektor 1868 reorganisierte er den »Technischen Verein Augsburg«. 1870 wurde er Sprecher der Baumwollindustrie-Deputation in Berlin und im selben Jahr Ausschußmitglied des Vereins Süddeutscher Baumwollindustrieller. Von nun an vollzog sich sein Lebensweg in enger Verbindung mit den pressure groups des »neuen« Deutschlands. 1875 im CDI-Ausschuß, später Präs., 1878 in der Reichs-Textil-Enquete, 1880 Commerzienrath, 1888 im Ausschuß des Deutschen Handelstages und 1890 Adressenübergeber an Bismarck. Von 1890—1893 in erneuter schutzzöllnerischer Tätigkeit. 1893 Reichsrat der Krone Bayerns, 1897 sah ihn neben der Unterstützung von Tirpitz im wirtschaftlichen Ausschuß. 1898 starb er. (Tradition 5/1962, S. 223 ff.).

263 Schlumberger/Mühlhausen — mit ihm ist die zentrale Industrie-Persönlichkeit des Elsaß angesprochen. 1840 geb., übernahm er 1863 nach dem Studium in Paris die Technische Leitung des väterlichen Betriebs. Als Leiter der Mühlhausener Industriegesellschaft, Vorsitzender des Elsaß-Lothringischen Vereins der Dampfkesselbesitzer, wurde er Mitglied der HK Mühlhausen, Vorsitzender des elsässischen Industriellen-Syndikats, Mitglied der Eisenbahntarifkommission, Mitglied im Direktorium des CDI, des Ausschusses des Deutschen Handelstages und des Vorstandes der Mühlhausener Baumwoll-Gesellschaft. Zugleich war er im AR der AG für Boden- und Kommunalkredite in Elsaß-Lothringen, Vereinigte Glanzstoffabriken AG Elberfeld, der Kammgarnspinnerei Glück & Co. Mühlhausen, der Baumwollspinnerei Frey & Co./Mühlhausen, der Photograph. Anstalt Braun, Clement & Co./Dornach, der Bahn Mühlhausen-Wittenheim, der Kammgarnspinnerei vorm. Schwartz & Co. AG, der Banque de Mulhouse und der Pechelbronner Oelbergwerke in Schultingen.

264 aus Chemnitz, Hermann Wilhelm Vogel war wie Schlumberger im Elsaß einer der zentralen Industriellen in Sachsen, Geheimer Kommerzienrat, Ehrenbürger von Chemnitz und Vorsitzender des Verbandes der Textil-Industrie, war er im AR der Tüllfabrik Flöha AG, der Eli-AG vorm. Hermann Poge-Chemnitz, der Maschinenfabrik Kappel b. Chemnitz, der sächs. Maschinenfabrik vorm. R. Hartmann AG und der Dittersdorfer Filz- und Kratzenfabrik. Zugleich saß er im AR der Dresdner Bank in Berlin und Dresden.

Eckhard, Heyne, O. Mundt, H. Reimann, A. Protzen (Berlin)[264a], Websky-Wüstewaltersdorf[264b], Hamm (Wipperfürth), Keßler (Mönchen-Gladbach) und vor allem vom Direktor der Wollspinnerei in Potsdam, A. Lohren[265], unterstützt. Zu diesen beiden Gruppen gesellten sich noch Kunheim als Vertreter der Sodaindustriellen und die Reichstagsabgeordneten Kardorff, Paasche, Frühauf und Grothe, die eine erste Verbindung zum Parlament herstellen sollten. Stoepel, Billig und Paul Frhr. v. Roell sollten als Journalisten die agitatorische Verbreitung des Schutzzollgedankens übernehmen[266].

Die neuen Ziele und die neue Taktik des Centralverbandes deutscher Industrieller

Schon auf der ersten Zusammenkunft wurden, wenn auch erst nach einigem Zögern und »Mißtrauen«, die Grundlinien der neuen Verbandstätigkeit festgelegt und vor allem das Recht in Anspruch genommen, für die gesamte deutsche Industrie zu sprechen. Als Ziel des Verbandes stellte der Statutenentwurf Lohrens »die Bekämpfung der Freihandelslehre, welche die nationale Arbeit dem Ruin überliefert zu Gunsten der ausländischen Arbeit« in den Vordergrund. Weiter wurde die Schaffung einer Solidarität der Produzenten gefordert: »Das große Ziel, welches der Zentralverband auf seine Fahne schreiben muß, ist Schutz der nationalen Arbeit in Industrie, Handwerk und Landwirtschaft, Solidarität aller Volkswirtschaftlichen Arbeit[267].«

Das waren die Hauptforderungen. Neben sie traten noch weitere »Anliegen«: »Erhaltung und Gewinnung des heimischen Marktes«, Aufstellung der Zolltarifänderungen, Ausbau der Verkehrswege, Ausschaltung von London als Remboursmarkt für den deutschen Handel und, last not least, »energische Tätigkeit dahin, daß Männer in den Reichstag gewählt werden, welche anerkannte Freunde und Beförderer der deutschen Industrie« sind. Die Agitation selbst sollte unter dem

264a Neben seiner Fabrik führte Protzen noch die Berliner Jutespinnerei und -weberei.

264b Websky-Wüstewaltersdorf wurde 1827 geb., besuchte das Gymnasium in Berlin und Breslau, Studium in Berlin bis 1853, mit Dr. phil. Abschluß der Ausbildung. Übernahm mehrere Bleichereien, Färbereien, Appreturanstalten in Wüstewaltersdorf. HK-Präsident von Schweidnitz, im Abgeordnetenhaus seit 1867, im RT seit 1871 für Breslau.

265 L. war von 1876 bis 1881 im Direktorium des CDI und bis 1889 im Ausschuß.

266 Roell 1854 geb., 1870 als 16jähriger Offizier verwundet, übernahm 1873 die Redaktion der »Deutschen Börsen- und Handelszeitung«. Von 1876 ab war er im Ausschuß des CdI und Herausgeber der »Deutschen volkswirtschaftlichen Korrespondenz«. 1882 aus der industriellen Verbandstätigkeit ausgeschieden, begründete er die »Deutsche Adelsgesellschaft«, 1883 das »Deutsche Adelsblatt«. 1884 wird er Verwalter des Amtes Dietz/Nassau und 1887 Grenzkommissar. 1890 Polizeirat in Eydtkunen, 1893 Landrat in Meseritz, 1894 Landrat in Pleschen, ab 1903 mit Epstein der Herausgeber der »Neuen politischen Korrespondenz«.

267 A. Lohren: Das System des Schutzes der nationalen Arbeit, Berl. 1880, S. 25.

Slogan vorgetragen werden, den Bernhardi (Handelskammer Bochum und Freund Baares) formulierte: »Seine Eisenindustrie preisgeben, hieße, auf seine politische Zukunft verzichten«[268].

Dem Antrag »Bueck-Rentzsch« folgend, wurde mit Kardorff, Rentzsch, Lohren, Grothe, Bueck, Staub und Hessel ein Konstitutionskomitee gewählt und zum 15. Februar 1876 die Konstitutionsversammlung für den »Centralverband Deutscher Industrieller zur Beförderung und Wahrung nationaler Arbeit« einberufen[269]. Die erste Versammlung vom Dezember hatte die Schwerindustriellen aus Ost und West noch vereint gesehen, und es schien, daß der Verein Deutscher Eisen- und Stahlindustrieller sich doch dem neuen Verein anschließen würde. Am 14. Februar 1876 jedoch lehnte Rentzsch[270] die Teilnahme an der Gründungsversammlung ab: Rentzsch wollte nicht den »Schutz«, sondern nur die »Förderung der nationalen Arbeit« erzwingen und glaubte, Zölle und spezielle Handelsverträge auf dem »weichen« Weg Löwes eher erreichen zu können als auf dem »harten« Kurs einer schroff antifreihändlerischen Vereinsbildung in Verbindung mit den Agrariern[271]. Um den Bruch im industriellen Lager nicht allzu deutlich werden zu lassen, hielt sich auch der »Langnamverein« bei der Gründung des neuen Vereins in der Öffentlichkeit zurück und blockierte gleichzeitig die Tätigkeit des Vereins deutscher Eisen- und Stahlindustrieller[272]. So waren bei den 90 Industriellen, die sich am 15. Februar 1876 im »Norddeutschen Hof« in Berlin versammelten, die Textil-, Glas-, Leder- und Papierindustriellen nominal den Montanindustriellen des Westens, vertreten durch Bueck, Druckenmüller und H. Haniel, überlegen. Das Schwergewicht der Entscheidung lag aber trotzdem bei der Grundindustrie: Kardorff, Schwartzkopff und der Berliner Textilmann H. Reimann wurden zum Vorstand, die Berliner Lohren, Protzen, Kunheim, Hessel und Schueck zur Direktionskommission bestellt; und wenn auch kein Grundindustrieller im Präsidium saß, so hofften Bueck und Haniel doch, in Kardorff und vor allem in Schwartzkopff Persönlichkeiten mit »ausgeprägt politischen und wirtschaftlichen Beziehungen« gefunden zu haben, die das Interesse des Westens wahrnahmen, ohne daß die Schwerindustriellen im Vorstand repräsentieren mußten.

Der erste Vorstand und Schwartzkopff ...

Mit Schwartzkopff war ein Industrieller in den Vordergrund getreten, der als Maschinenbauer auf wesentlich anderen Wegen zum Schutzzoll gekommen war als

268 BA-Koblenz R 13/I Nr. 339; Bueck I, S. 136 ff.
269 Bueck S. 145; das Datum bei Lambi S. 115 stimmt nicht.
270 Bueck I. S. 145.
271 BA-Koblenz R 13/I Nr. 171: 28. II. 1876 Rundschreiben Rentzsch.
272 BA-Koblenz R 13/I Nr. 79: 4. II./21. IV. 1876, Bueck an Rentzsch; Mulvany, Maffey, Servaes etc. waren alle »verhindert«, und eine Vorstandsitzung vor Mai nicht möglich.

Haniel, Lueg oder Krupp. 1825 geboren, studierte Schwartzkopff gemeinsam mit Gruson und Werner Siemens – eine Freundschaft, die die Industriellen ein Leben lang verband. 1848 machte er mit Unruh, Benda und Borsig als Maschinenmeister der Magdeburg-Wittenberger Eisenbahngesellschaft eine »Studienreise« nach England. Die Erfahrungen dieser Reise veranlaßten ihn 1852 zur Gründung einer Eisengießerei und Maschinenfabrik, die seit 1869 zur Speziallokomotivenfabrik ausgebaut wurde und in der, schon 1869, 1100 Arbeiter beschäftigt waren. Zur gleichen Zeit erhielt er den Kommerzienrat-Titel für seine »Leistung beim Aufbau der Artillerie-Werkstatt in Spandau«, eine Leistung, die auch im Zusammenhang stand mit seinem Ausscheiden aus der Fortschrittspartei nach 1866. Im Zug der großen Hausse wurde auch die Schwartzkopffsche Maschinenfabrik von Conradt (Berliner Handelsgesellschaft), Unruh und v. d. Heydt zur Aktiengesellschaft umgegründet. Gleichzeitig wurde mit dem Aufbau eines russisch-deutsch-schwedischen Maschinenkonzerns begonnen. Die Baisse und die russischen Zölle verhinderten aber die Durchführung dieses Projektes. Mit »Consortial-Abkommen«, so mit Borsig, hoffte Schwartzkopff die Baisse überwinden zu können, aber immer mehr wurde die Reservation des Marktes in Deutschland zum einzigen »Auskunftsmittel« der Maschinenbauer. So beteiligte sich Schwartzkopff an der Gründung des Centralverbandes Deutscher Industrieller, wurde Präsident des Verbandes und Promotor des Lokomotivenringes. Gleichzeitig begann er seine Produktion auf den Torpedobau auszuweiten, und schon 1879/80 kam er in enge Zusammenarbeit mit Tirpitz. Torpedos, Lokomotiven und Präsidentenamt des Centralverbandes Deutscher Industrieller verschafften ihm 1884 die Berufung in den Staatsrat. Zugleich hatte er als Kommanditist der Berliner Handelsgesellschaft, als Aufsichtsrat der Deutschen Continental-Gas und bei Gruson auch sehr enge Verbindung zu Fürstenberg und Krupp. 1892 starb Schwartzkopff, nachdem er kurz zuvor noch mit Haßler zusammen dem »eisernen Kanzler« eine Dankadresse persönlich überbrachte[273].

... und der erste Ausschuß

Wie im Vorstand, so hielten sich die Schwerindustriellen auch im ersten Ausschuß des Centralverbandes zurück. Hier vertraten Generalsekretär Bueck, Geheimer Kommerzienrat Borsig und Geheimer Kommerzienrat Haniel die Interessen der Schwerindustrie – die übrigen 26 Mitglieder des Ausschusses stellten die einzelnen Organisationen der Manufakturindustrie. So vertraten Staub (Kuchen) und Haßler (Augsburg) die süddeutsche, Wolf und Pastor (Aachen) die rheinisch-westfälische Textilindustrie; Kaselowsky[273a] (Bielefeld) war von der rheinischen, Meyer (Breslau)

273 B. Beer: L. Schwartzkopff, Lpz. 1943.

273a Kaselowsky war u. a. im AR der Wesermühlen AG, der Bielefelder Maschinenfabrik vorm. Dürrkopp, der Spinnerei Vorwärts, der Rhein.-Westf. Disconto und der Gütersloher Brauerei.

von der schlesischen Leinenindustrie delegiert; Götze und Fränkel vertraten die sächsischen Spinnereien; Paasche (Burg) als Präsident des Centralverbandes deutscher Wollwaren-Fabrikanten sprach für die Woll- und Tuchindustrie, die in Hessel, Schmidt, Lohren und Protzen weitere Vertreter abgesandt hatte. W. Meckel (Elberfeld) vertrat die Seidenindustrie, Wesenfeld und Kunheim kamen als Vertreter der chemischen Interessen, von Wrede als der der Spiritusindustrie, Günther als der der Lederindustrie; Hübner (Mineralölindustrie), Keferstein (Papierfabrikation), Heckmann (Kupferfabrikation), Goldschmidt (Brauereien) und v. d. Wyngaert[274] rundeten die »Vertreterversammlung« der deutschen Wirtschaft ab. Von den neun auf der Konstitutionssitzung anwesenden Journalisten wurden Stoepel und Billig, der eine mit Staub und Haßler, der andere mit Fränkel (Zittau) verbunden, noch in den Ausschuß berufen. Das Roellsche Blatt, die »Deutsche Börsen- und Handelszeitung«, wurde zum Verbandsblatt ausgesucht, es erhielt Schützenhilfe von den freikonservativen Blättern der »Deutschen Presse«, der »Deutschen volkswirtschaftlichen Korrespondenz« und der »Berliner Börsenzeitung«[275]. Als erster Sekretär wurde »Ingenieur und Generaldirektor pp.« Dr. Grothe[276] bestellt.

Die Dachorganisation ist konstituiert

Nach der Konstituierung des Centralverbandes deutscher Industrieller nahm die Versammlung ohne große Diskussion das Programm vom Dezember an. Es wurde nicht versucht, die Divergenz bei einzelnen Wünschen, z. B. von Eisen- und Baumwollzoll, auszugleichen. Dieses wurde aber bereits Anfang Mai 1876 nachgeholt, als Haßler, Lohren und Bueck sich über die gegenseitige Zollunterstützung verständigten[277]. Diese Festigung des Verbandes entstand aber aus der stärkeren Hervorhebung der Textilindustriellen auch nach außen hin, und so wurde 1876 der Vorstand des Centralverbandes deutscher Industrieller erneut umgebildet.

274 Wyngaert hatte als Vorstand der Wiener Frucht- und Mehlbörse die Anregung zum Müllerverband gegeben. Geboren 1826 in Antwerpen, war er 1869 in den Verband der deutschen Fluß- und Kanalschiffer berufen worden, arbeitete im CdI und allen größeren Interessenorganisationen des Reiches mit, vor allem in der Börsen-Enquete (1892), und im Börsenausschuß spielte er eine einflußreiche Rolle. 1893 bereiste er Kanada im Auftrag von Handelsminister Berlepsch (LHA Brandenburg Rep. 30/Nr. 14 097).

275 BHStA München MH Nr. 11 455: 5./6. V. 1876 Protokoll des Centralverbandes.

276 Herrmann Grothe, 1839 in Salzwedel geb., wird nach einem Berliner Studium (Dr. phil.) und Reisen nach Rußland, Schweden, Dänemark, Frankreich, England, Holland, Belgien, Schweiz, Österreich, Italien und den USA Dozent f. mechanische Technologie in Berlin und zugleich Redakteur der »Polytechnischen Zeitung«. Seit 1877 für Liegnitz im RT. Bueck S. 150 ff.; Lambi S. 115 ff., L.'s Darstellung ist wieder etwas zu vordergründig.

277 BHStA München MH Nr. 11 455: 5./6. Mai 1876 Protokoll.

Kardorff trat — nachdem der Verein gegründet war — aus der »Frontlinie« zurück, und auch Schwartzkopff lehnte aus taktischen Gründen seine Wahl ab. So repräsentierte 1876 den Centralverband Deutscher Industrieller ein ausschließlich textilorientierter Vorstand, dessen Mitglieder, Reimann, Lohren, Kunheim, Protzen, Hessel und Schueck (zugleich Präsident des Vereins für deutsche Volkswirtschaft), alle in Berlin wohnten. Im Ausschuß wurden ebenfalls wesentliche Änderungen verzeichnet, aber hier verstärkte nun die Grundindustrie ihre Position. Neben Borsig, Bueck, Daelen und Haniel traten Druckenmüller, Dietel, Guido Henckel, Langen (Köln), C. Meyer (als Repräsentant Krupps), Wihard-Liebau und Servaes. Damit erhielt der Einfluß der Grundindustrie auch seinen repräsentativen Ausdruck. Gleichzeitig wurde mit der Berufung Bockmühls (Handelsgerichtspräsident und Präsident des Rheinisch-Westfälischen Wollindustrie-Vereins), Fahdts (Präsident des Verbandes der Glasfabrikanten, Dresden), Grashofs (Direktor des deutschen Ingenieurvereins), Goeckels (Generaldirektor von Griesheim, Frankfurt), Hasenclevers (Rhenania), Retzdorfs (Präsident des Ultramarinvereins, Hannover), Spiegelbergs (Generaldirektor der Jute- und Flachsspinner) und Tenges (Präsident des Vereins deutscher Eisengießereien) der Centralverband deutscher Industrieller endgültig zum Dachverband der deutschen Industrie; der Verein Deutscher Eisen- und Stahlindustrieller wurde in die zweite Rolle einer »Spezialvertretung« abgedrängt[278].

Kardorff, Lohren und Bueck hatten das erste Ziel, die Solidarität der »Industrie-Branchen« zu begründen, erreicht[279]. Weder der Verein Deutscher Eisen- und Stahlindustrieller noch der Deutsche Handelstag konnten nunmehr noch als Sprecher für das deutsche Wirtschaftsleben auftreten. Der Erfolg des neuen Verbandes wird faßbar in der Haltung, die die deutschen Handelskammern und der Deutsche Handelstag zur Frage der Ausgleichszölle einnahmen.

Der Deutsche Handelstag zwischen Freihandel und Schutzzoll

Gleichzeitig mit dem Beginn einer neuen Petitionswelle von Landwirtschaft, Textil- und Eisenindustrie begannen auch die Handelskammern die Wünsche ihres »Sprengels« anzumelden[280]. Die Stellungnahmen der Kammern waren vom Deutschen

278 Exkurs 2.

279 BHStA München ebd.

280 DZA I RKA Nr. 88: 20. III. 1876 Petition HK Görlitz, Hirschberg, Landshut, Lauban, Reichenbach, Waldenburg, Sorau; 24. IV. 1876 Wolff-Gladbach; 25. I. 76 ÄK Berlin; 3. II. 1876 VK Königsberg etc.; DZA II, Rep. 120 C XIII, 1 Nr. 4 adh. 1 Bd. 1: 7. III. 1876 Keramischer Verband; 22. II. 1876 HK Lennep an Achenbach; 9. II. 1876 HK Wiesbaden; 15. IV. 1876 Rhein. westf. Baumwollindustrielle dto. Stgt., Hagen, Barmen, Breslau, Reutlingen, Heidenheim, Frankfurt, Bremen, Hannover, BHStA München MH 14 263 DHT Rundschreiben und HK-Eingaben: MH Nr. 9716: 26. V. 1876 Ausschuß des Vereins der Kammgarnspinnereien Deutsch-

Handelstag zentral angefordert worden; denn angesichts der Aktivität der Schutzzöllner sahen die Freihändler im Deutschen Handelstag ihre Organisation. Noch 1874[281] hatte der Handelstag einem schutzzöllnerischen Spaltungsversuch durch die Handelskammer Bielefeld[282] widerstanden. Nun sollte er zum Zentrum der freihändlerischen Gegenaktion werden. Gemeinsam mit den Klein-Eisenindustriellen und den Großhändlern (der Agrarier glaubte man sich von vornherein sicher) sollte die freihändlerische Agitation vorgetragen werden[283]. Wenn sich auch in Bayern, Württemberg, Schlesien und vor allem im Rheinland »schutzzöllnerische Inseln« abzeichneten, so waren doch die Handelskammern in ganz Deutschland noch überwiegend von Freihändlern beherrscht[284]. Das glaubten Delbrück und Mosle im Präsidium des Handelstages. Dies war aber eine Täuschung. Es waren nicht wenige Kammern, die eine vollkommene Revision der Handelspolitik Deutschlands forderten[285]. Entsprechend der Mehrzahl der Handelskammer-Eingaben vom

lands und des Elsaß an Bismarck. WFStA Ludwigsburg E 222, Fach 189, Nr. 1046: Petition u. a. des Vereins rhein. westfäl. Baumwollindustrieller, der HGK Reutlingen, Stgt., Heidenheim, Heilbronn, Dresden, Leipzig, Hamburg, München, Berlin etc.

281 Handelstag I S. 46.

282 Seit dem großen Wechsel im Jahre 1862/63 im Zeichen der kleindeutsch-freihändlerischen Nationalisierung setzte sich der Ausschuß des Deutschen Handelstages aus prononcierten Freihändlern zusammen. 10 Bankiers, 19 Kaufleute und 16 Kleinindustrielle bildeten abwechselnd bis 1874 den Vorstand. 1872 gelangten erstmals mit Hammacher und Heimendahl (HK-Krefeld) nicht mehr ausschließlich freihändlerisch denkende Industrielle in den Ausschuß. 1874 versuchten die »Zollhalter«, ihre Position erneut zu festigen: Baare, Meckel, Bahse wurden mit Coste, Götz-Rigaud, Buresch, Lamprecht und Schöller gewählt, ohne einen allzu großen Einfluß erhalten zu können. Erst 1875 erreichten die Eisenleute die Parität. Neben Hirsch (Abg. VA Danzig), Kleyenstüber (VA Königsberg) wurden Schlumberger, Büttner (Halle) und Haniel berufen.

283 HK Hamburg 77, A 1 Nr. 1 Bd. 1; Denkschrift Königsberg (DZA II, Rep. 120 C XIII, 1 Nr. 4 adh. 1 vol. 1, DZA I, RKA Nr. 88) WFStA Ludwigsburg E 222 Fach 189 Nr. 1046.

284 DZA II, Rep. 120 C XIII, 1 Nr. 4 adh. 1 Bd. 1 (DZA I RKA Nr. 88) von 153 HKs antworteten dem Präsidenten 102. Die Seestädte (Hamburg, Bremen, Danzig, Königsberg) und die Großhandelsstädte (München, Leipzig, Stuttgart, Frankfurt und Berlin) forderten nach vorheriger Absprache (HK Hbg. 77/23 A1 Nr. 1 Bd. 1) die Fortführung der radikalen Freihandelspolitik. Aber die überwiegende Zahl der Handelskammern neigte Anfang 1876 mehr reziproken Handelsverträgen zu und distanzierte sich *etwas* von den bisherigen Prinzipien. Eine wesentliche Forderung von Stuttgart, Breslau, Bremen und Hannover (um nur wenige zu nennen) war, den freien Veredelungsverkehr gegenüber den Nachbarstaaten durchzuhalten.

285 ebd. so in Augsburg, Bayreuth, dann Heilbronn, Reutlingen, Heidenheim, Offenbach, Gießen, Zittau, Chemnitz, Reichenbach, Halle, Mühlheim/Thüringen, Breslau, Schweidnitz-Waldenburg, Hannover, Hagen, Göttingen, Osnabrück, Dillenburg, Duisburg, Essen, Siegen, Gladbach und Barmen: es wird nicht unterschieden

Januar bis März 1876 verließ dann auch der Ausschuß des Deutschen Handelstages auf seiner Ausschußberatung am 8. April 1876 seine bisherige radikal freihändlerische Politik. Wenn auch die »Zollerhalter«[285a] ein volles Abgehen von den Prinzipien des Freihandels gegenüber den Freihändlern[285b] noch nicht erzwingen konnten, so bedeutete doch der Beschluß, daß der Deutsche Handelstag gegen ausländische Differenzialzölle, also gegen Frankreichs Prämienausfuhr, vorzugehen gewillt war, einen Erfolg der Industriellen. Damit verließ der Deutsche Handelstag seine bisher verfolgte und im Reichstag verteidigte streng freihändlerische Handelspolitik und wandte sich der Reziprozitätspolitik zu[286]. Als »durchgreifender Gesichtspunkt aller ... Handelszweige« wurde »die Erhaltung und Entwicklung der bestehenden und neuen Handelsverträge im Sinne möglichster Gegenseitigkeit« postuliert.

Der Deutsche Handelstag wird vom Verein Deutscher Eisen- und Stahlindustrieller erobert

Die Beratungen über die Handelskammerrundfrage[287] zeigten, daß der Deutsche Handelstag sich bereits in einer Spaltung befand, zumindest gelähmt war. Schon 1875/76 hatte Adelbert Delbrück[288] den Vorsitz wegen der Meinungsdifferenzen in der Eisenbahnfrage (Delbrück war Aufsichtsratsvorsitzender der Deutschen Bank) niedergelegt, und seine Stellvertretung hatte der Bremer Mosle übernommen, ein Freihändler, den Bismarck — nach Mosles Worten — durch einen Handschlag zum Schutzzöllner bekehren sollte. Nun nach den aufkommenden Zollgegensätzen im April 1876 legte auch Alexander Meyer, ein strikter Freihändler und Anhänger Delbrücks, sein Amt nieder[288a]. Nach dem Rücktritt des Sekretärs des Deutschen Handelstages verwaltete der Sekretär des Vereins Deutscher

zwischen den Varianten von Zollerhaltern, Reziprokzöllnern und Schutzzöllnern, vgl. hier Lambi S. 104, 118.

285a Baare, Hammacher, v. Heimendahl (Samtfabrikant in Krefeld), Hertel (Präsident der Handels- und Gewerbekammer Augsburg), Meckel, Haniel und Schlumberger.

285b Mosle (Bremen), Buresch (Präs. d. HK Hannover), Götz-Rigaud (Vizepräs. Frankfurt/M.), Lamprecht (HGK Nürnberg), Coste (Präs. d. HK Magdeburg), Haker (Vorsteheramt der Kaufmannschaft Stettin), Hirsch (Vereinigte Kaufmannschaft Danzig), Kleyenstüber (Präs. der VK Königsberg), Molinari (HK Breslau), Mendelssohn (Ält. der Kaufmannschaft Berlin), Soetbeer (HK Hamburg), Chevalier (HK Stuttgart) und Witte (HK Rostock).

286 HK Hamburg 77—13 A 1 Nr. 1, DZA I RKA Nr. 88.

287 DZA II Rep. 120 C XIII, 1 Nr. 4 adh. 1 vol. 1 o. D. DHT an Achenbach.

288 s. oben S. 323.

288a Meyer wurde am 22. II. 1832 in Berlin geboren. Er besuchte das Werdersche Gymnasium (ging also in dieselbe Schule wie Caprivi und Goering) und die Universität in Berlin, promovierte in Würzburg 1860 zum Dr. jur., war einige Zeit im Justiz-

Eisen- und Stahlindustrieller, Dr. Rentzsch, in Personalunion bis 1877 das Generalsekretariat. Rentzsch zielte, gestützt von beiden Vereinen, auf eine Handelspolitik der autonomen Zollgestaltung, der Reziprozität in Handelsverträgen und der bloßen Zollerhaltung. Also im Gegensatz zum Centralverband deutscher Industrieller trat Rentzsch weder für Freihandel noch für Schutzzölle ein. Mit der Ablösung Meyers wurde auch das Präsidium neugebildet; gewählt wurden Delbrück und Liebermann, zwei Privatbankiers und Mitglieder der Ältesten der Kaufmannschaft Berlin, (der eine Repräsentant der Großbanken, der andere Vertreter Bleichröders, Mendelssohns, Delbrücks und Warschauers). Als dritter Neugewählter trat der Vorsitzende des Vereins für bergbauliche Interessen im Oberbergamtsbezirk Dortmund, Hammacher – zugleich Abgeordnetenhausmitglied und Reichstagsabgeordneter –, in den Vorstand des Deutschen Handelstages ein[289]. Diese 1876 erreichte Vorherrschaft der Berliner Großbanken und der deutschen Großindustrie im Handelstag verstärkte sich 1878/79 noch weiter, und im Zeichen der kartellisierten Wirtschaftsentfaltung wurde der Deutsche Handelstag immer mehr Anhängsel der Schwerindustrie[289a].

Die große Agrarbaisse ...

Trotz dieser Erfolge schien aber Anfang 1876 die Position der Eisen- und Baumwollindustriellen, solange die Landwirtschaft am Getreideexport und an billigen Maschinen interessiert war und sich das Interesse des Großhandels und des Kleingewerbes mit ihr verband, weiterhin isoliert zu sein[290]. Von allergrößter Bedeutung für die weitere Entwicklung wurde es nun, daß sich Ende 1875 ein rapides Absinken des Getreidepreises auf den deutschen Warenbörsen abzeichnete[291]. Um 1876 vollzog sich der Übergang vom Weizenexport- zum Weizenimportüberschuß, und 1882 war Deutschland bereits zum Getreideeinfuhrland großen Stils geworden. Die Umwälzung des Transportes – der Anschluß Rußlands an den deutschen Markt und die volle verkehrstechnische Erschließung Deutschlands waren abgeschlossen – ließ

dienst, später schriftstellerisch tätig. Von 1867–1871 war er Sekretär der Breslauer Handelskammer, von 1871–1876 Generalsekretär des Deutschen Handelstags, lange Jahre Mitglied des preußischen Abgeordnetenhauses für die Stadt Berlin, Mitglied des Reichstages für Halle-Saalekreis. Von 1883 war er gewähltes Mitglied des Bezirksausschusses Berlin. Seit 1884 Stadtverordneter in Berlin. Caprivi nannte ihn noch kurz vor seinem Tod seinen »alten Freund«. (DZA I Nachlaß Bamberger).

289 siehe oben S. 314 f.

289a Exkurs 3, DZA I RK Nr. 397.

290 Ruschen S. 9; Lotz: Ideen S. 11; Festenberg-Packisch S. 554 f.

291 Kral: Geldwert und Geldbewegung, Jena 1887:
Weizen 1871 = 100: 1875 = 85,5
Roggen 1871 = 100: 1875 = 88,9 in gleicher Weise gaben Gerste, Hafer, einzelne Hülsenfrüchte und Zucker nach.

nun die transozeanische und russische Einfuhr zum gefährlichen Konkurrenten der preußischen Agrarier werden. Getreide wurde innerhalb kürzester Frist zur Welthandelsware. Sein Preis wurde nicht mehr durch lokale Märkte bestimmt[292]; und Deutschland mit seiner historisch entwickelten, strukturell gebundenen Landwirtschaft konnte weder mit den Produkten der »jungfräulichen«, großwirtschaftlich organisierten amerikanischen noch mit den Produktionsbedingungen der russischen Landwirtschaft konkurrieren[293]. Wie Österreich, so verloren die Ostelbier sofort ihren wichtigsten Exportmarkt: England[294]; und in Deutschland sahen sie selbst ihre Hauptabsatzplätze – Berlin und den Westen – von den Russen und Amerikanern bedroht[295].

Zugleich bedeutete der fallende Preis[296] fallende Grundrente der in der Hausse von 1872/73 in der Hoffnung auf steigende Konjunktur überspekulierten Güter[297], die auch nach der Baisse bei weiter steigenden Pachten noch ihre Käufer und Pächter gefunden hatten[298]. Eine Industrialisierung der Anbaumethoden oder der Übergang zur Aufzucht »wertvollerer Konsumartikel«, wie es Friedenthal, der preußische Landwirtschaftsminister, angesichts der Misere vorschlug[299], war aber für die ostelbischen Güter aus Kapitalmangel und mangelnder Vorbildung der Agrarier unmöglich. Der gegebene Ausweg aus der Absatz- und Geldkrise schien der »vornehmsten Schicht«, den »ersten Dienern des Staates« deswegen der Schutz »der nationalen Arbeit«, die Errichtung eines lokalen Marktes »Deutschland« zu sein, auf dem die preisdrückende Konkurrenz des Auslandes durch Zölle aufgefangen werden sollte.

292 Conrad Jb. 1880 S. 249; Neumann-Spallart: Übersichten 1879 S. 27.

293 G. Schmoller: Die ausländische Getreidekonkurrenz, Schmollers Jb. 1882, S. 24 ff.

294 A. Peez: Die amerikanische Konkurrenz, 1880, S. 19.

295 M. Sering: Die landwirtschaftliche Konkurrenz Nord-Amerikas, Leipzig 1887, S. 739.

296 Landwirtschaftliche Jbb. 1878, VII, Supplementheft S. 292:

Weizen:	1872: 238 M/to.	Roggen:	1872: 163 M/to.
	1875: 193 M/to.		1875: 151 M/to.
	1878: 194 M/to.		1878: 132 M/to.

DZA I RK Nr. 393 relative Zahlen auf 1873/83 = 100.

Reis:	1873: 105,9 M/to.	Weizen:	1873: 123,3 M/to.
	1875: 100,1 M/to.		1875: 90,8 M/to.
	1882: 85,1 M/to.		1882: 96,1 M/to.
Schmalz:	1873: 110,9 M/to.	Roggen:	1873: 113,4 M/to.
	1876: 113,1 M/to.		1875: 95,1 M/to.
	1879: 74,6 M/to.		1882: 94,4 M/to.

297 Conrad Jb. 1879, I, S. 222 ff.

298 so stiegen in Westpreußen die Domänenpachten von 1875 = 100 auf 1879 = 187.

299 DZA II, Rep. 87 B, CB Nr. 32 April 1877 Friedenthal an Wilhelm I.

... und ihre Folgen. Die Gründung der Vereinigung der Steuer- und Wirtschaftsreformer

Obwohl sich die Agrarier nicht sofort von der Freihandelslehre distanzierten, so war doch bereits die Stellungnahme Minnigerodes im November 1875 von der Kritik am Axiom des laissez faire geprägt gewesen. Als weitere Gemeinsamkeit mit den Eisenleuten postulierten die Agrarier den »gemeinsamen Angriff« gegen das mobile Kapital und deren Vertreter, die Juden[300]. Bei den Handwerkern, den Kleinindustriellen, den Beamten, die in der Spekulationswelle ihr Kapital verloren hatten, und den Agrariern mischten sich sofort bürgerliche und adelige Affekte mit der rassischen Herrenideologie eines überspitzten Nationalismus, der nun für den Wechsel der handelspolitischen Prinzipien den wirtschaftsnationalen Hintergrund herzugeben hatte. Das Schlagwort »Deutschland den Deutschen« kam auf[301]; und zahllose Eingaben betonten und wiederholten schon in der Frühphase der zollpolitischen Auseinandersetzungen die Überzeugung (zum Teil in Verse gekleidet auf Goldgrund, in eigenen Industriewerkstätten gefertigt):

»Ein fremder Nagel möge nie
den deutschen Fleiß verwunden,
dann wird die deutsche Industrie,
das deutsche Volk gesunden[302].«

So führte der sich abzeichnende Kurswechsel in der Wirtschaftspolitik Deutschlands zur vehementen Aufputschung des ohnehin schon gesteigerten Nationalgefühls und Antisemitismus[303].

Der erste Schritt zur Neuorganisation der landwirtschaftlichen Interessen als Konsequenz des sich abzeichnenden Wandels auf dem Agrarmarkt erfolgte nicht zufällig nur *sieben* Tage nach der Konstituierung des »Centralverbandes Deutscher Industrieller zur Beförderung und Wahrung nationaler Arbeit« vom *15. Februar 1876* in Berlin. War der Ausschuß dieser Organisation durch das Übergewicht der bürgerlichen Elemente geprägt, deren Markt und Einfluß in den neuen Industriezweigen wurzelte – vornehmlich im Rheinland, in Westfalen, Schlesien und Sachsen –, so war der Ausschuß der am 22. Februar 1876 ebenfalls in Berlin

300 W. Wilmanns (Sekr. d. Steuer- u. Wirtschaftsreformer): Die goldene Internationale, 1876.

301 Nitzsche S. 15.

302 DZA I, RK Nr. 2110.

303 Was Wilmanns und Glagau (S. 18) für die Agrarier betonten, besorgte Stöpel in »Freihandel- und Schutzzoll«, 1876, S. 35 ff. für die Industriellen. Zum Aufkommen des Antisemitismus in den wirtschaftlich im Absinken begriffenen Klassen vgl. F. Perrot: Das Handwerk, seine Reorganisation und seine Befreiung von der Übermacht des Großkapitals, Lpz. 1876; Rud. Meyer: Politische Gründer und die Korruption in Deutschland, Lpz. 1877, S. 88 ff.; O. Glagau: Der Bankrott des Nationalliberalismus und die Reaktion, Berlin 1878, ders. Deutsches Handwerk und historisches Bürgertum, Osnabrück 1879, S. 44 ff.

gegründeten »Vereinigung der Steuer- und Wirtschaftsreformer« durch das absolute Vorherrschen von Adel und Rittergutsbesitzern gekennzeichnet, deren Heimat überwiegend Ostelbien war[304].

Die Struktur des neuen Vereins

Während der Centralverband deutscher Industrieller offen als das Ziel seiner Arbeit »die Wahrnehmung der industriellen und wirtschaftlichen Interessen« bezeichnete, verhüllten die Steuer- und Wirtschaftsreformer ihre Absichten hinter dem Slogan der Verbreitung von »Ideen und Grundsätzen einer gemeinnützigen, auf christlichen Grundlagen beruhenden Volkswirtschaft«[305]. Christliche Volkswirtschaft bedeutete ihnen steuerliche Entlastung des »überbürdeten« Grundbesitzes und stärkere Besteuerung des mobilen Kapitals. Sie hofften, diese Ziele um so eher durchsetzen zu können, weil Preußen noch immer überwiegend ein Agrarstaat war, weil allein 12 Mitglieder des Vereins im Herrenhaus saßen und weil der Verein einen repräsentativen Querschnitt der preußischen Oberschicht darstellte[306].

Den Ausschuß des Vereins beherrschten im Jahre 1876/77 49 Rittergutsbesitzer, die zugleich als Repräsentanten der alt- und neupreußischen Landaristokratie gelten durften, so z. B. Auerswald (Faulen), Behr (Bandelin), v. Blomberg (Liebthal), v. Bredow (Stechow), Brockdorff (Grünhaus), v. Erffa (Wernburg)[306a], Hammer-

304 vgl. Bericht über die Verhandlungen der Vereinigung der Steuer- und Wirtschaftsreformer, Berlin 22/23/24, II 1876. Erstattet vom Büro des Ausschusses, Berlin 1876. Von 481 Mitgliedern besaßen ca. 450 Rittergüter; Hauptförderer des Vereins waren zugleich im engeren Komitee vertreten: Udo Graf Stolberg-Wernigerode (Vorsitz), Graf v. d. Schulenburg-Beetzendorf (1. Stellvertreter), Frhr. v. Thüngen-Roßbach (2. Stellvertreter), v. Treskow-Grocholin, Graf Wilamowitz-Gadow, Schulze-Heinsdorf und vor allem als Sekretär M. Anton Niendorf.

305 Bueck I, S. 148.

306 Bericht über Verhandlungen der Vereinigung der Steuer- und Wirtschaftsreformer 1877, von den 683 Mitgliedern waren 444 Rittergutsbesitzer und 53 Gutsbesitzer, 17 bzw. 8 Pächter, 25 Mitglieder waren zugleich Rittergutsbesitzer und höhere Beamte und 100 zugleich Reserveoffiziere, 4 niedrige Beamte, »reine« Soldaten zählte der Verein 14 und höhere Beamte 31, Berufe wie Ärzte, Redakteure, Kaufleute waren — zusammen mit niedereren Beamten gezählt — 20, bzw. 17 vertreten; davon wiesen 6 Besitz auf. 1 Reichstagsabgeordneter, 2 Abgeordnete im Abgeordnetenhaus und 12 Herrenhausmitglieder wurden verzeichnet — also erst ein Beginn des Eindringens in die Kammern. Von der Gesamtzahl waren 74 Freiherren, 45 Grafen, 299 Adlige, dem standen 270 Bürgerliche gegenüber. Ebenso dominant war die preußische Stellung: 47 sächsischen und süddeutschen Mitgliedern standen ca. 630 Preußen gegenüber, von diesen hatten wiederum ca. 580 ihren Sitz in Ostelbien, 30 in Schleswig und 20 in Hannover und Rheinland.

306a Erffa-Wernburg, geboren 1845, verwandt mit Varnbüler und den Stein zu Nord- und Ostheim, nahm nach einer Klostererziehung und dem Studium der National-

stein (Loxten)[306b], Graf zu Inn- und Knyphausen[306c], von Zedlitz (Neukirch) und Zitzewitz (Langeböse). Vor allem in Jagow (Rühstädt)[307], in Stolberg (Wernigerode) – dem Initiator der Vereinsbildung[308] – in Treskow (Grocholin), in v. d. Schulenburg[309], in Mirbach (Sorquitten)[310] und in Frege (Abtnaundorf)[311] hatte

ökonomie in Genf, Bonn, Göttingen und Hohenheim 1870/71 am Frankreichfeldzug teil. 1872 wurde er Majoratsherr auf Wernburg, seit 1885 Mitglied des Abgeordnetenhauses. Wirkl. preuß. Kammerherr, Ehrenritter d. Johannisordens, Abgeordneter im sächs. Prov. Landtag, Vors. des Landesökonomiekollegs und Vorsitzender im deutschen Landwirtschaftsrat.

306b v. Hammerstein-Loxten, geb. 1827, war seit 1852 in hannoverschen Landesdiensten, seit 1866 in preußischem Dienst, 1877 und 1885 Reichstagsmitglied. 1889 Landesdirektor der Provinz Hannover. Von 1894–1901 preußischer Landwirtschaftsminister. Herr auf Loxten, Dieck, Hamm und Burgmannsdorf.

306c Graf zu Inn- und Knyphausen wurde 1827 in Hannover geboren. Auf Grund seiner großen Besitzungen in Oldenburg (Knyphauser Wald bei Aurich) wurde er Mitglied des Herrenhauses, kgl. hannoverscher Kammerherr, Mitglied des Reichstages, Vorsitzender des hann. Landtages und preußischer Wirklicher Geheimer Rat.

307 Jagow-Ruhstädt, geb. 1813 in Potsdam, 1879 dort gestorben. Nach dem Universitätsbesuch in Berlin und München wurde er 1842 Reg.-Ass. in Koblenz und von 1846 bis 1861 Landrat des Kreises Kreuznach, 1861 zum Polizeipräsidenten von Berlin ernannt, war er Innenminister in der »kritischen« Zeit vom 18. III.–9. XII. 1862. Ab 1863 Oberpräsident von Brandenburg und von 1867–1879 Reichstagsmitglied als konservativer Abgeordneter für die Westpriegnitz.

308 Stolberg-Wernigerode: 1840 in Berlin geboren, Gymnasium in Gütersloh, auf der Universität Halle promovierte er zum Dr. jur. Als aktiver Offizier Teilnehmer von 1866 und 1870/71. Major à la suite und 1903 zum Generalmajor befördert. Nach den Kriegen begann er seine Laufbahn als Landrat des Kreises Landshut und wurde 1891 Oberpräsident von Ostpreußen. Von 1877–1881 Mitglied des Reichstages für Gumbinnen, 1884–1893, 1895–1903 Mitglied des Herrenhauses, zugleich Besitzer der Fideikomm. Kreppelhof, Dönhoffstädt und Cammin, verschwägert mit den Arnims.

309 v. d. Schulenburg besaß 1877 die Stifter des Fideikommiß Beetzendorf/Salzwedel, Erbküchenmeister der Kurmark Brandenburg, Mitglied des Johanniter-Ordens. Er war kgl. preußischer Wirklicher Geheimer Rat, Landrat und Landesdirektor der Altmark.

310 Mirbach, 1839 geboren, stand erst am Anfang seiner politischen Laufbahn. Nach Gymnasiumsbesuch in Königsberg und Studium in Königsberg, Bonn und Berlin wurde er 1862 Auskultator und Offizier im I. Drag.-Regiment. Der Übergang zum Landrat scheiterte an der zweiten Amtsprüfung. Als Kreisdeputierter und Amtsvorsteher spielte er dann als Vorsitzender der »Vereinigung« eine Hauptrolle in der landwirtschaftlichen Interessenvertretung der Spätbismarck- und Caprivizeit. Seit 1878 im Reichstag (bis 1898), seit 1874 im Herrenhaus als Rittergutsbesitzer von Sorquitten (4240 ha), Pollacken (708 ha) und Jankenwalde (535 ha).

311 1846 in Leipzig geboren. Nach dem Studium an den Universitäten Halle, Bonn und Leipzig Dr. phil. und anschließend Reisen nach England, Rußland und Italien.

der Verein seine treibenden, eng mit der Regierung befreundeten Kräfte gefunden. Zu ihnen stieß der Bayer Thüngen (Roßbach), der bereits in Bayern ein heftiger Befürworter von Schutzzöllen gewesen war. Auf dieser Basis entwickelte der Verein dann eine erfolgreiche Tätigkeit[311a].

Taktik und Ziele der Steuerreformer

Allen »Wirtschaftsreformern« war die Überzeugung, die v. d. Schulenburg auf der Gründungssitzung formulierte, verbindlich: daß »das Land immer die Wiege von allem, was stark und kühn war, gewesen ist, weil aus dem Land heraus gerade die besten Kräfte zur Regeneration der Parlamente geholt werden«; damit war das erste Ziel der Vereinsbildung angesprochen — »Regeneration«. Wie der Centralverband, so strebten die Reformer die Veränderung der Verhältnisse von 1875 an, aber mit wesentlich anderen Zielen. Im »Gegensatz zum Centralverband« forderten die »Steuerreformer« die volle Beseitigung des Aktienwesens, weiter die Modifizierung der Gewerbefreiheit, der Gewerbefreizügigkeit und schließlich — wie es Thüngen wenige Jahre später formulierte — »die grundlegende Neugestaltung und weitestgehende Reform auf allen Gebieten der Wirtschaftsgesetzgebung«[311b]. Noch schärfer umriß v. Knebel-Döberitz am 27. Februar 1878 die Vereinsziele: »die Regierung müsse gezwungen« werden, »mit den wesentlichen Errungenschaften des Jahres 1848« zu brechen: »Der Rechtsstaat hat sich überlebt. Wir werden zu dem sogenannten Patrimonial- und Patriarchalstaat zurückkehren müssen.«[312]

So formulierfreudig waren die Vertreter des Centralverbandes nicht gewesen. In der Sache aber waren sie kaum weniger hart als die Agrarier. Die Kluft, die sich zwischen den Industriellen und Agrariern öffnete, schien unüberbrückbar zu sein. Und doch waren die Anschauungen keineswegs so grundsätzlich anders. Vor allem in der Sozial- und dann auch schon Ende 1876 in der Wirtschaftspolitik fanden »alte und neue Aristokratie«[313] Gemeinsamkeiten. Im Zeichen des »christlichen Sozialismus« sahen beide in der Staatsunterstützung von Arbeitern und Armen die »Entbindung der Menschheit von der ersten Pflicht, die der liebe Hergott ihr übertragen hat, nämlich der Selbsterhaltungspflicht, während doch geschrieben steht:

Preußischer Kammerherr, Rittergutsbesitzer von Abtnaundorf (320 ha), Zabeltitz (550 ha) und Fideikommißherr auf Virchow und Weisin (1100 ha). Seit 1878 im Reichstag (bis 1898), war er zugleich Vorstand des landwirtschaftlichen Vereins Leipzig, Vorsitzender der ökonomischen Societät, Mitglied der I. sächs. Kammer, des Landeskulturrats und des Deutschen Landwirtschaftsrats und parlamentarischer Hauptsprecher der konservativen Agrarier im Reichstag in der Bismarck- und Caprivizeit.

311a Exkurs 2.

311b Berichte: Thüngen-Roßbach am 29. II. 1879.

312 ebd. Berichte pp. 27. II. 1878.

313 Nitzsche S. 104.

Bist Du Gottes Sohn, so hilf Dir selbst, bete und arbeite![314].« Von Knebel-Döberitz sprach hier 1877 für die Mehrzahl der Steuerreformer und Industriellen, wie auch v. Bugenhagen, wenn dieser betonte, daß »die Menschenwürde fordert, daß der Arbeiter sich und die Seinen ohne fremde Beihilfe ernähre«[315].

Als Weg zu einer starken und kräftigen Regierung« galt dieser »indirekten Neugründung« der altkonservativen Partei die Änderung des Wahlrechts im Sinne berufsständischer Interessenvertretung, die Reform der Wirtschaftsordnung und die christliche Ausrichtung des Schulunterrichts.

Die Phalanx der Freihändler ist durchbrochen

Die Maxime des Textilindustriellen Lehmann vom Centralverband deutscher Industrieller – er war auch den Steuerreformern beigetreten[316] –, daß »die göttliche und menschliche Autorität wieder zur Geltung kommen« müsse, charakterisierte das kommende Bündnis von Junker, Kirche, Staatsmacht und Schwerindustrie. Ebenso entsprach die Forderung eines Wagner und Treitschke nach einem von Juden gesäuberten »christlichen Staat« dem Ideal eines von Heer und Aristokratie getragenen Reiches der emotionalen, nationalen Hochstimmung, dem Stärkebewußtsein und der Phantasie in Deutschland. Aus dieser glaubensbegeisterten Zustimmung zum deutschen Reichsbau und seiner christlichen Verankerung entsprang nicht zuletzt die Gründung des »Vereins Deutscher Studenten«, dessen Zielen sich nicht wenige der späteren Führer der deutschen Politik und des deutschen Wirtschaftslebens verbunden fühlten und wußten.

Für eine mögliche handelspolitische Übereinstimmung der beiden großen Gruppen – Industrie und Landwirtschaft – war es von entscheidender Bedeutung, daß die Steuerreformer bereits 1876 aussprachen: »Auf der Grundlage des Freihandels stehend sind wir Gegner des Schutzzolles«, *aber* »wir behandeln die Eingangszölle und Consumtionssteuern als eine *offene Frage*«[317]. Damit rückten die Agrarier ganz entschieden von ihrer bisherigen Position ab. Die »Solidarität der nationalen Produktionsstände« – wie sie Bismarck erhoffte – schien möglich zu werden.

Als am 25. Mai 1876 Reimann, Grothe, Borsig, Bueck, Druckenmüller, Hasenclever, Haßler, Haniel, Kardorff, Tenge, Wolff und Websky die Beibehaltung der Eisenzölle und die Erneuerung abgebauter Zölle aufgrund der Ergebnisse einer »amtlichen Enquête« verlangten[318], wußten sie, daß die Phalanx der Freihändler im Deutschen Handelstag und bei den Agrariern nicht mehr so geschlossen war, und vor allem: Bismarck hatte Delbrück bereits entlassen.

314 Berichte und Verh. pp. 1877, S. 22 ff.
315 ebd.
316 Berichte pp. 1878 S. 13 f.
317 Berichte pp. 1876.
318 DZA I RK Nr. 2100; RKA Nr. 88; DZA II, Rep. 120 C XIII, 1 Nr. 4 adh. 1 Bd. 1; BHStA München, MH 11 455.

Exkurs 2 Die Verbandsentwicklung im Zeichen der Solidarität von Landwirtschaft und Industrie in der Spät-Bismarck- und Caprivizeit

Der Centralverband im Zeichen der Schwerindustrie

Vor allem beim Centralverband wandelte sich nach 1879 das Bild des Vorstandes. Nun waren die »vaterländischen Verdienste« der Eisenindustriellen anerkannt, und auch die Spannungen mit dem Verein Deutscher Eisen- und Stahlindustrieller waren, wie auch beim Centralverband deutscher Industrieller, längst überwunden[319]. Zum Vorstand wurden Richter (Königs- und Laurahütte, Präsident des Vereins Deutscher Eisen- und Stahlindustrieller), Haßler von den süddeutschen Textilindustriellen und Emil Russell (Nachfolger Miquels bei der Disconto-Gesellschaft) gewählt[320]. Als einziges altes Vorstandsmitglied überlebte der Regierungsrat a. D. und Präsident des Vereins für deutsche Volkswirtschaft, Schueck, den Wechsel; Grothe wurde als Sekretär abgelöst. Bueck übernahm die Generalsekretärstelle – er war schon seit 1877 »Sekretär« gewesen in Personalunion mit der »Langnam«-verwaltung – und der Regierungsrat a. D. und Journalist Beutner auf Antrag Frommels die Sekretärposition. Jetzt war Bueck auch nach außen sichtbar »der eigentliche Riese« der Verbandsarbeit.

1885 setzte sich das Direktorium aus Haßler, Schwartzkopff, Russell, Jencke (Geheimer Oberfinanzrat und Kruppdirektor) und Langen (Zuckerindustrie) zusammen. 1888 und 1891 wurde keine Veränderung vorgenommen[321]. Erst nach dem Tode Schwartzkopffs rückte mit dem Glasindustriellen und Abgeordnetenhausmitglied Vopelius[322], einem Freund und politischen Vertrauten Stumms, ein neues Mitglied in den Vorstand[323]. 1896 wurde Langen durch den Geheimen Regierungsrat und Oberbürgermeister von Memel, König, ersetzt, der zugleich Vorsitzender des Verbandes der deutschen Zuckerindustriellen war[324].

Die Zusammensetzung des Ausschusses zeigt die gleichen Veränderungen und

319 Bueck I, S. 197.

320 Mit Russell wird die Verbindung Disconto-Gesellschaft, Dortmunder Union, rumänische Eisenbahnen und Überseebeziehungen (so über Schinkel und die Norddeutsche Bank, oder zur Brasilianischen Bank) deutlich. 1883 zur Beratung der Aktiennovelle herangezogen, gehörte Russell auch bei den Beratungen zum Bürgerlichen Gesetzbuch zum engen Beraterkreis.

321 Bueck I, S. 206, 225, 258.

322 Vopelius, geb. 1843 in Sulzach, Schule Saarbrücken, Studium Karlsruhe, Heidelberg und Bonn; 1867 Teilhaber an der Glashütte Eduard Vopelius, 1876 Abgeordneter im CdI. 1880 Gründung des Vereins rheinischer Tafelglashütten, 1903 Herrenhaus, Vorsitzender des CdI, ab 1893 der Glasberufsgenossenschaft und des Verbandes dt. Glasindustrieller.

323 Bueck I, S. 261.

324 Bueck I, S. 266.

die gleiche Kontinuität wie der Vorstand. So wurden 1882 in den Ausschuß Bueck, Haniel, Servaes, Baare, Mulvany, Mauve (Kattowitz), Klewitz (Slawentitz), Jencke (Krupp), Sebold (Dortmund) und Rentzsch gewählt[324a]. Daneben waren 11 Textilindustrielle vertreten, so u. a. Delius (Bielefeld)[325] Lohren, Protzen, Staub (Kuchen), Websky (Wüstewaltersdorf), Dollfuß (Mühlhausen) und Schwartz. Als Stellvertreter wurden Lueg, Druckenmüller, Schaeffner (Dillingen), Langen (Felten & Guilleaume und Schaaffhausenscher Bankverein, Köln), Meyer, Zawadski (Oberschlesischer Berg- und Hüttenmännischer Verein), Waldthausen (Essen), Müssen (Krupp), Stumpf (Verein deutscher Eisengießereien und Verband deutscher Leinenindustrieller), Ottermann (Dortmund) gewählt.

Die sich 1882 abzeichnende Entwicklung erreichte 1890 einen ersten Höhepunkt[326]: von 48 Ausschußmitgliedern waren bei 25 auf dem Verbandstag anwesenden Mitgliedern mit Jencke, Langen, Russell, Bernhardi (Handelskammer Dortmund und engster Mitarbeiter Baares), Brauns (Dortmund), Evers (Hanomag), Goose (Essen), Gruson (Magdeburg), Kirdorf (Gelsenkirchener Bergwerksgesellschaft), Klewitz, Lueg, Rentzsch, Servaes, v. Stumm, Websky (Wüstewaltersdorf), Bueck und Hirsch (Syndikus der Handelskammer Essen, Sekretär des Centralverbandes deutscher Industrieller) allein 15 Mitglieder Vertreter der rheinischen Schwerindustrie und 2 der schlesischen. Unter den nicht anwesenden standen Bücklers (Düren), Haniel, Jansen, Martius, Richter und Stumpf den Schwerindustriellen nahe. Leinen- und chemische Industrie pp. – seit 1889 im eigenen Verband – waren zurückgedrängt worden. 1898[327] zählten zum Ausschuß wieder Kirdorf, Klewitz, Lueg, Meyer, Rentzsch, Servaes, v. Stumm, Beumer, Bernhardi, Stumpf, Websky, Baare, Goose, Ottermann, Meier (Friedenshütte) – die übermächtige Reihe langjährig dem Verein angehörenden Vertreter der Schwerindustrie, zu denen jetzt noch u. a. Krabler (Altenessen), Henckel, Junghann (Sekretär der Schlesischen Gruppe), Seebohm (Burbacher Hütte), Kamp, Voltz (Kattowitz), Caro (Gleiwitz), Williger (Kattowitz) und Müser (Dortmunder Union) hinzukamen.

Wie bei der Schwerindustrie ist auch bei der Baumwollindustrie dieselbe Kontinuität faßbar. Elberfeld und das Elsaß, weniger Süddeutschland, dominierten hier. Die Interessen schließlich der Glas-, Leder-, Leinen- und der übrigen verarbeitenden Industrie waren ganz abgedrängt. Von den 36 Ausschußmitgliedern zählten also 14 zur Schwerindustrie, 11 zur Textilindustrie, zwei zu den Banken, einer zur Glas- und einer zur Papier- und zwei zur Zuckerindustrie.

324a Verhandl., Mitteil., Berichte des CdI Nr. 17, Berlin 1882.

325 1819 in Bielefeld geboren, 1854 Mitbegr. d. Ravensberger Spinnerei AG., 1862 der Bielefelder AG. für mechanische Weberei, Mitglied des Landeseisenbahnrates, Mitbegründer des Verbandes deutscher Leinenindustrieller (1852) und Vors. der HK Bielefeld, Mitglied des Volkswirtschaftsrates, des CdI und seit 1887 im Reichstag.

326 Verhandlungen pp. Nr. 47, Berlin 1890.

327 Berichte pp. Nr. 79, S. 105.

Der Handelstag unter der Herrschaft der Schutzzöllner

Beim Deutschen Handelstag blieben Liebermann (bis zum Jahre 1887)[328], Delbrück (bis 1890) und Hammacher (bis 1886) über die Jahre 1878/79 hinaus im Vorstand – führten also den Deutschen Handelstag auf dem 1876 eingeschlagenen Weg weiter. Nachfolger von Hammacher wurde der Vorsitzende der Ältesten der Kaufmannschaft Berlin, Geheimer Kommerzienrat Frentzel[328a]; Nachfolger von Liebermann wurde der Discontomann und das Ausschußmitglied im Centralverband deutscher Industrieller, Russell. Ab 1890 setzte sich dann das Präsidium aus Frentzel, Russell und dem Hamburger Reeder und Mitglied der Hamburger Bürgerschaft Adolf Woermann zusammen. Damit war der Deutsche Handelstag bereits wieder auf dem Weg, eine Dachorganisation von Großhandel und Exportindustrie zu werden.

Zwischen 1878 und 1890 aber war der Deutsche Handelstag eine reine Nebenstelle des »Centralverbandes« gewesen, denn nachdem 1878 die Ostseehandelsstädte und die Freihändler mit Protest ihre Mitgliedschaft im Deutschen Handelstag aufgekündigt hatten[329], rückten in die freiwerdenden Positionen der Freihändler überall Schutzzöllner nach. So wurden Mendelssohn, Molinari, Coste, Schöller u. a. von Centralverbandsmitgliedern oder Schutzzöllnern ersetzt, so z. B. von Friedrich von Feustel[330], L. Bethke (Halle), A. Frommel (HK Augsburg und Vertreter der süddeutschen Textilindustriellen), G. Michels (Rhenania-Versicherung, Hasenclever war hier der 1. Vorsitzende), G. Gregor (AG f. Schlesische Leinenindustrie, Schweidnitz), L. Kretzschmar (Sächs. Maschinenfabrik, Chemnitz), T. Hartmann (HK Osnabrück), Dr. E. Jansen (HK Mönchengladbach und Ausschußmitglied des Centralverbandes deutscher Industrieller), H. Scholtz (Verein für bergbauliche Interessen, Dortmund) und vor allem dem Präsidenten des »Langnamvereins«, Servaes. Ebenso löste der Schutzzöllner W. Merkel (Eßlingen) den Freihändler Chevalier aus Stuttgart ab, und ferner rückte H. Vogel als Schutzzöllner für Chemnitz nach. Nach diesem Wechsel waren die Freihändler Papendick (Bremen), Stücker (Elberfeld) u. a. – die bisher die Politik des Deutschen Handelstages bestimmt hatten – in der hoffnungslosen Minderheit.

Bis zum Jahre 1886 behaupteten die Schwer- und Textilindustriellen des Centralverbandes deutscher Industrieller ihre Vormacht im Deutschen Handelstag. Mit

328 in Firma Liebermann & Co. von 1870–1888, zweiter Vors. in der ÄK Berlin, gestorben 1911.

328a Frentzel, 1871 in Älteste Kaufmannschaft eingetreten und seit 1887 ihr Präsident.

329 So u. a. Stolp, Stralsund, Stettin, Swinemünde, Wolgast, Stargard, Memel, Tilsit (Allenstein und Braunsberg vertraten daraufhin allein Ostpreußen), Danzig und Elbing (allein Thorn blieb).

330 geb. am 21. I. 1824 in Egern, evg., von 1863–1869 Landtagsabgeordneter für Bayreuth, Bankier in Bayreuth und HK-Präsident f. Oberfranken, seit 1877 im RT (bis 1891), und zwar als nationalliberales Mitglied des CdI, und von 1878–1891 im Ausschuß des Deutschen Handelstages.

22 Ausschußsitzen beherrschten sie die Tätigkeit des Deutschen Handelstags. Großhandel, Exportindustrie und Banken – die alten Führer – konnten nur noch 12 Sitze halten, aber auch von diesen waren die Banken, wie gezeigt, mit allein 7 Mitgliedern eng mit den Schutzzöllnern liiert.

Ab 1886 trat in dieser geschlossenen Phalanx der Schwerindustriellen ein gewisser Wandel ein. Die Ältesten der Kaufmannschaft Berlin hatten das entscheidende Gewicht in der politischen Urteilsbildung des Deutschen Handelstages zurückgewonnen. Ihre Politik zeigte aber einen charakteristischen Unterschied zu den sechziger Jahren – denn nunmehr wurde weniger der Freihandel als vielmehr eine nationale, gemäßigt-schutzzöllnerische Handelspolitik angestrebt. A. Frentzel (Berlin), Th. Hultzsch (Handelskammer Dresden), G. Schimmelfennig (Königshütte und Verein Deutscher Eisen- und Stahlindustrieller), J. A. Suckau (Lübeck), v. Weidert (HGK München), M. Weigert (Älteste Kaufmannschaft Breslau), kennzeichneten diese neue Richtung. Wie sehr aber auch diese Entwicklung von Gnaden des Centralverbands deutscher Industrieller und des Vereins Deutscher Eisen- und Stahlindustrieller abhängig war, zeigt ein Blick auf die weiteren Ausschußmitglieder: Bueck, Russell, Websky, Vogel, Servaes, Jansen, Merkel, Schlumberger und Frommel als Nachfolger Haßlers.

Erst die Rückkehr der Ostseehandelstädte mit Damme (Danzig) und Ritzhaupt (Königsberg) in den Deutschen Handelstag im Jahre 1894 kennzeichnete die Trennung der Industrieverbände vom Deutschen Handelstag. Die enge Verbindung mit den Großbanken, die zu allen Verbänden, gemäß ihren Interessen, Verbindungen gepflegt hatten, dauerte aber weiter an. Nichts als Handelsinteressen zu vertreten, bedeutete ein Sakrileg, was Frentzel 1894 zu spüren bekam, der daraufhin seinen Abschied nahm[331]. Deutscher Handelstag und Centralverband deutscher Industrieller versuchten von nun an, auf verschiedenen Wegen, Einfluß zu gewinnen und ihre Interessen durchzusetzen. Bueck hatte dabei mit der Schaffung des »Wirtschaftlichen Ausschusses« mehr Erfolg als der Deutsche Handelstag mit seiner »Vorbereitungsstelle für Handelsverträge«. 1897/98 war der Deutsche Handelstag erneut überspielt.

Die konservative agrarische Phalanx des Adels

Die Entwicklung des dritten großen Interessenvereins in Deutschland, der »Steuer- und Wirtschaftsreformer«, wird am ehesten in einer statistischen Analyse über seine Mitglieder deutlich, zeigt sich doch dann sehr klar, wie gerade die Spätbismarckzeit dazu geführt hatte, daß die Vertreter der landwirtschaftlich-konservativen Interessen enge Verbindung mit den Parlamenten suchten und auch gewannen; ferner, daß das schon für 1876 konstatierte Übergewicht des Grundadels sich noch weiter

331 s. Siemens, J. Kämpf (DaB), v. Pflaum/DHT I S. 420 ff.

verstärkt hatte. Von den 580 Mitgliedern, die 1894[332] gezählt wurden, waren 165 bereits seit 1877 vertreten; 447 waren Rittergutsbesitzer und 45 Gutsbesitzer bzw. 12 und 4 Pächter. Der Großgrundbesitz bestimmte also noch eindeutiger die Struktur des Vereins. 145 Reserveoffiziere stellten die Rittergutsbesitzer, und 14 waren zugleich höhere, 11 niedere Beamte. 45 höhere Beamte hatten zugleich Besitz; 5 Soldaten und 7 »freie« Berufe, darunter 2 Fabrikanten rundeten das Bild ab. Gehörten 1877 12 Mitglieder des Vereins dem Herrenhaus an, so 1894 45; einem Abgeordneten des Jahres 1877 stehen 35 im Jahre 1894 gegenüber, und einem Reichstagsabgeordneten von 1877 entsprechen 1894 45!

Das Verhältnis von Adligen und Bürgerlichen verschob sich zugunsten des Adels. 54 Freiherren, 72 Grafen und 260 Adelstiteln stehen 175 Bürgerliche gegenüber. Im Ausschuß dominierten wie 1877 Ostpreußen, Westpreußen und Pommern. Das engere Komitee, gebildet von Mirbach (Sorquitten), Frege (Abtnaundorf), Jagow (Ruhstädt), v. Manteuffel (Krossen), v. d. Osten (Blumberg) zählte 1894 drei Mitglieder der alten Garde von 1877. Davon sind der Vorstand, Mirbach, Frege, Manteuffel sowohl im *vorläufigen* als auch im 1. Vorstand des 1892 zur Abwehr der Caprivischen Handelspolitik gebildeten Bundes der Landwirte (18. Februar 1892)[333]. Der Präsident des Bundes der Landwirte, v. Ploetz, war zugleich Mitglied des pommerschen Ausschusses der Reformer. Die jeweiligen Vertreter im Präsidium des Bundes und des Vereins waren auch Abgeordnete und Mitglieder der konservativen Partei.

So wie sich im Vorstand der Steuerreformer die hochkonservativen, großagrarischen und »patriotischen Kräfte« durchgesetzt bzw. erhalten hatten, war auch die Führungsschicht im Ausschuß erhalten geblieben: u. a. v. Jagow, v. Manteuffel, v. Sydow, v. Wilamowitz (Möllendorf), v. Winterfeld, v. Below (Saleske), v. Knebel (Doeberitz), v. Kanitz (Podangen), v. Kleinkowström, v. Auerswald (Faulen), v. Erffa, Frege, v. Helldorf, v. d. Schulenburg, v. Arnim (Muskau), v. Thüngen, v. Friesen. Zugleich waren diese Ausschußmitglieder identisch mit denen im Bund der Landwirte, so in Hannover: zu Inn- und Knyphausen, in Baden: Graf Douglas (Gondelsheim). Für die grundsätzliche Stellungnahme zur Caprivischen Handelspolitik sollten sowohl Kontinuität als auch soziologische Zusammensetzung des Vereins und dessen Entstehung von großer Bedeutung werden.

332 Berichte pp.
333 vgl. O. v. Kiesewetter: 25 Jahre Wirtschaftspolitischen Kampfes, Berlin 1918, S. 25.

e Die Entlassung Delbrücks. Handelspolitische Neuorientierung, Verbände und Bismarck. Karl Hofmann

Bismarck und der Wechsel in der Handelspolitik

Wenn auch seit der Zusammenfassung der schutzzöllnerischen Kräfte im Verein Deutscher Eisen- und Stahlindustrieller und dem Verein süddeutscher Baumwollindustrieller der Einfluß von Kardorff, Henckel v. Donnersmarck, von Varnbüler und Bleichröder beim Ministerpräsidenten und Kanzler im Steigen war, so hatte die Agitation der Schwer- und Baumwollindustriellen den Kanzler noch nicht zu einem Wechsel in der Handelspolitik bestimmen können[334]. Industriezölle allein gaben für Bismarck nicht den Ausschlag beim Übergang zum Protektionismus. Noch im Juli 1877 sah er in einer Immediateingabe des Centralverbandes Deutscher Industrieller »weiter nichts als allgemeine Phrasen«[334a]. Ebensowenig waren auch landwirtschaftliche Schutzzölle[335] allein für ihn kein Anlaß, zu einer Schutzzollpolitik überzugehen. Sein eigentliches Ziel war weniger ein wirtschaftliches als vielmehr ein politisches: die interessenmäßige Verflechtung der produktiven Stände, vornehmlich Preußens, und ihre wirtschaftliche Zufriedenstellung, außerdem die Verpflichtung auf den von ihm geführten monarchischen Staat – sowohl des preußischen Staates als auch des Deutschen Reiches. Keineswegs ist es aber möglich, Bismarcks Zielsetzung von vornherein als selbstverständlich anzusehen oder gar den Übergang zur Schutzzollpolitik allein seiner politischen Kunst und seiner konstruktiven Politik zuzuschreiben[336]. Mit der isolierenden Methode der Nuance, wie sie vor allem in der Bismarck-Forschung verfolgt wurde, werden die vielschichtigen Probleme ebensowenig faßbar wie mit der theoretisch-nachweisenden[336a].

Die Politik jener Jahre zeigte vielmehr ein Anpassen an die sich verschiebenden wirtschaftlichen Grundlagen des Reiches in solchem Maße, wie es Bismarcks innenpolitischen Zielen eines konservativen Sozialstaates und seinen außenpolitischen

334 gegen Hans Rothfels: Bismarck und der Staat, Darmstadt 1953; Fritz Hartung: Deutsche Geschichte 1871–1919, Stgt. 1952; A. O. Meyer: Bismarck, der Mensch und der Staatsmann, Stgt. 1949.

334a Tiedemann S. 183.

335 Rathmann: Bismarck und der Übergang Dtlds. zur Schutzzollpolitik, in: ZfG 4, 1956, S. 900.

336 so geschehen in den ersten Arbeiten, die die Handelspolitik untersuchten, die noch ganz unter dem Eindruck der Bismarck-Laudatio standen, sei es von Alfred Zimmermann: Die Handelspolitik des Deutschen Reiches, Bln 1901, S. 273; O. Schneider: Bismarcks Finanz- und Wirtschaftspolitik, München/Leipzig 1872; Schmoller/Sering Forsch. 166; W. Lotz: Ideen S. 152 ff., Brockdorff S. 41; Magnus Biermer: Die deutsche Handelspolitik des 19. Jhdt., Greifswald 1899, S. 40 ff.; A. Fritzen: Die deutsche Weinzollpolitik, Trier 1927, (Diss. Bonn), S. 33.

336a u. a. Hallgarten S. 178; Rathmann S. 901; Eyck: Bismarck III, S. 194 ff.; Männer: Liberalismus S. 22 ff.

Maximen der Absicherung der deutschen Großmachtstellung, deren erstes Unterpfand die Schlagkraft der Armee war, entsprach. Die Ablösung der liberalen Kräfte war ebensowenig »geplant« wie die Heranziehung des Zentrums, der Wechsel der außenpolitischen Konstellation war ebensowenig vorgezeichnet wie der Übergang zur autarken Wirtschaftsprogrammbildung. Bismarcks zunehmendes Schwanken zwischen preußisch-partikularistischer oder deutscher Akzentuierung seiner Politik zeigte auch hier, wie wenig fest Bismarck in seinem politischen Vorgehen – keineswegs jedoch in seinen Zielen – war. Aber diese Ziele konnte er nur erreichen, weil die politischen Vorstellungen der wirtschaftlichen Führer identisch mit den seinen waren und – wurden. Er bedurfte im Reich – nach seiner Meinung – einer gefügigen Partei (auch die Nationalliberalen waren hierfür recht, sollten sie sich seinen Zielen beugen, wie es die Verhandlungen mit Bennigsen zeigten[337]) für die Durchführung seiner konservativen, sozialen Fürsorgepolitik, für die Durchsetzung der finanziellen Verselbständigung des Reiches als Träger der deutschen Armee[338] und vor allem, in allen Projekten, für die Erhaltung des Status quo der Machtverhältnisse in Preußen-Deutschland[339]. Und bei allen Projekten boten sich Anfang 1876 nun die Industriellen – im Grunde auch die Steuerreformer – als Verbündete an.

Sei es daß die Finanzreform[340], sei es daß die Militärvorlage[341], sei es daß das Scheitern der Eisenbahnpläne[342] oder die zu große Macht der Preußenminister Achenbach und Camphausen oder die Delbrücks[343], sei es daß die »Trockenlegung« des Reiches durch Preußen[344] oder sei es daß die »wirtschaftliche Niederlage« nach 1873[345] und damit zusammenhängend originär handelspolitische Fragen[346] für Bismarck zum Anlaß wurden und ihm den Antrieb gegeben haben, sich von seiner unitarisch-deutsch-liberalen Politik ab- und einer militärisch-deutsch-konservativen und schließlich militärisch-preußisch-konservativen Politik zuzuwenden – durchführen konnte Bismarck diesen Wandel, der zugleich einer »Neugründung« des Deutschen Reiches gleichkam, erst durch die vollkommene wirtschaftlich-politische Verschiebung der Kräfte. Und in engster Verbindung mit diesen Kräften hat Bismarck sowohl die Umwandlung der Behördenstruktur als auch den Umschwung

337 Philippson: Max v. Forckenbeck, Dresden/Lpz. 1898, S. 285/286; Männer S. 25; Tiedemann: 6 Jahre Chef der Reichskanzlei Bd. II, Lpz. 1910 S. 225.
338 Nitzsche S. 13 f.
339 Bußmann S. 153.
340 Männer S. 24; Schneider S. 34 ff.
341 E. Ruschen: Bismarcks Abkehr vom Liberalismus 1877/78, Diss. phil. Köln 1937 S. 1; Tötter S. 2 f.
342 Wehrenpfennig, Preuß. Jbb. 37, 1876, S. 559; StA Hbg. Alt. Reg. IVa Bd. 7: 18. VI. 1876 Bericht Krüger.
343 Schneider S. 30; Poschinger: Parlamentarier I, S. 72.
344 DZA II Rep. 89 H III Dt. Reich 1 Bd. 1: 22. I. 1887 Bismarck an Wilhelm I.
345 StA Hbg. Hans. Ges. Alt. Reg. G IVa Bd. 7: 18. VI. 1876 Bericht Ges. Berlin.
346 Mittnacht: Erinnerungen S. 55 ff.; Busch III, S. 67 .

in der Handelspolitik durchgeführt. Letzte Ursache dieses Umschwunges war aber die Krise von 1873, durch deren politische und soziale Folgen das Deutsche Reich bis zum Jahre 1917 geprägt wurde[347].

Delbrück wird entlassen ...

Bismarcks erste Antwort auf die Erfolge Baares und Buecks in München bei den Volkswirtschaftlern[348] im September 1875 war die Stornierung der Handelsvertragsverhandlungen mit Italien gewesen[349]. Nun, Anfang 1876, angesichts der Bildung der neuen großen Interessenverbände und der Opposition des Vereins Deutscher Eisen- und Stahlindustrieller, des Centralverbands deutscher Industrieller, des Deutschen Handelstags und der »Steuerreformer« gegen Delbrück, schien sich die Möglichkeit der Entlassung Delbrücks zu bieten[349a]. Hinzu kam, daß der Kaiser über »die neuen Erscheinungen im Reichstag« Bismarck seine starke Verstimmung wissen ließ: daß »diese Erscheinungen indirekt die Tendenz« verfolgten, *»direkt* von der Reichsregierung ausgehende Maßregeln zurückzuweisen und immer mehr die Ansicht ... verfolgen, die ihm (dem Reichstag) zustehende parlamentarische *Gesetzeskraft* und *Bestimmung* in eine Präponderenz über die Regierung anzustreben«[350]. Das waren — zusammengenommen mit der anschwellenden Zollagitation — Alarmzeichen für Bismarck[350a].

Als nun Delbrück Mitte April 1876 den Länderregierungen mit dem »Entwurf eines revidierten Entwurfes« für Steuer und Zölle einen weiteren Ausbau des Handelssystems vorschlug[351] und sich nur widerstrebend für ein Vorgehen gegen französische Exportprämien einsetzte[351a], verständigte sich Bismarck mit den Sprechern der neuen Interessenverbände, vor allem mit Kardorff. Wenige Tage danach wurde Delbrücks Entlassungsgesuch genehmigt[352] — von diesem als Antwort auf die Handelspolitik, Eisenbahnpolitik und die verwaltungspolitischen Maximen Bismarcks gefordert. Am 1. Juni 1876 war Delbrück entlassen[353]. Das vornehmste Hindernis auf dem Weg zum Ausbau einer in Bismarcks Person allein politisch zentralisier-

347 vgl. Hans Rosenberg: Political and social consequences of the great depression of 1873–1896. Economic History Review, XIII, 1943, S. 65 f., S. 69, S. 73.

348 siehe oben S. 370 f.

349 Poschinger: Akten Wirtschaftspolitik I, S. 202, 203.

349a DZA I RK 397.

350 DZA I RK Nr. 656 Bd. 1: 16. III. 1876 Wilhelm I. an Bismarck.

350a DZA I RdI 16 456: 4. III. 1876 Bismarck Erlaß.

351 WHStA Stgt. 46—48 Nr. 369: 16. IV. 1876 Delbrück an Sta.Min.

351a DZA I AAHp 9357, RKA an AA im Mai 1876, Abschrift gezeichnet noch von Delbrück.

352 DZA II, Rep. 89 H II Deut. Reich 5 vol. 1.

353 StA Hbg. Hans. Ges. Ält. Reg. G IVa Bd. 7: 18. VI. 1876.

ten, sachlich dezentralisierten Reichsverwaltung war aus dem Weg geräumt[354]. Mit der Entlassung Delbrücks war eine Epoche preußisch-deutscher Handelspolitik zu Ende gegangen. Wenn auch die vollständige Durchsetzung des Schutzzollsystems noch drei Jahre dauerte, so markierte doch der April 1876 den entscheidenden Einschnitt. Trotz dieses Erfolges hatten aber die Eisenzöllner noch keineswegs freies Spiel. Nach Delbrücks Entlassung sahen die Freihändler im preußischen Finanzminister Camphausen den Garanten[355] der Fortsetzung der liberalen Gesetzentwicklung und Handelspolitik. Zudem setzte Bismarck keineswegs sofort die Annäherung an Kardorff, Bueck, Thüngen und v. d. Schulenburg konsequent fort.

... und der Hesse Hofmann sein Nachfolger

So war der Nachfolger Delbrücks, Karl Hofmann[355a], Nichtpreuße und bekannt als ein unitarisch-reichsfreundlich-liberaler Politiker; ja, seine Berufung war als eine erneute Betonung einer liberalen Politik[356] zu verstehen. Im gleichen Sinne beeilte sich Bismarck, öffentlich zu betonen, Delbrück sei nicht aus materiellen, sondern aus gesundheitlichen Gründen zurückgetreten[357].

Karl Hofmann wurde am 4. November 1827 in Darmstadt geboren und starb dort am 9. Mai 1910. Nach dem Abschluß seiner juristischen Studien trat er in hessisch-darmstädtische Dienste und stieg sehr schnell zum führenden Diplomaten unter Dalwigk auf[357a]. Er war im Gegensatz zum hessischen Ministerpräsidenten Dalwigk gegenüber Österreich immer skeptisch eingestellt gewesen[357b] und anerkannte 1867 als Bundesratsbevollmächtigter Hessens die wirtschaftliche Dominanz Preußens als wesentliche Garantie für dessen Vormachtstellung in Deutschland. Für Hofmann waren 1866 die Würfel in der deutschen Frage zugunsten Preußens gefallen. In diesem Sinne hatte er schon am 30. Juli 1866 an Dalwigk geschrieben: »Mit dem Ausscheiden Österreichs aus dem Bund ist das großdeutsche Programm vernichtet. Daß das übrige Deutschland nicht in zwei – sehr ungleiche Hälften zerfalle, sondern ein Ganzes bilde, ist, wie ich glaube, eine politische Notwendigkeit. Sträubt man sich dagegen, dies anzuerkennen, so wird man, was nördlich des Mains liegt, ganz verlieren und mit dem südlich gelegenen Theile des Landes später doch in Abhängigkeit von dem Norden gerathen«[357c]. Zudem könnte Hessen es sich nicht

354 GW XII S. 25, S. 165, S. 394.
355 nach Morsey S. 83.
355a DZA II, Rep. 89 H Deut. Reichsvol. 1: 22. IV. 1876 Bismarck an Wilhelm I.
356 Oncken: Bennigsen II, S. 286, Anm. 1; GW VIII Nr. 134, 138, GW XV, S. 480; Poschinger: Parlamentarier I, S. 146, S. 207.
357 GW XI, S. 449 f., GW VIII, Nr. 127, 134; Goldschmidt Nr. 49, Kardorff S. 140. In den Memoiren heißt es jedoch »Bruch mit Delbrück«, GW XV S. 379.
357a DZA I Nachlaß Hofmann Nr. 4, 5, 7.
357b ebd. Nr. 8/9.
357c ebd. Nr. 11.

leisten, ohne die Unterstützung der von Berlin über Bleichröder abhängigen Darmstädter Bank Politik zu machen[357d]. Deswegen befürwortete Hofmann auch 1867 den Beitritt Hessens zum Norddeutschen Bund »in toto«. Er schloß sich damals ganz an Bismarck an und glaubte wie dieser, daß »ein süddeutscher Bund ... nicht zur Ausführung gelangen werde«. Vielmehr trat er mit Vehemenz für eine Verständigung zwischen Österreich und Preußen ein, da Preußen »keine Feindschaft gegen Österreich« hege, denn »die Erhaltung der österreichischen Monarchie in ihrem jetzigen Bestande gelte vielmehr auch für Preußen als ein Bedürfnis der europäischen Politik«[357e]. Seit dieser Zeit stand Hofmann in enger Verbindung mit Bismarck und verkehrte »vertraulich« mit seinem »hochverehrten Freund und Gönner« Delbrück[357f]. Aus diesen Gründen wurde er im Jahre 1872 hessischer Ministerpräsident und dann 1876 Nachfolger Delbrücks. Als Präsident des Kanzleramtes stemmte er sich gegen die von Bismarck durchgeführte Entflechtung der Zentralbehörde. Dies gelang nicht. Nur kurze Zeit vermochte er der »inneren Verwaltung« des Reiches die handelspolitische Administration Preußens zuzufügen. 1880 aus der Reichszentrale ausgeschieden, war er – aus Pensionsgründen – bis 1887 noch Staatssekretär in Elsaß-Lothringen.

Hofmann wird von den Mitlebenden als »biegsam und unsicher«[358], ohne eigene Konzeption, als Bismarckhöriger[359] geschildert, und seine Beurteiler stellen seine Fügsamkeit als Grund für seine Berufung in den Vordergrund ihrer Analysen[359a]. Dieses Urteil, von Bismarck weitgehend vorgeprägt[360], trifft vielleicht den Charakter und die Leistung des Hessen nicht in vollem Maße, denn die Hervorkehrung seiner negativen Eigenschaften steht in unmittelbarem Zusammenhang mit der Bismarckschen Negation seiner Politik der Reichsakzentuierung. Denn als Bismarck 1877 endgültig auf Preußen als Träger des Reiches zurückgriff, verfolgte Hofmann unbeirrt seine alte liberal-deutsche Politik weiter. Hofmann hatte offenbar – wenigstens nach einem mehr von den Akten her begründeten Urteil – die Aufgabe, für Bismarck Kärrnerdienste zu leisten[360a]. Er sollte die »Kraft der Reichsflut« sondieren. Mit dem Scheitern der Reichspolitik wurde dann dessen Vertreter »verkleinert« bzw. Hofmann wurde von Bismarck von vornherein bei der eigenen Unsicherheit über die einzuschlagende Politik möglichst klein gehalten[361].

357d ebd. 3/14. IX. 1866.
357e ebd. Nr. 15: 20. V./25. VIII. 1867 Hofmann an Dalwigk.
357f ebd. Nr. 26.
358 GW VIII Nr. 132.
359 GW VIII Nr. 169; Hohenlohe: Denkwürdigkeiten II, S. 212.
359a so u. a. Vietsch S. 73 f., Morsey S. 85.
360 GW VIII Nr. 187, 289.
360a DZA I, Nachlaß Hofmann.
361 Poschinger: Parlamentarier I, S. 146; GW XI, S. 181; GW VIII Nr. 160, 188; GW VI c Nr. 96; Goldschmidt; Nr. 38/39/40; StA Hbg. Hans. Ges. Ält. Reg. G IV a Bd. 7: 10. VII. 1876 Krüger Aufbau des RSCHA, nach Morsey S. 89 »Akten des RA I«.

Am Vorabend großer Entscheidungen

Der Anfangsaufgabe Hofmanns entsprechend, die exekutive Gewalt des Reichskanzleramtes stärker zu betonen, wurde trotz heftiger Opposition im preußischen Staatsministerium durch die Ernennung der Staatssekretäre von Bülow und Hofmann (zwei Nichtpreußen) als stimmberechtigte Mitglieder des preußischen Staatsministeriums[362] Preußen enger mit »dem Reich« verbunden[363], da »die untrennbaren wechselseitigen ... Beziehungen im Deutschen Reiche und im Preußischen Staat (es) erheischen ..., daß den Interessen des Reiches eine lebendige Vertretung in E. M. Staatsministerium zu Theil wird, wie umgekehrt«[363a].

Zugleich wurde nach dem Abgang Delbrücks die Handelspolitik Sache des Auswärtigen Amtes und dann des Bundesrates. Sie wurde damit den schutzzöllnerisch gesinnten Vertretern des Südens (außer Baden) nähergebracht, und der Einfluß Preußens, also Camphausens, wurde dadurch mehr oder weniger zurückgedrängt[364].

Neben diesen organisatorischen Veränderungen war es vor allem die Bildung einer erneut Bismarck nahe stehenden Partei, die der seit 1873 stattfindenden Machtverschiebung auch im Parlament ein Gegengewicht entgegenstellen sollte[365]. Hauptaufgabe der neuen konservativen Partei, die getragen wurde vom Kern der Steuerreformer, war, »der Zersetzung der alten Herrschaftsverhältnisse« Einhalt zu gebieten[366]. Immer schroffer betonten die Agrarier, daß der Liberalismus im Wirtschafts- und Geistesleben die Grundlagen der preußisch-deutschen Monarchie bedrohe, denn »nur wo der Einfluß des Königtums oder der Kirche der konservativen Partei zustatten kommt, erzielt sie bei Wahlen Erfolge«[367]. So war schon Anfang 1876 die Politik von 1877/79 in Umrissen festgelegt. Wohl war 1876 an eine Umkehr im Kulturkampf nicht zu denken. Jedoch die Verschiebung der innenpolitischen Gegensätze auf wirtschaftliches Gebiet ermöglichte den langsamen Abbau des Kulturkampfes. Damit konnte ein Wandel in der liberalen Kirchen-, Schul- und Verwaltungspolitik eintreten – was die Versöhnung Bismarcks mit den »hierarchisch« und autoritär denkenden Vertretern des Zentrums und den evangelisch-orthodoxen Altkonservativen einleitete[368]. Gemeinsamkeiten zwischen Konservativen, Zentrum, dem Centralverband deutscher Industrieller, den Steuerreformern und dem Deutschen Handelstag schienen eine neue staatstragende Mehrheit zu er-

362 DZA II, Rep. 89 H, II Gen. Nr. 1 vol. 5: 5. VI. 1876 Bismarck an Wilhelm.
363 Goldschmidt Nr. 29, GW VIII Nr. 134, Lucius S. 90 f.
363a DZA II Rep. 89 H ebd.
364 GW VI c Nr. 78.
365 G. Stoltenberg: Der dt. Reichstag 1871–1873, 1955. Reichstag 1871: 165 Liberale, Reichstag 1874: 201 Liberale gegenüber 61 konservativen Stimmen, bei den Abgeordneten-Haus-Wahlen am 4. XII. 1873 schmolzen die Altkonservativen von 90 auf 6 Abgeordnete zusammen.
366 Wilmanns, Steuer- und Wirtschaftsreformer, 1877, S. 8.
367 StA Hbg. Hans. Ges. Ält. Reg. G IV a Bd. 7: 19. VIII. 1876 Bericht Krügers.
368 Tötter S. 2 f., Hirsch S. 23.

möglichen, in der die Nationalliberalen nicht mehr die Schlüsselposition innehatten[369]. Zugleich hätten damit außenpolitische Spannungen gegenüber dem katholischen Österreich oder dem zaristischen Rußland gemildert, die wenig feste konservative Allianz – »vereinigt über das nichts tun«[370] – gekräftigt werden können. Preußen-Deutschland stand am Vorabend großer Entscheidungen.

369 Nat. Ztg. 9. II. 1876 Nr. 159.
370 GW VIII S. 156 Bismarck an Mittnacht.

Dritter Abschnitt

Preußische Hegemonie und deutsch-konservativer Staat: die Formung des Bismarckschen Deutschland

Mit dem Entstehen der schwerindustriellen und agrarischen Interessenverbände nach der Baisse von 1873 und der Verflechtung des deutschen Agrarmarktes mit dem Weltmarkt war deutlich geworden, daß die Umstrukturierung der preußisch-deutschen Wirtschaftsordnung einen ersten Abschluß gefunden hatte. Zugleich zeigten die ersten Interessenkämpfe, daß sich die Schwerindustriellen noch nicht gegenüber den traditionellen und liberalen Kräften der preußischen und »deutschen Staatsführung« durchsetzen konnten. Wenn auch die Industriellen, die Rechtsliberalen und Freikonservativen mit der Entlassung Delbrücks einen ersten Erfolg errungen hatten, so blieb doch 1876/77 die Vorherrschaft der Liberalen unbestritten. Da Bismarck aber die handelspolitische Opposition der Schwerindustriellen und Süddeutschen zunehmend mit innen- und indirekt auch außenpolitischen Fragen Deutschlands verflocht, wurden die Entscheidungen der preußisch-deutschen Handelspolitik immer mehr in die Probleme der Gesamtpolitik und Reorganisation des preußisch-deutschen Reiches eingebettet. Die — von Bismarck her gesehen — krisenartige politische Entwicklung in Preußen, in den süddeutschen Bundesstaaten und im »Reich« führten ihn zur Annäherung an die handels- und wirtschaftspolitischen Ziele der Schutzzöllner. Zugleich kann diese Hinwendung auch als Gradmesser des politischen Wandels im Reich und seiner internationalen Beziehungen überhaupt angesehen werden.

So bildeten der Tod Pius IX., die Versöhnung mit dem Zentrum und — vor allem — der Übergang der Großagrarier zu Schutzzollforderungen Stationen auf dem Weg Bismarcks zu einer Reorganisation des preußisch-deutschen Staatswesens; einer Reorganisation, die einer Neufundierung des Reiches gleichkam. Unter dem Eindruck der beiden Kaiserattentate gelang es Bismarck, die erstrebte Verschmelzung von Großindustrie, Großlandwirtschaft, Zentrum und Konservativen durchzuführen und zugleich die Vorherrschaft der Liberalen im Reichstag und in Preußen zu zerschlagen.

Von jeher hatte Bismarck mit wirtschaftlichen Mitteln gehandelt. So waren die Freihändler, die Volkswirtschaftskongreßler und der Deutsche Handelstag seine Stützen gewesen auf dem Weg einer nationalen und freihändlerischen Handelspolitik im Rahmen der Machterweiterung Preußens; so war 1862 mit der Kompromißbereitschaft der Wirtschaftsführer die Krise gemeistert worden, und so wurden nun 1877/79 mit dem Mittel des Schutzzolls, zugleich der Beschwörung äußerer und innerer Gefahr, die Wählermassen von den Liberalen abgezogen und dem Kanzler als Rückhalt und Handhabe beim Umbau des Reiches in konservativem Sinne zugeführt. So gesehen wird deutlich, daß der Umschwung im Jahre 1879 zum Schutzzoll für Bismarcks handelspolitische Konzeption keinen tiefen Einschnitt bedeutete — so wesentlich er auch für die Entwicklung des Deutschen Reiches werden mochte. In der Auseinandersetzung zwischen Österreich und Deutschland war es Bismarcks wichtigstes Motiv gewesen, »Deutschlands Nationalstreben in das preußische Heer« (Nitzsche) münden zu lassen. 1878/79 war für ihn die Formung der Solidarität von Landwirtschaft und Industrie entscheidend, um so die politisch nutzbare Anpassung an die wirtschaftspolitischen Wünsche der Schichten zu erreichen, die vorbehaltlos die Struktur des preußischen Staates akzeptierten. Die Interessen dieser »Schichten« aber wurden durch die Wandlungen, die die industrielle Revolution und die verkehrstechnische Verflechtung Preußen-Deutschlands mit dem Weltmarkt hervorgerufen hatten, nicht mehr von der traditionell-freihändlerischen Handelspolitik eines Camphausen und Achenbach wahrgenommen.

1862 bedeutete, grob umrissen, die Hereinnahme der Liberalen von 1848 als »staatserhaltende« Kraft in den preußischen Staat; 1879 die Verpflichtung der seit 1862, vor allem nach 1870 bedeutend erstarkten schutzzöllnerischen Opposition auf Bismarck als den Förderer ihrer Interessen und Garanten der seit 1879 lukrativen wirtschaftlichen und politischen Ordnung. Zugleich war der Ausgleich mit Krupp, Baare, Hansemann, Lueg, Haniel, Richter etc. eine »erneute Gesellschaftsrettung« der Konservativen, die sich schon 1862 in »das Joch des Parlamentarismus und der Republik ... schwanken« (Roon) sahen. Mit dem Jahre 1879 war der »eigene« Weg Preußen-Deutschlands im Gegensatz zur westlichen Demokratie und zur russischen Autokratie gesichert, zugleich die Stellung des preußischen Adels in Heer, hoher Verwaltung und Diplomatie. Jetzt war die preußische Vorherrschaft in Deutschland endgültig begründet, die Konturen des »Reiches« erst jetzt geprägt.

Die Handels-, Innen- und Außenpolitik der Spätbismarckzeit stand von nun an ganz im Zeichen dieser Interesseneinheit von Landwirtschaft, Schwerindustrie und Staatsführung. Doch war es keine Unitas sanctorum. Die latenten Gegensätze der Großindustriellen und Großgrundbesitzer führten Deutschland, je mehr die inneren Spannungen, gesteigert durch die soziale Gefahr, ausgelöst durch die pseudofeudalen Machtverhältnisse, nach außen abgeleitet wurden, immer mehr in eine Isolation zwischen Ost und West.

Erstes Kapitel

Die preußisch-deutsche Handels- und Außenpolitik im Umbruch

a Pressure groups und Handelspolitik: verschärfte Agitation um die Festlegung des preußisch-deutschen Zolltarifs

Delbrücks Entlassung und Schutzzollagitation

Nach der Entlassung Delbrücks begannen die Schutzzöllner sofort mit einer vehementen Zollagitation. Reichs- und Länderinstanzen wurden mit Petitionen überschwemmt.

Unterstützt vom Verein Süddeutscher Baumwollindustrieller (Staub, Haßler), vom Verein der rheinisch-westfälischen Baumwollindustrie (Wolff, Heimendahl, Pastor), vom Verein deutscher Müller- und Mühleninteressenten (v. d. Wyngaert), vom Verein deutscher Eisengießereien (Tenge), dem Ultramarinverein (Retzdorf), der Weberinnung Berlin (Schmidt), dem Verband deutscher Glasfabrikanten (Fahdt), dem Leinen-Industriellen Verein (Kaselowsky), dem Papierfabrikantenverein (Keferstein), dem Verein deutscher Wollwaren-Fabrikanten (Paasche), dem Verein deutscher Sodainteressenten, dem Verein für deutsche Volkswirtschaft (Schueck), der Vereinigung sächsischer Baumwollspinnereien und dem Verein selbständiger Handwerker, übergab der Centralverband am 25. Mai 1876 dem Bundesrat und den Regierungen eine Petition, die am »5. und 6. Mai nach eingehender Berathung (in Leipzig) ... einstimmig zum Beschluß erhoben wurde«[1]. In dieser Petition forderten die Industriellen eine »rechtzeitige« Kündigung aller »unter ungünstigen politischen Verhältnissen abgeschlossenen Verträge«; dann – nach diesen Kündigungen – sollten autonome Tarife festgelegt werden, die »den Productionskosten entsprechen«. Weiter »verlangt« der Centralverband deutscher Industrieller, »daß die deutsche Industrie der englischen Industrie gegenüber in ausreichender Weise geschützt würde«, und zwar nach Prinzipien, die aufgrund einer »offiziellen Enquête unter directer Befragung hervorragen(d)er Industrieller« festgestellt werden sollten. Gleichzeitig forderte der Centralverband deutscher Industrieller die wirtschaftliche Öffnung des russischen Marktes und einen Abbau der Differentialeisenbahntarife. Endlich sah der Centralverband deutscher Industrieller »die Interessen der einzelnen Industrie-Branchen für durchaus solidarisch an und [hielt], um einen gänzlichen Ruin der überaus wichtigen Eisenindustrie vorzubeugen, vor allem da-

1 BHStA München, MH Nr. 11 455: Protokoll vom 5. VI. 1876, Bueck I, S. 169 ff.

für, daß das Gesetz von 1873 über die Eisenzölle zurückgenommen und ein mäßiger Zoll auf *Roheisen* wieder eingeführt werde«[2].

Diesem Trompetenstoß folgten sofort weitere Schutzzolleingaben. Parallel zur Entstehung einer vom Centralverband deutscher Industrieller angeregten Broschürenflut, die die Schutzzollforderungen Kardorffs in »Gegen den Strom« weiterführten[2a], liefen beim preußischen Handelsminister Achenbach, bei Hofmann, aber auch in München, Stuttgart und Karlsruhe immer neue »Auflagen« der Petition des Centralverbandes deutscher Industrieller ein — zumeist von Bueck zentral und systematisch gesteuert[3]. Noch weiter stieg die Flut der Schutzzollagitation durch die Reise des Kaisers in das rheinisch-westfälische Industriegebiet im Sommer 1876; Wilhelm I. bekundete »volles Verständnis« für die Zolltarifforderungen der Industriellen[4]. Zugleich erneuerte der Kaiser die Diskussion um die Zölle innerhalb der Ressorts[5], und nun wurde die — bei Delbrücks Entlassung geleugnete — zunehmend »indifferente Haltung« Bismarcks, aber auch Hofmanns, gegenüber den freihändlerischen Prinzipien eines Camphausen deutlich.

Bismarcks neue Taktik ...

Bismarcks neue politische Taktik war schon im Juni 1876 deutlich geworden. Damals hatten Hofmann und Philipsborn Stolberg, dem deutschen Botschafter in Wien, mitteilen wollen, »daß die durch die Ausgleichsverhandlungen (zwischen Österreich und Ungarn) geschaffene Grundlage *nicht mehr* Gegenstand der Verhandlungen« mit Deutschland »werden könne.« Österreich hatte nämlich die Zölle erhöht, und Deutschland, dem Freihandel verpflichtet, konnte nur drohen[6]. Wenn

2 DZA I, RKA Nr. 88; DZA II Rep. 120, C XIII, 1 Nr. 4 adh. 1 Bd. 1; WHStA Stgt. E 130, W IV, 1 Fasc. 1; BHStA München MH Nr. 9712; GLA Karlsruhe: Abt. 237, Nr. 28 976.

2a so A. Lohren: Grundzüge zur rationalen Bestimmung der Minimalzölle und Untersuchung der Ursachen des Verfalls der dt. Industrie, Potsdam 1876; Grothe: Die wirtschaftliche Lage der Textilindustrie; W. Meckel: Ein Wort *vor* dem Abschluß der neuen Handels- und Tarifpositionen, 1876.

3 so DZA I, RKA Nr. 89: 12. VI. 1876 Eingabe Protzen für 166 Mitglieder des Berliner Textilvereins; dto. Denkschrift d. Rhein.-Westf. Baumwollindustrie. 15. VII. 1876 Baumwollindustriellen-Verein Hüttenheim; 23. VIII. 1876 Heimendahl (HK Crefeld) dto. HK Mühlhausen, dto. Eingaben Ujest, Henckel u. a.; RK Nr. 2100: 2. V. 1876 Petition Textil-Industrieller Berlin; 6. V. 1876 Verband deutscher Leinenindustrieller, Kaselowsky; DZA II, Rep. 120 C XIII, 1 Nr. 4 adh. 1 Bd. 1; Juni 1876 Kammgarnspinnerei; 12. VI. 1876 Verein der Berliner Textilindustriellen; 24. VI. 1876 »Langnam«-Verein.

4 H. Kohl (Hrsgeb.) Kaiser Wilhelm I. und Bismarck im Briefwechsel II, S. 268 f.: 22. VII. 1876 Wilhelm I. an Bismarck.

5 DZA I RKA Nr. 1616: 6. VIII. 76 Bismarck an Achenbach.

6 DZA I RKA Nr. 201: 25. VI. 1876.

auch Bismarck dem »materiellen« Inhalt des Notenentwurfs zustimmte, so äußerte er doch gegenüber »einer Mitteilung der Art« »entschiedene Bedenken« und lehnte »jeden Schritt der beabsichtigten Art (als) politisch für unthunlich, handelspolitisch (als) verfrüht« ab[7]. Vorerst zielte er »angesichts des ... Wegfalls unserer Eisenzölle« darauf hin, daß »deutscherseits in energischer Weise alles aufgeboten werde, um die Beseitigung derjeniger Zölle zu erreichen, welche der Mitbewerbung der deutschen Eisenindustrie auf den fremden Märkten gegenwärtig hindernd entgegenstehen«. Deshalb – so wies er Bülow im Auswärtigen Amt an – sollte »*jede* Zollkonzession« gegen die weitere Reduktion des deutschen Eisenzolles erzwungen werden[8]. Durch diese Instruktion wurde der radikalen Freihandelspolitik endgültig Valet gesagt. Bismarck vertrat nun die modifiziert-freihändlerische Tradition einer reziproken Handelspolitik. Aber schon im August entsprach die Juni-Instruktion nicht mehr seiner wirklichen Haltung.

... und die Stellung der Ressorts

Als Wilhelm I. Ende Juli, Anfang August 1876 wieder auf Schutzzölle zurückkam, hielt sich Bismarck mit seiner Stellungnahme vollkommen zurück[9]. Der Kanzler forderte Achenbach und Camphausen zu Stellungnahmen auf; nur Hofmann ließ er schon am 5. August 1876 betonen, daß »man« nicht glaube, mit der Aufgabe von Eisenzöllen gegenüber anderen Regierungen eine günstige Verhandlungsbasis für Handelsvertragsverhandlungen zu gewinnen[10]. Deutlicher wurde Bismarck, als Achenbach sein Votum am 22. August 1876 ihm und dem König übergab. Achenbach sah nur in der Beseitigung der Exportprämien und in der Gleichstellung der deutschen Industrie mit der ausländischen ein Mittel gegen die wirtschaftliche Krisis in Deutschland[11]. Achenbachs Votum, das durchaus Hofmanns und Bismarcks Stellungnahmen vom 30. Juli entsprach, wurde aber nun kritisch beurteilt: die Nachbarnationen – hieß es jetzt – würden »sich kaum« der deutschen Überproduktion »öffnen ... zumal überall Überproduktion« in Europa herrsche. Ebensowenig war Wilhelm geneigt, die Achenbachsche Analyse von der Notlage der Eisenindustrie anzunehmen[12].

Noch weniger stimmten der König und Bismarck mit den Ansichten ihres Finanzministers Camphausen überein. Dieser verteidigte weiterhin die radikale Zoll-

7 ebd. 27. VI. 1876 Bismarck an Hofmann (gez. Eck, Huber und Hofmann).
8 DZA I RKA Nr. 1616: 30. VII. 1876.
9 DZA II Rep. 89 H III, Dt. Reich Nr. 11, Bd. 6: 12. VIII. 1876 Bismarck an Wilhelm.
10 DZA II Rep. 120 C VII, 2 Nr. 8 Bd. 16: 15. VIII. 1876 Hofmann an AA; DZA I RKA Nr. 1616: 6. VIII. 76 Bismarck an Achenbach.
11 DZA II, Rep. 89 H III Dt. Reich 11 Bd. 6: 22. VIII. 1876 vgl. auch Rep. 120 C XIII, 2 Nr. 1a Bd. 1; vgl. DZA I RKA Nr. 1616.
12 DZA I RKA Nr. 1616: 1. IX. 1876 Huber an Camphausen.

reduktion und den Aufbau eines radikal freihändlerischen Handelssystems als Remedium für die Krise[13], eine Politik, die — wie Camphausen betonte — den Intentionen und der Mehrheit des Reichstages entspräche und dem Konsumtionsinteresse der Bevölkerung entgegenkomme. Bismarcks Stellungnahme war, wie gegenüber dem Achenbachschen Votum, überaus kritisch. Er entgegnete dem Votum Camphausens: »nicht durch Erhöhung der Zölle ... sondern durch Vermehrung der Ausfuhr« der Industrie zu helfen, — »ist das thunlich, wenn überall Überproduktion ist?« Und der Zollreduktionsforderung des Finanzministers gemäß den Reichstagswünschen fügte Bismarck hinzu — »et après? es fragt sich nicht was Reichstagsmeinung, sondern was praktisch richtig ist«[14].

Anfang Oktober 1876, nachdem Hohenlohe aus Paris berichtet hatte, Frankreich werde wohl kaum auf seine Exportprämien verzichten[15], endlich erläuterte Bismarck dem Kaiser, was er für »praktisch« hielt: nämlich die »ausstehenden Verhandlungen« mit Österreich[15a] unter der Drohung der Wiedereinführung von Zöllen zu führen. Denn, so argumentierte Bismarck, »vom Standpunkt des auswärtigen Geschäfts und bei der allgemeinen Überproduktion sehe er »keine Möglichkeit einer Absatzausdehnung«. Ob er selbst Schutzzölle wollte, ließ er dabei offen und verwies Wilhelm auf den Beschluß des Kronrats[16]. Zur Durchführung seines Vorschlags hatte Bismarck angesichts der Spannungen in der preußischen Reichspolitik schon vorgesorgt. Einmal hatte er am 4. August 1876 sämtliche Bundesregierungen zur Stellungnahme und zur Formulierung ihrer Wünsche aufgefordert[17], und zum anderen hatte er den Industriellen gegenüber die Spannungen innerhalb der Ressorts im Hinblick auf die Handelsvertragsverhandlungen mit Österreich durchblicken lassen.

Erneute Schutzzolleingaben

Schon am 17. August 1876 eröffnete der »Verein zur Wahrung der gemeinsamen wirtschaftlichen Interessen in Rheinland und Westfalen«[18] die neue Petitions-Kampagne. Sofort wurde die Notwendigkeit der Wiedereinführung von Zöllen mit dem Hinweis auf »nationale Notwendigkeiten« gefordert. So sahen Bueck, Servaes und Mulvany im Aufbau eines autonomen Handelsvertragssystems auf

13 DZA II Rep. 89 H III Deut. Reich 11 Bd. 6: 15. IX. 1876 Camphausen an Bismarck.
14 DZA I RKA Nr. 1617: 19. IX. 1876.
15 DZA I AA hp Nr. 9356: 25. VIII. 1876 Hohenlohe an AA.
15a DZA I RKA Nr. 202: 24. IX. 1876 Stolberg an Bismarck.
16 DZA I RKA Nr. 1607: 9. X. 1876 Bismarck (Huber) an Wilhelm; wie konträr Bismarcks Ansicht schon zu diesem Zeitpunkt seinen Mitarbeitern im RKA gegenüberstand, erhellt die Korrektur an dem mehr freihändlerischen Entwurf Hubers.
17 DZA I RKA Nr. 201: 4. VIII. 1876 Bismarck (Huber) an sämtliche Bundesregierungen.
18 BA Koblenz R 13/I Nr. 340; DZA II, Rep. 120 C XIII, 1 Nr. 4 adh. 1 Bd. 2.

schutzzöllnerischer Tarifbasis den einzigen Weg »zur Wahrung der *Größe und Machtstellung* unseres theueren Vaterlands«, und zwar auf »industriellen und merkantilen Fundamenten«[19].

Parallel zum »Langnamverein« — im Gegensatz zur Politik des Gesamtverbandes — forderte die Nordwestliche Gruppe des Vereins Deutscher Eisen- und Stahlindustrieller unter Bueck und Servaes in ihrer Eingabe[20] reziproke Handelsverträge ohne Meistbegünstigung mit einer Wertzollsteigerung um 25 %. Darüber hinaus sollten die bisherigen und die 1873 beschlossenen Zollreduktionen bzw. Suspensionen aufgehoben werden. Ausdrücklich gegen die Delbrückschen Prinzipien der bisherigen Handelspolitik gewandt, sahen Bueck und Servaes im »Prinzip der internationalen Theilung der Arbeit« eine »Auslieferung der deutschen Industrie an England«. Demzufolge sahen sie in einer Zollerhöhung mit einem Schutzzoll »die einzige Möglichkeit«, nicht die eine »Stütze« des deutschen »Wohlstandes und seiner Machtstellung zugrunde« zu richten. Deutschland, so betonten sie, könne bei der fortschreitenden Herausbildung der kapitalistischen Wirtschaftsordnung, den niederen Frachtkosten[21] und bei der Kargheit des für Deutschland verfügbaren Rohstoffpotentials nur im Schutz von Zöllen seine wirtschaftliche und damit auch politische Macht entfalten und behalten.

Zu den beiden Eingaben der Eisenindustriellen gesellte sich noch die der Leinenindustriellen unter Kaselowsky (Ausschußmitglied im Centralverband deutscher Industrieller). Auch Kaselowsky plädierte für Zollerneuerung und Zolltarifaufrechterhaltung aus nationalen Gründen. Alle drei Eingaben waren ganz bewußt an die Regierung in Düsseldorf gerichtet worden, konnten doch die Schwerindustriellen bei Regierungspräsident Bitter — dem Bruder des Seehandlungspräsidenten[22] — am ehesten auf einen Erfolg und auf eine Fürsprache für ihre Bitten hoffen[23]. Bueck hatte sich nicht getäuscht. Am 24. August 1876 übersandte Bitter die

19 ebd.; vgl. auch Tiedemann S. 63 ff.

20 DZA II, Rep. 120 C XIII, 1 Nr. 4 adh. 1 Bd. 2.

21 Die Nivellierung und Reduzierung der Gütertarife waren im Juli 1876 auf der Generalkonferenz in Dresden (29./30. VII. 1876) und in Harzburg (7. VII. 1876) auf deutscher Ebene in Angriff genommen worden und führten dazu, daß Maybach am 11. VII. 1876 dem Staatsministerium das Projekt eines Ausgleiches der Gütertarifsätze vorlegte, das dann am 4./5.IX. 1876 auf einer erneuten Tarifkonferenz mit elf Eisenbahngesellschaften durchgesprochen wurde. Eine Annäherung wurde sichtbar, die einer weiteren Liberalisierung d. dt. Marktes gleichkam (WHStA Stgt. E 46–48 Nr. 462 eingehende Protokolle und württemberg. Berichte).

22 Im Laufe des Jahres 1876 hatte die Seehandlung wieder aktiv an den Eisenbahnverkaufsverhandlungen partizipiert und war eine enge Verbindung mit der Disconto-Gesellschaft und der Deutschen Bank eingegangen. (DZA II Rep. 151 neu HB Nr. 679)

23 Karl Hermann Bitter war in seiner Ämterlaufbahn eng mit den Problemen der wirtschaftlichen Entwicklung Preußen-Deutschlands in Verbindung gekommen. 1813 in Schwedt geboren, wurde er 1833 nach einem Studium in Bonn und Berlin

drei Eingaben an Achenbach[24] und fügte einen eigenen Bericht der Düsseldorfer Regierung über »die Lage der Industrie« hinzu.

Das Votum Bitters

Ausgehend von »der dringenden Unterstützung« der übersandten Petitionen, forderte Bitter »die Einstellung der auf 1. Januar 1877 festgesetzten Aufhebung der Eisenzölle« und die »Beseitigung der 10 % Frachtzuschläge«. Als Begründung führte er an, daß »keine Anzeichen der Besserung« der wirtschaftlichen Lage zu verzeichnen seien; und weiter, daß vor allem durch die Befürchtung, durch weitere Handelsverträge der Freihändler noch mehr in der »Konkurrenzfähigkeit« gegenüber dem Ausland eingeschränkt zu werden, bei den Eisenindustriellen mehr und mehr »jegliches Vertrauen zur Reichsregierung vollständig« erschüttert werde. Angesichts der Reichstagswahlen Anfang 1877 – und auf den Ausgang dieser Wahlen legte Bitter seine ganze Argumentation – würde es deshalb naheliegen und zu befürworten sein, »den Baumwollinteressenten Zölle zu gewähren«. Gerade diesem Industriezweig müsse Hilfe zukommen, denn durch die autonomen deutschen Zollsenkungen, »die Beschränkung der Arbeitszeit und Verbot der Nachtarbeit für Kinder und Jugendliche«, seien die deutschen Industriellen gegenüber den belgischen, die ihre »billigen Arbeitskräfte schrankenlos ausbeuteten«, in Nachteil gekommen, der allein durch »entsprechend höhere Zollsätze« ausgeglichen werden könne. Ebenso hätten die »Montan- und Eisenwerke« ein »Recht darauf, daß ihnen ihre Existenzbedingungen nicht entzogen werden« – vor allem deswegen, weil die wirtschaftliche Flaute »viel Unzufriedenheit und eine Menge von Klagen erzeugt hätte(n)«.

Und ganz im Sinne von Krupp[25], Servaes und Bueck klagte Bitter: »Reichsregierung und Reichstag lassen sich leiten von der nackten Theorie ... und zuwenig (von den) wirklichen Verhältnissen und Bedürfnissen des Lebens und der Bevölkerung«. Durch die ständig intensivierte Agitation, noch mehr aber durch das

Auskultator und 1835 Referendar in Potsdam. 1845 Regierungsrat in Frankfurt/O. und 1850 in Minden. 1855 gehörte er der Jury bei der Weltausstellung in Paris an, und von 1856 bis 1858 war er preußischer Bevollmächtigter der Donaukommission, 1858 Geheimer Regierungsrat, wurde er 1860 Generalinspektor der Rheinschiffahrt Mühlheim und gewann enge Verbindung mit Haniel und Lueg. 1868/69 in Berlin bzw. Posen, wurde er 1870 als Präfekt des Vogesendepartment eingesetzt und 1871 zum Regierungspräsidenten von Posen bestellt. 1872 übernahm er die Regierung in Schleswig und 1876 in Düsseldorf. Im Zuge des handelspolitischen Umschwungs wurde er bereits Anfang 1877 als Gegengewicht zu Eulenburg als Unterstaatssekretär in das Innenministerium geholt und 1879 zum preuß. Finanzminister ernannt. 1882 schied er aus dem Staatsdienst aus. Gest. 1885 in Berlin.

24 DZA II Rep. 120 C XIII, 1 NR. 4 adh. 1 Bd. 2.

25 Lucius S. 79.

Schweigen der Regierung werde die Beunruhigung in der Bevölkerung ständig zunehmen. Allein die »Gewerbetreibenden ... und katholischen Kreise« seien noch national gesinnt, sie würden aber, wie es der neugegründete volkswirtschaftliche Wahlverein in Düsseldorf zeige, »höchstens einem gemäßigten Schutzzöllner ihre Stimme geben«.

Was sich in Düsseldorf abzeichnete, war im ganzen Revier zu erkennen. In Duisburg, in Hagen, in Dortmund, überall spalteten sich industrielle Parteien »vom großen liberalen Heerlager« ab. Deswegen — so forderte Bitter — sei es notwendig, daß die Regierung die Einheit der »nationalen Parteien« dadurch erhalte, daß sie betone, »keine einseitige Zollermäßigung« vorzunehmen ohne »vorherige Heranziehung von Industriellen der einzelnen Industriezweige«, daß sie hervorhebe, keine tarifpolitische Entscheidung im Sinne der Freihändler zu treffen, und schließlich, daß sie mit Klarheit ausspreche, die »Beibehaltung der Eisenzölle« zu beabsichtigen. Wenn auch der Augenblick für jede »principielle« oder tatsächliche Veränderung der Verhältnisse »ungeeignet« sei, so dürfe die staatstreue Interessenpartei gewiß nicht gespalten werden, andererseits aber sei die Heranziehung der Industriellen »des ungeheuer geweiteten Industriebezirks« und der von diesem abhängigen zahlenmäßig starken Bevölkerung an den Staat von höchstem Interesse[25a].

Die Schutzzöllner trumpfen weiter auf

Wenn auch Achenbach an Camphausen und Bismarck die »wünschenswerthen Anregungen« Bitters mit dem Bemerken weiterleitete, ihnen könne »nicht Raum gegeben werden«, da eine Zersplitterung der regierungsfreundlichen Parteien nicht akut sei[26], so waren doch für Bismarck diese Auspizien für seine Entscheidung von erheblicher Bedeutung. Um so mehr, als es dem Centralverband deutscher Industrieller im Herbst 1876 gelang, sowohl den Verein Deutscher Eisen- und Stahlindustrieller als auch die ihm verbundenen Handelskammern und Verbände erneut zu mobilisieren.

Nach dem Erfolg von Servaes und Bueck bei Bitter in Düsseldorf, ja schon nach der Entlassung Delbrücks, schlief die Opposition des Vereins Deutscher Eisen- und Stahlindustrieller gegen den Centralverband deutscher Industrieller immer mehr ein.

Der erfolgreiche Alleingang der Nordwestlichen Gruppe und die Unterstützung, die diese Taktik auch von Henckel und Hohenlohe-Ujest erhielt, veranlaßten Bueck, Servaes und Kardorff, den Verein Deutscher Eisen- und Stahlindustrieller nun mit dem Centralverband gleichzuschalten. Wenn dies auch nicht vollkommen gelang, so war doch ihr Erfolg beachtlich. Am 30. August 1876 wurde Richter von

25a DZA II, ebd. Bitter.
26 DZA II, Rep. 120 C XIII, 1 Nr. 4 adh. 1 Bd. 2: 22. IX. 1876.

Servaes zu Petitionen an den Bundesrat »getrieben«[27]; am 18. September schon beschloß der Vorstand, diese Petition abzuschicken[28], und am 2. Oktober 1876 wurde festgelegt, auch den Einzelregierungen von den Gruppenvorständen Denkschriften zugehen zu lassen. Doch ganz kampflos räumten die Opponenten gegen den harten Schutzzollkurs ihre Stellung nicht. Vorerst noch wurden die Petitionen unter dem Motto der Reziprozität des Tarifausgleichs, also nicht der Schutzzölle, gestellt[29]. Am 17. Oktober 1876 veröffentlichte der Verein Deutscher Eisen- und Stahlindustrieller seine »Petition«, und Rentzsch glaubte, um so mehr auf einen Erfolg hoffen zu können, als er annahm, nicht nur Bismarck und Hofmann, sondern auch Camphausen, Achenbach und eine Vielzahl von Reichstagsabgeordneten zu Unterstützern seiner »Bestrebungen« zählen zu können[30]. Von nun an entfaltete auch der Verein Deutscher Eisen- und Stahlindustrieller eine rege Petitionstätigkeit; am 20. und 25. Oktober 1876 ging eine erneute Petition an die Länder und den Bundesrat[31]. Am 28. November 1876 wurde der Geschäftsbericht des Hörder Bergwerksvereins an 149 Reichstagsabgeordnete verteilt[32]. Baare verfaßte ein Zollpamphlet und übergab 400 Stück an den Reichstag, 75 an das Reichskanzleramt und 200 an »weitere« Zollinteressenten mit eigenhändiger Widmung[33].

Zugleich richteten die Einzelunternehmen an Reichs- und Länderinstanzen Zollpetitionen, so z. B. der Hörder Bergwerksverein[34], Poensgen (Düsseldorfer Röhren- und Eisenwalzwerke)[35], die Oberschlesischen Eisenwalzwerke, die Friederichshütte[36]. Gleichfalls trafen Petitionen mit Massenunterschriften von Mühlheim, Duisburg, Wetzlar, Wiesbaden, Hamm, Siegen, Tarnowitz, Budzinitz bei den Handelsministerien ein[37]. Vor allem die mit dem Centralverband Deutscher Industrieller und dem Verein deutscher Eisen- und Stahlindustrieller verbundenen Handelskammern meldeten ihre Wünsche auf Zollerhaltung, Reziprozität und Zollerhöhung an, so die Handelskammern Laubau[38], Mühlhausen[39], Cottbus, Mühl-

27 BA Koblenz R 13/1 Nr. 79.
28 ebd.
29 ebd. 2. X. 1876 Protokoll.
30 BA Koblenz R 13/I Nr. 340: 17. X. 1876 Petition, Okt. 1876 Bericht Rentzsch an Vorstand.
31 ebd. DZA I RKA Nr. 1609.
32 ebd.
33 ebd.
34 DZA I RKA Nr. 1608: 21. IX. 1876 Hörder Bergwerks-Verein an Bismarck.
35 DZA II Rep. 120 C XIII 2 Nr. 1 a Bd. 1: 22. IX. 1876.
36 DZA I RKA Nr. 1609: 20. X. 1876.
37 DZA I ebd. Nr. 1608: 6. X. 1876 Siegen; Oktober 1876 Mühlheim, Duisburg, Wetzlar, Wiesbaden, hier noch zahllose weitere Eingaben; ebd. Nr. 1609: 29. IX. 1876 Hamm; 20. X. 1876 Tarnowitz, Budzinitz.
38 DZA II Rep. 120 C XIII, 2 Nr. 1 a Bd. 1: 6. IX. 1876 fordert Schutz für Weber, Verzollungsausgleich und Veredelungsverkehr.
39 ebd. 8. IX. 1876 veranlaßt durch Schlumberger v. CdI.

heim[40], Wiesbaden, Hagen, Breslau[41], desgleichen die Handelskammern Crefeld[42], Düsseldorf, Elberfeld und Görlitz[43]. Unmittelbar unter der »Firma« des Centralverbandes votierten Hamm, Augsburg, Elberfeld und Barmen für eine Enquête als Voraussetzung zur Formulierung eines deutschen Zolltarifs[44]. Schließlich richteten noch die jeweiligen Industriezweige ihre Zollbitten an Bismarck und Achenbach, so die Lederindustriellen, die Berliner Textil- und Leinenindustriellen und der Verein der rheinisch-westfälischen Wollindustrie und der der Baumwollindustrie[45].

Alle Petenten sahen in »den deutschen Zollsätzen ... keinerlei Ausgleich für diejenigen Ungleichheiten der Produktionsbedingung der contrahirenden Staaten« und forderten deshalb, »die einseitigen und ohne Vergleich mit denjenigen der concurrirenden Staaten« dastehenden deutschen Zollsätze so umzugestalten, daß die deutsche Industrie wieder aufblühen könne. Die Handelsverträge mit Österreich-Ungarn und mit Italien müßten deswegen mit erhöhten Zolltarifpositionen abgeschlossen werden, nur dann sei »den verhängnisvollsten Disparitäten« abgeholfen[46]; nur mit dem Schutz der nationalen Arbeit sei der deutschen Machtstellung und Würde ein Fundament gegeben.

Der Widerspruch der Freihändler

Die zentralorganisierte schutzzöllnerische Agitation blieb aber nicht ohne Widerspruch der Freihändler. Die Handelskammern an den großen Handelsplätzen, so in Berlin[47], in München[48], in Hannover[49], in Mannheim[50], in Stuttgart[51], in Leipzig und Dresden[52] opponierten mit Härte gegen Schutzzölle. Nicht weniger schroff agierten die Küstenstädte, so vor allem Hamburg[53], dann Memel[54], Königsberg,

40 ebd. 27. IX./20. IX. 1876 fordert Gleichstellung der Zollschranken.
41 ebd. 31.X./3. XI. 1876 fordern »strenge Parität« oder Gesamtrevision der Sätze.
42 ebd. 9. IX. 1876 legt einen umfassenden neuen Tarif vor, DZA I RKA Nr. 214: Heimendahl an Bismarck am 11. IX. 1876.
43 ebd. 14./29./27./IX. 1876 Parität und Zollerhöhung.
44 DZA I RKA Nr. 214: 22. IX. 1876.
45 DZA II Rep. 120 C XIII, 1 Nr. 4 adh. 1 Bd. 2.
46 HK Hamburg 77—23 A 1 Bd. 1.
47 DZA II, Rep. 120 C XIII, 1 Nr. 4 adh. 1 Bd. 1: 22. XI. 1876.
48 BHStA München, MH Nr. 9712: 29. XI. 1875 HGK Oberbayern richtete vor allem gegen Maffei (VDEStI) ihre Abwehr.
49 DZA II, Rep. 120 C XIII, 2 Nr. 1 a Bd. 1: 23. IX. 1876.
50 GLA Karlsruhe Abt. 237, Nr. 28 976: 15. VIII./4. IX. 1876.
51 WFStA Ludwigsburg E 170 Nr. 574: 7. XI. 1876 Centralstelle f. Gewerbe und Handel an Innenministerium nach Votum HGK Stuttgart.
52 Sächs. LHA Dresden AM Nr. 6926.
53 HK Hamburg 77—23 A 1; DZA I RKA 1608: 21. X. 1876.
54 ebd. 5. X. 1876.

Danzig und Stettin[55]. Sie wurden unterstützt von den preußischen Handelsstädten Thorn, Stargard, Bromberg, dem Provinziallandtag Ostpreußens[56] und vor allem von zahllosen Einzeleingaben ostelbischer kleinerer und mittlerer Gutsbesitzer[57]. Allerdings fällt auf, daß die Ostelbier nicht mehr so rückhaltlos die Position der Handelsstädte und des Freihandels verteidigten, sondern schon von »Freihandels-Staffeltarifen«, von »vermehrter Reciprocität« sprachen und ihre Petitionen mehr und mehr auf eine Gesamtenquête der wirtschaftlichen Verhältnisse in Deutschland hinzielten[58].

Die Bundesstaaten zwischen Schutzzoll und Freihandel

Mitten in die Hochflut agitatorischer Meinungsbildung fielen die Entscheidungen der Bundesregierungen über Fortführung oder Neuorientierung der deutschen Handelspolitik in einem Handelsvertrag mit Österreich. Aufgrund der Rundfrage vom 4. August äußerten sich die Hansestädte, Mecklenburg-Schwerin, Oldenburg, Meiningen und Karlsruhe schon im September/Oktober 1876 dahingehend, die Zölle weiter zu senken und die Handelspolitik im Sinne Delbrücks fortzuführen[59]. Diese Stellungnahmen waren vorauszusehen gewesen, denn die Küstenstädte und -länder waren von jeher Vorkämpfer von Freihandelsprinzipien gewesen; Baden hatte ebenfalls seit 20 Jahren der Delbrückschen Handelspolitik zugestimmt, und auch jetzt hatten die Handelskammern von Baden-Baden, Biehl, Bruchsal, Karlsruhe, Mannheim, Mosbach[60] und die von Lahr und Freiburg[61] für die Fortführung der Handelspolitik und Ermäßigung der Zölle plädiert. Im Gegensatz zu diesen Regierungen stimmten die Handelskammern Bayerns, Württembergs, Sachsens und Braunschweigs für einen modifizierten Zollschutz und eine Änderung der Handelspolitik[62].

In Bayern hatte die Tätigkeit Maffeis und Neuffers großen Erfolg gehabt. Von vornherein stand hier die Regierung auf seiten der Schutzzöllner, nur wiederstrebend hatte sie sich ja 1864 der preußisch-freihändlerischen Macht gebeugt. Als Anfang August 1876 die Bismarcksche Anfrage kam, wie Bayern zu einem Vorgehen gegen Exportprämien und zum Aufbau eines reziproken Handelssystems

55 ebd. Oktober 1876.
56 DZA I RKA Nr. 1609: 22. X. 1876.
57 DZA I RKA Nr. 1608, Oktober 1876.
58 DZA II, Rep. 120 C XIII, 1 Nr. 4 adh. 1 Bd. 1 o. D. (Oktober 1876) Petition des Landwirtschaftsrates; DZA I RKA Nr. 1608: 30. IX. 1876 Petition des ostpreuß. landwirtschaftlichen Centralvereins; ebd. Nr. 1609 o. D. (Oktober 1876), dto. Lokalvereinigungen z. B. Stolp, Thorn, Graudenz, Allenstein.
59 DZA I RKA Nr. 213: 20. IX., 4./15./17. X. 1876.
60 GLA Karlsruhe Abt. 237 Nr. 28 976: 15. VIII. 1876.
61 ebd. 30. VIII. 1876.
62 DZA I RKA Nr. 213: 4./19. XI., 7. XII. 1876.

stehe, stimmten die Minister für Ausgleichsprämien und Reziprozität; ja sie gingen noch weiter und hielten die preußischen Vorschläge noch für zu ungenügend, um die deutsche Position verteidigen zu können[63]: »Deutschland muß« — so umriß Innenminister Pfeuffer gegenüber seinem Ministerpräsidenten Pfretzschner die bayrische Stellungnahme —, »solange die Länder, welche uns umgeben und deren Industrien im Ganzen und Großen uns ebenbürtig« sind, sich »durch Zölle schützen«. Da der deutschen Industrie »an ihrem Sitz und historischen Markt die Grenzen verschlossen« seien, müsse die Regierung ihr »wenigstens den heimischen Markt solange ... bewahren«, bis eine allgemeine Zollsenkung von allen Staaten durchgeführt werde[64]. Gemäß diesen Grundsätzen beschlossen die bayrischen Referenten des Handels- und Finanzministeriums, Weber, Mayr, Herrmann und Felser, unter dem Vorsitz Innenminister Pfeuffers, für einen Eisenzoll einzutreten, sollte Preußen dies vorschlagen[65]. Demgemäß formulierten sie die Antwort an Bismarck und entwarfen für die Bundesratsverhandlungen die bayrischen Instruktionen: modifizierte Weiterführung des Tarifs, Beseitigung des Ausgangszolls, der Prämien, Erhaltung des Veredlungsverkehrs und Abschluß eines reziproken Handelsvertrages[66]. Die bayrische »Haltung« war mit Sachsen und Württemberg abgesprochen.

Sachsen hatte sich gemäß den Wünschen seiner Textilindustrie ebenfalls für den Umbau der Handelspolitik entschieden. Wie Pfretzschner wollte auch Friesen nicht bei den Vorschlägen des Reichskanzleramtes stehenbleiben. Wenn auch zuvor die Orientierung über die preußische Stellung für Sachsen »erwünscht war«, so war doch die Instruktion so festgelegt, daß, »wenn nötig, gemeinschaftlich und im Einverständnis mit Bayern« vorgegangen werden konnte[67].

Der dritte Mittelstaat, Württemberg, schloß sich dem schutzzöllnerischen Zug in der Handelspolitik sofort an. Trotz der Stellungnahme der zentralen Gewerbeinteressenvertretung Württembergs, der Centralstelle für Gewerbe und Handel, die auf die weitere Reduktion der Eisenzölle drängte[68], konnte sich der württembergische Finanzminister Renner im Geheimen Rat und Staatsministerium ohne Schwierigkeiten durchsetzen. Die württembergische Instruktion zielte dann auch auf eine Wiedereinführung der Eisenzölle. In der Zentralstelle für Gewerbe und Handel wurde mit Regierungsrat Luz — einem Schutzzöllner — der spätere Unterhändler für die technischen Verhandlungen berufen[69].

63 BHStA München MF Nr. 60 573: 20. XI. 1876 Pfeuffer an König Ludwig.
64 BHStA München MH Nr. 9961: 16. X. 1876 Pfeuffer an Pfretzschner.
65 BHStA München MH Nr. 12 268: 28./30. X. 1876 Registratur MH 12 268: 28. X. 1876.
66 ebd. 26. XI. 1876.
67 Sächs. LHA Dresden: AM Nr. 6926: 13. X. 1876 an Nostitz.
68 WFStA Ludwigsburg E 170 Nr. 574: 7. XI. 1876.
69 WFStA Ludwigsburg E 150—153 G 7. 18 Bündel Nr. 474; ebd. E 222 Fach 189 Nr. 1047. M. Mühler: Die Stellung Württembergs zum Umschwung in der Bismarckschen Handelspolitik 1878/79, Diss. Tüb., Göppingen 1935, S. 18 f.

Während die handelspolitischen Entscheidungen in den deutschen Einzelstaaten gefällt wurden, spitzten sich auch in Preußen und im Reich die Kämpfe um die Fortführung der Handelspolitik zu.

Die Schlappe Wilhelms I. und Bismarcks auf dem Kronrat

Am 6. Oktober war der Kaiser wieder auf die Eisenzölle zurückgekommen[70], und Bismarck hatte ihm versichert, daß »unsere Zölle einer gründlichen Revision« unterworfen werden würden[71]. Gleichzeitig betonte der Kanzler, sich mit dem Handelsvertrag nicht beeilen zu wollen, da Österreich-Ungarn vorangehen würde[72]. Schon am 21. Oktober war diese Situation eingetreten; Österreich-Ungarn beantragte das Auslaufen seines Handelsvertrages mit Deutschland bis zum Jahre 1877, und Deutschland nahm an[73]. Die definitive Entscheidung über die Prinzipien, unter denen die preußisch-deutsche Handelspolitik in Zukunft geführt werden sollte, mußte nun herbeigeführt werden. Wenige Tage später, am 24. Oktober 1876, berieten der Kronrat über die weitere Entwicklung der Handelspolitik und eine Delegiertenkonferenz unter Vorsitz Hasselbachs[74] über die zukünftigen Verzollungskriterien. Während nun die Delegiertenkonferenz eine Einigung in der Klassifikation und in der Zollberechnung ganz im Sinne kommender Schutzzollverträge erreichte, setzte sich der Vizepräsident und Finanzminister Camphausen auf dem Kronrat, in Abwesenheit Bismarcks, mit seiner Forderung – der strikten Weiterführung der liberalen Handelspolitik – durch[75].

Wilhelm I., der von Krupp »unterrichtet«, die Kronratssitzung mit der Begründung eröffnete, »der Zustand der Eisenindustrie (sei) inzwischen nicht günstiger geworden und deren Ruin (sei) zu befürchten . . . wenn sie demnächst einer stärkeren ausländischen Concurrenz unterliegen würde«[76], stellte Bismarcks Vorschlag auf »eventuelle Verschiebung des Zeitpunktes des Wegfalles des Eisenzolles« in den Mittelpunkt der Beratungen des Kronrates. Die Hoffnung Wilhelms auf einen

70 DZA I AA hp Nr. 9357.

71 ebd. 7. X. 1876.

72 ebd. 11. X. 1876 Herbert Bismarck an Bülow.

73 DZA I RKA Nr. 202: 17./21. X. 1876 Bülow an RKA.

74 BHStA München MH Nr. 9712: 24. X. 1876, anwesend waren noch Stüve, Jaehnigen, Schultze, Pochhammer, Bertram, Weber, Herrmann, KR Reichenheim, J. Lehmann (CdI), Müller, Stille, Voigt (Cottbus), Erckens (Burscheid) und Behrend.

75 DZA II Rep. 90 a; Bd. IV. B III 2 c Nr. 3; DZA I RKA Nr. 1617. Anwesend waren König Wilhelm – der Kronprinz »hatte keine Mittheilung von der stattfindenden Sitzung« – Finanzminister Camphausen, IM Eulenburg, JM Leonhard, Kultusminister Falk, Kriegsminister Kameke, HM Achenbach, LWMin. Friedenthal und die StSS Bülow und Hofmann.

76 DZA II, Rep. 90 ebd.; Lucius S. 79; Bismarck: Erinnerung und Gedanke I S. 268 f.; Poschinger: Aktenstücke I, S. 239 f.

Beschluß in prozöllnerischem Sinne trog. Camphausen und Achenbach votierten gemäß ihren Eingaben vom 19. und 22. Oktober[77]. Camphausen sah wiederum »den Grund der Krankheit der Eisenindustrie« in der »von 1872 bis 1874 erfolgten Vermehrung und Erweiterung der Produktionsanstalten, deren Waarenerzeugung den Bedarf weitaus überschritten habe und noch überschreite«. Daher sei das einzige »Rettungsmittel aus dieser traurigen Lage ... die Beschränkung der Produktion«. Zölle, die der Reichstag nach wie vor ablehnen werde, könnten der Not nicht abhelfen. Im Gegenteil, »jetzt« erscheine eine Ermäßigung der Zölle »insofern weniger bedenklich (als 1873) als die Erfahrung weiter die Zulässigkeit von Zollreduktionen erwiesen habe«. Als einzige Aktivität der Regierung »erkannte« er das Vorgehen gegen die französischen Exportprämien, um »die Concurrenzfähigkeit unserer Industrie auf fremden Märkten« zu erleichtern.

Schon nach diesem Votum v. Camphausens beteuerte der König, »einer schutzzöllnerischen Richtung durchaus abgeneigt zu sein«. Seine Stellung wurde vollends isoliert, als Achenbach betonte, »die Beibehaltung der Eisenzölle werde der Industrie nichts nützen«, gerade »jetzt (liefen) beim Ministerium gegen eine Verschiebung der Beseitigung dieser Zölle wöchentlich Petitionen aus dem Osten ein«, und zu allem komme, daß »zur Zeit ... neue entscheidende Gründe, eine andere Zollpolitik einzuschlagen«, fehlten. Auch Achenbach befürwortete »energisch«, gegenüber Frankreich und Österreich die Gegenseitigkeiten zu betonen – Schutzzölle jedoch lehnte er ab.

Diesen Argumenten schloß sich Innenminister Eulenburg vorbehaltlos an, auch Landwirtschaftsminister Friedenthal unterstützte Camphausen; »die Landwirtschaft ... beharre ... auf dem Verlangen der Aufhebung der Eisenzölle«. Friedenthal fügte aber hinzu – und hier zeigten sich erneut die Risse in der agrarischen Front –, daß »für den Fall der Sistierung der Beseitigung der Zölle« die Landwirtschaft »auch für sich einen Schutz der Cerealien, Vieh, Wolle usw. in Anspruch nehme«.

»Seine Majestät erkannten« nach diesen Darlegungen »die Nothwendigkeit, zum Schutze der Eisenindustrie im Sinne der obigen Darlegungen gegen das Ausland kräftig vorzugehen, Allergnädigst an« – von Schutzzöllen jedoch und Erhaltung der Zölle war keine Rede mehr. Die Minister hatten sich vorerst durchgesetzt.

Bismarck versucht den Kronrat zu überspielen

Bismarck jedoch verfolgte unbeirrt weiter seine Politik. Er ging zwar scheinbar im Rahmen der Beschlüsse des Kronrates vor, tatsächlich aber setzte er sich sofort über den Kronrat hinweg. Als seine »persönliche Ansicht« teilte er Varnbüler unmittelbar nach dem Kronrat mit, daß »es allerdings in meiner Absicht liegt, eine umfassende Revision unseres Zolltarifs im Bundesrathe herbeizuführen«. Bismarck war

77 DZA II, Rep. 89 H III Deutsches Reich 11 Bd. 6.

willens, so lange, »als die Frage der Revision ... nicht ihre Erledigung gefunden hat«, keinen »Abschluß neuer Handelsverträge« hinzunehmen; für die Revision der Zolltarife aber, betonte er, seien die Vorarbeiten eingeleitet[78]. Wirklich hatte Bismarck, der Zustimmung des Kaisers gewiß, den Kronrat quasi übergehend, Hofmann beauftragt, einen Gesetzentwurf vorzubereiten, der Ausgleichsabgaben, also Vergeltungszölle, bei Einfuhr von prämierten Eisen- und Stahlwaren und Maschinen festlegte. Zugleich sah Bismarck das Gesetz schon als Kern der Gesamtrevision an. Er war überzeugt, wie er aus Varzin unter Assistenz Tiedemanns Hofmann mitteilte, daß »wir ... nicht von dem guten Willen der auswärtigen Regierungen und namentlich der französischen abhängig bleiben (dürfen), sondern wir bedürfen sicherer Bürgschaften«[79]. Dieses Urteil Bismarcks war nicht nur eine Antwort auf die französische Zolltarifpolitik, die weiterhin an ihren Exportprämien bei gleichzeitigem Aufbau eines Schutzzolltarifs festhielt[80]. Bismarcks Urteil galt auch den anstehenden Handelsverträgen mit Italien und Österreich-Ungarn[81], und vor allem war es gegen die ständigen Zollerhöhungen Rußlands gemünzt, die immer mehr den russischen Markt für die deutsche Industrie verschlossen[82]. Dies alles bestimmte sein Drängen auf eine sofortige Festlegung der deutschen Zollkampfmittel.

Die Rechnung mit den Schutzzöllnern

Die Industriellen unterstützten Bismarcks Position – wie gerufen – weiterhin. Aus Myslowitz und Zabrze trafen Petitionen von »Massenmeetings« ein[83], und am 1. November forderte der Ausschuß des Deutschen Handelstages die vorläufige

78 DZA I RK Nr. 2100: 25. X. 1876 Bismarck (hs. Tiedemann) an Varnbüler; in bewußt indirekter Antwort auf den Kronrat geschrieben.

79 Poschinger: Aktenstücke I, S. 241.

80 DZA II, Rep. 151 neu Tit. 36 Nr. 2: 27. X. 1876 Wesdehlen an AA. Ausführlicher Bericht über die Stellungnahmen der französischen Handelskammern, des Comité consultatif des arts et manufactures und des Conseil supérieur du commerce de l'agriculture et de l'industrie, die alle auf Aufgabe der Meistbegünstigung drängten und spezifizierte Zölle im Rahmen eines Konventionaltarifs wünschten (DZA I AA hp Nr. 9357: 6. XI./18. XII. 1876 Berichte Wesdehlens, ebd. RKA Nr. 451: 29. XII. 1876 Bismarck an Hofmann.)

81 DZA I RKA Nr. 202: 9. XI. 1876 Staatsministerium an Reichskanzleramt; 20. XI. 1876 Dönhoff an Bismarck; 7. XII. 1876 Denkschrift Hofmanns (Huber) an Bismarck; Nr. 449 Dezember 1876 Bismarck an Hofmann; DZA II, Rep. 120 C XIII, 2 Nr. 1 a Bd. 1: 17. XI. 1876 Denkschrift an Mosler; 29. XII. 1876 Promemoria an Reichskanzleramt.

82 DZA I AA hp Nr. 10 458 zahllose Berichte Alvenslebens an Bismarck; AA hp Nr. 10 459: 3. XII. 1876 AA an Schweinitz; GW XI S. 468 ff.

83 DZA I RKA Nr. 1610: 28. X. 1876.

Suspendierung der Gesetze von 1873[84]. Dieser Erfolg der Schutzzöllner wog um so schwerer, da die Volkswirtschafts-Kongreßler ihr Zollvotum von München[85] soeben in Bremen, trotz der Anwesenheit der »ersten Kräfte« des Centralverbandes deutscher Industrieller, Baare, Bueck, Staub, Haßler und Frommel, revidierten und wieder voll auf die freihändlerische Linie einschwenkten[86].

Gleichzeitig aber formierte sich der Centralverband deutscher Industrieller – ebenfalls in Bremen – neu. Eine Petition Reimanns an den Kanzler wurde angenommen; von Grothe wurden neue Broschüren vorgelegt, und für die Handelsvertragsberatungen wurde ein Ausschuß gebildet, dem Stoepel, Pastor, Dietel, Haßler, Wolff, Kaselowsky, Hasse, Tenge, Wyngaert und Stumpf angehörten und der von einem zweiten Delegiertenausschuß ergänzt wurde, in den Bueck, Haniel, Haßler, Kardorff, Schimmelfennig, Lohren, Protzen, Staub, Servaes und Tenge gewählt wurden[87]. Der Verein Deutscher Eisen- und Stahlindustrieller entfaltete ebenfalls eine »rege Tätigkeit«, um »mindestens die zur Zeit noch bestehenden Zollsätze erhalten zu können«[88]. Servaes gab für die Nordwestliche Gruppe und den »Langnamverein« die Parole aus, »daß jeder in seinem Kreise und in geeigneter Weise für die Beibehaltung der Eisenzölle eintreten und namentlich auf Reichstagsabgeordnete, Behörden und Presse ... einwirken möge[89]; und wenn auch das Bismarcksche Retorsionsgesetz von den »radikalen Eisenzöllnern« als »schwacher Schritt ... kaum einer großen Nation würdig«, anerkannt wurde, so war es doch – nach dem Beschluß des Kronrates – immerhin »besser als nichts«[90]. Baare selbst übernahm die öffentliche Verteidigung der industriellen Belange gegen die freihändlerischen Denkschriften aus Stettin und München[91].

So wie die Eisenleute, drängten auch die Textilindustriellen, voran die Berliner[92], »die bestehenden Handelsverträge nicht zu erneuern«, sondern sie aufzukündigen, um dann beim Abschluß »neuer Handelsverträge und Normierung eines neuen Zolltarifs die Vertreter der beteiligten Industrie mit ihren Wünschen und Bedürfnissen zu hören«.

84 DHT I, S. 51; noch am 21. X. 1875 hatte der Handelstag einen Beschluß in Zollgesetzfragen vermieden, der Einfluß des Centralverbandes erzwang nun am 30. X./1. XI. die zollpolitische Stellungnahme, über die der DHT fast zerbrach: die Mehrheit der dt. Seehandelsstädte schied aus dem DHT aus (ebd. S. 52).

85 s. oben S. 404.

86 Bueck I S. 161 f.

87 DZA I RKA Nr. 1611: 31. X. 1876 Protokoll.

88 BA Koblenz R 13/I Nr. 161: 16. XI. 1876 Rentzsch an Servaes.

89 ebd.

90 Hellwig S. 160: 12. XII. 1876 Mulvany an Bueck.

91 DZA I RKA Nr. 1612: 25. XI./27. XI. 1876.

92 DZA II, Rep. 120 C XIII, 1 Nr. 1 adh. 1 vol. 2: 11. XI. 1876 Eingabe des Vereins Berliner Textilindustrieller.

Der Reichstag lehnt ab

Zwei Tage nach der Eingabe der Berliner Textilindustriellen, am 13. November 1876, legte Hofmann dem Staatsministerium[93] das »Ausgleichsabgabengesetz« vor. Es war »entworfen für Prämienwaren ... ohne Rücksicht der Herkunft« und sollte den »ausländischen Staaten ... die Concurrenz« in Deutschland »erschweren«. Zum erstenmal traten nun – nachdem das Staatsministerium dem Entwurf zugestimmt hatte – die Handelsvertragsspezialisten[94], die bisher unter Delbrück gearbeitet hatten, »offiziell« nicht mehr prononciert freihändlerisch im Bundesrat auf, sondern verteidigten den Bismarckschen Entwurf der »Zollvergeltung«[95]. Bismarcks Hoffnung, »durch eigene Gesetzgebung den deutschen Erzeugnissen die Bürgschaften zu gewähren, welche wir in dem Wohlwollen fremder Regierungen... nicht finden«[96], erfüllte sich nicht. Der Reichstag lehnte das Bismarcksche Programm – »keinen neuen Handelsvertrag« abzuschließen, »welcher irgend eine Fessel für die freie Bewegung unserer Gesetzgebung auf dem Gebiet der Tarife bestehen ließ oder neue herstellt«[97] – am 12. und 13. Dezember ab[98]. Ab 1. Januar 1877 wurde nur noch auf feinste Eisenwaren ein geringer Zoll erhoben. Die Industriellen hatten erneut eine Schlappe erlitten, die diesmal aber auch Bismarck selbst traf.

Die künftige deutsche Handelspolitik sollte nach dem Willen des Reichstags wohl autonom, aber weiterhin unter freihändlerischen Prinzipien geführt werden. Die Minister Camphausen, Eulenburg, Leonhard, Kameke und die Freihändler im Reich und Preußen hatten dem »ersten Ansturm« der »neuen Kräfte« im Bunde mit Bismarck, Hofmann und Bülow widerstanden[99]. Ohne die aktive Hilfe der Großlandwirtschaft, die sich im Osten auf »feudalen«, im Westen auf »ultramontanen Boden«[100] stützte, konnte Bismarck, trotz aller Unterstützung der Industriellenverbände, »die noch zu dünne« gesät waren[101], die Handelspolitik im Sinne einer autonom-schutzzöllnerischen Richtung und damit zugleich die Machtlagerung des Reiches nicht verändern. Ebensowenig konnte Bismarck, wie er es noch im November 1876 ausgesprochen hatte[102], eine Politik mit dem allgemeinen und alleinigen

93 DZA II Rep. 90 a B III 2 b, Nr. 6 Bd. 88.
94 DZA II, Rep. 120 C XIII, 2 Nr. 1 a vol. 1. Sie berieten den Entwurf noch am 17. XI. unter Vorsitz Hasselbachs, Stüve, Huber, Jaenigen, Mosler und Jacobi.
95 StA Hbg. Ält. Reg. G IVba: 6. XII. 1876 Bericht Krüger; BHStA München MF Nr. 60 573: 2. XII. 1876 Bericht Riedel; Sächs. LHA Dresden AM Nr. 6926: 9. I. 1877 Bericht Wallwitz.
96 Poschinger: Aktenstücke I, S. 241.
97 Poschinger: Aktenstücke I, S. 242 ausgenommen war natürlich Artikel XI.
98 Festenberg-Packisch, S. 481 ff.
99 StA Hbg. Hans. Ges. Ält. Reg, GIVa Bd. 7: 18. VI. 1876 Bericht Krügers.
100 StA Hbg. ebd. 19. VII. 1876 Krüger.
101 ebd.
102 GW XIV, 2 Nr. 1560/1. XI. 1876 Bismarck an Friesen.

politischen Rückhalt bei den Liberalen und Freihändlern führen. So wurden die 1877 anstehenden Reichstagswahlen – wie es der hanseatische Gesandte in Berlin formulierte – zum »Angelpunkt« der weiteren handelspolitischen Entwicklung[103]. Aber auch die außen- und innenpolitische Entwicklung verflocht sich immer enger mit den handelspolitischen Fragen, denn Bismarck benötigte immer dringender eine neue Zolltarifbasis, auf der er mit Österreich zu einem Handelsvertrag kommen konnte[104]. Ende des Jahres 1876 war es nämlich an Bismarck, einen Handelsvertrag mit Österreich-Ungarn zu wünschen. Denn die Option Deutschlands zwischen Rußland und Österreich in den Balkangegensätzen[105] wurde immer mehr zum brennenden Problem, und Bismarck war gezwungen, auch seine außenpolitische Konzeption einer Revision zu unterziehen.

b Handelspolitische Neuorientierung und Bismarcks außenpolitische Konzeption im Jahre 1876/1877: das Projekt der Rekonstruktion der mitteleuropäischen Einigung

Neue Balkankrise und Bismarcks alte Taktik

Bereits Anfang 1876 hatte Bismarck zur Sicherung der deutschen Großmachtstellung in Europa[106] mit England Verbindung aufgenommen; dabei wollte er den englisch-russischen Antagonismus zur Bindung des potentiellen französischen Gegners verwenden und Deutschland – den »Erben der Zentralmacht« Österreich-Ungarn[107] – bei einem möglichen Krieg[108] mit Rußland nach Westen abschirmen.

103 ebd. 5. XII. 1876.

104 DZA I RKA Nr. 202: 7. XII. 1876 Promemoria Hofmann an Bismarck; 21. XII. 1876 Hofmann an Camphausen; ebd. Nr. 203: 29. XII. 1876 Promemoria Huber (gez. Eck) an Bismarck mit Tarifentwurf a und b, 20. I. 1876 Bismarck (Huber) an Einzelregierungen; DZA II Rep. 120 C XIII, 2 Nr. 1 a vol. 1: 29. XII. 1876 Promemoria Huber (gez. Eck), Abschrift an Achenbach.

105 B. H. Summer: Russia and the Balkans 1870–1880; 1937; S. H. Rupp: A wavering friendship: Russia and Austria 1876–1878, 1941; vgl. vor allem die minutiöse Schilderung bei W. L. Langer: European Alliances and Alignments 1871–1890, New York 1931, S. 61 f., S. 96, S. 102 ff.; D. Harris: A diplomatic History of the Balkan Crisis 1875–1878, Stanford 1938; AA Bonn, Türkei 114, Bd. 13: 4. I. 1876 (GP II, Nr. 227), ebd. adh. 3, 1: 14. VIII. 1876 Türkei 114 secr. Bd. 1: 16. IX. 1876.

106 Langer: S. 76 ff.

107 AA Bonn: Türkei 114 Bd. 13: 4. I. 1876 Bülow an Münster.

108 ebd. Türkei 114 secr. Bd. 1: 20. X. 1876 Diktat Bismarck.

Neben diesem Versuch, durch eine Entente mit England die deutsche und auch indirekt die österreichische Position zu stärken, blieb die Milderung der Spannungen zwischen Petersburg und Wien um jeden Preis das traditionelle »erste Ziel« Bismarcks, um so »die Freundschaft zwischen den großen Monarchien zu erhalten, welche der *Revolution gegenüber* mehr zu verlieren als im Kampf gegeneinander zu gewinnen hätten«[109].

Wie 1872/73 versuchte Bismarck 1876 mit »der revolutionären Gefahrenbeschwörung«[110] Österreich-Ungarn und Rußland von ihren unmittelbaren, gegen die Türkei und den Balkan gerichteten expansiven Zielen abzuziehen und die konservativen Mächte zu der von Bismarck prononcierten Solidarität gegen die revolutionären Kräfte zusammenzuführen. Zugleich hoffte er, so einer Option für einen der beiden Staaten »noch« ausweichen zu können; denn jede kriegerische Entwicklung, die eine der Monarchien »so verwundet oder geschädigt hätte ... daß ihre Stellung als unabhängige und in Europa mitredende Großmacht gefährdet« worden wäre, hätte den Status quo in Europa und damit die Großmachtstellung Deutschlands bedroht[111]. Das Reich wäre dann zum Eingreifen gezwungen gewesen, denn in jedem Falle würden – nach Bismarck – »die Geschlagenen es uns (Deutschland) nie verzeihen«, wenn Deutschland neutral bliebe. Aber auch einem Kongreß zur Beilegung der Spannungen zwischen Österreich und Rußland konnte er nicht zustimmen, denn eine solche Konferenz hätte – nach seinem Urteil – Deutschland nur zwischen Rußland und Österreich-England isoliert[112]. Bismarck verharrte deswegen bei seiner Politik, »keinerlei Initiative« zu ergreifen, aber auch keine »Ausbeutungen an Deutschland« zuzulassen[113].

Bismarck feiert einen Pyrrhussieg

Bismarcks Plan scheiterte jedoch an der russischen Politik seit 1875. Schon damals, während der Krieg-in-Sicht-Krise, zeichnete sich ein russisch-französisches Zusammengehen »als Möglichkeit« ab. Ab 1876 verschärfte sich die latente deutsch-russische Spannung immer mehr. Vor allem durch die aufflammenden wirtschaftlichen Gegensätze[114] erhielt eine pro-französische, panslawistisch-antideutsche Stimmung

109 ebd. (Sperrung v. Verfasser.) HHStA Wien PA X, Nr. 69: 28. VIII. / 9. IX. 1876 Langenau an Andrássy.

110 AA Bonn, IAAa Nr. 50. vol. 1: 6. X. 1876 Bülow an Bismarck.

111 GW IV, S. 180: 28./29. IX. 1876 Bismarck mit Hohenlohe; StA Hbg. Hans. Ges. Ält. Reg. G IV a Bd. 7: 10. VII. 1876 Bericht Krüger (Konzept).

112 GP II, Nr. 228, 231; AA Bonn, Türkei 114 adh. III, 1: 14. VIII. 1876 ebd. Türkei 114 adh. IV: 6. IX. 1876 Manteuffel an Wilhelm, vgl. auch IAAa Nr. 50, vol. 1: 12. IX. 1876 Bülow an Bismarck.

113 AA Bonn IAAa Nr. 50, vol. 1: 23. VIII. 1876.

114 DZA I AA hp Nr. 10 459: 13. IX. 1876 Berchem an AA; ebd. Nr. 10 460: 30. XII. 1876, 19. I. 1877 Schweinitz an Bülow; GW XI, S. 468 ff.

in Rußland wesentlichen Auftrieb[114a]. Nachdem es sich als unmöglich erwiesen hatte, keine Wahl zwischen Rußland und Österreich zu treffen[115], erleichterten Bismarck sein persönliches Mißtrauen gegen Gortschakow und sein Vertrauen zu Andrássy die Option[116] für die Donaumonarchie[117]. Da Bismarck den russisch-türkischen Krieg für »unvermeidbar« hielt, konnte der k. u. k. Botschafter in Berlin, Károlyi, seinem Außenminister Andrássy mitteilen: Bismarck betone nachdrücklich, daß »eine Gefährdung und Schwächung der Österreich-Ungarischen Monarchie und ihres Machtgebildes den Interessen Deutschlands zuwider laufen würde«[118]. Diese Zusage ging schon weit über Bismarcks ursprüngliche Ansicht vom 14. August 1876 hinaus, als er noch von einer graduellen Zuneigung zu Rußland gesprochen hatte[119]. Die Politik des »Abwartens« hatte er damals dahingehend umrissen, er werde sich erst dann *äußern,* wenn »einer der Faktoren, mit denen wir ... im europäischen Gleichgewicht zu rechnen haben, für die Zukunft auszufallen drohte«[120].

Bismarcks akzentuierte Zuwendung zur Doppelmonarchie erhält noch mehr Bedeutung dadurch, daß er sich mit dieser proösterreichischen Wendung in vollem Gegensatz zum Kaiser befand. Dieser »matt«, »alt« und »gegen seinen Willen« in einen Krieg getrieben[121], verstand sich nur zu einer »wohlwollende(n), je nach den Umständen vermittelnden Neutraliät« und lehnte jedes Vorgehen gegen Rußland ab. »Er könne und werde nur daran denken, Österreich oder England den Krieg zu machen«[122]. Für ihn war die traditionelle Freundschaft zwischen den Hohenzollern und Romanows nicht zu brechen. Für Bismarck aber kamen 1876 selbst Berichte, die von russisch-französischen Freundschaftssondierungen sprachen, »nicht mehr überraschend«: für ihn war die preußisch-russische Freundschaft »schon seit zwei Jahren verloren«[123]; er wußte, daß sich »Alles«, wie es Radowitz in einem Privatbrief mitteilte, »aus dem unbegreiflichen Mißtrauen, welches hier (Petersburg) gegen den Fürsten Reichskanzler besteht ..., erklärt«[124]; das »l'oracle de Varzin« sei »Schuld an der Spannung«[125], da es sich nicht für Rußland erkläre. Daran aber dachte Bismarck nicht.

114a HHStA Wien, PA X, Nr. 69: 9. IX./15./27. IX., 28. VIII. 187 Langenau an Andrássy.
115 AA Bonn, Türkei 114 adh. IV: 2. X. 1876 Bismarck an Bülow.
116 GP II Nr. 229.
117 AA Bonn, Türkei 114 Bd. 12: 1./2. XI. 1876 Schweinitz an Bismarck, ebd. Bd. 13: 21. X./2. XI. 1876 Gortschakow an Bismarck (GP II Nr. 252/255).
118 HHStA Wien PA rot Nr. 454: 25. XI. 1876 Károlyi an Andrássy.
119 AA-Bonn Türkei 114 adh. VI.
120 GP II, Nr. 252.
121 AA-Bonn IAAa Nr. 50, vol. 1: 22. X. 1876 Bülow an Bismarck.
122 ebd. 24. X. 1876 Bülow an Bismarck.
123 ebd. 7. XI. 1876 Bülow an Bismarck, Randnotiz.
124 AA-Bonn IAAa Nr. 50, vol. 1.
125 ebd.

Trotz allem bemühte er sich, die Beziehungen zu Rußland nicht abbrechen zu müssen, denn »England mit seinen Parteien« war ihm ein zu »ungewisser Bundesgenosse«[126], um mit ihm der Gefahr einer möglichen Erneuerung »der alten antipreußischen Gruppierung aus dem 7-Jährigen Kriege von Rußland, Österreich und Frankreich«[127] begegnen zu können.

Bismarck hielt deswegen einen »lokalisierten Krieg« auf dem Balkan für den »besten Ausweg« aus »den Calamitäten«[128]; denn mit einem Krieg wäre den panslawistischen Kräften in Rußland »eine genügende Satisfaktion« gewährt, und Österreich wäre gleichzeitig mit »dem Recht, mit dem ersten Kanonenschuß Bosnien und die Herzegowina besetzen« zu können, ebenfalls »befriedigt« worden[129]. Dann wäre der Friede in Europa – d. h. keine Differenzen zwischen den mit Deutschland befreundeten Nachbarstaaten und gleichzeitig gute Beziehungen zu England[130] – dadurch erhalten geblieben, daß »die ohnehin unhaltbare Einrichtung der Türkei die Kosten dafür hergibt«[131].

Als Österreich und Rußland sich in Budapest am 15. Januar 1877 über die Abgrenzung ihrer Interessensphären auf dem Balkan einigten (also lokalisierter Krieg), hatte die Politik Bismarcks die akute Krise überwunden. Rußland war auf den Köder »der revolutionären Gefahrenbeschwörung eingegangen«[131a]. Trotzdem hatte Bismarck nicht verhindern können, daß erneut eine Isolierung der deutschen Position deutlich geworden war, daß das monarchische System von 1873 zerbrochen war und nun von einer zunehmend intensiver werdenden deutsch-österreichisch-ungarischen Intimität bei einer gleichzeitigen Verstimmung zwischen Deutschland und Rußland abgelöst wurde. Denn während sich Bismarcks Politik gegenüber Rußland noch in ständigen diplomatischen Freundschaftsbezeugungen erging, begannen auf deutscher wie auf russischer Seite bereits wachsendes Mißtrauen, militärische Rüstungen und wirtschaftspolitische Gegensätze die zwischenstaatlichen Beziehungen zu belasten[132].

Kriegserwartung bei Moltke

Vor allem der große Generalstab unter Moltke beurteilte die Lage weiterhin äußerst pessimistisch; aufgrund der »Stimmung im Lande und der Geldfrage« in Rußland, könnte es, so Moltke, durchaus möglich werden, daß in Rußland die

126 ebd. 17. IX. 1876 Bülow an Bismarck.
127 GP II, Nr. 257: 10. XI. 1876 Bismarck an Bülow, AA-Bonn Türkei 114 Bd. 12.
128 HHStA Wien PA rot Nr. 454: 17. III. 1876 Károlyi an Andrássy, ebd. PA X, Nr. 69.
129 HHStA Wien PA rot 453.
130 GP II, Nr. 270; HHStA Wien PA X, Nr. 69.
131 AA-Bonn Türkei 114 secr. Bd. 1: 20. X. 1876 ebd. IAAa Nr. 50, vol. 1: 12. IX. 76 Bülow an Bismarck.
131a AA Bonn, IAAa Nr. 50, 15. I. 1877 Bülow an Bismarck.
132 HHStA Wien, PA X, Nr. 69, 21. XI./3. XII. 1876 Langenau an Andrássy.

»seitherigen politischen Traditionen« gebrochen werden. Da »ein Krieg gegen Deutschland ... in einem sehr großen Kreise der russischen, sogenannten gebildeten Gesellschaft und der Armee, namentlich wenn es sich dabei um eine Allianz mit Frankreich handelt, geradezu mit Enthusiasmus begrüßt werden (wird) und es ... nicht schwer sein (wird), auch im russischen Volke diese Stimmung in kürzester Frist zu erzeugen«, würde – nach dem Urteil Moltkes – auch die »geradezu trostlose« wirtschaftliche Lage und »Geldfrage« in Rußland kein Hemmnis zu einem Krieg mit Deutschland sein. Denn je »trostloser die wirtschaftliche Krise ist, welche Rußland in diesem Augenblick durchmacht, desto geneigter sind erfahrungsmäßig die leidenden Glieder, einen gewaltsamen Ausweg aus der Calamität zu suchen – und die Theorie, den Teufel mit Beelzebub auszutreiben, ist ja nicht neu«[133]. Nach diesen »Vorbemerkungen« glaubte der Generalstabschef »Kriegsanzeichen« auch gegen Deutschland zu erkennen, da die Mobilmachung in Rußland in »vollem Zuge« sei und die Verlegung der russischen »Operationsarmee« gegen die Westgrenze und die Mobilisierung der Garden in den Militär-Gouvernements Wilna und Nischni-Nowgorod die Möglichkeit eröffne, daß »das Gewitter der orientalischen Frage (Moltke zitiert den deutschsprachigen Herold) sich gegen Westen« entladen könne[134]. Gleichzeitig erkannte auch das Kriegsministerium, daß Frankreich innerhalb von 5 Tagen mobil sein könnte[135]. Und am 28. Januar teilte Bülow Stolberg in Wien mit:

»Nach dem, was wir über russische Mobilmachung erfahren, greift dieselbe schon weiter, als für Türkischen Feldzug nothwendig. Hat man sich die Frage vorgelegt, ob diese Vorbereitungen gegen Deutschland oder Österreich zielen könnten? Die geradezu drohende Sprache amtlicher Preße gegen Nachbarn legt solche Frage nahe. Wir beschäftigen uns einstweilen mit Frage, ob wir im Westen, wo Anhäufung Französischer Kavallerie und Artillerie an Grenze aggressiven Character annimmt durch Verstärkung unserer Truppen Sicherheit gegen Handstreich zu suchen haben[136].«

Wien hatte sich diese Fragen ebenfalls vorgelegt und war von den russisch-französischen Aktionen »tief beunruhigt«[137]. Nicht weniger war es Bismarck, der von vornherein jeden Zug Frankreichs und Rußlands an England mitgeteilt hatte. Am 27. Januar versuchte nun Bismarck, in einem persönlichen Gespräch mit dem englischen Botschafter Lord Odo Russell, England auf die deutsche Seite zu ziehen und es auf eine bestimmte Haltung festzulegen.

133 AA-Bonn I ABi Nr. 57 secr., vol. 1: 24. I. 1877 »Einige Bemerkungen betr. die Eventualität einer Verwendung russ. Streitmacht im Frühjahr 1877 zu einem Krieg gegen Deutschland«. gez. Moltke.
134 AA-Bonn ebd. 27. I. 1877 Moltke an Bismarck.
135 ebd. 25. I. 1877 Kameke an Bismarck; 27. I. 1877 Bülow an Minister.
136 AA-Bonn ebd. 28. I. 1877 Bülow (hs.) an Stolberg.
137 AA-Bonn ebd. 29. I. 1877 Stolberg an AA.

Bismarcks Bündnisfühler nach England

Das Gespräch zwischen Russell und Bismarck war von hoher Spannung und Dramatik. Es zeigte, wie ernst Bismarck die Möglichkeit einer europäischen Konflagration nahm. Im Gegensatz zum Engländer betonte Bismarck, daß Rußland immer »aggressiver« werde; seit dem Sommer sei die »Sprache eine vollständig andere geworden«, Frankreich rüste ebenfalls. Deshalb sei Deutschland gezwungen, Vorsorge zu treffen; England möge die deutsche Operation an der Westgrenze »richtig beurteilen«. Viel wesentlicher aber als die Absicherung militärischer Operationen an der Westgrenze war Bismarck die Frage nach der Haltung Englands, wenn Deutschland »ungerecht von Rußland und Frankreich angegriffen werde?«. Denn »von einer Coalition sich bedroht zu fühlen, mache nervös!« Eindringlich fuhr der Reichskanzler fort: »Wir würden es aber nicht seyn, hätten wir die Gewißheit, uns nicht ohne Bundesgenossen zu finden«, oder wenigstens die Sicherheit, daß »England Alles neutral ansehen werde wie 1870. Bei Englands Überlegenheit zur See we could stand it – selbst ohne Österreich.« Der direkten Frage wich Lord Odo sofort mit einer Gegenfrage aus: »Wie würde sich Italien stellen?« – »Wahrscheinlich gar nicht: wenn es gehen müßte«, war die Antwort, und das Gespräch endete mit der Feststellung Bismarcks, daß Österreich und Deutschland »angesichts der russischen Bedrohung« gegenseitig »Anlehnung zu suchen« gezwungen seien[138]. Am 2. Februar 1877 bestätigte Russell offiziell die ablehnende Haltung Englands, und Deutschland bereitete die Mobilmachung[139] und die militärische Verstärkung der Westgrenze – vor allem bei Metz[140],[141] vor. Als einziger bremste Wilhelm I. die Vorbereitungen, der in »dieser Sache noch weitere und wesentliche Überlegungen«, die »nicht die Gärung noch verstärken«, bearbeitet wissen wollte[142].

Deutschlands Isolierung und der mitteleuropäische Staatenbund

Die allgemeine Kriegsgefahr verebbte bereits wieder im Februar; Rußland richtete seine militärische Aktivität doch allein gegen die Türkei. Jedoch waren die historischen Konsequenzen dieser scheinbar belanglosen Episode bedeutend: Als Reaktion auf die Reibungen zwischen Rußland und Deutschland und im Hinblick auf das Verhalten Frankreichs und Englands wandte sich Bismarck wieder dem Gedanken eines Schutz- und Trutzbündnisses mit Österreich-Ungarn zu, um so die deut-

138 AA-Bonn ebd. 27. I. 1877 Protokoll von d. Hd. Bülows.
139 ebd. 30. I. 1877 Moltke an Bismarck.
140 ebd. 6. II. 1877 Bismarck/Kameke/Moltke an Wilhelm, Abschrift ebd. I Rußl. 53, geh. vol. 2: 28. II. 1877 Körte an Bismarck; 28. II. 1877 Achenbach an Bismarck (Ausbau Moselbahn und St. Ingbert/Saarbrücken) 13. III. 1877 Moltke an Bismarck.
141 ebd. 11. II. 1877 Entwurf Bülow/Bucher an Wilhelm (und »zwar unter Verwendung aller disponiblen Kräfte«.)
142 ebd. 4. II. 1877 Wilhelm I. an Bismarck.

sche Stellung auf dem Kontinent für alle Fälle abzusichern. Das Bündnis sollte eine »dauernde organische Verbindung« sein, die aber »weder eine Injektion noch eine Kommixtion, weder eine Fusion noch eine Konfusion, weder eine wirtschaftliche und finanzielle Gemeinschaft ... anstrebt« ... Vielmehr kam es Bismarck auf eine »Verbindung« an, die »den beiderseitigen Besitzstand garantierte und sich zur Aufrechterhaltung des mitteleuropäischen Friedens ... mittels bleibender Institutionen verpflichtete«. »Gleichheitliche« Einrichtungen »auf den Gebieten der Rechtspflege, der Gesetzgebung, der Verwaltung, sowie der wirtschaftlichen und sozialpolitischen Dinge« sollten ein Zusammenwirken »zwischen zwei Gemeinschaften, welche sehr berufen sind, einander zu ergänzen«, schaffen und »endlich nicht eine nur vorübergehende Vereinigung ad hoc« bilden[142].

Schon 1862/63 hatte Bismarck dem damaligen österreichischen Minister Rechberg gegenüber mit diesem Gedanken kokettiert. Wie damals befand sich Bismarck auch jetzt wieder in einer außen- und innenpolitischen Zwangssituation. Damals hatte Bismarck gehofft, mit dem Bundesangebot Österreich aus dem Deutschen Bund drängen und die Großmacht Preußen konsolidieren zu können — nun strebte er mit dem »ewigen Bündnis« die militärische Absicherung Preußen-Deutschlands durch die Verbreiterung der mitteleuropäischen Aktionsbasis an. So ging also ab Anfang des Jahres 1877 (schon 1875 vorgezeichnet) zu Bismarcks Politik, zwischen den Nachbarn Deutschlands mit Hilfe der geographischen Zentralmacht Europas einen diplomatischen Interessenausgleich herbeizuführen — also die Politik des »ehrlichen Maklers« —, eine zweite außenpolitische Aktionsrichtung, nämlich die der direkten Absicherung der deutschen Großmacht durch den Ausbau eines mitteleuropäischen, sich gegenseitig »ergänzenden« Staatenbundes parallel. Mit diesem »konservativen Bund« hoffte Bismarck sowohl der »Gefahr« »revolutionärer« (d. h. demokratischer) Umwandlungen als auch der französischen »Revanche« und der panslawistischen »Expansion« zuvorkommen zu können, sollten diese Bewegungen den Bestand der deutschen Großmacht oder der österreichisch-ungarischen, d. h. die Ordnung in Mitteleuropa gefährden[143]. Die Option von 1879 wurde also bereits 1877 vorbereitet, und zwar in dem Bewußtsein, daß »das Testament Peters des Großen« nicht »apokryph« sei[144].

Bismarcks Außen- und Handelspolitik am Scheideweg

Die Ursache für den Wechsel in der außenpolitischen Konzeption Bismarcks und für den steigenden Gegensatz zwischen Rußland und Deutschland lag nur zum Teil in den militärischen Operationen oder in der persönlichen Animosität des russischen und deutschen Ministers. Der tiefere Grund ist wohl in den sich wandelnden sozialen, wirtschaftlichen und politischen Grundlagen beider Staaten zu er-

143 GW VIII S. 237 Bismarck mit K. Braun.
144 ebd. S. 237 ff.

kennen. Als Hintergrund der russischen Expansion ist offenbar die – auch von Moltke angeführte – Wirtschaftskrise anzusehen, wohl nicht in dem Maße, wie es zeitweise in der Forschung behauptet, kombiniert, aber nicht nachgewiesen wurde[145]. Denn bei Bismarck von vornherein keine »friedliche Bahn« anzunehmen, bei der Großindustrie grundsätzlich Rüstungsaggression, staatsbestimmenden Einfluß und Expansion *vorauszusetzen*, verdunkelt den Blick für die wesentlichen Differenzierungen im Verhältnis von Wirtschaftseinfluß und Staatsmacht. Von direkt-kausaler Verbindung zwischen Rüstungsindustrie, Krisen und deutsch-russischer Außenpolitik kann in den Jahren 1870–1879 nur sehr bedingt die Rede sein. Sehr wohl aber von indirekter Rückwirkung – wie es die Entwicklung der handelspolitischen Beziehungen zwischen Deutschland, Rußland und Österreich-Ungarn in diesen Jahren zeigte.

Der Wechsel der russischen Handelspolitik von den freihändlerischen Zollsätzen zu protektionistischen Tarifen im Jahre 1867 wirkte sich 1869 für die deutsche (vornehmlich schlesische) Industrie noch nicht aus[146]; denn die deutsche Industrie hatte auf dem Binnenmarkt noch genügend Absatzmöglichkeiten. Der Ausbau der deutschen und russischen Eisenbahnen[147] ermöglichte aber nach 1870 ein ständig steigendes Engagement der deutschen Industrie[148] und der Banken[149] in Rußland. Zugleich wurde damit die Zollpolitik Rußlands von den Deutschen immer mehr als ein Hindernis empfunden und zum Streitobjekt zwischen den beiden Ländern. Aufgrund dieser »Übererschließung« Rußlands durch Deutschland traf die Weltwirtschaftskrise von 1873[150] Rußland unter dem Signum des »ausländischen« – der von außen importierten wirtschaftlichen Not. Zollmauern zum Schutz der russischen Industriellen[151], Markterweiterung auf die stammverwandten slawischen Völker[152], Abbau der innerrussischen Verschuldung mit französischem Geld, prämiengestützte Ausfuhr und frankophile Außenpolitik waren die Antwort der westlich-liberalen russischen Intelligenz, der Industriellen und des Großhandels auf die deutsche Unternehmerinitiative. Gortschakows antideutsche Politik entsprach ihren Interessen und Anschauungen[153].

145 Hallgarten I S. 172.
146 DZA I AA hp Nr. 10452 zahlreiche Konsularberichte ebd. RKA Nr. 491.
147 ebd. AA hp Nr. 10459: 16. VIII. 1875 Achenbach an Bismarck.
148 ebd. AA hp Nr. 10458: 8. V. 1876 Eingabe des CdI; Feis S. 75; Riesser S. 657, S. 661; Disconto-Ges. Festschrift S. 43 (1903).
149 Berliner Börsen Courier 21. I. 1889; Fürstenberg: Memoiren S. 10 f.; Disc. Geschäftsbericht u. a. 1869: Gründung der St. Petersburger Internationalen Handelsbank; 1871 Gründung der Rigaer Kommerzbank; 1873 Gründung des Russischen Central-Bodenkredit.
150 Zweig: Die russ. Handelspolitik seit 1877; Staatswiss. Forsch. Lpz. 1906, S. 15 f.
151 DZA I AA hp Nr. 10475: 3. VI. 1880 Schweinitz an Bismarck.
152 ebd. AA hp Nr. 10472: 26. IX. 1878 Berchem an AA; ebd. Nr. 10486: 27. IX. 1883 Kiderlen/Wächter an Bismarck.
153 DZA I AA hp Nr. 10459: 31. X. 1876 Berchem an AA; ebd. 23. XI. 1876 Schwei-

In Deutschland hatten der Wandel der russischen Politik und die wirtschaftlichen Gegensätze verschiedene Folgen. Einmal revidierte Bismarck seine außenpolitische Konzeption, dann bemühte er sich um die Annahme eines handelspolitischen Kampfzollprogramms, und zum dritten näherten sich nun auch die Schlesier im Verein Deutscher Eisen- und Stahlindustrieller den prononciert schutzzöllnerischen Plänen des Centralverbandes deutscher Industrieller. Sie verstärkten dadurch die bislang nur von den rheinischen und süddeutschen Schutzzöllnern gebildete antifreihändlerische Front[154]. Im Gegensatz zu Bueck und Servaes glaubte aber Richter weiterhin, die Initiative der Regierung überlassen zu sollen: »Es wäre besser, wir bekommen erst die Verträge von der Regierung und knüpfen daran unsere Politik[155].«

Als Bismarck im Dezember 1876 die Durchsetzung seines »Ausgleichsabgabengesetzes« mißlang[156], war er darauf angewiesen, sein Bemühen um die Konsolidierung seiner Machtstellung verstärkt fortzuführen. Darum betrieb Bismarck die Vorbereitungen für die von Österreich-Ungarn angebotenen Handelsvertragsverhandlungen intensiv weiter, ohne jedoch auf die Durchsetzung des im Dezember abgelehnten Gesetzes zu verzichten[157]. Die Handelspolitik wurde erneut ein Mittel im politischen Machtkampf[158].

nitz an Bülow, es sei hier noch darauf hingewiesen, daß der Hauptteil der deutschen Berichterstattung vom späteren Unterstaatssekretär, zugleich Chef der handelspol. Abteilung im AA, von Berchem, getragen wurde.
Berchem, Bayer, Katholik, wurde in den 80er Jahren zur grauen Eminenz der deutsch-russischen Handelspolitik, die in sehr erheblichem Maße auf die Gesamtpolitik Bismarcks Einfluß erhielt. (DZA I AA hp Nr. 10 475, 10. V./30. VI./12. VII. 1880 Berchem/Schweinitz an Bismarck).
Ich hoffe in Fortführung dieser Arbeit neues Material zur deutschen Handelspolitik bald vorlegen zu können; gerade die Persönlichkeit Berchems wird dabei in ihrer Bedeutung stärker hervortreten.

154 Bueck I, S. 170; DZA I AA hp Nr. 10 458 Berichte Berchems; ebd. RdI Nr. 4922: 18. II. 1880 VDEStI an Bismarck; DZA I RKA Nr. 214: 1. II. 1877 Schwartzkopff an Bismarck; BA Koblenz R 13/I Nr. 79: 16. XI. 1876 Protokolle Vorstandssitzung; dto. 26. I. 1877, 8. I. 1877 Schimmelfennig an Rentzsch.

155 ebd. 9. I. 1877 Richter an Rentzsch.

156 s. oben Seite 436 f.

157 DZA I AA hp Nr. 9928, 9929: 27. II. 1877 Bismarck an Wilhelm; BHStA München MH Nr. 12 268: 17. I. 1877 Aufstellung der Tarifpositionen; Sächs. LHA Dresden AM Nr. 6926: 20./30. I., 5./12./13. II. 1877 Bericht sächs. Unterhändlers.

158 vgl. H. Bornemann: Die deutsch-russischen Handelsbeziehungen in der zweiten Hälfte des 19. Jhdt., Berlin, Diss. Phil. 1957, S. 42.

c Reichstagswahl 1877, Steuerreform und Handelsvertragspolitik: Bismarcks enttäuschte Hoffnung auf die Solidarität von Landwirtschaft und Industrie

Die Stellung der Liberalen im Reichstag wankt

In dieser außen-, innen- und handelspolitischen Hochspannung wurden Anfang Januar 1877 die Wahlen zum Reichstag abgehalten. Zum erstenmal griffen die neugebildeten Interessenorganisationen – Centralverband und Steuerreformer – in den Wahlverlauf ein[168]. Und wenn auch der Wahlausgang nicht ganz ihren Interessen entsprach, so hatte sich doch sowohl die Umorganisation der Vereinsspitze des Centralverbands deutscher Industrieller (nach der erneuten parlamentarischen Niederlage)[169] als auch die Neuformierung und Agitation der Konservativen in den »Steuerreformern« gelohnt. Denn die Wahl bedeutete mit dem Wiedererstarken der altkonservativen Gruppe unter Helldorff[170], dem Beharren der Freikonservativen (38 Mandate[171]) und dem Rückgang der Liberalen, zugleich ihrer Spaltung in einen rechten und linken Flügel[172], das Ende der bisher unbestrittenen liberalen Dominanz im Reichstag. Entgegen der liberalen Wahlprognose, daß die Junker »ohne die protestantische Kirche ... als Polizeiinstitut für die Wahrung der welt-

168 National-Zeitung Nr. 6: 4. I. 1877.

169 DZA II, Rep. 120 C XIII, 1 Nr. adh. 1 vol. 2; Bueck I S. 170 ff. Mit Bueck, Haniel, Haßler, Kardorff, Schimmelbusch, Kunheim, Lohren, Protzen, Schueck, Staub, Servaes und Websky traten die entschiedensten Schutzzöllner im Ausschuß in den Vordergrund, und im neugewählten Präsidium war auf Druck Buecks Reimann vom »in Industrie und öffentlichen Leben bewährten« Lokomotivfabrikanten Schwartzkopff abgelöst worden, und Haßler nahm die Position des zweiten Vorsitzenden ein.

170 Eckert S. 44 f.; Mommsen, Parteiprogramme S. 21 ff.; Booms S. 9 ff.
Otto Heinrich von Helldorff vertrat seit seiner Wahl zum Vorstandsmitglied der konservativen Partei ein Zusammengehen mit den Industriellen in der Handelspolitik. 1833 auf Bedra/Kreis Erfurt geboren, wurde er nach einem Jura-Studium in Bonn, Leipzig, Heidelberg und Berlin 1862 Landrat im Kreis Wetzlar. 1874 nahm er seinen Abschied und widmete sich der Verwaltung seiner Rittergüter. 1876 wurde er zum zweitenmal (bis 1881 und dann wieder von 1884–1890) in den Reichstag gewählt, 1884 wurde er Mitglied des Staatsrates und 1890 Mitglied des Herrenhauses.

171 Viebig S. 7 ff.; Hellwig 77 ff., Mommsen S. 18 ff.

172 Voss. Ztg. Nr. 1: 3. I. 1877; Nr. 3: 5. I. 1877, Nr. 4: 6. I. 1877, Nr. 6: 9. I. 1877; Stillich: Liberale S. 126 ff.; L. Bergsträsser: Parteien S. 43 ff., S. 114 ff. 201 liberale Mitglieder hatte der Reichstag von 1874 gezählt. Die 1877 neugewählten Abgeordneten teilten sich in 127 Nationalliberale und 35 Fortschrittler (Stat. Jb. 1880, S. 140 ff.).

lichen Interessen« sich politisch »nicht rekrutieren« könnten[173], hatten die Anhänger und Mitglieder der Steuer- und Wirtschaftsreformer wenigstens Ostelbien wieder erobern können[174]. Auch der Centralverband konnte mit Feustel, Hammacher, v. Kardorff, v. Stumm, Stötzel und dem Sekretär des Centralverbandes deutscher Industrieller, Dr. Grothe, mehrere Vertreter in den Reichstag schicken[175]. Der Erfolg der Schutzzöllner gewann noch dadurch an Gewicht, daß das Zentrum weiterhin mit 93 Sitzen im Reichstag vertreten war und ebenfalls zunehmend schutzzöllnerisch agierte; denn Windthorst, von Schorlemer und v. Schalscha »erkannten« in dieser Taktik die Möglichkeit, den Kulturkampf abzubauen. Das Anwachsen der Sozialdemokratie auf 12 Sitze – als Ausdruck der Wirtschaftslage – war nur dazu angetan, den Forderungen der Industriellen bei »den Honoratioren« des Parlaments »revolutionären« Nachdruck zu verleihen[176]. Dazu bildete sich innerhalb des schon gespaltenen liberalen Lagers noch eine weitere schutzzöllnerisch eingestellte, an der Textilindustrie interessierte Gruppe unter Führung der Bayern Schauß (Hof) und Völk (Immenstadt), die Bennigsen nur noch mühsam formell in der Nationalliberalen Partei zu halten vermochte.

Die »Wahl« der Schutzzöllner

So zeichnete sich nach der Wahl von 1877 die Möglichkeit einer konservativ bestimmten, schutzzöllnerisch eingestellten parlamentarischen Mehrheit ab. Das Zusammengehen von Centralverband deutscher Industrieller und Steuerreformern schuf für die Schutzzöllner eine wesentlich günstigere Ausgangsposition für den wirtschaftspolitischen Umschwung als der alte Reichstag mit seinen 201 freihändlerischen Liberalen[177].

173 StA Hbg. Hans. Ges. Ält. Reg. G IV a: 15. XII. 76 Bericht Krüger.

174 U. a. wurden Arnim-Boizenburg (WK Templin), v. Batocki (WK Königsberg), v. Bernuth (WK Aschersleben), v. Bonin (WK Jerichow), v. Behr (WK Rügen), v. Benda (WK Wenzeleben), v. Helldorff (WK Schweinitz), v. Jagow, v. Kleist-Retzow, v. Levetzow (WK Königsberg), v. Maltzahn, v. Manteuffel, v. Puttkamer, v. Saucken, Graf Stolberg und v. Woedtke in den Reichstag gewählt (Sten. Ber. RT 1877, 3/I/1 Anhang S. 1 ff.; Specht S. 21, Kremer S. 4 ff.).

175 Sten. Berichte RT 1877, 3/I/1 Anhang S. 11.

176 128 Rittergutsbesitzer saßen im RT von 1877, 143 Adlige repräsentierten neben 256 Bürgerlichen, davon ca. 183 mit akademischer Bildung, das deutsche Volk. 28 Rechtsanwälte, davon 14 zugleich Notare, und 139 Beamte in hohen und höchsten Stellungen, 11 Soldaten und 6 Diplomaten standen 24 Kaufleuten und Bankiers, 19 Fabrikanten und 3 Handwerkern gegenüber. Unter den Rittergutsbesitzern, die zugleich in 31 Fällen Landräte waren und die vorwiegend Ostelbien repräsentierten, stellten die Anhänger und Mitglieder des Steuer- und Wirtschaftsref. seit 1877 einen wesentlichen Kern der landwirtschaftlichen Schutzzöllner dar.

177 Ruschen, S. 11.

Sofort nach der Wahl führten der Centralverband deutscher Industrieller und der Verein Deutscher Eisen- und Stahlindustrieller »die Agitation für Wiedereinführung von Eisenzöllen mit alter Energie« fort[178]. In neuen Eingaben an den Reichskanzler und den Reichstag verlangten sie die »Anhörung der zumeist Interessierten für den Handelsvertrag«, und legten »entschiedenste Verwahrung« gegen rein ministerielle Entscheidungen ein[179]. Für die Anhörung hatte sich der Verein Deutscher Eisen- und Stahlindustrieller schon im Dezember 1876 mit der Bildung von Sachverständigenausschüssen vorbereitet, in denen Schimmelbusch (Hochdahl) und Meyer (Ilseder Hütte) »Roheisen«, C. Meyer (Krupp) und Baare »Stahl«; C. Richter, Lueg, Fromm, Schaeffner und Hegenscheidt »Walzwerkprodukte«, Schwartzkopff und Hartmann »Maschinenfabrikate« und Heckmann »Kupferwaren« vertreten sollten[180]. Neben den deutschen Eisen- und Stahlindustriellen meldeten sich auch die Lederindustriellen[181], die Flachsspinner[182], die Baumwollindustriellen[183], die Glasindustriellen[184], die Leinenindustriellen[185], die Chemieindustriellen[186] und vor allem der Centralverband[187] und der »Langnamverein« unter Buecks Leitung[188] zu Wort.

Buecks Taktik nach der Wahl

Im Gegensatz zu den Einzeleingaben der jeweiligen Fachverbände agierte Bueck nach den Wahlen mit einer ganz anderen Taktik. Bereits auf der Ausschußsitzung

178 BA Koblenz R 13/I Nr. 79: 9. I. 1877 Programm Rentzsch.

179 BA Koblenz ebd.: 26. I. 1877 Protokoll.

180 DZA I RKA Nr. 89/1: 28. XII. 1876 Rentzsch an Hofmann.

181 ebd. Jan. 1877 treibende Kraft der Petition war der CdI-Mann Roëll, der vor allem für den Schutz vor amerikanischen Produkten eintrat; ebd. 4. III. 77 Eingabe des Congresses dt. Lederindustrieller; ebd. Nr. 214: 14. IV. 1877 Eingabe Delius RK Nr. 421.

182 ebd. 12. II. 1877 Renner & Co./Röhndorf.

183 hier war ebenfalls ein CdI-Mann der Agitator: Fr. Wolff (Mönchen-Gladbach) DZA I RKA Nr. 89/1: 26. III. 1877 / 15. IV. 1877 Wolff; Jansen-Dülken, Beckmann-Bocholt, Croon-Mönchen-Gladbach und v. Delden forderten vor allem »Abschluß vom englischen Garnmarkt« und die »Einführung eines Werthtarifs auf paritätischer Grundlage« oder »Gleichmäßiges tarifiertes Gewichts-Zollsystem«. Zugleich lehnten sie demzufolge einen Einheitszoll ab.

184 DZA I RKA Nr. 214: 8. IV. 1877 auch hier war es ein CdI-Mann, der die Petition veranlaßte und die Agitation fortführte, Vopelius. DZA II, Rep. 120 C XIII 2 Nr. 1 a vol. 2: 27. III. 1877 Eingabe der Handelskammer Görlitz.

185 DZA II Rep. 120 C XIII, 1 Nr. 4 adh. 1 vol. 2: 1. III. 1877 Eingabe des Verbandes geführt von CdI-Ausschußmitglied Kaselowsky.

186 DZA I RdI Nr. 3040/9 15. III. 1877.

187 DZA II Rep. 120 C VII, 1 Nr. 10 vol. 16: 4. IV. 1877.

188 DZA I RKA Nr. 89/1: 24. III./6. IV. 1877. Zur Gesamtfrage RK Nr. 397.

am 15./16. Februar in Frankfurt akzeptierte der Centralverband angesichts der neuen Reichstagskonstellation ein *offizielles* Zusammengehen mit den Spitzen landwirtschaftlicher Vereine[189] als Nahziel der Centralverbands-Politik. Gleichzeitig konferierten die Landwirte in Berlin. Das Ergebnis ihrer Sitzung brachte für Bueck, Servaes und Mulvany endlich die langerstrebte »Solidarität der Interessen« und krönte die Politik des Centralverbandes deutscher Industrieller mit einem ersten, für den Gesamtverlauf ihrer weiteren Politik sehr wesentlichen Erfolg[190]. Hatten sich die Steuerreformer 1876 noch von einem *unmittelbaren* Zusammengehen mit den Industriellen distanziert, so setzten sich nun v. Frege, Wilmanns, Niendorf, v. Thüngen und v. Kameke für einen Wertzolltarif ein als »Schutz der nationalen Arbeit in Industrie, Handwerk und Landwirtschaft«, wozu sie jetzt die volle Zustimmung der Delegierten erhielten[191]. Zugleich »erhöhten« die Steuerreformer die wirtschaftspolitischen Auseinandersetzungen zu einer eminent politischen, wenn Wilmanns wiederum das »liberale Prinzip« als Hauptfeind apostrophierte, gegen das die konservative Sammlung *vorerst* in »wirtschaftlichen Programmen ... der Landwirte ... Großindustriellen und Handwerker« gerichtet sei. Unter dem Zeichen der Restauration »des christlichen Staates« waren die Steuerreformer 1876 angetreten.

Nun auf ihrer zweiten Generalversammlung entschlossen sie sich zum Zusammengehen mit den Schwerindustriellen. Die bisherige Opposition wurde aufgegeben. Nun forderten auch die Steuerreformer einen lückenlosen Wertzolltarif, der ihren landwirtschaftlichen Bedürfnissen entsprechen sollte. Damit wurde den bisher verfolgten freihändlerischen Prinzipien ebenso der Kampf angesagt wie der liberalen Steuerpolitik. Schließlich wurde als Hauptziel der Verbandarbeit die Verdrängung der liberalen Vormacht in den Parlamenten und Regierungen aufgestellt[192].

Die Solidarität von Landwirtschaft und Industrie

Im Februar und Anfang März 1877 konnte zum erstenmal die neue Solidarität »zwischen Landwirtschaft, Industrie und Gewerbe« bei den Treffen der landwirtschaftlichen Vereine für Rheinpreußen und Westfalen und des »Langnamvereins« in Köln öffentlich bekundet werden[193]. Auf Anregung des Bankiers Oppenheim

189 Bueck I, S. 176.
190 Berichte über die Verhandlungen der Generalversammlung der Steuer- und Wirtschaftsreformer zu Berlin am 15./16./17. II. 1877, erstattet vom Büro des Ausschusses, Berlin 1877
191 Berichte pp., S. 83.
192 Lotz: Ideen, S. 57.
193 DZA I RKA Nr. 89/1 Kurzer Bericht Buecks von den Versammlungen vom 10./24. II. und 10. III. 1877. Tenge-Rietberg, Delius-Bielefeld, Hugo Haniel, W. Meckel-

(Köln) (wie in Berlin waren die Banken auch hier die »Motoren« der Formung der nationalen Produzentensolidarität) versammelten sich die rheinischen Interessenvertreter, um »eine practische Basis zu gewinnen, auf welcher alle Gewerbe zusammengehen können«. Sie beschlossen »einstimmig«, »Generalsekretär Bueck« zu beauftragen, die »zu formulierenden Anträge ... an maßgebender Stelle zur Geltung« zu bringen, Anträge, die Bueck schon im voraus formuliert hatte und die jetzt nur noch die einstimmige Billigung der Landwirte und Industriellen erhielten. So konnte Bueck in den Eingaben des »Langnamvereins« (zugleich denen der landwirtschaftlichen Vereine) seine gesamte Argumentation auf das Axiom »Landwirtschaft, Gewerbe und Industrie sind solidarisch« begründen. Ausgehend vom Grundsatz, daß »der Erhaltung und Entwicklung der vaterländischen Produktion als erste Bedingung für das allgemeine Wohl« in der Wirtschaftspolitik eine ausschlaggebende Rolle zuzubilligen sei, opponierte Bueck gegen die »Tatsache ... daß Deutschland Ablagerungsort« der Konkurrenz geworden sei, und forderte deswegen, die »Consumtions- und Exportfähigkeit ... des eigenen Marktes« durch »hartes« Auftreten in Handelsvertragsverhandlungen, durch billige Frachten, durch »wohlabgewogene Zolltarife«, durch »rationelle Steuergesetzgebung« (d. h. indirekte Steuer) und durch Reduzierung »der Grund-, Gebäude-, Gewerbe- und Bergwerkssteuer« zu erhalten. Deutschland bedürfe »einer nationalen Handelspolitik, sei dies nun Freihandel oder da wo es richtig ist, der richtige Schutzzoll«. Zu beurteilen »wo es richtig ist« und wo nicht, sei notwendig für die »Solidarität der Interessen, ohne deren Zuziehung kein Zolltarif beschlossen werden dürfte[194].

Bueck, der »Langnamverein«, der Centralverband Deutscher Industrieller und die in ihm vereinten Verbände hofften nach den Reichstagswahlen um so mehr auf einen Erfolg ihrer Agitation, als die Landwirte in Köln für ihre Solidaritätsbekundungen keine Gegenleistung gefordert hatten. Auch hatte Bismarck das Gerücht verbreiten lassen, daß er seine Handelspolitik im Dezember keineswegs als gescheitert ansah und daß er dem Hauptslogan der Industriellen: »Macht und Unabhängigkeit sind wichtiger als Reichthum«, sehr »wohlwollend« gegenüberstehe[195].

Bismarcks neue Initiative

Wie der Centralverband und die Steuerreformer hatte auch Bismarck die Chance wahrgenommen, im neuen Reichstag eine neue, die Regierung tragende Parlamentsmehrheit zur Durchführung des handelspolitischen Umschwungs zu gewinnen.

Elberfeld, F. Wolff-Mönchen-Gladbach vertraten den Langnamverein, v. Overweg-Lemathe (Präs. d. Landwirt. Ver. v. Westfalen), v. Rath-Lamersfort (Landwirtschaftts-Verein f. Rheinpr.) und von Oppenheim vertraten die landwirtschaftlichen Interessen.

194 DZA I RKA Nr. 89/1: 24. III. 1877 Petition Bueck.

195 ebd. Nr. 341: 27. III. 1877 Lueg an Rentzsch.

Schon die Reorganisation der Reichsverwaltung um die Jahreswende 1876/77 verfolgte das doppelte Ziel, die Liberalen mit der Bildung eines Reichsjustizamtes[196] und einer Finanzabteilung im Reichskanzleramt[197] (also Betonung der Reichskompetenzen vor den Bundesstaaten) zufriedenzustellen, gleichzeitig aber die Vorbedingungen zur Eindämmung des Einflusses von Camphausen und Achenbach zu schaffen[197a]. Auf den ersten Blick scheint Bismarcks Schachzug gerade das Gegenteil einer »Eindämmung« zu bezwecken. Denn zum Chef der neuen Finanzabteilung wurde der Freund Delbrücks, Michaelis, ernannt, und ihm wurden mit Aschenborn, Huber und Meitzen die alten freihändlerischen Vertreter aus Delbrücks Schule beigegeben. Zugleich trug sich Bismarck auch noch mit dem Gedanken, den Finanzminister gleichzeitig zum Chef des Reichskanzleramtes zu ernennen. Alles deutete also scheinbar auf eine Machtsteigerung des liberalen Ministers hin. Und doch bezweckte Bismarck etwas ganz anderes. Er wollte damals schon – wie er es dann 1876 auch tat – Camphausen auf eine »Abschlußstellung« bringen. Camphausen sollte sich gegenüber dem neuen Reichstag, in dem die freihändlerischen Liberalen nicht mehr die unangefochtene Machtstellung hatten, engagieren – und über dieses Engagement, sollte es Bismarck nicht »convenieren«, dann fallen. Deswegen wurde Camphausen als »Träger« der Handels- und Steuerpolitik herausgestellt, und deswegen trieb Bismarck – nach der Reichstagswahl mit ihrem »so positiven« Ausgang für die konservativ-schutzzöllnerische Partei – auf eine Beschleunigung der Wirtschaftsreform[197b]. Bismarck konnte dies um so mehr tun, da er, während die liberalen Minister herausgestellt wurden, mit Konsequenz die personelle Zusammensetzung der neuen Behörden so formte, daß im zweiten Glied bereits Schutzzöllner »auf Abruf« saßen. Dies zeigte sich besonders bei der neuen Finanzabteilung. Denn neben Michaelis, Aschenborn, Huber und Meitzen waren mit der Berufung des Thüringers Lieber[198], der Preußen Schulz[199], Burchard[200] und des Bayern Maximi-

196 Morsey S. 162; StA Hbg. Hans. Ges. Ält. Reg. GIV a Bd. 7: 4. IX. 76 Krüger; DZA I RK Nr. 1912: 28. II. 1877 Tiedemann an Hofmann.

197 DZA II Rep. 89 H II Deut. Reich Nr. 5 vol. 1: 26. II. 1877 Bismarck an Wilhelm, vgl. auch 29. XII. 1876 Erlaß Hofmann nach Morsey S. 89: »Akten des Reichsamt des Inneren«.

197a DZA I, RdI Nr. 16 456: 24. III. 1877 Bismarck Circular.

197b DZA I Nachlaß Hofmann.

198 DZA II ebd., 1823 in Weimar geboren, 1856 Accessist, 1856 Auditor am Appellationsgericht in Eisenach, 1858–60 im St. Min. und 1868 in der Justizkommission, seit 1873 im Reichskanzleramt.

199 DZA II ebd. geb. 9. XII. 1831; 5. X. 1853 Auskultator, 1859 Gerichtsassessor, 1867 Kreisrichter, 1875 im Reichskanzleramt.

200 DZA I RSCHA Nr. 9979; Franz Burchard, 1836 geb., wurde 1862 als Gerichtsassessor der Verwaltung indirekter Steuern zugeteilt und diente sich dort 1865 zum Regierungsassessor, 1873 zum Regierungsrat hinauf. 1876 wurde er als »Hilfsarbeiter in Zollsachen« zugezogen und dann in Reichsdienste übernommen (4. XI.

lian Schraut[201] zugleich jüngere Beamte des Reichskanzleramtes an einflußreiche Beratungsstellen der Handels- und Finanzpolitik des Reiches gerückt, die im Gegensatz zu den Delbrückianern weit weniger freihändlerisch eingestellt waren, vielmehr dazu neigten, Bismarcks Zielsetzungen zu dienen.

Als Camphausen und die Liberalen im Dezember 1876 Bismarcks Ausgleichsabgabengesetz zu Fall brachten, die Reichstagswahlen von 1877 aber eine Verstärkung der Konservativen ergaben, ergriff Bismarck nicht nur in der Handelspolitik, sondern auch – eng mit dem Schutzzoll verbunden – in den Fragen der Steuerreform, seinem Hauptanliegen, erneut die Initiative. Schon am 13. Februar 1877 forderte er Camphausen auf, mit »umfassenden Vorarbeiten« für die Steuerreform zu beginnen. Bismarck schwebte bei der Reform eine »ausgiebig bemessene Erhöhung« der Stempelabgaben, der Steuer auf Tabak, Zucker, Wein, Bier, Branntwein, Kaffee, Petroleum und Gas vor. »Außerdem (sei) bei der anzustrebenden Reform auch Bedacht (zu) nehmen, daß die deutsche Industrie gegen Benachtheiligung wirksam geschützt« werde. Damit war die Reform – wie Camphausen erkannte – direkt an die »Erneuerung der Verträge« (zunächst mit Österreich-Ungarn) gebunden; denn erst nach den Handelsvertragsabschlüssen konnte eine Grundlage zur Bemessung der notwendigen Steuereinnahmen gefunden werden[202]. Camphausen erkannte die Falle und taktierte mit Geschick. Er lehnte die von Bismarck geforderten Steuermonopolpläne, so z. B. das Tabakmonopol »als *letztes* Ziel« der Reform *nicht direkt* ab, betonte sogar, daß ein »Reichsstempelabgabengesetz in Arbeit sei«, jedoch verwies er Bismarck bei der ganzen Reform auf die »Initiative des Reiches«, da »große reformatorische Gesetze auch auf dem Gebiet des Zoll- und Steuerwesens ... nur dann Aussicht auf Erfolg (hätten), wenn sie von der Reichsregierung, die ja die gemeinsamen Interessen der deutschen Staaten zu bewahren habe, ausgingen, und mit Entschiedenheit vertreten« würden[203]. Nun blieb Bismarck nichts übrig, als wenigstens die Handelsvertragspolitik auf eine neue Basis zu stellen, um später die Sanierung der Finanzen des Reiches durch den Ausbau der indirekten Steuern zu erreichen. So befahl er am 27. Februar 1877 Hofmann und Camphausen, die Zolltarifsbasis von 1873 »umzuarbeiten« und zugleich ein neues Ausgleichsabgabengesetz vorzulegen[204].

1876 Hofmann an Camphausen; 23. VI. 1877 Burchard an Bismarck). 1878 wurde er Geheimer Regierungsrat und 1879 im Zuge des Umbaues der Handelspolitik als Direktor des Reichsschatzamtes eingesetzt. 1882 wurde er Nachfolger von Scholz als Staatssekretär des Reichsschatzamtes.

201 geb. 3. I. 1845 in Würzburg, 1866 im bayr. Staatsdienst, 1870 Regierungsaccessist und 1871 in die Verwaltung Lothringens als Kreisdirektor von Saarburg berufen, dann in Metz Reg. Ass. und schließlich 1875 im Reichskanzleramt.

202 DZA II, Rep. 151 neu Sekr. Tit. 36, 4 Nr. 1168: 13. II. 1877 Bismarck an Camphausen.

203 ebd. 17. II. 1877 Camphausen an Bismarck.

204 ebd. 27. II. 1877 Hofmann an Camphausen.

Bismarck kassiert einen neuen Mißerfolg

Unterstützt von den Eingaben der Industriellen[205], den Stellungnahmen der Süddeutschen – vor allem Württembergs und Bayerns –, die für Eisenzölle eintraten[206], indirekt auch angetrieben durch die Zollabschlußtendenzen in Rußland[206a] und Frankreich[207], inszenierte Bismarck während der Vorbereitung des neuen Ausgleichsabgabengesetzes gegen die Hauptvertreter des freihändlerischen Liberalismus eine Pressekampagne[208] und versuchte Camphausen im Staatsministerium zu isolieren[209]. Das Staatsministerium nahm dann auch den nach Bismarcks Ideen angefertigten Hofmann-Entwurf einstimmig an, aber weniger um ihn tatsächlich zu stützen, als um ihn durch eine »schwache Vertretung« im Reichstag zu Fall zu bringen[210].

Nun mußte es sich zeigen, ob Bismarcks Rechnung mit dem Parlament aufging. Es gelang Bismarck aber nicht, sich gegen die schleunig mobilisierte Freihandelsagitation[211] im Reichstag durchzusetzen – trotz seines erstmaligen Zusammengehens mit Windthorst und Schorlemer vom Zentrum, mit Löwe, Kardorff und Jaunez von den Freikonservativen, mit Treitschke vom rechten Flügel der Nationalliberalen und mit Wedell-Malchow von den Altkonservativen. Auch im zweiten Anlauf scheiterte das schutzzöllnerisch ausgerichtete Ausgleichsabgabengesetz für Prämienimporte an der Mehrheit der Freihändler. Mit 211 zu 111 Stimmen lehnte

205 zu den oben genannten vgl. BA Koblenz R 13/I Nr. 341: 20. II. 1877 Servaes an Rentzsch; 20. II. 1877 Rentzsch Entwurf an RKA für Lueg; 26. III. 1877 Petition an Reichstag.

206 BHStA München MH Nr. 9963 o. D. Instruktion May/Herrmann, 30. IV. 1877 v. Pfeuffer an Landgraf; MH Nr. 12 269 Berichte von Herrmann über Verhandlung mit Wien 1./3./9. II. 1877, 11. IV. 1877.

206a DZA I AAhp Nr. 10 408: 9. III. 1877 Strubeck an AA.

207 DZA I AA hp Nr. 9358: 9. II. 1877; 13. IV. 1877 Hohenlohe an Bismarck.

208 Poschinger: Volkswirt I, S. 123 f. Vor allem wurde die Auseinandersetzung von Bismarck und den Konservativen auf das Gebiet des preußischen Anleihewesens gezerrt. Die Preußische Seehandlung, mit deren Tätigkeit Camphausen sowohl als ehemaliger Präsident des Instituts als auch als preuß. Finanzminister eng verbunden war, hatte schon 1876 im Mittelpunkt der Auseinandersetzung mit den liberalen Prinzipien preußischen Finanzgebarens gestanden. Nat. Ztg. 3. III. 1876; Berliner Tagblatt 29. I. 1876, Berlin. Bürger Ztg. 5. III. 1876, Berl. Börsen-Courier 24. I. 1876. Erneut wurde 1877 das Verhalten der Seehandlung, »die die Ladung« von 1876 bzw. 1873 deckte, und damit indirekt die Camphausensche Politik des Freihändlertums angegriffen. HA Berlin, Rep. 109, Nr. 3200; DZA II, Rep. 151 neu, HB Nr. 681.

209 DZA II, Rep. 90 a, 2 b, Nr. 6 Bd. 89; Tiedemann S. 121.

210 ebd.

211 DZA I RKA Nr. 1612, 1613 u. 1614 zahlreiche Eingaben von Manufakturindustriellen, kleinen landwirtschaftlichen Betrieben und 1876 neu gegründeten freihändlerisch agierenden Vereinigungen.

der Reichstag die Vorlage ab[212]; zugleich erhielt Bismarck für seine Steuermonopolpläne eine Abfuhr erteilt[213].

Trotz des neuen Reichstags, trotz der »Solidarität der Interessen« waren auch weitere Anträge auf Schutzzölle[214] und auf Verschiebung jedes Handelsvertragsabschlusses bis zur Fertigstellung eines neuen Tarifs[215] vom Reichstag abgelehnt worden. Die industriellen und landwirtschaftlichen Schutzzöllner waren selbst mit der Zentrumsunterstützung noch zu schwach[216]. Bismarcks Hoffnung auf die landwirtschaftliche und großindustrielle Solidarität ging nicht in Erfüllung; nur 139 Unterschriften fand ein von Varnbüler im Reichstag eingebrachter Schutzzollentwurf dieser »Interessenkoalition«. Mit 139 Unterschriften als Rückhalt[217] konnte Bismarck aber weder den Wandel in der Handelspolitik noch in der Finanzpolitik, geschweige denn in der Gesamtpolitik – an deren erster Stelle die Fragen der zukünftigen Gestaltung des Reiches und seiner außenpolitischen Sicherung standen – erzwingen.

212 Sten. Bericht Reichstag 21/24./27./28. IV. 1877; GLA Karlsruhe Abt. 233 Nr. 14 177 Bericht Türckheims; BHStA München MH Nr. 9661.

213 Tiedemann, S. 117; A. Zimmermann, S. 266 ff.

214 BHStA München MH Nr. 9961: 20. III. 1877 Antrag Löwe-Jaunez und Kardorff mit Unterstützung von Ballestrem, Bethmann Hollweg, Bethusy-Huc, v. Bockum, v. Ende, Feustel, Franz, Grothe, v. Galen, Hammacher, Heimendahl, Horn, Lucius, Pleß, Radziwill, Schorlemer und Varnbüler; BA Koblenz R 13/I Nr. 341: 4. IV. 1877 Resolution des CdI zur Unterstützung Löwes.

215 ebd. 24. III. 1877 Antrag Varnbüler, Buhl, Schorlemer-Alst, Ackermann, Bergmann gestützt von 139 Unterschriften u. a. Aretin, Ballestrem, Benda, Bethusy-Huc, Borowski, Diefenbach, Feustel, Franz v. Galen, Grothe, Hammacher, Hertling, Hohenlohe-Langenburg, Holtzmann, Hompesch, v. Huber, Jörg, Jordan, Kardorff, Löwe, Lucius, Maltzahn, Puttkamer, Ratibor, beide v. Stolberg, Völk, Witte, Zinn und polnische Fraktion. BA Koblenz R 13/I Nr. 341: 4. IV. 1877 Resolution des CdI zur Unterstützung Varnbülers; ebd. 27. III. 1876 Lueg an Rentzsch, Gleichschaltung des VDEStI.

216 Die Hauptrolle beim Zentrum spielte bei dieser Operation Franz Ludwig Frhr. v. Schorlemer-Alst. 1825 in Herringhausen/Westf. geboren, wurde er nach der Ausbildung auf der sächsischen Militärakademie Dresden und Reisen nach Österreich, Ungarn, Italien und der Schweiz aktiver Offizier beim 8. Ulanenregiment Trier, 1849 in der Pfalz und Baden eingesetzt, nahm er 1856 seinen Abschied. 1852 Kauf von Gut Alst; 1862 Gründung der Vereinigung von Grundbesitzern im Kreise Steinfurt, aus dem 1871 der westfälische Bauernverein entstand, dessen Vorsitzender er bis 1895 blieb. Seit 1858 Kreisdeputierter von Steinfurt. Seit 1863 Mitglied des Landesökonomiekollegiums, dann Direktor des landwirtschaftlichen Provinzialvereins Westfalen, des Hauptvereins Münster. Seit 1870 Mitglied des Abgeordnetenhauses und Reichstags bis 1889 bzw. 1885/90; von 1873 Zentrumsabgeordneter im Abgeordnetenhaus, Mitglied des Staatsrates (1884), 1885 Päpst. Geh. Kämmerer. Seit 1891 im Herrenhaus, gest. 1895.

217 Festenberg-Packisch S. 905 ff.; E. Richter: Im alten Reichstag II, S. 20.

Bismarck scheint zu kapitulieren: der Reichskanzlerurlaub

Verschärft wurde die Lage durch die Opposition des Reichstages gegen das bisher von Bismarck bei seiner Abwesenheit von Berlin geübte »Stellvertreterrecht«, das bis 1876 von Delbrück, nun von Hofmann für die inneren und von Bülow für die äußeren Angelegenheiten ausgeübt wurde. Damit war »die Weiterführung der Geschäfte« für Bismarck in Frage gestellt[218]. Die Industriellen befürchteten den Abgang Bismarcks und damit die Zerschlagung aller schutzzöllnerischen Hoffnungen[218a]. Schärfer erkannte der sächsische Gesandte Nostiz die Lage: »Die Reichskanzlerkrisis hat keine Lösung gefunden«, berichtete er nach Hause, »bleibt vielmehr bestehen, d. h. Fürst Bismarck tritt übermorgen einen Urlaub auf unbestimmte Zeit an, ohne daß er als Reichskanzler vertreten werde«. Das Preußische Staatsministerium »vertrete« als »Präsidialmacht« den Reichskanzler, »und die Politik, welche dieselbe in den Finanz- wie den socialen Fragen verfolge – die Politik des Laisssez aller – (falle) den Ministern Camphausen, Eulenburg, Achenbach zur Last«. Sie sollten sich abwirtschaften, in »Erwartung der weiteren Krise« sei dann »der Sturz von Camphausen und Achenbach sicher«[219]. Erneut verfolgte Bismarck eine Politik »sich entwickelnder Verhältnisse«.

Bismarck zog sich zu einem »Reichskanzlerurlaub« nach Varzin[220] zurück, um von hier aus die weitere Entwicklung abzuwarten, wiederum keineswegs entschieden, ob er mit dem Reich gegen die Einzelstaaten oder ob er mit den Schutzzöllnern gegen die Freihändler den von ihm aus innen- und außenpolitischen Gründen für notwendig gehaltenen »Umbau des Reiches« würde durchführen können[221].

Im großen »Urlaub« des Jahres 1877, fern von der Berliner Zentrale im ländlichen Varzin, zumeist umgeben von seinen Söhnen[222], zuweilen auch von Holstein[223], fielen dann die endgültigen Entscheidungen, die im Jahre 1878/79 den großen Wechsel der außenpolitischen und innenpolitischen Konstellation herbeiführen.

Der »Generalstabschef« der Schutzzöllner: Christoph von Tiedemann

Hauptberater Bismarcks in dieser Zeit war sein »persönlicher Adjutant[224] Christoph von Tiedemann. Er war seit Februar 1876 als Hilfsarbeiter im preußischen Staatsministerium und ab August 1876 als Geheimer Regierungsrat und Vortragender Rat bei Bismarck beschäftigt. 1836 in Schleswig geboren, war Tiedemann nach dem Studium in Kiel, Leipzig und Berlin vom Advokaten in Segeberg (1862)

218 StA Hbg. Hans. Ges. G IV a Bd. 7: 4. IV. 1877/20. IV. 1877 Krüger.
218a BA Koblenz R 13/I Nr. 341.
219 Sächs. LHA Dresden AM Nr. 1076: 10. IV. 1877.
220 StA Hbg. G IV a Bd. 7: 8. IV. 1877.
221 GW XI S. 503, Nr. 160 GW VIII.
222 GW VIII Nr. 155, 159; Oncken II, S. 303.
223 Holstein: Briefe III, S. 39.
224 Morsey, S. 221.

über die Stellung eines Landvogts und Deichgrafen, des Polizeimeisters in Flensburg, des Dezernenten im Polizeipräsidium Berlin zum Landrat von Mettmann und zugleich Abgeordneten dieses Kreises im Abgeordnetenhause (1873, 1879–1881, 1882–1903) aufgestiegen. Durch die Fragen der Kreis- und Provinzialreform kam er mit Bismarck in Berührung, der ihn 1876 zum »persönlichen Dienst« auswählte. Mit der Aufgabe, dem Kanzler engste Unterstützung zu leisten, wurde er im Zuge des Ausbaues der Reichsbehörden nach dem Stellvertretergesetz vom März 1878 Chef der neugeschaffenen Zentralbehörde, der Reichskanzlei, 1880 Bevollmächtigter im Bundesrat, ebenfalls mit der Aufgabe, »zuverlässigstes« Sprachrohr Bismarcks zu sein[225], 1881 wurde er Regierungspräsident in Bromberg (bis 1899) und verfolgte hier eine ausgeprägte Germanisierungspolitik, 1883 wurde er nobilitiert und 1886 in den Staatsrat berufen – ein Mann, den Bismarck »wegen seiner großen Arbeitskraft«, die ganz seinen Zielen diente, lobte[226]. Zugleich war dieser hochkonservative Berater des Kanzlers schutzzöllnerisch eingestellt. Als Präsident der Berliner Landbank und Aufsichtsratsmitglied der Preußischen Central-Boden Credit-Aktiengesellschaft[227] war er in enge Verbindung zu Hansemann gekommen. Darüber hinaus war er ein Freund Varnbülers, der seinerseits über seine Tochter, die Gattin des bismarck»treuen« württembergischen Gesandten von Spitzemberg, nahe Beziehungen zu Bismarck unterhielt[228].

Als sich 1877/78 die politische Entwicklung in der von Bismarck gewünschten Richtung bewegte, wurde es möglich, die Zentralgewalt in Verbindung mit der Konsolidierung der Reichsfinanzen zu stärken. Bismarck nützte sofort die ihm gebotenen Möglichkeiten, vom Reich her Preußen zu regieren und von Preußen her das Reich zu formen. Somit verbanden sich Finanzreform und Schutzzollstreben, so daß Bismarck über die unmittelbaren Ziele einer vom Parlament weitgehend gelösten Reichsfinanzierung hinaus die Führung des Reiches auf eine konservativ-nationale Basis legen konnte. Mit der handelspolitischen Taktik gelang es Bismarck, sowohl die Einheit der Liberalen Partei zu zerschlagen und den Liberalismus in eine Krise zu treiben als auch die liberalen Minister aus dem Staatsministerium zu verdrängen und sie durch »Bismarck-Adepten« zu ersetzen.

d Bismarck oder Camphausen: der Kampf um die Enquête

Die Schutzzöllner gewinnen ihre »öffentliche Anerkennung«

Nach der erneuten Ablehnung des Ausgleichsabgabengesetzes und der Verwerfung der Anträge »Varnbüler« und »Loewe-Jaunez-Kardorff« im Reichstag beherrschte

225 Tiedemann, S. 376.

226 DZA II Rep. 89 H III Deut. Reich 1 a Reichskanzlei 16. V. 1876 Bismarck an Wilhelm.

227 siehe oben, S. 331 ff.

228 Holstein: Briefe III, S. 38.

das »Manchesterbewußtsein« wieder überwiegend die Tätigkeit der Beamten in Preußen und im Reich[229]. Bismarck katte keinen Erfolg gehabt, sein politisches Gespinst war zu fein gesponnen gewesen. Die Schutzzöllner waren dennoch keineswegs gewillt, die erneute Niederlage hinzunehmen. Bereits am 28./29. April 1877 beschlossen Servaes, Lueg, Richter und die Sekretäre Bueck und Rentzsch, eine gemeinsame Protestaktion des Vereins Deutscher Eisen- und Stahlindustrieller und des Centralverbandes deutscher Industrieller durchzuführen[230]. Auf Einladung der beiden Interessenverbände[231] versammelten sich am 16. Juni 1877 in Frankfurt 500 Industrielle[232] und verlangten einstimmig in einer von Bueck ausgearbeiteten

229 Sächs. LHA Dresden AM Nr. 1076: 10. IV. 1877 Nostitz-Wallwitz an Nostitz-Wallwitz, s. oben S. 455.

230 BA Koblenz R 13/I Nr. 50: 28. IV. 1877 Vorstandsprotokolle des VDEStI: 8. V. 1877 Richter an Rentzsch; 9. V. 77 Bueck an VDEStI, 27. V. 1877 Bueck an VDEStI.

231 ebd. 9. V. 1877 Bueck an Rentzsch; 22./25. V. 1877 Bueck an VDEStI; 27. VI. 1877 Einladung des CdI, 31. V. 1877 Einladung des VDEStI.

232 ebd. (18. VII. 1877 Versand der Präsenzliste) unter ihnen die bekannten Wirtschaftsführer: Baare, Beutner, Bernhardi (HK Bochum), Born, Delius-Bielefeld, Druckenmüller, Frommel, Grillo, Haniel & Co., Harkort, Hasenclever, Henschel, Krauss, Lueg, Meyer (Ilseder Hütte), Mulvany, Massenez, Meckel, Poensgen, [illegible]czen, Reimann, Rentzsch, Ritzer, Roëll, Schwartzkopff, Schaeffner-Dillingen, Schimmelbusch, Schimmelfennig, Schueck, Stoepel, Servaes, Hassler, Staub, Vogel, Websky, Wolff. Zu ihnen traten öffentlich – bisher mehr im Hintergrund agierende – Persönlichkeiten, so Andreae von der Darmstädter Bank, Beck von der Rheinhütte/Biebrich, Becker von der Düsseldorfer Eisen- und Draht-Industrie, René vom Nassauischen Roheisen-Verein, Bergmann von der HK Straßburg, Bern von den Eschweiler Eisenwerken, Braetsch von Borsig, Brandt von der HK Dortmund, Brauer von der Schlumbergerschen Elsäß. Maschinenbau AG., Brockhoff von der Duisburger Hütte, Buderus, Buecking von Köchlin, Schwartz & Cie., v. Bühler-Slawentitz und Öhringen für die Hohenloheschen Eisenwerke, Effertz vom Hüttenwerk Thale, Ficinus für Henckel Donnersmarck (Carlshof), Frede von den Harkortschen Bergwerken, Funcke-Hagen, dann vor allem Russell von der Discontogesellschaft für die Dortmunder Union, Giessler für die Gutehoffnungshütte, v. Gontard für Wittgenstein-Berleburg, Dr. Goose von Krupp, Gregor von der AG für Schlesische Leinenindustrie Hiller als Sekr. d. süddt. Textilindustriellen, Kirdorf-Aachener Hüttenverein AG, Hoch vom Schalker Gruben- und Hüttenverein, Kollmann von der Bismarckhütte, Kroll v. d. Oberschlesischen Eisenbedarfs AG, Meyer von der Ilseder Hütte, Pastor von Aachen, Passavant-HK/Frankfurt, Rauch von der Burbacher Hütte, Schneeganz von der Wilhelmshütte, Vopelius, Dr. Zimmer von der mitteldeutschen Gruppe des VDEStI. Hinzu kamen Fabrikvertretungen, so z. B. v. Chemnitz allein 75. Zum erstenmal überwogen in Frankfurt eindeutig die schwerindustriellen Vertreter mit allein 152 Delegierten bei den Einzelvertretern, dem gegenüber hatten die Textilindustriellen nur ca. 90 Delegierte entsandt. Die chemischen Interessen vertraten 14, die Zuckerproduktion 9, die Banken 5, die Lederindustrie 15, die Kupferindustrie 14, die Glasindustrie 8, die Tonwaren-, Papier-, Steine- und Erden- und Holzwarenindustrie 2 bzw. 3

Petition an Wilhelm I.[233] die sofortige Revision des bestehenden Zolltarifs, die Stornierung der Handelsvertragsverhandlungen mit Österreich und die Herbeiführung einer »Enquête über die Lage der deutschen Industrie«[234].

Die Protestversammlung war wesentlich ein Erfolg des Centralverbandes deutscher Industrieller und des »Langnamvereins«, der den Verein Deutscher Eisen- und Stahlindustrieller angesichts der erneuten Parlamentsniederlage mitgerissen hatte; ein Erfolg des Westens wurde noch dadurch unterstrichen, daß es Bueck nun – einen Tag vor der Versammlung – gelang, den Verein Deutscher Eisen- und Stahlindustrieller auch offiziell der rheinischen Politik gleichzuschalten und den Zwist um die Taktik in der Eisenzollfrage im schutzzöllnerischen Lager zu bereinigen: Der Verein Deutscher Eisen- und Stahlindustrieller beantragte am 15. Juni 1877 »nach längerer Debatte einstimmig« seine Aufnahme in den Centralverband deutscher Industrieller[235]. Zugleich beschlossen die Industriellen, für die Handelsvertragsverhandlungen Branchenvertreter zu benennen[236]; darüber hinaus beschloß gleichzeitig eine außerordentliche Generalversammlung[237], als Grundlage für die erwartete Enquête eine statistische Erhebung zu veranstalten, die zugleich Agitationsmaterial erbringen sollte[238]. Der Frankfurter »Protestdemonstration«, mit der sich die »gesamte Presse« beschäftigte und die der Schutzzollpartei »zur (öffent-

Vertreter. Deutlich geht auch aus der Präsenzliste das Überwiegen der beauftragten Direktoren hervor, womit die Entwicklung des industriellen Fertigungsprozesses und damit die Umstrukturierung der Unternehmungsordnung unterstrichen wird.

233 ebd. 7. VI. 1877 Protokoll.

234 DZA II Rep. 120 C XIII, 1 Nr. 4 adh. 1 vol. 2; DZA I RdI Nr. 3040/9.

235 BA Koblenz R 13/I Nr. 50 Ausschußsitzung, es waren anwesend: Richter (Königs-Laurahütte), Schwartzkopff, Druckenmüller, Schimmelbusch, Ficinus, Lueg, Dr. Zimmer (mitteldt. Gruppe), Kollmann, Wurmbach, Kreutz, v. Auerfurth, Römheld, Heckmann, v. Giewanth, Massenez, Schimmelfennig, Dr. Gose, Russell, Schäffner, Baare, Meyer-Celle, Bueck und Dr. Rentzsch.

236 ebd. für die Hüttenwerke wurde Schimmelbusch von Hochdahl, für die Walzwerke Lueg, die Stahlwerke Dr. Gose, die Blechwerke Schaeffner, die Eisengießer Tenge-Rietberg und die Kleineisenindustriellen Funcke-Hagen gewählt. Damit wurden ausschließlich CdI-, »Langnam«- und Westgruppenvertreter nominiert, einzig Kretzschmar/Chemnitz sollte die Maschinenbauer vertreten.

237 Auf dieser Generalversammlung von 115 Mitgliedern dominierte ebenfalls der Westen. So repräsentierte Servaes 321 Einheiten und 20 Stimmen, Massenez 320 Einheiten und 20 Stimmen, Schaeffner 122 Einheiten und 12 Vertreter, Lueg 336 Einheiten und 20 Stimmen und Ottermann 566 Einheiten und 20 Stimmen. Der Osten konnte nur mit Richters 430 Einheiten auf 20 Stimmen kommen, ihm folgten mit Abstand Kollmann mit 23 Einheiten und 3 Stimmen; Pretzsch 63 Einheiten und 7 Stimmen, Lucke-Tarnowitz 30 Einheiten und 3 Stimmen, Krehl-Bedarfs AG 81 1/2 Einheiten und 9 Stimmen, Henckel-Donnersmarck 49 Einheiten und 5 Stimmen und Schimmelfennig 82 Einheiten und 9 Stimmen.

238 ebd. 15. VI. 1877 Nachmittagsprotokoll hs. Rentzsch gez. Richter.

lichen) Anerkennung« verhalf[239], folgten weitere schutzzöllnerische Eingaben sowohl an das preußische Handelsministerium als auch an das Reichskanzleramt. »Im Namen von Humanität« wandten sich vor allem die mit dem Centralverband deutscher Industrieller verbundenen Handelskammern an die Ressorts, um ihr Gewicht gegen die freihändlerischen Stimmen der Kammern von Hamburg, Breslau, München und Leipzig in die Waagschale zu werfen[240].

Die Enquête als praktisches Mittel der Schutzzöllner

Bewußt hielten Bueck und Rentzsch die Einzelverbände in ihrer Sonderagitation zurück, um durch gezielte Eingaben eine noch größere Wirkung zu erreichen und die Organisation und Einheit der Industriellen zu dokumentieren. Die Einzeleingaben z. B. von Delius[241], den Glasindustriellen[242], den Jutespinnern und Webern[243], den süddeutschen Textilindustriellen[244], den Ultramarin-Fabrikanten[245] oder der Straßburger Mühlenindustrie[246] repräsentierten daher immer zugleich Gesamtverbandsinteressen. Stereotyp wurde betont, daß »der heimische Markt mehr und mehr von der ausländischen Industrie bedrängt« und die »nationale deutsche Industrie« verkümmern werde ohne Schutzzölle. Zugleich trat bei den Eingaben und auch bei den Flugschriften der Schutzzöllner[247] immer stärker ein außerwirtschaftliches Moment in den Vordergrund, nämlich, daß »es unmöglich« sei, »Zweige der Produktionskraft eines Landes verkümmern zu lassen, welche auf die Wehrkraft von direktestem Einfluß sind«. Und schließlich votierte der Centralverband mehr und mehr für die Durchführung einer Enquête, für die Stornierung der Handelsverträge und dann erst für die Erhöhung der Zölle[248].

239 Bueck I, S. 179 f.

240 DZA I RKA Nr. 215: 12. VIII./3. XII. 1877 HGK München, 22. X. 1877 HK Breslau, 14. IX. 1877 HK Hamburg, 24. IX. 1877 HGK Leipzig. Oppositionseingaben: ebd. 11. VII. 1877 HK Mühlhausen; 13. VII. 1877 HGK Oberfranken, 20. VII. 1877 HGK Heidenheim; 23. VII. 1877 HK Halle, 24. VII. 1877 HK Frankfurt/M., 5. XI. 1877 HK Elberfeld, 12. XII. 1877 HGK Dresden; DZA I RdI Nr. 3040/9 10. XII. 1877 HGK Chemnitz.

241 DZA I RKA Nr. 215: 24. IX. 1877.

242 ebd. 15. VII. 1877.

243 ebd. 8. VIII. 1877.

244 ebd. 5. XII. 1877 Memorandum A. Staub-Kuchen.

245 DZA I RdI Nr. 3040/9: 23. VI. 1877.

246 ebd. o. D. veranlaßt vom Reichstagsabgeordneten, Schutzzöllner und HK-Präsidenten G. Bergmann.

247 so z. B. Bergmann (HK Präsident Straßburg): Zur Industriellen-Enquête, Straßburg 1877; F. Fromm: Zur deutschen Wirtschaftspolitik. Freihandel — Schutzzoll oder Bilanzsystem, 1877.

248 DZA II Rep. 120 C XIII, 2 Nr. 1 a vol. 2: 23. V. 1877 VDEStI an Achenbach

Die Umkehrung der Reihenfolge der industriellen Zielsetzungen war eine Anpassung an die Konservativen, an den Süden und an Bismarck. Und diese Taktik brachte den Schutzzöllnern Erfolge. Mit ihr gewannen die Industriellen immer mehr Fürsprecher bei den konservativen Regierungs- und Oberpräsidenten in Preußen[249] und auch bei den Regierungen im Süden. Denn in gleichem Maße wie in Preußen wurden die süddeutschen Regierungen von den dortigen Kammern unter Druck gesetzt[250]. Immer mehr wurde Bismarck auch von hier auf eine schutzzöllnerische Handelspolitik gedrängt. Für ihn jedoch war die neue Taktik der Schutzzöllner noch zu wenig entschieden, »nichts als Phrasen«, so beurteilte er die Eingaben, mit denen er gegenüber Camphausen politisch nichts ausrichten konnte. Immerhin anerkannte er erneut die schutzzöllnerische Position, wenn er gegenüber diesen Petitionen wünschte, »daß *amtlich* (nicht) irgend etwas geschehe«[251], wohl aber »mündlich ... vertraulich Rücksprache« mit Richter, Schwartzkopff, Servaes, Beutner, Rentzsch und Bueck genommen werden« solle. Schutzzollagitation und Reichskanzlerpolitik müßten aufeinander abgestimmt, »den Gegebenheiten« angepaßt werden.

Die »Gegebenheiten« waren die anstehenden Handelsvertragsverhandlungen mit Österreich und die Enquêtefrage. Bei beiden »Angelegenheiten« hatten die Schutzzöllner trotz ihrer Aprilniederlage im Reichstag Erfolge buchen können, die gleichzeitig Bismarck zum Vorgehen im industriellen Sinne veranlaßten, ohne daß direkt die Schutzzollfrage in den Vordergrund gerückt werden mußte. Darum sollten nun die Schutzzollforderungen des Centralverbandes deutscher Industrieller vorerst aus der Agitation verschwinden und die Fragen der Handelspolitik und der Enquête

(DZA I RKA 89/1), Rep. 120 C VII, 1 Nr. 10 Bd. 16: 4. IV. 1877, vor allem 26. IX. 1877 CdI an Achenbach.

249 DZA II Rep. 120 C XIII, 2 Nr. 1 a vol. 2: 21. V. 1877 Reg. Oppeln an Achenbach; 19. VI. 1877 Oberpräs. Puttkamer (Schlesien) an Achenbach.

250 WHStA Stgt. E 49—51 Bundesangelegenheiten Hauptfasc. VIII, Unterfasc. 15, Aufzeichnung Renner 28. VIII. über die »ausländische Eisenindustrie bei fiskalischen Submissionen«; Eingaben HGK Reutlingen, Calw, Ravensburg, Rottweil und Heidenheim; vgl. Mosthaf S. 258. Diese Kammern fanden mit ihrem »Gebot der Notwendigkeit«, daß die heimische Industrie gegen Extravaganzen geschützt werde, volles Gehör und distanzierten sich von ihrer — von Stuttgart und den Freihändlern beherrschten — »Centralstelle«, die am 31. VIII. 1877 erneut für Abbau der Zölle und Reziprozität eintrat (WFStA Ludwigsburg E 170 Nr. 574). Dieselbe Entwicklung zeigt Bayern (BHStA München MH Nr. 12 287) mit Eingaben von Augsburg, Oberfranken und Oberbayern, wie die Instruktion Riedels, am 14. V. 1877 mitgeteilt, zeigt (ebd. MH Nr. 12 272). Auch in Dresden dominierten die Schutzzöllner (sächs. LHA Dresden AM Nr. 5677, 5698, 5699 und vor allem Nr. 6926, 6927). Weniger dagegen in Baden, wo die Transfer- und Veredlungsindustrieinteressen weiterhin dominierten (GLA Karlsruhe Abt. 233 Nr. 14 177, 10 559 Abt. 237 Nr. 17 212).

251 Tiedemann, S. 177. UStS. Kurowsky an Tiedemann.

in den Vordergrund treten. Denn in der einen Frage wußte sich Bismarck von den Freihändlern, in der anderen vom preußischen Handelsministerium und Reichskanzleramt unterstützt. Schon im September hatten der Centralverband deutscher Industrieller und der Verein Deutscher Eisen- und Stahlindustrieller vor allem drei Punkte gefordert[252]: keinen Handelsvertragsabschluß mit Österreich ohne neue Wertzolltarife, Abbau der Eisenbahndifferentialtarife und die Errichtung eines volkswirtschaftlichen Senats als »anerkannten Beirat der Regierung in wirtschaftlichen Fragen«. Die Schutzzollforderung wurde also nur noch indirekt in Form einer Wertzollforderung ausgesprochen. Damit hatten sich die Industriellen den Wünschen Bismarcks angepaßt, mehr aber noch — wie es Bueck formulierte — das »Optimale aus der Lage« zu Beginn der neuen Verhandlungen mit Österreich herausgeholt[253].

Die erste Phase der Verhandlungen mit Österreich-Ungarn

Mitte April 1877 hatten die Handelsvertragsverhandlungen, die Bismarck aus politischen Gründen an der Jahreswende akzeptiert hatte, in Wien begonnen[254]. Bismarck ließ die Verhandlungen mit recht vagen Instruktionen beginnen, mit dem

252 DZA II Rep. 120 C VII Nr. 10 vol. 1 b: 26. IX. 1877 BA Koblenz R 13/I Nr. 285: 2. VIII. 1877 Bueck an Beutner; 5. VIII. 1877 dto. Entwurf der Enquêtefragen; 20. VIII. 1877 Vorschläge des VDEStI an den CdI, und Benennung der Delegierten der Gruppen:
1. für Rheinland-Westfalen und Saar: Servaes, Lueg, C. Meyer (Krupp), Schaeffner, Massenez, Baare, Funcke, Hugo Haniel, Stumm, Ramp, Kreutz (Siegen), Russell, Schlink (Mühlheim), Flamm (Burbacher Hütte), Goose (Krupp), Poensgen, Schimmelbusch (Mannesmann), Brauns und Metz (Lothringische Eisenwerke).
2. Für Schlesien: Richter, Braetsch (Borsig), Hegenscheidt (Gleiwitz), Jüngst, v. Ruffer, Henckel von Donnersmarck, Kollmann, Bühler (Hohenlohe).
3. Für Sachsen: Hartmann (Sächs. Maschinenfabr.), Kilian (A. G. Lauchhammer), Nötzli (Maschinenbau AG Grimma).
4. Für Preußen: Schwartzkopff, Meyer, Borsig, Gruson, Hoppe, Krauss (Hanomag).
5. Für Bayern: Fromm, Riedinger (MAN), Kuhn (Maschinenfabrik Berg/Stgt.).
6. Für Baden und Elsaß: Kascher (Ars/Mosel), Knecht (Elsäß. Maschinenbau AG), v. Türckheim, de Wendel.
7. Für Hessen: Jung, Wurmbach und Henschel.
8. Für Kupfer: Heckmann und Leuschner.

253 Archiv Stahlwerksverband; BA Koblenz R 13/I Nr. 285: 20. VIII. 1877 VDEStI an CdI.

254 Von deutscher Seite verhandelten Jordan, Huber und Hasselbach vom RKA, Stüve vom Handelsmin. Preußen, May und Herrmann von Bayern und Wahl von Sachsen. Auf österreichischer Seite wurde die Delegation von Schwegel geführt, Bazant

Ziel, mit Österreich auf der Basis des Handelsvertrages von 1868 zu einer Einigung zu gelangen, die gleichzeitig die volle Reziprozität der Zugeständnisse einschließen sollte. Der Vertrag hätte also für Österreich eine Reduzierung seines Tarifes auf die deutsche Höhe bedeutet. Zudem sollten diese Sätze dann vertragsmäßig gebunden werden[255]. Von vornherein wußte aber die Reichsleitung, daß der österreichisch-ungarische Ausgleich von 1876 bereits erheblich höhere Zollsätze festgelegt hatte. Diese Sätze konnten die österreichisch-ungarischen Unterhändler nicht einmal zur Diskussion stellen, und so waren von vornherein die Verhandlungen zum Scheitern verurteilt – wenn Deutschland nicht höhere Sätze, auch in seinem Tarif, annahm[256]. Als der Reichstag jeden schutzzöllnerischen Trend in der deutschen Handelspolitik ablehnte, waren für Bismarck die Verhandlungen nutzlos geworden. Zudem bedurfte Bismarck zu diesem Zeitpunkt eines unmittelbar positiven Ergebnisses nicht mehr. Die außenpolitische Erregung war wieder besänftigt worden; der Abbruch der Verhandlungen war also nur noch eine Frage der Zeit und des taktischen Ermessens[257]. Außerdem nahm Österreich die von Bismarck erwartete Haltung ein: es hielt, wie Herrmann schrieb, »seinen Standpunkt in rücksichtsloser Weise fest«[258] und verlangte für seine ungarischen Agrarier die »Bindung« der Getreidezollfreiheit und für die österreichischen Industriellen die »Bindung« der industriellen Sätze bei autonom erhöhten Tarifen[259]. So konnte Bismarck in Verteidigung prononciert freihändlerischer Prinzipien (Österreich lehnte die volle Reziprozität ab) »sämtliche Commissionen« abberufen und den »Abbruch der Verhandlungen«[260] in schroffer Form herbeiführen, obwohl seine Unterhändler Jordan, Stüve und Huber ihn beschworen, »die Abbruchstaktik ohne Gewißheit des Abschlusses eines Provisoriums« nicht durchzuführen[261]. Bismarck aber gab sich sicher, daß die Ungarn weiterhin auf einen Handelsvertrag drängen würden – und er sollte recht behalten.

Vorerst sahen jedoch die Freihändler im Abbruch einen Sieg ihrer Politik[262],

für Österreich, Matlekovits für Ungarn waren die Unterhändler. DZA I AA hp Nr. 9929/9930; RKA Nr. 205; BHStA München MH Nr. 12 287: 15. IV. 1877 Bericht Herrmann/May; 11. V. 1877; A. Zimmermann, S. 131 f.; Bazant: Handelspolitik, S. 28.

255 DZA II Rep. 120 C XIII, 2 Nr. 1 a vol. 2; DZA I RKA Nr. 205 o. D. Promemoria der deutschen Kommission über Verhandlung in Wien; ebd. RKA Nr. 208: 28. I. 1878 Promemoria Huber.

256 DZA I AA hp Nr. 9929: 27. II. 1877 Bismarck an Wilhelm I.

257 ebd. Nr. 9930: 7. V. 1877 Huber am Bismarck.

258 BHStA München MH Nr. 12 287: 10. V. 1877.

259 Einen wesentlichen Punkt der Auseinandersetzung bildeten auch die Fragen des Rohleinen-Veredlungsverkehrs an der böhmisch-sächsisch-schlesischen Grenze.

260 BHStA München MH Nr. 12 287: 11. V. 1877 Bericht May/Herrmann.

261 DZA I RKA Nr. 205: 11. V. 77 Jordan/Stüve/Huber an RKA, dto. 9. V. 1877.

262 ebd. 9. V. 1877 Petition HK Hamburg.

aber auch die Schutzzöllner waren mit diesem Abbruch (wenn auch aus anderen Gründen) hoch zufrieden. Bazant und Matlekovits, die Unterhändler der Donaumonarchie, gingen noch weiter und glaubten in dem brüsken Abbruch der Verhandlung bereits einen Umschwung in der deutschen Handelspolitik zu erkennen. Und sie wurden in ihrer Ansicht von Bismarck noch bestärkt. Als sie drohend Berlin wissen ließen, sie hätten schon das Maximum ihrer Zugeständnisse angeboten[263], ihre Regierungen würden bei der deutschen Haltung »in die Bahnen des Schutzzolls getrieben«[264] und seien gezwungen, die »Verhandlungen endgültig abzubrechen«[265], antwortete Bismarck nur, daß »die Aussicht auf Verhandlungen ... von unserer Seite *noch nicht* aufgegeben« sei[266] — im übrigen müsse Deutschland seine Haltung überprüfen. Und diese Überprüfung war bereits in vollem Gange[266a].

263 DZA I AA hp Nr. 9931 Andrássy an Károlyi.
264 ebd. RKA Nr. 206: 18. VII. 1877 Stolberg an AA.
265 ebd. 12. VII. 1877, Stolberg an AA.
266 ebd. Bismarcks Bemerkung an Bülow zum Bericht Stolberg vom 18. VIII.
266a Zur gleichen Zeit verhandelte Deutschland auch mit Rumänien über den Abschluß eines Handelsvertrages. Auch bei diesen Verhandlungen wurden die gleichen Tendenzen in der deutschen Verhandlungsführung wie gegen Österreich-Ungarn deutlich. Auch hier war die Ordre, »keine weitgehenden Konventionaltarife« anzunehmen, sich nicht zu binden (DZA I AA hp Nr. 10250: 12. VI. 1877 Hofmann an Bülow), sondern »erhebliche Zugeständnisse von Rumänien« zu erlangen. Indem Deutschland die »handelspolitische Vertragsfähigkeit« Rumäniens anerkannte, hoffte es »als Gegenleistung« eine Vorzugsstellung gegenüber Rußland und Österreich-Ungarn erreichen zu können. Sollte Rumänien eine freie Einfuhr deutscher Produkte gestatten, ohne daß sich Deutschland bei seinen Tarifen band, dann könnte Deutschland sein »seitheriges Temporisieren der Verhandlungen« aufgeben, denn eine solche Handelskonvention würden die Freihändler und die Schutzzöllner akzeptieren. Zudem konnte noch die Eisenbahn-Erbschaft Strousberg liquidiert werden, was ganz im Sinne der Disconto-Gesellschaft lag. Reichhardt, der nominelle Bearbeiter der Handelspolitik im Auswärtigen Amt führte deswegen aus: »Der Nichtabschluß der Handelsconvention sei bisher ein sehr geeignetes Mittel gewesen, um in der Eisenbahn-Frage eine Preßion auf Rumänien wegen der liquiden Forderungen deutscher Aktienbesitzer zu üben. (d. h. der Disconto-Gesellschaft). Dieses Mittel würde auch festzuhalten gewesen sein, wenn sich nicht neuerdings durch den auf dem Forum der Europäischen Mächte zu erkennen gegebenen Wunsch, Rumänien für selbständig zu machen, eine noch wirksamere Handhabe dargeboten hätte, welche Deutschland bei Gelegenheit der eventuellen Friedensverhandlung zu benutzen haben werde, um die Ansprüche der Eisenbahn-Gläubiger sicher zu stellen«. Die handelspolitische Verbindung wurde denn auch aufgenommen und Rumänien erhielt eine Handelskonvention, in der sich Deutschland nicht band und in der der rumänische Markt für den Export deutscher Waren geöffnet wurde. Zugleich war dieser Vertrag der Beginn einer aktiven deutschen Südosthandelspolitik (ebd. 23. VI. 1877 Nota Reichardt; 25. IX. 1877 Bülow an Hofmann; 5. XI. 1877 Hofmann an Bülow, ebd. Nr. 10251: 11. IV., 15. V. 1875 im Reichstag.)

Der neue Kurs zeichnet sich ab

Nach dem Abbruch der Verhandlungen mit Österreich-Ungarn hatten in allen deutschen Ländern intensive Vorbereitungen für etwaige neue Tarifgespräche begonnen. Bayern, Württemberg, Sachsen und Baden bekräftigten ihre Stellungnahmen, mit Österreich-Ungarn keine »Interessenvereinigung« eingehen zu wollen und jede Bindung zu meiden, um so freie Hand für eine eventuelle Neueinführung von Zöllen zu haben; die Verhandlungen sollten sich »nur auf diejenigen Interessen beschränken, welchen bei der Ausfuhr nach Österreich eine hervorragende Bedeutung zukommt«[267]. Damit hatte sich in Baden schon ein gewisser Wandel abgezeichnet[268]. In der Reichsverwaltung und in Preußen war dies noch eklatanter. Schon am 21. Mai 1877 sprach Huber von der »Notwendigkeit einer Enquête«, da die deutsche Produktionsstatistik »mangelhaft« sei[269], und wenige Tage später »empfahl« sich Hofmann den Schutzzöllnern und Bismarck mit der »Anregung ... durch Zollaufhebung der Reform, die abhängig von einer Enquête« durchzuführen sei, vorzuarbeiten[270].

Zu diesem Zeitpunkt nun meldeten sich die Industriellen mit ihrer Frankfurter Protestaktion zu Wort. Das Reichskanzleramt und das preußische Handelsministerium reagierten prompt: noch in der Nacht zum 18. Juni 1877 entwarfen Huber und Hofmann für Bismarck eine neue Stellungnahme des Reichskanzleramtes. Alle Fragen – die bisher als undiskutierbar galten – wurden nun zur Diskussion gestellt[271]. Achenbach schlug sowohl Camphausen als auch Hofmann die Bildung einer preußisch-deutschen Kommission vor. Diese Kommission sollte auf die Eingaben der Industriellen Rücksicht nehmen und bei Bedarf Material zur Begründung eines neuen Zolltarifs beschaffen[272]. Mit diesem Vorschlag distanzierte sich Achenbach von seiner bisherigen (der Camphausenschen) Haltung und näherte sich Bismarck. Dieser nützte die Situation sofort. Er rief Huber und Hofmann nach Kissingen[273] und teilte ihnen – unter dem Eindruck der schutzzöllnerischen Agitation – sein weiteres Vorgehen in der Handelspolitik mit. In drei Punkten umriß Bismarck seine Haltung: erstens müsse sich Deutschland »die Freiheit der Bewegung für und gegen Frankreich« erhalten, zweitens sei es deshalb notwendig, auf einen »guten Tarif«, der das Recht der Steigerung »unserer Zölle« mit einschließe, zu drängen – *jede Bindung* sei deshalb abzulehnen –, und drittens sei ein definitiver Vertragsabschluß »verfrüht«, eine »Prolongation für ein Jahr« sei deshalb

267 BHStA München MH Nr. 12 272: 14. V. 1877.
268 GLA Karlsruhe Abt. 233, Nr. 14 177.
269 DZA I RKA Nr. 1614: 21. V. 1877 Promemoria Huber.
270 ebd. 9. VI. 1877 Hofmann an Bismarck.
271 DZA I RKA Nr. 205: 17. VI. 1877 Promemoria für Bismarck.
272 DZA II Rep. 120 C VII, 1 Nr. 10 Bd. 16: 19. VI. 1877 Achenbach an Camphausen und Hofmann.
273 DZA I RKA Nr. 205: 21. VI. 1877 Bismarck an Hofmann.

anzustreben, auf die Österreich sicherlich eingehen werde, da »Ungarn der Ausfuhr bedarf – Cisleithanien kann nicht alles abnehmen«[274].

Nach diesen Leitlinien sollten die neuen deutschen Instruktionen ausgerichtet sein. Hofmann und Huber richteten sich danach. Sie mußten dabei einen Vermittlungsversuch Achenbachs, der vorschlug, die Vieh- und Getreidefragen in der Verhandlung »offen zu lassen, da sonst der Vertrag ernstlich gefährdet« werde[275], ebenso ignorieren[276] wie einen Torpedierungsversuch Camphausens[277]. Zugleich opponierte Camphausen auch gegen den Enquêtevorschlag Achenbachs, sah er doch in ihm nur einen Anlaß zu weiteren Schutzzollagitationen[278]. Aber Camphausen hatte Ende Juli 1877 im Grunde schon ausgespielt. Als am 21. Juli 1877 Hofmann Bülow die Instruktion für die Verhandlungen vorlegte, hatte Camphausen auf die Entscheidung keinen unmittelbaren Einfluß ausüben können. Recht eindeutig teilte Hofmann Achenbach Bismarcks Intentionen mit: der Handelsvertrag mit Österreich-Ungarn sollte »zu keinem Ergebnis« kommen; und Bismarck selbst sah gegenüber Bülow »wenig Hoffnung auf Abschluß«[279]. Die Instruktion für die Verhandlungen sah auch dementsprechend aus. »Die Meistbegünstigungs-Klausel und das Zollkartell« sollten »nur unter Aufrechterhaltung des bisherigen Veredlungsverkehrs aufgenommen werden«, mit »dem Vorbehalt, daß die Kündigung des Vertrages schon in zwei Jahren möglich« sei. Den ersten Punkt hatten die Österreicher schon in Wien abgelehnt, über den zweiten Punkt war nicht einmal erst diskutiert worden. Darüber hinaus sah die Instruktion noch die Reduktion der österreichisch-ungarischen Tarife (das war in der ersten Phase ebenfalls abgelehnt worden) und die »eigene Tarifvorbehaltung« bei Ablehnung jeder Tarifpräjudizierung vor. Unter dieser Voraussetzung könne dann an den Eisenzöllen von 1877 »autonom festgehalten werden«[280].

Die Instruktion war demnach der vollendete Ausdruck Bismarckscher Taktik – scheinbar hielt er strikt am Freihandel fest, aber so, daß tatsächlich nur ein schutzzöllnerisches Ergebnis aus den Verhandlungen entstehen konnte: nämlich entweder Abbruch der Verhandlungen oder vorübergehende Prolongation des Handelsvertrages. Sollte die Instruktion »unakzeptiert von Österreich bleiben«, bedeutete Bismarck noch nachträglich dem Generalsteuerdirektor Hasselbach, »dann könne ja eine neue Weisung mit noch größeren Vortheilen« (d. h. Zollbefreiungen, denen Österreich wegen seiner Industrielleninteressen nicht folgen könnte) für Deutschland formuliert werden[281]. Unter diesen Bedingungen begannen die von Öster-

274 ebd.
275 DZA I RKA Nr. 206: 27. VI. 1877 Achenbach an Hofmann.
276 ebd. 27. VI. 1877 Hofmann an Achenbach, dto. Camphausen, dto. Philipsborn.
277 DZA II Rep. 120 C VII, 1 Nr. 10 Bd. 16.
278 ebd. 29. VI. 1877 Camphausen an Achenbach.
279 DZA II Rep. 120 C VII, 1 Nr. 10 vol. 16: 21. VII. 77 Hofmann an Achenbach; DZA I RKA Nr. 206: 22. VIII. 1877 Bismarck an Bülow.
280 DZA I RKA Nr. 206: 21. VIII. 1877 Hofmann an Bülow.
281 DZA I AA hp Nr. 9931: 29. VII. 1877 Bismarck an Hasselbach.

reich erneut erbetenen Verhandlungen Anfang August 1877. Schon am 6. August berichtete der Bayer Herrmann: Österreich gebe sich »eminent Mühe, entgegenzukommen«, aber eine Einigung würde wohl die »gemessen stramme Instruktion« der deutschen Seite »verhindern«[282].

Die zweite Verhandlungsphase und die Frage des deutschen Handelssystems

Während der Verhandlungspause hatten sich die Ungarn »theils aus politischen Gründen, theils aus Angst vor der Schutzzollpartei«[283] gegenüber den Österreichern so weit durchsetzen können, daß die Donaumonarchie nicht mehr so strikt an dem Tabu der »Ausgleichssätze« (zwischen Ungarn und Österreich) für industrielle Waren festhalten wollte. Deshalb äußerten Tisza, Schwegel, Andrássy und Matlekovits beim Neubeginn der Verhandlungen die »lebhafte Hoffnung auf günstigen Verlauf und Gelingen« eines Vertrages[284]. Sie sollten sich aber täuschen. Schon nach der ersten Verhandlungsphase wurde deutlich, daß Österreich nicht auf den deutschen Tarif und Deutschland nicht auf den österreichischen eingehen würde[285]. Wohl näherten sich die Kontrahenten in den Fragen der Bezollung und Tarifbindung von Getreide, Mehl, Holz, Wein, Öl, Kleidern und Putzwaren, aber Österreich lehnte die Hauptforderung Deutschlands, die Verlängerung des Vertrags von 1868 und die Reduzierung der österreichischen Eisenzölle als politisch bedingte »Anomalie« ab. Deutschland wies jede, vor allem von Ungarn »hartnäckig« angestrebte Bindung der Getreidezollfreiheit zurück. Da nach Bismarck für Deutschland »1868 die unbedingte Norm« blieb, »Parität« nach dem Votum der Kommission die »Verhandlungen ausschlöße«, waren die Verhandlungen nach der ersten Lesung Ende August im Grunde schon wieder gescheitert[286].

Mehrere Gründe veranlaßten Bismarck, Anfang September die Verhandlungen doch weiterzuführen, und zwar mit dem Ziel, den sich sträubenden Österreichern die bloße Prolongation des Vertragszustandes abzuringen. Er wollte 1877 keinen Zollkrieg. Noch enger als im Frühjahr 1877 verflochten sich jetzt die Verhand-

282 BHStA München MH Nr. 12 287: 6. VIII. 1877 Herrmann Bericht der 1. Sitzung, ähnlich berichtet der Sachse Wahl (Sächs. LHA Dresden AM Nr. 6926: 28. VIII. 77.)

283 DZA I AA hp Nr. 9932: 4. IX. 1877 Stolberg an AA.

284 ebd. 4. IX. 1877 Stolberg, DZA I RKA Nr. 206: 10. VIII. 1877 Wraecker-Gotter an AA.

285 DZA I AA hp Nr. 9933: 30. VII. 1877 Heinrich VII. Reuß an Bismarck.

286 DZA I RKA Nr. 206: 28. VIII. 1877 Hasselbach, Jordan, Stüve, Huber, May, Herrmann und Wahl an Bismarck, ebd. Nr. 208: 28. I. 1878 Promemoria Huber; ebd. AA hp Nr. 9933: 30. VIII. 1877 Reuß an Bismarck; DZA II Rep. 120 C XIII, 2 Nr. 1 a secr. Bd. 2; Sächs. LHA Dresden AM Nr. 6926 28. VIII. 1877 Wahl, Gesamtbericht; BHStA München MH Nr. 12 269: 28. VIII. 1877 Bericht May/Herrmann.

lungen mit der »Krisis der inneren Angelegenheiten«[287], aber auch der außen- und handelspolitischen Problematik.

Die politisch motivierte Aufnahme der Handelsvertragsverhandlungen mit Österreich-Ungarn hatte zugleich die Frage nach dem deutschen Handelsvertragssystem überhaupt ins Rollen gebracht, d. h. die Handelsvertragserneuerung oder den Neuabschluß mit Italien, Frankreich und Rußland. Vor allem Italien, mit dem Deutschland ebenfalls nur ein Provisorium abgeschlossen hatte, drängte auf einen definitiven Handelsvertrag mit Deutschland. Der italienische Antrag wurde nun direkt mit den deutsch-österreichischen Verhandlungen verbunden, als Anfang September der deutsche Botschafter in Italien »die Cooperation mit Österreich-Ungarn gegen Italien« anregte und hoffte, damit vor allem eine politische Annäherung der drei Staaten herbeiführen zu können. Jedoch konnte Berlin »eine Rückfrage in Wien« sofort und in diesem Sinne nicht empfehlen, da der anstehende Handelsvertrag mit Österreich-Ungarn doch vor allem ohne »bestimmende Rückwirkung« bleiben sollte[288]. Für eine Zolländerung und damit für die Möglichkeit einer Kooperation sei es nach dem Urteil des Reichskanzleramtes noch »verfrüht« gewesen[289], da Deutschland noch keine Entscheidung über die Fortführung seiner Handelsvertragspolitik gefällt hat.

Nicht nur gegenüber Italien oder Österreich-Ungarn war die Fortführung der Handelspolitik von Bedeutung. Auch in Frankreich zeichnete sich immer deutlicher eine eventuelle Erhöhung des Tarifs um 25 % ab, was um so schwerer wog, als die deutschen Industriellen, vor allem die an der Saar, sich in Frankreich um Eisensteinkonzessionen bemühten und Auslandsgründungen anstrebten[290]. Vor allem aber veranlaßte das zollpolitische Vorgehen Rußlands, das Ende 1877 im Zusammenhang mit seiner Expansion nach Süden seine Zollgrenzen immer mehr abriegelte[291], Bismarck immer dringender, eine grundsätzliche Entscheidung über die erneute Einführung von Schutzzöllen, eines Kampfzollprogramms, herbeizuführen. Vorerst jedoch konnte Bismarck nur versuchen, durch seine pseudofreihändlerische Argumentation, durch seine Verschleppung der Verhandlungen die definitive Entscheidung in der Handelspolitik so lange aufzuschieben, bis er Camphausen und mit ihm die Freihändler ausmanövriert, die Stellvertreterfrage mit den Liberalen

287 Tiedemann, S. 215.

288 DZA I RKA Nr. 162: 4. IX. 1877 Burchard/Eck an Bismarck.

289 ebd. 30. X. 1877 Promemoria Huber.

290 Poschinger: Akten zur Wirtschaftspolitik I, Nr. 134, 135; DZA I AA hp Nr. 9359: 12. VII. 1877 AA an Hohenlohe; 8. VIII. 1877 AA an Stumm; 27. II. 1878 Hohenlohe an AA.

291 DZA II, Rep. 90 a BIII 2 b Nr. 6 Bd. 89: 17. X. 1877 Protokoll; DZA I RK Nr. 421: 20. VI. 1877 Achenbach an Bismarck; ebd. November 1877 Friedenthal an Bismarck; ebd. Nr. 453: 26. VI. 1877 Promemoria Hofmann; ebd. AA hp Nr. 10458 zahlreiche Belege in Berichten Alvenslebens; dto. Nr. 10462: 22. VI. 1877 AA an Schweinitz; Poschinger: Akten zur Wirtschaftspolitik I, Nr. 147, 148; ders.: Volkswirt I, S. 116, 153, 192 ff.

gelöst, das preußisch-deutsche »Verhältnis« mit der handelspolitischen Frage konfrontiert und die Einheit der Produzentensolidarität fest begründet hatte. Ebenso mußten die Fragen der Städteordnung geregelt werden; denn hier hatten sich Fortschritt und Zentrum auf Forderungen geeinigt (so z. B. die Unterstellung der Polizei unter den Magistrat etc.), die Bismarck veranlaßten, mit großer Schärfe zu antworten: »Unsere Aufgaben können nicht vorübergehenden staatlichen parlamentarischen, sondern nur dauernden staatsmännischen Gesichtspunkten untergeordnet werden[291a].«

Prolongation oder Abbruch der Verhandlungen: Bismarck oder Camphausen

Auf diesem allgemeinen Hintergrund ist die Septemberinstruktion für die Verhandlungen mit Österreich zu verstehen[292]. Sie ging davon aus, daß es für die deutsche Industrie dringend notwendig sei, »ausländische Märkte« stärker »als bisher zugänglich zu machen«. Deshalb wäre »ein Abkommen durchaus unannehmbar ..., welches der deutschen Industrie in vielen wichtigen Beziehungen den Absatz nach Österreich-Ungarn erschweren oder verschränken muß und andererseits keinerlei ins Gewicht fallende Verbesserungen gegen den seitherigen Zustand bietet«. Deutschland bot erneut die Getreidefreiheit, die Seiden-, Wein- und Gerstenzollreduktion an, forderte aber weiterhin die Tarife von 1868 für alle industriellen Produkte. Unter diesen Auspizien traten die Verhandlungen weiterhin auf der Stelle[293], hatten aber zur Folge, daß die Aktivität der Freihändler erlahmte, während Bismarck Zeit fand, die der Schutzzöllner zu koordinieren[294]. Noch wesentlicher für Bismarck war, daß das Handelsministerium immer mehr die Notwendigkeit einer Enquête anerkannte und sich damit – ohne es zu wollen – mehr und mehr mit den Petitionen der Industriellen identifizierte[295].

Das Resümee der zweiten Verhandlungsphase zog am 13. Oktober 1877 das preußische Staatsministerium unter Vorsitz von Innenminister Eulenburg; sowohl

291a DZA I RK Nr. 629: 15. IX. 1877.

292 DZA I, AA hp Nr. 9932 (o. D.) September 1877.

293 DZA I Rep. 120 C XIII, 2 Nr. 1 a secr. vol. 2 Bericht Stüves; DZA I RKA Nr. 207: Sept. 1877 Instruktion von Buchard; 23. IX. 1877 Kommissionsbericht an Bismarck; 28. IX. 1877 dto. ebd. Nr. 208: 28. I. 1878 Promemoria Huber; Sächs. LHA-Dresden AM Nr. 6926: zahlreiche Berichte bis Oktober 1877 von Wahl mit eingehender Positionsdebattenberichterstattung. BHStA München MH Nr. 12 269 Berichte Herrmanns besonders 30. IX. 1877, dto. 2./5./6./7./9. und 22. X. 1877.

294 siehe oben S. 449 f., 457 f.

295 DZA II Rep. 120 C VII, 1 Nr. 18 Bd. 16: 6. IX. 1877 Achenbach/Stüve an Camphausen; 26. IX. 1877 Petition vom CdI, die ziemlich genau den Achenbachschen Intentionen entsprach.

Camphausen als auch Bismarck nahmen an der Sitzung nicht teil[296]. Eulenburg betonte die »sehr schwierigen ..., sehr verschiedenen Ansichten«, die die Verhandlungen belasten würden; denn die Schutzzöllner lehnten jeden Vertrag ab, um damit »zu autonomen Zöllen schreiten zu können, allein auch die im Reichstag in der Majorität befindlichen Freihändler wollten keinen Vertrag, welcher uns ungünstigere Bedingungen auferlege als derjenige von 1868«. Anschließend referierte Hasselbach, daß Österreich »gar nicht oder nur in geringem Maß« den deutschen Wünschen »entsprochen hätte«, so daß selbst die Süddeutschen eher den Abbruch der Verhandlungen akzeptieren würden, als »einen Rückschritt gegen den bisherigen Zustand« im ersten Reichshandelsvertrag hinzunehmen. Wohl seien schwere Folgen zu befürchten, besonders in Österreich, wenn der Vertrag nicht zustande käme, und es würde »schwerhalten«, referierte sodann Achenbach, »dem Andringen der Schutzzöllner zu widerstehen« — aber es sei auf eine Beseitigung der Hauptstreitfragen nicht zu rechnen. Die »letzte Äußerung« Österreich-Ungarns betrachteten die Minister weiter »als Ultimatum« und anerkannten, daß der »Bruch unvermeidlich sei«. Hiergegen opponierten die Bismarck-Vertreter Hofmann und Philipsborn sofort: Österreich-Ungarn habe noch »nicht das letzte Wort gesprochen«, vielmehr sei es auf Deutschland angewiesen, und darum sei es taktisch richtiger, den »Abbruch auf alle Fälle Österreich-Ungarn zuzuschieben«. Deshalb solle Deutschland keine zu »schroffe Haltung« einnehmen — das »politisch zweckmäßigste (sei), keine Fortsetzung der Verhandlungen«. Letzterem Votum stimmte Bismarck später zu — »Ablehnung des Angebotenen ohne Andeutung, daß man ein neues Angebot erwarte, und Abreise nach höflichen Abschiedsbesuchen«[297].

Am 19. Oktober 1877 erhielt Hasselbach die Ordre, die Verhandlungen nicht fortzusetzen[298], aber im Gegensatz zu Camphausen, Aschenbach und Eulenburg (und mit ihnen das preußische Staatsministerium) hielt es Bismarck »politisch und parlamentarisch für nützlich«, den Österreichern nochmals die einjährige Verlängerung des bisherigen Vertrags vorzuschlagen[299].

Ehe Bismarcks Vorschlag in Wien eintraf, hatte Andrássy schon gehandelt und Károlyi, seinen Botschafter in Berlin, angewiesen, auf ein etwaiges Verlängerungsangebot einzugehen, nachdem es nicht gelungen sei, eine geeignete Grundlage zum

296 DZA II, Rep. 90 a B III, 26 Nr. 6 Bd. 89 (DZA I AA hp Nr. 9933) 13. X. 1877 anwesend waren: Eulenburg, JM Leonhardt, KM Falk, Kriegmin. Kameke, HM Achenbach, LM Friedenthal, Hofmann, Philipsborn, der in Stellvertretung die II. Abt. des AA vertrat (AA-Bonn I AAa Nr. 61 Bd. 1: 25. VI. 1877 Bismarck an Wilhelm), Hasselbach als Referent und UStS. Homeyer als Protokollant.

297 DZA I RKA Nr. 207: 13. X. 1877 Hofmann/Philipsborn an Bismarck, Randbemerkung.

298 Sächs. LHA Dresden AM 6927: 19. X. 1877 Bismarck an Hasselbach; GLA Karlsruhe Abt. 233 Nr. 14 177: 25./27. X. 1877 Bericht Türckheims.

299 DZA I AA hp Nr. 9934: 29. X. 1877 Bismarck (Varzin) an AA; ebd. ausgeführt 2. XI. 1877 Telegramm an Reuß.

Abschluß eines neuen Vertrages zu finden. »Wir wollen jedoch die Hoffnung nicht aufgeben«, betonte Andrássy »ausdrücklich«, daß »zu einem späteren Zeitpunkt die Verhandlungen dieser Gegenstände mit größerer Aussicht auf Erfolg wieder aufgenommen werden«[300]. Österreich selbst wandte sich nach Abschluß des Provisoriums[300a] ganz der Bildung eines autonomen schutzzöllnerischen Tarifes zu, der wesentlich den Interessen der cisleithanischen Reichshälfte entsprach[300b]. Damit erhielt auch in Deutschland die schutzzöllnerische Strömung erneut Auftrieb.

Die Solidarität von Industrie und Landwirtschaft ist erreicht

Bismarcks Taktik hatte einen ersten Erfolg errungen. Der Zollkrieg war vermieden, die Freihändler waren hingehalten, während die Schutzzöllner weiter Zeit für den Aufbau ihrer Interessensolidarität hatten. Der Zeitgewinn zahlte sich auch sofort aus. Unter dem Eindruck der Handelsvertragsverhandlungen, der kräftigen Hilfen Bismarcks, der sich weiter verschlechternden Absatzlage auf dem Industrie- und Agrarmarkt einigten sich Anfang Oktober 1877 der Centralverband deutscher Industrieller und die Steuer- und Wirtschaftsreformer definitiv auf ein gemeinsames Zollprogramm und die Ausarbeitung eines Tarifes, der nun von der uneingeschränkten Solidarität von Landwirtschaft und Industrie getragen wurde[301]. Zugleich beschlossen die Schutzzöllner, »die Verlegenheit der Regierung nicht zu vermehren«, in ihren »Operationen sehr vorsichtig (zu) sein« und abzuwarten, »was die Regierung tut«[302]. Nach der endgültigen Einigung von Landwirtschaft und Industrie begann, wie es Tiedemann umschrieb, »hinter den Kulissen mehr als man ahnt«. »Merkwürdige Dinge«, berichtete er an seine Frau, »sieht und erfährt (man) in dem stillen hinterpommerschen Varzin«[303], nachdem er bereits Mitte des Monats von »mehr Eisen im Feuer« als er »erwartet« habe, gesprochen hatte[304].

Jetzt glaubte Bismarck eine ausreichende Rückendeckung für eine Initiative in der Zollfrage zu haben. Und sofort nahm er auch die ausstehende bloße Handelsvertragsverlängerung mit Österreich zum Anlaß, gegen das Staatsministerium vor-

300 DZA II Rep. 120 C XIII, 2 Nr. 1 a secr. Bd. 3: 1. XI. 1877 Andrássy an Károlyi (Abschrift), DZA I AA hp Nr. 9934.

300a BHStA München MH Nr. 12 270: 24. XII. 1877 Bericht May/Hermann, Bazant S. 35.

300b Bazant, S. 39; Zimmermann, S. 146. Zum Tarif vgl. Peez, S. 181 f. und Matlekovits, S. 47 ff.

301 BA Koblenz R 13/I Nr. 79: 6. XI. 1877 Rentzsch an Richter ebd. Nr. 344: 13. XI. 1877 Servaes an Rentzsch, 16. XI. 1877 Zirkular Rentzsch.

302 BA Koblenz R 13/I Nr. 79: 21. X., 2. XI. 1877 Richter an Rentzsch.

303 Tiedemann, S. 215: 30. XI. 1877.

304 ebd., S. 204. Erwähnenswert ist, daß Bismarck nun im Oktober 1877 die Einrichtung einer Aktenreihe über »die amtlichen Wahrnehmungen Wirtschaftsfragen betreffend« verordnete (DZA I AA hp Nr. 7462).

zugehen. Keinen Aufschub durfte sein Vorgehen erleiden, denn Achenbach hatte sich zu Bismarcks Ärger wieder mehr Camphausen genähert[304a].

Nachdem Bismarck Tiedemann am 8. Oktober 1877 das Votum des Centralverbandes deutscher Industrieller übermittelte[304b], wiederholte er es am 23. Oktober 1877 gegenüber den Ministern und konfrontierte Achenbach und Camphausen erneut mit einer nun vom Reichskanzler unterstützten Schutzzolleingabe. Die Minister lehnten die Enquête nicht direkt ab, wiesen aber eine allgemeine Untersuchung zurück: »für das Staatsministerium« sei es »von wesentlichem Nutzen«, urteilte Achenbach, wenn die Enquête »auf ein richtiges Maß zurückgeführt werde«, nämlich auf die Lage der Montanindustrie. Da »Varnbüler weitere Anhänger« besitze, müsse »die Staatsregierung hierauf wohl Rücksicht nehmen«, eine allgemeine Agitation aber, ausgelöst durch die Enquête, sei zu verhindern, da durch eine »Diskussion ein praktisches Resultat nicht zu erhoffen sei und die Wirtschaft einer ... Reform nicht bedürfe«[305].

Das genügte Bismarck *zunächst*, ebenfalls Kardorff[305a]. Nun kam es darauf an, die »Verlängerung« des Handelsvertrages mit Österreich »als Freundschaftsbeweis«[306] für Andrássy ohne weitere Verhandlungen[306a] gegenüber Camphausen durchzusetzen. Dem widersprach Camphausen und trat für einen Vertrag nach »rigorosen« freihändlerischen Interessen ein, erkannte er doch die entscheidende Bedeutung der anstehenden Prolongation für die Fortführung der deutschen Handelspolitik: Zermürbung der liberal-freihändlerischen Position[307].

Der Reichstag wird überspielt: die definitive Auseinandersetzung um das Zollschema kann beginnen

Bismarck griff in seiner Argumentation für die bloße Vertragsverlängerung wohl auf handelspolitische Erwägungen zurück und betonte, daß eine Zollkrise »noch gefährlicher« für die deutsche Wirtschaft werden könnte als die Verlängerung des

304a Dem entsprach ein Zusammengehen der beiden in der Enquêtefrage; vgl. DZA II Rep. 120 C VII, 1 Nr. 10 Bd. 16: 30. X. 1877 Camphausen an Achenbach; 1. XI. 1877 Achenbach an Camphausen; 6. XI. 1877 citissime Camphausen an Achenbach.

304b DZA II, Rep. 120 C VII, 1 Nr. 10 Bd. 16: 9. X. 1877 Tiedemann an Achenbach.

305 ebd. 11. XI. 1877: 23. X. 1877 Achenbach an Camphausen; 13. XI. 1877 Camphausen an Achenbach, 28. XI. 1877 Votum Achenbach/Camphausen an Bismarck, dto. 29. XI. 1877 identisches Einzelvotum Achenbachs, vgl. auch AA-Bonn IAAa Nr. 46 Bd. 3.

305a AA-Bonn IAAa Nr. 46 Bd. 3: 8. XII. 1877 Bismarck an Camphausen.

306 DZA I AA hp Nr. 9938: 19. XII. 1877 an Stolberg.

306a DZA II Rep. 120 C VII, 1 Nr. 10 vol. 16: Achenbach fordert Verhandlungen, 29. XI. 1877 an Bismarck, und Camphausen geht mit seinem Vorschlag von Kommissionsberatungen auf Achenbachs Forderung ein (30. XI. 1877).

307 GW VIII, Nr. 188: 9. XII.; DZA I RK I Nr. 421: 7. XII. 1877 AA an Bismarck.

Vertragszustandes[308]; aber vor allem stützte der Kanzler sein Vorgehen und die Durchsetzung seines Projektes mit politischen Motiven ab. Am 11. November 1877 ließ er Bülow im preußischen Staatsministerium gegen Eulenburg und Friedenthal betonen: »die allgemeine politische Lage mache es notwendig, die guten Beziehungen zu Österreich-Ungarn aufrecht zu erhalten«. Deshalb müssse das Provisorium angenommen werden, Deutschland habe »Interesse an einem kräftigen Österreich und dem dortigen Vertrauen in die deutsche Politik«[309]. Obwohl sich die Minister nicht sofort geschlagen gaben[309a], ließ Bismarck »gemäßigt zustimmend« nach Wien Bericht erstatten[310]. Als sich dann die Opposition Anfang Dezember 1877 erneut im Votum Camphausens verdichtete[311], erzwang Bismarck die endgültige Entscheidung. Nochmals wiederholte er:

»Die Verlängerung des österreichischen Handelsvertrages auf 6 Monate an Bedingungen zu knüpfen, welche eine völlige Unterwerfung Österreichs fordern, halte ich für politisch unthunlich ... Angesichts der Möglichkeit einer inneren Entwicklung in ... Richtung auf Frankreich muß ich politisch auf die Erhaltung der bestehenden Beziehungen zu Österreich ein Gewicht legen.«

Ein bewußt »aufgeblähter« Gegensatz, wie ihn Camphausen wünsche, verstimmt Österreich; noch einmal unterstrich er: »Es liegt ... nicht in unserem Interesse, daß die inneren Schwierigkeiten Österreichs *erschwert* werden, wir bedürfen politisch einer leistungsstarken Macht in Wien«, die sich Deutschland nicht durch »herrische Unfreundlichkeit« verbittern könne[312]. Der Kaiser quittierte Bismarcks Verlängerungsabsichten aus politischen Gründen mit »Bravo«[313], im Bundesrat war Bismarcks Projekt die Zustimmung sicher. Damit hatte der Reichskanzler und Ministerpräsident vorerst gewonnen. Am 15. Dezember erhielt er vom preußischen Staatsministerium nicht nur die Zustimmung zu seinem Vorgehen, sondern darüber hinaus nahm jetzt das Staatsministerium unter Vorsitz von Justizminister Leonhardt[314] auch den Vorschlag des Auswärtigen Amtes an, der begrenzten Verlängerung des Handelsvertrages von 1868 durch bloßen Notenwechsel ohne »Anrufung« des Reichstages »Genüge zu tun«[315]. Damit war die freihändlerische

308 DZA I RKA Nr. 207: 9. XI. 1877 Hofmann/Huber/Eck an Bülow.
309 Poschinger: Akten zur Wirtschaftspolitik I, Nr. 146.
309a DZA II, Rep. 120 C VII, 1 Nr. 10 Bd. 16: 28./29. XI. 30. XI. 1877 Camphausen/Achenbach an Bismarck.
310 DZA I AA hp Nr. 9934: 15. XI. 1877 Bismarck an Bülow.
311 DZA I RK Nr. 421: 7. XII. 1877 Bülow an Bismarck.
312 DZA I RK Nr. 421: 9. XII. 1877 Bismarck an Bülow.
313 DZA I AA hp Nr. 9937: 11. XII. 1877 Bülow an Wilhelm I.
314 DZA II Rep. 190 a B III, Nr. 2 b, 6 Bd. 89: 15. XII. 1877 bei Anwesenheit von Camphausen und Eulenburg stimmten Leonhardt, Falk, Kameke, Achenbach, Friedenthal, Hofmann, Bülow, Philipsborn und Wangenheim einstimmig für die Vorlage.
315 DZA I RK Nr. 421: 15. XII. 1877 Bismarck an Hofmann; 25. I. 1878 Bülow an Károlyi; Sächs. LHA Dresden AM Nr. 6806: 16. I. 1878 Nostitz an Fabrice.

Opposition ausgeschaltet; die schutzzöllnerische Zustimmung wurde mit einem anderen Mittel gewonnen: Unterstützt von den Eingaben und Tarifentwürfen des »Langnamvereins«[316], des Deutschen Handelstages[317] und des Vereins Deutscher Eisen- und Stahlindustrieller, auch von den Steuerreformern, eröffnete Bismarck in Preußen und im Reich die »Diskussion« um die Vorbereitung und Durchführung der allgemeinen Zollreform[319].

316 DZA II Rep. 120 C VII, 1 Nr. 10 Vol. 16: 28. XI. 1877.
317 ebd. 10. XII. 1877.
318 ebd. 13./14. XII. 1877; vgl. auch DZA I RKA Nr. 2140; BA Koblenz R 13/I Nr. 79, am 13. XII. 1877 hatte der VDEStI-Vorstand die ersten definitiven Eisenzolltarifforderungen beraten. Schon am 7. XII. 1877 (ebd. R 13/I Nr. 344) hatte Richter Bismarck einen neuen Tarif zugesandt, und im September schon hatte Hegenscheidt den ersten Tarifentwurf formuliert (DZA II, Rep. 120 C XIII, 2 Nr. 1 a vol. 2): Nun in Leipzig wurde der offizielle autonome Tarif des Verbandes, basierend auf dem Gutachten der einzelnen Gruppen (Koblenz R 13/I Nr. 344) und der Verbandmitglieder (ebd. z. B. Gießereien) entworfen und Anfang des Jahres dem Reichskanzleramt überreicht (2. I. 1878).
319 BHStA München MH Nr. 10 027: 3./20. XI. 1877 Werthern an Lutz; WFStA Ludwigsburg, E 222, Fach 189, Nr. 1046: 28. XI. 1877 Votum Renner.

Zweites Kapitel

Bismarcks interne Durchführung der neuen schutzzöllnerischen Konzeption: Ministerentlassung und Kaiserattentate

a Das erste große Revirement in Preußen: Ministerablösung, Steuerreform, Schutzzollagitation und liberale Opposition

Bismarck drängt auf Ministerentlassung

Parallel zu den handelspolitischen Entscheidungen (Handelsvertrag mit Österreich und Enquêtefrage) hatte Bismarck – wie im Oktober geplant[1] – Anfang November 1877 auch die Fragen der großen Steuerreform wieder intensiviert[2]. Nachdem Camphausen im Februar die Initiative bei der anstehenden Wirtschaftsreform Bismarck wieder zurückgegeben und während des ganzen Jahres dem Drängen Bismarcks nur ausweichend geantwortet hatte[3], nahm nun der Ministerpräsident die Entscheidung des Staatsministeriums in der Handelsvertrags- und Enquêtefrage im Dezember 1877 zum Anlaß, um Camphausen zur Ausarbeitung eines umfassenden »Motivenberichts« für die Steuermonopolprojekte aufzufordern[4]. Von vornherein wies Bismarck eine »Reichsinitiative« in dieser Frage zurück; das Reich sei »prinzipaliter« auf Preußen »angewiesen«. Es komme vor allem darauf an, daß sich die Staaten von ihren Matrikularbeiträgen »selbst erleichtern«, die den Reichshaushalt balancieren[5]. Damit verband Bismarck die Reorganisation der Wirtschafts- und Steuerpolitik direkt mit der Fortführung der preußischen Politik unter Camphausen, Achenbach und Eulenburg. Hierauf kam es ihm vor allem auch an. Mit der Steuerreform wollte er, nachdem in der Handelspolitik die Würfel gefallen waren, endgültig die liberale Opposition in Preußen brechen – Falk, Eulenburg, Camphausen und Achenbach »regierten« schon seit Oktober mit ständigen Rücktrittsdrohungen[6] – und zugleich einen Neubeginn seiner gesamten Reichspolitik manifestie-

1 GW VI c Nr. 93.

2 DZA II, Rep. 151 neu Tit. 36, 4 Nr. 1168.

3 ebd. 27. VI. 1877 Hofmann an Camphausen, 16. VIII. 77 Eck an Camphausen; 27. VIII. 1877 Camphausen an Bismarck; 27. IX. 77 Hofmann an Camphausen, Oktober 77 Camphausen an Bismarck; DZA I, RK Nr. 2134: 1. XII. 1877 Hofmann an Bismarck; 11. XII. 77 Bismarck an Hofmann.

4 DZA II, Rep. 151 neu ebd. 16. XII. 1877 Bismarck an Camphausen, dto. DZA I RK Nr. 2134.

5 DZA I RK Nr. 2134: 11. XI. 1877 Bismarck an Hofmann. (GW VI c Nr. 100).

ren. Schon am 21. Dezember 1877 enthüllte er Bülow sein Vorgehen: Zuerst sollte Camphausen entweder zum Mitgehen gezwungen oder abgelöst werden. Dann sollte auch Falk seinen Abschied erhalten – wenn dies auch »ein papistischer Sieg bleibe«. Achenbach könne bleiben, aber sein Ministerium müsse geteilt werden, denn nur so wäre zu verhindern, daß dieser eine »neue Politik« treibe«. Eulenburg – isoliert – würde dann in allem mitgehen. Ausgangspunkt für alle weiteren Schritte wäre aber, »daß das Finanzministerium dann in einer, der Gesamtpolitik entsprechenden Weise besetzt sei«[7]. Noch klarer berichtete Tiedemann über die Intentionen Bismarcks: »Der Fürst macht seinen Wiedereintritt in die Geschäfte«, teilte Tiedemann seiner Frau Mitte Dezember aus Varzin mit, »von den Bedingungen abhängig, die sich zum Teil auf einen Personenwechsel in höchsten Beamtenstellen, zum Teil auf eine Umorganisation der Reichsbehörden beziehen. Er ist müde, sich jeden Schritt von rechts oder links durchkreuzen zu lassen[8].«

Preußen wird in den Vordergrund geschoben

Mit welcher Rückendeckung und welcher Taktik dieses Vorhaben durchgeführt werden konnte, hatte Bismarck schon seit August deutlich werden lassen. Damals, als Camphausen sich mit seinen Ministerkollegen verständigte und Bismarck mitteilte, daß er im Gegensatz zu Bismarck hoffe, den bisherigen Weg der Gesetzgebung von Preußen aus weiterzugehen[9], hatte Bismarck diesem Urteil, ganz entgegen seiner bisherigen Gepflogenheit, nicht mehr widersprochen. Ja, unmittelbar nach den vielfachen Eingaben der Schutzzöllner im Hochsommer 1877 hatte er Hofmann angewiesen, in Zukunft jedes Vorgehen des Reichskanzleramtes in der Reichsgesetzgebung von der vorherigen Zustimmung des Reichskanzlers *und* des preußischen Staatsministeriums abhängig zu machen[10]. Damit war Bismarck ganz offensichtlich in die Politik der Preußenminister, Preußen als Vormacht im Deutschen Reiche zu betonen, eingeschwenkt; die seit 1867 verfolgte Politik der Reichsakzentuierung hatte er offenbar aufgegeben.

Die gleiche Akzentverlagerung zeigte sich auch in der Aufgabe des Reichsfinanz-

6 DZA II, Rep. 89 H Deut. Reich II Gen. 1 Bd. 5: 10. X. 77 an Wilhelm; GW VI c Nr. 97; GW VIII Nr. 188.

7 Der bei Goldschmidt S. 209 ff. und GW VI c Nr. 103 abgedruckte Bericht ist nicht vollkommen identisch mit DZA I RK Nr. 2080: 21. XII. 1877 Bismarck an Bülow, von Holstein eingesehen, dies war eine Antwort auf einen Bülow-Bericht vom 18. XII., wo dieser eine Unterredung mit Camphausen wiedergab, in der deutlich wurde, daß Camphausen »auf seiner Erfahrung und seinen Einfluß auf die Volksvertretung« bauend, keineswegs gewillt war, Bismarcks Intentionen vom 15. XII. anzunehmen. (AA-Bonn I AAa Nr. 50 Bd. 1; GW VI c Nr. 100/101).

8 Tiedemann S. 216.

9 DZA II, Rep. 120 C VII, 1 Nr. 10 vol. 1 b: 28. VIII. 77 Camphausen an Achenbach.

10 GW VI c Nr. 96 vgl. auch GW VIII Nr. 169.

ministerprojekts[11] und in der Berufung Maybachs – des Präsidenten im Reichseisenbahnamt – zum Unterstaatssekretär im preußischen Handelsministerium[12]. Maybachs vornehmlichster Auftrag sollte nämlich die Verstaatlichung der preußischen Eisenbahnen sein, nachdem das Projekt auf Reichsebene gescheitert war. Die zumeist notleidenden Eisenbahngesellschaften und die an ihrem überbewerteten Aktienportefeuille tragenden Banken sollten nun von Maybach so salviert werden, daß gleichzeitig sowohl die politische Stärkung der Reichseinheit von Preußen aus[13] als auch die Sanierung der notleidenden Montan- und Eisenbahnpapiere erreicht würde[14]. Bismarcks intimer Ratgeber bei diesem Projekt war Bleichröder[15]. Er stand auch im Mittelpunkt der gleichzeitigen »gebundenen« Anleihenbegebungen an Preußen und an das Reich[16], die Bismarck auf dem Höhepunkt der Auseinandersetzung um die Fortführung der Wirtschaftspolitik Preußens und seiner Wirtschaftsmacht erneut ins allgemeine Bewußtsein rückte.

Der Zweck der Bismarckschen Taktik

Daneben waren die Banken die wichtigsten Vermittler der Solidarität von Landaristokratie und Besitzbürgertum, einer Ehe, die deutlich machte, daß die neugebildeten Unternehmerschichten auch nach der sich vollziehenden industriellen Wandlung die überkommene monarchische Struktur des preußischen und deutschen Staates weiterhin anzuerkennen und mitzutragen gewillt waren. Vor allem diese Momente – dazu noch der Abbau des Kulturkampfes und die Haltung des Kaisers – ließen Bismarck das Wagnis einer scheinbar gegen das Reich, in Wirklichkeit aber gegen Camphausen und die liberalen Minister gerichteten Taktik auf sich nehmen. Der Wechsel der Bismarckschen Politik wurde sofort in den Auseinanderset-

11 GW VIII Nr. 155, 159, Oncken: Bennigsen II, S. 303.

12 Jungnickel S. 63, v. d. Leyen: Die Durchführung des Staatsbahnsystems in Preußen, Schmollers Jb. 7, 1883, S. 464 ff.

13 DZA I RK Nr. 81: 25. IX. 77 Maybach an Bismarck.

14 DZA II Rep. 151 neu Tit. 21. secr. Nr. 20 Pak. 816, dto. Nr. 21, 23–28, HA Berlin Rep. 109 Nr. 5352.

15 DZA I RK Nr. 81 o. D. Promemoria Bleichröder; 14. IX. 1877 Schwabach an Bismarck.

16 HA Berlin Rep. 109 Nr. 4983 Begebung von 43 Mill. 4 % Reichsanleihe 3. VI. 1877 Hofmann an Bitter, 6. VI. 77 Bitter an Hofmann nach Besprechung mit Bleichröder und Hansemann. Bitter lehnte den Antrag des Konsortiums, Reichsbank und Oberpostkassen zur Distribution zu verwenden, wegen des »geringfügigen Betrages« ab. Bei Kurs 94 übernahm dann Bleichröder und die Disc. 51,3 % der Anleihe, Oppenheim-Köln, Behrens und Norddt. Bank, Hamburg, Rothschild-Frankfurt ließen ihre Belange ebenfalls durch die Berliner vertreten. (DZA II Rep. 151 neu HB Nr. 681 682: 16. X. 1877 Votum der Staatsschuldenverwaltung; 29. IX. 1877 Camphausen an Wilhelm I.).

zungen mit Hofmann erkennbar. Dieser wurde nun zu Bismarcks »Prügelknaben«, weil er unbeirrt an seiner bisherigen unitarischen »Reichspolitik« festhielt[17]. Bismarcks Stellungnahmen zur Tätigkeit des Präsidenten des Reichskanzleramtes wurden immer schärfer[18], die Beurteilungen seiner Arbeit immer negativer, ja Bismarck untersagte ihm jede eigene Initiative[19].

Im November und Dezember 1877 ließ Bismarck[20] verlauten, er wolle nicht nur das auf Finanz- und Verwaltungsaufgaben beschränkte Reichskanzleramt auflösen, sondern auch die Reichsämter mit den Preußischen Ministerien in Personalunion koppeln[21]. Bismarck entwarf diesen Plan nicht mehr, wie noch zu Jahresbeginn, »um den idealeren Versuch einer selbständigen Reichsentwicklung« zu erzwingen, sondern um die »unabhängig divergierend[22] von Preußen entwickelte Reichsgesetzgebung »durch das Heilmittel ... der Ausdehnung des Systems der Personalunion«[23] abzubremsen. Bismarck wollte so das preußische Gewicht stärken, »wie es ursprünglich gedacht war«[24], den Bundesrat »austrocknen« und von Preußen her mit »reichsgesetzlich«[24a] verankerten Befugnissen vornehmlich in innenpolitisch-wirtschaftlichen und handelspolitischen Fragen die weitere Entwicklung des Reiches bestimmen.

Im Dezember 1877 kulminierte die Politik der »Preußenakzentuierung«. Gleichzeitig mit der Initiative in der Steuerreformfrage und der Entscheidung in der Handelspolitik erhielt Hofmann am 16. Dezember 1877 die Auflage[25], den Etat des Reichskanzleramtes getrennt aufzustellen, und zwar nach Finanzangelegenheiten und Verwaltung. Damit zeichnete sich die Bildung einer neuen Verwaltungsbehörde ab; Hofmann wurde erneut in seinem Amtsbereich, »aus dem Delbrück zuviel gemacht hat«, beschnitten[26]. Weitere fünf Tage später – einen Monat nach der »Vereinigung« von Landwirtschaft und Industrie – umriß Bismarck zum erstenmal, trotz der Mißerfolge der Parlamentssitzung im Frühjahr, gegenüber dem Mecklenburger v. Bülow sein Programm der »Konservativen Sammlung«[27], ein

17 GW VIII Nr. 188, Nr. 298, Nr. 277; Goldschmidt Nr. 36.
18 ebd.
19 AA-Bonn IAAa Nr. 46, Bd. 3: 4. XI. 1877 Bismarck an Hofmann.
20 GW VI c Nr. 96; vgl. vor allem Morsey S. 93, Goldschmidt Nr. 38.
21 StA Hbg. Hans. Ges. Ält. Reg. GIV a Bd. 7: 19. XII. 1877.
22 Goldschmidt Nr. 39: 15. XII. 1877 Herbert Bismarck an Bülow.
23 Goldschmidt Nr. 40: 17. XII. 77 Bismarck an Bennigsen, vgl. Oncken II, S. 326.
24 DZA II Rep. 89 H II Deut. Reich Nr. 1: 22. I. 1878.
24a Goldschmidt Nr. 38/39.
25 GW VI c Nr. 102 siehe oben S. 472.
26 DZA I RK Nr. 2040: 21. XII. 1877 Bismarck an Hofmann.
27 Goldschmidt Nr. 38: 15. XII. 1877 Bismarck (Tiedemann) an Bülow; GW VI c Nr. 101; DZA I RK 1912.

Programm, das Bismarck in Grundzügen auch Bennigsen[28] zum selben Zeitpunkt offerierte.

Dahingestellt sei, ob der Versuch Bismarcks, den Führer der Nationalliberalen, Bennigsen, in das preußische Staatsministerium zu berufen[29], der letzte ernsthafte Versuch gewesen ist, mit den Nationalliberalen als gouvernementaler Partei die Steuerreform zu entscheiden[30], oder ob dies nur ein taktisches Manöver im Rahmen der Gesamtpolitik gewesen war, das darauf zielte, die Liberalen zu spalten[31], auf diese Weise die Zentralgewalt zu stärken, der Kontrolle des Bewilligungsrechts durch das Parlament ledig zu werden und die neuen »Bindemittel« des Einheitsstaates Deutschlands nämlich die Monopole, zu gewinnen[32]. Wesentlicher in unserem Zusammenhang ist, daß Bismarck erst nach dem Zusammengehen der »produktiven Stände« und mit deren Rückversicherung – den großen Banken – glaubte seine Alternative zur liberalen Konzeption[33] Bennigsen zur Diskussion stellen zu können. Jetzt schien für Bismarck der Zeitpunkt gekommen, wo er die Liberalen mit seinem konservativ-schutzzöllnerischen Konzept konfrontieren konnte. Denn jetzt rückte eine neue Koalition von Regierungsparteien im Reichstag in den Bereich des Möglichen. Bismarck konnte wählen, konnte drohen, denn die konservativen Agrarier und Industriellen im Zentrum um Windthorst, Schorlemer und Ballestrem waren in den Steuerreform- und Wirtschaftsfragen vollkommen mit Bismarcks Plänen und den Zielen der Varnbüler, Stumm, Haniel, Bueck, Stolberg, Frege, Mirbach usw.[34] einig[35].

Zudem war Papst Pius IX. alt und krank, und Bismarck betrachtete den Kulturkampf nicht zuletzt aus außenpolitischen Gründen als gescheitert; der Abbau des Kulturkampfes bot aber die Möglichkeit einer Angleichung der »jeweiligen Interessen«. Auf diesem Hintergrund sind die Entscheidungen Ende des Jahres 1877 zu verstehen. Das Jahr 1878 war der Durchführung, 1879 der öffentlichen Durchsetzung des neuen Systems vorbehalten. Wie in der Außenpolitik war, mit ihr eng verflochten, die innenpolitische Entscheidung wesentlich bedingt und erst möglich gemacht worden durch Isolierung der Bismarckschen Position einerseits und den Zusammenschluß neuer konservativ geprägter »staatserhaltender« Kräfte anderer-

28 Oncken: Bennigsen S. 326 ff.; GW XIV, 2 Nr. 1578.
29 Eckhardt: Lebenserinnerungen S. 266; Oncken II, S. 321 ff., S. 332; StA Hbg. GIV a Bd. 7: 30. XII. 1877.
30 F. Hartung: Deutsche Geschichte S. 81. Zur Bennigsenschen Ministerkandidatur als Scheidepunkt der liberalen Entwicklung vgl. D. Sandberger: Die Ministerkandidatur Bennigsens, Eberings Hist. Studien 187, 1929; H. Oncken: Rudolf v. Bennigsen II, 1910.
31 Rathmann S. 915.
32 Nitzsche S. 146 ff.
33 StA Hbg. Hans. Ges. Ält. Reg. GIV a Bd. 7: 30. XII. 77.
34 vgl. Hirsch S. 26 f.; StA Hbg. Hans. Ges. Ält. Reg. GIV a Bd. 7: 19. XII. 77.
35 siehe oben S. 470 f.

seits, deren Bindung an Bismarck und Preußen in der Durchführung ihres Programms begründet war.

Bismarck lockt Camphausen aus der Defensive

Bereits am 18. Dezember legte der Staatssekretär des Reichsjustizministeriums – Friedberg[36] – den Entwurf eines Immediatberichts vor, in dem die schon gegenüber Bülow zum Ausdruck gebrachten Prinzipien formuliert waren. Nach mehrmaliger Überarbeitung durch Bismarck[37] erhielt Wilhelm I., am 22. Januar 1878 den »monumentalen Bericht« über die Reorganisation der Reichsverwaltung[38]. Mit diesem Bericht hatte Bismarck jetzt – wenn auch noch die Darstellung der Pläne »in ihrer letzten Konsequenz« fehlte – eine Taktik gefunden, die sowohl Preußen als auch das Reich unter die zentrale Gewalt seines Amtes, seiner Macht, die ihm ja keineswegs durch die Verfassung gegeben war, führen sollte.

Ausgangspunkt der Reform sollte die weitere Verkleinerung des Reichskanzleramtes – einer »so mächtigen Centralbehörde«, für die »in unseren deutschen Verhältnissen weder neben noch über den Landesregierungen ein Platz« sei – zu einer »reinen Verwaltungsbehörde« sein. Zugleich sollte eine oberste Zentralbehörde (eine Reichskanzlei) geschaffen werden, in der die Willensäußerungen der Reichsämter zentriert würden. Denn die Reichsämter seien in ihrem Streben zu »einer *idealen* Regierungsgewalt über 40 Millionen Deutsche« doch nur auf die »im *realen* Vollbesitz der Regierung über 25 Millionen Deutsche sich befindenden« preußischen Ministerressorts »angewiesen«. Damit erst sei die Unterstützung »E. M. *Kaiserthum* von den Kräften der Kgl. Regierung E. M.«, wie Bismarck die neue, auf die Mentalität des Kaisers, noch mehr aber auf die Camphausens[39] abgestimmte Reform umschrieb, garantiert. Angelpunkt der »systematisch-großartigen Neuorientierung« solle die Finanz- und mit ihr verbunden die Zollreform sein; die Voraussetzung für die Durchführung der Wirtschaftsreform müsse in der Abgliederung einer »selbständigen Behörde« vom Reichskanzleramt – einem Reichsschatzamt – geschaffen werden[40]. Die neue Behörde solle in enger Fühlung mit dem preußischen Finanzminister stehen, der preußische Finanzminister – ähnlich wie der Kriegs-

36 Tiedemann S. 215; Goldschmidt Nr. 41: 18. XII. 77 Konzept Friedberg, Entwurf von Hagen.

37 ebd. Nr. 41, 47; Lucius: Memoiren S. 124.

38 DZA II Rep. 89 H II, DZA I RK Nr. 1912, vgl. Goldschmidt Nr. 49; vgl. Vorentwurf Goldschmidt Nr. 42, Herbert Bismarck an Bülow 21. XII. 1877.

39 DZA I RK 2080; vgl. Goldschmidt Nr. 42, 45: 31. XII. 1877 Bismarck an Camphausen.

40 StA Hbg.: 17. III. 1878; G IV a Bd. 7.

minister – die Vorlage mitzeichnen, der Reichskanzler nur das »Correferat« bei diesem Bericht geben[41]. Von vornherein betonte Bismarck, daß auch in dieser neuen Behörde preußische Fachkräfte die Arbeit ausführen sollten, da nur sie geschult seien, die Fragen der notwendigen Zoll- und Steuerreform durchzuführen[42].

Diese Denkschrift darf nicht isoliert beurteilt werden. Ihr politisches Gewicht und ihre taktische Bedeutung erhält sie erst in der Konfrontation mit Bismarcks weiteren Plänen. Seit August 1877 war es nämlich sein Hauptgedanke, Camphausen aus der Defensive, die dieser im Februar bezogen hatte, zu locken, um ihn dann mit »seinen Steuerprojekten« so zu belasten, daß zwischen dem Minister und den Stützen seiner Position – der Hofpartei und den Liberalen – ein Keil getrieben worden wäre. Diese macchiavellistische Taktik gelang nun Ende Dezember. Der Fisch, für den Bismarck als Köder die Reichsreform in preußischem Sinne ausgelegt hatte, biß an[43]. Am 29. Dezember 1877 akzeptierte Camphausen die »bloße« Assistenz Bismarcks bei der vom Finanzministerium auszuarbeitenden und dem Reichstag vorzulegenden Finanzreformvorlage[44]. Wohl distanzierte sich Camphausen sofort von der »Tragweite der vorzulegenden Steuerprojekte«, aber daß die Reform von »geschulten« Kräften durchgeführt werden müsse, anerkannte auch er, und »von einem Widerspruch« gegen Bismarcks Ansicht, daß die »Anträge auf Steuerreform ... außerhalb der Aufgaben des Reichskanzlers« liegen, wollte er jetzt »absehen«. Camphausen nahm die Idee der »Personalunion« der Reichsämter und der peußischen Ministerien um so eher an, als er nun glaubte wieder mit Bismarck »auf gemeinsamem Boden« zu stehen. Bismarck unterstützte ihn sofort in diesem Glauben und antwortete ihm »als preußischer Minister des Deutschen Kaisers«[45]: Er begrüße »jeden Fortschritt« in der Reformfrage »als eine willkommene Abschlagszahlung«, wenn er auch im Projekt des Ministers »das gesamte Ziel noch nicht erreicht« sehe. Darüber jedoch sollte jetzt nicht mehr diskutiert werden. Am 9. Januar 1878 sanktionierte der Kaiser das Arrangement[46], und Bismarck stimmte dem Projekt insofern voll zu, als er wohl z. B. am Tabaks- und Branntwein-»Monopol festhielt«, aber zugab, daß dieses in diesem Jahr »unausführbar« sei[47].

Camphausen glaubte Bismarck überspielt zu haben, aber in Wirklichkeit hatte Bismarck Camphausen in allen wesentlichen Fragen überspielt: die Handelsvertragsprolongation mit Österreich war perfekt, die Enquêtebereiche wurden bereits

41 Goldschmidt Nr. 50: 24. I. 78 Bismarck an Bülow.

42 DZA II Rep. 151 neu Tit. 36, 4 Nr. 1168: 31. XII. Bismarck an Camphausen.

43 Goldschmidt Nr. 43: 26. XII. 1877 Bülow an Bismarck; DZA II Rep. 151 neu Tit. 36, 4 Nr. 1168: 8. XI. 1877 Bismarck an Camphausen; 16. XII. 1878 Bismarck an Camphausen.

44 DZA II, Rep. 151 neu Tit. 36, 4 Nr. 1168: DZA I RK Nr. 2080.

45 DZA II Rep. 151 neu Tit. 36, 4 Nr. 1168: 31. XI. 77 Bismarck an Camphausen; DZA I RK Nr. 2080; GW VI c Nr. 105.

46 ebd. König Wilhelm I.

47 ebd. 20. I. 1878 Rantzau an Camphausen.

festgelegt[48], und »die Enquête selbst« wurde vom Staatsministerium und Wilhelm akzeptiert[49] und dem Bundesrat zugeleitet[50]. Auch in der Reformfrage hatte sich Camphausen Bismarck in den politisch wichtigen Leitgedanken angeschlossen, wenn er auch »ohne Entmächtigung« des Reichstages die Steuerreform nur »Schritt für Schritt« durchführen wollte[51], da »ein parlamentarischer Körper, der keine Steuern bewillige, bald sein Gewicht verliere«[52].

Wie wenig indes Bismarck willens war, Camphausens Hauptziel, die Personalunion der liberalen Minister, Camphausen, Achenbach etc. mit den Reichsämtern tatsächlich zu erstreben, zeichnete sich schon im Immediatbericht vom 22. Januar 1878[53] ab. Bismarck trachtete nämlich jetzt schon nicht nur, wie noch am 31. Dezember[54], nach einem größeren Rahmen für die Steuerreform, sondern forderte, im Gegensatz zu Camphausen, eine »gründliche Reform unseres Zoll- *und* Steuerwesens«. Gleichzeitig drohte Bismarck, wenn der Finanzminister »der unabweislichen Reform (nicht) in viel umfangreicherer und energischer Weise näher« treten würde, gezwungen zu sein, »eine öffentliche Darlegung der Verhältnisse« vornehmen zu müssen[54a]. Das hieß, die von Camphausen und Achenbach perhorreszierte große Zollagitation anzukündigen, für die die Schutzzöllner soeben — auf Tiedemanns Rat — ihren gemeinsamen Zoll ausgearbeitet hatten[55]. Die Zöllner standen bei der Montanindustrie, den Textil-, Glas-, Leder-, Kupfer-, Chemie- und Leinenverbänden, den Handelskammern und bei den Landwirten »Gewehr bei Fuß« für eine »öffentliche Darlegung«[56]. Und zudem bereiteten die Schutzzöllner ihre große Jahresversammlung für den Februar 1878 vor[57].

48 DZA II Rep. 120 C VII, 1 Nr. 31: 10. I. 1878 Stüve an Achenbach; 17. I. 1878 Achenbach an Camphausen.

49 DZA II Rep. 89 H III Deut. Reich 11, Bd. 7: 27. I. 78 Sta. Min. an Wilhelm.

50 DZA II Rep. 120 C VII, 1 Nr. 31: 15. II. 1878 Bundesratsdrucksache Nr. 32.

51 DZA I RK Nr. 2080: 29. II. 1877, AA-Bonn IAAa Nr. 50 Bd. 1.

52 DZA I ebd. 5. I. 78 Bülow an Bismarck; Goldschmidt Nr. 45 Zusatz Bülows.

53 DZA II Rep. 89 H II, Deut. Reich 1.

54 DZA I RK Nr. 2080.

54a Oncken: Bennigsen II, S. 324.

55 BA Koblenz R 13/I Nr. 79: 13. XII. 1877 Protokoll Rentzsch ebd. Nr. 344, Entwurf A. Lohren/Dr. Grothe und der neue Sekretär R. R. Beutner; DZA I RK Nr. 2110; DZA II, Rep. 120 C VII, 1 Nr. 10 Bd. 16.

56 DZA II ebd. 12. I. 1878 Petition HK Aachen, ebd. Rep. 120 C VIII, 1 Nr. 25 adh. 1: 30. I. 1878 Petition DHT und CdI; ebd. Rep. 120 C XIII, 2 Nr. 1 a vol. 2: 5. XI. 1878 HK Elberfeld; 16. I. 1878 öffentliche Darlegung des Hamburger Godeffroy in Hansemanns Blatt, Berliner Börsen-Zeitung; 24. I. 1878 HK Barmen; DZA I RKA Nr. 216: 7. XII. 1877 Petition VDEStI; 6. II. 1878 Petition Leinenindustrie; 15. II. 1878 HK Bochum.

57 BA Koblenz R 13/I Nr. 171.

Bismarcks Taktik enthüllt sich

Camphausen jedoch glaubte immer noch, auf Bismarck vertrauen zu können. Und Bismarck bestärkte ihn auch darin, als er ihn am 6. Februar 1878[58] – trotz des Protestes von Hofmann – den deutschen Reichstag eröffnen ließ[59]. Mit der Eröffnung des deutschen Reichstags durch einen preußischen Minister zu diesem Zeitpunkt schien nun auch öffentlich die »Notwendigkeit einer Änderung in der (bisher reichsakzentuierten) politischen Richtung« dokumentiert zu sein, die zuvor schon in einer Pressekampagne, ausgehend von Tiedemann, diskutiert worden war[60]. Die sofortige Opposition der Mittelstaaten gegen diese Pläne für eine Reform der Reichsorganisation, in denen die Bundesstaaten eine Mediatisierung ihrer Stellung unter Preußen sahen[61], kam Bismarck sehr willkommen: erneut konnte er die Stellung des preußischen Finanzministeriums hervorheben[62] und die dominierende Rolle Preußens für die deutschen Geschicke betonen.

Die weitere Entwicklung der Steuer- und Zollreformfrage enthüllte die Politik Bismarcks von August bis Dezember 1877 noch stärker als reine Taktik[63]. Keineswegs war die politische Schwenkung Bismarcks so vorbehaltlos gewesen – wie in der Forschung angenommen wurde –, daß sie im Frühjahr 1878 nur aus organisatorisch-rechtlichen Fragen »nicht vorhielt«[64], oder gar – da ja die Reform vornehmlich dem Finanzminister zugute gekommen wäre – durch den Rücktritt Camphausens geändert worden war[65]. Die von Bismarck im Dezember intensivierte Politik der »Preußenakzentuierung« und der Personalunion der Reichs- und preußischen Ämter und Ministerien hatte von vornherein das Ziel gehabt, über dem von Bismarck vorberechneten Scheitern der radikal-partikularistischen Politik einen personellen Wechsel in den Preußen-Ministerien herbeizuführen. Dies sollte in solcher Weise geschehen, daß dem Reichskanzler die preußische Stütze wiedergegeben wäre und die Bundesstaaten in Sorge um ihre bedrohten Rechte der Reichsfinanz- und Zollreform[66] zugestimmt hätten[67]. Deswegen wurde bei der ganzen Operation Camphausen in den Vordergrund geschoben.

58 Poschinger: Parlamente II S. 267.
59 GW VI c Nr. 108.
60 Sächs. LHA Dresden AM Nr. 1102: 7. I. 78 Nostitz an Nostitz.
61 Sächs. LHA Dresden AM Nr. 1102: 12./20. II. 1878 Fabrice an Nostitz; Goldschmidt Nr. 53 vgl. die eingehende Berichterstattung von Nostitz-Wallwitz ebd. 1./2./7. I. und 15. I. 1878.
62 GW XI S. 535 ff.
63 Goldschmidt Nr. 50, 52 Anm. zum Bericht aus Dresden.
64 Morsey S. 100.
65 Vietsch S. 90.
66 vgl. zum Projekt Gerloff S. 124 f., 127 ff.; zur Luxusfinanzsteuer GW 11, S. 405 ff.
67 Goldschmidt Nr. 48 von Varnbüler an Holder, ebenfalls drastisch Bismarck gegenüber Tiedemann und Maybach: »die Kleinstaaten« gleichen »Ferkeln, die man auf

Mit erstaunlichem Klarblick hatte diese Zusammenhänge der hanseatische Gesandte schon zu Anfang der Bismarckschen Operation erfaßt[68] und nach Hause berichtet, daß Bismarck sich Camphausen nur nähere, um die Liberalen zu schwächen. Doch auch Bismarck selbst ließ in die Hintergründe seines Vorgehens blicken: Als nämlich im Januar 1878 der Bayer Pfretzschner, der Badener Turban, der Württemberger Mittnacht und der Sachse Fabrice gegen Bismarcks »Stellvertretergesetz« und gegen die »Preußenbetonung« zu opponieren begannen (glaubten sie doch, Bismarck würde den Liberalen durch die Hintertür ihre geforderte Ministerverantwortlichkeit zubilligen und den Bundesrat — also ihre Stellung — entwerten), verdeutlichte Bismarck ihnen seine eigentlichen Ziele[69] — wenn auch mit »Unmut«, weil er die »Lücke der Reichsverfassung« eigentlich nicht schon »vorzeitig« interpretieren wollte. Sein Ziel sei es doch, so erklärte er, ein Revirement in Preußen herbeizuführen, um jegliche »Bestrebungen der Nationalliberalen nach Reichsministern abzubrechen«[70]. Die doppelte Stoßrichtung seiner Politik hatte der Kanzler dadurch selbst enthüllt.

Ein Erfolg seiner Aktion hätte seine Machtstellung im Reich und unbestritten auch in Preußen entscheidend gefestigt. Das Stellvertretergesetz[71] spielte dabei die Rolle, Bismarck zu ermöglichen, daß er jederzeit in der dezentralisierten Reichsverwaltung den allein bestimmenden Einfluß des Kanzlers aktualisieren konnte. In Preußen hoffte er — sollte Camphausen abgelöst werden können — die auf seinen, des Ministerpräsidenten, Vorschlag berufenen Minister unter seinem entscheidenden Einfluß zu halten. Wenn das nicht gelang, würden sie eben abgelöst werden; damit wäre das »System der Personalunion« — selbst nur ein taktischer Schachzug — nicht mehr gebraucht worden[72]. Die dann 1880 von Bismarck erreichte Ämterkumulation (Reichskanzler, Ministerpräsident, Handelsminister und Minister des Auswärtigen) brachte die rivalisierenden obersten »Ministergewalten« unter Bismarcks Hand und schränkte den »hergebrachten Mächtebesitz des preußischen Staatsministerium«[73] ein. Die Institution der »regelmäßigen Vertreter« des Reichskanzlers blieb ohne Aufgabe[74], und ebenso wurden die ständigen gemeinsamen

die Wolfsjagd ... mitnimmt und die man kneift, damit sie durch ihr Schreien die Wölfe anlocken«, Goldschmidt Nr. 53: 11. II. 1878.

68 StA Hbg. Hans. Ges. Ält. Reg. G IV a Bd. 7: 14./8. X. 1877.

69 Sächs. LHA Dresden AM Nr. 1102: 1. I. 1878 Nostitz an Nostitz, 28. I. 1878 Fabrice an Nostitz; ebd. o. D. Promemoria im sächs. Außenministerium zur Stellvertreterfrage, Bundesratsdrucksache Nr. 16.

70 Sächs. LHA Dresden: AM Nr. 1102: 5. II. 1877 Bericht Nostitz; 31. I. 1877 Promemoria Tiedemann (Abschrift 12./22. II. 1877 Bericht Nostitz; 20. I. 1877).

71 DZA I RK 1912: 4. II. 1878 Wilhelm. Kab. Ordre.

72 Dies erkannte der sächs. Gesandte Nostitz mit aller Schärfe (Sächs. LHA Dresden AM Nr. 1102: 1. I. 1878 Nostitz an Nostitz.)

73 DZA II Rep. 89 H II, Deut. Reich 1: 22. I. 78 Bismarck an Wilhelm I., zum Technischen vgl. Morsey S. 100 ff.

74 GW VIII Nr. 169, 197.

Konferenzen der Reichsbehörden[74a] – nach zwei Sitzungen – und der Bundesratsausschuß für auswärtige Angelegenheiten – nach einer Sitzung – fallengelassen[75] und erst im Weltkrieg erneut aufgenommen.

Diese mangelnde Koordination in der deutschen Regierungsspitze hatte Bismarck bewußt aufrechterhalten und angestrebt. Nur so konnte er bei wechselnden Ministern und Staatssekretären seine Machtfülle und Entscheidungsgewalt behaupten. Die Macht Bismarcks resultierte damit aus einem verfassungsmäßig organisierten Machtvakuum – einem Vakuum, das sofort erkennbar wurde, wenn die Rückendeckung des obersten preußischen Reichsbeamten beim Kaiser nicht mehr vorhanden war[75a].

Die Rolle der Verbände

Für Bismarck wurde es nun die vornehmste Aufgabe, daß die »neuen Ordnungsmächte in Deutschland, zu denen die opponierende liberale Reichstagsmehrheit in keiner Verbindung stand[76], auch eine parlamentarische Alternative in politischen und auch wirtschaftlichen Fragen schaffen konnten. Denn die Opposition der parlamentarischen Mitte, der Linken und der Freihändler gegen Bismarck nahm zu. Die Reichstagsmehrheit war nicht willens, Bismarck auf dem Weg zu Monopolen und Schutzzollgesetzgebung zu folgen; sie opponierte gegen das Schwinden des Budgetrechts des Reichstags, weil dadurch auch die Funktion des Reichstags verlorengehe[77]. Bismarck bedurfte also dringend der »Alternativen«. Diese Aufgabe übernahmen die Schutzzöllner bereitwilligst. In Fortführung ihres Programmes vom September formulierten der Centralverband deutscher Industrieller und der Deutsche Handelstag gemeinsam das Programm eines »volkswirtschaftlichen Senats«. Nach dem französischen Vorbild des »conseil supérieur du commerce, de l'industrie et l'agriculture« sollte diese Institution die »Solidarität der Interessen« Deutschlands darstellen. Seine Mitglieder – Delegierte vom Centralverband deutscher Industrieller, vom Deutschen Handelstag und Landwirtschaftsrat – sollten in Zusammenarbeit mit der Regierung die wirtschaftliche Beratung und Gesetzvorarbeit in wirtschaftlichen Angelegenheiten übernehmen[78]. Wenn auch Achenbach

74a DZA I RK Nr. 1912: 27. II. 1878.

75 Goldschmidt Nr. 61/62.

75a Dazu eine im Entstehen begriffene Dissertation von Siegfried Schöne, Hamburg.

76 Poschinger: Parlamentarier I, S. 238; Philippson S. 274; Männer S. 30.

77 Oncken: Bennigsen II, S. 295, S. 306–339, Richter: Im alten Reichstag II, S. 3; Eyck III, S. 205 ff.; Hamburgische Börsenhalle 6. XI. 1877; 23. IV. 1877 VIII. Deleg. Konferenz d. Seehandelsstädte; 18. XI. 1877 Hambg. Nachrichten; E. Wiss: Sozialdemokratie und Schutzzoll, 1878, dann zahlreiche Veröffentlichungen des »Vereins zur Förderung der Handelsfreiheit«, Freihandels-Correspondenz III, Nr. 79 von Broemel vgl. auch DZA II, Rep. 120 C VII, 1 Nr. 10 Bd. 16.

78 DZA II Rep. 120 C VIII, 1 Nr. 25 adh. 1: 30. I. 1878 DHT/CdI; treibende Kraft

dieses Projekt als »unangemessen und unannehmbar« zurückwies und eine Gegendenkschrift von den Handelsstädten anforderte[79], so war doch der Zeitpunkt, an dem dieser Vorstoß gemacht wurde, für Bismarck, vom politischen Standpunkt her gesehen, wichtig. Die »Ministers sollen beschäftigt sein.« Zugleich bildete der Plan den Ausgangspunkt zum späteren Projekt eines Volkswirtschaftsrates.

Noch wesentlicher war die parallel zu den Reichstagsverhandlungen beginnende vehemente Agitation der Schutzzöllner[80]. Die Steuerreformer, der Centralverband deutscher Industrieller und der Kongreß deutscher Landwirte hatten sich in ihrer Berliner Generalversammlung im Februar 1878 das günstigste Agitationszentrum »gesichert«, um öffentlich ihre Einheit zu dokumentieren und für Schutzzölle ebenso wie für die Steuerreform eintreten zu können. In aller Öffentlichkeit besiegelten die Agrarier mit der Annahme des Lohrenschen CdI-Zolltarifentwurfs, der vor allem auf eine Erhöhung der Industriezölle zielte, aber auch Getreidezölle ins Auge faßte, das »Schutz- und Trutzbündnis auf Treu und Glauben zum eigenen Frommen«[81] mit den Schwerindustriellen. Zugleich begann die neue »Solidarität« mit der Übersendung des Tarifentwurfs an Reichstagsmitglieder und Beamte ihr nächstes Ziel, die Gewinnung des entscheidenden Einflusses im Reichstag, anzusteuern. Der »Kongreß deutscher Landwirte« – 1875 noch freihändlerisch – forderte nun unter Führung der beiden »Steuerreformer«, Stolberg und Thüngen, eine 5prozentige Wertzollerhöhung und wurde mit dieser Forderung von Einzelverbänden und profilierten Einzelunternehmern, so z. B. Baare, unterstützt[82]. Darüber hinaus trat der Kongreß für eine schleunige Zollgesetzgebung, für den Aufbau einer neugeordneten Steuergesetzgebung nach den von Bismarck gewünschten Zielen ein.

Den Vogel schoß der Centralverband deutscher Industrieller ab. Über 700 Industrielle folgten dem Aufruf Schwartzkopffs und Buecks nach Berlin[83] und ak-

in Leipzig für dieses Projekt war der Elberfelder Meckel gewesen, 16. II. 1878 HK Essen (Waldthausen) unterstützt den Antrag. vgl. auch DZA I, RdI Nr. 7954.

79 ebd. 13. II. 78, 27. II. 1878 an Camphausen, diese traf erst am 7. V. 1878 gez. von Damme (Danzig), Levinson (Elbing), Schöndorffer (Königsberg), Papendieck/Barth (Bremen), Roß (Hamburg) und Witte (Rostock) ein.

80 GLA Karlsruhe Abt. 237 Nr. 28 976: 8. II. 1878, o. D. Aufzeichnung Buchenbergers für Turban; DZA II, Rep. 120 C VII, 1 Nr. 10 Bd. 16: 31. I. 1878 Bericht Stolbergs; 23. II. 1878 F. Stöpel im Merkur Nr. 8 IV. Jg.; 11. III. 1878 Kardorff in der Nationalzeitung; vgl. DZA II, C XIII, 2 Nr. 1 a Bd. 2; DZA I RKA Nr. 205: 5. III. 1876 Dt. Landwirtschaftsrat; BA Koblenz R 13/I Nr. 344: 6. III. 1878 Petition des VDEStI.

81 vgl. Berichte und Verhandlungen der Generalversammlung der Vereinigung der Steuer- und Wirtschaftsreformer Berlin 14./15. II. 1878, erstattet vom Büro des Ausschusses, Berlin 1878, S. 38 ff., Thüngen-Roßbach.

82 Bericht über die Verhandlungen des 9. Kongresses der deutschen Landwirte zu Berlin 11./12. II. 1878 Stenogr. Aufzeichnungen, Berlin 1878. DZA I RKA Nr. 463 zahlreiche Petitionen, Poschinger Volkswirthe S. 127.

83 BA Koblenz R 13/I Nr. 171, 20./23. II. 78 Bueck I S. 188 ff.

zeptierten einstimmig den Lohrenschen Zolltarifentwurf mit den »solidarisch« erhöhten Eisen- und landwirtschaftlichen Zöllen; »gleiche Luft... für das landwirtschaftliche Schwestergewerbe« war – gemäß den Bismarckschen Anregungen – der Slogan der Industriellen geworden. Von nicht zu übersehender Bedeutung war die Delegation Tiedemanns, der als Vertreter des Reichskanzlers auf dem Kongreß erschien. »Unter stürmischem Beifall« erinnerte dieser in seiner Dankrede »an Friedrich List«[84]. Und wenn auch materiell damit wenig versprochen war, so wurde doch mit Tiedemanns Erscheinen das Programm des Gründers des Centralverbandes deutscher Industrieller, Kardorff, 1876 noch »gegen den Strom« geschrieben, von der Reichsleitung nicht mehr offiziell verworfen.

Die Rechnung Bismarcks geht auf

Unter dem Trommelwirbel dieser Versammlungen stellte nun Bismarck die Steuerreform im Reichstag zur Debatte und brachte gleichzeitig den preußischen Enquêtenantrag im Bundesrat ein. Die Schutzzöllner triumphierten. Ihre jahrelange Agitation hatte einen ersten großen Erfolg buchen können: nun war indirekt auch von Bismarck der Kampf gegen die freihändlerischen Prinzipien eröffnet worden – wenn auch dieser noch Anfang Februar beteuerte, nur an »eine Umkehr vom Freihandelssystem... wenn auch ohne Annahme des Schutzzollsystems... zu denken«[85]. Dies war wieder einmal reine Taktik; denn Bismarck wollte den Bruch mit den Liberalen nicht unbedingt beschleunigen, sondern mit Drohen und Werben vielleicht doch noch ihre Zustimmung zu seinen Steuerreformplänen erzwingen. Sollten jedoch die Liberalen weiterhin opponieren, so war Bismarck »ebenfalls fest entschlossen«, gegen sie vorzugehen. Schon im Februar 1878 äußerte er gegenüber Mittnacht:

»Wenn die Steuergesetze im Reichstag fallen, werde er sein Programm dem Kaiser, der zum Schutzzoll neige, entwickeln, nötigenfalls die Kabinettsfrage stellen. Vielleicht werde man dann zur Auflösung des Reichstages schreiten müssen[86].«

Nun rückte Bismarck in der öffentlichen Diskussion die Bildung des Reichsschatzamtes als potentielle Verwaltungsbehörde der neu zu beginnenden Handelspolitik in den Vordergrund seines Ämterreorganisationsplanes. Gleichzeitig wurden das Reichskanzleramt und Hofmann mehr und mehr in ihrer politischen Bedeutung entmachtet und dafür der Schutzzöllner Tiedemann nach vorn geschoben[87]. Immer akzentuierter vertrat Bismarck auch die Forderung seines »konservativen Steuer-

84 Tiedemann S. 228.
85 GW VIII S. 244.
86 GW VIII S. 244: 15./21. II. 1878.
87 Poschinger: Parlamentarier I, S. 145 ff.; GW VIII, Nr. 191; Kohl: Bismarck-Reden VII S. 145.

planes« mit dem Endziel eines Tabak- und Branntweinmonopols, der Vermehrung der indirekten Steuern und der Entlastung der Einzelstaaten[88]. Damit trieb er Camphausen, der sich ja im Dezember und Januar auf eine modifizierte preußische Reformlinie öffentlich hatte festlegen lassen und sogar, wenn auch widerstrebend, selbst die von den Liberalen strikt abgelehnten Bismarckschen Monopolpläne als Endziel der Reformannahme akzeptiert hatte, in einen steigenden Gegensatz zur Hofpartei, zu den Liberalen und auch zu den liberalen Ministern[89]. Doch Camphausen vertraute Bismarck noch immer.

In den Debatten im Reichstag um die Gesetzentwürfe der Tabak-, Reichsstempel- und Spielkartensteuer agierte daher Camphausen ganz auf der mit Bismarck abgesprochenen Basis. Bismarck jedoch distanzierte sich von jener »Linie« und befürwortete jetzt nur noch seine eigenen umfassenden Steuer- und Monopolprojekte[90], von denen er im voraus wußte, daß die Liberalen sie nur gegen das Zugeständnis der Ministerverantwortlichkeit annehmen würden[91]. Bismarck trieb jetzt zum Bruch, denn während der Verhandlungen hatte er die Nachricht vom Tode Pius IX. und der Wahl Kardinal Peccis zum neuen Papst als Leo XIII. erhalten. Der Kulturkampf konnte abgebrochen werden, Bismarck bedurfte der Liberalen nicht mehr. Er »bedauerte die Entlassung« Camphausens, aber er hatte »keine Lust« mehr, »sich noch einmal abschlachten zu lassen«. Offen gab er zu, »Er, Fürst Bismarck, habe allerdings weitergehende Pläne«, und Camphausens »Verbleiben hänge davon ab, ob er am preußischen Finanzminister einen freudigen, aus eigener freiwilliger Bewegung mit ihm gehenden Kollegen finde. Den habe er bisher vermißt ... Er, Fürst Bismarck, werde nichts dazu thun, daß die Entlaßung Camphausens rascher erfolge als S. M. gut fänden. Er, Fürst Bismarck, wolle nicht am Baum schütteln«[91a]. Nun, dies brauchte Fürst Bismarck tatsächlich nicht mehr zu tun.

Als die Liberalen die Vorlage radikal ablehnten, wies Bismarck jede »weitere constitutionelle Einrichtung«[92] zurück. Die Tabakmonopolvorlage – stellvertretend für die Steuerreform – wurde nun neben dem Schutzzoll zum »Sprengmittel von Reichstag und Freihandel«[93]. Am 28. Februar 1878 sprach die Nationale Zeitung bereits von der »weiten Kluft«, die zwischen Liberalen und Bismarck aufgerissen sei. Camphausen aber war vollkommen isoliert[94]. Bismarcks Rechnung war aufge-

88 DZA I RK Nr. 2142: 7. II. 78 Tiedemann an Bülow; DZA II Rep. 120 C VII, 1 Nr. 10 adh. VII. Bd. 1.

89 Schneider S. 76; Poschinger: Bismarck und das Tabakmonopol, Schmollers Jb. 35, 1; Oncken: Bennigsen II, S. 220.

90 StA Hbg. Hans. Ges. Alt. Reg. G IV a Bd. 7: 22. II. 1878; Poschinger: Volkswirth I S. 129.

91 Lucius S. 46; Lambi S. 171.

91a DZA I, Nachlaß Hofmann Nr. 29.

92 Sächs. LHA Dresden AM Nr. 1102: 26. II. 1878 Nostitz an Nostitz.

93 ebd. 27. II. 1878 Bericht Nostitz.

94 ebd.

gangen. »Über allem dem«, so hatte Bismarck schon zu Mittnacht[95] *vor* Beginn der Parlamentsdiskussion – aber im Besitz der Nachrichten vom Tode des Papstes[96] – gesagt, »wird dann Camphausen gehen, er ist im Grunde genommen ein Preußischer Partikularist und ein Bureaukrat, hat aber einen liberalen Nimbus um sich verbreitet. Ich werde ihn nicht wegstoßen, aber fallen lassen«[97]. Und so geschah es auch; nach der erneuten Niederlage kam Camphausen um seinen Rücktritt ein und erhielt ihn postwendend[98]. Wie von Bismarck vorausgesehen, baten auch Achenbach und Eulenburg, »der dritte manchesterliche Nicker«, um ihren Abschied und erhielten ihn sofort[99].

Trotz des Erfolges bleibt Bismarck durch die Liberalen gehemmt

Nach dem Rücktritt Camphausens leitete Bismarck sofort die geplante Neuverteilung der Ressorts ein. Vom Finanzministerium wurden die Domänen- und Forstenverwaltung an das Landwirtschaftsministerium abgezweigt[100], und mit der Berufung Maybachs zum Handelsminister[101] wurde die Teilung der Ministerien im Sinne der neuen Gesichtspunkte von Handelspolitik und Staatssozialismus einerseits und Verkehrstechnik andererseits vorbereitet[103]. Trotz Camphausens Rücktritt konnte Bismarck doch nicht sofort die Durchsetzung seines Steuer- und Zollprogramms erzwingen[104]. Einmal suchte Bismarck »vergebens ... für sein etwas abenteuer-

95 Mittnacht S. 61.
96 Tiedemann S. 225 f.
97 StA Hbg. Hans. Ges. Ält. Reg. G IV a Bd. 7: 1. III. 78.
98 DZA II Rep. 89 H, II Gen. Nr. 1 Bd. 5: 20. III. 1878 Bismarck an Wilhelm I., Camphausen an Wilhelm I., 23. III. 1878 Wilhelm I. an Camphausen; Sächs. LHA Dresden: 2./10. III. 1878 Nostitz an Nostitz; GW VI c Nr. 111, 114 und 115.
99 DZA II ebd. 30. III. 1878 Wilhelm an Achenbach; Poschinger: Parlamentarier I, S. 113/116; Kohl: Reden VIII, S. 213; Poschinger: Volkswirt I, S. 135 ff.; GW VI c Nr. 111, 115, Tiedemann S. 122; ebd. 30. III. 1878 Wilhelm I. an Eulenburg.
100 DZA II ebd. 20. II. 1878.
101 GW VI c Nr. 117, GW VIII S. 250.
102 DZA I RK 81.
103 DZA II ebd. 20. III. 1878 Bismarck an Wilhelm; 24. VI. 1878 Sta. Min. an Wilhelm I.; DZA I RK Nr. 1912: 19. V. 78 Bericht Maybachs, Tiedemann S. 113; StA Hbg. Hans. Ges. Ält. Reg. G IV a Bd. 7: 21. III. 1878. Neben der Steuer- und Handelspolitik war die Eisenbahnfrage das wichtigste Projekt Bismarcks geworden, Poschinger: Parlamentarier III, S. 276; Goldschmidt Nr. 57/58. Im März 1879 übernahm dann Hofmann das Handelsministerium und wurde 1880 von Bismarck abgelöst. Maybach erhielt dann das Min. f. öffent. Arbeiten, dem dann auch noch die Bergverwaltung vom Finanzministerium zugeteilt wurde.
104 StA Hbg. Hans. Ges. Ält. Reg. G IV a Bd. 7: 3./21./24. III. 1878.

liches Finanzprogramm« – wie es Nostitz beurteilte[105] – einen Finanzminister. Günther, Varnbüler oder Godeffroy lehnten ab, Bennigsen war zu »verlaskert«[106], so daß schließlich nur der Kandidat Bleichröders und auch Tiedemanns, der Berliner Oberbürgermeister Hobrecht[107], übrig blieb. Hobrecht, ein guter Verwaltungsfachmann, hatte sich nämlich an der Spitze von 853 Städten im November 1877 nicht vollkommen gegen Bismarcks Projekte gestellt[108]. Mit Hobrecht trat ein Liberaler das »Abnutzungsamt« des Finanzministers an, der konservativ genug war, um Bismarcks Pläne unterstützen zu können, und so war es auch mit den anderen neuen Ministern, Maybach und Botho Eulenburg[109].

Bismarcks momentanes Zurückstecken war aber auch durch die liberale Reichstagsopposition erzwungen worden; gleichzeitig nämlich mit der Steuerreformdebatte hatte Varnbüler erneut sein altes Projekt einer überparteilichen schutzzöllnerischen Reichstagsorganisation ausgegraben und versucht, nun mit offiziöser Rükkendeckung diesen Plan verwirklichen zu können. Jedoch die Sammlung ergab nur 60 Unterschriften konservativer und freikonservativer Abgeordneter[110] und zeigte erneut, wie wenig »nützlich« es war, »den Reichstag wegen der Steuergesetze aufzulösen«, ohne zuvor ein wirtschaftliches Programm ... in das Bewußtsein der Wähler eingeführt« zu haben[111].

Bei der damaligen Zusammensetzung des Parlaments (auch dem in Preußen) war trotz der Interessenverbände selbst mit Unterstützung durch das Zentrum, *ohne* die Spaltung der Liberalen an einen durchgreifenden Wandel in der Steuer- und Zollpolitik – in gesetzmäßigem Rahmen – nicht zu denken[112]. Eine »wirtschaftliche« Wahl würde den Wähler »beleidigen«, meinte Bismarck. Daß eine »Auflösung des Reichstages »unausbleiblich« sei, stand für ihn am 31. März 1878 aber schon fest, »denn mit einem Parlament, das mir nicht die Einnahmen für das Reich gibt, die das Reich braucht und das unter dem Einfluß von Leuten steht, die mit ihrer unpraktischen Ideologie alle meine Pläne kreuzen, kommen wir nicht weiter«. Es war nur die Frage, ob eine »Wirtschaftspolitik ... die nicht mehr im Reichstag diskutiert wird«, ob die Parole – »Deutschland soll sich seinen Tarif nach seinen Bedürfnissen zurechtmachen« – genug Werbekraft, genug Sprengladung in sich

105 Sächs. LHA Dresden AM Nr. 1102: 19. III. 1878.
106 ebd. 2./10. III. 1878 Bericht Nostitz.
107 ebd. 24. III. 1878 Bericht Nostitz; StA Hbg. Hans. Ges. Ält. Reg. G IV a Bd. 7: 19. III. 1878 Merck an Kirchenpauer, GW VI c Nr. 116.
108 DZA I RK 2080: 23. XI. 1877 Hobrecht an Bismarck; Hobrecht war bis 1863 Regierungsrat im Innenministerium gewesen, wurde dann 1863 Bürgermeister von Breslau und 1872 von Berlin.
109 DZA II Rep. 89 H II, Gen. Nr. 1 vol. 5: 20. II. 1878 Bismarck an Wilhelm; Sächs. LHA Dresden AM Nr. 1102: 27. III. 1878 Nostitz an Nostitz.
110 H. Schultheß: Europ. Geschichtskalender XIX. Jg., S. 73.
111 GW VIII S. 250; Bismarck gegenüber Mittnacht (Württembg.) und von Pfretzschner (Bayern).
112 GW VIII S. 250.

haben würde, um die liberalen Prinzipien von billigem Brot und billigen Kleidern, Freizügigkeit und konstitutionellem Staatswesen aufzuwiegen[113].

Konservative und Schutzzöllner drängen weiter

Bismarck war aber nicht bereit, vor den Liberalen zu resignieren. An der für »notwendig erkannten Reform des deutschen Steuersystems« hielt er fest, ebenso an der Neuaufteilung der Ressorts[114]. In dieser Haltung wurde er vor allem von den Schwerindustriellen bestärkt[115]. »Nachdem der Wortführer der verderblichen finanziellen und handelspolitischen Richtung« — schrieben die Industriellen —, »in welche das Deutsche Reich durch die Majorität des Reichstages und des Landtages gedrängt war, Finanzminister Camphausen, welcher bei Ausführung des Frankfurter Friedens dem Deutschen Reiche bereits Hunderte von Millionen gekostet hatte und seitdem Deutschland dem wirtschaftlichen Ruin zugeführt hatte, von E. Durchlaucht unschädlich gemacht worden ist« — wandten sie sich direkt an Bismarck und forderten ihn auf, die Finanzwirtschaft auf indirekten Steuern und Zöllen aufzubauen, um den »Schutz der heimischen Industrie herbeizuführen«[116], so wie es Amerika, Rußland, Belgien und selbst das von »Demokratischen Elementen prädominierte« Frankreich als Vorbild zeigten. Dieser Ton sollte fortan die Diskussion beherrschen; er wurde auch von Bismarck übernommen, der dafür sorgte, daß die Eingaben der Schutzzöllner in gekürzten »Abschriften« in den Ressorts kursierten. So argumentierte z. B. Henckel von Donnersmarck:

»Nur der deutschen Stubengelehrsamkeit und theoretischen Schwärmerei, unterstützt zum Theil von kurzsichtigem Eigennutz, war es vorbehalten, gerade unser Vaterland zum freien Tummel- und Abladeplatz der Überproduktion des Auslandes zu machen, welches lediglich unter Berücksichtigung des eigenen Bedürfnisses und Interesses die Einfuhr bei sich erschwerte oder erleichterte.

Die deutsche Philosophie brachte es fertig, irrationale wirtschaftliche Freiheit und Freihandel als Korrelat der geistigen Freiheit zu proklamieren, und gedankenlos folgte die Masse den Hauptverteidigern der Freihandelsutopien: Bamberger, Braun, Richter, welchen im Reichskanzleramt der Doktrinär Michaelis wacker assistierte. Diese Apostel höchst zweifelhaften Wortes führten die Masse der nationalliberalen Partei zum Ruin der nationalen Arbeit, ... Kriegsruhm und nationale Einheit sind große Errungenschaften, eine Nation lebt aber nicht davon, ebenso-

113 GW VIII S. 254 f., Bismarck und Kardorff: 31. III. 78.

114 DZA II, Rep. 89 H II, Deut. Reich 5 vol. II: 18. III. 1878 Immediatbericht: dem Reichsschatzamt sollten das Etats-, Kassen-, Reichsschulden- und Rechnungswesen und die Zoll- und Steuersachen zugesprochen werden, das RKA sollte ein »Reichsverwaltungsamt« werden.

115 DZA II Rep. 120 C VII, 1 Nr. 10 Bd. 16: 25. III. 1878 Eingabe Schwartzkopff/Haßler/Schueck.

116 DZA I RK Nr. 2080: 28. III. 1878 Henckel von Donnersmarck an Bismarck.

wenig wie von den Grundrechten des Frankfurter Parlaments und wie soll Deutschland ohne nationale Kapitalanhäufung widerstandsfähig bleiben«.

Nur mit Schutzzöllen sei die deutsche Machtstellung zu erhalten[117]. Bismarck war nur zu bereit, die Klagen anzuerkennen, hatte er doch soeben von dem Bayern Prof. Mayr eine Denkschrift über die Zoll- und Finanzreform im »Interesse der Industrie« angefordert und im vertrauten Kreis geäußert, daß eine »Revision« des Reichstages notwendig sei, da »der Consument, der ganz Unproduktive, der Gelehrte, der Redner« die Legislatur beherrsche[118]. Zugleich wandte sich Bismarck über die Köpfe Hofmanns und des neuen Finanzministers Hobrecht hinweg direkt an den Centralverband, als er am 31. März 1878 den freikonservativen Abgeordneten und Gründer des Centralverbandes deutscher Industrieller – von Kardorff – »um einige Belehrungen über allerlei handelspolitische Dinge« bat, die vornehmlich den Handelsvertrag mit Österreich betrafen[119]. Nach den bisherigen, meist über den konservativen Abgeordneten Lucius v. Ballhausen oder über Tiedemann bzw. Varnbüler geführten Sondierungen erhielt dieses Gespräch nicht nur wegen des direkten Engagements Bismarcks, sondern vor allem wegen der Bündelung der innen- und handelspolitischen Fragen eine erhöhte Bedeutung.

Die Opposition ist noch nicht überwunden

Offen erklärte Bismarck nun Kardorff, daß er so lange keinen Handelsvertrag abschließen werde, solange Deutschland nicht »sich einen Tarif nach seinen Bedürfnissen« zurechtgemacht habe. »Ich will Zölle haben auf Tabak, Spiritus, möglicherweise vielleicht auf Zucker, sicher auf Petroleum, vielleicht auch Kaffee, und ich schrecke auch vor Getreidezöllen nicht zurück« – die Industriezölle setzte er stillschweigend voraus. Zugleich gab er auch einen Hauptgrund seiner Haltung an: »Die Zölle könnten uns Rußland gegenüber nützlich sein ... auch Österreich gegenüber.« Nach diesen Eröffnungen forderte Bismarck Kardorff auf, ein »gründliches« Zollexposé einzureichen, und bat ihn, Hobrecht aufzusuchen, um »denselben etwas zu orientieren«. Abschließend bekannte er, »als Gutsbesitzer« Freihändler gewesen zu sein: »Ich bin nunmehr gründlich bekehrt und will es wieder gut machen.«

Kardorff, der von nun an glaubte, »bei Bismarck einen Stein im Brett« zu haben, beeilte sich, den Auftrag zu erledigen und konferierte, nach Rücksprache mit Bueck, »mit allen neuen Ministern – Maybach, Hobrecht usw.«[120].

117 ebd.; Henckel teilt sein Eintreffen in Berlin-Kaiserhof für den 2. IV. »abends 11 Uhr« mit.

118 DZA I RK Nr. 2080: 2. IV. 1878 Mayr an Bismarck, Poschinger: Tischgespräche II, S. 92; HHStA Wien: F 34 SR - 1878 1–1/4–2–10: 11. IV. 1878 Pfusterschmid an Andrássy.

119 GW VIII S. 253 ff.

120 Kardorff S. 142.

So gesehen, bildete das Gespräch mit Kardorff den Ausgangspunkt zur Staatsministerialkonferenz vom 5. April 1878[121], auf der Bismarck dem vollzählig anwesenden Staatsministerium mit den neuen Mitgliedern Hobrecht, Maybach und Botho Eulenburg »des Näheren« seine bislang zurückgehaltenen wirtschaftspolitischen Anschauungen entwickelte. Hofmann und Hobrecht wurden für das handelspolitische, Maybach für das eisenbahntechnische und »tarifarische« Ressort beauftragt, sofort mit der Ausarbeitung des Gesetzentwurfes über die Revision des Zolltarifs auf der Grundlage einer Steuerordnung »mit stärkerer Heranziehung der indirekten Steuern« zu beginnen. Bismarck betonte die Notwendigkeit zu sehr schneller Arbeit, »damit derselbe (Entwurf) noch in gegenwärtiger Sitzungsperiode ... beraten und im nächsten Frühjahr vor den Reichstag gebracht werden könne«. Zugleich ließ Bismarck in Erwägung ziehen, ob es sich empfehle, diesem Programm durch die Aufhebung der für »Eisen am 1. Februar 1877 in Kraft getretenen Zollbefreiung« vorzubereiten. Damit hatte Bismarck seinen Willen betont, einen grundsätzlichen wirtschaftlichen Systemwechsel herbeizuführen. Er ließ es nun nicht mehr bei Finanzzöllen und einigen wenigen Industriezöllen bewenden[122]. Sowohl in der Presse[123] als auch vor den Parlamentariern[124] und Fachministern trat er nun entschieden für ein Schutzzollsystem mit Eisen- und Getreidezöllen in Verbindung mit der Steuerreform ein[125]. Sofort stieß Bismarck jedoch mit seinem Projekt auf den geschlossenen Widerstand Eulenburgs, Falks, Leonhardts, Hobrechts und Hofmanns. Nach deren Ansicht konnte die »Schutzzoll- und Steuerreform ... niemals eine Majorität im Reichstag gewinnen«[126]. Das Projekt werde der öffentlichen Ablehnung nicht gewachsen sein, zumal der erneute Anlauf einer modifizierten Tabakmonopolvorlage wieder nur in einer Tabakenquête[127] – deren Ausgang die Freihändler bestimmen konnten – endete und auch die Bundesstaaten keineswegs so einheitlich für Zölle und für Steuern votierten, wie Bismarck es ein-

121 DZA II, Rep. 90 a B III, 2 b Nr. 6 Bd. 90.
122 Poschinger: Bundesrat III, S. 376.
123 Berliner Tageblatt 5. IV. 1878; Die Post 8. IV. 1878; Provinzialkorrespondenz 10. IV. 1878.
124 Berliner Tageblatt 9. IV. 1878.
125 Tiedemann S. 248.
126 DZA II, Rep. 90 a ebd.
127 StA Hbg. 314–6 Zollkommissariat Y 2; bereits im April hatten die Hamburger und Bremer Tabakinteressenten ihren Senat und die Handelskammern soweit bestimmt, daß dieselben mit einer Konferenz von 62 Handelskammern und 120 Delegierten (unter ihnen Berlin, Dresden, Hannover, Karlsruhe, Kassel, Chemnitz, Koblenz, Darmstadt, Frankfurt, Freiburg, Heilbronn, Leipzig, Mainz, Mannheim, Offenbach und Würzburg), Bismarcks Tabakprojekt »einstimmig« ablehnten. Zur Enquête wurden aber gerade diese Kammern als Sachverständige zugezogen. Darüberhinaus gingen die Hamburger unter Merck, Versmann und Kirchenpauer und die Bremer unter Gildemeister auf der ganzen Linie gegen die drohenden Zollbestrebungen vor. Deshalb wurden die Verbindungen zu Hobrecht und Eulenburg intensiviert und auch war man bestrebt im Reichstag und Bundesrat »wohl-

geplant hatte[128]. Bismarck mußte sich Anfang Mai erneut zurückhalten. Wie die »Nationalliberale Korrespondenz« (25. April) sah der Hamburger Senator Versmann[129] »die großen wirtschaftlichen Reformen, die Bismarck plant ... noch immer in dunkel gehüllt. Hobrecht ist Finanzminister, Maybach Handelsminister geworden. Aber bis jetzt hüllt Alles sich in Schweigen. Beseitigung der Eisenbahn-Differentialtarife, Tabakmonopol. Wiedereinsetzung der Eisenzölle oder Eisenindustrie-Enquête oder Textilindustrie-Enquête. Alles schwirrt von Gerüchten.«

Zum Rücktritt konnte Bismarck nicht gezwungen werden, zur Bildung eines Parteiministeriums aber ebensowenig[130]. Der Kampf schien Mitte Mai 1878 pari zu stehen, denn für eine Reichstagswahl mit Wirtschafts-Parolen war der Zeitpunkt zu früh, und nur die Aktualisierung anderer Masseninteressen hätte die Stimmung verändern können. Dies aber bot sich an, einmal als die außenpolitische Situation in Europa im Frühjahr 1878 sich erneut bedrohlich für eine »Allianz« der konservativen Kräfte entwickelte und zum anderen — wohl viel brisanter — durch das Attentat Hödels auf den Kaiser am 11. Mai 1878.

Mit der Gewißheit, von der preußischen Großlandwirtschaft und der deutschen Schwerindustrie gestützt zu sein, hoffte Bismarck dann das Sicherheitsbedürfnis des deutschen mittleren und kleineren Besitzbürgertums für seine Ziele aktivieren zu können.

b Berliner Kongreß, Kaiserattentate und Sozialistengesetz: Schutzzoll und Steuerreform im Schnittpunkt der außen- und innenpolitischen Spannungen

Das außenpolitische Sicherheitssystem Bismarcks gerät erneut in eine Krise

Im Juni 1877 hatte Bismarck in Kissingen in jenem berühmt gewordenen Diktat[131] die Summe der außenpolitischen Erfahrungen aus den Spannungen der Jahre 1875

gesonnene Vertreter« zu wissen. (vgl. Y 2: 7. IV. 1878 HK-Konferenz: 2. IV. 1878 Protokoll Deput. f. Handel und Schiffahrt; dann Y 4 conv. 1 Bd. 1: 23. I. 1878 Aufzeichnung Versmann, Hans. Ges. Berlin F III, G 3: 5. III. 1878 Smidt an Wentzel, 6./8. II. 1878 HK Votum und Instruktion für Kirchenpauer, ebd. Fasc. 1: 22. I./10./8. II./5. III. 1878 Gildemeister an Krüger).

128 Schneider S. 109; Tiedemann S. 248; DZA I RK Nr. 2108: 28. III. 1878 Bismarck an Wilhelm I.; o. D. Stimmenberechnung Tiedemanns für Tarifpositionsannahme im Bundesrat.

129 StA Hbg. Nachlaß Versmann A 4 — Tagebuch 2. V. 1878.

130 Oncken II, S. 387.

131 GP II Nr. 294: 15. VI. 1877 hs. Herbert Bismarck; AA-Bonn, Türkei 114 adh. VII, Bd. 2.

und 1876 gezogen. Er war damals zu dem Schluß gekommen, daß sich der Zustand »einer politischen Gesamtsituation, in welcher alle Mächte außer Frankreich unserer bedürfen und von Koalitionen gegen uns durch ihre Beziehungen zueinander nach Möglichkeit abgehalten werden«, am ehesten erreichen ließe, wenn England Ägypten und Rußland das »Schwarze Meer hat«; dann »wären beide in der Lage, auf lange Zeit mit der Erhaltung des Status quo zufrieden zu sein«, ohne sich »zur Teilnahme an Koalitionen gegen uns« bereitzufinden[131a].

Die Sicherheitspolitik der kleindeutschen, mitteleuropäischen Vormachtstellung im »Spielraum« der Interessendifferenz der Nachbarstaaten schien aber bereits Anfang 1878 durch die russischen Erfolge im russisch-türkischen Krieg[132] so akut bedroht zu sein, daß Bismarck, der sich bei den Spannungen im Jahre 1877 bewußt zurückgehalten hatte[133], sich jetzt nicht bloß aus innenpolitischen Gründen[134] entschloß, seinen »Reichskanzlerurlaub« abzubrechen, um »einen allgemeinen Krieg« zu diesem Zeitpunkt verhindern zu können[135], da sich »alles ... rat- und hilfesuchend«[136] an ihn wandte[137].

Wie im Jahre 1876 und während des Jahres 1877[138] war das Bestreben Bismarcks und Wilhelms I. darauf gerichtet, die Türkei-Angelegenheiten zu »lokalisieren«[139], weder zwischen Österreich und Rußland zu optieren noch einen »Bruch« zwischen beiden hinnehmen zu müssen. Die Rolle des »ehrlichen Maklers«[139a], die Bismarcks Ansehen vor allem in Deutschland hob und seiner Politik – in der nachurteilenden Geschichtsschreibung – den Stempel der interessenlosen Saturiertheit und Neutralität aufprägte, war aber keineswegs von der »freien Mittlerstellung« gekennzeichnet wie noch unmittelbar nach der Einigung des Reiches. Denn im Gegensatz zu Wilhelm I. war Bismarck bestrebt, den österreichischen Minister An-

131a HHStA Wien, PA I, Nr. 170: 11. V., 22. VI. 1877 Beust an Andrássy, Andrássy an Beust.

132 AA-Bonn, Türkei 114 adh. III, Bd. 29: 31. III. 1877; Martens: Nouveau Receuil Général de Traités II Serie, tome III, S. 174 f.; GP II, Nr. 282; W. G. Wirthein: Britain and the Balkan Crisis 1875–1878, 1935; AA-Bonn, Türkei 135 adh. 8 Bd. 1: 28. I. 1878, dto. adh. 4 Bd. 6: 1. II. 1878 (GP II Nr. 303, 306); Langer: Alliances S. 115 f.. 133 ff., 140 ff.

133 AA-Bonn IAAa Nr. 50 vol. 2: 28. V. 1877 Bülow an Bismarck; 6. VI. 1877 Bülow an Bismarck; 17. VI. 1877 Bülow an Bismarck; 18. VI. 1877 Bismarck an Bülow.

134 s. oben S. 491 f.

135 Tiedemann, S. 225.

136 AA-Bonn, Türkei 125 adh. IV, Bd. 3: 3. I. 1878 Bülow an Russell; Türkei 128 Bd. 1, dto. GP II Nr. 300, 303, 332.

137 Tiedemann, S. 225. Bismarck war sich zu diesem Zeitpunkt schon sehr wohl bewußt, daß sich Deutschland »auf die Dauer« einem »allgemeinen Krieg nicht entziehen könnte«.

138 HHStA Wien, PA X, Nr. 70; PA I rot Nr. 454. Langer: Alliances, S. 133 ff.

139 AA-Bonn, Türkei 114 adh. III Bd. 30, GP II, Nr. 286.

139a Reichstagsreden 19. II. 1878.

drássy mit allen Mitteln zu halten[140]. Darüber hinaus anerkannte er, daß die Doppelmonarchie »nach den politischen Änderungen von 1866 darauf angewiesen (sei), im Osten eine dominierende Stellung einzunehmen ... und daher unter keinen Umständen zugeben (könne), daß dort Verhältnisse geschaffen würden, die seinen Lebensinteressen zuwiderliefen«[141]. Wenn auch Deutschland keine Interessen in der Türkei habe, »die wir Rußland nicht opfern könnten«, so hätte Deutschland »in Österreich aber ... *solche*«, denn »Deutschland hat ein *unmittelbares* und ein europäisches Interesse, sich mit Österreich gut zu stehen«[142]. Bismarck nahm damit fast wörtlich seine Äußerung gegenüber Karolyi vom November 1876 wieder auf, wo er erklärt hatte, »daß eine Gefährdung und Schwächung der österreichisch-ungarischen Monarchie und ihres Machtgebietes den Interessen Deutschlands zuwiderlaufen würde«[142a]. Von vornherein also stand Bismarck auf der Seite Österreichs und drängte auf eine österreichisch-englische »Konferenz-Brücke« gegen Rußland[143]. Auch wenn Rußland »ehrlicher mit uns verführe« und Gortschakow weniger »unaufrichtig« und weniger »francophil« wäre[144], sah Bismarck in dieser Gruppierung die einzige Möglichkeit einer Einigung auf einer Konferenz in Wien[145], die den Status quo von San Sebastian revidierte und erreichte, wie es Andrássy formulierte: »daß keine Verschiebung der Machtverhältnisse sich vollziehe und daß speziell im Orient keine Großmacht prädominanten Einfluß gewinne«[146].

Zugleich trieb Bismarck die deutsche Rüstung mit großer Energie voran und war willens, den »Ausbau der strategischen Bahnen an unserer Westgrenze« zur Kabinettsfrage zu machen[147].

Bismarck fürchtet die Isolierung Deutschlands

Als Gortschakow Wien als Konferenzort ablehnte[148] und Berlin vorschlug, als sich die Gegensätze zwischen Rußland und England/Österreich weiter verschärften[149]

140 GP II, Nr. 310 Aufzeichnung 2. II. 78; AA-Bonn, Türkei 125 adh. 8 Bd. 1; Tiedemann S. 225, DDF I, Nr. 440.
141 GP II, Nr. 319: 12. II. 78 Stolberg an Bülow.
142 AA-Bonn Türkei 128 Bd. 2: 21. III. 1878, Hervorhebung vom Verfasser.
142a HHStA Wien, PA I, rot, Nr. 454.
143 GP II, Nr. 305: 30. I. 1878 Bismarck an Bülow; AA-Bonn Türkei 128, Bd. 2; GP II, Nr. 374; AA-Bonn Türkei 175 adh. 8 Bd. 1.
144 AA-Bonn Türkei 125 adh. 8 Bd. 1; GP II, Nr. 303.
145 AA-Bonn Türkei ebda., GP II Nr. 303, Nr. 305.
146 GP II Nr. 400 Andrássy an Beust (London), 21. IV. 78.
147 AA-Bonn I Rußl. Nr. 57 geh. vol. 3: 12. I. 1878 Bismarck an Bülow; 2. I. 1878 Schweinitz an Bülow.
148 AA-Bonn Türkei 125 adh. 8 Bd. 1: 1./2./5. II. 1878, GP II Nr. 313, Nr. 309, Nr. 307.
149 AA-Bonn Türkei 128 Bd. 3: 29. III./4./12. IV. 78, GP II Nr. 375, 381, Flottenfrage Nr. 386.

und zugleich im englischen Außenministerium der verhandlungswillige Lord Derby von Lord Salisbury abgelöst wurde[150], war die Hoffnung Bismarcks auf eine österreichisch-russisch-englische Einigung ohne »die Bedrängung Eines von beiden durch uns« gescheitert[151]. Der »drohenden Konferenz«[152] war nicht mehr auszuweichen. Es blieb Bismarck nur noch die Hoffnung, trotz des großen Mißtrauens zwischen England und Rußland[153], die Konferenzteilnehmer auf vorherige »allgemeine Verständigung über die hauptsächlichsten Punkte« zwischen den einzelnen Mächten festzulegen[154]. Es galt, »durch vertrauliche Verhandlungen ... mit Zuhülfenahme des freundschaftlichen Rates der Kaiserlichen Regierung«[155] die Konferenz von vornherein so »einzurichten«, daß die Gefahr der von Bismarck so perhorreszierten Parteinahme Deutschlands auf einem Kongreß nicht aufkommen konnte.

Aber wie sollte Bismarck eine gemeinsame Verhandlungsbasis schaffen, ohne öffentlich zu optieren? Die von ihm stets prononcierte, aktualisierte revolutionäre Gefahr und die Notwendigkeit ihrer Abwehr, die das mitteleuropäische monarchische System seit 1870 zusammengeführt hatte, schien angesichts der mit der türkischen Frage verflochtenen territorialen und nationalen Ziele zweitrangig geworden zu sein, obwohl Bismarck von Kaiser Franz Joseph wußte, daß er »aus Gründen der inneren konservativen Politik und um soziale Gefahren zu vermeiden, am Drei-Kaiser-Bündnis festzuhalten wünsche«[156]. Dasselbe berichtete auch der hochkonservative deutsche Botschafter am russischen Hofe, General von Schweinitz[157], von Rußland, wo Graf Peter Schuwalow ein enges Zusammengehen mit Deutschland suchte. Die »Quintessenz« dieser Anschauungen umriß Schweinitz mit den Worten, daß »die Organe der Regierung nicht mehr (ausreichen), um die Ordnung aufrecht zu erhalten«. Nur die Besitzenden könnten in Zukunft noch »Ruhe, Ordnung und Sicherheit« sicherstellen[158] – gestützt von einer monarchisch-konservativen Allianz. Wie aber war diese Allianz angesichts der panslawistischen und national-wirtschaftlichen Massenagitationswelle zu verwirklichen, da zudem die innere Lage aller Staaten von Spannungen erschüttert, gelähmt war? Nicht nur die Bismarcksche Innen- und Handelspolitik, auch seine Außenpolitik stand vor einem Dilemma.

150 AA-Bonn Türkei 128 Bd. 3: 29. III./2. IV. 78; GP II Nr. 375/379.
151 GP II Nr. 329 Anm. zu Bericht Stolberg an AA 28. II. 1878.
152 AA-Bonn Rußld. 53 secr., GP II Nr. 353: 16. III. 1878 Wilhelm I. an Bismarck.
153 AA-Bonn Türkei 128 Bd. 3, GP II Nr. 392: 14. IV. 1878.
154 AA-Bonn Türkei 128 Bd. 4; GP II Nr. 398: 18. IV. 1878.
155 ebd.
156 AA-Bonn Türkei 128 adh. 8 Bd. 2; GP II Nr. 324 Aufzeichnungen Bülow 23. II. 78.
157 v. Brauer: Memoiren S. 49. Die Beurteilung Bismarcks, die dieser von Schweinitz erfährt, ist symptomatisch für die preuß. Konservativen: »viel zu unpreußisch, zu liberal, geradezu revolutionär«. Brauers »freikonservativer« Standpunkt war ihm »rot und demokratisch«.
158 GP II, Nr.407: 19. V. 1878 Schweinitz an AA.

Die Kaiserattentate und der Berliner Kongreß

Da geschah das erste Attentat auf Wilhelm I., dem ein zweites auf dem Höhepunkt der außenpolitischen Anspannung[159] und innenpolitischen Mißerfolge mit dem Sozialistengesetz[160] folgte. Diese Attentate »erlösten« Bismarck mit einem Schlage aus seiner Mitte 1878 festgefahrenen Lage und stellten sein weiteres Vorgehen auf eine vollkommen neue Ausgangsbasis. Nun waren ihm die Mittel in die Hand gegeben, durch die er im Zeichen der Sicherung der preußisch-deutschen Staatsstruktur sowohl die Nationalliberalen spalten als auch die Steuer- und Zollgesetze mit einem neuen Reichstag beraten konnte. Außerdem hatte er die Zustimmung der deutschen Regierungen zu seinem Vorgehen gegen »Revolution und Umsturz« und ihren Rückhalt bei der Reorganisation der preußisch-deutschen Staatsstruktur; und nicht zuletzt, nun erschien den Monarchien von Rußland und Österreich-Ungarn die Gefahr für das Bestehen ihrer Throne weit brennender zu sein als die anstehenden Fragen der Revision des Status quo auf dem Balkan.

Bereits am 21. Mai 1878 glaubte Bismarck nach vorbereitenden Absprachen in Wien und London[161], »den in England und Rußland günstigen Augenblick benutzen« zu können, um Wilhelm I. »unter einleitender Bezugnahme auf Österreich die Initiative zum Congreß in Berlin« vorzuschlagen und dazu »für Anfang Juni einzuladen«[162].

Unter dem Eindruck des zweiten Attentats, bei dem der Kaiser verletzt wurde und sich die deutsche Öffentlichkeit in hohem Maße erregte, der sofortigen Auflösung des Reichstages und dem Beginn eines scharfen konservativen, schutzzöllnerischen Wahlkampfes seitens der Regierung, der konservativen Parteien und der schutzzöllnerischen Pressure groups begann der Berliner Kongreß der konservati-

159 AA-Bonn Türkei 128 Bd. 7; GP II Nr. 424/425/427/428.

160 W. Pack: Das parlamentarische Ringen um das Sozialistengesetz Bismarcks 1878/90, Diss. Düsseldorf 1961, S. 40 f., 50 ff.; G. Schümer: Die Entstehungsgeschichte des Sozialistengesetzes, Diss. phil. Göttingen 1929, S. 30 f.; Eyck: Bismarck III, S. 225; GW VI c S. 113 ff.; Meins S. 140; Nübel: Sozialistengesetz, Zollpolitik und Steuerreform als Kampfmittel in Bismarcks Ringen mit den Liberalen 1878/79. Diss. phil. Köln 1930, S. 24.

161 Langer S. 146 f., 149; AA-Bonn Türkei 125 adh. 7; (GP II Nr. 377: 1. IV. 77 Stolberg an AA) AA-Bonn Türkei 128 Bd. 3 (GP II Nr. 380): 4. IV. 77 Schweinitz an AA; AA-Bonn ebd. GP II Nr. 396, 397: 12. IV. 77 an AA; AA-Bonn ebd. (GP II Nr. 390): 14. IV. 1877 an Bismarck; AA-Bonn ebd. (GP II Nr. 393) 15. IV. 1877 Promemoria Bülow an Wilhelm I. AA-Bonn ebd. (GP II Nr. 396, 397) 17. IV. 1877; AA-Bonn Türkei 128 Bd. 4 (GP II Nr. 401), AA-Bonn Türkei ebd., Bd. 5 (GP II Nr. 403) ebd. Bd. 6 (GP II Nr. 404 mit drei Anlagen), Türkei ebd. (GP II Nr. 407, 410: 21. V. 1878) Türkei 128 Bd. 7 (GP II Nr. 415, 420); AA-Bonn IAAa Nr. 50: 20. IV., 20. V. 1878 Bülow an Bismarck.

162 GP II Nr. 409: 21. V. 1878 Bismarck (Friedrichsruh) an Stolberg.

ven Vertreter der europäischen Großmächte. Seine Ergebnisse[163] wurden für die weitere Entwicklung der diplomatischen Beziehungen zwischen den Großmächten von entscheidender Bedeutung, da einerseits die deutsch-österreichisch-englischen Beziehungen zusehends intensiviert wurden[164] und 1879 im österreichisch-deutschen Zweibund mündeten, andererseits aber weder Bismarck noch die Konservativen verhindern konnten, daß sich die Verbindungen mit Rußland immer mehr lockerten[165]. Nur noch dynastische Bande erhielten nach außen hin den Schein einer deutsch-russischen Freundschaft aufrecht. Aber keineswegs wurden für Bismarck hierdurch – wie er es schon 1879 aussprach – »die unberechenbaren Elementargewalten« in Rußland aufgewogen, »mit denen für uns (Deutschland) keine Verständigung möglich« sei[166].

Die Option für Österreich

Wohl wurde 1878 die konservative Außenpolitik Bismarcks von England, Österreich und auch Rußland anerkannt. Aber das »Geschäft«, das der »ehrliche Makler« zustandegebracht hatte, entsprach weit mehr englischen und österreichischen Inter-

163 Zu Verlauf und Ergebnis des Kongresses aus der zahllosen Literatur vgl. Langer: Alliances S. 153 ff. M. Müller: Die Bedeutung des Berl. Kongresses f. d. dt.-russischen Beziehungen, Lpz. 1927.

164 Age Friis: Die Aufhebung des Artikels V des Prager Friedens, HZ 125, S. 45 ff.; DDF II, Nr. 370, 377, 382, 389; Langer: Alliances S. 173, Wertheimer: Andrássy III, S. 221.

165 Vor allem die wirtschaftlichen Gegensätze – Rinder-Veterinär-Maßnahmen (Schweinitz II S. 40 ff.) und russisch-deutsche Schutzzollbestrebungen (DZA I RK Nr. 410, Bd. 1: 3. II. 1879 Promemoria Bülow) – schufen eine Atmosphäre größter Gereiztheit (DZA I AA hp Nr. 10 472: Berchem an AA 26. IX. 1879) die sich bereits 1879 in einer heftigen Pressecampagne entlud (DZA I AA hp Nr. 10 476 dto.). Nicht zuletzt durch die Entstehung einer polnischen Industrie-Adels-Unternehmerschicht, die sich in den russischen Staat integrierte (Hallgarten I, S. 192) und voll im Gegensatz zu den deutschen Unternehmungen (DZA I AA hp Nr. 10 478, Promemoria FM 1880) in Lodz, Radom, Sosnowize stand, und dem Drängen der Uralindustrie auf einen nationalrussischen Markt (DZA I AA hp Nr. 10 475 Schweinitz an Bismarck 3. VI. 1880), entstand bereits 1879 der erste scharfe zollpolitische Gegensatz zwischen Deutschland und Rußland (DZA I AA hp 10 475 Berchem an AA: 10./5./6./3./12. VII. 1880), der seitens des Vereins der Deutschen Stahlindustriellen mit allen Pressionen geführt wurde (DZA I RDI Nr. 4922 VDEStI an Bismarck 18. III./28. V. 1880), da besonders die Produkte der oberschlesischen Industrie dem russischen Zoll ausgeliefert waren (Gußeisen/Werkzeuge/Lokomotiven) (DZA I RK Nr. 410 CdI an Bismarck, September 1880).

166 Poschinger: Parlamentarier II, S. 315 ff., Lucius: Memoiren, S. 174 Hohenlohe II, S. 275; Schweinitz: Briefwechsel I, S. 150; vgl. Pressekampagne NAZ 2. VIII. 1878, 14. VIII. 78 und der Nationalen Ztg. 14. IX./11. IX. 1878.

essen als denen Rußlands, das sich nach 1878 in steigendem Maße isoliert fühlte und daher mit Frankreich zu »kokettieren« begann[167].

Damit verlor Bismarck seine freie Mittlerstellung, wenn er sich auch mit allen diplomatischen Mitteln um einen Ausgleich mit Rußland bemühte. Er suchte von nun an nicht nur mit anderen diplomatischen Sicherungen die deutsche Stellung zu stützen, sondern auch mit innenpolitischen Mitteln den militärischen und diplomatischen Machtverschiebungen[168] in der Pentarchie gerecht zu werden. So ging dem Ausbau »gegenseitiger Assekuranz« von Deutschland und Österreich, der Begründung eines »ewigen Bündnisses« der mitteleuropäischen Ordnung unter Heranführung von England[169] (einer Politik, die erst durch eine erneute Annäherung Rußlands[170] bei gleichzeitiger Reserviertheit Englands[171] modifiziert wurde) die Formung der staatlich-monarchischen neomerkantilistischen Struktur des Deutschen Reiches parallel.

Die Rückwirkung des ersten Attentates auf die Innenpolitik

Entscheidender noch als für die Außenpolitik war die Rückwirkung der Attentate auf die Durchsetzung der finanz- und handelspolitischen Ziele, also auf den innenpolitischen Umbau. Hier war trotz vielfältiger Bemühungen Bismarcks die Opposition der Liberalen und Freihändler nicht zu bewegen gewesen, auf die Pläne Bismarcks einzugehen, und Mitte Mai 1878 schien jede nicht liberal-freihändlerische Politik ohne Staatsstreich blockiert zu sein. In diese Situation platzte das erste Attentat Hödels auf den Kaiser[172]. Nun liefen zwei Aktionen Bismarcks nebeneinander her und verketteten sich bald auf das engste. Erstens trieb Bismarck die Entscheidung in der Handels- und Wirtschaftspolitik und in der Reichsorganisation mit neuem Elan voran, und zweitens ergriff er sofort – dem Rat Bülows folgend[173] – die Gelegenheit[174], um gegen den Widerstand des Staatsministeriums[175], in überhitzter Eile [176], ein Ausnahmegesetz gegen die Sozialdemokratie – das indirekt auch die Liberalen treffen sollte – ausarbeiten zu lassen. Trotz der Bedenken Hes-

167 AA-Bonn Rußland 53 ganz geheim Bd. 3: 15. VII. 1878 Berchem an Bülow; DDF II Nr. 440; Langer S. 171; GP III Nr. 440.
168 Langer I S. 176.
169 Langer I S. 185; AA-Bonn Rußl. 65 secr. Bd. 1 (GP III Nr. 444/445).
170 Langer I S .191 f.
171 Rothfels S. 50.
172 Pack S. 30.
173 GW VI c S. 109.
174 ebd. S. 108 f.
175 DZA II, Rep. 90 a B III, 2 b Nr. 6 Bd. 90: 15./16. V. 78. Vor allem waren es JM Leonhardt, IM Eulenburg und LwM. Friedenthal, die opponierten; Tiedemann S. 263, Nübel S. 18, Pack S. 31.
176 Tiedemann S. 264.

sens und Bayerns, trotz Ablehnung durch Hamburg und Bremen[177] wurde dieses Gesetz vom Bundesrat angenommen und dem Reichstag vorgelegt; hier jedoch scheiterte es am gemeinsamen Widerstand von Liberalen und Zentrum. Das Scheitern hatte Bismarck aber fast als »programmgemäß«[178] erwartet; denn die Niederlage einer Politik, die sich um die »Sicherheit« der Besitzenden bemühte und gegen die revolutionäre Gefahr vorging, sollte Bismarck einen erheblichen taktischen Erfolg für mögliche Reichstagswahlen schenken: jede Auflösung des Reichstags in dieser Situation konnte die Konservativen nur stärken[179]. Trotzdem löste Bismarck den Reichstag noch nicht auf; er wollte das Ende der außenpolitischen Entwicklung und der handelspolitischen »Vorbereitung« abwarten[180]. Die Zeit schien nicht zu drängen, denn ein Stimmenverlust der Liberalen war nach dem Attentat und der Beschwörung der äußeren Gefahr sicher vorauszuberechnen. Die Chance, die Liberalen zu spalten, ließ er angesichts der innenpolitischen Veränderungen ohne Versuch nicht vorübergehen.

Während dieser Aktionen wurden die handelspolitischen Entscheidungen weitergetrieben[181] und erneut die schutzzöllnerische Front gegen die freihändlerischen Prinzipien[182] mobilisiert[183]. Unter dem unmittelbaren Eindruck des Hödelschen Attentates legte Bismarck am 13. Mai 1878 dem Staatsministerium den Enquêteentwurf zur Annahme vor. Nach einem Referat Maybachs nahm das Staatsministerium den von Hofmann vorgetragenen Bismarckschen Antrag auf eine Eisen-, Baumwoll- und Leinen-Enquête an und lehnte mit 6 zu 2 Stimmen das Votum Hobrechts ab, »der Eisen, Baumwolle und Leinen nicht einbezogen wissen wollte«[184].

177 Bundesratsprotokoll 1878 S. 208 f.; Poschinger: Bundesrat S. 433.

178 Pack S. 50.

179 AA-Bonn IAAa Nr. 46 Bd. 4: 1. VI. 1878 Tiedemann an Bülow; ebd. Nr. 39 Bd. 10: 28. X. 1878 Bamberger-Aufsätze werden von der Regierung »verbreitet« und gegen die Liberalen »ausgenützt«.

180 Lucius S. 140, Pack S. 51.

181 DZA II Rep. 151 neu HB Nr. 1174: 13. V. 78 Promemoria Gen. Dir. Burghardt.

182 DZA II Rep. 120 C VII 1 Nr. 10 Bd. 16: 7. V. 1876 Eingabe Broemel für die Seestädte; DZA II, Rep. 120 C VII, 1 Nr. 25 adh. 1: 29. V. 1878 HK Frankfurt/Main.

183 BA Koblenz R 13/I Nr. 79: 8. V. 1878; Deputation von Russell, Schaeffner, Servaes, Massenez, Lueg an Maybach und Hobrecht; Richter, Haniel, Schwartzkopff, Meyer und Türckheim zu Bismarck.
DZA I RK Nr. 2100: 14. V. 1878 Eingabe Beutner; 13. VI. 1878 Eingabe Wolff und 21 Industrielle im Verein der rheinisch-westfälischen Baumwollfabrikanten. DZA II, Rep. 120 C VII, 1 Nr. 10 Bd. 16: 5. VI. 78 HK Solingen; 18. V. 1878 Ausschuß des DHT übermittelt die »Distriktsachverständigen«, so für Rheinland-Westfalen, z. B. Baare, Heimendahl und Haniel; Kopfer, für Baden; Schwarz für Elsaß; A. Delbrück, Mendelssohn für Brandenburg o. D. Keramischer Verband; DZA II Rep. 120 C VIII, 1 Nr. 25 adh. 1: 27. VI. 78 HK Barmen, dto. Duisburg, DZA I RKA Nr. 205: 20. V. 1878 Protzen an Hofmann; DZA I RK Nr. 2080: 18. V. 1878 Hobrecht an Bismarck.

184 DZA II Rep. 90 a B III, 2 b Nr. 6 Bd. 90, anwesend: Leonhard, Kameke, v. Bülow,

Gleichzeitig mit seinem Entschluß, »den Schutzzöllnern« mit der agitatorischen Ausnützung des Enquêteerfolges »einen Schnaps zu geben«, da sie »die sichersten Verbündeten bei der Steuerreform« seien[185], schuf Bismarck weitere wesentliche organisatorische Voraussetzungen für die Durchführung des Steuer- und Zollprogramms: Einmal wurde die Neuorganisation des Handels- und Finanzministeriums fortgeführt[186], dann wurde das Reichsschatzamt mit der Berufung des Schutzzöllners Burchard auf die neue Stelle des Vortragenden Rates in seiner Zuständigkeit für Zollsachen weiter akzentuiert[187], und schließlich wurde im Zuge der Reorganisation des Staatsapparates — trotz des Widerstandes im Reichstag[188] — die Reichskanzlei[189] eingerichtet. Damit war der erste Schritt zu selbständigen Reichsämtern, die nicht »ministerielle Instanzen« werden sollten, vollendet[190]. Zum Chef dieses neuen Amtes wurde Tiedemann berufen. Obwohl dadurch der preußisch-deutsche Staatsapparat noch präziser auf Bismarcks Regierungsstil zugeschnitten worden war[191], war doch an die Durchsetzung der »eigentlichen Pläne« noch nicht zu denken. Die Oppositionsfront der Freihändler, der Liberalen, schien weiterhin geschlossen zu sein, wie es sich bei der Ablehnung des Sozialistengesetzentwurfes zeigte. Und auch die neuen Minister zeigten keineswegs die von Bismarck erhoffte Fügsamkeit. Vor allem Hobrecht wurde — wie früher Camphausen — zum Zentrum des Widerstandes gegen die Steuer- und Zollpläne und verstand es, selbst Maybach und Hofmann auf seine modifiziert-freihändlerische, preußische Linie festzulegen und ihre Stimmen für eine Verzögerung der ganzen Reform zu gewinnen[192]. Falk hingegen bat angesichts der Tendenzen, den Kulturkampf abzubauen, um seinen Abschied, den er aber mit einem kaiserlichen Vorwurf: »Fahnenflucht«, quittiert bekam und der abgelehnt wurde[193].

Hofmann, Eulenburg, Maybach, Hobrecht, Nebe-Pflugstedt, Nieberding, Lohmann und UStS. Hohmeyer.

185 Tiedemann S. 248.

186 DZA I RK Nr. 1916: 19. V. 78 Maybach an Bismarck, 20. V. 1878 Tiedemann an Maybach.

187 DZA II Rep. 89 H VII Deut. Reich 1 Bd. 1: 12. V. 1878 Bismarck an Wilhelm.

188 vor allem beim Zentrum und Fortschritt (GW XI, S. 546 ff.), Stenogr. Ber. RT 1877/1878, S. 551 f., 788 f.

189 Tiedemann S. 250, Morsey S. 219 ff.

190 Goldschmidt Nr. 43.

191 Morsey S. 287 ff.

192 DZA I RK Nr. 2080: 18. V. 1878 Hobrecht an Bismarck RK Nr. 1912: 19. V. 1878 Maybach an Bismarck.

193 DZA II Rep. 89 H II Gen. 1 vol. 5: 9. V. 1878.

Bismarcks »grand design«

Angesichts dieser Situation betonte Bismarck am 25. Mai 1878 in »Briefform« Hobrecht noch einmal seinen Willen, die gesamte Reform durchzusetzen; er gestehe jedoch dem früheren Oberbürgermeister die Entlastung der »Communen« zu und sei »mit jeder Erleichterung der Gewerbesteuer ... einverstanden«; ja, Bismarck ging noch weiter. Er teilte Hobrecht mit:

»Ich bin weit davon entfernt, aus diesem Plane ein festes Programm machen zu wollen, welches in seiner Totalität zur sofortigen Annahme der Ablehnung empfehlen wollte. In der Frage der Steuerreform ebenso wie augenblicklich in dem von Ew. pp. gleichzeitig berührten Kampfe gegen die Sozialdemokratie kommt es m. E. nicht darauf an, ob die Ziele, die man sich steckt uno actu in einer Parlaments-Session oder mit einer Vorlage erreichbar sind und selbst wenn sie anscheinend parlamentarisch ganz unerreichbar wären, so werde ich, wenn sie vernünftig sind, sie doch glauben erstreben zu müssen. Der Erfolg ist eine Frage für sich, die mich wenigstens in meinem pflichtmäßig für richtig erkannten Streben niemals beirrt. Die Politik ist langlebig und beansprucht Pläne auf Menschenalter hinaus. Ich werde solange ich im Stande bin, als Minister oder im Parlament an den Staatsgeschäften theilzunehmen, nicht ablassen, in jeder Session und so oft ich Gelegenheit dazu finde, die politischen und wirtschaftlichen Maßregeln anzuregen und zu befürworten, die ich für richtig halte, und dabei an den schließlichen Sieg der gesunden Vernunft über Fractions-Taktik und Rhetorik glauben. Die Gelehrten ohne Gewerbe, ohne Besitz, ohne Handel, ohne Industrie, die von Gehalt, Honoraren und Coupons leben, werden sich *im Laufe der Jahre den wirtschaftlichen Forderungen des produzierenden Volkes unterwerfen* oder ihre parlamentarischen Sitze räumen müssen. Dieser Kampf kann länger dauern als wir leben, aber ich wenigstens bin entschlossen ihn auch dann nicht aufzugeben, wenn sich die *augenblickliche* Erfolglosigkeit mit Sicherheit voraussehen läßt[194].«

Nach diesen grundsätzlichen Äußerungen entwarf Bismarck einen Etappenplan, der ihn an das erstrebte Ziel heranführen sollte: Abbau der Matrikularbeiträge und Übergang zu »indirekten Steuern und Zollerträgen«. Nur wenn dies gelinge, könne verhindert werden, »daß unsere neuen Einrichtungen an unpraktischem Idealismus ... (unsere Originalität und Wissenschaftlichkeit ist festgerostet) zu Grunde gehen unter Verfall von Freiheit und Nationalität, unter Rückfall in Partikularismus und in Schwenkungen zwischen Anarchie und dummer Gewalt«. Deswegen forderte er Hobrecht auf, die Bearbeitung der Zoll- und Steuerfragen mehr den »jüngeren Räthen ... ohne Rücksicht auf Anciennität« zu übertragen[194a].

194 DZA I RKA Nr. 2080: 25. V. 1878 Tiedemann hs. mit großen Bismarckschen Korrekturen, Hervorhebung vom Verfasser; GW VI c Nr. 121.
194a ebd.

Das zweite Attentat: Sozialistengesetz und Wirtschaftsreform

Schneller als vorauszusehen sollte Bismarck seinen »grand design« realisieren können, denn am 2. Juni 1878 wurde auf den Kaiser ein zweites Attentat verübt[195]. Nach diesem Attentat konnte Bismarck nun in vollem Besitz aller taktischen Mittel die sofortige Auflösung und Neuwahl des Reichstages, die Reorganisation der Verwaltung und den wirtschaftlichen Wandel mittels Steuer- und Zollreform bestimmen, ohne direkt und öffentlich auf die unentschiedenen Fragen der Wirtschaftspolitik eingehen zu müssen[196]. Wie schon im Brief an Hobrecht angedeutet, wurde die Wirtschaftsreform nun »das Korrelat zu dem Sozialistengesetz, das ohne sie toter Buchstaben« geblieben wäre – so erkannte es der zweite Vorsitzende der Steuerreformer, v. Thüngen-Roßbach[197].

Auflösung und Neuwahl des Reichstages

Wiederum gegen den heftigsten Widerstand der preußischen Minister setzte Bismarck die Auflösung des Reichstages durch[198]. Nun sicher, die Herrschaft der »Juristen, Beamten, Gelehrten ohne produktive Beschäftigung«[199] zu brechen und »die Herren, von denen die Schrift sagt: sie säen nicht, sie ernten nicht, sie weben nicht und doch sind sie gekleidet«[200], »die weder Industrie noch Landwirtschaft noch ein Gewerbe treiben«[201], durch eine Koalition von Konservativen, Klerikalen, Liberalen, Gouvernementalisten und »Wirtschaftsexperten« zu ersetzen. Auf sie konnte, wie es offiziös in der »Post« schon im April 1878 hieß, »ein neues politisches System gegründet« werden, und zwar so, »daß der alte deutsche Idealismus ... ein überwundener Standpunkt sei, über den die Nation bei den nächsten Wahlen definitiv zur Tagesordnung übergehen werde«.

Der Wahlkampf entbrannte sofort mit großer Heftigkeit. Kriegervereine, die »Kameradschaft zum Kaiserlichen Befehl«, vaterländische Vereinigungen wurden gegen das »Anwachsen des Sozialismus« organisiert[202]. Der Kanzler führte einen

195 Interessant ist, daß Bismarck es zu verhindern suchte, daß der Täter Nobiling in ein Irrenhaus eingeliefert wurde, Pack S. 53; DZA I RK Nr. 646: 28. VIII. 1878 Bismarck an Stolberg.

196 GStA München, MA III, Nr. 2658 6. VI. 1878 Bülow an Pfretzschner; 7. VI. 1878 Bericht von Berlin.

197 Bericht über die Verhandlungen der 4. Generalversammlung, Berlin 1879, siehe unten S. 555 f.

198 DZA II Rep. 90 a B III, 2 c Nr. 3 Kronrat vom 5. VI. 78 und DZA II, Rep. 90 a B III, 2 b Nr. 6 Bd. 90; Lucius S. 144, Radowitz II, S. 15 f.; Tiedemann S. 276; Poschinger: Bundesrat III, S. 438 ff.

199 Gedanken und Erinnerungen I S. 275.

200 Bismarck Jb. 4, 43.

201 Busch: Tagebuchblätter II, S. 557/559.

202 AA-Bonn IAAa Nr. 39: 22. VI. 1878 Bülow an Stolberg.

Feldzug gegen Revolution und Umsturz. Mit allen Mitteln der Pressepolitik unterstützte er die konservativ-rechtsliberale-schutzzöllnerische Solidarität von Industrie und Landwirtschaft[203]. So sprach die »Norddeutsche Allgemeine Zeitung« am 16. Juni 1878 von der Notwendigkeit einer Erneuerung und Erfrischung der parlamentarischen Stimmen«, eines »innenpolitischen Kurswechsels«[204]; die Industriellen und Agrarier erkannten ihre Chance. »Abgedeckt« von der »befohlenen« schutzzöllnerischen Bürokratie[205], organisierte der Centralverband deutscher Industrieller und der Verein Deutscher Eisen- und Stahlindustrieller unter Buecks Leitung ein »wirtschaftliches Centralwahlcomité« in Berlin, das die Aufgabe übernahm, »soweit möglich Kandidaten« auftraten, diese »im schutzzöllnerischen Sinne« zu gewinnen und die eigenen Kandidaten – es sollten sich auch hier »soviel als möglich« aufstellen lassen – mit aller Kraft zu unterstützen[206].

Schließlich wurden 100 Abgeordnete, deren »unbedingte Treue zur Industrie« feststand, unterstützt, 150 wurden »geprüft« und 50 Freihändler mit allen Mitteln befehdet[207]. In den Vordergrund ihrer Agitation rückten Bueck, Stumm und Krupp – die sich selbst als Kandidaten aufstellen ließen – den Kampf um die Erhaltung der religiös-sittlichen Grundlagen des Volkslebens; gegenüber der »mechanischen Weltanschauung« von Sozialdemokratie und Linksliberalismus betonten sie die »historische Entwicklung und organische Entfaltung des Individuums« durch die »Erhaltung der heilsamen Zucht und Ordnung«. Diese Anschauungen wurden identifiziert mit dem Auftrag, eine neue Wirtschaftspolitik durchzusetzen, die allein »den Wohlstand des Volkes und somit die nationale Kraft« garantieren könne – einen »Wohlstand« und eine »Kraft«, die von Freihandel und Liberalismus systematisch zerschlagen werde[208].

Ebenso aktiv waren die Agrarier. »Die Verdrängung des Ausländers vom deutschen Markt«, gleichgesetzt mit der Rettung der von Gott gegebenen Staatsordnung, wurde auf »Bauerntreffen« durch Wanderredner[209] propagiert und den Landarbeitern Ostelbiens eingehämmert. Begleitet wurden die öffentlichen Wahlagitationen von erneuten Eingaben der Schutzzöllner an das Reichskanzleramt und an das Handelsministerium. Alle Eingaben zielten darauf hin, die auflebende Agitation der Freihändler zu kompensieren und den Thesen des Handelsstandes und der Konsumenten von billigem Brot und billigen Kleidern, von politischen Rechten und demokratischen Zielen Paroli zu bieten[210].

203 Poschinger: Memoiren von Unruh, S. 363.
204 NAZ 18. VI. 1878.
205 26. VI. 78 Prov. Correspondenz vgl. Pack S. 63 ff.
206 BA Koblenz R 13/I Nr. 79: 22. VI. 78 Protokoll und Vorschlag Schaeffner-Dillingen.
207 Bueck I S. 373: Männer S. 32 f.; Rathmann S. 920.
208 DZA I RK Nr. 646 und 646/4 vgl. die Zeitschriftenzitate bei Pack S. 66, so z. B. Kreuzzeitung Nr. 188/190; Post; Germania etc.
209 Nitzsche, S. 97.
210 DZA I RK Nr. 2100 zahlreiche Eingaben des CdI, VDEStI, Langnamvereins etc.

Der Reichstag im Herbst 1878: die Durchsetzung des Sozialistengesetzes

Obwohl die Liberalen und Freihändler in ihrem erst 1876 »mühsam gegründeten Verein zur Förderung der Handelsfreiheit« unter Führung Broemels (Leipzig), Lammers (Bremen), Stephans (Berlin), Landgrafs (Stuttgart) und Bambergers nur eine schwache – dazu noch in sich uneinige[211] – interessenmäßige Unterstützung fanden, konnte Bismarck nach der Wahl doch nicht – wie es die »Post« prophezeit hatte – »zur Tagesordnung übergehen«. Noch einmal gewannen die Liberalen die Wahl. Trotzdem bedeutete das Wahlergebnis, daß die Entwicklungstendenz der liberalen Parteien 1877 abgestoppt und endgültig unter dem vereinten Griff von Interessenvertretung, Obrigkeitsgehorsam und Sicherheitsbedürfnis in Bahnen gelenkt worden war, die den großindustriellen, großagrarischen und zugleich schutzzöllnerischen Zielen des Centralverbandes deutscher Industrieller, der Steuerreformer und den wirtschaftlichen Plänen Bismarcks entgegenkamen[212]. Nach den Wahlen standen 125 Liberale 106 Konservativen gegenüber[213] – das Zentrum hatte seine Stellung behauptet und wurde dadurch das Zünglein an der Waage der parlamentarischen Mehrheiten. Das Zentrum jedoch war zwar für ein schutzzöllnerisches Wirtschaftsprogramm zu haben, jedoch für die Pläne, die Bismarck im Sozia-

Gegeneingaben der HK von Hbg., Bremen, München und Frankfurt und der Seestädte.

211 In Bremen, Stuttgart, Leipzig wurden »Localcomités errichtet, als Zeitschrift diente die Freihandels-Correspondenz« und die »Freihändlerischen Blätter« Hauptstützen waren die Seestädte, vornehmlich Memel, Königsberg, Danzig, Stettin, Rostock, Lübeck und Kiel (Nitzsche S. 123, Lambi S. 197), (Eingaben des Vereins 28. XII. 1878). Wie wenig organisiert der freihändlerische Verein war, zeigt eine Notiz Krügers (StA Hbg. Ält. Reg. G IV a Bd. 7: 12. X. 1878), wo er sich darüber ausläßt, daß die Handelskammern Bremen und Hamburg den Beitritt ablehnen würden, »weil in ihrer eigenen Mitte die Ansichten schon zu geteilt seien«. Hinzu kam noch, daß z. B. in Hamburg die Anhänger Bismarcks, voran Godeffroy und Berenberg/Goßler ständig mehr Anhänger gewannen.

212 Statistisches Jahrbuch 1880, S. 140 ff.: Konservative 59 (1877 = 40) und Freikonservative 57 (38) waren die Gewinner. Die Verluste der Nationalliberalen beträchtlich: 99 (128), Fortschritt 26 (35), jedoch nicht in dem Maße, wie erwartet. Zentrum behauptete sich 99 (93), ebenso Sozialdemokraten 9 (12), Polen 14, Partikularisten 14, Volksparteiler 3 (4) und 7 Unabhängige.

213 Die Hauptverluste der Nationalliberalen lagen in Altpreußen und Süddeutschland. Hier übernahmen Fabrikanten und Agrarier die Führung. 35 zumeist schutzzöllnerisch gesinnte Fabrikanten zogen in den Reichstag ein (1877 waren es 19), und von den 24 Kaufleuten und Bankiers war die Hälfte mit den Interessen des CdI – Ausnahme hiervon bildeten die Bremer H. H. Meier, Mosle und der Hamburger Wolffson – behaftet. 117 Rittersgutsbesitzer und 158 höchste Beamte verstärkten den Zug zum interessengebundenen Honoratiorenparlament, das von 163 Adligen und 232 Bürgerlichen, davon ca. 157 akademischer (meist juristischer) Ausbildung, noch stärker als 1877 der Reichstag die Prägung erhielt. 31 Bürgermeister und

listengesetz mit einer konservativ-gouvernementalen Mehrheit durchzusetzen hoffte, war es »unbrauchbar«. Die Liberalen waren durch wirtschaftspolitische Gegensätze lahmgelegt[214]. Doch hatte die Wahl den rechten Flügel der Nationalliberalen gegenüber dem linken unter Lasker gestärkt[215]; so bestand dennoch die Möglichkeit für Bismarck, sich mit diesem Teil der Liberalen über das Sozialistengesetz zu einigen, um so weiterhin die politische Stimmung nach den Attentaten im Sinne der Durchsetzung seiner Gesamtpläne auszunützen.

Als die Nationalliberalen Bismarck nach der Wahl erneut anboten, mit ihm in der Sozialistenfrage zusammenzugehen[216], nahm Bismarck, der über die Wahl nur »leidlich« befriedigt war[217] und in ihr noch nicht den »richtigen Ausdruck der loyal monarchisch gesinnten Mehrheitswähler« sah[218], diese Annäherung an, ermöglichte sie ihm doch die Fortsetzung der von ihm angestrebten Spaltung der Liberalen und die Bildung eines regierungstreuen Kartells »staatserhaltender« Parteien[219]. Aus diesen Gründen stellte er die Ratifikation des bereits während des Wahlkampfes vom Innen- und Justizminister ausgearbeiteten neuen Entwurfs des Sozialistengesetzes[220] in den Mittelpunkt der ersten kurzen Sitzungsperiode des neugewählten Reichstages. Am 18. Oktober 1878 wurde das Gesetz mit den Stimmen der Konservativen und Freikonservativen sowie der Nationalliberalen angenommen[221].

Die »204«

Zur gleichen Zeit schlossen sich 204 Abgeordnete der schutzzöllnerischen Adresse der »Freien Wirtschaftlichen Vereinigung« des Württembergers v. Varnbüler an[222]. Nach den Wahlerfolgen hatten Varnbüler, Kardorff und Löwe sofort ihr altes Projekt einer »Vereinigung« hervorgeholt, und unterstützt vom Wohlwollen der Re-

Rechtsanwälte, davon 11 zugleich Notare, vertraten neben 17 Journalisten den weniger von »höchsten« Staatsinteressen diktierten politischen Kurs. Zurück ging der Anteil der Soldaten auf 5, der der Diplomaten und Professoren auf je 1. Zum erstenmal waren mit Rentzsch (Verein Deutscher Eisen- und Stahlindustrieller) und Schneeganz (Mühlhausen) zwei Syndici und reine Interessenvertreter gewählt worden. Supplementband der Leg. Periode des RT 1878/1879.

214 Nübel S. 46; Bamberger: Bismarck S. 328; Wentzcke II S. 215 ff.; Herzfeld: Miquel I, S. 430 ff.; Nationale Zeitung Nr. 362: 3. VIII. 1878, Pack S. 74.

215 Oncken: Bennigsen II, S. 374 ff., Preuß. Jb. Bd. 42, S. 92 ff.

216 Wentzcke II, S. 223; Pack S. 74.

217 GW XIV 2 S. 894.

218 Erinnerung und Gedanke I S. 398.

219 NAZ 31. VIII. 1878.

220 BA Koblenz P 135/8458; DZA I RK Nr. 646/4.

221 StA Hbg. Ält. Reg. GIV a Bd. 7: 19 X 1878, eingehend Pack S. 83 ff.

222 DZA I RK Nr. 2100; BA Koblenz R 13/I Nr. 170; u. a. unterzeichneten Ackermann/Dresden, v. Adelebsen/Göttingen, v. Arentin/Ingolstadt und Illertissen, v.

gierung und dem »Ausgleichswillen« des Zentrums gelang es ihnen nun, einen großen Anhang für ihre Adresse zu gewinnen. Der Kanzler wurde von der konservativ-klerikalen Wirtschaftskoalition zu einem schutzzöllnerischen Vorgehen aufgefordert, und »in Erkenntnis der den Volkswohlstand schädigenden Mängel des deutschen Zolltarifs« wurde eine Enquêteuntersuchung erbeten[222a]. Bereits am 2. Oktober 1878 war dieser »Adresse« eine Petition des Centralverbandes deutscher Industrieller vorausgegangen, in der ebenfalls Schutzzölle beansprucht wurden und gleichzeitig mit »Freuden die Niederkämpfung der sozialdemokratischen Umsturzpartei« begrüßt wurde[223].

Die Liberalen sind überspielt

Noch am 12. Oktober 1878 berichtete der hanseatische Gesandte — mit keineswegs allzu großem Scharfblick[224] —, daß Hobrecht und Bismarck »in den großen Steuerfragen« wie in der Handelspolitik nur »Velleitäten ... ziemlich allgemein« gehaltener Anschauungen haben, die aber einer »positiven Grundlage« entbehren. Jetzt *nach* der Annahme des Sozialistengesetzes wurden Bismarcks Anschauungen präzise. Die Antwort des Kanzlers auf die Eingabe der 39 Freikonservativen, 36 Kon-

Arnim-Boizenburg, v. Arnswaldt, Graf Ballestrem, v. Batocki, v. Behr, v. Below, Bender-Neuwied, Berger/Dortmund, v. Bernuth, v. Bethmann Hollweg, v. Bethusy-Huc, v. Bismarck, v. Bissingen-Württemberg, v. Bockum-Dolffs, v. Bochmann, v. Bönninghausen, Borowski, v. Brand, v. Bredow, v. Brenken, v. Bühler, v. Busse, v. Chamaré, v. Cranach, v. Colmar, v. Dalwigk, v. Ende, Feustel, Fichtner, v. Flemming, v. Flottwell, v. Forcade de Biai, zu Franckenstein, v. Franckenberg, Frege-Abtnaundorf, v. Fürth, v. Fugger, v. Galen, v. Gess, v. Grand-Ry, v. Grothe, Günther, v. Hafenbrödl, Hammacher, Hauck, v. Heeremann, v. Helldorf, v. Hölder, v. Hampesch, Frhr. Horneck v. Weinheim, v. Kardorff, v. Kehler, v. Kesseler, v. Kleist, v. Knobloch, Kopfer/Mannheim, Krafft, v. Landsberg, v. Lerchenfeld, Löwe, Lucius, v. Lüderitz, v. Luxburg, v. Manteuffel, v. Marschall-Karlsruhe, v. Minnigerode, v. Mirbach, v. Moltke, Müller-Pleß, v. Neumann, v. Ow (Landshut und Freudenstadt), v. Pfetten, v. Pleß, v. Praschma, v. Preysing, v. Puttkamer (Löwenberg/Lübben/Schlawe), Radziwill, v. Ratibor, v. Ravenstein, Reikensperger, Rentzsch, Richter, Saro, v. Saurma-Jeltsch, v. Schalscha, v. Schenck-Flechtringen und Kawencyn, v. Schönborn, v. Schorlemer-Alst, v. Schulte, Graf Stolberg (Stolberg/Wernigerode, Udo und Theodor), Stumm, v. Tettau, v. Varnbüler, Völk, Vogel, v. Waldow, v. Wendt und Windthorst: Eingabe vom 19. X. 1878, aufgesetzt von Sekretär Rentzsch. Der Adel dominierte bei den »204«, ebenso traten das Zentrum und die beiden konserv. Parteien der Adresse voll bei, neben einigen Rechtsliberalen.

222a ebd. 12. X. 1878 Varnbüler an Tiedemann.

223 ebd.

224 StA Hb. Hans. Ges. Ält. Reg. G IV a Bd. 7.

servativen, 27 Nationalliberalen und 87 Zentrumsleute[224a] brachte wie verabredet[225] das erste persönliche und öffentliche Eintreten Bismarcks für »eine *umfassende* Revision« der Handelspolitik[226], für die »die Vorarbeiten ... bereits in Angriff genommen« worden seien. Damit war deutlich geworden, daß die Honoratiorenparteien in von Bismarck lenkbare Interessengruppen von Großgrundbesitz (Konservative), von Großindustrie (Freikonservative und Rechtsliberale), von Handel (Nationalliberale), von Kleinbürgertum (Fortschritt) zerfallen waren[227]. Der Einsatz des Centralverbandes deutscher Industrieller und der Steuerreformer, die Wahlkampfagitation und die Unterstützung hier der Konservativen, dort der Freikonservativen und Rechtsliberalen hatte sich gelohnt. Das Ergebnis der Wahl war ein Erfolg der obrigkeitsdienenden Parteien gewesen[228]. Die Macht der Seestädte, Kaufleute, Konsumenten, die vom Lasker-Flügel geführt und links davon vertreten wurden, und der Liberalen wurde moderiert. Trotzdem täuschten sie sich über ihren schon geschwächten Einfluß[229]. Auch noch nach der Wahl glaubte die liberale Mehrheit[230] mit Bismarck zusammengehen zu können, glaubte, daß Bismarck ihrer bedürfe. Während aber Bismarck vordergründig den Kampf gegen Umsturz und Revolution aufgeputscht hatte, hatte er die Entscheidungen in der Steuer- und Zollreform schon gefällt, hatten die Liberalen das Ringen um die Handelspolitik und ebenso um die weitere Gestaltung der Entwicklung des deutschen Reiches verloren. Die bestellte Adresse der 204 und Bismarcks Antwort waren nur noch der i-Punkt der Entwicklung seit Juni 1878.

224a Kardorff S. 114.

225 DZA I RK 2100: 12. X. 1878 Varnbüler an Bismarck, 25. X. Bismarck an Varnbüler; 28. X. 1878 Spitzemberg an Bismarck.

226 Poschinger: Volkswirt I, S. 247 ff.

227 Braun/Wiesbaden: Memoiren S. 260 ff.

228 Innerhalb der Konservativen und Freikonservativen überwogen nun die Schutzzöllner völlig. Neben Arnim-Boizenburg, v. Behr, Frege, Helldorf, Manteuffel, Stolberg etc. waren u. a. von Aretin, v. Below, v. Bernstorff, v. Bockum, v. Bötticher, v. Brandt, v. Bredow, v. Brenken, v. Dohna-Finckenstein, v. Ende, v. Flottwell, Hatzfeld-Trachenburg, v. Marschall – der spätere badische Gesandte und deutsche Staatssekretär des Äußeren – von Mirbach, v. Plessen, v. Pramscha, v. Saurma-Jeltsch gewählt worden, ebenso konnten die Industriellen neben Kardorff, Varnbüler, Schauß, Feustel, Grothe, Stötzel u. a. mit Rentzsch, Schneeganz, Richter/Königs-Laurahütte, Vohwinkel, Gritzner, Dernburg (Red. der NAZ), Dollfuß, Löwe/Berlin, Klein/Heinrichshütte ihre unmittelbare Repräsentanz im Reichstag festigen. (RT Leg. 4/I/1 1878 Anlage). E. Stock: Wirtschafts- und sozialpolitische Bestrebungen der Deutschkonservativen Partei unter Bismarck 1876–1890, Diss. phil. Breslau 1928.

229 StA Hbg. Hans. Ges. Ält. Reg. G IV a Bd. 7: 12. X. 1878 Radowitz II S. 15 ff.; Pack S. 58, 65; Wentzcke II, S. 169 f., 204 ff., 207, 208 ff.; Boettcher S. 218, Oncken: Bennigsen II, S. 374.

230 StA Hbg.: Versmann Tagebuch A 4: 2. V. 1878.

c Die Durchführung der Enquête, der Steuerreform und des Schutzzollprogramms im Schatten des Sozialistengesetzes

Die Staatsministerialkonferenz vom 20. Juni 1878

Unmittelbar nach dem Attentat Nobilings Anfang Juni 1878 hatte Bismarck nicht nur die Reichstagsauflösung beschlossen und durchgesetzt[231], sondern auch die Zoll- und Steuerreform wieder in ihrem *vollen* Umfang in den Mittelpunkt seiner Politik gerückt[232]. Zugleich wies er die Reichs- und preußischen Ressorts an, definitiv zum wirtschaftlichen Reformprogramm Stellung zu nehmen bzw. Leitlinien zu diesem aufzustellen[233]. Angesichts des beginnenden Wahlkampfes hoffte Bismarck sein Programm gegenüber den widerstrebenden Ministern durchzusetzen — soziale Gefahr und Umsturz sollten den Wünschen des »produzierenden Volkes«, mit denen er sich verbunden hatte, den nötigen Nachdruck verleihen. Doch Hobrecht gab nicht nach. Er verband sich mit Maybach[234]; auch Hofmann, Huber und Michaelis gaben seinem, Bismarck am 15. Juni 1878 zugeschickten Votum ihre Zustimmung[235]. Die Minister und der Staatssektretär lehnten das Programm Bismarcks wohl keineswegs ab, anerkannten, daß das Reich eine Zunahme der Einnahmen um 245 Mill. benötige, aber sie wiesen die Reform in der vom Kanzler geforderten Durchführung in *»einem* Schritt« zurück und verständigten sich darüber, daß die Zollreform von der Steuerreform zu trennen sei[236].

Auf der Staatsministerialkonferenz vom 20. Juni 1878 schlossen sich die Minister ganz dem Votum Hofmanns an, der nun im Sinne der im Reichskanzleramt vorherrschenden Stimmung dafür eintrat, »daß die Ausführung des Programmes *erst* in einer Reihe von Jahren thunlich« werde, da »positive Vorschläge« fehlten und die »Finanzfragen« unbedingt »untangiert von Schutzzöllen zu lösen seien[237]. Dieses Urteil entsprach den Plänen Hobrechts, Eulenburgs und Maybachs. Sie arbeiteten Bismarcks Zielen einer Vermehrung der indirekten Steuern und der Zollerhöhung entgegen und sahen statt dessen in der Beibehaltung der direkten Steuern,

231 siehe oben S. 503 f.

232 DZA I RKA Nr. 2081: 8. VI. 1878 Hofmann an Bismarck, 50 Seiten Ausarbeitung betr. der Kommunalbesteuerung, des Tabak- und Branntweinmonopols und Kaffeezolls, sowie der Zolltarifänderungen. ebd. Nachlaß Hofmann Nr. 29.

233 DZA II Rep. 151 neu HB Nr. 1174: 9. VI. 1878 Hofmann an Hobrecht; o. D. PM zum Wirtschaftsprogramm.

234 ebd. 11. VI. 1878 Hobrecht an Bismarck.

235 ebd. HB Nr. 1175, Rep. 120 C VII, 1 Nr. 10 adh. 7 vol. 1; DZA I RK Nr. 2081.

236 DZA II Rep. 151 neu HB Nr. 1174 Grundlage für die Ausarbeitung Meineckes war eine Denkschrift Gen. Dir. Burghardts vom 13. V. 1878 o. D. Meinecke-Denkschrift.

237 DZA II Rep. 90 a B III, 2 b Nr. 6 Bd. 90; 20. VI. 1878 anwesend waren Leonhard, Falk, Kameke, v. Bülow, v. Hofmann, Eulenburg, v. Maybach und Hobrecht.

der Erbschafts-, Salz-, Stempel- und Börsensteuer und in den Eisenbahneinnahmen die geeigneten »Einnahmequellen«. Sie wollten vornehmlich Preußen – damit dann auch dem Reich – Einnahmen verschaffen, »die so ... stetig steigen, wie die Ausgaben«. Einzig der Landwirtschaftsminister Friedenthal trat auf dieser Sitzung für die Steigerung der Produktion ein und sah die Einführung von Schutzzöllen als »unumgänglich« an. Aber gerade diese Fragen ließ das Staatsministerium vollkommen offen und akzeptierte nur das zukünftige Finanzschema und die Einberufung der Eisen- und Baumwoll-Leinen-Enquête. Bismarcks Widerspruch, der die Durchführung des gesamten Wirtschaftsprogrammes enger mit dem Sozialistengesetz verbunden wissen wollte und deswegen auf der Einheit von Zoll- und Steuerreform bestand, begegneten die Minister – jetzt einschließlich Friedenthal – wiederum abweisend[238]. So blieb Bismarck für den Augenblick nichts weiter übrig, als die *bloße* Steuerreform zu akzeptieren und sie als Objekt einer nach Heidelberg einberufenen Finanzkonferenz der deutschen Staaten festzulegen[239]. Immerhin hatte also Preußen wenigstens die Notwendigkeit einer Finanzreform anerkannt, was Bismarck schon als Erfolg wertete, zumal das momentane Zurückstecken in der Zollfrage mehr als aufgewogen wurde durch den Bundesratsbeschluß vom 23. Juni und 3. Juli.

Der Bundesrat nimmt die Enquêtevorlage an

Auf dem Höhepunkt des Wahlkampfes hatte nämlich der Bundesrat die »neutralen Kommissionen« für Eisen-, Baumwoll- und Leinenenquête eingesetzt, und ihre Zusammensetzung bedeutete für die Schutzzöllner »mehr als einen Schnaps« – sie schien voll ihren Wünschen zu entsprechen. Der Eisenenquête gehörten die »vielfach vorgeschlagenen« Industriellen Stumm und Serlo an (beide als direkte Vertreter des Centralverbandes deutscher Industrieller und des Vereins Deutscher Eisen- und Stahlindustrieller)[240], als Freihändler H. H. Meier (Bremen); schließlich hatte das Reichskanzleramt den Geheimen Regierungsrat Huber abgeordnet, und als fünfter Vertreter wurde der Schutzzöllner und ehemaliger bayrischer Handelsminister Schlör berufen. Gerade an seiner Berufung wird deutlich, wie sorgsam Bismarck die Wahl der Mitglieder vorbereitete. Am 19. Juli 1878 ließ er Bayern mitteilen, daß es wohl »nicht zu verhindern« sein werde, den Freihändler Huber als Spezialisten »in die Eisencommission zu beordern, gerade deshalb wünsche er, daß die bay-

238 DZA II Rep. 151 neu HB Nr. 1175: 24. VI. 1878 Beratung im Staatsmin.; 25. VI. 78 Sta. Min.-Konferenz aufgrund der neuen ministeriellen Stellungnahmen; Rep. 120 C VII, 1 Nr. 10 adh. 7 vol. 1: Juni 1878 Denkschrift zum Steuerreformplan, dto. zum Branntwein- und Tabakmonopol, dto. zum Zolltarif; DZA I RK Nr. 2081: 20. VI. 1878 Hofmann an Bismarck; 25. VI. 1878 Denkschrift Huber/Hofmann; 3. VII. 1878 Hofmann an Tiedemann.

239 DZA II, Rep. 151 neu HB Nr. 1175: 21. VII. 1878.

240 BA-Koblenz R 13/I Nr. 285: 2. VI. 1878.

rische Regierung einen recht tüchtigen Beamten abordne, welcher im Stande wäre, den freihändlerischen Tendenzen Hubers die Spitze zu bieten und den bekannten bayrischen Standpunkt zu behaupten, mit dem er ganz einverstanden sei«[241]. Daraufhin berief Pfeuffer Schlör in die Eisenenquêtekommission[242]; für die Baumwollenquête wurde Haßler nominiert[243].

Die Baumwoll- und Leinenkommission hatte die gleiche »Struktur« wie die Eisenkommission. Hier standen den beiden Freihändlern, Geheimen Oberregierungsrat Stüve vom preußischen Handelsministerium und Jacubowsky aus Hamburg, die mehr zum Schutzzoll tendierenden Unterstaatssekretär Herzog, Regierungsrat Hegelmaier vom Statistischen Amt und Geheimer Regierungsrat Böttcher (Dresden) als weitere Vertreter der Staatsverwaltung sowie die Schutzzöllner Heimendahl, Websky (Wüstewaltersdorf), Haßler und Schlumberger, alles Exponenten des Centralverbandes Deutscher Industrieller, gegenüber[244]. Als die Enquêtekommissionen am 8. und 9. Juli ihre Arbeit aufnahmen[245], schien ihre Zusammensetzung ebenso wie ihre Untersuchungsgebiete[246] ein schutzzöllnerisch gestimmtes Urteil zu gewährleisten.

Bismarck beharrt auf seinem Gesamtprogramm

Die Zustimmung des Bundesrates zu den Kommissionen erhielt durch das Ergebnis der Reichstagswahlen[247] für die Schutzzöllner und Bismarck noch mehr Gewicht.

241 BHStA München MH Nr. 9712: 4. VI./19. VI. Bericht Herrmann.

242 ebd. 21./23. VI. 1878.

243 ebd. 22. VI. 1878 MH Nr. 9713 von Nürnberg, München, Augsburg, Bayreuth, Regensburg wurden für Eisen: Schlör, Fromm, Buz (MAN), Krauss, Kustermann, für Textilindustrie: Haßler und Kolb (Bayreuth), für Leinen: Feustel vorgeschlagen.

244 Drucksache zu den Verhandlungen d. BR 1879, Nr. 39 vgl. Hamburger Correspondent 26. VII. 1878.

245 Bueck I, S. 185; DZA II Rep. 120 C VII Nr. 31.

246 Grundindustrieartikel standen im Vordergrund der Enquêteerhebungen; so baute die Eisenenquête auf einem Programm Krupps und einem Fragebogenentwurf Stumms auf – trotz Widerstreben von Huber und Meier, die mehr die Recherchen der Oberbergämter in den Mittelpunkt der Analysen gestellt hätten (DZA II, Rep. 120 C VII, 1 Nr. 31: 10. VII./23. IX. 1878). Hauptaufgabe der beiden Enquêten war eine statistische Erhebung mittels eines Fragebogens, der von vornherein die exportinteressierten Gewerbe und Konsumenten benachteiligte, die Rohprodukthersteller und Verarbeiter aber in den Mittelpunkt der betriebswirtschaftlichen Nutzenanalyse stellte. So versuchte der Baumwollfragebogen in Berlin, von den »Ansässigen« (Lohren, Reimann, Lehmann) ausgearbeitet, »mit statistischen Übergenauigkeiten« das Verwertungsergebnis ganz in die Befragung zu legen, um so die »vorbereiteten« CdI-Mitglieder möglichst breit zu Wort kommen zu lassen (DZA II ebd. StA. Hbg. Y 3 Zollkommissariat Juli 1878 Jacubowsky an Senat.)

247 s. oben S. 503 f.

Bismarck konnte sich der Unterstützung von Konservativen, Rechtsliberalen, aber auch vom Zentrum, das in wirtschaftlichen Fragen Bismarcks Willen zum Ausgleich der Besitzinteressen entgegenkam[248], sicher sein. Nun überspielte Bismarck Mitte Juli 1878 die liberalen Minister. Für die Heidelberger Konferenz ließ er eine Denkschrift ausarbeiten, die erneut von dem Axiom ausgehen sollte, daß die »Einnahmevermehrung des Reiches ... auf dem Gebiet der Zölle *und* gemeinsamen Verbrauchssteuern« liege[249]. Damit verband Bismarck erneut Zoll- und Steuerreform, wie es sein altes Ziel gewesen war; denn nur mit Unterstützung der Schwerindustriellen und Agrarier konnte er hoffen, die liberale Opposition gegen sein Steuerprogramm, das den »Demokraten« einer Ausschaltung des Reichstages gleichzukommen schien, zu überwinden. Ferner unterstrich Bismarck seine Entschlossenheit, nach dem »alten« Programm zu handeln, auch in den handelspolitischen Beziehungen zu Österreich.

Mitte April 1878 hatte Wien – und auch Italien – angefragt, ob Deutschland im Jahre 1878 bereit wäre, einen definitiven Handelsvertrag abzuschließen[250]. Ganz im Sinne der Schutzzöllner hatte Bismarck sofort geantwortet, daß nur eine nochmalige Verlängerung des Vertrages in Frage käme[251] – nun, Anfang Juni, wiederholte er diese Stellungnahme:

»Meiner Ansicht nach empfiehlt es sich in einem Augenblick, wo von uns eine Zoll- und Steuerreform beabsichtigt wird, nicht das Gebiet desselben und die freie Bewegung darauf durch Tarifverträge einzuschränken.«

Deswegen lehnte er jede Initiative als »schädigend« ab – er wußte sich dabei von den Mittelstaaten gedeckt[252] – und »ersuchte das Auswärtige Amt, die Sache ruhen zu lassen«[253]. Das Reichskanzleramt und die preußischen Minister, die auch in dieser Frage eine von Bismarck abweichende Meinung vertraten – sie waren für Abschluß des Handelsvertrages bzw. für »Sondierung und Vorbereitung« –, fügten sich nur widerstrebend. »Vorerst möchte weder ein Engangement«, schreibt Huber an Bülow, »einzugehen sein, *noch* die Ablehnung eines solchen Engagements in einer Weise anzusprechen sein, welches einer Wiederaufnahme von Verhandlungen im Weg stehen könnte«[254]. Gleichzeitig forderte das Reichskanzleramt die »baldige Klärung der Sachlage«, und zwar so, wie es Österreich wünsche, und erhielt sofort die Zustimmung Hobrechts[255]. Bismarck jedoch wollte das Ergebnis von Heidelberg abwarten; denn an der Annahme seines Programmes durch die Südstaaten

248 Tiedemann S. 298; Tönnies S. 13 vgl. vor allem die Unterredung Bismarcks in Kissingen und Kardinal Masella.

249 DZA II Rep. 89 H III Reichsfinanzen Bd. 1: 12. VII. 1878 Bismarck an Wilhelm I.

250 DZA I AA hp Nr. 9939/9940: 4. V. 1878 Stolberg an AA. HHStA Wien F 34 SR-r3.

251 ebd. 30. IV. 1878 Herbert Bismarck an Bülow; DZA I RKA Nr. 209: 2. V. 1878 Bülow an Hofmann, 13. V. 78 Hofmann an Maybach und Hobrecht.

252 Sächs. LHA Dresden AM Nr. 6927: 2. VI. 1878, BHStA München MH Nr. 9713.

253 DZA I AA hp Nr. 9941: 12. VI. 1878 Votum Bülow mit hs. Nota Bismarcks.

254 DZA I RKA Nr. 209: 8. VI. 1878 Huber an Bülow.

255 ebd. 4. VI. 1878 Huber an Maybach/Hobrecht; 9. VI. 78 Hobrecht an Hofmann.

zweifelte er nicht[256], zumal in Österreich und Frankreich mehr und mehr die Schutzzöllner den bestimmenden Einfluß auf die Handelspolitik ihres Landes erhielten[257].

Die Enttäuschung über Heidelberg und Bismarcks Reaktion

Unter diesen Auspizien begann die Heidelberger Finanzkonferenz der Finanzminister der Bundesstaaten. Es konnte hier volle Einigung über die Steuerreform erzielt werden — nur das Tabakmonopol wurde abgelehnt; aber Hofmann glaubte, Bismarck würde sich nicht auf das Monopol »versteifen«[257a]. Deshalb meldete er Bismarck nach Kissingen, alle Hauptfragen, auch die Zollwerterhebungen, seien insofern geregelt worden, da kein grundsätzlicher Widerstand gegen den Plan einer Gesamtreform aufgetreten sei[258].

Bismarck glaubte nun, als Anfang August Hobrecht und Hofmann in Kissingen zur Berichterstattung eintrafen, den »ersten Teil« seiner »Wolfsjagd« — die Steuerreform[258a] — beendet zu haben[259]. Das »Reich« schien die Tabak-, Bier-, Zucker-, Branntwein-, Kaffee-, Petroleum-, Leuchtgas- und Weinsteuer und auch eine Zollrevision anzunehmen. Doch gerade in Bismarcks Hauptprojekt, dem Tabakmonopol, hatte Hofmann keine Einigung bzw. nicht die Einigung in Bismarcks Sinne erzielen können. Damit war für ihn die Steuerreform, die er zugleich als Hebel für die geplante Reorganisation des preußisch-deutschen Verhältnisses betrachtete, in wesentlichen Punkten ausgehöhlt und weiterhin ungelöst geblieben[260]; zumal auch die Ergebnisse der Tabakenquête keineswegs seinen Zielen entsprachen[261]. Das Resultat von Heidelberg war deswegen »unobjektiv«, »gefärbt« und »unbrauchbar«[262]. Da gleichzeitig die Handelskammern von Köln, Leipzig, Dresden, Magde-

256 ebd. 13. VI. 1878; GW VI c Nr. 125.

257 DZA I AA hp Nr. 9360: 27. VI. 1878 Wesdehlen an AA; dto. Sitzungsprot. der franz. Enquêtenkommission, dto. »Papers relative to French Industry and Commerce«, Bazant S. 41. HHStA Wien, F 34 r 3—1878—1—2/9—1—132.

257a DZA II Rep. 151 neu HB Nr. 1175: 15./29. VII. 1878 Konferenzprotokoll Rep. 120 C VII, 1 Nr. 20 adh. 7, vol. 1; WHStA Stgt. E 130—131; W X Bd. 1 Juli 1878 Bericht Rieckes; StA Hbg. Y 1 Zollkommissariat 5. VIII./7. VIII./12. VIII. 1878 Versmann an Kirchenpauer; Gerloff S. 146 ff.; Poschinger: Volkswirte I, S. 143 ff.

258 DZA I RKA Nr. 205: 1. VIII. 1878 Hofmann an Tiedemann; DZA II Rep. 151 neu HB Nr. 1175: 18. VIII. 1878 RKA an Finanzministerium.

258a vgl. Anm. 61, S. 482.

259 StA Hbg. Hans. Ges. Ält. Reg. G IV a Bd. 7: 15. VIII. 1878 Krüger an Kirchenpauer.

260 StA Hbg. Y 2 Zollkommissariat 5./6. VIII. 1878: 12. VIII. 1878 Aufzeichnung Versmann.

261 Gegen die Bismarckschen Vertreter Fabricius und Burchard und den Württemberger Moser sprach sich die Kommission gegen das Monopol und für die Hobrechtsche Wertzollbesteuerung von 1873 aus.

262 Poschinger: Parlamentarier II, S. 342.

burg, München, Berlin und die der Seestädte gemeinsam mit dem »Verein deutscher Tabakinteressen« lautstark gegen das Monopol auftraten und auch gegen seine Schutzzollpolitik eine Agitation der Freihändler organisierten[263], war Bismarck willens, wie gegenüber Camphausen, dann »mit Sprengpulver« zu arbeiten, wenn Hobrecht seinem Monopolplan nicht zustimmen würde. Um aber »seine« Reichssteuerreform »gegen das allseitige Einverständnis von Heidelberg«[264] durchsetzen zu können, mußte erst das Sozialistengesetz und die Zollfrage – im Rückgriff auf die angebotenen Dienste eines Henckel, Baare etc. – erledigt sein[265].

Nun wurde wieder »die Initiative des Reichstages« und der »öffentlichen Meinung« in den Vordergrund der Bismarckschen Politik gerückt. Gegenüber dem Reichskanzleramt betonte er deswegen Anfang August[266], daß es »unthunlich« wäre, »wenn von anderer Seite Anregungen zum besseren Schutz Deutscher Produkte gegen auswärtige Concurrenz an uns herantreten sollten ..., denselben zu widersprechen oder zu widerstreben«. Da jedoch das Sozialistengesetz noch nicht angenommen war und deshalb die Liberalen im Reichstag noch benötigt wurden, hielt Bismarck es für taktisch nützlich, »den Herren im Reichskanzleramt«[267] (die der Ansicht Hobrechts und den Liberalen zuneigten) noch nicht seine volle Absicht zu offenbaren – ein Zeichen, daß der Reichskanzler zu diesem Zeitpunkt keineswegs souveräner Herr im eigenen Hause war. Darum betonte er jetzt, daß »ein principielles Einlenken nach dieser Richtung hin, wenn auch nicht in die Richtung des Schutzzolles, ... für ihn eine unabweisbare Nothwendigkeit« sei, *wenn* »im Reichstag eine Initiative in dieser Richtung« sich entfalten würde[268].

Für eine Reichstagsinitiative sorgte Bismarck postwendend. Über Tiedemann wurden Kardorff und Varnbüler »sondiert«, und bereits im Laufe des August trafen bei Bismarck eine Denkschrift Varnbülers, eine prononciert schutzzöllnerische Denkschrift des Bayern Mayr und eine große Petitionsadresse des Centralverbandes deutscher Industrieller ein. Alle befürworteten die beschleunigte Einführung von Zöllen, um so der »deutschen Erde« und »der Arbeitskraft der Nation« Schutz zu gewähren und eine »gute Bezahlung« zu ermöglichen[269]. Zugleich begannen Löwe und Varnbüler mit dem erneuten »Aufbau« der Freien volkswirtschaftlichen Vereinigung im Reichstag[270], um so die »Initiative des Reichstags« vorzubereiten.

263 StA Hbg. Hans. Ges. FIII, G 3 Fasc. 1: 22. I./5. III. Gildemeister an Krüger; 3. VII. 1878 Y 4 Zollkommissariat conv. 1 Aufzeichnung Versmann; 26. XII. 1878 Krüger an Senat.

264 DZA I RK Nr. 2081: 12. VIII. 1878 Hofmann an Nostitz; 21. VIII. 1878 Hofmann an Bismarck.

265 DZA I ebd. 16./19. VI. 1878 Henckel an Bismarck; ebd. Nr. 2140: 7. IV. 1878 Henckel an Bismarck.

266 DZA I RK Nr. 408, ebd. 421: 3. VIII. 1878.

267 DZA I RK 2100: 13. XII. 78 Tiedemann an Herb. Bismarck.

268 DZA I RK Nr. 408 ebd.

269 DZA I RK 2100: 18. VIII. 1878 Varnbüler und Mayr; DZA II Rep. 120 C VIII, 1 Nr. 25 adh. 1: August 1878 Prot. der Plenarversammlung in Düsseldorf.

Gleichzeitig eröffnete Bismarck die bisher abgelehnten Verhandlungen mit Österreich-Ungarn[271], da es »vom Standpunkt des Auswärtigen Amtes sowohl aus politischen wie aus handelspolitischen Rücksichten wünschenswerth erscheint, jede Verschärfung der zu Rede stehenden Bestimmungen« zu verhindern[272]. Von vornherein zielte Bismarck, der persönlich jeden Schritt der Verhandlungen überwachen wollte[273], auf keinen Tarifvertrag, sondern mit Rücksicht auf »die freundschaftlichen Beziehungen und unsere Industriellen«[274] auf die bloße Verlängerung des Provisoriums um ein weiteres Jahr – hoffte er doch, dann die Zollfrage geregelt zu haben[275]. Hobrecht und Maybach schlossen sich diesmal seinem Urteil an[276].

Die Enquêten

Angesichts dieser Lage maß Bismarck dem Ergebnis der Enquête-Befragungen, die Mitte September 1878 begannen, eine große – vor allem politische – Bedeutung zu. Aufgrund der Vorarbeiten, der CdI-Unterstützung und der Gesamtorganisation der Befragungen[277] schien hier die freihändlerische Opposition keine Möglichkeit mehr zu haben, noch zu Wort zu kommen. Nachdem es Stumm, Serlo und Schlör gelungen war, den Fragebogen nach Centralverbands-Richtlinien zu entwerfen, gaben unter Ausschluß der Öffentlichkeit dann 43 Industrielle, von Bueck geleitet[279], vom Centralverband deutscher Industrieller und dem Verein Deutscher Eisen- und Stahlindustrieller vorgeschlagen, programmgemäß ihr Votum für Schutzzölle ab. Als »Geschäftsergebnisse« wurden von der Kommission die VDEStI-Zusammenstellungen übernommen[280]. Die freihändlerisch votierenden Kleineisenindustrie-Vertreter wurden nicht vernommen. So entstand ein »solidarisches Votum«[281]. Nicht viel anders war es bei der Textilerhebung. Auch hier konnte der Centralverband deutscher Industrieller zu den fünf Vernehmungsgruppen der

270 DZA I RK Nr. 2100: 12. X. 1878 Varnbüler an Tiedemann.
271 DZA I AAhp Nr. 9942: 15. IX. 1878 Verbalnote; GW VI c Nr. 125.
272 DZA I RKA Nr. 209: 21. VII. 1878 Philipsborn an Hofmann.
273 DZA I AA hp Nr. 9942: 20. VII. 78 Bismarck an AA.
274 ebd. 16. IX. 1878 Bismarck an Kronprinz.
275 ebd. 28. IX. 78 Hofmann an AA.
276 DZA I RKA Nr. 209: 25. IX. 78 Maybach/Hobrecht an RKA.
277 BHStA München MH Nr. 9713 Grundzüge der Eisenenquête o. D. (3. X. 1878).
278 28 davon gehörten dem CdI an, so Richter, Thielen, Fromm, de Wendel, Krupp, Funcke, Mannesmann, Klein, Kamp, Knecht, Simon, Metz, Hoesch, Schaeffner, Haniel, Fauler, Massenez, Overbeck, Kollmann, Kuhn, Braetsch, Jüngst, Gruson, Böcking, Schwartzkopff, Scheele, Mevissen, Tenge, Buderus, Hegenscheidt, Wollheim, etc. (DZA II Rep. 120 C VII, 2 Nr. 8 Bd. 16).
279 Nitzsche S. 127 ff.; BHStA München MH Nr. 9713.
280 DZA I RK Nr. 2140.
281 BA Koblenz R 13/I Nr. 285.

Baumwollindustriellen und den zwei Gruppen der Leinenindustriellen die Mehrheit der Sachverständigen abordnen. Schon die Gruppeneinteilung bedeutete eine Benachteiligung der Freihändler[282], und die Vernehmung wickelte sich ähnlich wie bei der Eisenenquête ab[283]. Von vornherein folgten die Spinnereien solidarisch den Vorschlägen des Centralverbandes, denen sich auch die Weber »aus Angst vor der Eventualität von Kampfzöllen« anschlossen[284].

Huber, Stüve und der Centralverband

Beide Enquêten verliefen trotz aller schutzzöllnerischen Absicherungen keineswegs reibungslos. Die von vornherein sicher scheinenden Ergebnisse waren lange Zeit umstritten, vor allem durch die Opposition Hubers in der Eisenkommission und Stüves in der Textilkommission. Beide Räte waren in ihren Ressorts – nach dem Abgang Delbrücks – zu *den* Handelsvertragsspezialisten aufgerückt, und beide mußte Bismarck deshalb, wenn auch nur widerstrebend, als seine »staatlichen« Vertreter ernennen. Beide beurteilten »die Schutzzollanträge«[285], wie sie »gegenwärtig an der Tagesordnung sind, vielfach als viel zu weit gehend« und lehnten, »wenn sie auch keine prinzipiellen Gegner jedes Schutzzolles« waren, die Anträge Stumms, Serlos oder Haßlers ab und befürworteten nur dort »mäßige Zölle ... wo einem einheimischen Industriezweig ... durch Erschwerung der Konkurrenz des Auslandes ... wirksam unter die Arme gegriffen werden kann«[286]. Sie waren demnach nicht willens, nur die Schutzzollbefürworter in der Enquête zu Wort kommen zu lassen.

Durch ihre Haltung sah der Centralverband seine »Arbeit« gefährdet. Bereits am 6. Oktober[287] rügte er die Haltung der Referenten, vor allem Hubers, aufs schärfste, und die Verteidigung Hubers »nach einer 18jährigen Beamtenlaufbahn« trug nur dazu bei, daß sich Bismarcks Umgebung, vor allem Tiedemann und Herbert Bismarck, beeilte, »die potentiellen fanatischen Freihändler« zu isolieren[288]. Dies schien ihnen schon deswegen dringend notwendig, da Huber und Stüve auch noch indirekt Unterstützung von Hobrecht erhielten.

Nach der Heidelberger Konferenz hatte dieser in seinem Ministerium eine schriftlich fixierte Stellungnahme seiner Räte Meinecke, Scholz und Burghardt zur Fi-

282 Hamburger Correspondent 31. X. 1878.
283 Zu den Vernehmungen vgl. StA Hbg. Zollkommissariat Y 3: 7. XII. 1878 Jacubowsky an Senat.
284 StA Hbg. Cl. I, Lit. Nr. 21, vol. 2 Fasc. 1, Inv. 12 b, 2 23. XII. 78 Jacubowsky an Kirchenpauer.
285 DZA I RK Nr. 2140: 16. X. 78 Hofmann an Bismarck. 15. X. 78 Huber an Hofmann.
286 ebd.
287 ebd.
288 DZA I RK Nr. 1363: Herbert Bismarck am 5. XII. 1878.

nanzvorlage und Zollfrage angefordert[289] und war in einem eigenhändigen Promemoria davon ausgegangen, daß es keine Möglichkeit gebe, dauernd die preußischen Reichsausgaben auf indirekte Steuern abzuwälzen. So blieb als letztes »Mittel die Tariferhöhung«, aber gerade diesen Ausweg lehnte Hobrecht ab, da Zölle im Reichstag und Landtag nur gegen »constitutionelle Garantien« auf Kosten von Preußen zu erreichen seien[290]. Dieses Urteil unterstützten die Referenten; sie sahen in den direkten Steuern allein die »zuverlässigste Einnahmequelle Preußens« und lehnten es ab, die »finanzielle Selbständigkeit Preußens (für das Reich) zu opfern«[291]. »Im Sinne dieser Voti« richtete dann das Finanzministerium »ein kurzes Schreiben an den Ministerpräsidenten, ... in welchem auf die Notwendigkeit einer festen Stellungnahme der Regierung gegenüber den pp. constitutionellen Garantie-Forderungen« hingewiesen und die Berufung einer Staatsministeriums-Sitzung gefordert wurde[292].

Im Gegensatz zu Tiedemann und Herbert Bismarck sah Bismarck weder in der Tätigkeit Hubers und Stüves noch im Vorstoß Hobrechts eine Gefahr für sein Programm, denn Mitte Oktober war das Sozialistengesetz im Reichstag angenommen worden und mit der Adresse der »204« war für ihn die wesentliche Voraussetzung für die Zollreform geschaffen. So wurde Huber vorerst nur von der anstehenden Ordensverleihung ausgeschlossen; es sollte ihm weiter Gelegenheit gegeben werden, seine Haltung in der Zolltarifkommission »wieder gutzumachen«[293]. Auch die Staatsministerialsitzung ließ Bismarck einberufen — aber mit einem ganz anderen Ziel, als Hobrecht erwartete, denn gleichzeitig trat Bismarck Ende Oktober mit seinem Schutzzollprogramm und Steuerprogramm vor die Öffentlichkeit[294]. Deswegen beauftragte er jetzt das Reichskanzleramt zur Ausarbeitung eines Zolltarifentwurfes, und zwar in Form eines Bundesratsantrages Preußens, der dem Staatsministerium vorgelegt werden sollte[295]. Hobrecht selbst wurde mitgeteilt, daß es »kaum möglich« sei, »sich über diese Fragen (die Hobrecht mit der »Garantie« angeschnitten hatte) schon jetzt im Allgemeinen ... schlüssig zu sein«; zuerst müßten die Zölle unter Ablehnung jeder formellen Garantieerklärung erreicht werden[296].

Schon am 22. Oktober 1878 legte Hofmann Bismarck den Entwurf vor[297]. Hofmann ging davon aus, »daß die wirtschaftlichen und handelspolitischen Veränderungen« Zolländerungen »bedingen«, die den »Ausbau der Besteuerung« so, wie

289 DZA II Rep. 151 neu HB Nr. 1177: 22. IX. 1878.
290 ebd.
291 ebd. 14. X. 1878 Meinecke an Hobrecht.
292 DZA II, Rep. 151 neu ebd. 15. X. 1878; DZA I RK Nr. 2081 a: 16. X. 1878.
293 DZA I RK Nr. 1363: 15. XII. 1878.
294 s. oben S. 289 ff., DZA I RK Nr. 2100: 12. X. 78 Varnbüler an Bismarck; 25. X. 78 Bismarck an Varnbüler; 28. X. 1878 Spitzemberg an Bismarck.
295 DZA I RKA Nr. 1620: 14. X. 78 Bismarck an Hofmann; GW VI c Nr. 133.
296 DZA II Rep. 151 neu, HB Nr. 1177: 3. XI. 78 Stolberg an Hobrecht.
297 ebd. 22. X. 78 Hofmann an Bismarck mit Korrektur von Bismarck und Tiedemann.

er in Heidelberg beschlossen worden sei, notwendig ergänzen müssen, da »die derzeitige Lage der deutschen Industrie, sowie das mit Ablauf der Handelsverträge in den großen Nachbarstaaten und in Amerika zu Tage getretene Bestreben nach Erhöhung des Schutzes der einheimischen Produktion gegen die Mitbewerbung des Auslandes eine eingehende Untersuchung der Frage (notwendig mache), ob nicht auch den vaterländischen Erzeugnissen in erhöhtem Maße die Versorgung des deutschen Marktes vorbehalten ist«[297a]. Die »nützliche Grundlage« für einen deutschen Zolltarif und die »Anregung für weitere Erhöhung« könnten die Enquêteergebnisse bilden, die aber nochmals überprüft werden müßten – möglichst durch eine »Subcommission mit nochmaliger Sachverständigenvernehmung«. Nach mehrmaligen Überarbeitungen durch Bismarck und Tiedemann wurde dann der Entwurf dem Staatsministerium vorgelegt[298] und gleichzeitig den Regierungen der Bundesstaaten zur Begutachtung übersandt[299].

Verhältnismäßig leicht konnte sich Bismarck nun nach den Oktobererfolgen im Reichstag – und gestützt auf die »Materialien« des Centralverbandes deutscher Industrieller, des Vereins Deutscher Eisen- und Stahlindustrieller und des Deutschen Handelstages[300] – am 3. November 1878 im preußischen Staatsministerium durchsetzen[301]. Am 6. November 1878 erbat er vom König die Zustimmung zur Bundesratsvorlage und zur Überprüfung des Tarifs. Da England den deutschen Markt überschwemme, Frankreich und Österreich sich abschließen, müsse die deutsche Position so »gestaltet« werden, daß Deutschland »Verhandlungsmittel den fremden Staaten gegenüber« in der Hand hätte. »Dazu kommt endlich«, und damit wurden Steuer- und Zollreform wieder aufs engste verbunden, »daß die finanzielle Lage des Reiches und der einzelnen Staaten auf Vermehrung der eigenen Einnahmen des Reiches, namentlich auch an den Zöllen hinweist«. Die Vorarbeiten seien gemacht, der »Abschluß der Gesetzgebung auf diesem Gebiet« könne bis zum Frühjahr 1879 geregelt sein[302]. Der König gab seinen Konsens[303].

297a Ein neuer Akzent kam mit der Verdrängung deutscher Waren in Chile, am La-Plata, ja in ganz Südamerika und selbst in China durch die USA in die Diskussion (DZA I, AA hp Nr. 7462: 29. IX./11./12. X./24. XI. 1878 Jordan an Bismarck).

298 ebd. 28. X. 78 Bismarck an Stolberg.

299 GW VI c Nr. 133; DZA II ebd. 28. X. 78 Zirkular an Oldenburg, Hamburg, Mecklenburg, Braunschweig, Dresden, München, Stuttgart, Karlsruhe, Weimar und Darmstadt. Für Bayern und Stuttgart wurden noch Sondernoten entworfen ebd. DZA I AA hp Nr. 6981.

300 BA Koblenz R 13/I Nr. 170; DZA II Rep. 120 C VIII 1 Nr. 25 adh. 1: 30. X. 1878.

301 DZA II Rep. 90 a B III 2 B Nr. 6 Bd. 90; DZA I RKA Nr. 1620; DZA I RK Nr. 1456: 2. XI. 1878 Tiedemann an Herbert Bismarck.

302 ebd. 6. XI. 1878.

303 DZA II Rep. 89 H III Deut. Reich 11 Bd. 7.

Die Bundesstaaten

Nun drängte Bismarck auf die Zustimmung der Regierungen der Bundesstaaten zu seinem Programm. Hier aber erlebte er eine unerwartete Überraschung. Die traditionell schutzzöllnerischen Regierungen in Sachsen, Württemberg und Bayern hielten sich trotz grundsätzlicher Zustimmung zurück; Anfang November 1878 drang das Gerücht nach Berlin, daß die Regierungen wohl für Schutzzölle votieren würden, aber über die vorgeschlagene Art der Zollbesteuerung, die Zollhöhe und Zollautonomie herrsche in den Ländern keine Einigkeit. Und dem war auch so. Sachsen stimmte zwar dem Gesamtentwurf zu, lehnte aber den Wertzolltarif ab, der, vom Centralverband deutscher Industrieller entworfen, in den preußischen Entwurf fast ohne Änderung übernommen worden war[304].

Die gleiche Haltung nahm auch Bayern ein: Es stimmte dem preußischen Kommissionsantrag und der Zollrevision zu, sah aber die Wirkung des Bismarckschen »Wertzollsystems als höchst bedenklich an«[305]; bei einer 5prozentigen Zollerhöhung wie sie Bismarck ins Auge faßte, hielt Finanzminister Riedel sogar die Exportfähigkeit für deutsche Produkte für gefährdet[306]. Darum trat Bayern – nicht zuletzt auch unter dem Eindruck neuer bayrischer Handelskammerpetitionen[307] – dafür ein, daß »das bisherige Zollsystem als Ausgangspunkt für eine Revision anzunehmen sei, wobei eine angemessene Berücksichtigung des Bedürfnisses der inländischen Industrie« wohl notwendig sei[308]. – Ein» ausgesprochenes Schutzzollsystem« lehnte Bayern ab[309].

Als einziger Südstaat akzeptierte Württemberg weitgehend Bismarcks Vorgehen und Ziele – jedoch mit Rücksicht auf Bayern und Sachsen zögerte auch Mittnacht mit seiner Stimmabgabe[310]. Angesichts des süddeutschen Zögerns wog dann die erste offizielle Stellungnahme einer deutschen Regierung, nämlich der Oldenburgischen, um so schwerer. Oldenburg widersprach dem Projekt vollkommen und verteidigte die freihändlerischen Prinzipien und das Konsumenteninteresse »an bil-

304 Sächs. LHA Dresden FM Nr. 6759: 28. X. 1878 Nostitz an Nostitz, 13. XI. 78 Votum Könneritz, Thümmel und Bahr für Fabrice; 11. XI. 1878 Votum Nostitz an Lehmann u. Meusel. Sowohl Meusel vom IM als auch Bahr vom FM lehnen konsumtionsverteuernde Zölle – also Agrarzölle – ab und plädieren für eine Stufen-Zollbewertung von 1–10 %, wobei Luxusartikel 10 % und Fabrikate mit 3 % geschützt werden sollten.

305 BHStA München MH Nr. 10 027: 21. XI. 78 Pfeuffer an Pfretzschner.

306 ebd. MH Nr. 9715/MH Nr. 10 027: 3. XI. 78 Werthern an Lutz; 20./25. XI. 78 PM Herrmann; 19./25. XI. PM Riedel.

307 ebd. MH Nr. 12 095: 28. IX. 78/1. X. 78 HGK Oberfranken, HGK Oberbayern.

308 ebd. MH Nr. 9715: 25. XI. 78 Votum Riedel.

309 ebd. MH Nr. 10 027: 22./25. XI. 78 Riedel an Pfeuffer, 20./25. XI. 78 Pfeuffer an Pfretzschner.

310 WHStA Stgt. E 130–131 W IV, 1 Fasc. 1: 18. XI. 78 IM an Mittnacht.

ligem Brot und Kleidern«[311]. Die Antworten aus Weimar und Karlsruhe lauteten nicht viel positiver. Sie stimmten wohl grundsätzlich für die Revision und die Kommissionen, aber gegen das Programm und die Zollerhöhungen meldeten sie Bedenken an[312].

Bismarck handelte sofort: Oldenburg, Karlsruhe und Weimar wurde erklärt, daß die Lage der »produzierenden Bevölkerung« für die weitere Entwicklung Deutschlands entscheidend sei, denn »ist diese verarmt, so ist es auch der Staat«[313] – die Regierungen sollten deshalb ihr Urteil noch einmal überprüfen. Um aber die Diskussion über die Zölle bei den Einzelregierungen nicht noch weiter anschwellen zu lassen, brachte Preußen am 12. November 1878 im Bundesrat seinen Zollreformantrag ein[314]. Die Arbeit der zu berufenden Zolltarifkommission wurde in den Vordergrund des Antrages gestellt, um mögliche Widerstände der Regierungen gegen den Zolltarif von vornherein auszuschalten. Der materielle Köder Bismarcks – die Aufhebung der Matrikularbeiträge – und sein ständiger Hinweis auf die Gefahren einer drohenden Revolution verfehlten ihre Wirkung nicht. Im Laufe des Novembers und Dezembers stimmten die Regierungen bis auf Oldenburg, Mecklenburg und die Hansestädte mehr oder weniger dem Programm zu[315]. Die Vorbehalte der Süddeutschen bei aller »grundsätzlichen Zustimmung« blieben aber doch unüberhörbar[316]. Ihr Widerstand wog um so schwerer, als er zwar handelspolitisch begründet wurde, jedoch in einer ganz anderen Sphäre seine eigentliche Ursache hatte. Vor allem Sachsen sah in der von Bismarck angestrebten Reform und Reorganisation des preußisch-deutschen Verhältnisses eine Gefahr für die Selbständigkeit der Reichsorganisation[317]. Denn der Gedanke einer Deckung »von preußischem Handel und allgemeinem Handel«, also die gegenseitige Durchdringung von Reich und Preußen, mache das »Aufsichtsrecht« des Bundesrates illusorisch. Eine Einheit von Reichskanzlei und Handelsministerium – wie es die »Er-

311 DZA I RKA Nr. 1620: 8./10. XI. 1878.

312 ebd. 11. XI. 1878.

313 AA-Bonn Deutschld. 103, vol. 1; DZA I AA hp Nr. 6961; Poschinger, Wirtschaftspolitik II, S. 296.

314 DZA I RK 2107; Poschinger: Volkswirt I, S. 168 f.

315 DZA I RKA Nr. 1620: 15. XI. 1878 Darmstadt, 16. XI. 78 Dresden; 17. XI. 1878 Hamburg und Lübeck; 19. XI. 1878 Mecklenburg; 8. XI. 1878 Braunschweig; AA hp Nr. 6961: 18. XI. 1878 an Gesandtschaften, daß »weitere Zustimmungen willkommen seien«. 18. XI. 1878 Karlsruhe; 19./21. XI. 1878 Mecklenburg; ebd. 6962 dto. Stuttgart, München; BHStA München MH Nr. 9715: 19. XI./25. XI. 1878 PM Riedel; 14. XII. 1878 Pfretzschner an Lutz; ebd. Nr. 10 027: 25. XI. Riedel an Pfeuffer, 29. XI. 1878 Votum Riedel an Lutz; 21. X. 1878 Pfeuffer an Pfretzschner, 26. XI. 1878 Pfretzschner an Werthern IM Pfeuffer und FM Riedel 14. XII. an Werthern; Sächs. LHA Dresden FM Nr. 6759: 16. XI. 1878 Bülow an Nostitz.

316 BHStA München MH Nr. 10 027: 14. XII. 1878 Pfretzschner an Werthern; 17. XII. 78 Herrmann Bericht.

317 Sächs. LHA Dresden AM Nr. 1102/20. XI. 1878 Nostitz an Nostitz.

eignisse« im November verdeutlichten – werde »die Regierungen tatsächlich der Ansicht des preußischen Ressort-Ministers unterstellen«, und die »unbefangene vermittelnde Stellung« des Präsidenten des Reichskanzleramtes werde verlorengehen. Preußen und Reich mit »einerlei Maß messen«, werde bedeuten, daß das »Reich« die preußische Bürokratie bezahle und von ihr seine Befehle empfange[318]. Württemberg und Bayern verschlossen sich dieser Ansicht nicht[319], und deswegen hielten auch sie ihre Instruktionen »sehr allgemein«[320].

Da Bismarck die Ursache ihrer Zurückhaltung erkannte, war es für ihn doppelt wichtig, möglichst schnell die Bundesratshürde zu nehmen. Dabei waren ihm der Centralverband und die Agrarier und vor allem die »204« eine wertvolle Stütze, weil sich bei ihnen zeigte, »daß sich die öffentliche Meinung ... von den bisherigen Theorien losgesagt und einer realistischen Anschauungsweise zugewandt hatte«[321]. Der Zolltarifberatung in den Bundesratskommissionen war also die Hauptrolle bei der Formung der neuen wirtschaftspolitischen Ordnung des deutschen Reiches zugespielt worden. Die Zusammensetzung dieser Kommissionen entschied über den Tarif und über die Fortsetzung der Steuerreform.

Huber wird kaltgestellt

Aufgeschreckt durch die Pannen bei den Enquêteverhandlungen, sorgten die beiden treibenden Kräfte im schutzzöllnerischen Lager um Bismarck – sein Sohn Herbert und Tiedemann – in Absprachen mit dem Centralverband für die »richtige Gruppenbildung und Referentendelegation« in den Bundesratskommissionen[322]. Bis zum Dezember 1878 hatten im Reichskanzleramt Hofmann, oft in Detailfragen, Huber als Dezernent und Burchard als Referent Hubers die Zollfragen bearbeitet, und zwar unter immer intensiverer Mitarbeit Bismarcks, Herbert Bismarcks und Tiedemanns. Michaelis wurde in allen Zollfragen von vornherein kaltgestellt und war nur formelle Durchlaufinstanz. Nun, Anfang Dezember, verschwand auch Huber aus allen wesentlichen Vorgängen[323], und im preußischen Handelsministerium wurde Stüve kaltgestellt. Hubers Rolle übernahm nun der »Schutzzöllner«

318 ebd. 4. XII. 78 Nostitz an Fabrice.
319 ebd.
320 ebd. 12. XII. 1878.
321 DZA I RK Nr. 2081 a: 16. XI. 78 Stolberg an Bismarck, ebd. Nr. 2135: 15. XII. 78 Herbert Bismarck an Tiedemann.
322 DZA I RKA Nr. 209: 25. X. 78 Bismarck an Varnbüler, 31. X./2. XI. 78 Haßler an Bismarck, 18. XI. 78 Bülow an Bismarck; 23. XI. 78 Tiedemann an Hofmann; 24. XI. 78 Hofmann an Tiedemann; 28. XI. 1878 Herbert Bismarck an Tiedemann; 9. XII. 1878 Hofmann an Bismarck; RKA Nr. 1622: 21. XI. 1878 Hofmann an Bismarck; 12. XII. 1878 Hofmann an Bismarck.
323 DZA I RK 2100, RKA Nr. 1622: 28. XI. 1878 Bismarck an Tiedemann, 10. XII. 78 Herbert Bismarck an Tiedemann, 12. XII. 1878 Hofmann an Bismarck.

Burchard, der gleichzeitig auch als Direktor für das Reichsschatzamt nominiert wurde[324]. Neben Tiedemann wurde er in die Kommission beordert, und damit war auch Hofmann, der seit Dezember von allen entscheidenden Dingen ferngehalten wurde[325], völlig ausgeschaltet[326]. »Den Herren im Reichskanzleramt« war die Teilnahme Tiedemanns, »seit zwei Jahren vollkommen« in die Auffassung Bismarcks »initiiert«[327], »keine große Freude«[328], und Burchards Nominierung[329] zum Kommissionsmitglied entsprach keineswegs der Stimmung des Reichskanzleramtes, wohl aber der Bismarcks.

Der Bundesrat akzeptiert die Kommissionen

Parallel zu diesem Personalwechsel in schutzzöllnerischem Sinne vollzog sich die Bundesratsdiskussion um den Kommissionsantrag. Nachdem Mitte Dezember der Bundesrat[330] den vorgeschlagenen 15 Referenten und der Stimmenverteilung[331] seine Zustimmung gegeben hatte[332] und damit im vorhinein den Ergebnissen dieser Kommission – es waren ja Bundesratskommissionen – auch seine Zustimmung gab, wurde die Bearbeitung der Tarifpositionen als Referat den einzelnen Kommissionsmitgliedern zugewiesen und ihre Arbeitsbereiche festgelegt. Der Einfluß Herbert Bismarcks, Tiedemanns und selbstverständlich der Bismarcks wurde jetzt ausschlaggebend, so daß die Zusammensetzung der alles entscheidenden Zolltarifkommissionen[333] vollkommen den Wünschen des Centralverbandes und der Steuerreformer entsprach.

Zum Vorsitzenden der Tarifkommission wurde Varnbüler berufen[334], Bindeglied zugleich zum Süden, dem Reichstag und den »204«. Zu Varnbülers Stellvertreter ernannte Bismarck seinen Chef der Reichskanzlei, Tiedemann. Damit war die »Spitze« ganz unter schutzzöllnerischer Kontrolle. Ebenso waren auch die Referate

324 ebd. 12. XII. 1878 Herbert Bismarck an Hofmann; Hofmann hatte Huber, Eck und Burchard für die Kommission vorgeschlagen; 22. XII. 1878 Hofmann an Bismarck.
325 Nach Mitteilung DZA Potsdam, Dr. Brather.
326 DZA I RKA Nr. 1622: 13. XII. 1878 Tiedemann an Herbert Bismarck oder Bill Bismarck.
327 DZA I RK 2100: 12. XII. 1878 Bismarck an Hofmann.
328 DZA I RKA Nr. 1622: 12. XII. 1878 Hofmann an Bismarck.
329 DZA I RKA Nr. 1622: 22. XII. 1878 Hofmann an Bismarck.
330 Poschinger: Wirtschaftspolitik I, S. 170.
331 3 von der Reichsverwaltung, 3 von Preußen, 2 von Bayern und je einen aus Sachsen, Württemberg, Baden, Hessen, Mecklenburg, Thüringen und den Hansestädten.
332 DZA I RK 2100: 18. XII. 1878 Hofmann an Bismarck.
333 StA Hbg. Bundesrats Bevollmächtigter IX, Bd. 23, DZA I RK Nr. 1622: 21. XI. 1878 Hofmann an Bismarck, 12. XII. 1878 Hofmann an Bismarck; 22. XII. 1878 Hofmann an Bismarck; RK 2100 9./12. XII. 1878 Hofmann an Bismarck.
334 Tiedemann S. 320; DZA I RK 1622: 12. XII. 1878 Hofmann an Bismarck.

verteilt: Referat 1 und 4 – die mit Textilrohstoffen, Erden, Erzen, Edelmetallen, pflanzlichen und tierischen Agrarprodukten, Vieh, rohen Steinen, Teer, Haaren, Petroleum, Genußmitteln (Kaffee, Tee, Gewürze), Kohlen, Kautschuk, Kleidern, Putzwaren und Pelzen die umstrittenen Tarifklassen umfaßten – wurden an Tiedemann (1) und den Regierungspräsidenten in Schleswig, Bötticher (4)[335] gegeben. Referat 5, das mit Eisen, Eisenwaren, Instrumenten, Maschinen, Fahrzeugen, Kupfer, Zinn, Zink und entsprechenden Waren die zweite große Schutzzolltarifgruppe umfaßte, erhielt Burchard zusammen mit Ministerialrat Lepique vom badischen Finanzministerium. Die dritte Gruppe (Referat 3), Baumwolle und Baumwollwaren, Leinenwaren, Seide, Wolle und Wollwaren, erhielt der Vortragende Rat im preußischen Finanzministerium Jaehnigen[336] zusammen mit dem Oberregierungsrat im bayrischen Staatsministerium, Herrmann[337]. Damit waren alle wesentlichen Positionen der Tarifberatungen in mehr oder weniger ausgeprägt schutzzöllnerische Hände gelegt. Außerdem wurde das Büro der Kommission von Sekretär Beutner geführt[338].

Die schärfsten Freihändler, die Hansestädte, erhielten das Referat 10: »Kalender, literarische und Kunstgegenstände, Schießpulver, Spielkarten, Thonwaren!« Der Forderung ihres Vertreters, Senator Stahmer (Hamburg)[339], am Referat über die Rohprodukte »beteiligt zu werden ... wurde nicht Folge ... geleistet«[340].

Mecklenburg-Schwerin (Oldenburg, Oberzollrat), Hessen (Ruckelshausen, Steuerrat), Sachsen-Weimar (Dr. Heerwart) erhielten das Referat 9: Drogerie-, Apotheker- und Farbwaren, kurze Waren, Steine und Steinwaren, Material und Spezereiwaren, sowie die erste und dritte Abteilung des Zolltarifs; Haare, Holz, Holzwaren bekam Bayern (Franz, Oberzollrat Ref. 6); Licht, Öle, Fette, Seifen und Parfümerie (Ref. 3) Rothe vom preußischen Landwirtschaftsministerium; Glas und Glaswaren, Leder und Lederwaren, Wachstuch, Mousselin, Taft, Bürstenbinder- und

335 Am 6. I. 1833 in Stettin geboren. Sohn des Oberpräsidenten von Ostpreußen, Karl Wilhelm v. Bötticher, wurde 1866 ins Abgeordnetenhaus gewählt und vertrat dort eine Politik »Bismarck sans phrase«. Seit 1869 Regierungsrat und 1872 Vortragender Rat im IM, wurde er noch im selben Jahr Regierungspräsident in Hannover und 1876 Reg. Präsident in Schleswig und Reichstags-Abgeordneter. Hier wurde er zum kompromißlosen Schutzzöllner. 1879 wurden seine Leistungen in der Kommission mit dem Oberpräsidentenposten in Schleswig-Holstein belohnt. Im September 1880 berief Bismarck ihn an die Spitze des Reichsamts des Inneren, das er bis 1897 führte. Staatsminister, Vizekanzler (1881–97) und Vizepräs. des Sta. Min. (1888–97), von 1897–1906 Oberpräsident von Sachsen.

336 DZA II Rep. 90 a B III, 2 b Nr. 6 Bd. 90: 16. XII. 1878.

337 BHStA München MH Nr. 10 027: 17./18. XII. 78 Sta. Min. Beschluß.

338 DZA I RK 1622: 22. XII. 1878 Hofmann an Bismarck.

339 StA Hbg. Cl. I, 1 lt. T Nr. 21, vol. 2, Fasc. 1, Inv. 12 b/1:20. XII. 1878 Anm. Kirchenpauer, Stahmer wurde daraufhin von Barth, Bremen, »aus Krankheit« abgelöst, da Barth mehr in der Materie bewandert war (3./9. I. 1879).

340 ebd. Bericht Stahmer 3. I. 1879; vgl. Y 6 Zollkommissariat conv. IIIa Prot. 4. I. 1879.

Siebmacherwaren Zenker (Ref. 7) vom sächsischen Finanzministerium; und Blei und Bleiwaren, Salz, »die nicht namentlich benannten Artikel« des Tarifs, vor allem aber Abfälle erhielt schließlich Oberregierungsrat Luz aus Württemberg (Ref. 8). Assistenten waren Dr. Barth (HK Bremen), Müller (Mitglied des Reichstages, Schwerin), v. Fischer (württembergischer Finanzassessor) und Menzel (sächsischer Zollinspektor)[341].

Bismarck stellt sein Programm der Öffentlichkeit vor

Nach dieser sorgfältigen Vorbereitung konnte Bismarck am 15. Dezember 1878 in einem zugleich in der »Norddeutschen Allgemeinen Zeitung« veröffentlichten Schreiben an den Bundesrat[342] ausführlich die Grundzüge seiner finanziellen Reform und seiner »Revision des Zolltarifs auf möglichst breiter Grundlage«, »je nach Bedarf der einheimischen Produktion«, darlegen. Im Entwurf Hofmanns hatten die eigentlichen politischen Spitzen gefehlt, und erst handschriftlich fügte Bismarck seine bislang zurückgehaltenen Gesamtpläne dem Entwurf hinzu: 1. Finanzreform, 2. allgemeine Zollpflicht, 3. Befriedigung der »nationalen« Bedürfnisse und 4. Ausgleich der Einfuhrprämien und Revision der Eisenbahntarife. Trotz der Opposition Hobrechts, Eulenburgs und Friedenthals sowie Maybachs[343] verknüpfte Bismarck nun endgültig die Zollfragen mit den Steuer- und Eisenbahntariffragen. Besonders die Hereinnahme der Eisenbahntariffragen gegen die starke – wirtschaftlich und politisch begründete – Opposition Hobrechts und Maybachs und die forcierte Verstaatlichung der Bahnen überraschte selbst Tiedemann – nur Bleichröder nicht[344]. Agrarier und Industrielle unterstützten sofort Bismarcks Politik[345]. »Im Namen der vielen Hunderttausende seiner darbenden Arbeiterfamilien spricht der Centralverband deutscher Industrieller ... seinen Dank aus ... und schöpft neuen Lebensmut«[346]. Baare dankte Bismarck im Namen der 91 Wähler

341 DZA I RK 2107.

342 Poschinger: Volkswirt I, S. 170 ff.; DZA I RK Nr. 2107, Nr. 1620.

343 DZA II Rep. 151 neu HB Nr. 1177: 9. XII. 1878, DZA I RK Nr. 81: 25. IX. 1878 Maybach an Bismarck; 10. XII. 1878 Bill Bismarck an Tiedemann; 21. XI. 1878 Bismarck an Maybach; 25. XI. 1878 Maybach an Bismarck.

344 DZA I RK Nr. 96: 21. XI. 1878 Bismarck an Maybach; 25. XI. 1878 Maybach an Bismarck; RK Nr. 81: 25. IX. 1878 Maybach an Bismarck; 27. IX. 1878 Votum Maybachs; 2. XII. 1878 Maybach an Bismarck, 10. XII. 1878 Bill Bismarck an Tiedemann.

345 DZA I RKA Nr. 1614: 20. XII. 1878 Bitter an Maybach, 10./6. XII. HK Mühlheim Lueg, Thyssen, etc. 14. XII. 78 Landkreis Essen, 9. XII. 78 Duisburg.

346 DZA I RK 2111: 1. I. 1879; BA Koblenz R 13/I Nr. 342: 26. XII. 1878 VDEStI an Bismarck; 1. I. 1879 Langnamverein an VDEStI, Bueck fordert Rentzsch auf, bei Bismarck aufgrund seines Briefes vom 15. XII. »nachzustoßen«, 5. I. 1879 Entwurf einer Denkschrift Rentzsch an Bismarck.

der Bochumer Handelskammer als deren Präsident »für das epochemachende ... wohlbedachte Programm[347]«, und »mit Freuden« begrüßte der Verein Deutscher Eisen- und Stahlindustrieller den Beginn »der nationalen Handelspolitik«. »Mit Begeisterung lauschten Tausende«, bekundete Schmoller im Verein für Sozialpolitik, »den Worten ... eines Mannes von solcher Tatkraft ... dem Deutschland so unendlich viel verdankt[348].«

Bismarcks Programm schien gesichert. Aber keineswegs war überall die Zustimmung so groß wie bei den Industriellen. Die Freihändler und der Fortschritt opponierten mit den Argumenten des Konsumenteninteresses[349] und demokratisch-konstitutionellen Rechten. Und auch im Verein für Sozialpolitik erhob sich Widerspruch gegen Schmollers Stellungnahme. So, wenn Brentano Schmollers Begeisterung zu dämpfen versuchte und ihn auf den Weg Deutschlands unter der »Herrschaft« des »Schutzzöllnerthums« und des Sozialistengesetzes aufmerksam machte, ein Weg, der ihm als Absolutismus, als »organisierte Brutalität« erschien[350]. Schmoller jedoch wies Brentanos Befürchtungen zurück: Staatsgewalt sei ihm — Brentano — »konzentrierte Brutalität«, aber, so belehrte er den Jüngeren, »ohne Hekatomben von Opfern gebe es keinen Fortschritt«, und das »Prinzip der Gegenwart sei Anwachsen der staatlichen Gewalt«[351].

d Der Handelsvertrag mit Österreich-Ungarn und die Neugeburt des Mitteleuropagedankens

Prolongation oder Tarifvertrag mit Österreich-Ungarn

Von Anfang an waren die Auseinandersetzungen um den deutschen Schutzzolltarif in einen steigenden wirtschaftspolitischen Gegensatz zu Rußland, Österreich-Ungarn, Frankreich und — wenn auch nicht so direkt — zu Nordamerika hineingestellt. Während Frankreich mehr oder weniger als feindliche Macht galt, und der deutsch-französische Warenaustausch deswegen niedrig blieb, trafen die Abschlußbemühungen Rußlands, Amerikas und Österreichs den deutschen Export recht empfindlich. 1877 hatte Bismarck mit Österreich-Ungarn nur noch ein Provisorium

347 DZA I RK 2111 ebd. nach weiteren Eingaben z. B. von Hache-Essen, Gerberverband, Amt Reinfeld mit 10 Landwirten, Landeskulturrat für das Kg-Reich Sachsen, Landw. Culturverein Baden dto. von Bayern; 30. XII. 1878 Baare an Tiedemann, Tiedemann, S. 321.

348 Verhandlungen des Vereins für Sozialpolitik 1879, S. 4.

349 28. XII. 1878 Mitteilung des Vereins für Förderung der Handelsfreiheit; StA Hbg.: Y 6, Zollkommissariat Conv. I/II, 31. XII. 1878 HK Hamburg.

350 BA Koblenz Nachlaß Brentano Nr. 59: 27. X. 1878 Brentano an Schmoller.

351 BA Koblenz Nachlaß Brentano Nr. 57: 2. XI. 1878 Schmoller an Brentano.

abschließen können, und mit Rußland stand Preußen-Deutschland schon seit Ende 1877 in einem latenten Wirtschaftskrieg. Der Warenaustausch stagnierte. Als 1878 erneut Handelsvertragsverhandlungen zwischen Deutschland und Österreich-Ungarn aufgenommen wurden, waren die Hoffnungen auf eine wirtschaftliche Annäherung beider Nationen gescheitert[352], und Österreich hatte bereits einen erhöhten Tarif als Antwort gegen Deutschland festgelegt[353]. Bismarck selbst stand im Begriff, öffentlich sein Schutzzollprogramm zu verkünden. Wegen des Ausgangs des Berliner Kongresses und der beginnenden deutsch-russischen Animositäten[354] war Bismarck aber bereit, sich mit Österreich-Ungarn auf irgendeine Weise zu verständigen.

Im Gegensatz jedoch zum Süden, der »sehr dringend« ein »entsprechendes vertragsmäßiges Begünstigungsverhältnis« mit Österreich-Ungarn wünschte[355], lehnte Bismarck ein »Eingehen« auf Verhandlungen für einen Tarifvertrag ab, solange nicht die Enquêten und die Zolltarifkommission die Bedürfnisse des deutschen Marktes festgestellt hätten. Selbst einen österreichischen Verhandlungsvorschlag, der sich an Hobrechts Ideen eines »kleinen Tarifs« (d. h. kein voller Tarifvertrag) mit einer modifizierten Meistbegünstigung anlehnte, mit der alle strittigen Fragen zu umgehen gewesen wären, wies er zurück, solange die österreichischen Angebote für Eisen, Getreide und Mehl seinen Schutzzollideen nicht entsprachen[356].

Dagegen hielten das Reichskanzleramt, das preußische Handelsministerium, das Finanzministerium und Bayern eine Einigung über die bloße Verlängerung des Provisoriums hinaus für möglich. Österreich habe einen autonomen Tarif »wie Deutschland«, und sei dieser »Weg einmal beschritten«, könne dagegen »nichts eingewendet werden«. Deshalb solle Deutschland die Verhandlungen »nicht von der Hand« weisen, sondern annehmen[357]. Ihr Ziel war, mit dem Handelsvertrag

352 GLA Karlsruhe Abt. 237, Nr. 28 976: 8. II. 1878 Denkschrift Bismarcks, dto. BHStA München Nr. 12 269.

353 Bazant S. 41, siehe oben S. 468 f.

354 Selbst der deutschfreundliche Schuwalow äußerte am 12. IX. 78 gegenüber Heinrich VII. Reuß: »Die Interessen Deutschlands drängten dieses weit mehr nach Österreich hin als zu Rußland« (GP III, Nr. 441). DZA I, RdI Nr. 4922: 6. XII. 1878 Bülow an Hofmann.

355 BHStA München MH Nr. 10 027: 26. XI. 1878 Pfretzschner an Pfeuffer; Riedel, Werthern.

356 DZA I RKA Nr. 209: 29. IX. 78 Hofmann an Bülow; 6. XI. 1878 Huber/Hofmann an Maybach/Hobrecht; 1. XI. 78 Heinrich VII. an AA; 8. XI. 78 Hofmann an Bülow, 9. XI. 78 Bülow an Wien; DZA II Rep. 120 C XIII, 2 Nr. 1 a secr. vol. 4; 1. XI. 78 Mitteilung Schwegels; 6. XI. 1878 Hofmann an Maybach aufgrund Votum vom 25. X. 78 mit Stellungnahme Stüves und Hobrecht; 9. XI. 78 Hobrecht an Hofmann; DZA I AA hp 9944/9945/9943: 28. XI. 78 Bülow an AA.

357 BHStA München MH Nr. 10 027: 22. XI. 1878 Riedel an Pfretzschner; DZA I RKA Nr. 209: 12. XI. 78 Hofmann an Bismarck; DZA II, Rep. 120 C XIII, 2 Nr. 1 a secr. vol. 4 Nota Stüves zum 6. XI./9. XI. 78 Hobrecht an Hofmann (Abschrift), Sächs. LHA Dresden AM Nr. 6927.

den Ultraschutzzöllnern in der Reichskanzlei eine Schranke zu setzen. Bismarck ging auf ihren Vorschlag scheinbar ein und lud die Wiener zu Verhandlungen »über einen Handelsvertrag mit begrenzter Verlängerung« nach Berlin ein[358], wußte er doch, daß Wien notfalls auch eine bloße Prolongation annehmen würde[359]. Er wollte aus politischen Gründen verhandeln.

Die Verhandlungen

Die Beratungen, die Hofmann leitete, ließen zu Beginn sogar »den Gedanken einer engeren wirtschaftlichen Annäherung Deutschlands und Österreich-Ungarns aufkeimen«, da, wie der beteiligte ungarische Unterhändler Matlekovits memoriert, »der vorsitzende Präsident ... in seiner einleitenden Rede die Andeutung (machte), daß es den Absichten der deutschen Regierung nicht fern läge, wenn man auch hinsichtlich der wirtschaftlichen Verhältnisse zu Österreich-Ungarn eine engere Verbindung fände«[360]. Nach Ansicht der Österreicher schien Bismarck auf die 1877 entworfenen Pläne eines Schutz- und Trutzbündnisses zurückgreifen zu wollen[361] oder – angesichts der russischen Haltung – zu müssen. Jedoch eine wirtschaftliche Annäherung an Österreich-Ungarn wäre nur mit der Bindung der Tariffreiheit für Agrarprodukte möglich gewesen – aber gerade dieses lehnte Bismarck strikt ab. Bereits wenige Tage nach Verhandlungsbeginn wurde es deutlich, daß keine Einigung möglich war. Österreich wies den deutschen »prinzipiellen Verlängerungsantrag« zurück, und Deutschland lehnte jede Bindung ab und zog es vor, an seiner Haltung des »Erwägens und Abwartens« festzuhalten[362].

Nach diesem Patt der Angebote wurde der Vertrag – nach kurzem Feilschen – als tariflose Absprache Mitte Dezember 1878 auf ein weiteres Jahr verlängert. Das hatte Bismarck erwartet. Darüber hinaus gelang es noch, mit zwei wesentlichen Änderungen (die vor allem Sachsen gefordert hatte) den Schutzzöllnern entgegenzukommen: Deutschland schränkte den zollfreien Rohleinenverkehr und den Ver-

358 DZA I RK 421: 13. XI. 1878 Bülow an Wien, RKA Nr. 209: 24. XI. 1878 Bülow an Hofmann.

359 DZA II Rep. 120 C XIII, 2 Nr. 1 a secr. vol. 4: 6. XI. 1878 Hofmann an Maybach, 1. XI. 78 Mitteilung Schwegels (vgl. DZA I RKA Nr. 209); DZA I AA hp 9943: 28. XI. 1878 Bülow an AA; ebd. Nr. 9942: 28. IX. 78 Hofmann an AA; 16. XI. 1878 AA an Kronprinz.

360 Matlekovits: Zollpolitik S. 71; DZA I RK Nr. 209: 12. IX. 1878.

361 GW VIII S. 237.

362 GLA Karlsruhe Abt. 233 Nr. 14 177: 6. XII. 1878 FM Türckheim an Turban, BHStA München MH Nr. 9715: 31. XII. 1878, DZA I RKA Nr. 210: 7. XII. 78 Promemoria Huber an Bismarck; 13. XII. 1878 Bülow an Hofmann; 14. XII. 78 Hofmann an Bismarck; AA hp Nr. 9943: 5. XII. 1878 Heinrich VII. Reuß an AA; RK 421 7. XII. 78 Huber an Bismarck; 12. XII. 78 AA an Bismarck, 14. XII. 78 Hofmann an Bismarck.

edlungsverkehr ein[363]. Gegen diese Einschränkungen hatten sich die Österreicher mit aller Kraft gewehrt, da diese Bestimmungen vor allem ihre böhmische Industrieproduktion trafen. So stachelte selbst das erneuerte Provisorium den wirtschaftspolitischen Gegensatz zwischen Österreich und Deutschland noch mehr an, und es wurde mit ihm keineswegs das erhoffte Ziel einer gegenseitigen Annäherung – »auch auf wirtschaftlichem Gebiet« – erreicht. Deutschland verharrte bei seiner 1876/77 zum Ausdruck gebrachten autonom-schutzzöllnerischen Politik[364]. Eine Annäherung an Österreich-Ungarn schien »ohne Hoffnung«[365] zu sein, solange die definitive Entscheidung über die Richtung der deutschen Handelspolitik noch nicht gefallen war.

G. d. Molinaris Mitteleuropaplan

Noch greifbarer wird diese Tatsache in Bismarcks intensiver Auseinandersetzung mit einem wirtschaftlichen »Mitteleuropaprojekt«, das ihm von G. d. Molinari – einem belgischen Nationalökonomen und Redakteur des Pariser »Journal des débats« – im September 1878 in Gastein unterbreitet wurde[366]. Molinari schlug Bismarck – in Wiederaufnahme der Gedanken von 1848 – eine Zollunion vor, die neben Frankreich und Deutschland Österreich-Ungarn, Dänemark, Holland, Belgien und die Schweiz umfassen sollte. Molinari begründete sein Projekt rein wirtschaftlich. Durch hohe Außenzölle geschützt, sollte sich in Europa ein völlig zollungehemmter Warenverkehr entfalten. Die jeweilige nationale Wirtschaft könnte innerhalb dieses Zollraumes ihre »natürliche Entwicklung« nehmen, ja sie würde sich jetzt erst entfalten können, da die wirtschaftliche Kraft von »Mitteleuropa« fähig wäre, mit Rußland, dem Empire und Nordamerika zu konkurrieren. Die wirtschaftspolitische und politische Führung dieser Gemeinschaft würde dabei automatisch der wirtschaftlich mächtigste Staat übernehmen – und dadurch zugleich seine nationale Macht potenzieren. In diesem Sinne gewann das Projekt für Bismarck erhebliches Interesse. Denn im Gegensatz zu den »Mitteleuropa«-Zollunionsideen Brucks Mitte des Jahrhunderts wäre jetzt nach den wirtschaftlichen und politischen Wandlungen in Europa nicht mehr die Donaumonarchie, sondern Kleindeutschland, Preußen-Deutschland, als Führungsmacht Mitteleuropas sans doute anzusehen gewesen. – Eine erste Rückwirkung dieser Ideen war bereits

363 Sächs. LHA Dresden AM Nr. 6927: 2. VI. 78 Promemoria Könneritz: 24. XII. 1878 Zenker an Nostitz; DZA I RK Nr. 421: 7. XII. 78 Promemoria Huber, 12. XII. 78 AA an Bismarck; 14. XII. 1878 Hofmann an Bismarck; 17. XII. 1878 an Bundesrat; dto. AA hp Nr. 9946; RKA Nr. 210: 14. XII. 78 Hofmann an Bismarck, o. D. Huber Entwurf der Denkschrift für den Bundesrat.

364 BHStA München MH Nr. 12 270: 15. I. 1879; Bazant, S. 43 ff.; Matlekovits, S. 73 ff.; GLA Karlsruhe Abt. 233 Nr. 14 177 Türckheim an Turban.

365 GLA Karlsruhe ebd. Dezember 1878 Hofmann.

366 DZA I AA hp Nr. 7556: 1./2. IX. 78 Molinari an Bismarck.

in Hofmanns Eröffnungsrede zu den Zollverhandlungen mit Österreich-Ungarn festzustellen gewesen[367]. – Bismarck übergab das Projekt zur »wohlwollenden« Begutachtung dem Finanzminister[368]. Und Hobrecht nahm angesichts der Handelsvertragsverhandlungen mit Österreich-Ungarn sofort zu diesem Projekt ausführlich Stellung[369]. Auch er erkannte, wie Hofmann und Huber, daß mit der Wiederanknüpfung an die österreichischen Pläne von 1849/50 und 1862 mit dieser Zolleinigung »nationalökonomische Ziele und ein politischer Schachzug durchzuführen« seien. Doch hierfür sei Deutschland noch nicht gerüstet; »die Schwierigkeiten«, die dieser Gedanke – der so schön sei »wie der eines ewigen Friedens« – mit sich bringen würde, seien »unüberwindlich«, nicht nur die äußerst diffizile Anpassung der inneren Steuern, die Bildung internationaler Steuermonopole wären Vorbedingung dieser »Art zweiter Kontinental-Sperre«, sondern auch England würde sich gegen die Durchsetzung möglicher europäischer Retorsionszölle zu wehren wissen.

So lehnte Hobrecht den Plan als verfrüht ab; außerdem zerschlugen die Verhandlungen mit Österreich-Ungarn im Dezember mögliche Ansätze einer Durchführung. So blieb das Projekt liegen; aber als Idee blieb der Molinarische Plan während der ganzen Zeit der Verhandlungen um die Zollreform im Jahre 1879 nicht nur eine rein akademische Erwägung. Dies zeigte sich z. B., als Bismarck 1879, nachdem er die Zoll- und Finanzreform im Reichstag durchgesetzt hatte, angesichts der deutsch-russischen Verstimmung und der deutsch-österreichischen Bündnissondierungen sofort wieder mit allem Nachdruck auf diesen Plan zurückkam.

367 siehe oben S. 525 f.
368 ebd. 6. XI. 1878.
369 ebd. DZA II Rep. 151 neu HB Nr. 1206.

Drittes Kapitel
Bismarcks endgültiger Erfolg: Schutzzollpolitik und Festigung des konservativen Staates

a Die Krise der Interessentensolidarität im Januar 1879 Das Problem der Agrarzölle

Die Agrarzölle finden keine Unterstützung

Mit dem öffentlichen Brief an den Bundesrat Mitte Dezember 1878 und den enthusiastisch zustimmenden Antworten der Agrarier und Industriellen Anfang Januar 1879 glaubte Bismarck den Beginn der Zolltarifberatungen genügend vorbereitet zu haben. Am 1. Januar 1879 erhielten Varnbüler und Tiedemann deshalb von ihm »in einer nächtlichen Sitzung bis gegen 3.00 Uhr«[1] ihre Ordre für die einzuschlagende Taktik bei den Kommissionsberatungen. Erstens, so befahl Bismarck, müsse der Schutzzoll-Tarifentwurf in Anbetracht der handels- und außenpolitischen Konstellation noch im Frühjahr 1879 den Bundesrat und Reichstag passieren[2], zweitens sei das »Votum für das Reich« in jedem Falle »einheitlich abzugeben« – und zwar in seinem Sinne, und drittens sollten bei den Beratungen »prinzipielle Meinungsverschiedenheiten« zwischen dem Reich und Preußen, also zwischen ihm und Hobrecht/Maybach »nicht amtlich zu Tage treten«[3]. Gerade auf den letzten Punkt legte Bismarck großen Wert, da der Süden Ende des Jahres immer noch nicht definitiv Stellung zum *gesamten* Reformprogramm genommen hatte. Auch Hobrecht machte aus seiner Opposition gegenüber dem Kanzlerprogramm keinen Hehl und legte noch Ende 1878 Kaiser Wilhelm einen Etat vor, der nur nach »Heidelberger Prinzipien« ausgearbeitet war und Bismarcks Schutzzollstreben völlig ignorierte[4]. Darüber hinaus warb Hobrecht – mit ziemlichem Erfolg – bei seinen Ministerkollegen um Unterstützung gegen Bismarcks Gesamtreformpläne.

So kam es für Bismarck keineswegs überraschend, daß, als am 3. Januar die Tarifberatungen auf der Grundlage des Zollentwurfs von Grothe, Lohren und

1 Tiedemann S. 325.
2 DZA I RK Nr. 2107: 2. I. 1879.
3 DZA I RK Nr. 2107 ebd.
4 DZA II Rep. 151 neu HB Nr. 1177: 24./27. XII. 78 Hobrecht an Wilhelm I., DZA I RK Nr. 2081 a: 25./26. XI. 1878 Hofmann an Bismarck. RK Nr. 2107: 31. XII. 78 Hobrecht an Bismarck, 25. XII. 78 Herbert Bismarck an Tiedemann.

Beutner (also des CdI) und des gelieferten Materials von den Enquêten[5] begannen, sein Plan »der prinzipiellen Reform des gesamten Tarifwesens« in Verbindung mit der »Befriedigung des Finanzbedürfnisses« trotz aller Absicherungen und Vorbereitungen schon in der ersten Sitzung auf erheblichen Widerstand stieß[6]. Hatte aber Bismarck bisher gehofft, Hobrecht mit der schließlichen Unterstützung des Südens in der Kommission ausmanövrieren zu können, so mußte er nun erkennen, daß er selbst in der Gefahr stand, mit seinem Programm isoliert zu werden. Ja, nach der ersten Sitzung der Tarifkommission schien selbst das Schutzzollprojekt keineswegs mehr gesichert zu sein. Denn einmal verhielt sich Bayern jetzt gegenüber den Schutzzöllnern äußerst reserviert, betonte, wie Hobrecht, nur eine Revision mit »mäßigen Zöllen« im Sinne der Heidelberger Konferenz befürworten zu können, und lehnte den autonomen CdI-Zoll — wenn auch nicht »strikt« und »von vornherein« — ab[7]. Zum anderen schlossen sich Württemberg und Baden diesem Urteil weitgehend an und »behielten das System, auf dem der Zollverein überhaupt aufgebaut sei ... im Auge«[8]. Zum dritten nahm Sachsen das Programm Bismarcks wohl an, lehnte aber Agrarzölle ab[9], und schließlich verweigerten auch die »204«, der Centralverband, Finanzminister Hobrecht und Landwirtschaftsminister Friedenthal die Zustimmung zu den von Bismarck erstrebten Agrarzöllen[10]. Zu allem kam noch, daß bei den Agrariern selbst Stimmen laut wurden, die sich von der Ehe mit den industriellen Schutzzöllnern distanzieren wollten und das Heil der deutschen Landwirtschaft wieder unter freihändlerischer Flagge erblickten.

Die mühsam gebildete Solidarität von Schwerindustrie und Großlandwirtschaft schien zu zerbrechen, ehe überhaupt der offene Kampf begann. An die Durchsetzung der Monopolpläne war bei dem vereinten Widerstand von Hamburg, Bremen, Hessen, Weimar, Mecklenburg, Baden, Preußen und — wenn auch nicht direkt — von Bayern nicht zu denken[11]. Deshalb verständigte sich Bismarck unter dem

5 Tiedemann S. 329; StA Hbg. Zollkommisariat Y 3; DZA I RK Nr. 2140.

6 DZA I RK 2107: 3. I. 1879 Tiedemann an Bismarck, RKA Nr. 1624: 3. I. 1879 Protokoll dto. GW VI c Nr. 140: 3. I. 79 Bismarck an Hofmann; BHStA München MH Nr. 10 027; WHStA Stgt. E 130 W IV, 1 Fasc. I Bericht Luz; Sächs. LHA Dresden AM Nr. 5676: 5. I. 79 Bericht Zenker.

7 BHStA München MH Nr. 9715: 21. XI. 78 Pfeuffer an Pfretzschner; 25. XI. 78 Pfeuffer an Pfretzschner; 2. XII. 78 Pfeuffer an Riedel; 3. XII. 78 Riedel an Rossfeld; 14. XII. 78 Pfretzschner an Werthern; BHStA München MH Nr. 10 027: 31. XII. 1878 Instruktion aufgrund einer Beratung im IM unter dem Vorsitz Pfeuffers mit Riedel, von Mayr, ORR Hermann, Hoeß, v. May, OZR Schmidtkonz und OZR Franz ebd. MH Nr. 9715: 29. XII. 1878 Votum FM Riedel.

8 WHStA Stgt. E 130 W IV, 1 Fasc. 1: 3. I. 79 Soden an Mittnacht, 16. XI. 78 v. Pfleiderer an Spitzemberg.

9 Sächs. LHA Dresden FM Nr. 6759.

10 DZA I RK Nr. 2107: 5. I. 1879.

11 StA Hbg. Zollkommisariat Y 4, conv. 1 Bd. 1: 4./26. XII. 78, 26. III. 1879 Bericht Kirchenpauers; Schneider S. 116; ebd. Cl Lit. T Nr. 3 vol. 26, Fasc. 15: 19. XI. 78 Prot. Dep. f. Handel u. Schiffahrt, ebd. Fasc. 11 Inv. 12./4. 19. I. 79 Bericht Krügers.

ersten Eindruck der starken Opposition mit Hobrecht so weit, daß er »für jetzt« mit der Ausführung des Heidelberger Planes einverstanden sei, um so »über prinzipielle Fragen« (Schutzzölle) unter »keinen Umständen Divergenzen« in den Kommissionen aufkommen zu lassen; noch mehr aber, um damit jeden »Zeitverlust« durch einen möglichen Widerstand des preußischen Staatsministeriums verhindern zu können[12].

Ohne Agrarzoll keinen Industrie-Schutzzoll

Trotzdem war Bismarck keineswegs bereit, nach dieser ersten Schlappe das Ringen aufzugeben. Er wertete nämlich die Stellungnahme des Südens in der Kommission mit dem Argument ab, die Kommissionsmitglieder hätten nicht die Ansicht der verantwortlichen Regierungen vertreten — die Beratungen seien doch »nichts als ein Meinungsaustausch«[13]! Die Fragen müßten deswegen eben nochmals aufgerollt werden; eine Mitteilung über die Verhandlungen an die Parlamentarier lehnte er ab[14], da eine »Vorwegnahme« des Urteils der Bundesstaaten aus politischen Gründen unzulässig sei[15].

Wenige Tage später hatte er den Schock des ersten Verhandlungstages vollkommen überwunden und hielt selbst ein Zurückweichen vor Hobrecht für überflüssig. Er ließ deshalb Stolberg wissen, daß »es viel wichtiger wäre, doch die ganze Reform in einem Guß zu machen«, und am 12. Januar 1879 konnte Rudhardt, der bayrische Gesandte in Berlin, nach München berichten, daß Bismarck »fest entschlossen« sei, seine Monopolpläne »durchzusetzen«, ja er trage sich — gestützt von »einem rätselhaften Zutrauen« zu den Schutzzöllnern — mit dem Gedanken einer Reichstagsauflösung und einer erneuten Ministerablösung, sollte seinen Plänen weiterhin solcher Widerstand entgegengebracht werden[16]. Mit gleicher Schärfe und Energie ging Bismarck auch gegen diejenigen Industriellen vor, die glaubten, durch die Agrarzölle werde doch schließlich »die gesamte Tarif-Revision gefährdet«[17].

Burchard — »der Streber, der einen Erfolg will«, wie der Hamburger Versmann abschätzig urteilte[18] — Bötticher und Tiedemann wurden angewiesen, trotz ihrer Isolierung bei den Tarifberatungen am vollen Programm festzuhalten[19]; sie sollten darüber hinaus in direkten, persönlichen Gesprächen mit den Industriellen und Agrariern die alte Solidarität der Produzenten wieder erneuern und befestigen.

12 DZA I RK Nr. 2107: 4. I. 79 Bismarck an Hofmann, RK Nr. 2081 a: 3. I. 79 Bismarck an Hofmann (GW VI c Nr. 140).
13 DZA I RK Nr. 2081 a ebd.
14 DZA I RK 2081: 8. I. 1879 Bismarck an Hofmann (GW VI c Nr. 141).
15 ebd. 8. I. 1879 Bismarck an Hofmann; GW VI c Nr. 142: 10. I. 1879 Bismarck an Hofmann.
16 GStA München MA 1935; 1879 Nr. 23: 12. I. 1879.
17 DZA I RK 2107: 15. I. 79 Tiedemann an Bismarck.
18 StA Hbg. Nachlaß Versmann A 4 Tagebuch 5. I. 1879.
19 DZA I RK 2107: 4./6. I. und 15. I. 1879 Tiedemann an Bismarck.

Varnbüler ließ er wissen, daß er nur solange bereit sei, »in der schutzzöllnerischen Strömung mitzuschwimmen, als der Landwirtschaft auch ein Schutz gewährt wurde«; der Kaiser sei mit ihm »einverstanden«[20]. »Nur im Einverständnis mit den Vertretern landwirtschaftlicher Interessen«[21] wollte der Fürst im Reichstag vorgehen, »sonst würde er es wieder mit den Freihändlern versuchen«[22]; die Industriellen könnten dann ihre Zölle vorerst abschreiben. Würden aber die Industriellen – so wie Henckel und Heimendahl – sich für »das Reichskanzlerprogramm aussprechen«[23], so wäre er wieder willens, wie bei den Monopolplänen und wie Anfang 1878 gegen Camphausen, »mit Sprengpulver« zu arbeiten: »Auflösung des Reichstages, eventuell auch Auflösung des Ministeriums, wenn seine Ideen über Steuer- und Zollpolitik auf wirklichen Widerstand bei den preußischen Ministern stoßen« würden[24]. Von vornherein gab sich Bismarck überzeugt, sein Programm schließlich doch durchsetzen zu können. Deswegen kündigte er einerseits Anfang Januar die Handelsverträge mit Italien und der Schweiz[25] und trieb andererseits Maybach zur Festlegung eines neuen Frachtentarifs an, der gemeinsam mit den neuen Zöllen in Kraft treten sollte[26]. Gleichzeitig rückte er in engster Zusammenarbeit mit Bleichröder auch die Verstaatlichung der Eisenbahnen und die Reform des Reichseisenbahn-Amtes in den Vordergrund seiner Politik, um auch hier Hobrechts »Verzögerungstaktik« zum Anlaß grundsätzlicher Auseinandersetzungen mit dem opponierenden Finanzminister zu machen[27]. Trotz Maybachs Zögern erzwang Bismarck bereits am 7. Februar 1879 die Eisenbahngüterfracht-Vorlage für den Bundesrat[28] und erreichte damit einen ersten Erfolg für sein Schutzzollprogramm, denn ein freihändlerisch abgestimmter Gütertarif hätte den angestrebten Zollschutz aushöhlen können.

Je mehr Bismarck Hobrecht bei den Fragen der Eisenbahnverstaatlichung ausschaltete, desto mehr versteifte sich Hobrecht in der Ablehnung der Bismarckschen Finanzmonopolpläne und versuchte am 13. Januar das Staatsministerium auf seine Pläne festzulegen[29].

20 Tiedemann S. 326.
21 DZA I RK Nr. 2107: 15. I. 1879.
22 Tiedemann S. 326.
23 DZA I RK 2107: 11. I. 1879 Bitter an Tiedemann.
24 Tiedemann S. 326.
25 StA Hbg. Bundesrat I, 1 Bd. 3: 9. I. 1879.
26 DZA I RK Nr. 96: 22. I. 1879 Bismarck an Maybach.
27 DZA I RK Nr. 96: 22. I. 1879 Bismarck an Maybach; Jan. 1879 Entwurf REB- und Frachttarifsystem; 19. I. 79 Post- und Pakettarif dto. 30. I./7. II. 79 RK Nr. 81: 28./20. XII. 1879 Bleichröder an Bismarck; 16. I. 79 Herbert Bismarck an Tiedemann; 19. I. 1879 Tiedemann an Bismarck; 26. I. 1879 Bill Bismarck an Maybach, 27. I. 79 Lucius an Bismarck; 27. I. 1879 Bismarck an Rantzau, GW VI c Nr. 170.
28 DZA I RK Nr. 97 / GW VI c Nr. 147–150/153.
29 DZA II, Rep. 90 a B III, 2 b Nr. 6 Bd. 96; Rep. 120 VII, 1 Nr. 10 adh. 7 vol. 2: 17. I. 79 Hobrecht an Maybach.

Verständigung mit der Lobby und den Parteien

Nun ging Bismarck zum Gegenangriff über. Als Tiedemann am 15. Januar 1879 berichtete, Varnbüler sei von Bismarcks Ansichten »sichtlich beeindruckt« gewesen[30], stieß Bismarck sofort nach und befahl Tiedemann, das Ergebnis der Kommission im *»Vorraum«* der Sachverständigenentscheidung festzulegen. Während Tiedemann mit Hofmann, Stolberg, Bleichröder, Bülow und Bueck konferierte und sich mit Varnbüler, Schelling, Stephan, Bötticher, Miquel und Lucius absprach[31], eröffnete Bismarck selbst eine heftige Zeitungspolemik, die gleichzeitig die Grundlinien der Reichstagsauseinandersetzung bestimmen sollte[32]. Nach Absprache mit Varnbüler, Friedenthal, Bötticher und Herbert Bismarck forderte Bismarck in der Öffentlichkeit — vor allem in seinem Aufruf »An die Landwirte« — eine allgemeine Erhöhung des deutschen Zolltarifs um 15—16 %. Nur so könne die Verschuldung, die Grund-, Einkommens- und Gebäudesteuer, die auf den deutschen Produzenten und Landwirten »lasten«, in dem Maße ausgeglichen werden, wie es notwendig sei, um mit dem Ausland konkurrieren zu können[33]. Da aber die industriellen Zölle in den »204« und dem Centralverband deutscher Industrieller ihre sichere Stütze hatten, kam es Bismarck vor allem darauf an, die »Steuerreform« geschlossen auf seine Agrarschutzzollforderungen zu verpflichten, um dann sowohl den In-

30 DZA I RK Nr. 2107.
31 DZA I RK Nr. 2107, 2081 a, 2135; BA Koblenz R 13/I, Nr. 79.
32 Nitzsche S. 1135, Rathmann S. 932.
33 DZA I RK Nr. 2107: 14. I. 79 Rantzau an Tiedemann, 16./17. I. 79 Herbert Bismarck an Tiedemann. Zur gleichen Zeit intensivierte Bismarck auch die Berichterstattung der Konsulate und Generalkonsulate. Nachdem im Oktober 1878 Alarmnachrichten über den schwindenden deutschen Absatz in Übersee im Reichskanzleramt einliefen und die Handelskammern um »intensive Berichterstattung« nachsuchten, nahm Bismarck die eingehende Berichterstattung des Konsulats in Bergen zum Anlaß, um im Januar 1879 alle deutschen Außenstellen aufzufordern, ähnliche Berichte einzureichen, »um der deutschen Industrie und den Behörden Genauigkeit« zu geben. Zugleich wurde über den »Einsatz von Handelskammern« beraten und die »Versorgung« der deutschen Wirtschaft mit Konsularberichten intensiviert. Darüber hinaus wurde nun auch die Anregung Achenbachs aufgenommen, den deutschen diplomatischen Vertretungen Eisenbahn-Techniker, Handelsspezialisten etc. beizugeben. Der Wahl der Konsuln wurde jetzt ebenfalls mehr Aufmerksamkeit gewidmet und ihre Berufung mit den Wünschen der deutschen Industrie und des deutschen Handels abgestimmt: so z. B. bei der Besetzung von Kapstadt mit R. Wichura, der als »Reverenzen« die Deutsche Bank, Delbrück, Leo & Cie., Norddeutsche Bank, Vereinsbank, Berenberg, Schuback, Goddefroy, Schroeder, Ohlendorf und Lutterotz angeben konnte; oder H. Kribben für Madrid auf Empfehlung von Henschel & Sohn und vom Bochumer Verein. (DZA I,

dustriellen die Bedeutung des Zusammenhaltens mit den Agrariern als auch den Freihändlern unter den Agrariern die Macht seiner Person, des Staates, des Königs und damit ihrer »wahren Interessen« einzuhämmern[34].

Deswegen gab Bismarck Mitte Januar den Steuerreformern die Parole, »der Reichskanzler will unsere Zustimmungserklärung«[35], deswegen eröffnete er die Zeitungspolemik, um so die »öffentliche Meinung« für sein Programm verwenden zu können, und deswegen setzte er sich mit den Bayern Mayr und Thüngen-Roßbach, den Württembergern und v. Wedell (Malchow), Seydewitz, Stolberg, Lucius, Schorlemer (Alst), Helldorf, aber auch Miquel und Bennigsen von den Liberalen direkt in Verbindung[36]. Das Ergebnis seiner Aktion war, daß die Agrarier ohne Einschränkung Bismarcks Politik übernahmen und selbst Miquel von den Nationalliberalen – zugleich Sprecher des Centralverbandes und der Banken – »einsah, daß man in den sauren Apfel der Vieh- und Getreidezölle beißen müßte«. Hinter Miquel wußte Bismarck »Bennigsen und 3/4 der Liberalen«, die seinem Programm vom 15. Dezember zustimmen würden[37].

Damit schien die alte Solidarität der Produzenten und auch eine mögliche Reichstagsmehrheit für das Programm wieder hergestellt bzw. vorgebildet zu sein. Sofort wertete Bismarck diesen Erfolg für seinen Gesamtplan aus. Hobrecht wies er an, das Monopol »zur prinzipiellen Anerkennung« zu bringen und gleichzeitig die »sehr viel wichtigere Reform des Eisenbahn- und Zolltarifs« voranzutreiben[38]. Hofmann erhielt den Auftrag, im Namen Bismarcks im Staatsministerium schärfsten Einspruch gegen die »vom Finanzminister und der Heidelberger Konferenz« vorgeschlagenen Zoll- und Finanzpläne vorzubringen[39]. Über Hobrechts Reaktion – »Demissionserwägungen« angesichts der Monopolpläne – ging Bismarck zur Tagesordnung über[40], da die Kommissionsberatungen nun – nach den innerpreußischen Auseinandersetzungen – mit mehr Aussicht auf Erfolg für die Getreidezölle fort-

AAhp Nr. 51 074: 5. VIII. 1878, 5. XI. 1878, 10. I. 1879 AA an Bundesrat; ebd. Nr. 7560: 13. IV. 1876 Achenbach an Bismarck; 10. XI. 1878 Eck an Bülow; ebd. Nr. 7462: 20. I. 1879 Bülow an Bojanowski, 14. I. 1879 Hofmann an Bismarck; 26./27. I. 1879 Bericht Goerings.

34 DZA I RK 2107: 19. I. 1879 Herbert Bismarck an Tiedemann.

35 DZA I RK Nr. 2110; Busch II, S. 548.

36 DZA I RK Nr. 2107: 18. I. 79 Tiedemann an Bismarck.

37 ebd.; DZA II Rep. 120 C VII, 1 Nr. 10 vol. 16: 3. II. 1879 Osnabrücker Zeitung, Aufsatz Miquels.

38 DZA I RK Nr. 2135/2: 20. I. 1879 Tiedemann an Hobrecht (GW VI c Nr. 148).

39 ebd.; DZA II, Rep. 120 C VII, 1 Nr. 10 adh. 7 vol. 2: 21. I. 1879 Votum Hofmann.

40 DZA I RK 2135/2: 21. I. 1879 Stolberg an Bismarck, 29. I. 1879 Bill Bismarck an Tiedemann.

geführt werden konnten[41]. Zudem rief nun, wie erwartet[42], der Aufruf an die Landwirte Ende Februar eine Flut von Eingaben aus Bayern[43], aus Sachsen[44], aus Holstein[45], aus Pommern, West- und Ostpreußen, dem Rheinland[46] und aus Mitteldeutschland[47] hervor, die Bismarck in seinem Vorgehen unterstützten[48]. Bismarck beantwortete jede Eingabe sofort, um vor allem auf die Notwendigkeit einer »stärkeren Vertretung« der Landwirtschaft zur »weiteren Sicherstellung« ihrer Interessen in den »Organisationen des Handelstages etc.«, aber auch des Reichstags hinweisen zu können[49]; denn noch forderten die Industriellen ausschließlich die Wiedereinführung von Eisenzöllen[50]. Aber einen Erfolg hatte Bismarck auch hier. Dem Rat Russells von der Disconto-Gesellschaft folgend, hielten die Industriellen ihre Denkschrift noch zurück und beabsichtigten, sie vorerst nur dem Kanzler und der Kommission zu übergeben, da sie die weitere Entwicklung und die »Verdeutlichung« von Bismarcks Zielsetzungen noch abwarten wollten[51].

41 DZA I RK Nr. 2107: 22. I. 1879 Tiedemann an Bismarck berichtet von einer eingehenden und langen Beratung, in der Rothe 15 Pfg., Tiedemann 25 Pfg. und Varnbüler 30 Pfg. Getreidezoll vorschlugen, letzteres nahm Bismarck an, »aber einstweilen« beharrte er auf »50 Pfg. für alles«.
BHStA München MH Nr. 9715: 30. I. 1879 Bericht Herrmann 4 II. 1879 Riedel an Herrmann. StA Hbg. Cl. 1, Lit. T Nr. 2 b, vol. 2 Fasc. 1 inv. 12: 19. I. 1879 dto. 28. I. 1879 Bericht Krüger/Barth.

42 DZA I RK Nr. 1614: 20. I. 1879 Hofmann an Varnbüler.

43 DZA I RK Nr. 2110, hier waren es vor allem Thüngen-Roßbach von den Steuerreformern und Niethammer als Präsident des Landwirtschaftlichen Vereins in Bayern, die Bismarck unterstützten und 67 Petitionslisten einreichten, die alle für hohe Agrarzölle votierten.

44 ebd. hier war es Frege-Abtnaundorf, der gegen die Stimmung im sächs. IM (Sächs. LHA Dresden FM Nr. 6759: 31. I. 79 IM an FM), die sächsischen Landwirte für Agrarzölle votieren ließ.

45 ebd. Poschinger: Volkswirt I S. 180; Eingabe Reinfeld, Pölz, Probsteihagen/Prasdorf.

46 ebd. u. a. Landw. Culturverein Bochum, Barmen, Stolp, Schlawe und Rummelsburg, Cordeshaben b. Köslin, Patriotischer Verein Deutsch-Krone, Landverein Groß-Kreutz, Landwirtschaftl. Verein Schildberger Kreis zu Kampen, Elgenau und Rosenberg, DZA I RK Nr. 2111; Landw. Verein Posen; Kongreß dt. Landwirte.

47 ebd. Landwirt. Verein in Mühlhausen, Adresse von Fabrikanten, Landwirten, Handel- u. Gewerbetreibenden der Stadt und des Herzogtums Braunschweig u. Erfurt.

48 DZA II, Rep. 120 C VII, 1 Nr. 10 vol. 16 u. 18.

49 DZA I RK 2110.

50 BA Koblenz R 13/I Nr. 344: 20. I. 1879 »Langnam«-Verein an VDEStI; ebd. Nr. 79: 25. I. 1879 Tarifvorlage zur Vorstandssitzung; die Vorlage legt insofern Zeugnis ab von den schwelenden Konflikten zwischen Landwirtschaft und Industrie, als v. Wedell-Malchow auf dieser Sitzung gegen die Vorschläge Haniels, Grusons, Braetschs, Massenez', Schaeffners, Fromms u. a. gegen einen Eisenzoll votierte! dto. Protokoll.

51 ebd.

Hobrecht gibt nach

Über diese »Zielsetzungen« ließ Bismarck die Industriellen nicht lange im ungewissen. Erneut wiederholte er – wenn auch indirekt über die Handelskammer Barmen –, daß der Landwirtschaft »gleiche Beachtung« in der deutschen Wirtschaftspolitik gebühre; wenn »beide – Industrie und Landwirtschaft – nicht Hand in Hand gehen«, werde »keine ohne die andere stark genug sein«[52], um sich gegenüber den Freihändlern der Handels- und Seestädte durchzusetzen. Gleichzeitig unterstrich er mit schroffsten Maßnahmen gegenüber Beamten, die seine handelspolitische Ordre nicht voll befolgten, seinen Willen und seine »Warmblütigkeit« in Fragen der Wiedereinführung von Zöllen und der Durchführung der Steuerreform[53]. So schien Ende Januar 1879 der Anfangserfolg Hobrechts und des Südens, wenn auch mit einem Kompromiß, wieder kompensiert zu sein; Hobrecht und Maybach stimmten widerstrebend den etwas reduzierten Agrarzöllen zu, und in Baden, Bayern, Sachsen und Württemberg wurden mittlerweile die Industriezölle und die Getreidezölle in Bismarcks Sinne – wenn auch nicht in der gewünschten Höhe – in die Instruktionen aufgenommen[54]. Am 4. Februar konnte Varnbüler »außerordentlich befriedigt von Friedrichsruhe« nach Berlin zurückkehren, der Tarif schien gesichert zu sein, wenn auch der bayrische Gesandte kritisch nach Hause berichtete, daß Bismarck wohl in der Abgeschlossenheit von Friedrichsruh und »lediglich beeinflußt von seinen Ratgebern« die schutzzöllnerische Strömung »überschätzen würde«[55].

Für Bismarck war aber im Grunde der Schutzzoll als solcher Nebensache, wie es seine tiefgehende Abneigung, den Eisenindustriellen allein Schutzzölle zuzugestehen, zeigt. Gerade diese Haltung und seine Drohung, wenn die Schutzzöllner nicht seinen Plänen zustimmten, werde er es wieder »mit den Freihändlern« versuchen, führt vielleicht auf den Kern der Politik Bismarcks.

Der Kern der Bismarckschen Schutzzollpolitik

Schon 1876 – also zu Beginn des handelspolitischen Umschwungs – hatte der hanseatische Gesandte in Berlin, Krüger[56], zu erkennen geglaubt, daß Bismarck einen Umschwung in der Handelspolitik, ja in den gesamten Grundlagen des preußisch-

52 DZA I RK Nr. 2110.
53 DZA I RK 2107: 30./31. I. 1879 Tiedemann in Fragen der Entlassung GR Engels.
54 DZA I RK Nr. 2107: 29. I. 1879 Votum Stolberg, Maybach, Hobrecht; Sächs. LHA Dresden FM Nr. 6759/6763: 25. I. 1879 Reichenberger an JM; WHStA Stgt. W IV, 1 Fasc. 1; StA Hbg. Cl. I, Lit. T Nr. 3 vol. 2 b, Fasc. 16: 16. II. 1879 Kirchenpauer-Bericht ebd. vol. 2 Fasc. 5 Inv. 12: 28. I. 1879 Barth-Bericht. BHStA München MH Nr. 9715: 30. I./7. II. 1879 IM an FM, Votum FM.
55 GStA München MA 1935, 1879 Nr. 23: 31. I. 1879.
56 StA Hbg. Hans. Ges. Ält. Reg. G IV a Bd. 7: 19. VII. 1876.

deutschen Staates anstrebe, weil der Fürst die »Empfindung« habe, »daß es an der Zeit sei, den liberalen Bestrebungen, soweit sie auf Schwächung der obrigkeitlichen Gewalt gerichtet« seien, entschieden entgegentreten zu müssen. Am ehesten glaubte Bismarck – so führte Krüger aus – dies erreichen zu können, wenn er den »conservativen Elementen« freie Bahn schaffe. Systematisch hat Bismarck in den folgenden Jahren dieses Programm verwirklicht. In all seinen Schachzügen, in all seinen »Koalitionen« hatte er dieses Ziel nie aus den Augen verloren; denn getragen wurden die »conservativen Elemente« nach seiner Anschauung weder von den liberalkonservativen Industriellen, noch von den ultramontankonservativen Magnaten, Grundbesitzern und Politikern, sondern vor allem von den protestantischen Landwirten, der Landaristokratie Ostelbiens. Die »Junker« hatten nach Bismarcks Worten »den Vorzug, eine geduldige und staatlich treue, konservativ erhaltend gesinnte Bevölkerung« zu sein; sie gaben »dem Staate die Steuerkraft«, sie waren erprobt als »zuverläßige Quelle, auf welche der Staat zurückgreifen muß« in jeder inneren und äußeren Krisensituation[57]. Aus diesem Grund mußte »dem Bauern« die Hand zur »Verpflichtung« gereicht werden; ohne die Stärkung dieses Standes wäre die ganze Reform »sinnlos«. So verfolgte Bismarck von Anfang an mit seiner Wirtschaftspolitik als »allgemeiner Politik ... einen ganz anderen Zweck«[58]. Mit der Entfesselung von materiellen Sonderinteressen wollte er das Honoratiorenparlament des Reichstages und des Abgeordnetenhauses von den »eigentlichen« politischen Zielen ablenken oder die Opposition spalten und lahmlegen. Nur dann war die Vorbedingung zu der Reichspolitik gegeben, die er anstrebte, die, in »Ergänzung der einsamen Säule« des agrarischen auch vom »industriellen Feudalismus« getragen wurde[59]. Zur Durchsetzung dieses Zieles kam Bismarck der seit 1871 in Deutschland entwickelte Glaube der bürgerlichen Schichten an Macht und Glanz des Deutschen als eines Besonderen, Unvergleichlichen entgegen, der wesentlich dazu beitrug, Bismarcks Position gegenüber den konstitutionell-liberalen Ideen einerseits und den freihändlerischen andererseits zu stärken.

Kolonialpolitik und Schutzzoll

Bereits hier wurde der Anspruch und das Ziel erkennbar, das dann auch zum Verhängnis seiner Schöpfung werden sollte, indem nämlich nach den militärischen Siegen und der hell emporflammenden Nationalbegeisterung nun im Übergang zur Machtpolitik auch in der Landwirtschafts-, Industrie- und Handelspolitik Weichen gestellt wurden, »die rasch zur Überzeugung hinführten« – und zwar schon aus dem Bewußtsein der Durchsetzung der »freien Hand« in der Wirtschaftspolitik geboren –, daß Deutschland neben England, Rußland und Amerika »sich als Welt-

57 Kohl: Reden VII: 21. V. 1879.
58 Poschinger: Parlamentarier II, S. 324.
59 Rittershausen: Zeitschrift f. Staatswiss. Nr. 105, 1949, S. 136.

macht etablieren« und »noch wie andere Mächte zur Weltmacht« aufsteigen könne[60]. Mit der Gründung des waffenmächtigen Deutschen Reiches hatte in Europa eine politische Gewichtsverlagerung stattgefunden. Durch die Konsolidierung der mitteleuropäischen Machtverhältnisse verloren die traditionellen Großmächte nach 1866 ein weites — bis dahin mehr oder weniger — beherrschtes Absatz- und Einflußgebiet. Nach der Weltwirtschaftskrise von 1873 begann nun für alle Großmächte eine Ära gesteigerter Machtpolitik, politischer und wirtschaftlicher Rivalität. Österreich drängte — abgewiesen von Preußen-Deutschland — zum Balkan und damit in die Interessensphäre Rußlands. Frankreich und Italien, und später auch das Deutschland Bismarcks, erwarben Kolonien, um — vorgegebenermaßen — in Besitz neuer Absatz- und Rohstoffmärkte zu gelangen. Die Vereinigten Staaten schützten sich vor dem Industriepotential Englands durch hohe Schutzzölle und begannen Südamerika als ihre »Domäne« zu betrachten. Damit war auch England gezwungen, vom Freihandel abzuweichen. Auch England entwickelte wieder neue imperialistische Triebe. Das Zeitalter des Imperialismus kündigte sich an. Von hier aus gesehen, und die Hansestädte z. B. — voran Hamburg — beurteilten schon 1879 nur in diesem Sinne die Anschlußbemühungen Bismarcks[61], war es für Bismarck gegeben, auch in die Kolonialpolitik einzugreifen. Keineswegs Anhänger eines Kolonialprogramms oder gar eines Kolonialreichs, wie Carl Peters es gefordert hatte, bedeutete doch Bismarcks Unterstützung von Kusserow, Miquel, Hansemann, Hohenlohe (Langenburg), Hammacher, Frankenberg, Ad. Wagner und Woermann und nicht zuletzt auch der beginnenden Südsee-Interessen von Hansemann, A. Delbrück, Bleichröder und Donnersmarck die »sinnvolle Ergänzung« der 1878/79 vollzogenen Schwenkung in der Handelspolitik[62]. Die Träger der Schutzzollpolitik waren identisch mit denen der Kolonialpolitik. Der Zeitpunkt, an dem die Kolonialpolitik aufgenommen wurde, fiel zusammen mit dem Umschwung in der Handelspolitik. »Erste Häuser« warteten 1879 »darauf, unverweilt die Sache in die Hand zu nehmen«. Kolonien und Schutzzoll waren Seiten einer Medaille[62a].

Dem Schutz »der vaterländischen Erzeugnisse« ging nach 1879 — wenn auch zögernd — die äußerst sensibel abgewogene Stützung des industriellen Ausgreifens Deutschlands nach tropischen Rohproduktenländern parallel, wobei für Bismarck das politische Moment der Bindung der konservativ und freikonservativ denkenden Großunternehmer und gleichzeitig die Ablenkung der sozialen Spannungen im

60 Rittershausen ebd.

61 StA Hbg. Nachlaß Versmann A 1 Tagebuch 30. X. 1878.

62 Auch diese Frage sei nur angedeutet; DZA I, RK 2107: 16. II. 1879 Bleichröder an Bismarck.

62a DZA I AAhp Nr. 7462: 14./26./27. I. 1879; 15. III. 1879, vgl. auch das Revirement Busch/Gillet/v. Soden/Feigel/Treskow: 1879 hatte Deutschland 488 Wahlkonsulate, 7 Generalkonsulate, 296 Konsulate, 185 Vizekonsulate, 86 Agenturen und 2 Sekretariatsstellen ebd. Nr. 51 074, vg. auch hierzu den Beginn der Errichtung deutscher Außenhandelsstellen ebd. RdI Nr. 7954.

63 DZA I, 61 Ko I Nr. 134, 142, 253, 254, 255, 256 a, 899, 900; für die Mitteilung

Vordergrund seiner Überlegungen stand[63]. Denn die Großunternehmer verzeichneten »den Rückgang der Deutschen in ihrer Weltstellung« seit 1873 mit Bitterkeit und forderten: »Soll endlich mal unserer Industrie und unserem Handel freie Bahn geschaffen werden, so müssen zwei ganz gewaltige nationale Zöpfe abgeschnitten werden: der parlamentarische und der demokratische[63a].«

Die »Stärkung der heimischen Produktion« als Quelle dauerhaften nationalen Wohlstands, die Ausdehnung des Absatzgebietes nach außen und die Gewinnung von Rohstoffmärkten wurde nach 1879, wie es M. Schraut – neben Huber Spezialist für Handelspolitik im Reichskanzleramt[64] – in seinem für die deutsche Handelspolitik fast »verbindlich« zu nennenden Handbuch aus dem Jahre 1884[65] analysierte, der »Grundausgang der deutschen Handelspolitik«.

b Der letzte Kampf um die Schutzzolltarifvorlage
Die Entscheidung des Südens im Zeichen beschworener innerer Gefahr

Der Agrarzoll scheitert auch in der Kommission

Anfang Februar begannen die durch die Januarverhandlungen stornierten Kommissionsberatungen[66]. Von Anfang an schien es, daß die vom Hamburger Versmann so grimmig apostrophierte 8 : 7 Mehrheit der Schutzzöllner (Reich, Preußen, Württemberg, Hessen) in den Kampfabstimmungen der Kommission immer den Sieg behalten würde[67]. Wenigstens funktionierte die Mehrheit bei den Beratungen

danke ich Herrn Klauss vom DZA Potsdam.

63a DZA I AAhp Nr. 10 253.

64 siehe oben S. 452 f.

65 System der Handelsvertragspolitik und der Meistbegünstigung, 1884.

66 Zum Gesamtkomplex der Verhandlungen – die hier nicht in voller Breite abgehandelt werden können – vgl. DZA I RKA Nr. 1624 Protokolle bis zur 25. Sitzung; Nr. 1625 und 1626; BHStA München MH Nr. 10 027 die Berichte Herrmann/Franz vor allem im März vom 1./5./7./11./13./14./15./16. und 17. III. 1879; Sächs. LHA Dresden AM Nr. 5676 Berichte Zenkers vom 9./10./26. und 27. II. 1879 und 3. bis 6. III. 1879 FM Nr. 6701, 6762 und 6763 vgl. 8. III. 13./15./17./20./26. III. 1879 und 3. IV. 1879. WHStA Stgt. E 130 W IV, 1 Fasc. 1 Berichte Fischers und Luz vor allem vom 13./15./18./20./21./26./27. II. 1879, ebd. die Handakten, die den CdI-Tarifentwurf und die Statistik der Landesproduktenbörse Stgt. als Hauptmaterial für die Württemberger erweisen. StA Hbg. Zollkomm. Y 6 conv. 3, 3 a und Hauptakte conv. 1; zu den Instruktionen Württembergs ebd. Sachsens: LHA Dresden FM Nr. 6756 und Bayerns MH Nr. 10 027.

67 StA Hbg. Nachlaß Versmann A 4 Tagebuch.

der ersten Positionen glänzend: Haare und Haarprodukte (Pos. 11), Hopfen (14), Wolle (2a), Kupfer und Kupferwaren (Pos. 19 a, b, c, d, 19 d1, d2, d3), Zinn, Zink und entsprechende Waren (Pos. 42 a, b, c, 43 b, c, d). Nur bei den Rohproduktenzöllen für Salz z. B. konnten sich Bötticher und Tiedemann nicht durchsetzen.

Nach diesem Vorspiel und der Prüfung der schutzzöllnerischen Mehrheit eröffnete Varnbüler auf Antrag Böttichers und Tiedemanns die Auseinandersetzungen um die umstrittenen Getreide- und Viehtarife (Pos. 9 und 39). Nun mußte es sich zeigen, ob die Januarkämpfe Bismarcks sich gelohnt hatten. Der Kanzler forderte für Roggen eine Zollbelastung von 0,50 M je 100 kg und für alle anderen Getreidearten 1,– M je 100 kg; er ging also über das Kompromißvotum Hobrechts und Maybachs vom 29. Januar, das auf einer Belastung von 0,30 M je 100 kg beharrt hatte, hinaus. Wie vorausgesehen, erhob Barth (Bremen) – die eigentliche Seele des freihändlerischen Widerstandes – für die Hansestädte sofort Widerspruch und brachte eine schriftliche Ablehnung ein, die von einer gleichzeitigen Petitionswelle von Handelskammern der Seestädte und der großen Verarbeitungszentren, voran Frankfurt, Hamburg, Bremen, Lübeck, Leipzig, Berlin, Krefeld, Hannover, Magdeburg, Kiel, Danzig, Königsberg u. a. unterstützt wurde[68]. Das war von Bismarck »vorhergesehen« gewesen. Unvorhergesehen war aber die weitere Unterstützung, die der Bremer erhielt. Bayern lehnte ebenfalls – wenn auch nicht so brüsk – den Satz als zu hoch ab[69]. Zenker trat für Sachsen für einen zollfreien

68 DZA I RK Nr. 2111; der Aufruf Bismarcks hatte nicht nur die Landwirte mobilisiert, sondern auch den Großhandel und die Exportindustrie. So liefen im Februar/März in Berlin »Gegenadressen« zu Bismarcks Programm ein, u. a. von der HK Barmen, HK Krefeld, dem Magistrat und Stadtverordneten von Stettin, Danzig, Lennep, Leer, Kiel, Köln, Straßburg, Emden, Königsberg, dann von dem Nautischen Verein Großfehen, dem Seemanns-Kollegium Emden, der HK Ostfriesland und Papenburg, der HK Mönchen-Gladbach. Darüber hinaus verständigten sich die Freihändler in »letzter Stunde« zu organisierter Opposition. Am 9. II. 79 versammelten sich auf Einladung der HK Frankfurt, Berlin, Hamburg und Leipzig unter dem Vorsitz Delbrücks in Berlin. 35 Handelskammern (98 waren geladen!) von Ost- und Westpreußen, den Seehandelsstädten (u. a. Bromberg, Danzig, Elbing, Swinemünde), Handelszentren (Berlin, Hannover, Leipzig) und Exportindustriestädten (Krefeld, Bielefeld, Magdeburg). »Ohne Einschränkung« forderten sie die Fortsetzung der freihändlerischen Handelspolitik. (Bericht über die am 8. II. 79 zu Berlin abgehaltenen »Conferenz von Delegierten einer Anzahl von HK und Kaufmännischer Cooperationen, erstattet von dem in der Conferenz gewählten Bureau, 1879). Vgl. HK Hamburg 20 BI, Nr. 3, 1 vgl. auch hierzu ebd. die Eingaben VK Königsberg an Bundesrat, dto. Danzig, dto. Lübeck, Kiel, HK Hamburg 20 BI Nr. 3, 2 Eingabe des »11. Vereinstages des Deutschen Nautischen Vereins«. Vgl. auch DZA II Rep. 120, C VII, 1 Nr. 10 adh. 7 vol. 2.

69 BHStA München MH Nr. 10 027: 3. XII. 1878 Beratung im IM; 9. II. 1879 Konferenz von Mayr, Hoeß und Felser; 15. II. 79 2. Kommissionsberatung, ebd. Nr. 9715: 4. II. 1879 Riedel an Herrmann.

Grenzverkehr ein und wies die Getreidezollvorschläge ebenso wie die Viehzölle von 2,50 bis 20 M je Stück als zu hoch zurück[70]. Oldenburg, Mecklenburg und Baden schlossen sich vollkommen den Hansestädten an[71], und selbst Württemberg behielt sich »eine Revision« für diesen Tarifposten vor[72]. Der zweite Anlauf Bismarcks war also wieder mißlungen. Während die Annahme der Eisenzölle gesichert schien und die Zölle als »wirtschaftlich notwendig« anerkannt wurden[73], war der Widerstand gegen die Höhe der Agrarzölle – nicht gegen die Agrarzölle überhaupt – für Bismarck offenbar nicht zu brechen.

Der Centralverband deutscher Industrieller als Herr der Lage

Die verdeckten Gegensätze zu den Industriellen brachen wieder auf; Bismarcks Groll ging so weit, daß er es im Februar 1879 ablehnte, eine Deputation der Eisenleute mit Richter, Servaes, Meyer (Krupp), Schwartzkopff, Schaeffner und Bueck zu empfangen[74]. Trotz der Agitation Bismarcks, trotz der Tätigkeit Böttichers und Tiedemanns, trotz der einlaufenden landwirtschaftlichen Zustimmungsadressen[75], trotz der Berliner Demonstration des Kongresses der Landwirte[76] und der Vereinigung der Steuer- und Wirtschaftsreformer[77] weigerten sich nämlich der Centralverband deutscher Industrieller und der Verein Deutscher Eisen- und Stahlindustrieller, den Forderungen des Reichskanzlers nach einem »angemessenen« Agrarzoll zuzustimmen[78]. Wohl bekannten die Schwer- und Textilindustriellen, »sich« mit den Landwirten »einmütig zusammenzuscharen«, und fanden »Nichts zu erinnern« gegen einen »gemäßigten Getreide- und Viehzoll«[79], wohl sprach der Ver-

70 Sächs. LHA Dresden FM Nr. 6759: 7. II. 1879 Votum Thümmel; 11. II. 79 FM/IM an AM, vgl. Berichte vom 9./11./20./23. II. 1879.

71 StA Hbg. Cl. I Lit. T Nr. 21 vol. 2 Fasc. 5, Inv. 12: 24. II. 1879 Bericht Barth.

72 WHStA Stgt. E 130 W IV, 1 Fasc. 1.

73 BHStA München MH Nr. 10 027: 22. II. 1879 Beratung Riedels, Schlörs, Mayrs, Hoeß', Felsers, Lickenbergers.

74 DZA I RK Nr. 2140: 13. II. 79 Tiedemann an Rentzsch, BA Koblenz R 13/I Nr. 79: 15. II. 1879.

75 DZA RK Nr. 2110: 16. II. 79 Bismarck an Thüngen, 25. II. 79 Tiedemann an Mühlhausen; 25. II. 79 Götsch-Kiel auf Eingaben u. a. von landwirt. Verein. aus Pommern, Bayern, Holstein; DZA I RKA Nr. 1618 zahlreiche Gemeindemassenpetitionen, s. oben S. 536 Anm. 46.

76 Verhdlg. des 10. Kongresses der Landwirte zu Berlin am 24./25. II. 1879, Berlin 1879.

77 Bericht über die Verhandlungen der IV. Generalversammlung der Vereinigung der Steuer- und Wirtschaftsreformer, Berlin 1879, 26.–27. II. 1879.

78 DZA I RK Nr. 1615: 6. II. 1879 Oberschlesischer Berg- und Hüttenmännischer Verein; 6. II. 79 Petition an Varnbüler; 7. II. 79 Petition Maschinenfabrik Suhl, 21. II. 1879 Petition VDStI dto. RK Nr. 2140; BA Koblenz R 13/I Nr. 79: 15. II. 1879 Protokoll Vorstandssitzung, ebd. Denkschrift an RT, BR und RK.

79 Verhandlungen, Mitteilungen und Berichte des CdI 15./16. I. 1879 Nr. 9.

ein Deutscher Eisen- und Stahlindustrieller »seine volle Zustimmung zu dem vom Fürsten Bismarck in dem Schreiben vom 15. Dezember 1878 entwickelten System einer ausgiebigen indirekten Besteuerung ... namentlich ausländischer Consumtionsartikel« aus[80], ja, der Ausschuß lobte die Bemühungen der Steuerreformer auf »Exercierung der Bauernkolonnen auf Schutzzölle«[81], aber dabei blieb es auch. Obwohl es »der Fürst Bismarck *so gut meint«*, wie der mit »väterlichem Interesse« an der Verbandsarbeit teilnehmende Mulvany es bezeichnete[82], unterstützten die Industriellen von ihrem in Berlin bezogenen »Hauptquartier«, dem Kaiserhof, die Bestrebungen der Landwirte – vor allem bei den schutzzöllnerischen Südstaaten – nicht. Sie konnten dies im Bewußtsein ihres unbedingten Sieges tun. Der Süden war für Industriezölle, die Freihändler waren trotz ihrer wieder auflebenden Agitation für die Industriellen keine Gegner mehr.

Wie stark bereits die Schutzzollagitation selbst in den Seestädten und Handelszentralen die Front der Freihändler aufgeweicht hatte, zeigte die Februaraktion der Berliner und Hamburger Kammern. Von 98 geladenen Kammern waren nur 35 dem Ruf gefolgt[83]. Einflußreiche, traditionell freihändlerische Kammern, wie die oberbayrische, waren im Februar 1879 »beschlußunfähig«, »weil zur Zeit die Hälfte ihrer Mitglieder ausgeschieden« waren[84]. Ebenso konnten Breslau, Halle, Hirschberg, Schönau, Altena, Barmen, Chemnitz, Dresden, Wiesbaden, Sorau und Zittau ihre Absage nur »unmotiviert« mitteilen[85]. Durch Pro und Contra gelähmt, konnte auch der »Deutsche Handelstag« zur Handelspolitik keine Stellung nehmen[86], sein Vorsitzender A. Delbrück gab auf Grund der Spannungen seinen Vorsitz ab. Von dieser Seite war keine Gefahr mehr zu fürchten.

Weiter wurden die Industriellen durch die zunehmenden wirtschaftlichen Gegensätze zwischen Rußland und Deutschland unterstützt (die von den Industriellen in »beorderten Massenmeetings« ausgenützt wurden)[86a], die Bismarck zwangen, auf jeden Fall den Schutzzolltarif – auch mit nur geringen Agrarzöllen – anzunehmen; außerdem drängten der Reichstag ebenso wie Österreich, die Schweiz und Italien auf eine Beendigung der jahrelangen handelspolitischen Provisorien[87].

80 BA Koblenz R 13/I Nr. 79: 15. II. 1879 Protokoll hs. Rentzsch.
81 Verhandlung der Steuerreformer 1879, ebd. S. 45.
82 BA Koblenz R 13/I Nr. 343: 14. II. 1879 Mulvany an Richter.
83 HK Hamburg 20 BI, Nr. 3, 2 vgl. Anm. 68.
84 Mitteilung der Handelskammer München.
85 StA Hbg. Zollkomm. Y 6/18.
86 Deutsches Handelsblatt 2. I./9. I. 79 Anm. v. W. Annecke.
86a DZA I RK Nr. 2107/9. II. 1879 Henckel an Tiedemann. DZA I AAhp Nr. 10 473: 12. II. 1879 Schweinitz an AA.
87 DZA I RKA Nr. 211: 7. II. 1879 Bülow an Hofmann; 12. II. 1879 (Huber an Hofmann), Bismarck an Reichstag; 16. II./21./20. II. 1879 Sten. Berichte Reichstags-Sitzung S. 39 ff., S. 46 ff.

Bismarck muß nachgeben

Angesichts dieser Lage mußte sich Bismarck zu einem Kompromiß mit dem Süden bequemen und sich dem Urteil Mayrs anschließen, der »einen wirtschaftspolitischen Erfolg der Getreidezölle« darin sah, wenn »Deutschland sich vor dem rücksichtslosen, massenhaften Zudrang des auswärtigen, insbesondere in Amerika ... produzierten Getreides schützen könnte«[88]. Je mehr die Stellung Burchards, Tiedemanns und Böttichers im Verlauf der Zollkommissionsberatungen isoliert wurde, und je mehr Varnbüler[89] den Direktiven Buecks aus dem Kaiserhof als denen aus Friedrichsruh folgte, desto schneller ließ Bismarck seine Idee fallen, *alle* Fixkosten und die Verschuldungen der Landaristokratie durch Zölle ausgleichen zu können. Als Tiedemann noch »mächtige Gegner beschwor«, die »eine rechtzeitige Vorlage« des Tarifs zu verhindern suchten[90], war Bismarck bereit, Varnbüler für die erste Lesung einen Kompromiß zuzugestehen: Weizen, Hafer und Hülsenfrüchte sollten 1,– M je 100 kg, Roggen, Mais, Buchweizen und Gerste 0,50 M je 100 kg Zollbelastung erhalten. Dieser Vorschlag blieb damit wesentlich hinter den ursprünglichen Forderungen Bismarcks, Mirbachs, Schulenburgs und Thüngens zurück, die ja einen Zollsatz von 1,– M je 100 kg für alle Getreidearten (bis auf Roggen) vorsahen[91]. Auf dieser Basis konnte aber Bismarck wenigstens den Gesamtplan seiner Zollreform retten. Mit 8 : 7 Stimmen setzten sich Tiedemann, Burchard und Bötticher gegenüber Barth durch, und mit der gleichen Mehrheit erfolgte die Annahme der Viehzölle. Nach den Agrarzöllen lief dann das übrige Programm ohne Schwierigkeit ab – zumeist gegen den Widerstand Barths. Ohne erhebliche Differenzen passierten die Textilsätze[92], die Holz-, Flachs-, Drogerie- und Eisenzölle die erste Lesung[93]. Miquel konnte Bennigsen mitteilen: »Ich finde, daß Bismarck mit seiner Schutzzoll-Coalition der Landwirthe und den Industriellen einen sehr guten Erfolg hatte«[93a], und mit Ironie fügte er hinzu, »die Lage der Partei kann nur noch günstiger werden«.

Nach dem ersten Durchgang tauchten auf der zweiten, redaktionellen Lesung des Tarifs Ende März erneut Gegensätze auf, denn Bismarck – keineswegs zufrieden mit den Agrarzöllen – hoffte, mit einer Eisenzollreduktion die Zustimmung zu weiterer Agrarzollsteigerung auszuhandeln; aber sein Versuch – von Herrmann

88 DZA I RK Nr. 2107: 14. II. 1879 Mayr an Bismarck.

89 Einst als »alter ego« von Bismarck bezeichnet, nun als »alter Esel« tituliert (nach Lambi S. 186).

90 DZA I RK Nr. 2107: 16. II. 1879.

91 DZA I RK Nr. 2107: 6. II./17. I. 1879 Bismarck an Tiedemann.

92 Hier wurde Haßler zum einflußreichen Berater der bayrischen Kommission; BHStA München MH Nr. 10 027. 1. III. 1879 Herrmann-Bericht.

93 Vgl. außer Quellen Anm. Nr. 94; BHStA München MH Nr. 10 027: 22./24./25. II. 1879 und 1. III. 1879 Beratung im bayrischen Sta. Min. dto. in Württemberg, WHStA Stgt. W, IV, 1 Fasc. 1; Sächs. LHA Dresden FM Nr. 5765.

93a DZA I Nachlaß Bennigsen.

vorgetragen – scheiterte ebenso wie der Kompromiß des Württembergers Luz, der einen allgemeinen Ceralienzoll von 0,60 M je 100 kg oder die Roggenzollerhöhung auf ebenfalls 1,– M je 100 kg vorschlug. Die Getreide- und Eisensätze blieben unberührt. Ende März war der Tarif fertiggestellt[93b].

Das schließliche Ergebnis der Beratungen der Zolltarifkommission war ein Tarif[94], der wohl den »festgeschlossenen Ring« der Solidarität der produktiven Stände aufwies, was die Eisen- und Textiltarife anbetraf[95], die Agrarzölle aber waren keineswegs so ausgefallen, wie es Bismarck erwartet hatte, obgleich gerade im März noch einmal eine Flut von Adressen seinen Vorschlag zu unterstützen suchte[96]. Grollend, aber keineswegs resignierend, empfing Bismarck den Entwurf und übergab ihn dem Bundesrat, nachdem er zuvor noch betont hatte, daß der von ihm angestrebte Zweck des Tarifs, »Schutz der Gesamtproduktion des Inlandes«, erst dann erreicht sei, wenn das Frachttarifwesen, die Kampfzollfrage und die Steuerreform, also sein Gesamtprojekt, geregelt wäre[97]. »Unter diesen Gesichtspunkten« beriet der Bundesrat die Vorlage.

Opposition im Norden und laue Haltung im Süden

Ehe die Beratungen im Bundesrat begannen, wußte Bismarck, daß die Vorlagen angenommen werden würden. Denn schon während der Kommissionsberatung hatte Bismarck »weitere Eisen« zur Durchsetzung seiner Agrarzölle und seines Reformprojektes im Feuer. Unmittelbar nach der Agrarzollpanne hatte sich nämlich Bismarck direkt mit den Regierungen in Verbindung gesetzt, um »die Berathung und Beschlußfassung nach Möglichkeit zu beschleunigen, sowie eine Trennung der Vorlagen zu verhindern«[98]. Vorausgegangen waren dieser Initiative mehrere Sondierungen, die ausgelöst worden waren durch einen Bericht des preußischen Gesandten am sächsischen Hof, Dönhoff. Am 26. Februar 1879 hatte dieser Bismarck

93b Sächs. LHA Dresden FM Nr. 6766.

94 Zur unmittelbaren Beurteilung vgl. JB f. Nationalökonomie und Statistik 1880, Supplementheft III, Teil B, C, D betr. Holz-, Textil- und Eisenzölle.

95 Auch im März hatten die Industriellen ihre Agitation fortgeführt, vgl. DZA I RK Nr. 2110: 16. III. 1879 Bismarck an Mulvany; 5./7. III. 1879 Schimmelfennig an Bismarck; 22. III. 79 an Schimmelfennig, GV Hibernia u. Shamrock, Oberschles. Berg- und Hüttenmännischer Verein, Oppeln.

96 DZA I RK Nr. 2110 u. a. Landw. Verein Grimmen, Heilbronn, Colmar (Posen), Wirsitz, Gnesen, Düsseldorf, Naugard, Glasow und Neumünster; 17. III. 79 Bismarck an Mirbach.

97 DZA I RK Nr. 97 o. D. Tarifentwürfe an Bundesrat, RK Nr. 2081 a: 7. III. 1879 Bismarck an Hofmann, Nr. 2135, 31. III. 1879 Bismarck an Hobrecht; DZA II, Rep. 151 neu HB Nr. 1177; DZA I RK Nr. 2108: 4. IV. 1879 Bismarck an Wilhelm.

98 AA-Bonn, Dtld. 103 vol. 1: 12. III. 1879 hs. Bülow vertraulich/cito an München, Dresden, Stuttgart, Karlsruhe, Darmstadt, Weimar, Oldenburg und Hamburg.

berichtet, daß Fürst Reuß j. L. und die sächsischen Minister Gerstenberg und Nostitz mit »vollem Einverständnis« Bismarcks Zoll- und Handelspolitik unterstützen würden, ja, die Stimmung in Thüringen und Sachsen – selbst im Wahlkreis Rudolph Delbrücks – sei schutzzöllnerisch. »Ausschließlich aus politischen und nicht aus volkswirtschaftlichen Gründen« werde in diesen Staaten gegen die neue Zollpolitik gekämpft, da verhindert werden sollte, »daß das Reich sich hierdurch eigene Einnahmequellen schafft, welche unabhängiger von der Bewilligung des Reichstags wären, als die bisherigen Matrikularbeiträge«[99]. Bismarck nahm diesen Bericht zum Anlaß, um in einem ersten vertraulichen Rundbrief an die preußischen Gesandten an den deutschen Höfen am 4. März 1879[100] unter Hinweis auf die Dönhoffsche Arbeit »um weitere derartige Berichte und um die Lieferung von *nützlichem* Material zu bitten«. Denn obwohl in den anstehenden »großen nationalen Angelegenheiten«, den Fragen der Differentialzölle, »speziell für Getreide«, »die Initiative und die Entscheidung« beim Reich liege, so vollziehe sich doch »die vorbereitende Arbeit für eine gedeihliche legislative Lösung ... wesentlich in den einzelnen Territorien«. Da dies in den »volkswirtschaftlichen Fragen ... noch mehr wie in den politischen« der Fall sei, läge die »Orientierung ... und eifrige Vertretung« über und für den Schutzzollgedanken »im Interesse der gedeihlichen Entwicklung des Reiches«. Deshalb sollten die Gesandten nicht nur mit den Regierungen, sondern vor allem »mit den Vorständen der Finanz- und Handelsressorts« in engste Verbindung treten und einen »häufigen und eingehenden Gedankenaustausch« pflegen.

Die Absichten Bismarcks lagen Anfang März[100a] auf der Hand – er hoffte, die Opposition der Bundesstaaten gegen seine Agrarzölle in direktem Gespräch zu überwinden. Jedoch die ersten Berichte, die auf diese Umfrage hin in Berlin eintrafen, waren nicht dazu angetan, Bülow und Hofmann an eine leichte Durchführung des Programmes im Bundesrat glauben zu lassen; Ysenburg meldete aus Oldenburg, daß wohl »eine Bewegung, ausgehend vom Gewerbe- und Handelsverein ... mäßigen Schutzzoll« wünsche, die Regierung aber »beharre« auf dem freihändlerischen Weg[101]. Und aus Hamburg wurde berichtet, daß eine andere Ansicht als die des Freihandels »fast als Mangel an Patriotismus verurtheilt« werde. Wenn auch daneben auf die »gute Zahl ... Grundeigentümer, kleinerer Gewerbetreibender ... Fabriken ... und Kaufleute« hingewiesen wurde, die den Zollanschluß wünschen und die Gefahr des Freihandelsdogmas ... im Interesse der im Bergbau und anderen industriellen Unternehmungen des Zollgebietes aufgelegten Capitalien« erkannt haben, so sei doch in Hamburg auf keine Unterstützung zu hoffen[102].

Am 12. März 1879 erhielt Bismarck einen Bericht Limburg-Stirums aus Weimar,

99 AA-Bonn ebd. 26. II. 79; Sächs. LHA Dresden AM Nr. 1102: 23. I. 1879 JM an AM.
100 ebd. Konzept Bülow, Vorkonzept Jasmund, DZA I, AAhp Nr. 6963.
100a GW VI c Nr. 156.
101 AA-Bonn Deutschl. 103, vol. 1: 8./10. III. 1879 Ysenburg an Bülow.
102 ebd. 10. III. 1879.

in dem dieser wohl auf die wirtschaftliche Misere hinwies und den Wunsch der weimarischen Regierung, »die Matricularbeiträge beseitigt zu sehen«, zum Ausdruck brachte, im übrigen jedoch melden mußte, daß »die eigentlich wirtschaftlichen Fragen« ebenso wie die Finanz- und Schutzzölle in Weimar nicht im Sinne der Kaiserlichen Regierung betrachtet werden; Sachsen-Weimar sei »zufrieden, wenn die Finanz- und Schutzzölle geschieden werden«[103]. Damit traf Limburg-Stirum den Kern des Bismarckschen Planes, denn für Bismarck konnte der »einheimische Markt noch viel von deutscher Produktion« aufnehmen, und »Schutzzölle« waren ihm »zugleich Finanzzölle und vice versa«, da Finanz- und Steuerreform »untrennbar seien«[104]. Die Stellungnahme Sachsen-Weimars – das sonst mehr oder weniger vorsichtig seine Politik auf Berlin abgestellt hatte – wurde für Bismarck vollends alarmierend, als zur gleichen Zeit alle seine Bemühungen um die Revision der Agrarzolltarife in der Zolltarifkommission fehlschlugen.

Bismarck wirbt wieder mit dem Slogan der sozialen Gefahr

Mit erheblich schärferen Tönen »warb« Bismarck nun um Zustimmung zu seinem Plan. Bereits am 12. März 1879 – in unmittelbarer Reaktion auf den Bericht aus Weimar – erhielten die Gesandten neue Ordre. Es wurde ihnen bedeutet, daß »die Finanzen und damit der Wohlstand und die politische Organisation des Reiches« sowohl von der Finanzreform als auch vom Schutz der »heimischen Produktion« abhingen. »Ich betrachte die Vorlage«, so betonte Bülow in Bismarcks Namen, *»als einen solidarisch miteinander verbundenen Gesamtplan, darin Theile einander bedingen und stützen«*. »Allein« die Gesamtheit der Reformen garantiere den Erfolg. »Nur das vereinte Gewicht der gesamten Industrie *und* der Landwirtschaft kann den parlamentarischen Erfolg sicherstellen«, und dies um so mehr, je schneller die Entscheidung erzwungen und verhindert werde, daß die Vorlage in einer Kommission »begraben« werde. Zugleich wurde aber jetzt die Reform politisch überhöht: die »Lösung« der Reformen *»läßt sich von unserer politischen Zukunft nicht mehr trennen«*, sie sei der Garant für die Erhaltung des *»monarchischen Prinzips ..., auf welchem das deutsche Reich in Haupt und Gliedern begründet ist«*[105]. Bereits am folgenden Tag richtete Bismarck noch einmal »ganz vertraulich« ein Schreiben an die preußischen Gesandten, in dem er nicht mehr die wirtschaftliche Depression allein als Grund für die Reform bezeichnete. »Die wirtschaftlichen und practischen Reformen« waren ihm (wie es schon Thüngen und Mulvany formu-

103 ebd. 12. II. 79. Dieser Bericht gewinnt durch die Anmerkung Bismarcks, in der Bismarcks persönliches Engagement und politische Zielsetzung deutlich wird, besondere Bedeutung. Limburg teilt mit, die Forsteinnahmen in Thüringen seien um 26 % gesunken, Bismarck darauf: »in meinem Forst Trittau um 66 %«.

104 ebd. hs. Anm. Bismarcks.

105 ebd. 12. III. 1879 vertraulich/cito Bülow, abgegeben am 13. III. an alle Regierungen.

lierten) »notwendige Ergänzung der Depressivmaßnahmen« zur »Abwehr der socialistischen Gefahr«; diese Gefahr könne wirtschaftlich oder politisch nach seiner Meinung nur behoben werden, wenn es gelänge, »einheitlich« im Reichstag vorzugehen und diesen mit »oeconomischen Aufgaben« lahmzulegen oder als staatserhaltende Kraft zu gewinnen[106]. Sozialistengesetz, Schutzzoll und Neomerkantilismus als Mittel seiner autoritären Regierungsform und seines aristokratisch-plebiszitären Führerstaates verknüpfte Bismarck nun mit den taktischen Mitteln einer gemäßigt föderalistischen Finanzreform[107] und der »Ausrichtung« des Bundesrates.

Der Süden gibt nach

Nach diesem scharfen Appell gaben die Südstaaten ihre Opposition auf. Werthern antwortete aus München, daß die Reformpläne »mit großer Freude begrüßt« würden, »die Erkenntnis ... daß eine Vermehrung der Einnahmen nur durch Zölle und Taxen ... erzielt« werden könne, habe sich ebenso »Bahn gebrochen, wie die öffentlich dokumentierte Interessensolidarität darauf dränge, Viehzölle, Eisenzölle, Stempel- und Salzsteuern einzuführen«. Hinzu komme noch, »daß schon Stimmen« der Industriellen laut würden, die nach dem »Nutzen der Reichszugehörigkeit« fragten[108]. Im gleichen Sinne konnte Heydebrandt aus Stuttgart berichten: »Von jeher« sei Stuttgart »mehr für Schutz in der Industrie als für Freihandel gewesen«, und die Bevölkerung in Württemberg folge »den Zollfragen mit Zutrauen«. Die Kaiserliche Regierung könne »frei handeln«[109], »König und Ministerpräsident Mittnacht ständen ganz auf Seiten der Vorlage«, sie seien »vollkommen ... einverstanden« und hofften selbst auf das Tabaksmonopol. Der König billige »ausdrücklich« die jetzige Richtung »der deutschen Zollpolitik« und sehe sie »eingebettet« in den größeren Rahmen und ausgerichtet auf das höhere Ziel: »Gleichheit in der Machtsphäre«, sowohl in der äußeren, dem »beunruhigenden Zustand« zwischen Rußland und Frankreich, als auch der inneren, wo Deutschland zwischen »socialer Revolution und Konstitutioneller Umbildung« hin und her schwanke[110].

Aber nicht nur Bayern und Württemberg applaudierten Bismarcks Programm, auch in Karlsruhe wurde jetzt die »volle Übereinstimmung« konstatiert und »die Nothwendigkeit ... einer möglichst raschen Entscheidung« gefordert[111]. Darüber hinaus vollbrachte der Süden noch eine Fleißaufgabe: Die Minister Turban (Baden), Mittnacht (Württemberg) und Riedel (Bayern) – der erste gemäßigter, die

106 ebd. 13. III. 1879 Entwurf Philipsborn.
107 ebd. 23. III. 1879 Bismarck an Werthern.
108 ebd. 13. III. 1879 Werthern an Bismarck; DZA II, Rep. 81 München IV a Nr. 92 Bd. 3: 13./18./23./24. III. 1879 Werthern an AA.
109 ebd. 15. III. 1879 Heydebrandt an AA.
110 ebd.
111 ebd. 16. III. 1879 Flemming an Heydebrandt, 16. II. 1879 Heydebrandt an AA.

letzteren prononciertere Schutzzöllner – meldeten ihre Anwesenheit bei den Berliner Bundesratssitzungen an, um so die Durchsetzung der neuen Tarife sicherzustellen[112].

Den süddeutschen Staaten folgend, anerkannte auch Sachsen die Verbindung von Wirtschaftspolitik und »socialer Gefahr« und stimmte Bismarcks Programm zu[113], ebenso jetzt Sachsen-Weimar und Mecklenburg[114].

Außer Oldenburg[114a], das aber der Finanzreform zustimmte[115], standen schließlich nur noch die Hansestädte den Plänen Bismarcks ablehnend gegenüber, als Bülow am 26. März 1879 Hofmann das Einverständnis des »Reiches« zum Inhalt der Reform und zur Taktik des Vorgehens mitteilte[116]. Aufgrund dieser Vorarbeit konnte Bismarck es vermeiden, mit der Kommission und mit den preußischen Ministern »eine Unterredung zu versuchen«, sondern die »Sache selbständig – wie geplant – und ohne Wanken betreiben«[117].

Die Annahme des am 29. März 1879[118] fertiggestellten Tarifs ging mit der vorgezeichneten Rollenverteilung[119] nach 24stündiger Bedenkzeit[120] über die Bühne[121]. Gegen die Stimmen der Hansestädte[122] und Oldenburgs wurde »in pleno-sofort-Abstimmung«[123] der Entwurf angenommen. Resignierend berichtete der Hamburger Kirchenpauer: »Die ebenso ermüdende als ärgerliche Bundesrats-Sitzung hat bis gegen 1/2 6 Uhr gedauert. Zollgesetz und Zolltarif sind genehmigt, wie Fürst Bismarck befohlen hat«, obwohl der Tarif zu allem noch durch den von Bismarck in letzter Minute eingeführten *Kampfzollartikel* ein vollkommen »anderes Gesicht«

112 AA-Bonn, Dtld. 103 vol. 2: 21./25. III. 1879.
113 AA-Bonn, Dtld. 103 vol. 1: 17. III. 79 Dönhoff an AA.
114 ebd. 17./23. III. 1879.
114a ebd. 17. III. 79 Ysenburg an AA, 18. II. 1879.
115 AA-Bonn Dtld. 103 vol. 2: 26. III. 1879 Bülow an Hofmann.
116 ebd. Wenn auch Württemberg und Baden gegen eine mögliche Majorisierung im BR Veto einlegten (Dtld. 103, vol. 1: 21. III. 1879 Heydebrandt an AA), das aber am Monatsende aufgegeben wurde (Dtld. 103, vol. 2: 9. IV. 1879); vgl. auch DZA I RdI Nr. 3040/9.
117 DZA I RK 2107: 28. I. 1879 Bismarck an Tiedemann.
118 GW VI c Nr. 157, AA-Bonn Dtld. 103, vol. 2.
119 Für Preußen votierten u. a. Bismarck/Hofmann/Philipsborn, Friedberg und Herzog, für Bayern: Riedel, Rudhardt und Herrmann, für Sachsen: Könneritz, Plaunitz und Zenker, für Württemberg: Mittnacht, Spitzemberg u. Moser. Für Baden: Turban, Türckheim, Lepique, für Hamburg: Kirchenpauer pp. (Sächs. LHA Dresden FM Nr. 6783: 3. IV. 1879,.
120 Poschinger: Volkswirt I, S. 210.
121 DZA II, Rep. 81 München IV a Nr. 92, Bd. 3: 3. IV. 79 Bülow an Werthern.
122 StA Hbg. Zollkommissariat Y 6 conv. 1: 2. IV. 79 Votum Versmann; Cl. I Lit. T Nr. 21, vol. 2, Fasc. 5, Inv. 12; ebd. Cl. I, Lit. T Nr. 3 vol. 2 b, Fasc. 16.
123 StA Hbg. Bundesratsbevollmächtigter I, Nr. 1 Bd. 13: 2./3./4. IV. 1879 Kirchenpauer Berichte (Bindestriche vom Verf.) ebd. Y 6 Zollkommissariat; Poschinger: Bundesrat IV, S. 55, ders. Volkswirt I, S. 216, ders. Parlamentarier II, S. 341.

erhalten habe[124]. Am 4. April wurde der Tarif – ohne daß Bismarck sofort die Motive mitgeteilt hätte – dem sich in den Ferien befindenden Reichstag zugeleitet[125]. »Termingerecht« waren die Vorarbeiten für den Zolltarif abgeschlossen worden, und ebenso termingerecht konnten die Steuerreform und die Frachttarifpläne dem Reichstag zugeleitet werden, angetrieben nicht zuletzt von den aus strategischen und außenpolitischen Gründen gegen Ost und West als notwendig erachteten Eisenbahnbau-Plänen[126].

c Der Schutzzolltarif im Reichstag: die Entscheidung für das Zentrum

Die parlamentarische Mehrheit für das Zollprogramm zeichnet sich ab

Nach dem Abschluß der Bundesratsverhandlungen stellte die »Norddeutsche Allgemeine Zeitung« schon am 7. April »eine merkliche Hausse« und eine »große Befriedigung« in der »Handels- und Geschäftswelt fest«[127]. Die wesentliche Phase der Wirtschaftsreform war abgeschlossen; die »Zeiten der Unsicherheiten« sollten nach dem Urteil Buecks nun »bald aufhören«. Die Petitionen der Freihändler, voran die der Handelskammern der Seestädte wurden ad acta gelegt, und auch ihr weiteres Bemühen im April und Mai 1879 sollte ebensowenig wie die Agitation des »Vereins zur Förderung der Handelsfreiheit« – nicht einmal mehr im Reichstag eine Bedeutung erlangen[128]. So konnten die Minister Turban, Könneritz, Riedel und Mittnacht nach dem 4. April »zufrieden« in ihre Heimatstaaten zurück-

124 StA Hbg.: Bundesratsbevollmächtigter I, Nr. 1 Bd. 13: 4. IV. 1879 Kirchenpauer.
125 Schultheß 20. Jg. 1879, S. 115 ff.
126 DZA I RK Nr. 97: 18. III. 1879: 30. V. 1879, AA-Bonn I Rußland 53 geh. vol. 3: 20. III. 1879 Moltke an Bismarck; 9. V. 1879 dto.
127 AA-Bonn, Deutschland 103, vol. 2.
128 Symptomatisch hierfür war die »Bekehrung« des Bremers Mosle zum Schutzzoll und der Austritt Gosslers aus der Handelskammer Hamburg (StA Hbg. C. I Lit. T Nr. 21 vol. 2, Fasc. 1 Inv. 12 b, 2: 15. IV. 1879 Hargraeves an Kirchenpauer), vgl. HK Hbg. 20 B I Nr. 3, 1: 30. IV. 1879 HK Hamburg, ebd. Petitionen Memel, Königsberg, Danzig, Stettin, Rostock, Lübeck, Kiel; ebd. Petition der 11. Delegierten-Konferenz Deutscher Seestädte und Handelsplätze vom 17. IV. 1879; 8. II. 1879 Berliner HK-Konferenz (StA Hbg. Cl. I Lit. T Nr. 21, vol. 2 Fasc. 1 Inv. 12b, 2: 23, IV. 1879 Petition Hamburger Kaufleute), ebd. Petition von Papenburg, Leer, Brake, Bremen, Vegesack, Hamburg, Blankenese, Altona, Tönning, Rendsburg, Apenrade, Sonderburg, Flensburg, Kiel, Heiligenhafen, Lübeck, Wismar, Rostock, Zingst, Stralsund, Wolgast, Anklam, Swinemünde, Stettin, Rügenwalde, Stolp, Danzig, Elbing, Braunsberg, Königsberg, Stolp, Memel und Berlin. Neben den Handelsstädten traten u. a. die Vereinigung der deutschen Lederindustriellen (Frankfurt/Main, Mainz, Offenbach, Worms) für Zollfreiheit ein, im Gegensatz

kehren, um so mehr, als selbst eine Reichstagsauflösung – wie sie Bismarck noch im Januar eingeplant hatte – nicht mehr notwendig schien, da das Zentrum schon im Februar konstatiert hatte, seinen »Frieden mit dem Staat« zu erstreben[129].

Mit der Zustimmung des Zentrums zum »sozialen Schutzzollprogramm« Bismarcks zur Verteidigung »von Familie, Eigenthum und Autorität« (dem ging parallel, daß die »klerikalen Parteien in Belgien und Frankreich« ebenfalls die Hauptträger des Schutzzolls waren)[130] war nämlich die Annahme des Tarifs im Reichstag gesichert, da Konservative und Freikonservative fraglos die Bismarckschen Pläne unterstützen würden[131]. Aber auch auf die Zustimmung der Mehrheit der Nationalliberalen konnte Bismarck immer mehr mit Sicherheit rechnen. Immer weniger konnte Bennigsen die »Risse in der Partei«[132] ausgleichen, immer mehr scheiterte das liberale Dogma und Programm an der »geographischen Lage «der Wahlkreise[133] und an den jeweils dominierenden Interessen. Beruf, Erziehung und Standesbewußtsein hatte die Abgeordneten, die sich in der Unterstützung der nationalen und freihändlerischen Politik Bismarcks zu einer Partei zusammengefunden hatten, in keiner Weise getrennt. Ihr gemeinsames Ziel, ihr »heißer Wunsch« war die Gründung des Reiches, die Einheit Deutschland. Nun aber, als Bismarck die materiellen Interessen in den Vordergrund seiner politischen Entscheidung rückte, wurden sich die Abgeordneten weniger des politischen Programmes, sondern mehr ihrer interessenmäßigen Gebundenheit bewußt.

Zudem war »ein großer Teil der Gesetzgeber«, wie es der Abgeordnete, Fabrikant und Freund Schwartzkopffs, Unruh, aufzeichnete, »mit ihrem Vermögen stark bei den anstehenden Entscheidungen beteiligt«. Die Wortführer der Freikonserva-

zu den Gerbern (vgl. Petition an Varnbüler am 16. II. 1879). Die Wirksamkeit der statistischen Argumentation der »Mittheilungen des Vereins zur Förderung der Handelsfreiheit«, so Nr. 2: Bamberger zum Schreiben Bismarcks am 15. XII. 1878, Nr. 4 »Deutschlands Getreide-Verkehr mit dem Auslande«, oder die Flut »wissenschaftlicher« Tarifarbeiten u. a. Konrad Schulz: Getreide-Zölle, Wetzlar 1879; A. Goldenberg: Über die projectierten Zollgesetze und die Handelskrise«, Straßburg 1879 oder »Wahlarbeiten« von E. Richter: »Die neuen Zoll- und Steuervorlagen« 1879, L. Bamberger: Was uns der Schutzzoll bringt. Ein Schreiben an seine Wähler, Berlin 1879, war gleich Null, wie die der Eingaben von Krefeld, Leipzig, Hannover, Magdeburg, Berlin (Pet. d. AK an den RT 30. IV. 79), Kiel, (11. III. 1879 HK an BR), Danzig (Pet. 5. II. 79), Bremen und Hamburg (16. IV. / 23. IV. 1879 Bürgerschaftsbeschluß), vgl. AA-Bonn Dtld. 103, vol. 3 und StA Hbg. Cl. I Lit T, Nr. 21 vol. 12 Fasc. 1 Inv. 14 ebd. Inv. 12 b 2; DZA I RK Nr. 3264, ebd. AAhp Nr. 6864 Petition des Berliner Magistrats (30. III. 79) vgl. weitere Eingaben auch Nr. 6965.

129 Lucius S. 151, Hirsch S. 35/39.

130 vgl. auch »Wahlkampfaufruf der Centrumsfraktion« vom Juni 1878.

131 AA-Bonn Dtld. 103, vol. 2: 9. IV. 79, StA Hbg. Hans. Ges. Ält. Reg. G IV A Bd. 7: 29. V. 79 v. Liebe, Bericht, GStA München MA 1935, 1879, Nr. 23: 17. IV. 79.

132 Männer S. 48 f.

133 Festenberg-Packisch S. 508.

tiven, Kardorff, Stumm und Löwe, waren ebenso offen Interessenvertreter wie die Konservativen Minnigerode, Stolberg und Helldorff. Den Freikonservativen näherte sich nun, ohne Rücksicht auf das liberale Programm, der rechte Flügel der Nationalliberalen: einmal die Industriellen des Rheinlandes, Hammacher, Rentzsch, Klein (Direktor der Heinrichshütte), Servaes und Müller, dann die Süddeutschen Schauß (Direktor der Bayrischen Hypothekenbank München), Feustel, Völk und Hölder. Unterstützt wurde ihre Politik »einer Sicherung der Lebensbedingungen« noch von Wehrenpfennig, der in enger Zusammenarbeit mit Tiedemann in dieser Zeit die Preußischen Jahrbücher herausgab, und vor allem von Heinrich von Treitschke – seit 1874 Ordinarius für Geschichte an der Berliner Universität[134]. Mit Treitschke erfährt diese Gruppe vielleicht ihre klarste Charakterisierung. In seinem Bekenntnis zur »Macht als dem tragenden Grund aller Politik«[135] und in seinem – symptomatisch – im Jahre 1879 erscheinenden ersten Band der »Deutschen Geschichte im 19. Jahrhundert«[136] (er wurde zum historisch-politischen Handbuch der heranwachsenden Generation) werden Maximen politischen Glaubens angesprochen, die nicht nur den Rechtsliberalen, sondern allen »staatstragenden« Kräften Aufgabe und Überzeugung waren.

Die liberale Partei am Scheideweg: Treitschke – Bennigsen – Lasker

Treitschkes »Leistung«, acht Jahre nach Versailles eine »gemeinsame nationale Geschichtsüberlieferung« für das neue Reich zu begründen, und in der Identifikation der Geschichte Preußens mit der Deutschlands »die Männer und Institutionen, die Ideen und die Schicksalswechsel, welche unser neues Volksthum geschaffen haben, kräftig hervortreten zu lassen«[137], um »jenes einmütige Gefühl froher Dankbarkeit, das ältere Nationen ihren politischen Helden entgegenbringen«, auch in Deutschland zu festigen, trug ebenso zur Ausformung jener spezifischen, von glühender Vaterlandsliebe und missionarischer Sonderaufgabe getragenen Staatsauffassung bei, die in Hegel ihre schärfste Zuspitzung gefunden hatte und die nun in wissenschaftlicher und pseudowissenschaftlicher Tradition für Nationalökonomen, für Beamte und für Lehrer zum »verbindlichen« Gedankengut wurde. Treitschkes Wirkung ist nur noch vergleichbar mit der Schmollers, dem Vorsitzenden des Vereins für Sozialpolitik – ebenfalls Ordinarius in Berlin –, dessen Arbeiten über die Verwaltung Friedrich Wilhelms I. und die friderizianische Wirtschaftspolitik wesentlich den gedanklichen Grund zur begrifflichen Erfassung des Übergangs der freihändlerischen Wirtschaftspolitik zu der des »Neo-Merkantilismus« legte. Schmollers Lehre von der »Abwehr« der Weltmächte Rußland, England und Amerika

134 Preuß. Jahrbücher 1879, I 3, S. 332.
135 Rassow S. 67.
136 Hirzel, Leipzig 1879.
137 Vorwort, Ausgabe 1886, S. 6.

vom europäischen Kontinent führte direkt zum Anspruch, daß es Deutschland aufgegeben sei, seinen Platz als wirtschaftliche und politische Großmacht in Europa mit Europa zu sichern. Dies könne aber nur der Fall sein, wenn Deutschland sich zur Führungsmacht eines zollvereinigten Mitteleuropas aufschwinge. Nur so könne dann Bismarcks Reich auch auf Weltebene, als Weltmacht ebenbürtig neben den anderen, schon konstituierten Weltmächten stehen[138]. Auch diese Lehre sollte eine weitreichende Wirkung auf das wirtschaftliche, politische und geistige Selbstbewußtsein der heranwachsenden Generation haben.

Den Sezessionstendenzen des rechten Flügels der Liberalen konnte die »Mitte« und die »Linke« kein verpflichtendes Programm entgegenstellen. Die »Mitte« der Partei wurde vom »friedsamen« Bennigsen[139] geführt, dessen politische Begabung, die Kunst des Kompromisses, aber an den aufbrechenden materiellen Gegensätzen versagte, zumal mit Cuny, Gneist, Miquel und Oechelhäuser Abgeordnete zur »Mitte« zählten, die ihrerseits, mehr oder weniger ausgeprägt, Vertreter eines gemäßigten Zolltarifs waren[140]. So zeigte sich auch in dieser Gruppe schon vor der Reichstagsdebatte der grundsätzliche Wille, mit Bismarck zusammenzugehen[141]. Die »lahmgelegte Mitte« der Partei wiederum konnte zu den zum Teil mit Handel oder mit verarbeitender, exportinteressierter Fertigwarenindustrie verbundenen Abgeordneten des linken Flügels, z. B. v. Forckenbeck (Berlin), Rickert (Danzig) u. a., keinen Ausgleich finden[142]. Ebensowenig schien zwischen Lasker, Bamberger, Braun u. a., die mit ihrem dogmatisch-liberalen Standpunkt immer mehr in krassen Gegensatz zu den Interessen ihrer Wahlkreise gerieten[143], und Bennigsen eine Einigkeit über das Schutzzollprogramm möglich zu sein.

Bismarck bereitet die parlamentarische Durchführung des Schutzzollprogrammes vor

Um die Spannungen gerade innerhalb dieser Partei noch zu vertiefen, hatte Bismarck den Tarif dem Reichstag bewußt ohne Motivation zugehen lassen. Zudem hatte Bismarck noch die Osterferien hierfür ausgesucht, um so von vornherein jede organisierte Opposition zu unterbinden. Er selbst nützte die Reichstagsferien zur taktischen Vorbereitung für die Parlamentsdebatte: Burchard, Tiedemann, Bötti-

138 G. Schmoller: Die amerikanische Konkurrenz und die Lage der mitteleuropäischen besonders der deutschen Landwirtschaft. Schmollers Jb. 6/1882, ders.: Die Wandlung der europäischen Handelspolitik im 19. Jhdt., Schmoll. Jb. 24/1900, G. Schmoller pp. Handels- und Machtpolitik I, Stuttgart 1900.

139 Männer S. 49.

140 Herzfeld: Miquel S. 437, Heyderhoff/Wentzcke II, S. 232. DZA I Nachlaß Bennigsen Nr. 111.

141 DZA I RK I Nr. 2107: 18. I. 79 Tiedemann an Bismarck; ebd. Nr. 656 Tiedemann S. 94/95.

142 Männer S. 48, Lotz S. 165.

143 AA-Bonn Dtld. 103, vol. 2.

cher, die Bayern v. Mayr und Herrmann und der Württemberger Varnbüler wurden zur Vertretung der Vorlage im Reichstag bestimmt. Rentzsch vom Verein Deutscher Eisen- und Stahlindustrieller, Beutner und Grothe vom Centralverband deutscher Industrieller, v. Wedell-Malchow und Mirbach von den Steuerreformern wurden als Redner für die Spezialdebatten gewonnen. Daneben wurden Einzelprobleme den Referenten der einzelnen Industriezweige, so Berger (Witten), Haßler, Völk etc., überlassen[144]. Damit waren die Rollen verteilt. Kein Freihändler konnte von Regierungsseite in die Debatte eingreifen, und auch die preußische Opposition eines Hobrecht und Maybach – schon im März ausgeschaltet – war jetzt vollends mundtot gemacht. Ihr Schweigen war mit einem Orden honoriert worden[145].

Außerdem nützte Bismarck die günstige Lage, einmal um das Handelsministerium direkt unter seinen Einfluß zu stellen (Maybach sollte ausschließlich die Eisenbahnfragen bearbeiten)[146], zum anderen vollzog er nun auch den entsprechenden Schritt zur Reorganisation des künftigen preußisch-deutschen Verhältnisses im Sinne einer klareren Hervorhebung der zentralistischen Verwaltungstendenzen und der Betonung seiner Machtstellung. Auf der ersten Konferenz der Chefs der Reichsämter[147] trat er wieder für eine stärkere Trennung, für eine »Emancipation, der Reichsgewalt und der Reichsregierung von der Regierung des Königreiches Preußen«[148], ein. Allein das von ihm geführte preußische Außenministerium sollte zur Schaltstelle des innerdeutschen Verkehrs werden; Preußen sollte keinen offensichtlichen prädominierenden Einfluß auf die Reichsverwaltung nehmen, und deswegen sollten in Zukunft die Präsidialvorlagen unabhängig und auch ohne preußische Zustimmung dem Bundesrat vorgelegt werden. Preußen sollte wie die anderen Staaten mit dem »wesentlichen Mittel« der Bundesratsstimme agieren. Wenn auch die »militärische Seite« von dieser Regelung nicht berührt wurde, so schien es doch, daß Bismarck nicht mehr willens war, durch den Gedanken preußisch-deutscher Ressortverbindungen die Mittelstaaten unter Preußen mediatisieren zu wollen. Das Reich sollte die Klammer sein, die Bundesstaaten – theoretisch gleichgestellt – die Träger der Macht. Es schien, daß Bismarck nun – wie er es dann ein Jahr später formulierte – »die föderative Grundlage der Reichsverfassung und die durch letztere verbürgte Selbständigkeit und Stärke der einzelnen Staaten ... für die sichere, aber auch unentbehrliche (Grundlage) Bürgschaft[149] unseres Verfassungsrechtes, unseres Friedens und der Macht« ansah[150].

144 DZA I RK 2108 o. D. Bismarcks Aufzeichnung; RK Nr. 2109: 12. II. 1879 Varnbüler an Tiedemann.
145 DZA II Rep. 89 H Gen. 1, Bd. 5: 23. III. 79 Bismarck an Wilmowsky.
146 DZA II ebd. 21. III. 1879.
147 DZA I RK Nr. 1912: 9. IV. 79 anwesend Bismarck, Bülow, Hofmann, Stephan, Friedberg und W. Bismarck; Morsey S. 102.
148 Sächs. LHA Dresden AM Nr. 1102: 14. IV. 79 Nostitz an Nostitz.
149 Korrektur Bismarck.
150 DZA I RK Nr. 656: 1. VI. 1880 Bismarck an Wilhelm.

In Wirklichkeit hatte aber auch diese Wendung, die ihn wieder einmal so prononciert das »föderative Vehikel« besteigen ließ, wieder sehr aktuelle und ausgeprägt taktische Gründe. Denn das scheinbare Zurückdrängen Preußens hatte mehrere Gründe: Einmal nahm Bismarck dadurch Sachsen, Baden, Bayern und Württemberg den Grund für ihre Opposition gegen seine Schutzzoll- und Reformpolitik, zum anderen schaltete er die liberale Opposition in Preußen – also Falk, Eulenburg, Friedenthal und vor allem Hobrecht – aus, *ohne* jedoch den »Machteinfluß des preußischen Staates« zur »Stärkung der Reichsgewalt« zu verlieren[151]. Denn mit der Zusammenfassung und stärkeren Konzentrierung der Reichsverwaltung in seiner Hand – in der aber gleichzeitig die Macht des Ministerpräsidenten und Außenministers ruhte – wurde endgültig das Kollegialprinzip auch bei weiter anschwellender Ressortspezialisation zugunsten des Personalprinzips aufgegeben, und zwar so, daß auch das preußische Kollegium in seiner politischen Tätigkeit gegenüber dem Reich allein von ihm (dem Kanzler) kontrolliert wurde.

Erneute Agitation: der Schriftwechsel mit Thüngen-Roßbach

Dies war die eine Seite der Vorbereitung für die Parlamentsdebatte. Die andere bildete eine erneute Ankurbelung der Agrarzollagitation, ausgelöst durch den berühmt gewordenen Briefwechsel zwischen dem Kanzler und Thüngen-Roßbach. Als der bayrische »Steuerreformer« Mitte April zahlreiche »Zustimmungsadressen« zu Bismarcks Programm in Berlin übergab, betonte er, daß dieselben »nicht dem vorliegenden Zolltarifentwurf« gelten, sondern allein dem Programm vom 15. Dezember 1878[152]; denn *allein* mit diesem Programm sei das »Verschwinden des ländlichen Mittelstandes« zu verhindern. Diesen Klagen, die von nun an durch Jahrzehnte die deutsche öffentliche Meinung beherrschen, antwortete Bismarck sofort und machte seine Antwort zum Ausgangspunkt einer erneuten Pressekampagne[153]. Bismarck betonte[154], er habe »auf die Tarifkommission, soviel er konnte, eingewirkt, um die Landwirtschaft pari passu mit der Industrie« zu halten; sei aber ohne Erfolg geblieben, da er nicht genügend unterstützt worden sei. Deshalb forderte er von Thüngen – sollte das Agrarpogramm erfüllt werden – eine »stärkere und practischere Unterstützung«. »Vor allem« sollten »die Vertreter der Landwirtschaft im Reichstag nicht ruhen«, um durch Werbung und Gruppenbildung Anhänger zu gewinnen. Darüber hinaus stellte Bismarck nun auch den zweiten Teil

151 Sächs. LHA Dresden AM Nr. 1102: 13. VIII. 1879 Nostitz an Nostitz.

152 DZA I RK Nr. 2110: 12. IV. 1879 Poschinger Volkswirth I, S. 213; AA-Bonn, Dtld. 103, vol. 3: Vossische Zeitung 6. V. 1879.

153 DZA I RK Nr. 2110: Antworten u. a. an die Konservativen Wahlvereine Erlangen, Hirschberg, Homburg, Pirmasens, Zweibrücken, Ziegenrück, Heidelberg, Oberhessen, Mecklenburg, Breslau, Lauenburg.

154 ebd. 16. IV. 1879.

seiner Reform, die Eisenbahntarifrevision zur öffentlichen Diskussion: denn nur mit einem dem Schutzzoll angeglichenen Eisenbahntarif sei die Reform so durchgeführt, daß die nationale Produktion wieder mit Gewinn arbeiten könne. Für Bismarck bedeutete aber die Revision noch mehr, nämlich die Überwindung der Tarifhoheit Bayerns, Sachsens und Württembergs und die Aufsicht über die volkswirtschaftlichen Lebensadern Deutschlands[155].

Die erste Lesung im Reichstag

Nach all diesen Vorbereitungen glaubten Bismarck und seine engsten Berater, Tiedemann und Herbert Bismarck, die parlamentarische Auseinandersetzung mit Aussicht auf Erfolg beginnen zu können. Am 2. Mai 1879 eröffnete Bismarck[156] – nachdem ein erster Erfolg bereits im Bundesrat mit der Annahme eines Kampfzollparagraphen im neuen Tarif verzeichnet werden konnte[157] – den parlamentarischen Kampf, den die »Börsenhalle«, das freihändlerische Organ des Hamburger Senats, schon am 10. Mai 1878 »als einen Windmühlenkampf gegen die Getreidetarife« bezeichnete.

Wie geplant spielten die »204« die dominierende Rolle bei der Tarifdebatte. Für das Zentrum traten in erster Lesung Reichensperger[158] und Windthorst[159] im Interesse Schlesiens, Westfalens und des Rheinlandes für das Programm ein; zugleich betonten sie wiederum ihre nationale Politik und verbanden sie mit ihren konfessionellen Zielen[160]. Weitere Unterstützung erhielt das Programm von den

155 Poschinger: Volkswirth I, S. 185/208 ff., ders. Wirtschaftspolitik I S. 302 ff.; AA-Bonn Deutschland 103 vol. 3: 6. III. 1879 Dönhoff an Bismarck; WHStA Stgt. BA IX, Nr. 462, 465 und Nr. 471; StA Hbg. Zollkommissariat Y 6 conv. III, DZA I Reichseisenbahnamt Nr. 397, dto. 398: 16. III. 1879 AA-Bonn Europa Gen. 72; DZA II Rep. 93 C Abt. E Nr. 680: 15. VI. 79, Dresden, 16. VI. 79 Weimar, 14. VI. 79 Stuttgart.

156 Sten. Berichte Reichstag 1879 (4/II/2) S. 927 ff. Die Reichstagsverhandlungen, leicht zugänglich und zumeist im Mittelpunkt der Analysen stehend (z. B. Schneider, Gerloff, Lotz, Jahrbuch für Nationalökonomie und Statistik, Supplementbd. V, VI, IV, ausführlich Lambi S. 207), haben als solche wenig Neues zu bringen, da die eigentlichen Entscheidungen hinter den Kulissen fielen, wenn auch das Aufeinanderprallen der agrarischen und industriellen Interessen in der Frage des billigen Getreides hier zum Austrag kam und die Wandelhallen des Reichstages nach den Worten eines Abgeordneten eher einer »sehr achtbaren Versammlung an der Burgstraße« glichen (RT 1879, II S. 1395, Flügge 23. V. 1879).

157 so oben S. 549.

158 Sten. Berichte Reichstag, ebd. S. 946 ff.

159 ebd. S. 698 ff.

160 Hamburger Börsen-Halle 26. VI. 1878; Hirsch S. 32 f., Tötter S. 11 zur Haltung des Zentrums vgl. auch GStA München MA 1935, 1879 Nr. 23, Bericht Rudhardt 17. IV. 1879.

beiden konservativen Parteien, für die Minnigerode[161], Varnbüler[162], Löwe[163] und Kardorff[164] sprachen.

Gemäßigte Zustimmung[165] und scharfe Ablehnung[166] wechselten bei den Nationalliberalen[167]. Die Spaltung der Partei, deren Einheit Bennigsen am 1. Mai noch mit der Freistellung des Votums zu der wirtschaftspolitischen Frage zu retten gehofft hatte[168], war offenbar geworden. Bismarck hatte sein parlamentarisches Ziel erreicht.

Klarer als die innerlich zerrissenen Liberalen erkannten Liebknecht für die Sozialdemokraten[169] und Richter für den Fortschritt, als Führer der schroffen Opposition, hinter den Fragen von Schutzzoll, Eisenbahntarif und Steuerreform für Preußen und Finanzreform für das Reich[170] die eigentliche Konzeption Bismarcks:

»Für den Herrn Reichskanzler«, führte Richter aus, »ist es im letzten Grunde nicht die Zollfrage, es ist die Machtfrage, welche ihn bestimmt, denn Geld ist Macht und mit Geld wird die Machtfrage entschieden, die Machtfrage gegenüber dem Reichstag, die Machtfrage gegenüber den Einzelstaaten.«

Ähnlich hatte er schon gegen die prononcierte Schutzzollthronrede aufbegehrt[171]:

»... Ich sehe äußerst trübe in die weitere Entwicklung. Es würde äußerst traurig sein, wenn man jemals erkennen könnte ... daß die maßgebende Wirtschaftspolitik sich gestaltet zu einer Interessenpolitik des Großkapitals, mag nun das Großkapital repräsentiert werden durch den Großgrundbesitz, die Großindustriellen oder den großen Forstbesitz ..., wenn Staatserhaltung ... zum bloßen Polizeibegriff« geworden ist.

Damit hatte Richter Bedenken angesprochen, die über die rein wirtschaftlichen weit hinausgingen und mit denen Fortschritt und Sozialdemokratie versuchten, in der Beschwörung von »politischer« und sozialer Gefahr die Erhöhung der Zölle und die Durchführung der Reform abzuwenden. Zugleich konzentrierten die Sozialdemokraten und Linksliberalen ihre Politik auf die brüchige Stelle im Bündnis von Landwirtschaft und Industrie – nämlich auf die Agrarzölle, auf billiges Brot.

161 Sten. Berichte Reichstag, ebd. S. 970
162 ebd. S. 1021.
163 ebd. S. 1006.
164 ebd. S. 989 ff.
165 Bennigsen, ebd. S. 1031 ff.
166 Lasker, ebd. S. 1048 und Bamberger S. 952.
167 ebd. S. 1031 ff., 1060 f. ebd.
168 Poschinger: Parlament S. 340, Männer S. 50 ff., 56; Rathmann S. 941.
169 GStA München MA 1935, 1879, Nr. 23: 7. V. 1879 Bericht Rudhardt.
170 Zur Steuerreform vgl. Nitzsche S. 149, Gerloff Finanzpolitik, S. 134 ff., S. 141 ff., S. 148 ff. mehr allgemeine Zusammenstellung ohne eingehende Analysen; eine Sonderstudie fehlt; zur Eisenbahnpolitik, vgl. H. Mottek: Die Ursache der Eisenbahnverstaatlichung des Jahres 1879, Diss. oec. Berlin 1950; E. Rehbein: Zum Charakter der preuß. Eisenbahnpolitik von ihren Anfängen bis zum Jahre 1879, Diss. phil. Dresden 1953.
171 15. III. 1879 Richter (Hagen) im Reichstag; (Sonderdruck 1879).

Sie wußten, daß die Industriellen in dieser Frage die Solidarität mit den Landwirten recht reserviert betrachteten.

Die Antworten Hofmanns, Tiedemanns und Hobrechts wiesen die Anschuldigungen zurück und bezichtigten nun ihrerseits die freihändlerische Politik des »laissez faire« als Nährboden der »sozialen Gefahr«. Von nun an war für Bismarck jede oppositionelle Politik die Politik eines »Proletariers«[172].

Doch die Freihändler gaben trotz des selbstbewußten Auftretens der Schutzzöllner und der Regierung das Ringen noch nicht auf. Aber weder der »Fortschritt«, noch die freihändlerischen Interessengruppen von Handel und Exportmanufakturindustrie mit ihren Sprechern Bamberger und Braun[173], weder die Sozialdemokraten – als Fraktion noch eine quantité négligeable in der Auseinandersetzung – noch die vom Berliner Oberbürgermeister und Präsidenten des Reichstags, Forckenbeck, eilends nach Berlin gerufene freihändlerische Städtevertretung[174], weder der Aufruf an das Konsumenteninteresse der Arbeiter und damit zugleich die Beschwörung der sozialen Frage noch die drohend vor Augen gestellten Gefahren, die bei einer Absperrung von Rußland, Italien, Frankreich und Belgien und Österreich-Ungarn Deutschland drohten, die das »international verwendete Kapital ... compromittiren« und die neu erschlossenen Verkehrswege brachliegen lassen würden, vermochte die Annahme der Tarifvorlage zur »Sicherung des deutschen Marktes«, zur Hebung »unserer Eisenschätze«, zum »Schmelzen unseres Eisens« zu verhindern[175]. »Einigermaßen wie verpönte Dinge« wurden am Ende der Generaldiskussion die Interessen von Handel und Export, also der Freihändler, in der Auseinandersetzung um Eisen- und Agrarzölle »behandelt«[176].

172 Stenographische Berichte Reichstag 4, Bd. 2, S. 104, ebd. 4, II S. 985.

173 StA Hbg. Zollkommissariat Y 6, conv. 3; DZA I RK Nr. 2110, 2111, Nr. 3206, Anlagen zu den Stenograph. Berichten des Reichstages 1879 Nr. 6 Bericht der Petitionskommisson.

174 StA Hbg. Nachlaß Versmann Tagebuch A 4: 11. V. 79 ebd. Zollkommissariat Y 6 conv. I: 9. V. 1879 Versmann beschloß, »die Sache auf sich beruhen zu lassen«, und zeigte damit erneut die gespaltene Haltung der liberalen Freihändler, die nun von Königsberg, Insterburg, Elbing, Danzig und Stettin ausgehend, noch einmal versuchten, den Lauf der Dinge in letzter Minute herumzureißen. München, Chemnitz, Dresden, Dortmund, Breslau und Düsseldorf wurden gleich gar nicht eingeladen. Aachen, Augsburg, Altenburg, Bamberg, Göttingen, Minden, Oberhausen und Landshut lehnten ab; und Bochum, Eilenburg, Ottensen und Witten opponierten mit schutzzöllnerischen Argumenten gegen die freihändlerischen Bürgermeister von u. a. Apolda, Anklam, Annaberg, Berlin, Barmen, Celle, Krefeld, Köln, Cottbus, Danzig, Elberfeld, Elbing, Frankfurt/Main, Görlitz, Gießen, Glogau, Greifswald, Graudenz, Greiz, Guben, Halberstadt, Hannover, Hildesheim, Hanau, Heilbronn, Kiel, Königsberg, Lüneburg, Magdeburg, Memel, Mühlheim, Nürnberg, Oldenburg, Plauen, Posen, Rostock, Stolp, Stettin, Stralsund, Thorn, Tilsit, Weimar, Weißenfels, Wiesbaden, Wismar, Zeitz.

175 Reichensperger Sten. Berichte RT (4/II/2) S. 946 ff.

176 StA Hbg. Nachlaß Versmann Tagebuch A 4: 11. V. 79.

Der Kampf um die Agrarzölle

Die Auseinandersetzung ging Mitte Mai 1879 – also nach der Generaldiskussion – nur noch um die Höhe der Agrarzölle. Rasch entwickelten sich die Dinge weiter, denn Bismarck hatte nur die erste Parlamentsschlacht abwarten wollen. Als sich hier die Schutzzöllner durchsetzten, begann er am 11. Mai erneut mit dem Werben um die »conservative Sache«, die darunter »leiden muß, wenn die Regierung nicht die landwirtschaftlichen Interessen stützen und angesichts begründeter Beschwerden fördern (kann). Gerade weil ich der Beziehung zu den conservativen Elementen im Lande nothwendig bedarf, muß ich um so größeren Werth darauf legen, daß über meine persönliche Stellung zur Sache keine Unklarheit herrsche[177].«

Daß »keine Unklarheit herrschte«, dafür sorgten auch die »Kurgäste«, die Bismarck nach Karlsbad geladen hatte – von Bonin, v. Wedell-Malchow, v. Eckardtstein-Proetzel, v. d. Schulenburg, v. Heyden u. a.[178]. Bismarcks Taktik – der sich im Gegensatz zu den Interessenten und Rechtsparteien nicht als unbedingter »Herr der Situation« fühlte und auch »nicht an das Vertheilen der Beute im Voraus« dachte[179] – war ganz darauf abgestellt, die Drohungen Richters über die Erhöhung der Lebenskosten bei Agrarzöllen zu überspielen. Deswegen ließ er *gleichzeitig* von den Agrariern die »Verdoppelung des Roggenzolles« *und* die Reduktion des Eisenzolles beantragen[180].

Aber trotz dieses Warnschusses, trotz des neuen konservativen Reichstagspräsidiums (Seydewitz löste Forckenbeck ab), trotz der von Zentrum und Konservativen beherrschten Reichstagskommission für die Tarifvorlage[181] wurden vom Reichstag nur die Eisenzölle mit überwältigender Mehrheit angenommen[182]. Die von Mirbach und Frege (Abtnaundorf) verteidigten Agrarzölle mit erhöhtem Roggenzoll hingegen wurden abgelehnt[183]. Nur die Bundesratsvorlage fand eine Mehrheit[183a]. Teile des Zentrums und Teile der Schwerindustrie hatten Bismarcks Gesamtprogramm die Zustimmung versagt und an ihren alten Prinzipien – nur Industrieschutzzölle – festgehalten[184].

Aber nicht nur die höheren Agrarzölle schienen unerreichbar zu sein, auch das von Bismarck Anfang Mai vorgeschlagene Steuerreformprojekt war von Hobrecht

177 AA-Bonn, Deutschland 103, vol. 3: 11. V. 1879 Bismarck an Dönhoff.
178 DZA I RK 2108.
179 StA Hbg. Nachlaß Versmann Tagebuch A 4: 14. V. 1879.
180 Sten. Ber. RT 1879 S. 1238 ff.
181 DZA I RK Nr. 2109, Sten. Ber. RT 1879 (4/II/2) S. 1230 ff., Lucius S. 159, StA Hbg. Versmann Nachlaß ebd. 15. V. 1879.
182 Sten. Ber. ebd. S. 1271 ff. 218 : 88.
183 ebd. S. 1419 173: : 161.
183a ebd. S. 1429.
184 BA Koblenz R 13/I Nr. 344: Mai 1879 VDEStI-Eingabe, dto. DZA I RKA Nr. 1615: Eingaben Friedrich Wilhelm-Hütte, Gutehoffnungs-Hütte, Phönix, Hörde, Dortmunder Union.

– aufgrund der Spannungen im Bismarckschen Kartell – sofort öffentlich als »Zukunftsmusik« apostrophiert worden, und die preußischen Minister hatten sich beeilt, Hobrechts Ansicht zu unterstützen[185]. So war der Reichskanzler »trotz aller Niederlagen der freihändlerischen Partei mit den bisherigen Ergebnissen ... keineswegs zufrieden«[186]. Denn mit der Ablehnung der landwirtschaftlichen Zollsätze schien ihm das ganze System der konservativ-nationalen Sammlung zu scheitern. Die Frage der »Reichstagsauflösung«, wie er schon zu Beginn der Verhandlungen gegenüber Busch geäußert hatte[187], wurde erneut akut.

Die Finanzreform entscheidet: die Schlüsselrolle des Zentrums

Mit der Ablehnung des Zolltarifschemas und mit Hobrechts Stellungnahme trat sofort das »Hauptproblem« Bismarcks, die Finanzreform, in den Vordergrund des politischen Ringens. Nun entschied die Finanzreform, die Bismarck bisher immer noch mit der Schutzzollvorlage präjudizieren zu können gehofft hatte, sowohl die handels- und wirtschaftspolitische Neuorientierung als auch die künftige parlamentarisch-politische Entwicklung des Reiches. Da Bismarcks Finanzreformpläne nur von den Konservativen ohne Einschränkung angenommen wurden, lag die Entscheidung ganz in Händen von Zentrum und Nationalliberalen.

Beide Parteien formulierten auch sofort ihre »Lösung« für die Finanzreform; und im Namen des Zentrums offerierte Franckenstein, im Namen der Nationalliberalen Bennigsen Mitte Juni die Vorschläge[188]. Die Liberalen kapitulierten vor Bismarck in der Hoffnung, die Einheit der Partei so noch retten und die »ganz natürliche ... Gruppierung der Urteile« der Abgeordneten um die Interessen »der geographischen Lage der Heimatorte« verhindern zu können[189]. Sie akzeptierten die bislang abgelehnte Einheit von Zoll- und Finanzreform, beharrten jedoch – wie der hanseatische Gesandte Krüger es formulierte – auf der »constitutionellen Garantie«[190] des jährlichen Bewilligungsrechts für »Salzsteuer und Caffézoll«. Das Zentrum forderte neben »einem zunächst auf zwei Jahre« ausgesetzten Bewilligungsrecht auf einige Zölle und Salz die Beibehaltung modifizierter Matrikularbeiträge, damit also neben der »constitutionellen« noch eine »föderative Garantie«[191].

185 DZA II Rep. 90 B III 2 B Nr. 6 Bd. 91.
186 StA Hbg. Bundesratsbevollmächtigter I, 1 Bd. 13: 29. V. 1879 Kirchenpauer an Senat (Konzept).
187 GW VIII, S. 312.
188 Lucius S. 163: Oncken: Bennigsen II, S. 411 ff., GStA München MA 1935, 1879 Nr. 23: 26. VI. 1879 Rudhardt Bericht, zum Gesamtproblem vgl. Gerloff: S. 162; Hirsch S. 51 ff.
189 Festenberg-Packisch S. 508.
190 StA Hbg. Hans. Ges. Ält. Reg. G IV a Bd. 7: 24. VI. 1879 Krüger an Senat.
191 StA Hbg. ebd.

Die Entscheidung Bismarcks[192] zugunsten des Franckensteinschen Antrages[193] bedeutete das Ende der »liberalen« Regierungsphase, das »offizielle« Ende des Delbrückschen Deutschland[194] und den Beginn einer auf »Ostelbien« und die »Rheinprovinz« gestützten inneren und äußeren Reichsentwicklung – im Sinne der wirtschaftlichen Stützung des traditionellen »agrarisch-gebundenen« Führertums Preußens in Deutschland und der Heranziehung und Assimilierung der wirtschaftlich mächtigen neuen Unternehmerschicht an den »Staat«.

Mit Bismarcks finanzpolitischer Entscheidung für das Zentrum waren die preußischen Minister Hobrecht in der Tabaksteuer und Zollfrage[195], Falk in der Kirchenfrage und Friedenthal in der Agrarzollfrage mit Plänen und Entscheidungen konfrontiert, die sie zwangen, entweder auf Bismarcks Zielsetzung einzugehen oder zurückzutreten.

Zudem zerbrach die Einheit der Nationalliberalen, als sich mit der Gruppe Schauss-Völk[195a] vornehmlich süddeutsche Schutzzöllner von den Nationalliberalen abspalteten und bedingungslos für die Bismarckschen Ziele eintraten. Nun stand der Annahme[196] des »allgemein ausgeglichenen« Zollschemas nichts mehr im Wege. Bereits am 12. Juli 1879 wurde der – für Landwirtschaft und Industrie »gleichmäßig zufriedenstellende« – nochmals erhöhte Tarif mit 217 zu 117 Stimmen angenommen[197]. Das dreijährige Ringen war abgeschlossen.

Exkurs 3 Der Tarif von 1879

Das schließliche Abstimmungsergebnis im Plenum verschleierte, daß der Tarif – trotz aller »organisatorischen Vorbereitungen« – in der Kommission nur knappe Mehrheiten fand. Mit nur 18 Stimmen Mehrheit wurden die Eisenzölle und Roggenzölle angenommen[198]. Als aber die letzten Widerstände überwunden waren, präsentierte Bismarck den Industriellen und Landwirten einen Tarif, der ihren Wünschen vorerst entsprach. Vergleicht man den Tarif mit dem von 1877, dann mit dem Entwurf des Centralverbandes deutscher Industrieller und schließlich mit

192 Sten. Bericht 1879 S. 2199 ff.; Poschinger: Volkswirth S. 265.

193 Am 6. Juni wurde dieser im Bundesrat (StA Hbg. Cl. I, Lit. T Nr. 21 Fasc. in v. 2 vol. 2) am 9. Juli (RT ebd. S. 2212) im RT angenommen, nachdem zuvor die Schutzzöllner die »constitutionellen Vorbehalte« getilgt hatten.

194 StA Hbg. Hans. Ges. Ält. Reg. GIV, Bd. 7: 24. VI. 1879 Krüger.

195 StA Hbg. Hans. Ges. Ält. Reg. G IV a Bd. 7: 30. VI. 1879 Konzept Krüger.

195a Als im Februar 1892 Philipp Eulenburg gegen Caprivis Schulvorlage intrigierte, weil ein Zusammengehen des Zentrums mit den Altkonservativen in Preußen das Ende der pro-preußischen Liberalen in München bedeutet hätte, war Eulenburgs Gewährsmann in München eben der liberale Bankdirektor Schauss (Mitteilung von John Röhl, Cambridge/Brighton.)

196 Männer S. 56, Nitzsche S. 174.

197 Exkurs 3.

198 StA Hbg. Zollkommissariat Y 6, conv. I Bericht vom 11. VII. 1879.

dem Kommissionsschema, so ergibt sich ein Bild, das unübersehbar die Kongruenz zwischen »privatem« Wunsch und staatlicher Verordnung verdeutlicht[199]; ja, hier und da führte die Kommission das vom Centralverband deutscher Industrieller vorgeschlagene Prinzip konsequent über die Forderungen des Centralverbandes hinaus: so z. B. in Tarif 2 (Baumwolle und Baumwollwaren). Der Tarif von 1877 verzeichnet hier 3 Gruppen von Baumwollgarn mit je 12 M je 100 kg Zoll, 3 Gruppen mit 24 M je 100 kg und Luxusartikel mit einer Belastung von 60 bis 156 M je 100 kg. Gemäß dem Vorschlag des Centralverbandes wurde die letztere Gruppe »Baumwollwaren ohne Seide«, Spitzen, Gardinen etc. auf 80 bzw. 250 M je 100 kg in der Kommission und im Reichstag erhöht. Noch gravierender waren die Änderungen in der Garngruppe, aus den drei Gruppen wurden nicht nur — wie es der Centralverband gefordert hatte — 9, sondern 15 Untergruppen, und zwar mit einer arbeitsintensiv angepaßten Zollsteigerung von 12 bis 48 M je 100 kg. Als Beispiel sei Gruppe 1 »Baumwollgarn ungemischt oder gemischt mit Leinen, Seide, Wolle oder anderen vegetabilischen oder animalischen Spinnstoffen« herausgegriffen. Der Delbrücktarif hatte (wie gesagt), alle Garnarten in einer Gruppe mit 12 Mark zusammengefaßt. Der CdI-Vorschlag unterfächerte bereits a) bis englisch Nr. 22: 12 M je 100 kg, b) bis Nr. 44: 18 M je 100 kg und c) über Nr. 45: 24 M je 100 kg. Die Kommission fächerte noch weiter a) bis 18, b) bis 45, c) bis 60, d) bis 79, und e) über 79 englisch. Die ersten Stufen erhielten die CdI-Staffelung, d) wurde neu mit 30 und e) mit 36 M je 100 kg festgesetzt — was einer prozentualen Zollwertsteigerung von 3,1 % auf 9,47 % gleichkam. Die übrigen Textilgruppen, Nr. 8 Flachs etc., Nr. 18 Kleider etc. (stiegen zum Teil von 240 auf 900), Nr. 20 Kurze Waren, Nr. 22 Leinen und Leinengarn und Nr. 41 Wolle zeigten die gleiche Tendenz der Auffächerung und Zollzunahme um 9—15 %.

In der zweiten großen Warengruppe Eisen und Eisenwaren wiederholten sich erneut die Kennzeichen der Textilwarenverzollung. 1877 überwiegend frei, wurde nun jede Position und fast jedes Fabrikat den Interessenwünschen gemäß spezialisiert und mit dem »geforderten Zoll« versehen: so z. B. Nr. 6 a) »Roheisen«, von Grothe mit 0,60 M je 100 kg gefordert, erhielt in der Kommission und im Reichstag einen Zoll von 1 M je 100 kg, b) »schmiedbares Eisen« (Stäbe, Schwellen, Radkränze etc.) 1877 frei, von Grothe mit 2 M je 100 kg veranschlagt, erhielt 2,50 M je 100 kg. Platten und Bleche, 1877 frei, vom CdI mit 2,50 M belastet, erhielten einen Zoll von 3 bzw. 5 M je 100 kg. Draht, 1877 noch frei, erhielt gemäß dem CdI-Wunsch 3 M je 100 kg, grobe Eisenwaren, also Maschinenbestandteile, Wagen, Brücken, Anker, Ketten, Eisenbahnachsen, Kanonenrohre, Hufeisen etc., erhielten nach CdI-Wunsch 2,50 bzw. 3 M je 100 kg Zollbelastung. In der Gruppe der »groben Eisenwaren in Verbindung mit Holz etc.« setzte die Kommission den Zoll höher als der CdI-Entwurf: Je nach verarbeiteten Verbundstoffen war zuerst ein Zoll von 4 bis 14 M je 100 kg vorgeschlagen worden, die Kommission reduzierte

199 Matlekovits, S. 182, 184 ff., 190 ff., S. 201 f., 208 ff., S. 340; StA Hbg. Zollkommissariat Y 6 conv. 1, conv. 2.

den Zoll auf einheitlich 6 M je 100 kg, der Reichstag akzeptierte aber die neuen Zölle zwischen 6 M und 15 M. Das gleiche wiederholte sich bei Glas und Glaswaren (Nr. 10), bei Maschinen (Nr. 15), bei Leder und Lederwaren (Pos. 21), bei Papier und Pappwaren (Pos. Nr. 27).

In der dritten Warengruppe, den chemischen Produkten etc., wiederholt sich der gleiche Vorgang: Spezialisation der einzelnen Artikel und erhebliche Zollsteigerung gemäß CdI-Vorschlag, z. B. Pos. 5 e (Oxalsäure), 1877 frei, CdI: 8 M je 100 kg, Tarif: 8 M je 100 kg, oder Oxalsaures Kali, 1877 frei, CdI: 8 M je 100 kg, oder 5 f Soda, 1877 1,50, CdI: 3 M Tarif 2,50 M je 100 kg.

Heiß umstritten war ja die Getreidegruppe (Pos. 9); hier sah der CdI-Entwurf noch vollkommene Zollfreiheit vor, im Gegensatz zum Entwurf des 10. Congresses deutscher Landwirte[200], die 1 M je 100 kg gefordert hatten; ihrer Forderung entsprach jetzt der Tarif: Weizen, Hafer, Hülsenfrüchte wurden mit 1 M je 100 kg belastet, Roggen mit 0,50, wie Gerste, Mais und Buchweizen. Bismarck hatte sich also doch durchgesetzt. Dieser Tarif sollte erst den Anfang von weiteren Erhöhungen bilden. 1887 wurde Weizen und Roggen schließlich mit 5 M belastet. Zollerhöhungen verzeichneten aber nicht nur die Getreide- und Viehpositionen (Pos. 39 z. B. Pferde: 1877 frei, 1879 10 M, Jungvieh, 1877 frei: 4 M etc.), sondern auch die Konsumtionsartikel. So wurde nun z. B. Wein mit 24 M (in Fässern) und 48 M (in Flaschen) belastet (1877: 8 und 16 M). Butter, 1877 frei, erhielt einen Zoll von 20 M je 100 kg, Fleisch, Wild etc., 1877: 3 M, 1879: 12 M je 100 kg; der CdI-Entwurf forderte hier überall Zollfreiheit, wie er überhaupt vor allem bei Luxusartikeln entweder den Freihandelszoll übernahm oder die volle Zollfreiheit forderte.

Die groben Angaben weisen das neue Zolltarifschema als den radikalen Bruch mit der 30jährigen handelspolitischen Tradition Delbrücks aus; trotzdem brachte er keineswegs so hohe Zolleinnahmen ein, wie Bismarck angenommen hatte, ein Beweis, daß der Zolltarif auch dem »Schutz« des deutschen Marktes diente, also nach außen gerichtet war und den Charakter eines Kampfzolles erhielt[201]. Auch nach 1879 standen die Einnahmen aus Kaffeezöllen mit prozentual 27,51 % (1878: 31,20 %) an erster Stelle der Zolleinnahmenbilanz, ihnen folgten mit 15,36 % Tabakwaren (1870: 17,06 %), dann kamen die Einnahmen aus der Weineinfuhr mit 12,39 % (1878: 8,09 %), demgegenüber stagnierten die Einnahmen aus der Einfuhr, z. B. von Baumwollgarn (1878: 2,25, 1880: 1,91 %), und legten Beweis ab von der gedrosselten Einfuhr; oder sie stiegen an, wie z. B. bei Eisen und Eisenwaren (1878: 0,22 %, 1879: 1,08 %), Maschinen (1878: 0,05, 1870: 0,58 %), so zeigte dies wiederum, daß der Markt gewisse Artikel nicht selbst herstellen konnte und sie einführen mußte. Als einzige »Einnahmequelle« erwiesen sich nur die Getreidezölle: 1880 stellten sie mit 8,82 % an den Einnahmen die vierte Position hinter Petroleum, und 1889 waren sie mit 29,05 % klar an die Spitze gerückt, gefolgt von Kaffee mit 12,59 %.

200 StA Hbg. Zollkommissariat Y 6 conv. II.
201 Matlekovits S. 637 ff.

Deutschland war ein Industriestaat geworden, trotz aller Stützungen war an eine autarke Getreideversorgung nicht zu denken. Rußland dominierte in der Roggeneinfuhr mit 86,83 % und in der Weizeneinfuhr mit 58,28 %, gefolgt von Österreich-Ungarn mit 26,06 %, das aber 1880 noch mit 36,59 % geführt hatte; dafür beherrschte aber die Schwerindustrie oligopolartig den deutschen Markt: die Zolleinnahmen für diese Artikel beliefen sich 1889 noch auf 79 % oder 6,4 Mill. Mark bei einer Gesamteinnahme von 360,2 Mill. Mark.

d Das zweite große Revirement und die Spaltung der Nationalliberalen: Bismarck setzt sich durch

Das Kabinett Bismarck sans phrase

Nach der Annahme des Tarifs im Reichstag, der Schwenkung zum Zentrum und der Lahmlegung der Nationalliberalen, vollzog sich die »Bereinigung«[202] der Ministerkrise überraschend schnell[203].

Robert von Lucius[204], innerhalb der Freikonservativen ein vorbehaltloser Vertreter des Schutzzollgedankens und Anhänger einer »notwendig auf Autarkie und Stützung zielenden Agrarpolitik«[205], löste Friedenthal als Minister für Landwirtschaft, Domänen und Forsten ab[206]. Robert von Puttkamer – ausgezeichnet als hochkonservativer Oberpräsident Schlesiens –, für den die Nichtannahme der Zollreform in erster Lesung ein »Stoß ins Herz des monarchischen Prinzips« gewesen war, ersetzte Falk[207]; und Karl Bitter schließlich – als Regierungspräsident in Düsseldorf und Unterstaatssekretär im Innenministerium »ausgezeichnet« durch ausgeprägt schutzzöllnerische und »conservative Ansichten« – erhielt das dritte freiwerdende Ressort mit der Aufgabe, »die bisherige Republik der Ministerialräthe im Finanzministerium in monarchischem Stile« zu ordnen[208]. Mitte Juli waren die

202 DZA II, Rep. 90 a B III, 2 b Nr. 6 vol. 91: 14. VII. 79.
203 GW VIII, S. 242 ff./GW VI c Nr. 161, 162, 163. DZA I, RK Nr. 1456: 27. VI. 1879 Hobrecht an Wilhelm I., 29. VI. 1879 Friedenthals Abschiedsgesuch, dto. Falks.
204 Robert Lucius, seit 1888 Freiherr von Ballhausen, geb. am 20. Dezember 1835 in Erfurt, Medizinstudium in Heidelberg und Breslau, dann als Arzt im Marokkofeldzug und in Eulenburgs Ostasienexpedition. 1864/66 und 1870/71 Landwehrmann, vertrat seit 1870 als Freikonservativer den WK-Erfurt im Abgeordnetenhaus und Reichstag und war seit 1879 Vizepräsident des RT. Ab Juli 1879 bis 17. XI. 1890 Landwirtschaftsminister, seit 1895 Herrenhausmitglied.
205 StA Hbg. Hans. Ges. Ält. Reg. GIV a Bd. 7: 4. VII. 1879 Bericht Krügers.
206 DZA II Rep. 89 H II Gen. 1 Vol. 5: 1. VII. 1879 Bismarck an Wilhelm (hs.).
207 s. oben S. 258, DZA II, Rep. 89 H ebd.
208 s. oben S. 425, DZA II, Rep. 89 H ebd. Trotz der sehr absprechenden Urteile von

»liberalen«, »intrigierenden«[209], mit Liberalen und Fortschritt »sympathisierenden« Minister[210], mit denen Bismarck ein »weiteres Zusammenwirken« unmöglich war, durch »ein Kabinett ersetzt, dessen Mitglieder sich gegenseitig trauen und ihrem Amte gewachsen sind«. So beurteilte es Bismarck[211].

Nun hatte Bismarck auch in Preußen ein homogenes, konservatives Ministerkollegium[211a], und damit war auch die Auseinandersetzung um die Frage »Preußen oder Deutschland« in Bismarcks Sinn beendet. Der Reichsverwaltung (wie sie Delbrück geführt hatte) fehlte nach Annahme des Schutzzolltarifs, dem Revirement und dem Abschluß der Finanz- und Steuerreform die »echte politische Bedeutung, die den partikularistischen Kräften Eigenständiges hätte entgegensetzen können«[212]. Aber auch die Regierungen der Bundesstaaten hatten auf die Reichspolitik nur insofern noch Einfluß, als sie mit »einheitlichem Votum« Bismarcks Politik, für die er in den achtziger Jahren, vor allem für das Sozialistengesetz, nur mühsam Mehrheiten im Reichstag finden konnte, unterstützten[213]. Das galt vornehmlich für Preußen. Nach dem zweiten Revirement war jeder Gedanke einer direkten, nicht von Bismarck kontrollierten preußischen Einwirkung auf die Reichsverwaltung vorbei, und zudem scheiterte jeder Gedanke einer Personalunion sofort am Widerstand der Bundesstaaten, die ein offenes »Großpreußenthum« mit aller Vehemenz ablehnten[214]. Allein Bismarcks Machtstellung war im Reich *und* in Preußen »verankert«[215]; in seiner Hand liefen alle Fäden zusammen, von ihm ging in allen wesentlichen außen-, innen-, handels- und personalpolitischen Fragen die Initiative aus. Er bestimmte den weiteren »deutschen Weg« mit Hilfe des von ihm geschaffenen Kartells von preußischem Beamtentum, Landaristokratie und Industriellenplutokratie[216].

Die Reorganisation wird vollendet

Die während der Schlußphase der Tarifberatungen eingeleiteten verwaltungs- und personalpolitischen Maßnahmen unterstrichen nur noch mehr den Abschluß der

Scholz (Erlebnisse, S. 12) war Bitter, der Bötticher, Dechend und Varnbüler vorgezogen wurde, aufgrund seiner Tätigkeit in Düsseldorf keineswegs nur als Aushilfe gedacht.

209 Lucius S. 165.

210 DZA II Rep. 89 H ebd.: 3. VII. 1879 Bismarck an Wilhelm.

211 ebd. 1./5./19. VII. 1879.

211a GW VI c Nr. 164, Nr. 165.

212 Vietsch S. 97, Morsey S. 103.

213 DZA I RK Nr. 656: 1. VI. 1880 Bismarck an Wilhelm.

214 vgl. z. B. die Frage des Justizministers. Goldschmidt Nr. 67–70, GW XI S. 505, Sächs. LHA Dresden AM Nr. 1102: 2./4./14./15. XI. 1879 Nostitz an Nostitz; DZA I RK Nr. 1912: 23. X. 1879 Hofmann an Bismarck, o. D. Bismarck-Nota.

215 Morsey S. 103.

216 Sächs. LHA Dresden AM Nr. 1102: 13. VIII. 79 Nostitz an Nostitz.

Bismarckschen Option, die einer »Neugründung des Reiches« gleichkam. Mit der Gründung des Reichsschatzamtes[217] als technischer Vorbereitungsstelle für die nach der Annahme des Schutzzolltarifschemas anstehenden Handelsvertragsverhandlungen mit den europäischen Staaten war die bürokratische Vormacht des Reichskanzleramtes endgültig vorbei. Das Reichskanzleramt, umbenannt in »Reichsamt des Inneren«, wurde zur reinen Verwaltungsbehörde[218]. Das Reichsschatzamt rückte sofort in den Mittelpunkt der Reichswirtschaftspolitik, »soweit es auf die finanziellen Fragen ankam«[219]. Nachdem Bismarck zuvor den Generalzolldirektor Fabricius als Staatssekretär für das neue Amt abgelehnt hatte, Bötticher von sich aus ablehnte, übernahm der Oberfinanzrat im preußischen Finanzministerium, Adolf Scholz[220], ein »treuer und begeisterter Anhänger« der Bismarckschen Politik, das neue Ressort. Michaelis, der eigentlich als Leiter der Finanzabteilung für den Posten prädestiniert gewesen wäre, wurde völlig übergangen, zum »Reichsinvalidenfonds« versetzt und dann in den »einstweiligen Ruhestand« abgedrängt[221]. Als Hauptmitarbeiter erhielt Scholz den Vortragenden Rat Burchard, der sich bei den Tarifverhandlungen schutzzöllnerische Sporen verdient hatte, Bismarck aber »noch zu liberal« war für einen höheren Posten[222]. Weitere Mitarbeiter waren die erprobten Schutzzöllner aus dem Reichskanzleramt Schultz, Lieber, Aschenborn[223] und Schultze[224]. Von vornherein regelte Bismarck das Verhältnis zwischen Finanzministerium und Reichsschatzamt so, daß das Reichsschatzamt dem Reichskanzler »Beistand« bei seinen »Erörterungen und Verständigungen mit dem preußischen Minister« zu leisten habe; die entscheidende Stelle für die deutschen Finanzfragen blieb weiterhin »der preußische Finanzminister und das Staatsministerium«[225]. Diese Regelung wurde drei Jahre später — 1882 — noch unterstrichen, als Scholz anstelle

217 RGBl. 1879, S. 196, DZA I RK Nr. 1912: 14. VII. 1879.

218 DZA I RK Nr. 1912: 23./22. XI. 1879; DZA II, Rep. 89 H, II, Deut. Reich 5. vol. 2: 15. XII. 1879; DZA I, RdI, Nr. 14 266. Anm. o. D. Votum Müller betr. Aufgabenbereich; 24. XII. 1879 Wilhelm I.; am 2. III. 1880 verbot Bismarck dem Amt die »direkte Korrespondenz« mit Ländern und Reichsbehörden.

219 DZA I RK Nr. 1912: 31. VII. 1879 Scholz an Bismarck.

220 geb. 1833 in Schweidnitz, seit 1854 im preußischen Justizdienst, zeichnete sich Scholz seit 1870/73 als streng konservativer Abgeordneter aus und opponierte unter Camphausen und Hobrecht gegen die mehr liberalen Reformprojekte seiner Chefs, nach kurzer Staatssekretärzeit im Reichsschatzamt wurde er Finanzminister und blieb dies bis zum 24. VI. 1890. Gestorben am 21. III. 1924; vgl. DZA II, Rep. 92, Nachlaß Scholz, DZA I RK 1912: 24. VII. 1879 Scholz an Bismarck.

221 DZA II Rep. 89 H, II Deut. Reich 5 vol. 2: 5. V. 1879 Hofmann an Wilhelm.

222 GW VIII, S. 316.

223 DZA II Rep. 89 H II Deut. Reich 5 vol. II: 6. II. 1879 zum ORR befördert.

224 DZA II ebd. 1844 in Potsdam geboren, 1865 in Justizdienst übernommen, 1874 Reg. Ass. ab 1877 bei der Reg. Bromberg, seit 1877 im Reichskanzleramt; DZA I RK Nr. 1912: 31. VII. 79 Scholz an Bismarck.

225 GW XIV, S. 386.

des »abgewirtschafteten« Bitter (er hatte sich gegen die Industriellen und Banken gestellt, ohne dafür die »Anerkennung« als »conservativer geachteter, aristokratisch gerichteter Alt-Preuße« zu finden) das Finanzministerium übernahm und Burchard als Staatssekretär nachrückte[226].

Die gleiche Tendenz zeigte die nach Abschluß der Reform wieder forcierte Eisenbahnverstaatlichungs-Politik. In ständiger Beratung mit Bleichröder wurde nun die Verstaatlichung von Maybach im neuen »Ministerium für öffentliche Arbeiten« durchgeführt[227]. Das Reicheisenbahnamt wurde dabei noch weiter zurückgedrängt. Staatsaufträge und Anleihenübernahmen sollten auch auf diesem Ressort die preußische Industrie- und Bankwelt der Bismarckschen Politik verpflichten[228].

Schließlich wird diese Tendenz auch in der Reorganisation des Handelsministeriums und des Reichskanzleramtes deutlich[229]. Im März 1879 hatte Hofmann neben dem Reichskanzleramt provisorisch auch das Handelsministerium – ohne die Eisenbahn-, Bau- und Bergwerksangelegenheiten – übernommen[230]. Bismarck hatte gehofft, auf diese Weise das Ministerium auf schutzzöllnerischen Kurs bringen zu können. Doch auch unter Hofmann wurde die liberal-freihändlerische Tätigkeit der Berater sowohl im Handelsministerium als auch im Reichskanzleramt nicht abgebremst[231].

Erst nach der Reform konnte nun Bismarck auch hier mit der Umwandlung des Reichskanzleramtes, der Ablösung des »zu selbständigen« Hofmann[232] und der Berufung des »politisch zuverlässigen« Böttichers zum Staatssekretär des Reichsamts des Innern[233] die organisatorische Vorbedingung für den nun beginnenden zweiten Akt der konservativen Sicherungspolitik schaffen: die Sozialpolitik, wie

226 DZA I RK Nr. 1457: 28. II. 1882 Kleist-Retzow an Bismarck. Die Frage der preußischen Finanzreform und die Fortentwicklung der Steuerreformpläne nach dem Hochsommer 1879 können an diesem Ort nicht mehr behandelt werden. Ihre Bedeutung wurde erst relevant im Zusammenhang mit der Sozial- und Wirtschaftspolitik der Spätbismarckzeit.

227 DZA I RK 1912: 27. V. 1879, DZA I RK Nr. 81: 8. V. 1879 Denkschrift Bleichröders; 19. V. 1879 Hobrecht/Bleichröder an Bismarck; 23. VI. 1879 Bleichröder an Bismarck; 2. VII. 1879 Bleichröder an Bismarck; RK Nr. 82: 20. III. 1881 Bleichröder an Bismarck; 29. IX. 1881 Herbert Bismarck an Maybach, RK Nr. 97: 4. V. 1880 Denkschrift Reichs-Eisenbahn-Amt.

228 DZA II Rep. 93 C Abt. E Nr. 679: 5. XI. 1879 Scholz an Maybach.

229 DZA I RK Nr. 1913: 15. XII. 1879 Bismarck an Wilhelm I. 28. VIII. 1880 Bericht Bismarck/Kameke/Puttkamer/Hohenlohe/Bosse.

230 HH. Burchard: 50 Jahre Preuß. Ministerium für Handel und Gewerbe 1879–1929, Berlin o. D.

231 GW VI c Nr. 188; GW VIII, S. 373: Goldschmidt Nr. 76, 77.

232 DZA II Rep. 89 H II Deutsch. Reich 5 vol. II: 17. VIII. 1880 Bismarck an Wilhelm I., Hofmann wurde Staatssekretär in Elsaß-Lothringen, damit so seine »Pensionsansprüche nicht gefährdet« würden.

233 DZA II ebd. 17. VII. 1880. Goldschmidt Nr. 78.

sie vor allem Baare-Bochum und der Verein Deutscher Ingenieure nach Abschluß der Tarifreform angeregt und gefordert hatte[233a]. Die letzte Voraussetzung für diese Politik war dann die Übernahme des Handelsministeriums durch Bismarck[234] und die »nebenamtliche Heranziehung« preußischer Beamter für die »einheitliche Wirtschaftsbearbeitung« im Reichsamt des Inneren und Reichskanzleramt[235]: so Unterstaatssekretär Jacobi, Geheimer Oberregierungsrat Wendt und Lohmann vom Handelsministerium, Rothe vom Landwirtschaftsministerium, v. d. Heyden-Rynsch aus der Bergbauverwaltung und Schmidt vom Finanzministerium[236].

Wenn auch diese Ansätze nicht vorhielten und die preußischen Beamten ab 1882 wieder ausschließlich im preußischen Handelsministerium beschäftigt wurden, so wurde doch durch diesen Versuch Bismarcks in den Jahren 1879/80 deutlich, daß hier weniger das Handelsministerium für »das Reich ... erobert« wurde[237], sondern vielmehr umgekehrt die Reichsbehörde auf »Preußen« und die Belange und Wünsche der schutzzöllnerischen preußischen Industrie und Landwirtschaft ausgerichtet wurde. Wenn betont wurde, daß erst jetzt mit der Übernahme des Handelsministeriums durch Bismarck die Sozialpolitik in Fluß gekommen wäre und das Reichsamt des Inneren »den stärksten Anstoß zur Ausbildung einer eigenen, behördenmäßigen Grundlage erhielt«[238], so zeigte dies weniger die Eigenständigkeit der Reichsbehörde als vielmehr, daß auch dieses Amt sein »Licht« von Bismarcks Preußen erhielt[239]. Denn wenn auch seit 1881 das Reichsamt des Inneren mit der Durchführung der Sozialversicherung und der Staatssekretär des Reichsamts des Inneren ab 1881 mit der ständigen Vertretung des Reichskanzlers gegenüber den Reichsressorts, dem Bundesrat und auch dem Staatsministerium eine prestigemäßige Aufwertung erhielt – so war doch bei allen anstehenden Fragen auf Reichsebene der preußische Staatsministeriumsbeschluß für die Entwicklung der inneren Politik ausschlaggebend. Bismarck hat dies auch Finanzminister Bitter gegenüber – wenig später – aus Anlaß der Fortführung der Steuerreform mit aller Schärfe betont, wenn er feststellte, daß die Zustimmung des Staatsministeriums für ihn »trotz Gegensatz zum Reichs-Schatz-Amt und Finanzministerium« entscheidend sei. Und er fügte hinzu: »Die eine dieser Autoritäten bin ich ... im Prinzip selbst, da der Entwurf des Reichs-Schatz-Amtes in meinem Namen eingebracht

233a DZA I RdI Nr. 6723: 13. XII. 1879; ebd. Eingaben des Mittelrheinischen Fabrikantenvereins; des Verbandes deutscher Leinenindustriellen; des Vereins zur Förderung des Gewerbefleißes.

234 Goldschmidt Nr. 79; DZA I RK Nr. 1913.

235 DZA II, Rep. 89 H ebd. 12. X. 1880 Bismarck an Wilhelm, DZA I RK 1913 dto.

236 DZA I, RK Nr. 1913: 4. XI. 1880 Bismarck an Wilhelm I. GW VI c Nr. 198; F. Facius: Wirtschaft und Staat, Schriften des Bundesarchivs Nr. 6; Boppard 1959, S. 65 ff.

237 Poschinger: Parlamentarier III, S. 105, Morsey S. 212.

238 Rothfels: Prinzipienfragen der Bismarckschen Sozialpolitik in: Ostraum, Preußentum und Reichsgedanke, Lpz. 1935, S. 54, und mit ihm Morsey S. 213.

239 DZA II, Rep. 89 H ebd. 4. XI. 1880 Bismarck an Wilhelm.

ist, ein Umstand, der mich indessen nicht hindert, die von der Reichsbehörde in meinem Namen genommene Position bereitwillig zu modifizieren«, sobald ein Beschluß des Staatsministeriums vorliege[239a]. Dies führte auf ein Weiteres. Die scheinbare Akzentuierung des Gegensatzes Preußen – Reich darf nicht dazu verleiten, die Verwaltungsproblematik und die Reorganisation unter den Schlagworten »Verreichlichung Preußens« oder »Verpreußung Deutschlands« zu begreifen. Vielmehr muß dieses Problem unter dem Aspekt zentralistischer oder mehr föderalistischer, »collegialer« Regierungsweise gesehen werden. Für Bismarck hatte die Behördenreorganisation vor allem den Zweck, auch das Gebiet der wirtschafts- und sozialpolitischen Entscheidungen strenger als zuvor kontrollieren zu können. Die Doppelgleisigkeit aller seiner Reorganisationsversuche[239b] ist ein weiterer Beweis dafür. Daß dabei objektiv gesehen »Preußen«, Bismarcks Preußen, zur dominierenden Macht bei allen Entscheidungen im Reich wurde, widerspricht dieser These keineswegs, für Bismarck war die Verstärkung »der Präsidialgewalt« der wesentlichste Antrieb zu allen Reorganisationen[239c]; die Verhinderung oder die Ausschaltung der »collegialischen Ordnung«, die die »Möglichkeit einer Opposition« einschließe, das oberste Prinzip[239d], jedes Gesetz, das seine Machtbefugnisse einschränkte, »nutzlos«. Da die Opposition im Reichstag in zunehmendem Maße versuchte, »die Regierung zu konterkarrieren«, und weiterhin auf »eine parlamentarische Regierung hinstrebte«[239e], war für Bismarck die Akzentuierung von »Preußen« als Entscheidungsmacht auch auf Reichsebene solange wesentlich und notwendig, solange der Reichstag nicht »als conservatives Instrument« »brauchbar war«[239f]. In Preußen mit seinem Drei-Klassen-Wahlrecht und seinem nunmehr »homogenisierten Staatsministerium« war »die Sammlung aller christlich-konservativen Parteigruppen« möglich; in der preußischen Staatsverwaltung war die Aufgabe des Staates: »zu sichern, zu fördern, zu ordnen«, als Tradition vorgebildet[239g] – nun sollte das »deutsche Nationalgefühl« in »Preußen« seine Erfüllung finden. Zudem saßen in der Reichsverwaltung noch zu viele Beamte mit »liberalem Einschlag«.

Systematisch wurden von nun an »konservative« Beamte aus preußischen Diensten übernommen[240], um so den »Hort der Delbrückianer«, das Reichsamt des Inneren, mit Michaelis, Eck, Huber, Stüve, Nieberding, Müller, Rösing, Weymann, Schröder und vor allem mit Göring[241] zu isolieren. Darüber hinaus zielte Bismarck

239a DZA I RK Nr. 2084: 4. I. 1881 Bismarck an Bitter.
239b Facius ebd. S. 65.
239c DZA I RK Nr. 630: 6. X. 1879.
239d ebd. 15. IX. 1879.
239e DZA I RK Nr. 656: 16. III. 1879 Wilhelm an Bismarck.
239f ebd. 1. VI. 1880 Bismarck an Wilhelm I.
239g DZA I RK Nr. 671.
240 Wermuth: Beamtenleben S. 41 ff.; Morsey S. 214; Facius S. 65 ff.
241 Göring spielte später unter Caprivi die entscheidende Rolle beim Abschluß des Handelsvertrages mit Österreich-Ungarn.

vor allem auf die radikale »Purificierung aller liberal angehauchten« Beamten[241a]. Und dies gelang ihm ja auch noch im Hochsommer 1879 überraschend schnell. Anfang und Mitte 1880 waren die Spitzenpositionen des Reiches und der preußischen Behörden mit »sicheren«, konservativen, Bismarck ergebenen und schutzzöllnerisch bestimmten Beamten besetzt. Welche Rolle gerade hierbei das »Bekenntnis zum Schutzzoll« spielte, zeigte die zweite große »Säuberung« nach der Annahme des Tarifs und dem Ministerwechsel.

Die personalpolitische Säuberung im Zeichen des Schutzzolls

Nach dem Ministerrevirement ließ Bismarck sofort durch seinen Sohn Herbert anläßlich der im Herbst 1879 beginnenden Handelsvertragsverhandlungen mit Österreich-Ungarn an Tiedemann mitteilen, daß »alle Geheimen Räte, die sich in dem Reichskanzleramt und Handelsministerium nicht *öffentlich* und rückhaltlos mit der Zollpolitik der Regierung identificierten, entweder ersetzt, oder bewogen werden (müßten), den Abschied zu nehmen«. »Keineswegs dürften Delbrückianer« in Zukunft mitwirken. Von Huber, dem eigentlichen Handelsvertrags-Spezialisten und Nachfolger Delbrücks in diesem Métier, solle »für alle Zukunft abgesehen werden«[242].

Neben Huber, der den Ärger des Centralverbandes deutscher Industrieller in der Eisenenquête auf sich gezogen hatte, war es vor allem Stüve vom preußischen Handelsministerium, der in der Baumwoll- und Leinenenquête die Mißbilligung des Centralverbandes erregt hatte. Auch er sollte nun, »wenn er Freihändler ist, überhaupt aus dem Ministerium entfernt werden«[243]. An Hofmann ging die Weisung, »sein Ressort« müsse »ganz purificiert werden«, und es wurde ihm das Ansinnen gestellt, Huber wieder in württembergische Dienste zurückzuschicken[244]. Trotz der völligen Kaltstellung der beiden, »denen alle Decernate von Wichtigkeit abgenommen wurden«[245], trotz der Berufung prononciert schutzzöllnerischer Beamten in die neuerrichtete »Abteilung im Reichsamt des Inneren für wirtschaftliche Angelegenheiten«, trotz der Ernennung schutzzöllnerischer Beamter für das neue Reichsschatzamt, das damit zum Vorbild einer – in Bismarcks Sinne – »musterhaften«

241a Die gleiche Tendenz der Personalpolitik scheint auch in der Verwaltungs- und Justiztätigkeit sowohl auf höchster Ebene als auch im lokalen Bereich vorzuherrschen; doch ist das Problem des Umschwungs in seiner Bedeutung für die preußische und Reichsentwicklung trotz der eingehenden Untersuchung Hefters noch nicht näher studiert.

242 DZA I RK Nr. 1437: 6. XI. 1879 Herbert Bismarck an Tiedemann.

243 DZA ebd.

244 Poschinger: Bundesrat S. 8; siehe oben S. 521 f.

245 DZA II, ebd. 19. XI. 1879 Tiedemann an Herbert von Bismarck, HStA Darmstadt, St. Min. konv. 81, fasc. 1: 30. IX. 1879 Neidhardt an Sta. Min.

Behörde wurde, trotz Versetzung, Verabschiedung und Drohung gelang es Bismarck dennoch nicht, die Delbrückianer vollkommen auszumerzen[246].

Die Tätigkeit der Freihändler, die weder von Jacobi[247] als Direktor der wirtschaftlichen Abteilung unterbunden werden noch von den nebenamtlich beschäftigten »Preußen« ersetzt werden konnte[247a], führte schon 1880 zum Projekt der Verschmelzung von Handelsministerium und Reichsamt des Inneren[248], das dann aber am Widerstand der Bundesstaaten scheiterte[249]. Faktisch fand die Fusion allerdings doch statt, als Bötticher die Stellvertretung für Bismarck auch im Handelsministerium übernahm[250]. Von nun an hatten die Anhänger Delbrücks, wenn sie auch weiter im Amt blieben, auf die Wirtschaftspolitik wenig Einfluß mehr; sie wurden, wie Michaelis schon nach 1876, nur noch »Durchlaufinstanzen«. Die »viel zu streng geschulten« preußischen Beamten — zumeist Reserveoffiziere[251] — wagten gegen Bismarck nach 1879 kein Aufbegehren mehr; und wenn sie es wagten, wurden — wie Caprivi nach seinem Ausscheiden als Kanzler nicht ohne Verbitterung aufzeichnete: »die Charakter gebeugt oder entfernt«[252]. Nach »politischer Gesinnung klassifiziert«[253], erhielt sogar der »fortschrittliche Schutzzöllner« den Vorrang vor dem »hochkonservativen Freihändler« — mögliche »Minderwertigkeiten der technischen Leistung« wurden von der politischen und vor allem schutzzöllnerischen Gesinnung ausgeglichen[254].

Als in den folgenden Jahren die Auseinandersetzungen um die Fortführung der

246 DZA I, RK Nr. 1913: 12. X. 1880 Bismarck an Wilhelm; Facius, S. 66, Anm. 129. Bereits 1882 erscheint Huber erneut als der Referent für Handelspolitik in den Geschäftsverteilungsplänen und bleibt es auch bis 1890, ohne jedoch befördert zu werden. Erst 1890 sollte er unter Caprivi — wie Wermuth mit schlecht unterdrücktem Mißbilligen feststellt — einen »überraschenden Aufstieg« nehmen, ebenso wie der ebenfalls kaltgestellte Delbrück-Freund GK Karl Goering (Wermuth: Beamtenleben S. 41).

247 Präs. der Central-Boden-Bank, 1851 in Justizdienst übernommen, 1866 Regierungsrat, 1873 Wirklicher Oberregierungsrat, 1874 Direktor des Handelsministerium, 1879 UStS. (DZA II, Rep. 98 H, XIII, Preußen 1 vol.: 5. IV. 1881 Bismarck an Werthern).

247a vgl. zum Aufbau — wenn auch nur teilweise richtig — Morsey S. 214 f., Facius: S. 66 ff.

248 GW XI, S. 373, DZA II Rep. 89 H II Deut. Reich 5, vol. 2, 12. X. 1880; Sächs. LHA Dresden AM Nr. 1102: 4. XI. 1880 Nostitz an Nostitz; DZA I RK Nr. 1913: 15. XII. 79, 6. IX. 80 Rantzau an Tiedemann; 12. X. 1880 Bismarck an Wilhelm I.

249 GW VI c Nr. 195, 193, Goldschmidt Nr. 81.

250 Goldschmidt Nr. 78. DZA I, RK Nr. 1457: 28. X. 1880 Bismarck an Bötticher.

251 Zum Bündnis Militärkabinett und Bismarck in der Personalpolitik vgl. Lucius S. 252, 254, 260; GW VI c Nr. 274, 276, 398; Meisner FBPG 50/86; Hartung S. 44; Poschinger: Bundesrat I, S. 205.

252 Schneidewin: Deutsche Revue 47, 2 S. 141.

253 DZA II Rep. 92 Nachlaß Bosse.

254 Scholz: Erlebnisse, S. 77, Lucius S. 256.

Wirtschaftspolitik und die Bevorzugung der Agrarier immer unverhüllter hervortrat, das »Gespenst des bereicherten Gutsbesitzes« immer beunruhigender die »Situation beherrschte«[254a] und der Ausbau der Kartelle und Syndikate in der deutschen Industrie immer dringender Schutzzölle benötigte[255], ließ Bismarck den mit aller Konsequenz in der Verwaltungsspitze durchgeführten »Gesinnungswandel« auch noch bis in die untersten Verwaltungsorgane (den Zöllnern) zum Prinzip werden[256]. Je bestimmender das Bündnis von Landwirtschaft und Industrie für die Staatsstruktur wurde und je mehr die Personalpolitik im Bündnis von »Ministerpräsident und Militärkabinett« durchgeführt wurde, desto mehr wurde die »geschloßene Einheit« der »gouvernementalen Kreise nothwendig mit allen Mitteln« erstrebt[257].

Die personal- und verwaltungspolitischen Veränderungen, die bis 1890 im wesentlichen erhalten blieben, ersetzten das liberal-freihändlerische durch ein konservativ-schutzzöllnerisches Beamtentum[258] und schlossen die Reform innenpolitisch ab. Von nun an galt in der Wirtschaftspolitik das Prinzip, daß »jeder«, der nicht mit »Bismarck war, wider Bismarck war«[259]. Beamte mit liberalen und freihändlerischen »Neigungen und Verbindungen« standen ebenso wie die Sozialdemokratie und der Linksliberalismus »außerhalb des Möglichen des preußischen Staates und des Deutschen Reiches«[259a].

Diplomatie und Schutzzoll

Aber nicht nur für die unmittelbar mit der Wirtschaftspolitik beschäftigten Ministerien vollzog sich ein Wandel. Auch in der Diplomatie wurden von nun an »Leute« mit wirtschaftspolitischer Vorbildung bevorzugt[260], was für die Diplomaten einen Bruch in der überkommenen diplomatischen Tradition bedeutete. Nun

254a DZA I, RK Nr. 2083: 28. X. 1880 Bismarck an Scholz.

255 R. Sonnemann: Die Auswirkungen des Schutzzolls auf die Monopolisierung d. dt. Eisen- und Stahlindustrie, 1879–92, Berlin 1960, S. 63; Schneider S. 253; Nietzsche S. 149.

256 DZA II Rep. 92, Nachlaß Scholz B Nr. 2: 6. XI. 1882 Scholz an Bismarck.

257 DZA I RK Nr. 1437: 11. VII. 1880 Bismarck/Tiedemann an Hofmann.

258 E. Kehr: Das soziale System der Reaktion in Preußen unter dem Ministerium Puttkamer; Die Gesellschaft II, 1929, S. 263, 267 f., ders. Zur Genesis des Kgl. preußischen Reserveoffiziers, dto. Die Gesellschaft 1928, 2 S. 495, v. Puttkamer Lpz. 1928, S. 92.

259 DZA I, RK Nr. 1437: 12. IX. 1879 Scholz an Bismarck, Übernahme Boccius in RSchA, 2. V. 1880 Hofmann an Bismarck, betr. Befragung Noels; 10. VII. 1880 Hofmann an Bismarck betr. Staby, Ziebarth und Jacoby; 11. VII. 1880 Bill Bismarck/Tiedemann an Hofmann, Morsey S. 267.

259a NAZ 28. XI. 1880.

260 DZA II, Rep. 92 Nachlaß Cleinow Nr. 110: 29. VII. 1879 Kiderlen an August K.W.

wurden plötzlich die Fragen des Zollwesens und der Handelspolitik »salonfähig«, und Bismarck ging als »Reformator ... durch seine neue Handelspolitik«[261] noch weiter. Im Auswärtigen Amt war die politische Abteilung, die dem Staatssekretär unterstand, von der, die sich mit wirtschaftlichen Fragen zu beschäftigen hatte und von einem Direktor geführt wurde, getrennt gewesen, bis Bismarck auch hier die strenge Ressortteilung durchbrach und seit 1881 die Fäden beider Abteilungen bei Generalkonsul Busch als Unterstaatssekretär zusammenlaufen ließ[262]. Ferner ließ Bismarck nach dem Übergang zum Schutzzoll auch die wirtschaftspolitische Berichterstattung intensivieren[263] und verwandte sie in immer größerem Umfang zur Lenkung der innerdeutschen Wirtschaftsentwicklung[264].

261 Brauer: Memoiren, S. 50.

262 Brauer, S. 94 f., Raschdau: Unter Bismarck, S. 8 f.; Ohneseit: Memoiren, S. 11. Zum Aufbau des AA und der Umstrukturierung nach 1879 vgl. Ewald: Geschichte der Organisation des AA, Privatdruck o. D. S. 38. Hans Philippi: Der Archivar XI, Sp. 132, ebd. XII, Sp. 199. Dies war von Bismarck vom Technischen her um so wünschenswerter, da nach dem Tode Bülows dessen Nachfolger Hohenlohe, Balan und Hatzfeld nicht mehr die volle Breite von diplomatischen und politischen Vorgängen übersahen. AA-Bonn, IAAa Nr. 61: 20. X. 1882 Busch-Cirkular.

263 Steinmann-Bucher: Konsulatswesen S. 111, AA-Bonn, ebd.: 28. X. 1882 Bucher/Jasmund/Holstein.
Schon am 15. X. 1880 hatte Bismarck in einer ausführlichen Denkschrift betont, daß mittels Außenhandelsstellen, Konsularberichten und evtl. Attachierungen von Spezialisten an die Botschaften der deutschen Industrie geholfen werden muß, denn sie »bedürfe einer größeren Berücksichtigung« (DZA I RdI Nr. 7954). Die Intensivierung der Berichterstattung wurde dann auch durch eine weltweite Umfrage begonnen und erzwungen. So berichteten dann seit Oktober 1880 die deutschen Konsulate sehr eingehend über die Chancen der deutschen Industrie in ihrem »Bereich« und vermittelten der Zentrale ein genaues Bild der Wirtschaftsstruktur des jeweiligen Landes. So z. B. Bericht aus Lima (10. X. 1880 DZA I, AAhp Nr. 7464), wo festgestellt wurde, daß Deutschland »kaum mehr mit der englischen, bzw. französischen« Produktion konkurrieren werde. Ebenso hätten Maschinen und Stahl »nichts einzubringen gewußt« »wegen zu sparsamer Aussendung von Reisenden, und zu wenig Subventionen«. Deutschland sei erst gekommen, als England und Frankreich »im Sattel« saßen. Deutschland importiere nur Bier.
Die gleiche Nachricht erhielt Bismarck aus Odessa von Konsul Gillet. In diesem Bericht, der von Bismarck zum Vorbild aller konsularischen Berichterstattung gemacht wurde, klagte Gillet, daß Deutschland »mit der Wahnvorstellung« des Billigen aufhören solle. Rußland kaufe teuer, aber gut. Die Russen seien »im Geldpunkte sorgloser als die germanischen Volksstämme«. Deswegen müsse das »leichtsinnige Creditgeben« aufhören. In Rußland sei aber für die deutschen Eisenindustriellen ein weites Feld der Betäigung (DZA I AAhp Nr. 7465: 15./3. XII. 1880 Gillet an Bismarck; 27. XII. 1880 Bismarck an Handelskammer; dto. an Busch; dto. an Gillet; 29. XII. 1880 Circular Buschs), vgl. hierzu weiter eingehend Nr. 7466 Tanger (16. I. 1881), Valparaiso (27. XI. 1880), Buenos Aires (15. XII. 1880), Kairo (18. I. 1881), Mexiko (22. XII. 1880), Serbien (24. I. 1881), Messina (28. I. 1881),

Nach der Annahme des Tarifs war so die »Neugründung des Reiches« in »unglaublich kurzer Zeit von nur 6 Monaten« vollzogen und auch »von der öffentlichen Meinung« begeistert anerkannt worden[265]. Wie 1866, 1874 hatte es »Fürst Bismarck« – so bekundete die NAZ – auch 1879/80 eben wie kaum ein anderer Staatsmann vor ihm verstanden, das Nationalgefühl in den Massen zu wecken und seiner Führung dienstbar zu machen. Die Zerschlagung der Nationalliberalen durch die Heranführung der Interessengruppen an den Reichstag war gelungen, die Neuordnung des Verhältnisses von größtem Bundesstaat und Reich ebenfalls. Bismarck hatte sich auf der ganzen Linie durchgesetzt. Die Umordnung der parlamentarischen Konstellation schien sich in einem bismarcktreuen konservativ-industriell-agrarisch-kirchlichen Kartell von Rechtsliberalen, Zentrum, Reichspartei und Konservativen abzuzeichnen; auf alle Fälle war der Ansatz zu einer starken und selbständig konstitutionellen Partei zerschlagen[266]. In der Homogenisierung des preußischen Staatsministeriums und der Betonung der Machtfülle des deutschen Reichskanzlers und preußischen Ministerpräsidenten war zudem der Wunsch der »Steuerreformer« nach einer »Art Diktatur«[266a] erfüllt.

Jerusalem (18. I. 1881), St. Petersburg (19. I. 1881), dto. Bartels in Moskau, Bukarest (12. II. 1881), Cincinnati (2. II. 1881), dto. in Nr. 7466, 7467, 7468, 7469 und 4770 u. a. Wangkok (12. II. 1881), Amoy (11. XI. 1881), Constantinopel (29. III. 1881), Conton (6. II. 1881), Caracas (5. III. 1881), Beirut (18. III. 1881), Chicago (16. III. 1881), Montevideo (16. IV. 1881), Rio de Janeiro (31. XII. 1880).

Als Folge dieser »Intensivierung« kann auch der NAZ-Vorschlag eines »Exportbeirates« verstanden werden (ebd. Nr. 7466 24. I. 1881), und auch die organisatorischen Veränderungen bei den Konsulaten haben hier ihre Wurzel (ebd. Nr. 51 075 vgl. auch Philippi a. a. O. Sp. 206). Später dann 1883, 1884 wurde aus der Berichterstattung eine aktive Unterstützungstätigkeit der amtlichen Stellen für die deutschen Wirtschaftsunternehmen (ebd. Nr. 7685) u. a. von Henschel, Borsig bei griechischen Bahnbauten oder bei rumänischem Ölunternehmen.

264 Poschinger: Bismarcks Portefeuille I, S. 259 f. Schon 1889/90 taucht dann der Gedanke auf, »eine praktische Beschäftigung in einem Handelsgeschäft, in der Industrie oder in der Landwirtschaft« als Voraussetzung zum Eintritt in den diplomatischen Dienst zu stellen. (Rothenburg: Eine falsche Anklage gegen den Fürsten Bismarck, Dt. Revue 31, 1905 nach Morsey S. 114 f.). In welch hohem Maße die Industrie diese Absichten unterstützte, geht aus jener bekannten Affäre um den Posten eines 2. Direktors im AA hervor (vgl. GW XII. S. 533 f.; GW XIV, 2 S. 956, Bacmeister, S. 242 ff.).

265 StA Hbg. Hans. Ges. Ält. Reg. G IV a Bd. 7: 13. VII. 1879 Konzept hs. Krüger.

266 M. Weber: Politische Schriften S. 135 (GW VIII, S. 269, Bismarck zu Benda Mitte August 1879).

266a Bericht über die Verhandl. der Vereinigung der Steuer- und Wirtschaftsreformer, Berl. 22.–24. II. 76.

Bismarck sucht einen Parlamentsersatz

Abschluß dieser Entwicklung, gleichsam der Eckstein der neuen Verteilung von Macht und Einfluß in Preußen und im Deutschen Reich sollten der »Preußische« und der »Deutsche Volkswirtschaftsrat« werden. Auch für dieses Projekt hatte Bismarck schon vorgearbeitet und sich die Zustimmung der Industriellen gesichert[266b]. Als die Handelskammer Plauen auf diesen Plan im September 1880 zurückkam, ergriff Bismarck sofort die Chance, einen neuen »zentralen Vertretungskörper der Handels- und Gewerbeinteressen« neben das Parlament zu stellen. Bereits acht Tage später erwiderte Bismarck der Handelskammer:

»Mein Streben geht dahin, den Entwürfen vor ihrer Einbringung in die gesetzgebende Körperschaften eine vorgängige größere Publizität und eine spezielle sachkundige Beurteilung aus den Kreisen der *hauptsächlich* Beteiligten zu sichern[267].«

Klarer umriß Bismarck die Absichten, die er mit seinem Plan verfolgte, vor seinem König: »Umgehung« des Reichstages mit einem »permanenten Volkswirtschafts-Rath«, welcher aus Vertretern des Handels, der Industrie und der Landwirtschaft zusammengesetzt sein sollte[268]. Am 17. November 1880 wurde der Entwurf, nachdem Bismarck am 9. November nochmals ausführlich sein Ziel begründet hatte, vom König angenommen[269]. Nun wurde mit großer Sorgfalt »die Liste der zum Volkswirtschaftsrat Gewählten« zusammengestellt, und Bismarck griff persönlich in die Vorbereitung ein, um festzustellen, »ob der betreffende Schutzzöllner oder Freihändler gemäßigt oder enragiert (sei)«[269a]. Nachdem die »Vorbereitungen« in Bismarcks Sinne abgeschlossen waren, konnte er am 27. Januar 1881 die erste Sitzung des preußischen Volkswirtschaftsrates eröffnen. Innerhalb von 3 Monaten war die nebenparlamentarische wirtschaftliche Interessenvertretung für Preußen geschaffen worden. Neben den auf die »Schutzzollinie eingeschworenen Ministern« hoffte Bismarck, in der nun pseudoparlamentarisch organisierten »Solidarität der Interessen«[270] eine weitere Kraft gefunden zu haben, die zusammen mit dem Abgeordnetenhaus und dem Staatsministerium eine durch Preußen geprägte, konservativ-monarchisch-ständisch-patriarchalische Entwicklung des Reiches gewährleistete. Der Volkswirtschaftsrat war nach den Worten Bismarcks eine Institution, »welche die Garantie bietet, daß diejenigen unserer Mitbürger, auf welche die wirtschaftliche Gesetzgebung zu wirken bestimmt ist, über die Notwendigkeit

266b DZA I, RdI Nr. 7954: 30./31. X. 1878, 9. I. 1879 DHT an Bismarck; s. oben S. 484.

267 J. Curtius: Bismarcks Plan eines Volkswirtschaftsrates, Heidelberg 1919, rein unter pragmatisch-apologetischen Gesichtspunkten geschrieben.

268 DZA II, Rep. 89 H XIII, Gewerbe und Handel 40. Gen.: 10. IX. 80, DZA I RK Nr. 1913: 7. IX. 79 Tiedemann an Rantzau, RK Nr. 479: 6. IX. 80, 10. IX. 80 Bismarck an Wilhelm I. 2. X. 80 CdI an Bismarck.

269 DZA II ebd.

269a DZA I RK 1962: 9. XII. 1880 Herbert Bismarck an Rottenburg.

270 DZA I RK Nr. 479: 2. X. 1880 CdI an Bismarck, Beutner bietet sich als Generalsekretär an.

und Zweckmäßigkeit der zu erlassenden Gesetze erhört werden«[271]. Über die während des wirtschaftspolitischen Umschwungs hervorgetretenen Interessenvereinigungen sollte mit dem Volkswirtschaftsrat »ein einheitliches Zentralorgan« gesetzt werden, das die parlamentarische »Mehrheit der gelehrten Berufsstände« ausgleichen könnte. Die 75 Vertreter, die der König für eine Sitzungsperiode teils direkt, teils auf Grund von Wahlen[272] berief, demonstrierten deutlich, welche Kräfte für Bismarck bei der wirtschaftlichen Gesetzgebung mitzuwirken »bestimmt waren«: die Liste der Erwählten zeigte die bekannten Namen vom Centralverband deutscher Industrieller, Steuerreformer und Deutschem Handelstag[273]. Gleichzeitig verdeutlichte auch die Zusammensetzung des Volkswirtschaftsrates, wie eng dessen Errichtung mit dem Umschwung des Jahres 1879 zusammenhing: Ausschaltung aller liberal-freihändlerischen Kammern und ausschließlich Heranziehung von Landaristokratie und Schwerindustriellen, die seit den siegreichen Kriegen national, seit der Krise von 1873 schutzzöllnerisch und seit dem verstärkten Aufkommen der Arbeiterfrage prononciert konservativ waren. Der Handel dagegen konnte dankbar sein, daß sein Anteil »nicht auf einen unverhältnismäßig geringen Anteil reduziert wurde«[274].

Der deutsche Volkswirtschaftsrat scheitert

Der preußische Volkswirtschaftsrat sollte nur »ein sicherer und zugleich der kürzere Weg zur Herstellung der erstrebten Reichsinstitution« sein[275], wie es auch die Themen seiner ersten Session unterstrichen: Arbeiterunfallversicherung und Neugestaltung des Innungswesens. In beiden Themen wurden mit der Assimilierung und Heranziehung des Arbeiters an den Staat und der Stützung des Mittelstandes Ziele verfolgt, die nur im Reichsrahmen durchzuführen waren. Seine eigentliche Rolle sollte Preußen, mit den wirtschaftspolitischen Schwergewichten am Rhein, an der Saar und in Oberschlesien, in Berlin und Mitteldeutschland, mit den Kornkammern Ostelbiens, erst im deutschen Volkswirtschaftsrat spielen[276].

Der Plan des deutschen Volkswirtschaftsrates – zwei Tage nach Eröffnung des preußischen Volkswirtschaftsrates offeriert – zeigte noch deutlicher Bismarcks Ziele und

271 DZA II Rep. 151 neu Sa Nr. 80.
272 von den Handelskammern 60; 30 von Landwirtschaftlichen Vereinen und jeweils 15 von Bismarck vorgeschlagen.
273 DZA I RK Nr. 479: 27. I. 1881 u. a. Baare, v. Below, Delius, Henckel, Jansen-Dülken (CdI), Mevissen pp. zur Auswahl und Überprüfung ebd. 14. XII. 1880 CdI an Bismarck, 26. XII. 1880 an Bötticher, DZA II Rep. 120 A 1 Nr. 77 adh. a.
274 DZA I ebd. Nostitz an Bismarck Januar 1881.
275 Curtius, S. 21.
276 Stenographische Berichte RT 1881: 24. V./10. VI. 81. Als dieser nicht zustande kam, wurde die preußische Vorstufe wieder aufgegeben und statt dessen die Idee des Staatsrates intensiviert.

die Verflechtung mit den Entscheidungen des Jahres 1879[277]. Nicht mehr die Rechte der Staaten sollten im Volkswirtschaftsrat gewahrt werden, sondern ausschließlich die »rein wirtschaftlichen Angelegenheiten«. Die Bundesstaaten akzeptierten widerstrebend die »politische Begründung« Bismarckscher Wirtschaftsziele; nicht so der Reichstag. Die Zustimmung zu einem Projekt, das den konservativen Führerstaat noch mehr vervollkommnet hätte, lehnten Zentrum, Linksliberale und Sozialdemokraten ab: der Reichstag habe mit 148 Gutsbesitzern und 48 Fabrikanten »genug Sachverständige«, wenn auch für Bismarck »offenbar nicht die richtigen«[278]. Die Opposition erkannte deutlich die »eigentlichen Gefahren« für den Reichstag und für die Machtverteilung im Reich, die sich hinter dem keineswegs – nach ihrer Meinung – vom »Volk« (so Bismarck) gewollten Volkswirtschaftsrats-Plan verbargen[279]. Offenbar – so sahen es Reichensperger und Bennigsen – wollte Bismarck mit dem Volkswirtschaftsrat »den entscheidenden Einfluß des Reichstages ... in volkswirtschaftlichen Fragen in dieses Nebenparlament verlegen«[280], in dem Preußen – nach den Worten Windthorsts – »mit einer geborenen Majorität von drei Fünfteln auftritt«. Darüber hinaus lehnten die Abgeordneten das Projekt auch wegen der vorgeschlagenen Zusammensetzung ab – »mit dem Commercienrath fängt der Mensch im Volkswirtschaftsrat erst an«[281] –, die sich leicht zu einem starren Block von Großindustrie und Großlandwirtschaft im Räderwerk der parlamentarischen Entscheidung entwickeln könnte[282].

Honoratiorenparlament stand gegen Interessenparlament, dem Prinzip des »Spiels der Gegensätze« stand der »Kampf der Interessen« gegenüber[283]. Gegen die Befürworter eines »ganzen Mandats« ließ Bismarck nun seine neuen und alten Verbündeten auftreten – Frege[284], Rentzsch[285], Stumm[286] und v. Helldorf[287] – in der Hoffnung, auch in dieser Frage einen Sieg über »die gottähnliche Parlamentsherrlichkeit«[288] davonzutragen. Ja, nachdem das Projekt im neugewählten Reichstag im Herbst 1881 erneut zur Diskussion gestellt wurde, griff Bismarck selbst in die Debatte ein, um die Fabel der gleichen Legitimität von Parlament und König zu zerreißen. Für ihn wäre die Durchsetzung des Projektes (besonders angesichts der Wahlniederlage der Schutzzöllner im Herbst 1881) der sinnvolle Abschluß der

277 DZA I RK Nr. 479.
278 ebd. Bennigsen, S. 1596.
279 Stenogr. Ber. RT 1881, ebd. 2, S. 1281; Richter, S. 1605 f., Reichensperger: S. 1592; Braun, S. 1282, Löwe, S. 1277.
280 ebd. S. 1598, S. 1592; Richter S. 1604, Sonnemann S. 1270.
281 Sonnemann I, S. 1270.
282 Benda I, S. 131, Bamberger I, S. 138, Braun II, S. 1283.
283 Bennigsen II, S. 1597.
284 ebd. I, S. 142.
285 ebd. II, S. 1602.
286 ebd. II, S. 1284
287 ebd. II, S. 1607.
288 ebd. I, S. 142.

Neuorientierung der deutschen Politik gewesen, zumal ein Teil der Reformziele noch nicht erreicht war[289]. Die Rettung des Mittelstandes durch »Hilfe zur Selbsthilfe«, die Heranführung des »Löhnertums« »an die realen Kräfte« des Staatslebens und die Zusammenfassung »des Volkslebens« in »Korporationen und Genossenschaften unter staatlichem Schutz«[290] waren bislang immer noch nur Programm. Der Übergang zum »Schutz der nationalen Arbeit«, der mehr »Schutz der national gesinnten Kreise bedeutete, d. h. derjenigen, welche die Mittel für Heer und Flotte bewilligten«[291], konnte erst dann als abgeschlossen gelten, wenn mit dem Volkswirtschaftsrat dem Staat, gleich einem Blinden, »ein Stab«, d. h. im Grunde aber, ein Blankoscheck für die Interessenten[292] gegeben wurde.

Das Gebäude bleibt unfertig

Aber aller Hohn auf die parlamentarischen Ideen, alle Anwürfe gegen die Gelehrten, Zeitungsschreiber und die bürokratischen Gesetzesmacher vermochten den Widerstand der Mitte und Linken nicht zu brechen. Der Plan wurde in beiden Beratungen abgelehnt, die Reichstagswahlniederlage der Schutzzöllner rundete das Anti-Bismarck-Votum ab. Bismarck mußte sich nach anderen Sicherungen für sein System umschauen und sich mit dem 1881 Erreichten vorerst zufriedenstellen. Bismarcks erstaunlicher Kommentar zu dieser Situation: »Das Zentrum der Scheibe ist verschoben ... Das fortschrittliche und secessionistische Judentum mit seinem Geld ist jetzt das Zentrum[292a]«.

Aber gerade »das Geld« stand hinter Bismarck, und die Wahlniederlage Bismarcks war mehr eine Reaktion auf die – wie es Brentano beschrieb – »Schamlosigkeit der mammonistischen Interessen, die jetzt unter der Herrschaft des Schutzzöllnertums wirklich noch größer geworden ist«. Die »Sehnsucht nach »interessenlosen Führern«, wie Lasker und »selbst Bamberger« es waren[292b], war sicherlich nicht allein ausschlaggebend für den Wahlausgang von 1881, aber das Votum gegen Bismarcks Politik des »Schutzes der nationalen Arbeit« war evident (Bismarcks »einzige Freude« blieb die Wahl Stöckers). Doch sah Bismarck keine Veranlassung, seiner Maxime abzuschwören:

»Ich bin Royalist in erster Linie, dann ein Preuße und ein Deutscher. Ich will meinen König, das Königtum verteidigen gegen die Revolution, die offene und die

289 so z. B. die Frage der Eisenbahntarife. Poschinger: Wirtschaftspolitik I, Nr. 168, Nr. 171, 179, Nr. 183, ders. Volkswirth II, S. 16, 26, 42, 44, 78 ff., 113 ff. DZA II Rep. 90 a B III, 2 b, Nr. 6 Bd. 91: 14. VII. 79 Protokolle.

290 H. Dietzel: Handwörterbuch d. St. W., Bd. III, S. 67 ff.

291 Stenogr. Berichte ebd.

292 Noch 1919 spricht Curtius davon, daß die Analyse dieser Bismarckrede einer »Entweihung« gleichkäme.

292a GW VIII: 16. XI. 1881 mit Busch.

292b BA-Koblenz, Nachlaß Brentano Nr. 59: 30. X. 1880 an Schmoller.

schleichende, und ich will ein gesundes, starkes Deutschland herstellen und hinterlaßen. Die Parteien sind mir gleichgültig.«

Und danach richtete er sich, auch nachdem es nicht gelang, das Zentrum bei allen seinen Schachzügen in den kommenden Jahren auf der Regierungsseite zu halten. Für die Liberalen aber war der Sieg im Kampf um den Volkswirtschaftsrat ein Pyrrhussieg: die Katheder öffneten sich dem wirtschaftlichen Liberalismus, die Kanzleien jedoch den Interessenten von Landwirtschaft und Industrie und Banken[293a]. Der wesentliche Teil der wirtschaftlichen Gesetzgebung aber (Zolltarif und Finanzreform) war für die Interessengruppen »in dem Sinne« abgeschlossen worden, wie es Konservative, der Centralverband deutscher Industrieller und Steuerreformer gefordert hatten: »eine wirtschaftliche Gesetzgebung, welche den Geist der Liebe und den Sinn für Autorität im Volke wieder wachruft«[294].

Exkurs 4 Die Schutzzollentscheidung als Weiche für die deutsche Reichsentwicklung

Die Assimilierung der Wirtschaftsführer gelingt

Die Bedeutung der Schutzzollentscheidung für die Fragen der Bismarckschen Personalpolitik, seiner Finanz- und Kolonialpolitik, ebenso für das Problem seiner weiteren Wirtschaftspolitik, in der sich in den achtziger Jahren Sozial- und Kartellfrage bündelten, und seiner Innenpolitik wurde bereits angesprochen; offen blieb dabei mehr oder weniger die Frage, wie sich der Umschwung in der Handels- und Wirtschaftspolitik auf das Verhältnis von Staatsführung und neuer Unternehmerschicht auswirkte und welche Bedeutung das Bündnis von Landwirtschaft und Industrie für die weitere Entwicklung des Deutschen Reiches gewann, ob — wie es Bismarck anstrebte — die Assimilierung der ehemals eher liberal-demokratisch votierenden bürgerlichen Vertreter in Industrie und Bürokratie mit der konservativ-preußischen Landaristokratie als gelungen gelten konnte.

Ohne daß jetzt schon ein endgültiges Urteil gefällt werden kann, ist doch festzustellen, daß die Entscheidung Bismarcks in den Jahren 1876/79 innen- und auch außenpolitisch (wie es weiter unten deutlich wird) von allergrößter Bedeutung für die weitere Entwicklung und für die Sonderstellung des Deutschen Reiches werden sollte, ja, daß erst von 1879 aus gesehen der Zugang zur Beurteilung der Spätbismarckzeit und noch mehr zur Caprivizeit eröffnet wird.

293 GW VIII ebd.

293a auf die große Anleihentätigkeit der Berliner Großbanken nach 1879 soll in anderem Zusammenhang eingegangen werden.

294 Wilmanns nach Nitzsche, S. 181.

Nach 1879 hatte es sich erwiesen, daß es dem »deutschen Bürgertum« (der Begriff sei hier mehr als Gegensatz zur preußischen Landaristokratie benützt) nicht gelungen war, trotz offenbarer geistiger und ökonomischer Überlegenheit die Führung und Verantwortung für die politischen Geschicke des deutschen Staates in die Hände zu nehmen. »Der Staat blieb in den Händen privilegierter Personen und Gruppen«[295], deren »innere Berechtigung« – nach dem Urteil eines Max Weber, aber auch eines Karl Göring, des Nachfolgers Rottenburgs unter Caprivi[296] – »verbraucht war«. Bis zum Ende des Reiches blieb der Reichstag, also die parlamentarische Vertretung des Volkes, »ein Annex des regierenden Systems«, und bis zur Abdankung hatte Wilhelm II. – von seinem »beanspruchten Lehrer« übernommen – »eine geringe Vorstellung von der Würde der Deutschen Volksvertretung«[297]. Dieses Urteil sei durchaus nicht anklagend oder verurteilend ausgesprochen, sondern mit ihm soll nur versucht werden, auf jene für Deutschland typische Entwicklung hinzuweisen, die von der Mehrheit der Deutschen auch mit stolzem Selbstbewußtsein unterstützt wurde, die gekennzeichnet war durch eine direkte Verbindung von Heer, Thron, Altar, Großgrundbesitz und schwerindustriellen Interessen unter Ausschaltung bzw. Assimilierung der parlamentarischen Organisation. Diese Entwicklung bekam durch den Umschwung zum »nationalen Wirtschaftsraum« Deutschland[297a] einen ihrer stärksten Impulse, da bei dieser Entscheidung deutlich wurde, daß das deutsche Großbürgertum keine eigene Prägung gefunden hatte, sondern sich bemühte, »so rasch es nur konnte, seinem Herkommen zu entfliehen und (sich) adliges Kostüm« anzulegen oder sich möglichst schnell, wie das »Kleine Journal 1913« von Landau und dem Chef der Dresdner Bank, E. Gutmann, feststellte – »zu den Edelsten der Nation hinaufzuentwickeln«[298].

Bewußt und systematisch betrieb Bismarck die Heranziehung und Assimilierung der Wirtschaftsführer an den preußischen Staat und seine traditionellen Träger[299], vor allem durch die Nobilitierung so bedeutender Wirtschaftsführer wie Hansemann[300], Bleichröder[301] (er konnte sogar seinem mosaischen Glauben treu bleiben), Siemens[302], Schwabach[303] oder später z. B. A. Gwinner[304]. Hinzu kamen Berufun-

295 Morsey S. 244 ff., Guttmann S. 115.
296 DZA I RK Nr. 410. Max Weber: Wahlrecht und Demokratie in Deutschland, jetzt in: Gesammelte politische Schriften, 2. Aufl., Tübingen 1958, S. 233 ff.; ders. Parlament und Regierung im neugeordneten Deutschland, ebd. S. 294 ff., vgl. auch W. J. Mommsen: Max Weber und die deutsche Politik 1890–1921, Tüb. 1959.
297 Guttmann S. 115.
297a GW VI c Nr. 182.
298 Brandenburg. LHA-Potsdam Rep. 30, Nr. 11 431; Guttmann S. 248.
299 GW VI c Nr. 391 Anm. Nr. 286.
300 s. oben S. 202 f. Brandenburg. LHA Potsdam Rep. 30, Nr. 10496.
301 ebd. Nr. 8944 s. oben S. 204.
302 ebd. Nr. 13 280.
303 ebd. Nr. 13 431.
304 Brandenburg. LHA Potsdam Rep. 30 Nr. 13 230.

gen in das Preußische Herrenhaus (z. B. Mendelssohn-Bartholdy, Vopelius, Lueg, Metzler u. a.)[305], ein reicher Ordenssegen, Ernennungen zu Kommerzienräten und Berufungen in den Staatsrat[306]. Die »Hinaufentwicklung« der Industriellen und Bankführer selbst ging zumeist über die Heirat eines ihrer Kinder mit einem Abkommen einer meist wenig sanierten, jedoch angesehenen Familie des preußischen Adels, so z. B. bei Gutmann, den Mevissens, Siemens, Krupp, Stumm u. a.[307]. Neben Ordensauszeichnungen[308], Heirat mit dem alten Adel und Nobilitierung war es vor allem der große, im Osten angekaufte Landbesitz, der die Berliner Bankgewaltigen ganz zu Vertretern spezifisch preußischer Belange werden ließ. Am deutlichsten wird dies – wieder einmal – bei Hansemann, der mit dem Ankauf der Rittergüter, Herrschaften und Vorwerke Lancken mit Buddenhagen, Dargast und Clementzelwitz, Lissa, Antonshof, Zaborowo, Striesewitz, Gronowo, Marienhof, Heinrichshof über Chocieszewice, Pempowo Gorka und Male Zalesie zu einem der größten Grundbesitzer Preußens wurde – ganz abgesehen von seinen Besitzungen auf Rügen[309]. Wie stark dieser Landbesitz dann selbst zum politischen Movens wurde, erwies sich an der Haltung seines Sohnes, Hansemann-Pempowo, der zur führenden Persönlichkeit im Ostmarkenverein wurde und der hier eine Politik ausgeprägt germanisierender Siedlungsaktionen mit direkter Staatsunterstützung verfolgte[310].

Wie vollendet die Assimilierung am Vorabend des ersten Weltkrieges war, verdeutlicht z. B. die diplomatische Repräsentanz Deutschlands. Ungebrochen beherrschte und repräsentierte die alte Schicht »jener hundert«[311], oft vervettert, die große Politik Europas. Ihre Mitarbeiter entstammten aber nun der neuen, seit 1879 geschaffenen industriell-plutokratischen Adelsschicht. Herausgegriffen sei die Botschaft London, eine der wesentlichsten Außenvertretungen Deutschlands vor 1914: Unter Lichnowsky als Botschafter arbeitete als Botschaftsrat der Sohn des ehemaligen Direktors der Ottoman-Bank und der anatolischen Eisenbahngesellschaft, Kühlmann. Verheiratet mit einer Stummtochter, war er verwandt nicht nur mit dem Vortragenden Rat Stumm im Auswärtigen Amt, sondern auch mit dem zweiten Botschaftssekretär v. Schubert. Der dritte Sekretär war ein v. Hoesch, und ein Rothschild war Attaché. Sicher ist mit der reinen Aufzählung von Namen noch wenig gesagt – und z. B. Stumm in Berlin harmonierte 1914 keineswegs mit Kühlmanns Ansichten –, aber der enge Personenkreis, der die deutsche Diplomatie,

305 DZA II, Rep. 77 Art. 496 b Nr. 3, Bd. 7–9.
306 vgl. hierzu z. B. L. Schwartzkopff, Baare (Brandenburg. LHA Potsdam Rep. 30, Nr. 9142), Adelbert Delbrück (ebd. Nr. 9650), Goldberger (ebd. Nr. 10 141), Franz Mendelssohn (ebd. Nr. 11 791), H. Oppenheim (ebd. Nr. 12 081) und E. Russell (ebd. Nr. 12 601).
307 vgl. DZA I RK Nr. 589, 590.
308 Lohmeyer II, S. 185; GW XIV, S. 60, Hutten-Czapski I, S. 62, Morsey S. 273 ff.
309 Pritzkoleit S. 112.
310 DZA I Nachlaß Roesicke Nr. 20; DZA II, Rep. 195 Nr. 91, vol. 1/2 Nr. 124.
311 Guttmann S. 338.

Politik, Landwirtschaft und Industrie repräsentierte, garantierte in starkem Maße eine gewisse Homogenität der politischen Ansichten und des politischen Stils[312], die durch keine parlamentarische oder sonstwie geartete Kontrolle gebremst oder gar gesteuert wurde. Waren 1879 – wie gezeigt – im Grunde knapp eine Handvoll Persönlichkeiten entscheidend gewesen für den politischen Umschwung, so waren es für die Entscheidung von 1914 kaum mehr – und die Machtverteilung, die sie repräsentierten, war ziemlich identisch mit der, die 1879 zum erstenmal ihren Ausdruck gefunden hatte.

Die Bindung der hohen Beamtenschaft

Der Assimilierung der Unternehmer ging eine Aristokratisierung der oberen Beamtenschichten und des städtischen Patriziates parallel[313]. Die »glänzende Tyrannis« führte auch hier zu vollem Erfolg[314]. Eng verflochten mit der neuen Wirtschaftspolitik, die 1879 zum Glaubensbekenntnis[315] erhoben worden war, wurde auch diese Entwicklung eingeleitet und durchgeführt.

In Preußen blieb das Staatsministerium »wesensverwandt« mit dem Herrenhaus und Abgeordnetenhaus[316]. 31 adligen Ministern standen 13 bürgerlicher Herkunft in der Zeit von 1862 bis 1890 gegenüber[317]. Ebenso beherrschte der Adel vollkommen die Oberpräsidenten-, Regierungspräsidenten- und vor allem die Landratsstellen[318]. Die »Berater« – Unterstaatssekretäre, Ministerial-Direktoren und Vortragende Räte – waren überwiegend bürgerlicher Herkunft, wurden aber zumeist

312 Die streng konservativen Ansichten aller Staatssekretäre des Äußeren waren ohne Frage (Morsey S. 269).

313 GW VI c Nr. 268.

314 DZA II, Rep. 92 Nachlaß Bosse; Preradovich S. 160, Kehr S. 256, 267. Wohl beschränkt sich das hier Gesagte auf Beobachtungen, die lediglich im Rahmen der obersten Verwaltung auf Belege zurückzugreifen vermag (vgl. DZA II Rep. 89 H Deut. Reich 1 a, ebd. VII Deut. Reich 1 vol. 1). Eine umfassende Arbeit fehlt. Die Arbeiten von Schmoller, Isaacson, Hintze, Hartung und Muncy sind zu wenig materialreich, die von Preradovich und Kamm zu eng oder zu verallgemeinernd. Am besten die Zusammenstellung bei Morsey S. 242 ff., aber auch hier mehr zufällige Auswahl und statistische Analyse.

315 Hartung: Berufsbeamtentum S. 13, Oldenburg: Bundesrat S. 21 ff.; Wermuth S. 41; GW VIII, Nr. 242, 277, GW XIV, 2 Nr. 1698.

316 Morsey S. 244.

317 Schulte: Dt. Staat S. 466; Busch I, S. 11.

318 Diese sehr wichtige Seite der Personalpolitik der »obersten Reichsverwaltung« behandelt Morsey nicht; hierzu sei folgendes gesagt: Während in der Justizverwaltung (Bau, Eisenbahn etc.) 3–4 % bzw. 6 % adlige Beamte tätig waren, lag der Prozentsatz bei der regional- und landrätlichen Verwaltung »sehr viel höher«. Aber selbst 40 %–50 %, (von 1891 überliefert) war für die Konservativen ein Zeichen für ihren zurückgehenden Einfluß, was den einzigen »bürgerlichen« In-

nobilitiert, im ganzen waren sie als Bürgerliche schon »junkerhafter« als der alte Adel[319], was wesentlich darauf zurückzuführen war, daß in den achtziger Jahren überwiegend – in der preußischen Verwaltung ausschließlich – Mitglieder der Korps ihre Anstellung als Beamte fanden und ihnen eine Laufbahn eröffnet wurde[320]. Die Politik der Sicherung des Einflusses des Adels durch Nobilitierung

nenminister, Herrfurth, schließlich auch die Stellung kostete. Von 407 etatmäßigen Mitgliedern der Regierungen waren 1891 116, von 464 Landräten 251 und von 418 Regierungsassessoren 124 von Adel.

Die Besetzung der Spitzenstellen mit Adligen und Bürgerlichen selbst unter dem »bürgerlichen« Innenministerium Herrfurth – der nach eigener Aussage die absolute Herrschaft des Adels zurückdrängen wollte – ergeben ein plastisches Bild von der konservativen Personalpolitik in Preußen.

Bei der Besetzung der Oberpräsidentenstellen war der »Adel« mit 60 bzw. 62 % beteiligt: seit 1888 von Bennigsen-Hannover, von Pommer-Esche-Magdeburg, v. Wilamowitz-Möllendorff-Posen, v. Puttkamer-Stettin, v. Goßler-Königsberg; bei den Regierungspräsidentenstellen mit 70 bzw. 73 %: v. Bitter-Oppeln, v. Arnim-Stralsund, v. Heye-Stade, von Bismarck-Hannover, Hue de Grais-Potsdam, v. d. Heydebrand und der Lasa-Königsberg, v. Hartmann-Aurich, v. Tepper-Laski-Wiesbaden, v. Itzenplitz-Koblenz, v. Holwede-Danzig, und v. Horn-Marienwerder, bei den Oberpräsidialräten waren es 62 %: v. Brandenstein-Potsdam, v. Viebahn-Münster, v. Tieschowitz-Hannover, v. Pusch-Danzig, v. Dziemobowski-Posen und bei den Vortragenden Räten im Innenministerium waren es 50 %: v. Horn, v. Kitzing, v. Knebel-Döberitz.

Der niederste Anteil wurde bei den Oberregierungsräten und Verwaltungsgerichtsdirektoren festgestellt mit 37 % bzw. 39 %: v. Patow-Gumbinnen, v. Terpitz-Düsseldorf, v. Richthofen-Potsdam, v. Bischoffshausen-Schleswig, v. Lüpke-Minden, v. Natzmer-Posen, v. Podewils-Posen, v. Lyncker-Gumbinnen, v. Wallenberg-Breslau, v. Tempelhoff-Posen, Elsner v. Gronow/Köslin, v. Bitter-Stralsund, v. Zastrow-Cöstrin, v. Schrötter-Frankfurt/O., v. Oertzen-Hannover, v. Dewitz-Potsdam, v. Schwartz-Stettin und v. Kamptz-Minden.

Dafür war aber der Anteil des Adels bei der Besetzung der Polizeidirektoren- und Polizeipräsidentenstellen wieder absolut überwiegend, 66 % bzw. 83 %: v. Muffing-Frankfurt/M, Graf Stolberg-Wernigerode-Stettin, v. Nathusius-Posen, Graf Königsdorf-Kassel, v. Reiswitz-Kaderzin/Danzig, Graf Brühl-Koblenz. Bei den Landräten, den wesentlichen Trägern der lokalen obrigkeitlichen Verwaltung und Politik war der Adel bei den Neubesetzungen mit 45 % beteiligt, bei 114 Ernennungen u. a.: v. Richthofen-Jauer, v. Saucken-Pr. Eylau, v. Jarotzky-Küstrin, v. Zawadzky-Wilkowo, v. Kalkreuth-Cammin, v. Busse-Wartenberg, v. Fidler-Schleswig, v. Valentini-Hameln, v. Glasow-Saatzig, v. Bennigsen-Peine, v. Lilienthal-Emden, v. Bonin-Apenrade, v. Zedlitz-Leipe Schweidnitz, v. Blomberg-Grossau, v. Rantzau-Plön, v. Dalwigk-Hünfeld, v. Feilitzsch-Naumburg, v. Richthofen-Grottkau und v. Marschall-Langensalza (DZA I RK Nr. 1445: 20. VI. 1891 Herrfurth an Lucanus). Zur Personalpolitik unter Caprivi und Hohenlohe vgl. auch die vor dem Abschluß stehende Cambridger Dissertation von John Röhl.

319 A. v. Hohenlohe S. 328, Puttkamer S. 81.

320 Kehr S. 495, Morsey S. 263.

Angehöriger von »bürgerlichen Kreisen, welche ihrer Bildung und sozialen Stellung nach auf der gleichen Stufe stehen wie Edelleute«[321], wird noch deutlicher bei der Personalpolitik des Reiches[321a]. Von 23 Staatssekretären waren 12 von Adel – Hofmann, Stephan, Burchard wurden während ihrer Amtszeit nobilitiert, die anderen erhielten bei ihrem Ausscheiden oder als preußische Minister ihre Nobilitierung, so Jacobi, Scheele, Scholz, Friedberg und Maybach[322].

Neben dieser Entwicklung einer »adlig-bürgerlichen Amtsaristokratie«[323] war es in Preußen und in den Bundesstaaten Tradition, die höchsten und hohen Beamtenstellen ausschließlich mit Juristen zu besetzen. Dies wurde in Preußen[324] und im Reich[325] beibehalten[325a]. Als Bismarck 1890 versuchte, die höheren Beamten mehr nach dem Maßstab »gebildeter Europäer« zu erziehen, kam sein Bemühen zu spät, deutsche Tradition war und blieb der »Assessorismus«[326] konservativ-preußischer Prägung.

Die 1879 eingeleitete Dominanz der preußischen Kräfte im Reichsdienst blieb bis 1918 erhalten[327], diese beherrschten fast ausschließlich die Politik der Reichsverwaltung. Es war symptomatisch für die Struktur Preußen-Deutschlands – so nebensächlich auch die Tatsache scheinen mag –, daß der brandenburgische Galarock zum Vorbild der Galakleidung der Reichsbeamten wurde. Nur in der Diplomatie läßt sich eine stärkere Heranziehung – zumeist Bismarckergebener – nichtpreußischer Diplomaten feststellen, so z. B. des Württembergers Kiderlen, des Badeners Brauer, der Bayern Berchem, Bray, Schön, Tattenbach und Kühlmann. Den Kern bildeten aber auch hier Aristokraten preußischer Herkunft – Arnim, Alvensleben, Bernstorff, Eulenburg, Dönhoff und Monts.

321 GW VI c Nr. 268.

321a nach Morsey DZA II: »Akten des ZK«, DZA II, Rep. 92 Nachlaß Bosse.

322 Morsey S. 245 ff.: 22 % adlige Vortragende Räte stellt Morsey zusammen, wobei das AA mit 22 Adligen bei 44 Räten eine Ausnahmestellung einnimmt, wie überhaupt in der Diplomatie Adel in Führungsposition und Neuadel in Zweitposition kennzeichnend wurde für die Personalpolitik Herbert v. Bismarcks. Bei den technischen Ressorts überwogen zunehmend die Bürgerlichen, so im RdI von 34 – 5 Adlige, im Reichspostamt von 40 einer, in Elsaß-Lothringen von 17 – 3, im Reichseisenbahnamt von 8 – ein Adliger, im Reichsjustizamt von 11 – zwei Adlige, und im Reichsschatzamt von 14 – ein Adliger.

323 Hintze: Beamtenstand S. 45.

324 Kamm: Minister und Beruf, Allgem. Statistisches Archiv 18, 1929, S. 440 ff., S. 445.

325 Hintze S. 48, Morsey S. 251.

325a Kamm gibt 72,8 % an, für Bayern Schärl sogar 97 %.

326 Hintze S. 48; Rottenburg: Deut. Revue 31, 1906 nach Morsey S. 251.

327 W. Lexis: Denkschrift über die, dem Bedarf Preuß. entsprechende Normalzahl der Studierenden der verschiedenen Fakultäten, Berlin 1889, S. 26, von 23 Staatssekretären waren nur Bülow und Hofmann Nichtpreußen, bei den Vortragenden Räten waren 20 % Nichtpreußen.

Das Dilemma des Konservativen Systems

Aber »1879« formte nicht nur die Basis für die eben skizzierte Entwicklung. Der Tarif und sein Zustandekommen hatte noch eine viel tiefere Bedeutung. Die von Bismarck benötigte und in der Schlußphase noch mühsam erreichte Solidarität von Landwirtschaft und Industrie darf nicht darüber hinwegtäuschen, daß mit dem Tarif gleichzeitig auch eine tiefgehende agrarisch-industrielle Zwiespältigkeit fundiert wurde, die fortan zum bestimmenden Faktor der deutschen Politik wurde. Solange dem Bündnis der Interessenten keine expansive, keine durch weitere wirtschaftliche Entwicklung, Erfindung, Verkehrsverflechtung, Konzernbildungen und Bevölkerungsvermehrung hervorgerufene Aufgabe gestellt wurde, solange war es möglich, diese Spannung zu überdecken und eine ausgleichende konservative Politik nach außen bei einer autoritären Staatsführung nach innen zu führen. Die Situation komplizierte sich noch durch Bismarcks Sammlungspolitik, die 1879/80 eine scheinbar eindrucksvolle Geschlossenheit der neuen und alten gesellschaftlichen Kräfte auf dem Boden Preußens erreicht hatte. Aber der Preis war, wie in der wirtschaftlichen Sphäre, die Teilung der Nation in ein »staatserhaltendes« und ein »staatsverneinendes« Klassen- und Parteilager, eine Teilung, die sich durch die »neue Praxis wirtschaftlicher Interessenpolitik«[328] ständig verschärfte[329].

Wenn Bismarck auch 1879/80 die letzten Ziele nicht erreichen konnte — das Erreichte genügte, um die deutsche Wirtschafts- und Handelspolitik bis 1890 in seinem Sinne festzulegen.

Je mehr nun die Agrarier mit Zöllen unterstützt wurden, je mehr die Nahrungsmittelpreise für die breite Bevölkerung anstiegen, desto mehr klaffte der 1879 nur verdeckte Gegensatz zwischen Industriellen und Agrariern auf. Dieser Gegensatz wurde durch einen weiteren überdeckt, der die Spannungen zwischen Industriellen und Agrariern — je nach der innenpolitischen Machtlage — akzentuierte oder dämpfte, nämlich den zwischen »Staatserhaltern« und »Umstürzlern«. So bedrohten die innerhalb des kleindeutschen Reiches mühsam gebundenen Kräfte sofort wieder Bismarcks konservative Lösung der Reichsgründung; in zunehmendem Maße trieben diese Kräfte zur Sprengung des Machtgefüges in Europa hin, obwohl doch offenbar allein in der von Bismarck prononcierten Politik der Saturiertheit Deutschlands der Bestand der Großmacht bewahrt geblieben wäre. Aber auch diese Politik war — wie später noch zu zeigen sein wird — durch die von Bismarck gerufenen Geister schon während seiner Kanzlerzeit illusorisch geworden.

Ob eine mehr demokratisierte, der westeuropäischen Tradition verbundene Staatsform und Politik einen anderen Weg gefunden hätte als die konservativ-imperiale zur Überwindung der gegebenen und bestimmenden Probleme der europäischen Zentrallage Deutschlands, bleibt für den Historiker eine offene Frage. Die

328 Stenograph. Berichte 23. V. 1879.

329 Gerloff S. 167; DZA I, RK Nr. 2082: 7. VIII. 1880 v. Helldorff-Bedra an Bismarck; 11. VIII. 1880 Bismarck an Burchard.

traditionell unrealistische Beurteilung der Stellung Deutschlands durch die Deutschen ließ jedenfalls den Stolz der Generation von 1870/71 sehr schnell zum »nationalen Hochmut« entarten – jedoch nicht erst nach 1890.

Schon die Generation der Reichsgründung war davon durchdrungen, »daß Macht, nicht Gerechtigkeit das Fundament« des Reiches sei[330]. »Der Krieg, ein Glied in Gottes Weltordnung«[331], war dem Deutschen Reich in die Wiege gelegt. Die königlich-preußische Welt war im Bestand des Deutschen Reiches in dem Maße gesichert, wie der Schutzzolltarif, die Sonderstellung der Armee, die antidemokratisch-konservative Beamtenschaft, die autoritäre Sozialgesetzgebung die Klammern blieben für einen Staat, dessen äußere Politik nach den Interessen der preußischen Träger dieser Politik geführt wurde[332].

330 Guttmann S. 75.

331 Moltke 1880 nach Enders: Die Tragödie Deutschlands von einem Deutschen, Stgt. 1925, S. 50.

332 BA-Koblenz Nachlaß Brentano Nr. 59.

Schluß

»Mitteleuropa« als Herrschaftsraum und Herrschaftssicherung Preußen-Deutschlands: die Option für Österreich-Ungarn und die Umkehr des Bruckschen Programms von 1848

Deutschlands Schutzzollentscheidung und Rußland

Der allgemeine Trend zu Schutzzöllen, der in den achtziger Jahren in zunehmendem Maße die Handelspolitik der Großmächte beherrschte, ließ den freien zwischenstaatlichen wirtschaftlichen Warenaustausch immer mehr erstarren und inaugurierte einen lähmenden, latenten wirtschaftlichen Kriegszustand[1]. Während aber alle Großmächte (bis auf England, das am Freihandel festhielt) ihre Zölle vornehmlich auf Industriewaren legten, ging Deutschland mit der Einführung von Agrar- und Viehzöllen einen wesentlichen Schritt weiter. Hatten zuvor schon – vor allem zwischen Rußland und Deutschland – nur noch Proteste und Verbalnoten den zwischenstaatlichen Handelsaustausch gestützt[2], so erhob sich nun, noch während der deutschen Tarifberatungen, in Österreich-Ungarn und Rußland, den Hauptlieferanten der deutschen Agrarimporte[3], eine »leidenschaftlich gefärbte Erörterung« über die Repressalien, die gegen Deutschlands Agrarzölle vorzunehmen seien[4]. Im Gegensatz zu Österreich, das mit »ängstlicher Spannung« die Zolltarifverhandlungen[5] im Reichstag verfolgte, war Rußland nicht gewillt, die vornehmlich gegen seine Agrarier gerichteten Zölle hinzunehmen[6].

1 DZA I AA hp Nr. 9361: 1. VIII. 1879 Hohenlohe an Auswärtiges Amt; RdI Nr. 4922: 8. I. 1880 Huber/Hofmann an AA; 14. II. 1880 v. Philipsborn an AA dto. 26. II. 1880; AA hp Nr. 6966: 7. VI. 1880 RSchA an Hohenlohe; RK Nr. 410: 15. IX. 1880 CdI an Bismarck.

2 DZA I AA hp Nr. 10472/10473: 23. III. 1879 Alvensleben an AA; 30. IV. 1879 AA an RKA; RdI Nr. 4976: 8. III./18. X. 1879; 7. IV. 1880 AA an Hofmann.

3 Rußland lieferte 1880 24,44 % der Weizeneinfuhr Deutschlands, 61,8 % der Roggen- und 56,07 % der Hafereinfuhr bei einer Gesamteinfuhr von Cerealien von 2 Mrd. kg. Österreich-Ungarn dominierte bei der Weizeneinfuhr mit 36,59 % und lieferte 35,53 % der deutschen Hafereinfuhr und 43 % der deutschen Mehleinfuhr.

4 ebd. 15./27. VI. 1879 Heinrich VII. Reuß an AA.

5 DZA I AA hp Nr. 9948: 29. V. 1879.

6 Wie stark sich der Zoll im ersten Jahr auswirkte, zeigen folgende Zahlen: Einfuhr fiel von 1879 2119151000 kg 1880 auf 526373000 kg. Von der deutschen Konsumtion aus gesehen wurden damit die Schutzzölle zu »doppelten« Finanzzöllen:

So aktivierte der Abschluß der großen Reformen und die selbstbewußte Betonung einer Politik der freien Hand sofort die latenten Spannungen zwischen Deutschland und seinen östlichen Nachbarn. Vor allem Rußland reagierte sofort – zwar nicht mit weiteren wirtschaftlichen Repressalien (die folgten erst Anfang 1880)[7], sondern mit politischen, die, wenn auch ganz der Linie der russischen Politik seit dem Berliner Kongreß folgend, doch unübersehbar von der wirtschaftlich-politischen Entscheidung in Deutschland ihren Impuls erhielten.

Im Herbst 1879 nahm Rußland Abwicklungsfragen des Berliner Kongresses zum Anlaß, um Deutschland zum Nachgeben, d. h. zur Option entweder für Rußland oder für Österreich – das sich seit dem Berliner Kongreß England, welches sich wiederum Frankreich angenähert hatte – zu zwingen[8]. Damit drohte Preußen-Deutschland erneut eine, durch wirtschaftliche Querelen ausgelöste, Kaunitzsche Koalition[9].

Bismarck optiert für die Donaumonarchie

Bismarck hatte aber nun innenpolitisch die Hände frei, und deswegen ließ er es über der Aktion Rußlands sofort zu einer grundsätzlichen Entscheidung kommen[10]. Schon am 15. August 1879 gab er Radowitz, dem Gesandten im Kaiserlichen Ge-

sie brachten Einnahmen und verteuerten die notwendigen Lebensmittel des »kleinen Mannes«. Von der deutschen Produktion her beurteilt, war aber bei Mühlenprodukten die Ausschließung der Konkurrenz nahezu erreicht (Matlekovits, S. 808). Vergleicht man noch die prozentuale Einfuhrverteilung von 1879 und 1889, so ergibt sich folgende bemerkenswerte Verschiebung. 1879 hatte Deutschland bis auf Roggen in Rußland und Gerste in Österreich-Ungarn keinen Monopolimporteur, Österreich und Rußland machten einander Konkurrenz, und die USA und Frankreich folgten bei Weizen (14,77 %) bzw. bei Mehl (32,6 %) dicht auf.
Das änderte sich 1889: Rußland dominierte im Weizenimport mit 58,28 % (Österreich 26,06, USA 0,46 %), im Roggenimport 86,83 %, im Haferimport 91,31 % und hatte im Gerstenimport aufgeholt mit 47,80 % (Österreich-Ungarn = 43,03 %). Allein in der Mehleinfuhr beherrschte Österreich-Ungarn mit 96 % den Markt.

7 DZA I AA hp Nr. 10 486: 18. III. 1880 VDEStI an AA; ebd. RdI Nr. 4922: 28. V. 1880 Promemoria Huber; ebd. RSchA 20. II. VDEStI an AA.

8 AA-Bonn Rußland 65 secr. Bd. 1 (GP III, Nr. 443); ebd. I Rußl. 53 geh. vol. III: 14. VI. 1879.

9 Lucius, S. 173 ff.; Hohenlohe II, S. 275; Schweinitz I, S. 250. Alle Darstellungen, seien es die von Windelband, Japikse, Heller, Schünemann, Hatzfeld oder Langer, beschäftigen sich ausschließlich mit der Analyse des diplomatischen Geschehens. Lotz, Matlekovits, Bazant und Schneider behandeln aufgrund der Aktenausgabe von Poschinger wiederum nur die handelspolitische Seite, und selbst die Spezialarbeit von Bornemann erkennt nicht den Zusammenhang von Wirtschafts- und allgemeinpolitischer Aktion.

10 AA-Bonn Rußld. 65 secr. Bd. 1 (GP Nr. 444, 443, Anm.).

folge, den Auftrag, »in vorsichtiger Weise« die Unsicherheit der rein dynastischen Garantien im russisch-deutschen Freundschaftsverhältnis bei Wilhelm I. zur Sprache zu bringen und ihm zu bedeuten, daß Deutschland seine »Beziehungen zu Österreich und England sehr schonend« behandeln müsse. Denn »nach den Erfahrungen seit 1875« sei es Deutschland »unmöglich«, sich »soweit für Rußland (zu) engagieren, daß es nachher nur von seinem (Rußlands) Belieben abhängen würde«, das Reich »vollständig in Europa zu isolieren«. Vor allem komme es schon jetzt darauf an, fuhr Bismarck fort, dem alten Kaiser der Donaumonarchie mit seinem Treuebewußtsein die Kontinuität der monarchisch-konservativen Bündnispolitik überzeugend nahezubringen – auch bei einer vollen Option für Österreich-Ungarn. Radowitz erhielt also den Auftrag: »klarzulegen«, daß bei einem Bund mit der Donaumonarchie und gegen Rußland keine »plötzliche Wendung ... unserer Politik eintreten würde«[11].

So war Bismarck schon *vor* dem berühmt gewordenen sogenannten Ohrfeigenbrief des Zaren[12] entschlossen, die »unverblümten Drohungen« Rußlands zum Anlaß zu nehmen, um nach anderen und neuen Sicherungen der deutschen Großmachtstellung zu suchen. Hierbei war seine einzige Sorge, ob der Kaiser dieser Schwenkung gegen den russischen Verwandten, gegen den traditionellen Freund Preußens seine Zustimmung geben würde[13].

Die Entscheidung wurde bereits Mitte August 1879 unaufschiebbar, als Rußland seine Drohung direkt zum Ausdruck brachte und Österreich unter dem neuen Ministerpräsidenten Graf Taaffe sich entschieden einer slawenfreundlichen Politik zuwandte[14]. Zudem schienen die Tage Andrássys als Minister des Auswärtigen gezählt[15]. Die Gefahr einer russisch-österreichischen Entente, damit also der »Kristallisationspunkt zu Koalitionen, deren eine dem Aufstreben Preußens im Siebenjährigen Kriege gegenübergetreten war«[16], schien sich für Bismarck wieder abzuzeichnen. Angesichts der russischen Rüstungen und der russischen Presseagitation[17] waren für Bismarck jetzt die »nur ... dynastische(n) Beziehunge(n) und namentlich die persönliche Freundschaft des Kaisers Alexander« nicht mehr die »gesichertere« der beiden deutschen Bündnismöglichkeiten entweder mit Rußland oder mit Österreich. Bismarck setzte ganz auf Österreich und betonte:

»Mit dem Staate Österreich haben wir mehr Momente der Gemeinsamkeit als

11 AA-Bonn ebd.; GP III Nr. 445.
12 AA-Bonn ebd.; GP III Nr. 446: 3./15. VIII. 1879.
13 GW VIII, S. 293.
14 Wertheimer: Andrássy III, S. 214, 221, 231.
15 ebd. S. 237 ff.
16 AA-Bonn, Rußld. 57, secr. Bd. 3; GP III Nr. 455.
17 AA-Bonn I Rußld. 57 secretiss. vol. 3: 29. X. 1879 Bismarck an AA; ebd. Aufzeichnung Stolberg/Herbert Bismarck; 7. XI. 1879 Bucher an Heinrich VII. Reuß; ebd. 23. XI. 1879 Bismarck Aufzeichnung; 8. XI. 1879 Moltke an Bismarck; 23. XI. 1879 Stolberg an Bismarck, 26. XI. 1879 Stolberg an Bismarck, ebd. Bd. 4 2. XII. 1879 Moltke an Bismarck.

mit Rußland. Die deutsche Stammesverwandtschaft, die geschichtlichen Erinnerungen, die deutsche Sprache, das Interesse der Ungarn für uns, tragen dazu bei, ein österreichisches Bündnis in Deutschland populär, vielleicht auch haltbarer zu machen als ein russisches[18].«

Bereits auf die ersten Berichte von General Schweinitz aus Petersburg hin hatte Bismarck in Wien wegen eines Zusammentreffens mit Andrássy sondieren lassen[18a]. Nun, nachdem der Gegensatz aufgebrochen war, drängte Bismarck auf ein Treffen mit dem Außenminister der Donaumonarchie und gab sich hochbefriedigt, als es bereits am 27. und 28. August 1879 in Gastein stattfinden konnte. Hier unterbreitete Bismarck Andrássy »zur Sicherheit und Ruhe ihrer Völker und zur Erhaltung und Constituierung des europäischen Friedens«, wie es am 24. September 1879 offiziell im Protokoll (zugleich auch der späteren Wiener Verhandlungen) formuliert wurde[19], sein »lang bedachtes« Programm der »Wiederaufrichtung« des Deutschen Bundes in einer neuen, zeitgemäßen Form« (wie er es vor dem preußischen Staatsministerium ausführte)[20]; »ein Bollwerk des Friedens für lange Jahre hinaus«[21] zur »Abwehr eines Angriffs von Rußland«[22]. Im Gegensatz aber zu den früheren Jahren stand nun zwischen Österreich und Deutschland die wirtschaftspolitische Spannung, die durch den beidseitigen Übergang zum Schutzzoll ausgelöst worden war.

Brucks »Mitteleuropa«-Programm mit preußischen Vorzeichen

Angesichts dieser Situation griff Bismarck auf ein Hilfsmittel zurück, das scheinbar seiner bisher verfolgten Politik konträr entgegenstand: er bot nämlich jetzt die Zollunion und ein ewiges Bündnis mit Österreich-Ungarn als Kern eines vereinigten mitteleuropäischen Raumes unter »deutscher Führung« an. Nach 1870 hatte Bismarck diesen Gedanken während der aufflackernden Gegensätze zu Frankreich und Rußland mehrmals erwogen, aber nie konsequent verfolgt. Das änderte sich Ende 1879. Wohl war das Kleindeutsche Reich in der Abwehr des durch den österreichischen Kaiserstaat konzipierten Mitteleuropaplans, d. h. der Einigung des mitteleuropäischen Raumes »von der Nordsee bis zur Adria«, entstanden, und Bismarck hatte am konsequentesten und erfolgreichsten diese Pläne zerstört. Nun aber übernahm er selbst – nach dem Abschluß der großen Reform – diese Pläne zur Herrschaftssicherung Preußen-Deutschlands und zur Errichtung eines großen Einflußgebietes für die wirtschaftliche und politische Dynamik des jungen Reiches. Die

18 AA-Bonn, Rußld. 65 secr. Bd. 2; GP III, Nr. 448.
18a HHStA Wien, PA I, rot Nr. 454: 24./29. IX./7. X. 1879 Aufzeichnung Andrássy.
19 HHStA Wien, PA I, rot 454: 24. IX. 1879 veröffentlicht, Pribram: Die politischen Geheimverträge Österreich-Ungarns I, (1920), S. 3 ff.; GP III Nr. 484.
20 GW VIII, S. 238, Aufzeichnung Lucius vom 28. IX. 1879.
21 GW ebd.
22 HHStA Wien ebd.; Protokoll.

industrielle Umstrukturierung der deutschen Volkswirtschaft, die Ausbildung der Achse Oberschlesien – Berlin – Ruhrgebiet und die Entstehung der Großbanken hatte diese »Umkehr« der Bruckschen Pläne ermöglicht und eine Entwicklung eingeleitet, die nur Preußen, und in seinem Schatten den Süden Deutschlands, politisch aktivierte, während in Österreich und im Südosten Europas die überwiegend agrarische Struktur unverändert blieb und sie nun zum Objekt der ökonomischen Expansion der Zentralmacht wurde[22a].

So trat neben das Schutz- und Trutzbündnis auch die »Zollunion«, um der »unberechenbaren Politik ... asiatischer Überhebung« Einhalt zu gebieten. Zugleich hoffte Bismarck die deutsche Machtstellung potenzieren zu können. Aufgrund »des beständigen Kokettierens Gortschakows mit Frankreich, der endlosen Rüstungen Miljutins, der Avantgardestellung der russischen Kavalleriedivisionen an der preußischen Grenze, der tobsüchtigen Sprache der russischen Presse« war Bismarck im August 1879 willens, »mit Österreich ein engeres Verhältnis« anzustreben, ja, »einen organischen, ohne Zustimmung der parlamentarischen Körperschaften nicht lösbaren«[23] Bund zu begründen[23a]. Dieses Ziel und diese Idee hatte Bismarck – nach Schweinitz – schon unmittelbar nach dem Berliner Kongreß zum erstenmal offen angesprochen[24]. Dann war ihm diese Idee von Molinari nahegebracht worden, und im Januar 1879 hatte Bismarck das Zollunionsprojekt gegenüber dem Zentrumsabgeordneten Frankenstein erneut erwähnt. Im Laufe des Sommers 1879 endlich brachte er dem Projekt steigendes Interesse entgegen[25], und jetzt im Herbst 1879 war er sogar willens, für die Idee einer Zollunion mit Österreich-Ungarn die eben erreichten Schutzzölle so weit zu modifizieren, daß Österreich-Ungarn eine Vorzugsstellung erhalten hätte, zwar nicht auf Kosten der Agrarzölle, aber aufgrund einer weiteren, noch höheren Abschließung gegenüber dritten Ländern[26].

In dieser »Umkehrung« des Bruckschen Mitteleuropa-Projekts liegt denn auch der tiefgehende Unterschied zwischen den Bismarckschen und Bruckschen Plänen. Preußen-Deutschland als »fraglose« Führungsmacht dieser zollverbündeten Liga hätte seine autonomen Zölle behalten. Gegenüber den Zollverbündeten wären die Tarife gebunden worden, aber gegenüber Rußland, Amerika und England wären die Zölle stark angehoben worden. Vor allem Rußland und Amerika sollten durch dieses enge wirtschaftliche Zusammengehen von Deutschland und Österreich-Ungarn getroffen werden, das als »letzte gewaltige Schöpfung des Kanzlers zum Wohle der nationalen Arbeit Deutschlands« auch einen Ausgleich mit Frankreich

22a DZA I AA hp Nr. 6966: 7. VI. 1880 RSchA an Hohenlohe; vgl. z. B. ebd. Nr. 8947: 18. XII. 1880 v. Thielau an AA.
23 Brauer: Memoiren, S. 60.
23a HHStA Wien, PA I, rot Nr. 454.
24 Schweinitz: Memoiren II, S. 34.
25 Brauer: Memoiren, S. 60; Poschinger: Parlamentarier II, S. 315 ff.; DDF II, Nr. 440; GStA München MA III, Nr. 2447: 30. IX. 1879 Bericht Rudhardts.
26 BA Koblenz R II, Zg. 1955 ff., Nr. 1511: 3. X. 1879 Bismarck an Scholz; HHStA Wien PA I rot Nr. 454: 24. IX. 79.

einschließen sollte, um die wirtschaftliche und politische Isolierung Rußlands vollständig zu machen[27]. Doch Bismarck hatte mit seinem schwungvoll begründeten Projekt keinen Erfolg. Andrássy lehnte »Form und Ausmaß« der Bindung — die einer Kettung der Doppelmonarchie an Deutschland gleichgekommen wäre – ab[28] und schlug als »Gegenproposition« ein Defensivbündnis vor, das eine »sichere Flankendeckung« bieten würde, sollte Rußland aggressiv gegen eine der beiden Mächte vorgehen oder sich in kriegerische Verwicklungen »der Mächte« einmischen[29]. Weiter sei das Bündnis — nach den Worten Andrássys, geeignet und notwendig, »um die volle Kraft zur Beruhigung der subversiven Elemente zu gewinnen«[30]. Bismarck gab vorerst nach. Die beiden Politiker begannen nun mit ihren Monarchen Rücksprache zu nehmen.

Wilhelm I. sträubt sich gegen die Politik seines Kanzlers

In Österreich fiel die Entscheidung schnell. Bereits am 29. August 1879 gab Kaiser Franz Joseph[31] seine »vollste« Zustimmung zum Bündnis. Das Gegenteil war aber in Preußen-Deutschland der Fall. Wilhelm lehnte »die partie inégale«[32], die Frankreich und Rußland »vereinen müßte«, ab; zu »irgendeinem *Abschluß einer Konvention* oder *gar Alliance«* autorisierte er Bismarck seinem »Gewissen nach nicht«[33]. So entspann sich, ehe Bismarck Andrássy die bedingungslose Defensivallianzannahme mitteilen konnte[34] jenes bekannte Ringen[35] zwischen dem preußischen König und Bismarck – zwischen dem »moralischen Treuebewußtsein« des Monarchen (trotz der sich verschiebenden Grundlagen der alten Politik) und einer politischen Konzeption, die sich im Einklang mit den Konservativen (Agrarzölle gegen Rußland und Industrieabsatz auf dem Balkan), den Rechtsliberalen (Kapitalanlagen und Handelsausweitung nach Südosten), dem Zentrum (Annäherung an die katholische Führungsmacht Europas) und nicht zuletzt mit dem Generalstab befand[36].

27 DZA II Rep. 120 C XIII, 1 Nr. 4 vol. III, 14. X. 1879, NAZ Nr. 440; HHStA Wien PA I rot Nr. 454; BA Koblenz R II, Zg. 1955 ff. Nr. 1511: 3. X. 1879 Bismarck an Hofmann, GStA München MA III, Nr. 2447: 30. IX. 1879.

28 Eine Motivierung konnte nicht gefunden werden, denn es ist erstaunlich, daß Österreich-Ungarn bereits im November 1879 seine alte Zollunionspolitik wieder aufgriff (DZA I RK 421: 17. XI. 1879 Hofmann an Bismarck.)

29 GW VIII, S. 329; GP III Nr. 449; AA-Bonn Rußld. 65 secr. Bd. 2.

30 HHStA Wien, PA I rot Nr. 454: 1. IX. 1879 Andrássy an Bismarck.

31 HHStA Wien PA I, rot Nr. 454, wiederholt am 1. IX. 1879, AA-Bonn Rußland secr. 65, Bd. 4; GP III Nr. 458 Anlage.

32 AA-Bonn Rußland 65 secr. Bd. 6; GP III Nr. 482 Anm. 17.

33 GP III, Nr. 466.

34 HHStA Wien PA I, rot Nr. 454: 20. IX. 1879.

35 vgl. zu den persönlichen Empfindungen Bismarcks GW VIII, S. 331.

36 AA-Bonn Rußld. 63 secr. Bd. 5: GP III Nr. 473.

Mit politischer Finesse setzte Bismarck alle Hebel in Bewegung, um dem Kaiser die Schwenkung von »einer Allianz mit einem Autokraten einer halb barbarischen, dummen Nation, verhetzt durch Panslawismus«[37], zu einem »engsten Anschluß«, »einer Friedensliga« der »beiden mitteleuropäischen Kaiserreiche«[38] plausibel zu machen. Die deutsche Entwicklung seit 1866[39], die Gefahr einer Annäherung Österreichs unter den Ministern Haymerle (Andrássy war abgelöst worden) und Kallay[39a] an Frankreich und damit die »Isolierung (Deutschlands) in der Mitte Europas«[40] waren die wichtigsten Argumente Bismarcks. Immer wieder hämmerte Bismarck seinem König ein, daß das österreichische Bündnis eine »größere Sicherheit« für Deutschland biete, da »mit einer notwendig friedliebend, defensiven und konservativen Macht« ein Bündnis mehr Bestand habe »als mit der eroberungssüchtigen und kriegerischen slawischen Revolution«[41]. Der Gefahr eines Bündnisses des »*ohnehin* von der panslawistischen Revolution unterwühlten Rußland« mit der französischen Republik und mit dem »der Republik ... entgegenschwankenden Italien« ließe sich nur durch eine »feste vertragsmäßige gegenseitige Anlehnung Deutschlands und Österreichs«[42] begegnen; ja, Bismarck ging noch weiter — in scheinbar vollkommener Kapitulation gegenüber seiner bisher verfolgten Politik beschwor er nun plötzlich »das deutsche Vaterland«, das sich »nach tausendjähriger Tradition ... auch an der Donau, in Steiermark und Tirol noch wiederfindet, in Moskau und Petersburg aber nicht. Diese Tatsache bleibt für die Haltbarkeit und für die Popularität unserer auswärtigen Beziehungen im Parlamente (sic!) und im Volke (sic!) von wesentlicher Bedeutung«[43]. Bismarck wußte, daß er schließlich beim König einen Erfolg haben würde, und deswegen reiste er trotz des Widerspruches von Wilhelm[44] zu den Endverhandlungen in die Donaumetropole.

Bismarck war im Herbst 1879 offenbar entschlossen, eine grundsätzliche Umgruppierung der deutschen Bündnisverpflichtungen durchzuführen. Denn das Bündnis mit Österreich, dem — nach den Worten der Österreicher — »jeder Aggressionszweck fremd«[44a] sei, sollte »als ausdrückliche Voraussetzung« »die Zustimmung und *Unterstützung* Englands« haben. Bismarck gab sich sicher, daß England» sehr gern« eine »feste Anlehnung« an diesen Bund suchen würde[45]. Damit verband sich jetzt die »deutsche« Politik seit 1855 mit der antirussischen Aktion des »westmächtlichen

37 GW VIII S. 238.
38 GP III Nr. 455.
39 GP III Nr. 464/455; AA-Bonn Rußld. 63 secr. Bd. 3.
39a HHStA Wien Nachlaß Kallay.
40 ebd.
41 AA-Bonn, Rußld. 63 secr. Bd. 5; GP III, Nr. 477.
42 AA-Bonn, Rußld. 65 secr. Bd. 6; GP III, Nr. 482.
43 GP III, Nr. 461.
44 GP III, Nr. 447 Anm.
44a HHStA Wien, PA I, rot Nr. 454: 27. X. 1879 Károlyi an Kàlnoky.
45 GP III, Nr. 513; AA-Bonn, Rußld. 65 secr. Bd. 10; GP III Nr. 455. HHStA Wien PA I, rot Nr. 454.

Bündnisses von 1855«[46]. Zusammengenommen mit der gegen Rußland gerichteten Wirtschaftspolitik, die Bismarck in Wien noch einmal im Sinne eines Zollbündnisses erörterte und an die sich ab Oktober intensive Besprechungen zwischen deutschen und österreichischen Industriellen knüpften, erhielt die Schwenkung gegen Rußland im Herbst 1879 damit eine Eindeutigkeit, die das Zugeständnis Bismarcks an Wilhelm, »die russische Freundschaft mit aller Sorgfalt und Friedensliebe« zu pflegen und das »Drei-Kaiser-Bündnis« als »ideales Ziel« zu apostrophieren, zu diesem Zeitpunkt[47] zur reinen Taktik werden ließ, um sich Wilhelms auf diese Weise zu versichern. Dies gelang ihm auch schließlich.

Der Zweibund und »Mitteleuropa«

Am 24. September 1879 wurde das Bündnisprotokoll unterzeichnet[48]. Die Schwenkung war im politischen Bereich vollzogen, und Bismarck begann mit einer gezielten Pressepolemik gegen Rußland, »die öffentliche Meinung (von) der Bedrohlichkeit der Haltung Rußlands, von der Nützlichkeit unseres (Deutschlands und Österreich-Ungarns) Zusammenhaltens und von der Nothwendigkeit eines starken und bereiten Heeresstandes unwiderleglich« zu überzeugen[49]. Wie in der Wirtschaftspolitik wurden auch für die außenpolitische Entwicklung 1879 die Weichen gestellt, die fortan die deutsche Politik bestimmen sollten.

Bismarck hatte sich gegenüber König Wilhelm mit Andrássys Bündnisvorschlag durchgesetzt. Die »Zollunion« war dabei nicht mehr erwähnt worden. Als nun im September neue Handelsvertragsverhandlungen zwischen Österreich-Ungarn und Deutschland begannen, die nur das Ziel hatten, einen definitiven Tarifvertrag auf der Schutzzollbasis abzuschließen[50], schien Bismarck den Gedanken eines Zollbundes oder einer Zollunion aufgegeben zu haben. Daß Bismarck aber im September und Oktober 1879 seine Zollbundsidee als Alternative zu den Handelsvertragsverhandlungen noch keineswegs ad acta gelegt hatte, zeigt vor allem der von Bismarck erzwungene geheime Protokollzusatz, daß neue Handelsvertragsverhandlungen »unabhängig von den laufenden«[51] begonnen und zu ihnen *sofort* Kom-

46 GP III Nr. 449.
47 GP III Nr. 458: 5. IX. 1879.
48 AA-Bonn Dtld. 128 Nr. 2 secr. Bd. 1; GP III, Nr. 484; HHStA Wien PA I, rot Nr. 454.
49 AA-Bonn I Rußland Nr. 57 secretiss. vol. IV: 2. XII. 79 Bismarck; 28. XI. 1879 Bismarck an Stolberg, 26. XI. 79 Stolberg an Bismarck, 23. XI. 1879 Bismarck an Stolberg, 9. XI. 1879 Bismarck an AA, 8. XI. 79 Moltke an Bismarck.
50 DZA I RKA Nr. 212: 19. IX. 1879 Berliner Börsen-Courier o. D. Promemoria Huber; 17. IX. 1879 Jordan an Hofmann; 11. IX. 1879 Bismarck an AA; 24. IX. 1879 Huber/Reichsschatzamt an AA; 26. IX. 1879 Bismarck an Hofmann; 28. IX. 1879 PM (Huber/Hofmann/Scholz/Eck).
51 s. unten S. 595 f.

missionen einberufen werden sollten[52]. Ferner wurden Bismarcks Zollbundsintentionen deutlich in seiner »direkten Zusage, daß von Seite Deutschlands Österreich-Ungarn auch in zollpolitischer Hinsicht Vorzug vor den übrigen Staaten eingeräumt werden« solle[53]. Und schließlich wünschte Bismarck von seinen Ressorts »aus politischen Gründen« zu wissen, ob Deutschland in »Verhandlungen mit Österreich über die Frage eintreten solle, ob und wieweit es thunlich sein werde, auf der Basis eines Tarifvertrages den Abschluß eines Tarifvertrages in Aussicht zu nehmen«, oder ob das Reich sich »anderweitige Verkehrserleichterungen und Begünstigungen bei weiterer Entwicklung unserer Zollgesetzgebung versprechen«[54] könne.

Deutschlands Handelspolitik unter dem Signum der Zweigleisigkeit

Von diesen Anweisungen her beurteilt, gewinnt die deutsche Handelspolitik nach 1879 den Charakter einer — bis zu Bismarcks Sturz — nicht mehr revidierten Zweigleisigkeit. Denn einerseits wurde die handelspolitische Autonomie mit unüberbietbarer Schärfe betont und zum Prinzip der Verhandlungstaktik, zum Axiom des deutschen Handelsvertragssystems erhoben, andererseits aber wurde der Gedanke einer mitteleuropäischen Zollunion als Bollwerk gegen Rußlands und Amerikas Zollpolitik ständig und intensiv weiter verfolgt.

Diese Zweigleisigkeit zeigten bereits die Handelsvertragsverhandlungen mit Österreich-Ungarn Ende des Jahres 1879 und Anfang 1880. »Do ut des«, »nichts gratis«, »nur kein einseitiges Entgegenkommen«[55], war der Leitgedanke der Instruktionen, die Bismarck im Oktober/November und Dezember 1879 den Handelsvertragsverhandlungen mit Österreich-Ungarn voranstellte. Unterstützt von den Agrariern und Schwerindustriellen[56], verfolgte Bismarck mit großer Härte dieses Ziel. Jeder von Österreich geforderten Reduktion, sei es bei den landwirtschaftlichen Zöllen, den Holzzöllen, den Glaszöllen oder der zollfreien Positionsbindung, setzte er sein striktes »Nein« entgegen und versagte auch einer erneuten provisorischen Verlängerung des Handelsvertrages mit den von Österreich-Ungarn gewünschten Bestimmungen über den zollfreien Leinenverkehr, den angeglichenen

52 HHStA Wien PA rot Nr. 454.

53 GStA München MA III Nr. 2447: 30. IX. 1879.

54 BA Koblenz R 2, Zg. 1955 ff., Nr. 1511: 3. X. 1879 Bismarck postscriptum zu Votum Hofmann.

55 DZA I RK Nr. 422: 7. XII. 1879 Hofmann an Bismarck mit Randbemerkung Bismarcks.

56 DZA I RK Nr. 421: Anfang November 1879 RSchA Nr. 3090: 17. VII./8. X. 1879 »Langnamverein« an AA; 20. II. 1880 VDEStI an RSchA; BA Koblenz R 13/I Nr. 169, Denkschriften HK Bochum, CdI etc. ebd. R 2 Zg. 1955 ff. Nr. 1511: 28. X. 1879 Petition Verbd. dt. Leinenindustrieller.

Eisenbahntarifsätzen und dem Zollkartell die Zustimmung[57]. Somit überspielte er selbst die Wünsche Sachsens[58] und Bayerns[59], die auf einen Handelsvertrag mit Österreich-Ungarn auch bei vereinzelten Zugeständnissen drängten[60].

Centralverband deutscher Industrieller und Industriellen-Klub: die Sondierungen um »Mitteleuropa«

Das war aber nur die eine Seite der Verhandlungen und Vorbesprechungen mit Österreich-Ungarn. Zu gleicher Zeit begann Bismarck auch mit den »Kommissionsverhandlungen«, die im Geheimzusatz des Bündnisprotokolls vom 24. September vorgesehen waren. Bismarck ließ diese Verhandlungen nicht von offiziellen Stellen, sondern vom Centralverband führen. Dies geht aus den geheimen Verhandlungen hervor, die Rentzsch, Reimann und Bueck am 14. Oktober 1879 nach vorheriger Absprache mit Dr. Peez, dem Sekretär des österreichischen Industriellen-Klubs[61], mit dem Präsidenten des Klubs, Alfred Skene, dem Präsidenten der Montanindustriellen, Freiherrn von Mayran, dem Präsidenten der Handelskammer Brünn und Reichsratsmitglied, Baron von Gompertz, dem Juteindustriellen und Reichsratsmitglied Pacher von Theinburg und dem Reichsratsmitglied Neuwirth führten. Der Zweck der Verhandlungen war, die Frage zu prüfen, wie die »politische Allianz« auch auf das wirtschaftliche Gebiet auszudehnen« sei[62].

57 ebd. DZA I AA hp Nr. 9949: 7. IX. 1879 Széchényi an AA, 24. IX. 1879 Hofmann PM; 20. X. 1879 AA an Scholz/Hofmann; 21./29. X. 1879 Reuß an AA; 8. XI. 1879 AA an RKA/RSchA; 10. XI. 1879 Herbert Bismarck an Philipsborn; RK Nr. 421: 19. X. 1879 »Langnamverein« an Bismarck; 17. XI. 1879 Hofmann an Bismarck; 19. XI. 1879 Bismarck an Hofmann; RKA Nr. 212 o. D. PM Huber; 20. X. 1879 Philipsborn an Hofmann; 21. XII. 1879 Reuß an AA, 5./9. XI. 1879 an Berchem, 12. XI. 1879 Promemoria Burchard/Jordan/Hofmann; 15./17. XI. 1879 Hofmann an Jordan; 19. XI. 1879 Bismarck an Hofmann, 20. XI. 1879 Hofmann an Bitter und AA, o. D. Promemoria Fleck; BA Koblenz R 2 Zg. 1955 Nr. 1511: 12. X. 1879 AA an Scholz; 21. X. 1879 Reuß an Bismarck, 25. X. 1879 Holstein an Scholz, 19. XI. 1879 Bismarck an Hofmann, 19. XII 1879 RSchA an Bismarck.

58 DZA I AA hp Nr. 9949: 22. X. 1879 Dönhoff an AA; ebd. RKA Nr. 212, Sächs. LHA Dresden FM Nr. 7004: 15. XI. 79 Nostitz an Nostitz, 5. II. 1880 FM an AM, 15. III. 1880 IM an FM dto. Nr. 7005, 7006: 26. IX. 1879 FM an AM, 31. I. 1880 Nostitz an Nostitz, 3. II. 1880 Benninghaus S. Söhne an FM, Nr. 7007: 1. IV. 80 Pfauen an FM, dto. AM, Nr. 5676: 28. XI. 1879 Votum für Nostitz.

59 BHStA München MH Nr. 12 271: 18. XI. 1879 Hofmann an Pfretzschner, 20. XI. 1879 Riedel an Pfretzschner, 21. XI. 1879 Pfeuffer an Pfretzschner; 21. XI. 1879 Pfretzschner an Hofmann, ebd. Nr. 12 289 Sta. Min. an Ludwig.

60 HStA Darmstadt Sta. Min. Konv. 81 Fasc. 1: 23. X. 1879 Neidhardt an Sta. Min.

61 Tiedemann, S. 348 ff.: 1. X. 1879 Beutner an Peez, DZA I RK Nr. 421: 14. XI. 1879 Rentzsch an Bismarck.

62 ebd.

Während in den offiziellen Verhandlungen die Meistbegünstigung als Ausgangspunkt genommen wurde, ging man hier, nach Absprache mit Tiedemann[63] von »der Voraussetzung ... einer Zollannäherung zwischen Deutschland und Österreich« aus, die ihren Antrieb von »den Zusicherungen ... des Fürsten Bismarck bei seiner jüngsten Anwesenheit in Wien« erhalten habe[63a]. Gegenseitig erkannte »man« an, »daß beide Länder bei ihren handelspolitischen Reformen ein- und dasselbe Ziel« verfolgt hatten, »nämlich den Schutz gegen die höher entwickelten oder leistungsfähigeren Industrie- und Ackerbaustaaten« zu erzwingen. Da »die Produktionsverhältnisse in Deutschland und Österreich sich gleichartig entwickelt hätten«, kamen die Industriellen überein, daß es »wünschenswerth wäre, Maßregeln zu treffen, um sich auf *allen,* eine Ergänzung oder einen Ausgleich erheischenden wirtschaftlichen Gebieten den *gegenseitigen Markt zu sichern«.* Da die österreichischen Industriellen – nach dem Urteil Rentzschs – mit der Höhe und Staffelung des österreichischen Zolles nicht zufrieden waren, war es nicht schwer, über die Bismarcksche »Zollbundslösung« Einigung zu erzielen; die Österreicher verzichteten auf eine deutsche Zollermäßigung und stimmten »einem einheitlichen Außenzolltarif für Außengrenzen« mit »Zugrundelegung des deutschen, autonomen Tarifs« zu. Der Zwischentarif sollte in gegenseitiger Vereinbarung und mit »gewissen Erleichterungen« für die ungarische Landwirtschaft festgelegt werden. Jedoch auch hier glaubten die Industriellen mit Sicherheit«, daß die Ungarn den deutschen Wünschen nachkommen würden, da in Österreich-Ungarn »bereits das Bedürfnis empfunden werde, sich gegen die russische, rumänische und zum Teil auch amerikanische Landwirtschaft einen Schutz zu verschaffen«.

Die »association douaniere franco-allemande«

So blieb als einzige Schwierigkeit des ganzen Zollannäherungsprojekts die Frage nach dem Artikel 11 des Frankfurter Friedensvertrages, der mit seiner »ewigen Meistbegünstigungsklausel« jedes deutsche Tarifzugeständnis auch Frankreich eröffnete und damit eine deutsch-österreichisch-ungarische Zollunion unmöglich machte, falls Frankreich nicht ein Mitglied dieses Bundes werden sollte. Im Oktober 1879 wogen aber diese Bedenken nicht allzu schwer, denn ein »befriedigender Ausweg« schien den Industriellen vor allem deswegen möglich zu sein, weil in Frankreich der »Gedanke eines mitteleuropäischen Zollvereins gleichfalls ... an Boden gewonnen hatte«[64]. Dem war auch so. Bereits im Februar 1879 hatte die Agi-

63 HHStA Wien F 34 SR r 3. Tiedemann, S. 334.
63a DZA I RK Nr. 421. Tiedemann, ebd.
64 DZA I RK Nr. 421: 19. X. 1879 Bueck an Langnamvereinsausschuß, Abschrift an Tiedemann; 14. XI. 1879 Rentzsch an Tiedemann, 17. XI. 1879 Hofmann an Bismarck, dto. 20. X. 1879 Bueck an Tiedemann, RKA Nr. 221.

tation G. de Molinaris bei den französischen Volkswirten zu eingehenden Beratungen zwischen Leroy-Beaulieu, Pascal Duprat, Courtois, Limousin und Garnier geführt, wobei alle bis auf Duprat (er wollte eine »lateinische Union«) dem mitteleuropäischen Unionsgedanken zustimmten[65].

Zu diesen französischen Volkswirten gesellten sich 1879 der elsässische Reichstagsabgeordnete und Präsident der Handelskammer Straßburg, G. Bergmann, mit seiner Abhandlung »Die zukünftigen Zollverträge auf der Grundlage autonomer Tarife der industriellen Länder des europäischen Kontinents« und Richard Kaufmann mit seiner Arbeit über die »Association douanière de l'Europe centrale« (Paris 1879). Beide Verfasser standen ganz auf schutzzöllnerischem Boden und sahen die wirtschaftliche und politische Unabhängigkeit Frankreichs, Deutschlands, ja ganz Europas, vor der Übermacht Rußlands, der USA und Englands nur dann noch »gerettet« und begründet, wenn sich Frankreich, Deutschland und Österreich-Ungarn in einer mitteleuropäischen Zollgemeinschaft zusammenschlössen, an die sich dann Holland, Belgien, die Schweiz und Italien anlehnen müßten.

Im Mai 1879 griff Molinari mit Unterstützung des französischen Finanzministers, Léon Say[66], wieder in die publizistische Erörterung des Projektes ein, nun ganz unter dem Gesichtspunkt der Bedürfnisse »schutzzöllnerischer Länder«[67]. Begleitet von einer »gedämpften« Pressekampagne[68], führte die Agitation zu einer Diskussion mit deutschen Zeitungen[69], die von Bismarck ganz bewußt auf das anstehende Projekt Deutschland-Österreich-Ungarn hingeführt wurde[70]. Selbst in Zürich und der französischen Schweiz meldeten sich die Industriellen mit zustimmenden Äußerungen zu Wort[71].

Aufgrund dieser öffentlichen Agitation schienen die im Oktober anstehenden deutsch-österreichischen Handelsvertragsverhandlungen für den Kontinent von vornherein auf ein »engeres Zoll- und Handelsvertragsverhältnis« abgestimmt zu sein. Frankreich sah sich bereits der »Gefahr eines direkten Zollvereins ... einer formidablen Liga« von Österreich-Ungarn, Holland, Belgien und Italien, unter

65 DZA I AA hp Nr. 9362: 1. VIII. 1879 Hohenlohe an AA; Mitteilung von Herrn Raymond Poidevin, Strasbourg. In den achtziger Jahren traten dieselben noch weiter für das Programm ein, so Bergmann mit seinen »Betrachtungen über einen mitteleuropäischen Zollverein«, 1886. So Leroy-Beaulieu mit »De la colonisation chez les peuples modernes« 1882, so E. Worms: Une association douanière franco-allemande avec restitution Alsace-Lorraine, 1888 oder Lalance: l'alliance franco-allemande par un Alsacien, 1888.

66 DZA I, AA hp ebd. Anmerkung zum Botschaftsbericht o. D. präsentiert 19. V. 1879

67 Guilleaume de Molinari: Une Union de l'Europe centrale / Journal de Economistes 4ième série, 7. V. (1879) p. 309 ff.

68 BA Koblenz R 2, Zg. 1955 ff., Nr. 1455: Republique Française: 26. X. 1879, Télégraphe 14./20./24. X. 79, Liberté 13./14.17. 21. und 22. X. 1879.

69 DZA I AA hp ebd., Post, Kölnische Zeitung.

70 DZA II Rep. 120 C XIII, 1 Nr. 1 Nr. 4 vol. 3: 14. X. 79 NAZ.

71 Matlekovits, S. 830.

Führung Deutschlands gegenübergestellt. Der »Ruin Frankreichs« schien für die Pariser Blätter unumgänglich, wenn Frankreich sich nicht an dem Projekt beteiligen würde. So war für Berlin der Versuchsballon Péreires, des »Hansemann« von Frankreich, unüberhörbar, als dieser betonte, daß, wenn »auch eine politische Allianz ... noch lange Zeit unrealisierbar sein (würde), ... eine commerciale Allianz, ... nichts mit unserem Patriotismus unvereinbares« hat[72]. Selbst aus Italien kamen zustimmende Stimmen[72a]. So konnte Reimann Mitte Oktober Tiedemann eröffnen, »wenn die Staatsregierung es wünsche, so würde es dem Centralverbande nicht schwer werden, durch Vermittlung seiner vielen elsässischen Freunde eine ähnliche Konferenz (wie in Wien) zu arrangieren«[73].

Zollbund oder Handelsvertrag: die Frage nach dem Vorteil

Eingebettet in die allgemeine Zollunionsdiskussion, waren die österreichisch-deutschen Industriellenverhandlungen trotz aller Gegensätzlichkeit in der Rohleinen- und Veredlungsfrage[74] so günstig verlaufen, daß auf österreichischer Seite ein weiteres Vorgehen Deutschlands in dieser Richtung allgemein erwartet wurde. Doch der Schein trog. Waren auch die Verhandlungen zwischen den beiden Interessenverbänden ohne Gegensätze verlaufen, und hatten auch die Österreicher »mit Vergnügen« den deutschen Schutzzolltarif »akzeptiert« – kaum waren die Deutschen abgereist, so regte sich bei den österreichischen Montanindustriellen die Furcht vor der deutschen Produktion; sie sahen sich einem Fiasko entgegensteuern. Peez sah plötzlich »einen Wald von Schwierigkeiten«[75]. Nicht viel anders sah die Lage bei den Deutschen aus. Auch sie anerkannten die Möglichkeit einer Union, hielten aber »den Zeitpunkt« für »noch zu verfrüht«, »in der Gegenwart unfruchtbar«[76]. Der deutschen Industrie müßte zuerst noch Zeit gegeben werden, die volle Produktions-

72 BA Koblenz R 2, Zg. 1955 ff., Nr. 1455: 25. X. 1879, DZA I AA hp Nr. 7556.

72a 26. X. 1879 La Rassegna settimanale.

73 Tiedemann, S. 354 f.

74 Der alte Zankapfel böhmischer und sächsischer Industrieller hatte seinen Grund darin, daß die böhmischen Textilindustriellen mit billiger, zollfreier Rohleinwand den schlesischen, sächsischen und Berliner Markt überschwemmten. (DZA I RK 421, Bd. 1 28. X. 1879 Eingabe der deutschen Leinenindustrie/Bielefeld von Herbert Bismarck an UStS. Scholz und StS. Hofmann weitergegeben, dto. BA Koblenz R 2/ Zg. 1955 ff. Nr. 1511). An der deutsch-schweizerischen Grenze war das gleiche Problem gegeben: seit 1871 ziehen sich die Schutzpetitionen Lörracher Webereien und Druckereien wie ein roter Faden durch die badische Handelspolitik (GLA Karlsruhe Abt. 237–28 976: 17. IV. 1871 Protest beim BR, 14. IV. 1875 Eingabe Baumgartner und Koechlin, Abt. 233–14 177 27. X. 1877 Türckheim an Turban), vgl. auch Matlekovits S. 73 ff.

75 Tiedemann, S. 350.

76 DZA I RK Nr. 423: 19. X./14. XI. 1879 Bueck/Rentzsch an Bismarck.

kapazität wieder zu erreichen, und deswegen plädierten der Verein Deutscher Eisen- und Stahlindustrieller und der Centralverband deutscher Industrieller schließlich – trotz aller Vorteile eines Zollbundes – für einen bloßen Handelsvertrag mit Österreich-Ungarn, denn er werde bei richtiger Zollanwendung und scharf betonter Zollautonomie der deutschen Wirtschaft noch mehr Vorteile gewähren[77]. Dieselbe Frage beherrschte auch Ende Oktober / Anfang November die Auseinandersetzung der Ressorts: Welche Vereinbarung würde für Deutschland mehr Vorteile bringen – der Zollbund (oder wie es hieß »der neue Zollverein«), die Zollunion oder der bloße Tarifvertrag auf der Basis der neuen Zölle, die ohne Reduktion durchgesetzt werden sollten[78]? Mitte November, also kurz vor dem Beginn der offiziellen Verhandlungen mit Österreich-Ungarn, sahen das Handelsministerium und das Reichsschatzamt Deutschlands Vorteile mehr durch einen bloßen Handelsvertrag gewahrt, und auch Bismarck war geneigt, sich ihnen anzuschließen; denn das »einzige Zugeständnis«, das er den Österreichern machen konnte und wollte, war – »keine Erhöhung des Tarifs«. Im Gegensatz aber zu Burchard und Hofmann gab Bismarck den Gedanken eines Zollbundes nicht auf, glaubte er doch Österreich mit der Drohung weiterer deutscher Zollerhöhungen so einschüchtern zu können, daß die Österreicher wohl oder übel den deutschen Tarif ohne Reduktion als »Basis der Zollannäherung« annehmen müßten[79].

Bismarck, Rußland und das deutsche Handelssystem

Trotz dieser betonten Zuversicht war sich Bismarck aber bewußt, daß der Handelsvertragsabschluß selbst bei dieser Verhandlungsgrundlage gefährdet war, und so blieb für Bismarck nur ein einziger Grund für die Verhandlungen: »die Politik«, die es notwendig mache, Österreich-Ungarn »unseren guten Willen« zu zeigen. Doch auch in der »großen Politik« hatten seit dem September gravierende Veränderungen stattgefunden: England zeigte sich nämlich keineswegs geneigt, Bismarcks Kooperationssondierungen entgegenzukommen, sondern hoffte vielmehr, die mitteleuropäischen Kaiserreiche vor den Wagen seiner Orientpolitik spannen zu können, um so den englisch-russischen Gegensatz auf dem Rücken Deutschlands austragen zu können. Bismarck dankte deshalb der englischen Antwort mit Schweigen[80]. Er konnte dies, weil sich gleichzeitig im Winter 1879 Rußland erneut Preu-

77 DZA I ebd. Anfang November 1879 Abschrift und Rundbrief des VDEStI.

78 DZA I RKA Nr. 212: 12. XI. 1879 PM Burchard/Jordan/Hofmann: 15. XI. 1879 Hofmann an Jordan; 17. XI. 1879 Hofmann an Bismarck; 20. XI. 1879 Hofmann an Bitter/AA, dto. RK Nr. 421 dto. AA hp Nr. 9949.

79 BA Koblenz R 2/Zg. 1955 ff. Nr. 1511: 19. XI. 79 Bismarck an Hofmann, dto. DZA I RK Nr. 421: 17. XI. 79 Hofmann an Bismarck, 19. XI. 1879 Bismarck an Hofmann.

80 GP IV, Nr. 710, 712–715; Langer, S. 186 ff., Rothfels: Bündnispolitik, S. 45 ff.

ßen-Deutschland näherte und sich von seinen Drohungen vom August distanzierte[81] (ohne jedoch den Wirtschaftskrieg aufzugeben)[82]. Kalnoky hatte im November 1879 richtig berichtet, als er gegenüber Haymerle betonte, daß der Bund Deutschland-Österreich-Ungarn in Rußland sicher zu einem »Aufschäumen des Unmuts« führen müßte, dann zur »fortdauernden Nervosität«, aber daß schließlich die »Isoliertheit« zur »Beruhigung« führen und »ein wachsendes Einsehen« mit sich bringen werde, »daß man sich accomodieren könne«[82a]. Durch Rußlands Annäherung an die Mittelmächte erhielt Bismarck aber wiederum eine Alternative zu seiner »Mitteleuropapolitik« der Stärke und der freien Hand zugespielt. Je mehr Bismarck wieder auf der Klaviatur der Gegensätze seiner Nachbarn spielen konnte, desto weniger griff er auf das Projekt der mitteleuropäischen Zollunion zurück.

Die rückläufige Zollunionsbewegung verstärkte Bismarcks Politik der freien Hand und fiel mit dem Beginn der Handelsvertragsverhandlungen zwischen Berlin und Wien zusammen. So kam es, als die Gespräche am 24. September 1879 begannen, sofort zum Eklat. Mit hochgespannten Erwartungen hatten die österreichisch-ungarischen Unterhändler, Bazant und Matlekovits[83], den deutsch-österreichisch-ungarischen Handelsvertragsverhandlungen entgegengesehen und gehofft, daß die Deutschen für die Bindung der niedrigeren österreichischen Tarife ihre Agrarzölle nachlassen würden. Dem war aber nicht so: über die »beiläufig erwähnte Zollunion« gingen die Deutschen zur Tagesordnung über, und jedem österreichisch-ungarischen Wunsch stand ein deutsches »Nein« gegenüber. Damit war die Hoffnung der Ungarn auf eine »differentielle Gewährung der Zollfreiheit« für Agrarprodukte verschüttet, ihr Unterhändler lehnte vorerst weitere Verhandlungen ab[84]; das handelspolitische Ziel der Doppelmonarchie, die Wiederbelebung des Vertrages von 1853, schien in weite Ferne gerückt zu sein.

Bismarck zeigte sich unbeirrt und bestand kompromißlos auf der Annahme des deutschen Tarifs[85]. Bei dieser Lage war an den Abschluß eines definitiven Han-

81 Langer, S. 190 ff.; Simpson, S. 66 ff., Lucius, S. 176 f., Radowitz II, S. 97 f., Wertheimer III, S. 292 f., Hohenlohe II, S. 274, Schweinitz II, S. 92 ff.

82 DZA I AA hp Nr. 10 474: 30. IX. 1879 Rechberg an AA, 17. XI. 1879 Krüger an AA, 6. II./25. I. 1880 Konsulat Kowno an AA; ebd. RdI Nr. 4922: 13. VIII. 1879 Jordan an Hofmann; 8. I. 1880 Huber an AA; 24./26. II. 1880 Aufzeichnung Philipsborn; 27. III./30. IV./3. VI. 1880 Schweinitz an AA.

82a HHStA Wien, PA I, Nr. 453 25. XI. 1879: Kálnoky an Haymerle.

83 Matlekovits, als Ungar und Handelsvertragsunterhändler seit 1868, hoffte vor allem auf die »Union«, schien ihm doch Bismarcks Sondierung schon auf das »praktisch Erreichbare« so weit reduziert, daß ein Erfolg möglich sei, und zwar nach dem Vorbild Österreichs und Ungarns und dem Handelsvertrag von 1853 bei einer Zollverteilung von 4 : 1 für Deutschland (Matlekovits: Zollpolitik, S. 809–853).

84 BHStA München MH Nr. 12 271, MH Nr. 12 289: 24./25. XI. 1879 Bericht May/Herrmann.

85 DZA I RK Nr. 422: 7. XII. 1879 Hofmann/Burchard/Jordan; 17. XII. 1879 Bismarck an Hofmann, 17. XII. 1879 Diktat Bismarck, 17. XII. 1879 Széchényi an AA,

delsvertrages nicht zu denken, und so wurde erneut ein bloßes Provisorium für 6 Monate ausgehandelt, das den deutsch-österreichisch-ungarischen Handelsaustausch regeln sollte[86]. Im gleichen Sinne wurde dann mit den übrigen Handelspartnern Deutschlands verfahren[86a]. Noch im Januar nahm der Bundesrat diese »Verfahren« an[87], und im April 1880 wurden die neuen Handelsvertragsverlängerungen, die nur die Meistbegünstigung konzedierten und von der Opposition als »Ergebnis der Zähnebewaffnung« tituliert wurden[88], im Reichstag angenommen[89]. Definitive Handelsvertragsabschlüsse waren – nach dem Urteil Philipsborns – für 1880 »nicht mehr zu erwarten«.

Bismarcks neues Handelsvertragssystem bestand in einem System von Aushilfen. Der freie Handelsaustausch hatte einem stillen und harten Wirtschaftskrieg der Nationalstaaten Platz gemacht – einem Krieg, der die volle Unterstützung von Agrariern und Industriellen hatte; denn für die Agrarier war der Schutz des nationalen Marktes schon 1880 zur Existenzfrage geworden, und für die Industriellen waren – »ohne harte und schwertreffende Retorsionsmaßregeln« – neue Märkte nicht mehr »aufzubrechen«[89a]. Die Frage blieb nur, ob sich die »politischen Verhältnisse« bei diesem auf Jahre geplanten Zollkrieg, der durch »beliebig erhöhte

26. XII. 1879 Philipsborn an Bismarck, 27. XII. 1879 Tiedemann an Philipsborn; RKA Nr. 212: 19. XII. 1879 Hofmann/Burchard/Jordan an Bismarck; ebd. RdI Nr. 4499: 21. XII. 1879 Maybach an Hofmann; RdI Nr. 4499: 3. I. 1880 AA an RdI; BA Koblenz R 2 Zg. 1955 ff., Nr. 1511: 19. XII. 1879 Scholz an Bismarck. BHStA München MH Nr. 12 271/12 289: 16. XII. 1879 Bayrisches Staatsministerium an Ludwig, 26. XII. 1879 Pfretzschner an FM/LM/IM.

86 DZA I RK Nr. 422: 10. II. 1880 Burchard/Hofmann/Jordan an Bismarck, BA Koblenz R 2 Zg. 1955 ff., Nr. 1491: 15. XII. 1879 Verbalnote an Haymerle, DZA I AA hp Nr. 9950: 20. XII. 1879 Reuß an AA, Nr. 9951: 27. XII. 1879 RSchA an AA, BA Koblenz R 2 Zg. 1955 ff. Nr. 1512: 22. I. 1880 Hofmann an Scholz; BHStA München MH Nr. 12 271: 31. XII. 1879 an Pfretzschner, 11. I. 1880 Riedel an Pfretzschner, 11. I. 1880 Instruktion Riedels an May, 18. I. 1880 PM Herrmann.

86a z. B. mit Italien, Belgien, der Schweiz, Frankreich etc. vgl. auch u. a. DZA I AA hp Nr. 4118: 15. XII. 1879 v. Philipsborn an Hofmann/Scholz; 14. I. 1880 dto.

87 BHStA München ebd. Nr. 12 289: 15. I. 80 Bundesratsbericht. DZA I, RdI Nr. 4499: 31. I. 80 RdI an Bismarck.

88 Sten. Bericht RT 1880; Bamberger, S. 1122.

89 DZA I AA hp Nr. 8862: 19. IV. 1880 Wilhelm I. an Bismarck, 21. IV. 1880 Promemoria Bismarcks an Wilhelm I. betr. Handelsfrage (Konzept Philipsborn) vgl. auch dto. Reichstagsdrucksache Nr. 144 und Sten. Ber. S. 1141 ff.; S. 1619 f. GLA Karlsruhe, Abt. 237 Nr. 28 976: 12. IV. 1880 Sten. Ber. RT 1880 S. 1120 (Löwe), S. 1126 (Hofmann), Varnbüler S. 1129 (Oechelhäuser), S. 1136 (Stolberg), S. 1137 Windhorst.

89a DZA I, RdI Nr. 3040/9: 10. III. 1880 v. Wedell-Malchow (Deutscher Landwirtschaftsrat) an RdI, 28. II. 1880 Denkschrift dess. vgl. auch Nr. 4523; RK Nr. 410 dto. Denkschrift CdI.

Zollsätze« noch verschärft werden sollte, »in sich selbst balancieren« konnten[90], also ob es Bismarck gelingen würde, trotz der immer härter werdenden wirtschaftlichen Repressionen, die die Atmosphäre der internationalen Beziehungen in zunehmendem Maße vergifteten, die politische Freundschaft mit Rußland, England und Österreich-Ungarn zu halten.

»Weltmacht« Deutschland und mitteleuropäischer Raum

Diese Problematik, die der Spätbismarckzeit ihr Siegel aufprägte, komplizierte sich noch durch ein weiteres Moment: Der Trend zu Schutzzöllen und zur Abschließung nationaler Märkte führte in den achtziger Jahren zu einer Theorie, die in naher Zukunft die Aufsaugung der kleineren und mittleren Mächte durch wenige »Riesenreiche«, »Kolosse«, zu erkennen glaubte. Prädestiniert zur Ausbildung dieser großen Wirtschaftsblöcke mit autarker Rohstoffversorgung erschienen die USA, das Empire und Rußland. Sie galten – nach ihrer Wirtschaftskraft und Bevölkerungszahl beurteilt – als kommende Weltmächte. Für die Großmacht Deutschland blieb aber die Zugehörigkeit zu diesem Kreis der Weltmächte noch so lange fraglich, solange die materielle Basis seiner Machtstellung auf den mitteleuropäischen Raum eingeengt war. Die »Weltreichs-Theorie«[91] gewann auf die deutsche öffentliche Meinung und politische Führung um so mehr Einfluß, je mehr die Ohnmacht der deutschen Produktionsleistung und der deutschen Politik im handelspolitischen Ringen mit Rußland und den USA deutlich wurde[91a]. Sie überhöhte zugleich die nationalstaatlichen und handelspolitischen Auseinandersetzungen zu gleichsam geschichtsteleologischen Vorgängen und führte die deutsche Politik direkt auf die Fragen der mitteleuropäischen Einigung.

Schon 1880 – unmittelbar nach dem Handelsvertragsprovisorium – wurde Bismarck mit einem ersten, umfassenden Mitteleuropaprojekt des ungarischen Abgeordneten Guido von Baußnern konfrontiert[92], das ganz den Geist der Weltreichstheorie widerspiegelte. Allein in der »Vormachtstellung Deutschlands in Europa« aufgrund der »Vereinigung sämtlicher mitteleuropäischer Länder zu einem mächtigen Zoll- und Handelsbunde« sah Baußnern die weitere Entwicklung Deutschlands gegenüber »dem Panslawismus, diesem Todfeind der deutschen Weltmacht«, und gegenüber den USA gesichert. Nur als Vormacht einer »mitteleuropäischen Völkerkoalition« – die »später eine Brücke sein würde, ein ganz Mitteleuropa umfassen-

90 DZA I RK Nr. 410: 9. III. 1881 Huber/Schraut an Bismarck, Sept. 1881 Beutner an Bismarck mit Randbemerkung Bismarcks.

91 H. Dietzel: Die Theorie von den drei Weltreichen, Berlin 1900; G. Schmoller: Die Wandlungen der europäischen Handelspolitik des 19. Jhdt., eine Säkularbetrachtung, Schmollers JB 24, 1 (1890) S. 373 ff.

91a DZA I, AA hp Nr. 6966: 7. VI. 1880 RSchA an Hohenlohe.

92 DZA I AA hp Nr. 9952; Matlekovits: Zollpolitik, S. 845 ff.

des deutsches Universalreich zu gründen« – könne sich Deutschland zum »Regulator des gesamten Welthandels« aufschwingen, um so neben den Weltmächten USA, Rußland und England bestehen zu können. Bismarcks Antwort war für das Jahr 1880 symptomatisch[93]; er teilte Baußnern mit, daß er »die darin niedergelegten Anschauungen insofern« teile, »als ich eine, die beiden Reiche umfassende Zolleinigung als das ideale Ziel betrachte, welches unseren handelspolitischen Transaktionen ihre Richtung anweist«. Er hoffe, daß »beiden Reichen« die Stetigkeit »der Entwicklung ihrer wirtschaftlichen Interessen« verliehen sein möge, »ohne das letzte Ziel, die Zolleinigung zwischen Deutschland und Österreich-Ungarn, aus den Augen zu verlieren«. Daß diese Äußerung keine reine Taktik war, geht daraus hervor, daß Bismarck 1882, 1883, 1885 und 1887 den Gedanken einer »mitteleuropäischen Union« immer als Alternative zu seiner autonomen Handelspolitik verfolgen ließ, und fortan blieb »Mitteleuropa« als eine Form der Sicherung der deutschen Machtstellung an jedem Scheideweg der preußisch-deutschen Entwicklung lebendig, sei es 1890 unter Caprivi oder 1914 unter Bethmann Hollweg.

93 ebd. Entwurf Reichskanzleramt.

Verzeichnis der benutzten Quellen, Literatur und Abkürzungen

I

Quellen, unveröffentlicht

DEUTSCHES ZENTRALARCHIV Potsdam (ehem. Reichsarchiv)
(die Titel werden nur stichwortartig wiedergegeben)

a *Bundes-, Reichskanzleramt*

Nr. 34–38	Bankwesen (1869–1875)
Nr. 41/42	Entwurf eines Bankgesetzes (1874)
Nr. 52–55	Errichtung der Reichsbank (1875)
Nr. 87–89,1	Handelsbeziehungen, Handelsvertragserneuerung und Petitionen 1868–1877
Nr. 139	Zoll- und Steuersachen betr. Frankreich (1875/77)
Nr. 158–163/166	dto. betr. Italien (1867–1879)
Nr. 199–212	dto. betr. Österreich-Ungarn (1867–1879)
Nr. 213–216	BRatserklärungen und Petitionen zum Handelsvertrag 1877
Nr. 232–234	Zoll- und Steuersachen betr. Rumänien (1874/78)
Nr. 239–242	dto. betr. Rußland (1866–1878)
Nr. 315–329	Verhandlungen und Verwendung der Kriegskontribution 1870/79
Nr. 407	Geheime Zollsachen 1868
Nr. 481/482	Jahresberichte der HK Bochum, Duisburg
Nr. 487/488	dto. Hagen und Halle 1872–1876
Nr. 496	dto. Mühlhausen
Nr. 746–752	Beziehungen zur London Joint Stock Bank
Nr. 894/895	Konsularberichte betr. Österreich-Ungarn (1875–1879)
Nr. 902–909,3	dto. betr. Rußland (1870–1879)
Nr. 1292/1	Sozialistengesetz
Nr. 1400–1404	Kriegsanleihen (1870/71)
Nr. 1453–1456	Reform der Biersteuer (1877–1879)
Nr. 1459	dto. Petitionen
Nr. 1476–1479	Reform der Stempelabgaben (1873–1879)
Nr. 1524	Bez. d. Norddt. Bundes zu Süddtld. 1867–1870
Nr. 1567–1569	Vertrag und Verhandlung mit Österreich-Ungarn zur Fortdauer des Zollvereins 1867–1868
Nr. 1579–1590	Wahlen, Verhandlungen, Räume, Beamte, Protokolle und Zentralbüro betr. Zollparlament
Nr. 1594–1600	Der Zolltarif zwischen 1867–1879
Nr. 1603–1617	Zoll betr. Eisen und Stahl 1868–1878
Nr. 1618	dto. betr. Getreide
Nr. 1620–1621	Revision des Zolltarifs 1878/79
Nr. 1622–1625	Kommissionen und Protokolle (1878/79)
Nr. 1626/1627	Generalkonferenz und RT-Verhandlung 1879

b *Reichskanzlei*

Nr. 1, 2, 2a	Auswärtige Angelegenheiten 1878–1918
Nr. 5/5, 1/5, 2	dto. betr. Frankreich
Nr. 5, 4/5, 5	dto. betr. Rußland
Nr. 6/6, 1	dto. betr. Österreich-Ungarn
Nr. 61	Eisenbahnsachen (1871–1879)
Nr. 80–82	Ankauf der Eisenbahnlinien
Nr. 95	Eisenbahntarife und Frachtverkehr (1876–1878)
Nr. 247	Staatsschuldenverwaltung und Bankwesen (1877–1881)
Nr. 299	Währungsfrage (1879–1886)
Nr. 392/93	Handels- und Gewerbesachen
Nr. 408	Wirtschaftsreform
Nr. 410	Handelsvertragspolitik (1879–1885)
Nr. 421/422	dto. mit Österreich-Ungarn
Nr. 423	Wirtschaftlicher Notstand (1877/79)
Nr. 428–430	Verbesserungen der Lage des Arbeiterstandes
Nr. 479/480	Der Volkswirtschaftsrat
Nr. 490	Die Gewerbeordnung
Nr. 626/628	Innere Angelegenheiten (1879–1899)
Nr. 629–632	Preußische Verwaltungssachen. Organisation des Staatsverwaltungsapparates
Nr. 646/4–646/9	Sozialistische Umtriebe (1878–1889)
Nr. 656	Innere Politik (1878–1898)
Nr. 671	Politische Parteien
Nr. 1039	Städteverwaltung
Nr. 1098–1104	Landwirtschaftliche Angelegenheiten
Nr. 1103	Landwirtschaftliche Angelegenheiten (1877–1880)
Nr. 1224–1226	Militärsachen (1877–1880)
Nr. 1358/1363	Allgemeine Ordenssachen, Ordensvorschläge (1878/88)
Nr. 1436–1440	Personalakten d. Beamten (1870–1885)
Nr. 1456–1460	Angelegenheiten der preußischen Staatsminister (1878–1897)
Nr. 1484	dto. Kommunalbeamte
Nr. 1604	Staatssekretär des AA
Nr. 1616	Staatssekretär des RJA
Nr. 1620	Staatssekretär des RSchA
Nr. 1654	Das Reichsbahndirektorium
Nr. 1714	Die Stellvertreterfrage
Nr. 1784	Reichstagssachen
Nr. 1818	Reichstagseröffnungen
Nr. 1912–1914	Organisation der Reichsbehörden (1877/86)
Nr. 1916/1917	dto. der preußischen Behörden
Nr. 1947–1949	Rang, Titel, Uniform der Reichsbeamten
Nr. 1961	Konferenzen der Chefs der obersten Reichsämter
Nr. 1964	Bundesratsangelegenheiten (1879–1889)
Nr. 2078	Allgemeine Zoll- und Steuerangelegenheiten (1877–1889)
Nr. 2080–2081a	Steuerreformsachen (1878–1879)

Nr. 2100–2101	Dt. Zolltarif (1878–1881)
Nr. 2107–2109	Zolltarifreform
Nr. 2110–2111	Petition betr. Zollreform (1878/79)
Nr. 2115	dto. betr. Holzzölle, landw. Zölle
Nr. 2134–2136	Tabaksteuer und Monopol (1871–1883)
Nr. 2140/2141	Eisenzölle und Eisenindustriefragen (1878/79)
Nr. 2142	Bier- und Branntweinsteuerfrage (1878–1899)
Nr. 2279–1	Audienzen beim Reichskanzler

c *Reichsamt des Inneren*

Nr. 1900	Hypothekenbanken (1869–1883)
Nr. 1901/1902	Petitionen in Banksachen
Nr. 1938	Zentralbankausschußakten
Nr. 1953	Reichsbank-Kuratoriumsakten
Nr. 1930–36	Reichsbank, -bankstellen und Geschäftsübersichten (1877–1902)
Nr. 1959	Feststellung beleihbarer Effekten (1875–1888)
Nr. 2030	Bankwesen in Frankreich (1878–1902)
Nr. 2046	dto. in Österreich-Ungarn
Nr. 2076	Bankgesetzrevision betr. Reichsbank (1875)
Nr. 2097	Verwaltungsberichte der Reichsbank (1872–1914)
Nr. 2104	dto. deutsche Banken (1875–1915)
Nr. 2106	Verwaltungsbericht der städtischen Bank Breslau
Nr. 2108	dto. der Württembergischen Notenbank
Nr. 2128	Quartalübersichten des Lombardverkehrs
Nr. 2157	Beamtensachen (1867–1894)
Nr. 3040/2	Differentielle Zollbehandlungen
Nr. 3040/9	Petitionen betr. Handelsverträge (1877–1886).
Nr. 3079	Handelsbeziehungen zwischen Deutschland und USA
Nr. 3343/3344	Beziehungen mit Belgien (1868–1885)
Nr. 3346	dto. adh. 1
Nr. 3408	Handelsvertrag mit Belgien (1876–1881)
Nr. 3560	dto. mit China (1879–1880)
Nr. 3648–50	dto. mit England (1876/1885)
Nr. 3923/3925	dto. mit Frankreich (1868–1880)
Nr. 3956–60	dto. mit Frankreich (1878/80)
Nr. 4115/16	dto. mit Italien
Nr. 4496–4503	dto. mit Österreich-Ungarn (1879–1883)
Nr. 4523–4525	dto. Zollpetition zum Handelsvertrag mit Österreich-Ungarn (1879–1884)
Nr. 4543/45	Eisenbahntarife mit Österreich-Ungarn (1879/91)
Nr. 4684	Finanzangelegenheiten
Nr. 4786	Handelsbeziehungen mit Rumänien (1878–1881)
Nr. 4857	dto. mit Rußland (1878–1886)

Nr. 4920	dto. Zollverhältnisse (1878–1881)
Nr. 5105/06	Handelsvertrag mit der Schweiz (1879/81)
Nr. 7847/5	Verhandlungen des DHT (1867–1884) [liegt gedruckt vor]
Nr. 7851	Jahresberichte der HK Altona (1873/99) [liegt gedruckt vor]
Nr. 7852	dto. Arnsberg (1873–1880) [liegt gedruckt vor]
Nr. 7853	dto. Barmen (1872–1900) [liegt gedruckt vor]
Nr. 7854/7855	dto. Berlin (1872–1893) [liegt gedruckt vor]
Nr. 7856	dto. Bielefeld (1872–1889) [liegt gedruckt vor]
Nr. 7857	dto. Bremen (1872–1908) [liegt gedruckt vor]
Nr. 7858	dto. Breslau (1871–1896) [liegt gedruckt vor]
Nr. 7859	dto. Cottbus (1872–1902) [liegt gedruckt vor]
Nr. 7860	dto. Danzig (1872–1902) [liegt gedruckt vor]
Nr. 7861	dto. Dresden (1871–1887) [liegt gedruckt vor]
Nr. 7862	dto. Düsseldorf (1872–1903) [liegt gedruckt vor]
Nr. 7862/1	dto. Elbing (1872–1895) [liegt gedruckt vor]
Nr. 7863	dto. Essen (1872–1909) [liegt gedruckt vor]
Nr. 7863/1	dto. Görlitz (1872–1894) [liegt gedruckt vor]
Nr. 7867	dto. Köln (1872–1882) [liegt gedruckt vor]
Nr. 7868	dto. Krefeld (1872–1882) [liegt gedruckt vor]
Nr. 7869	dto. Leipzig (1873–1885) [liegt gedruckt vor]
Nr. 7869/1	dto. Lübeck (1877–1909) [liegt gedruckt vor]
Nr. 7870	dto. Magdeburg (1872–1903) [liegt gedruckt vor]
Nr. 7870/1	dto. Memel (1872–1895) [liegt gedruckt vor]
Nr. 7871	dto. Mülheim (1874–1896) [liegt gedruckt vor]
Nr. 7872	dto. Posen (1873–1901) [liegt gedruckt vor]
Nr. 7872/1	dto. Schweidnitz (1872–1899) [liegt gedruckt vor]
Nr. 7873	dto. Siegen (1872–1883) [liegt gedruckt vor]
Nr. 7874/1	dto. Thorn (1872–1903) [liegt gedruckt vor]
Nr. 7875	dto. Tilsit (1872–1899) [liegt gedruckt vor]
Nr. 7954/33	adh. 1 Errichtung einer Zentralstelle für die Vertretung der Interessen von Handel und Industrie (1877–1902) [liegt gedruckt vor]
Nr. 7980	Handelsauskunftsstellen
Nr. 8556	Organisation der Konsulate
Nr. 14 237	Geschäftsbetrieb des B/RKA (1879/82)
Nr. 16 450	Bundespräsidialakten (1867–1876)
Nr. 16 456	Anweisungen des Reichskanzlers

d *Reichsfinanzministerium*

Nr. 65–68	Verwaltung des RSchA (1867–1913)
Nr. 1190–1194	Erhebung der Matrikularbeiträge (1872–1915)
Nr. 1522/1	Bewerbungen im RSchA
Nr. 3054	Geschäftseinteilungen im RSchA (1879–1907)
Nr. 3090	Zolltarifsachen (1879–1883)
Nr. 3481	Handel und Verkehr nach 1879

e *Reichswirtschaftsamt*

Nr. 1930/1937/1938/1939	Reichsbank: Dienstinstruktionen, Ausschuß Beigeordnete (1875–1884)
Nr. 1944	dto. Wochenberichte

f *Auswärtiges Amt – handelpolitische Abteilung*

Nr. 6960–6965	Tarifangelegenheiten, Zoll etc. 1865–1880
Nr. 7107–7110	Tabaksteuer (1876–1879)
Nr. 7279–7287	Bildung eines neuen Zollvereins
Nr. 7434–7437	Handelsvertragserneuerungen
Nr. 7462–7480	Amtliche und fachliche Wahrnehmung des deutschen Handels
Nr. 7541–7542	Getränkesteuer
Nr. 7556	Begründung eines mitteleuropäischen Zollvereins (1878–1901)
Nr. 7560–7573	Beiordnung von Fachkundigen bei den deutschen Auslandsvertretungen
Nr. 7656	Der Volkswirtschaftsrat
Nr. 8860–8861	Handelsvertragsverhältnisse Belgien
Nr. 8947/8949	dto. Bulgarien
Nr. 9056–9062	Handelsbeziehungen mit England (1865–1882)
Nr. 9356–9366	dto. mit Frankreich (1870–1891)
Nr. 9926–9959	dto. mit Österreich-Ungarn (1877–1891)
Nr. 10 049–10 057	dto.
Nr. 10 248–10 250	dto. Rumänien
Nr. 10 472–10 478/10 486	dto. mit Rußland
Nr. 10 589–10 607	Zollquerelen mit Rußland
Nr. 11 997–11 999	dto. USA

g *Kolonialgesellschaft*

Nr. 61Ko 1 Nr. 253–256a	Geschäftsberichte, Satzungen, Gründungen (1882–1887)
Nr. 899–900	Sitzungsprotokolle (1882–1887)

h *Sekretariatsakten der Berliner Handelsgesellschaft*

a) Jahresberichte der Berliner Kaufmannschaft, und zahlreiche HK u. a. Breslau, Hamburg, Bremen, Lübeck, Hannover, Braunschweig, Stuttgart, München u. a.
b) Briefwechsel Fürstenberg/Ahrens/Mosler/Zutrauen mit Simon, Behrens, Rathenau, Caro, Ernst, Friedländer-Fuld, Knappe, Lenz, Lindner (Hibernia), Magnus, Müller. (Consolidation) Müser (Harpen), Oechelhäuser, Oswald, Rosenberg.

i *Nachlässe*

Nr. 90 Ba 3	Bamberger Nr. 20, 186, 216, 227, 232, 234, 241
Nr. 90 Ba 4	Barth Nr. 4, 43

Nr. 90 Be 5	Bennigsen Nr. 77, 83, 98, 103, 111, 115, 126, 134, 135, 145, 171, 196, 197, 200, 220, 222, 223, 224, 225, 233, 236, 260, 275
Nr. 90 Fr. 2	Friedberg
Nr. 90 Ho	Hofmann Nr. 4, 5, 7–10, 11, 13, 15, 26–32
Nr. 90 Ha 5	Hammacher Nr. 13, 21, 22, 31, 32, 67, 70, 71
Nr. 90 Hu 2	Hutten Czapski, Nr. 41, 59, 116, 207, 212, 217, 245
Nr. 90 Ko 5	Koenig
Nr. 90 Ku 3	Kusserow
Nr. 90 La 6	Lasker Nr. 210–213, 229, 230, 249, 255, 285, 331
Nr. 90 Ro 2	Roesicke

POLITISCHES ARCHIV (Bonn) – AUSWÄRTIGES AMT

I.A.A.a (Europ. Gen.)	Nr. 8, Bd. 1, 2	Schriftwechsel Kgl. Hoheiten
	Nr. 14, Bd. 3–10	Presseeinwirkungen (1867–1876)
	Nr. 15, Bd. 1	Kaiserzusammenkunft Breslau/Ems
	Nr. 18, Bd. 1, 2	Schriftwechsel mit Kronprinz
	Nr. 21, Bd. 1	Instruktionen (1862–1864/67)
	Nr. 23, Bd. 1–3	Petitionen und Zuschriften
	Nr. 27, Bd. 1/2	Staatsmin. Protokolle (1865–1880)
	Nr. 28, Bd. 1	Monarchenzusammenkunft Mainau 1867
	Nr. 29 Bd. 1–4	Haltung der Inländischen Presse
	Nr. 29 adh.	dto. 1878
	Nr. 30 Bd. 1/2	Verkehr mit dem Dipl. Corps (1868/83)
	Nr. 39 Bd. 1–11	Herstellung einer engen Verbindung unter den kons. Monarchien (1870/79)
	Nr. 41 secr. Bd. 1	Akte Savigny
	Nr. 44 Bd. 1/2	Monarchenbesuch in Berlin 1872
	Nr. 46 Bd. 1–4	Bismarckkorrespondenz betr. innerpreußische Angelegenheiten 1873–1878
	Nr. 47 Bd. 1	Eisenbahnsachen
	Nr. 50 Bd. 1–3	Bülow-Bismarckkorrespondenz 1873–1878
	Nr. 50 adh. secr.	dto. 1876–1880
	Nr. 61 Bd. 1–4	Geschäftsgangsachen 1869–1884
	Nr. 62 Bd. 1	Delbrück-Entlassung
	Nr. 63 Bd. 1/2	Bismarckkorrespondenz 1862–1873
	Nr. 64 Bd. 1	Personalakte Bismarck
	Nr. 69 Bd. 1	Stellvertretung des Reichskanzlers
	Nr. 71 Bd. 1/2	Sozialistengesetz
	Nr. 72 Bd. 1	Ressortverhältnisse des RK zu den einzelnen Behörden und Regierungen
I.A.A.b (Dtld.)	Nr. 88 Bd. 8/9	Bündnisvertrag mit den norddt. Staaten und Einberufung des Parlaments
	Nr. 92 Bd. 3–9	Veröffentlichung der Schutz- und Trutzbündnisse 1867–1889

	Nr. 93 Bd. 1	Kaisertitel
	Nr. 95 Bd. 1	Süddt. Kriegsziele 1870
	Nr. 97 Nr. 1 Bd. 1	Bundesratsausschuß 1874–1908
	Nr. 99 Bd. 1–7	Eisenbahn-Aufkauf 1875–1900
	Nr. 100 Bd. 1	Betr. Abgeord. Dr. Joerg 1876
	Nr. 102 Bd. 1/2	Reichstagswahlen
	Nr. 103 Bd. 1–4	Finanzielle und wirtschaftliche Reform 1879/80
	Nr. 107 Bd. 1	Das Verhältnis der Reichsämter zu den preuß. Ministerien 1879–1918
	Nr. 128 Nr. 1 secr. Bd. 1/2	Dreibundvertrag (1880/82)
	Nr. 129 secr. Bd. 1/2	Drei-Kaiser-Abkommen (1880/81)
I.A.A.c	Nr. 28 Bd. 1	Schriftwechsel mit Baden
(Baden)	Nr. 29 Bd. 1	dto.
	Nr. 30 Bd. 1–4	dto.
	Nr. 30 secr. Bd. 1	dto.
	Nr. 31 Bd. 1	dto.
I.A.A.d	Nr. 40 Bd. 1	Schriftwechsel mit Bayern
(Bayern)	Nr. 41 Bd. 1	dto.
	Nr. 42 Bd. 1	dto.
	Nr. 43 Bd. 1	dto.
	Nr. 44 Bd. 1	dto.
	Nr. 49 Bd. 1–6	Gesandtschaftskorrespondenz (1874/78)
	Nr. 49 secr. Bd. 1	dto.
	Nr. 50 secr. und offen	dto. 1879
I.A.A.g	Nr. 29 Bd. 4–10	Schriftwechsel mit Hannover
I.A.A.i	Nr. 47 Bd. 1/2	Schriftwechsel mit Hessen
(Hessen)	Nr. 48 Bd. 1	dto.
	Nr. 49 Bd. 1	dto.
	Nr. 50 Bd. 1–6	dto.
	Nr. 51 Bd. 1	dto.
I.A.A.m	Nr. 39 Bd. 1	Schriftwechsel mit Sachsen
(Sachs.)	Nr. 40 Bd. 1	dto.
	Nr. 41 Bd. 1	dto.
	Nr. 44 Bd. 1	dto.
	Nr. 45 Bd. 1–5	dto.
	Nr. 45 secr. Bd. 1	dto.
I.A.A.n	Nr. 26 Bd. 1	Schriftwechsel mit Württemberg
(Württ.)	Nr. 27 Bd. 1	dto.
	Nr. 27 Bd. 1	dto.
	Nr. 29 Bd. 1	dto.
	Nr. 31 Bd. 1–5	dto.
I.A.B.b	Nr. 55 Bd. 3	Schriftwechsel mit London
(Engld.)	Nr. 56 Bd. 1/2	dto.
	Nr. 57 Bd. 1	dto.
	Nr. 58 Bd. 1/2	dto.
	Nr. 59 Bd. 1/2	dto.
	Nr. 61 Bd. 1/2	dto.

	Nr. 64 Bd. 4–7/Bd. 10–13 dto.	
	Nr. 64 secr. Bd. 1 dto.	
	Nr. 69 Bd. 1/2	Allgemeine Angelegenheiten England
I.A.B.c	Nr. 43 Bd. 2–4a	Französisch-preuß. Beziehungen (1867–1870)
(Frankr.)	Nr. 59 Bd. 8–11	Luxemburgfrage
	Nr. 61 Bd. 3–4	Schriftwechsel mit Paris
	Nr. 62 Bd. 1–4	dto.
	Nr. 64 Bd. 1	Zolleinigung Frankreich, Belgien, Holland, Schweiz, Italien 1868
	Nr. 65 Bd. 1	Napoleonbesuch in Berlin
	Nr. 68 Bd. 1	Tripelallianz gegen Preußen 1869
	Nr. 72 adh. 6	Friedensartikel-Entwurf
	Nr. 76 Bd. 1/2	Handelsvertrag Frankreich mit Österreich, Belgien, England, Italien, Rußland
	Nr. 83 secr. Bd. 1/2	Französisch-dt. Beziehungen
	Bd. 3	offen
	Nr. 83 secretiss.	dto.
	Nr. 87 Bd. 1–7	Schriftwechsel mit Paris
I.A.B.e	Nr. 51 Bd. 1/2	Schriftwechsel mit Florenz
(Italien)	Nr. 52 Bd. 1/2	dto.
I.A.A.l	Nr. 57 Bd. 1–4/5	Schriftwechsel mit Wien
(Österr.)	Nr. 57 adh. Bd. 1	Briefwechsel Werther/Thile (1868/69)
	Nr. 58 Bd. 4–8	Schriftwechsel mit Budapest
	Nr. 61 Bd. 1/2	Allgemeine Angelegenheiten Österreichs
	Nr. 62 Bd. 1/2	dto.
	Nr. 63 Bd. 1–21	dto.
	Nr. 63 secr. Bd. 1/2	Schriftwechsel mit Wien
	Nr. 65 Bd. 1	Reise Franz Joseph nach Rußland
	Nr. 70 Bd. 1–5	Schriftwechsel mit Wien
I.A.B.i	Nr. 45 Bd. 1/2	Allgemeine Verhältnisse Rußland
(Rußld.)	Nr. 46 Bd. 1/2	Deutsch-russische Beziehungen
	Nr. 53 Bd. 1–24	Schriftwechsel mit Petersburg
	Nr. 53 secr. Bd. 1 dto.	
	Nr. 57 secretiss. Bd. 1–5	Französisch-russische Beziehung
	Nr. 58 Bd. 1	Russisches Interesse an der Türkei
	Nr. 61 Bd. 1–8	Allgemeine Angelegenheit Rußland
	Nr. 61 secr. Bd. 1	dto.
	Nr. 65 secr. Bd. 1–10	Detailfragen des Berliner Vertrages
	Nr. 65 secr.	Handakten Bülow
	Nr. 65 adh. 1 Bd. 1–3	Bismarck-Korrespondenz 1879
	Nr. 66 Bd. 1	Deutsch-russische Beziehungen
	Nr. 67 Bd. 1	Allianz Rußland/Frankreich/Italien gegen Deutschland
	Nr. 69 secr. Bd. 1	Drei-Kaiser-Bündnis
I.A.B.q	Nr. 114 Bd. 1, 8, 17, 35, 41	Aufstand Herzegowina
(Türkei)	Nr. 114 secr. Bd. 1/2	dto.
	Nr. 114 adh. 3 Bd. 1–5, 11–13, 25–31	dto.
	Nr. 114 adh. 7 Bd. 1/2	dto.

Nr. 114 adh. 9 Bd. 1 Diktat Bismarcks 1876
I.A.B.q Nr. 124 Bd. 1 Pressehetzereien gegen Deutschland
Nr. 125 Bd. 1, 2, 7, 11, 12, 21 Russisch-türkischer Krieg
Nr. 125 secr. Bd. 1 dto.
Nr. 125 adh. 4 Bd. 1–5 Vermittlungsvorschläge
Nr. 125 adh. 8 Bd. 1–3 Konferenzvorschlag
Nr. 128 Bd. 1–10 Berliner Kongreß
Nr. 128 secr. Bd. 1 dto.
Nr. 133 adh. 8 Bd. 1 Rektifikation der griechisch-türkischen Grenze
I.D. Nr. 41 Bd. 1 Militärreform Süddeutschlands
(Militaria) Nr. 42 Bd. 1–5 Luxemburgfrage und süddeutsche Rüstungen

BUNDESARCHIV Koblenz

a *Reichsakten 2, Zg. 1955 ff. (Reichsschatzamt)*

Nr. 26–29	Abänderung des Zolltarifs von 1879
Nr. 285	Zoll- und Handelsstatistik von ÖU (1877–1900)
Nr. 1432	Handelsvertragsverhandlungen mit Belgien
Nr. 1455	dto. mit Frankreich
Nr. 1491	dto. mit Italien
Nr. 1511–1516	dto. mit Österreich-Ungarn
Nr. 1526	Veredlungsverkehr mit Österreich-Ungarn
Nr. 1547	Handelsvertragsverhandlungen mit Serbien
Nr. 1552–54	dto. mit Spanien
Nr. 1567	dto. mit der Schweiz
Nr. 1688	dto. mit Rußland

b *Reichsakten 13/I Verein Deutscher Eisen- und Stahlindustrieller*

Nr. 1, 2	Gründung und Vereinsstatuten 1873/75
Nr. 8	50 Jahre Jubiläum
Nr. 10	Festschriften und Ehrenmitglieder
Nr. 14/18	östliche und mitteldeutsche Gruppe, Gründung etc.
Nr. 36	dto. mittelwestdeutsche Gruppe
Nr. 50	Centralverband und VDEStI
Nr. 79	Vorbereitung und Auswertung der Hauptvorstandssitzung, Protokolle, Denkschriften (1875–1880)
Nr. 161	CdI-Berichte (1875–1881)
Nr. 169	Denkschriften, Petitionen, Zeitungsausschnitte
Nr. 170/71	Material zur Eisenenquete (1875–1879)
Nr. 172/73	Verhandlungen und Mitteilungen des CdI, Geschäftsberichte etc.

Nr. 272–276	Der Autonome Zolltarif, Zollwesen
Nr. 285	Vorbereitung und Durchführung der Enquete
Nr. 338–342	Neugestaltung der Handelsverträge (1877–1879)
Nr. 343/44	Einführung eines neuen autonomen Tarifs

c *Nachlässe*

Brentano II	Nr. 12 Briefwechsel mit Broemel
	Nr. 57–58/59 dto. mit Schmoller
	Nr. 66/67 dto. mit A. und M. Weber
	Nr. 162 Material zur deutschen Handelspolitik
	Nr. 183 dto. zu den Agrarzöllen
v. Eulenburg	Nr. 1, 2
v. Bülow	Nr. 63 Briefwechsel mit A. v. Bülow
	Nr. 65 dto. mit Bismarck

d *P 135 – Preußisches Justizministerium*

Nr. 4736	Handelsvertragspolitik (1864–1878)
Nr. 8844	Zollverträge mit div. Ländern
Nr. 11 754	Zollbund mit Österreich-Ungarn

DEUTSCHES ZENTRALARCHIV Merseburg (ehem. preuß. GStA)

a *Rep. 89 H Geheimes Zivilkabinett*

I	Deutsches Reich	Nr. 12 betr. Fürst Bismarck
I	Preußen	Nr. 6a Bd. 5–20 Berufungen ins Herrenhaus
II	Generalia	Nr. 1 Bd. 5–7 Organisation der obersten Staatsbehörden und Ernennung der Staatsminister
II	Deutsches Reich	Nr. 1 Bd. 1 Der Reichskanzler
		Nr. 5 Bd. 1/2 Das Reichsamt des Inneren
III	Deutsches Reich	Nr. 1 Bd. 1 Reichssteuergesetzgebung
		Nr. 3 Bd. 1 Reichsstempelsteuer
		Nr. 11 Bd. 6 Zölle allgemein
IV	Auszeichnungen	Nr. 12 Bd. 20–26 Verleihungen des roten Adler-Ordens
		Nr. 14 dto. Kronenorden
		Nr. 65 Bd. 1/2 Gnadenerweise Ostpreußen
		Nr. 76 dto. Rheinprovinz
VI	Europa	Nr. 20 Bd. 1 Beziehungen zur Türkei
		Nr. 20i dto.
VII	Deutsches Reich	Nr. 1 Bd. 1 das Reichsschatzamt
		Nr. 5 Bd. 1 Reichsanleihen (1867–1891)

VII Preußen	Nr. 5 Bd. 1/2	Preußenanleihen (1848–1885)
XIII Handel und Gewerbe	Nr. 10 Bd. 1–4	Errichtung von AG
(Deutsches Reich)	Nr. 15	Bestimmungen des Bankwesens
	Nr. 16 Bd. 1	Privatbankwesen
	Nr. 17 Bd. 1	Börsenwesen
	Nr. 21 Bd. 1	Gewerbe- und Handwerkervereine
	Nr. 26 Bd. 1	Unterstützungen (1845–1914)
	Nr. 40 Bd. 1	Einsetzung eines Volkswirtschaftsrates
	Nr. 56 Bd. 1–3	Titelverleihungen (1848/99)
XIII Preußen	Nr. 1 Bd. 1	Personal im HM
XIII Berlin	Nr. 2 Bd. 1	Die Kaufmannschaft
	Nr. 10	Die Börse
XIII Rheinprovinz	Nr. 5a Bd. 1	Die Kruppschen Werke
XVII Generalia	Nr. 3 Bd. 1	Eisenbahntarifgesetzgebung
	Nr. 8 Bd. 1–3	Fortgang der Staats-EB
	Nr. 9 Bd. 1	dto.
	Nr. 29b Bd. 1	Die Berliner Stadtbahn
	Nr. 31a	Halberstadt-Magdeburger Bahn
	Nr. 32a	Berlin-Hamburger Bahn

b *Rep. 90a Staatsministerium*

A III, 1	Nr. 11	Verleihung des Kommerzienratstitels (1837/18)
	Nr. 23	dto. Geheimer Regierungsrat
A IV, 3	Nr. 6 Bd. 1–4	Ordensverleihungen
A VIII, 1, d	Nr. 4	Wahlübersichten zum Abgeordnetenhaus
B III, 2b	Nr. 6 Bd. 52–92	Staatsministerialprotokolle
B III, 2c	Nr. 3 Bd. 2–4	Kronratsprotokolle
D III, 4 k	Nr. 7	Die Disconto-Gesellschaft (1854–1928)
	Nr. 10	Die Deutsche Bank (1870–1910)
F V, 1	Nr. 1 Bd. 1–4	Bildung des Zollvereins
	Nr. 4	Bundesrat des Zollvereins
	Nr. 5	Das Zollparlament
J V, 3	Nr. 1 Bd. 1–2	Unterdrückung der Börsenspekulation
K III, 3	Nr. 1 Bd. 1	Konzession für die Magdeburg-Halle-Leipzig-Bahn
	Nr. 2 Bd. 1/2	dto. Rheinische Bahn
	Nr. 3 Bd. 1/2	dto. Berlin Anhalter-Bahn
	Nr. 4 Bd. 1	dto. Düsseldorf-Elberfelder Bahn
Y IX, 2	Nr. 11–14/20	Mobilmachung 1864/1866/1870

c *Auswärtiges Amt, Abt. II, Rep. 6*

Nr. 57–59	Anschluß der Nachbarstaaten an das preuß. Steuersystem (1822–1828)
Nr. 475–477	Zollverhandlungen mit Österreich (1851/52)
Nr. 543–545	Die Handelskrisen von 1857 und 1866

Nr. 551	Der Deutsche Handelstag
Nr. 558–561	Die Bildung eines neuen Zollvereins (1866–1870)
Nr. 1176/1177	Die Vorschläge Österreichs betr. Zollunion
Nr. 1185–1205	Ausführung des Handelsvertrages von 1853
Nr. 1206	Handelspolitik Österreich (1866)

d *Rep. 81 Preußische Botschaften*

81–SS-Hamburg Nr. 3	Interessengrenzen in der Südsee
Nr. 10	Samoa und Tonga (1876–1894)
81–G. neu XII 2	Überseebanken
XIII, 1	Anschluß an den Zollverein
81–Hamburg-E II, Nr. 1	Deutsch-russische Beziehungen
81–Dresden-VIc,	geheime Akten (1875–1880)
81–München-IVa, Nr. 92	Politische Erlasse, Bd. 3 (1879)

e *Rep. 120 Handelsministerium*

A I, 1 Nr. 5 Bd. 2	Organisation der obersten Reichsbehörden
Nr. 23 Bd. 7–9	Organisation der Zentralverwaltung
Nr. 77 Bd. 1/2	Errichtung des Volkswirtschaftsrates
Nr. 77 adh.	Listen zur Mitgliederberufung
Nr. 78	Wahl und Berufung dto.
Nr. 81	Errichtung und Organisation des deutschen Volkswirtschaftsrates
A VI, 6 Bd. 1–3	Provinzialstände-Anträge betr. Handel und Gewerbe Schlesien (1826/72)
, 7 Bd. 1	dto. Westfalen (1827–1880)
, 8 Bd. 1	dto. Rheinprovinz (1827–1911)
A VII, 1 Nr. 41	An- und Verkauf von Effekten für den Staat (1850–1854)
, 2 Nr. 50b Bd. 1	Handelsetatmotivation (1872–1891)
A VIII, 1 Nr. 3 Bd. 1–4	Notstandsabhilfe von 1848
Nr. 11 Bd. 1	dto. von 1859/1870
Nr. 12	dto. betr. Arbeiterkrisen 1877–1885
Nr. 13	Die wirtschaftliche Unterstützung Oberschlesiens
Nr. 16	dto. Rheinprovinz
A X, 6 Bd. 6–16	Verkehr mit Staats- und Kommunalpapieren
, 7 Bd. 1	Anfertigung des Kurszettels (1828–1883)
, 8 Bd. 3–8	Die Kgl. Banken u. d. Seehandlung (1846–1875)
, 18	Das Münzkartell in Deutschland (1851–1867)
, 25	Verbesserung d. Staatkreditwesens (1856–1887)
, 26	Die Amortisation der Inhaberpapiere
, 27a Bd. 1/2	Die Währungsfrage (1866–1880)
, 28 Bd. 1/2	Zollvereinsemissionen (1856–1868)
, 37 Bd. 1	Reichs- und Staatsanleihen (1869–1906)

, 38	Bd. 1		Die Prämienanleihen (1868–1919)
, 38	adh. secr.		dto.
, 40	Bd. 1–8		Reichsbankfragen
A XI, 1	Nr. 1	Bd. 2–4	Errichtung von Privatbanken (1852–1870)
	Nr. 2	Bd. 1/2	Anträge zur Errichtung dto.
	Nr. 4	Bd. 12-13	Verwaltungsübersichten d. Banken
	Nr. 7	Bd. 6, 12	Inhaberpapiere-Anfragen (1854–1872)
	Nr. 11	Bd. 1	Errichtung von Grundkreditinstituten
	Nr. 19	Bd. 1	Eisenbahn-Aktienkursaufnahme (1839/75)
	Nr. 20		Liberalität des Hypothekengeldes
A XI, 2	Nr. 1	Bd. 1-3	Die Bank des Berl. Kassenvereins (1845/27)
	Nr. 1a		Kommissionsakten Dechend-Stüve
	Nr. 4		Industrie- und Handwerkerbank Berlin
	Nr. 5	Bd. 1/2	Die Diskontogesellschaft (1849–1929)
	Nr. 10		Gründung einer allgem. Kreditgesellschaft in Preußen
	Nr. 24		Die Deutsche Bank (1870–1930)
	Nr. 25		Preuß. Zentral-Boden-Kreditbank
	Nr. 31		Nationalbank für Deutschland
	Nr. 33		Berliner Handelsgesellschaft
A XI, 3	Nr. 1	Bd. 1/2	Privatbanken in Königsberg (1856–1872)
	Nr. 2	Bd. 1/2	dto. in Danzig (1849–1874)
A XI, 5	Nr. 2		dto. in Stralsund (1848–1851)
A XI, 7	Nr. 3/4		Anträge auf Satzungsänderungen, Fusionen und Liquidationsvorgänge in Schlesien
A XI, 11	Nr. 1-4		dto. Westfalen
A XI, 13	Nr. 1-7		dto. Rheinprovinz
A XI, 15	Nr. 1	Bd. 1-5	dto. Ausland (Darmstädter Bank)
	Nr. 2		dto. in Dessau
	Nr. 4		Gründung Deutscher Banken mit ausländischer Hilfe (1863–1882)
	Nr. 5		Die Mobiliar-Kreditinstitute (1856–1869)
A XII, 5	Nr. 1	Bd. 2-10	Bestimmungen über die AG (1843–1871)
	Nr. 2a		Zulassung von belg. u. franz. AG in Preußen und preuß. AG in Frankreich und Belgien
	Nr. 2b		dto. in England (1873–1925)
	Nr. 2c		dto. Österreich-Ungarn (1864–1928)
	Nr. 2e		dto. Italien (1873–1921)
	Nr. 2f		dto. Rußland (1865–1925)
	Nr. 7	Bd. 1	Abgelehnte AG-Konzessionsanträge
	Nr. 56		AG für Dillinger-Hüttenwerke (1818–1870)
	Nr. 67		Phönix AG für Bergbau- und Hüttenbetrieb
	Nr. 70		AG für Rhein. Bergbau- und Kupferhütten-Betriebe (1853–1864)
	Nr. 72		Köln Müsener Bergwerks- und Hüttenverein
C V	Nr. 1	Bd. 1-6	Die Stempelsteuer
	Nr. 6	Bd. 1-2	Börsen- und Bankstempelgesetz
	Nr. 29	Bd. 1	Die Reichsweinsteuer

C VII, 1	Nr. 1 Bd. 2	Veredlungsverkehr mit dem Ausland
	adh. 1 Bd. 2	dto. Baumwolle
	adh. 3 Bd. 1	dto. Eisen und Stahl
	adh. 4 Bd. 1	dto. Felle und Leder
	adh. 11 Bd. 1	dto. Leinengarn und Gewebe
	Nr. 10 Bd. 16, 18	Zolltarifabänderungen von 1879
	adh. 6 Bd. 1/2	dto. Anträge zur Zolltarifreform
	Nr. 30	Die Leinenenquete
	Nr. 31	Die Eisenenquete
	Nr. 32 Bd. 1-5	Das amtliche Warenverzeichnis
	Nr. 33 Bd. 1/2	Ausführung des Zolltarifs von 1879
	Nr. 10 adh. 7	Zoll- und Steuerreform in Preußen
C VII, 2	Nr. 8 Bd. 16	Eisen- und Stahltarif
	Nr. 8a secr.	dto.
C VII, 2a	Nr. 6 Bd. 1	Die Besteuerung von Eisen und Eisenwaren
	Nr. 9 Bd. 2	dto. Landwirtschaftszölle
C VIII, 1	Nr. 25 Bd. 1-3	Schutz des dt. Handels (1841–1877)
	Nr. 25 adh. 1	Die Errichtung einer Vertretung für Handel, Industrie und Landwirtschaft
	Nr. 36 Bd. 1	Der Handel der Textilindustrie
C VIII, 4	Nr. 2	Die Berliner Handelsgesellschaft
	Nr. 3	Der Berliner Bankverein (1856)
	Nr. 4	Der Schlesische Bankverein (1856–1877)
C IX, 1	Nr. 28	Der Geld- und Produktenhandel (1868–1872)
, 5	Nr. 31 Bd. 1	Der Stinneskonzern (1848–1927)
C XI, 1	Nr. 2 Bd. 1	Die Börsen- und Maklerordnung für Berlin
C XIII, 1	Nr. 4 Bd. 2/3	Die Handelsverträge Preußens und sein Handelssystem (1845–1885)
	Nr. 4 adh. 1,	Bd. 1/2 dto. (1875–1886)
	Nr. 39 Bd. 3	Die Anstellung von Konsuln
	Nr. 44 Bd. 1/2	Auslandsempfehlungen
	Nr. 47	Die Beförderung des Handelsverkehrs
C XIII, 2	Nr. 1 Bd. 5-7,	23–25 Die Handelsverhältnisse mit Österreich-Ungarn (1850/54, 1873/78)
	Nr. 1a Bd. 1-3	Die Erneuerung des Handelsvertrags mit Österreich-Ungarn (1876–1881)
	Nr. 1a secr. Bd.	1–4 dto. (1877–1879)
	Nr. 11 Bd. 1/2	Der Veredlungsverkehr mit ÖU
, 2a	Nr. 1 Bd. 1	Handelsvertrag mit Ungarn
, 4	Nr. 31 secr. Bd.	1–4 Die Zollvereinsverträge (1851/64)
	Nr. 31b	Erneuerung des Zollvereinsvertrages mit Frankreich (1863–1865)
	Nr. 53 Bd. 9, 11,	15/18 Generalkonferenzprotokolle des Zollvereins (1852–1871)
	Nr. 70 Bd. 3	Anbahnung einer Zoll- und Handelseinigung
	Nr. 70 secr. Bd. 2	dto.
	Nr. 84 Bd. 1/2	Der Krieg von 1866 und die Handelsverhältnisse

	Nr. 84	adh. 1/2	dto.
, 6a	Nr. 27	Bd. 35-39	Handelsverhältnisse mit Rußland
	Nr. 27	adh. 5	dto.

f *Rep. 77 Innenministerium*

Tit. 32	Nr. 27	Bd. 1/2	Deutsche Emissionen (1809—1831)
Tit. 93	Nr. 92	Bd. 1/2	Handel und Industrie in Berlin
	Nr. 94		dto. in Preußen und Zollverein
Tit. 258	Nr. 1	Bd. 4-16	Die Anlegung von Eisenbahnen
	Nr. 64	Bd. 1	Die Eisenbahn-Frachttarife (1875/84)
Tit. 496b	Nr. 1	Bd. 2-5	Die Bildung des Herrenhauses (1855/76)
	Nr. 3	Bd. 1-5	dto. Berufungen
Tit. 287	Nr. 4	Bd. 1	Die Seehandlung
	Nr. 7	Bd. 2-4	Die Hauptbank in Berlin
	Nr. 14	Bd. 1-2	Errichtung von Privatbanken und AG
	Nr. 21		dto. im Ausland
Tit. 343A	Nr. 120	Bd. 1-3	betr. Nationalverein

g *Rep. 87 Landwirtschaftsministerium*

ZB	Nr. 97	Berufung Friedenthals
	Nr. 98	Berufung Lucius
	Nr. 516—18	Deutsch-russische Handelsbeziehungen
	Nr. 629	Die Besteuerung im Reich
	Nr. 634—42	Die Sozialdemokratie
	Nr. 669	Das Verhalten der Staatsbeamten (1855—1910)
B	Nr. 9	Die Zollgesetzgebung (1879—1928)
	Nr. 6840—6842	Zoll- und Handelsangelegenheiten (1864—1901)

h *Rep. 83c Ministerium für öffentliche Arbeiten*

Abt. E	Nr. 679	Die Reorganisation des Tarifwesens
	Nr. 680	Die Eisenbahntarifvorlage von 1879
	Nr. 723/24	Frachtenermäßigung (1869—1900)

i *Rep. 151 neu Finanzministerium*

Reg. secr. I	
Nr. 39 Pak 765	Überwachung des Börsenverkehrs
Nr. 46 Pak 766	Die Formulierung der Friedensbedingungen mit Frankreich
Reg.secr.	
Tit. 9 Nr. 7 Pak 778	Gewährung von Unterstützungen

Tit. 12 Nr. 9 Pak 780	Maßnahmen gegen Ultramontane
Nr. 14 Pak 787/88	dto. gegen Sozialdemokratie
Tit. 16 Nr. 15 Bd. 16–18	Pak 794 Etat 1857/68
Bd. 19–22	Pak 795 dto. 1869–1879
Tit. 19 Nr. 8–3 Pak 807	Revision der Seehandlung
Tit. 20 Nr. 7 Pak 811	Geldbestände der Privatbanken
HB Nr. 672–687, 693–701	Schuldverschreibungen, Staats- und Kommunal- und Eisenbahnkonversions-Anleihen (1866–1880)
Reg.secr.	
Tit. 24 Nr. 12 Pak 831	Mobilmachungspläne (1867–1902)
Nr. 13 Bd. 1–9	Pak 832–34 Finanzielle Mobilmachung. Finanzierung der Rüstung
Tit. 25 Nr. 17 Pak 892	Vervollständigung d. EB-Netzes
Tit. 30 Nr. 9 Bd. 1–3	Pak 911 Auswärtige Beziehungen
HB Nr. 1174–1192	Das wirtschaftliche Reformprogramm
Nr. 1168	Einführung der indirekten Steuern
Nr. 1206	Bildung eines mitteleuropäischen Zollvereins
Reg. Ia	
Tit. 11, 1 Nr. 9 Bd. 1–3	Mobilmachung (1830–1877)
Tit. 22 Nr. 62	Finanzmaßregeln wegen 1870
KA. Sa. Gen. 198	Die Bankgeschäfte d. Reg.-Hauptkassen
G Gen. 207	Errichtung von Beleihungskassen
Staatspassiva Nr. 59a	Ausgaben (1870/71)
Reg. IC	
Tit. 1 Nr. 46b	Einnahmen und Ausgaben d. Reiches
Reg. IE	
Bank Sa. Nr. 2 Bd. 1–4	Errichtung von Privatbanken
Nr. 2d	Fondsverstärkung der Hauptbank
Nr. 3	Berliner Kassenverein (1848–1876)
Nr. 7/8	Errichtung von Privatbanken in Breslau, Schlesien und Köln
Nr. 12/17	dto. Magdeburg, Sachsen, Westfalen
Sa. Nr. 80	Die Errichtung eines Volkswirtschaftsrates
Militaria Nr. 233 Bd. 1–3	Kriegsmaßregeln (1859–1865)
Nr. 241 Bd. 1	Mobilmachung (1866)
Nr. 243 Bd. 1–5	Friedensvertrag von 1866
Nr. 246	Mobilmachung (1870)
Nr. 248b	Franz. Kriegskontribution
Staatspapiere Nr. 10	Seehandlungsobl. (1851–1891)
Nr. 13	Staatspapiere
Nr. 34	Staatsschuldkonversionen
Nr. 54	Ausbreitung des Verkehrs in preuß. Staatspapieren
Nr. 57	Anträge auf Inkurssetzung von Inhaberpapieren
Abt. III, Tit. 15, Lit. A	
Gen. Nr. 61 Bd. 1–3	Zoll- und Handelssystem des Deutschen Bundes (1848–1852)
HB Nr. 1166	Die Revision des franz. Zolltarifs (1876–1891)
Nr. 475	Der Handel mit Frankreich
Nr. 478	dto.

j *Rep. 92 Nachlässe*

Bosse Nr. 1, 2	Nr. 1, 2
Cleinow Nr. 110 Bd. 1.	Nr. 110 Bd. 1.
Delbrück	I, 1/2; II, 1–7
Hansemann	Nr. 8–16, Nr. 30–34
v. d. Heydt	Nr. 1–6, 11–23
Manteuffel, E.	B I, Nr. 17–22; B III, Nr. 36
Manteuffel, O.	Tit. 1, Nr. 1 Bd. 1–8; Nr. 2 Bd. 1/2 Tit. 2, Nr. 15, 16, 19, 29, 31, 33, 47, 87, 93
Radowitz d. J.	B II, Nr. 1–9, 14–19
Schmoller	Nr. 11a–k, 13, 51, 66, 113–118, 138–146
Scholz	B, Nr. 1–3; C, Nr. 1
Waldersee	B I, Nr. 2, 9, 23, 27, 45, 51, 53
Weber	Nr. 7, 21, 24, 29
Werthern	Nr. 8–14
Zitelmann	Nr. 2–6, 9, 9a, 10, 83, 91, 111

HAUPTARCHIV Berlin (ehm. preuß. GStA)

a *Rep. 109 Seehandlung*

Nr. 5076	Unterbringung preuß. Anleihen im Ausland
Nr. 3116–3118	Zinsbare Beleihungen
Nr. 3260–3261	Angriffe auf die Seehandlung (1876–1907)
Nr. 5534	Die Institute der Seehandlung
Nr. 5352	Die Discont-Politik der Seehandlung
Nr. 5546	Erleichterung im Zahlungsverkehr
Nr. 5064	Beteiligung der Seehandlung bei der Anleihe (1848/1850)
Nr. 3196	dto. bei der Danziganleihe (1848/51)
Nr. 3303–3307	dto. 4 1/2 bzw. 4 % Anleihe (1850–1854)
Nr. 5067/3308	dto. 15 Mill. (1854)
Nr. 5011	dto. 4 1/2 %, Baden 10 Mill. hfl. (1854/55)
Nr. 3309/3310	dto. Realisierung der 1854-Anleihe
Nr. 3863/3864	Ausbreitung preuß. Staatspapiere durch Rothschild/Frankf. bzw. Holland (1857–1866)
Nr. 5048/3316	Korrespondenz mit Rothschild
Nr. 5049	dto. 1862/63 über Obligationen (1850/52)
Nr. 3865	Petitionen um Errichtung von Einlösestellen für den Zinskupon (1862–1864)
Nr. 5012/5013	4 % bayr., 4 1/2 % badische Anleihe von 1866
Nr. 5002	4 1/2 % Anleihe von 1867
Nr. 3862	Konsortialverhandlungen bei Staatsanleihen
Nr. 5380	Geldgeschäfte mit dem Kriegsministerium
Nr. 5003–5010	Beteiligung der Seehandlung bei den 4 1/2 % Staatsanleihen (und Obligationen) (1867–1870)

Nr. 3319–3323	Verkauf der Bundesschatzanweisung für Rechnung des Norddeutschen Bundes (1869–1872)
Nr. 3546/3547	Geldbeschaffung für den Krieg 1870/71
Nr. 5031/5033	5 % Norddt. Bundesanleihe von 1870
Nr. 5034–5035	dto. 2. Emission
Nr. 5467–5469	Anfrage und Gesuche im Staatspapier- und Effektengeschäft
Nr. 3180	Beteiligung der Seehandlung bei 4 % Hamburger Staatsanleihen (1875)
Nr. 3339	dto. 4 % preuß. Anleihe 100 Mill. (1876)
Nr. 3334–3338	dto. Begebung und Korrespondenz
Nr. 3340/3341	dto. Verkäufe der 4 % Anleihe von 1876/77
Nr. 4985	dto. Begebung 4 % preuß. Anleihe 50 Mill. (1877)
Nr. 3347	dto. Korrespondenz
Nr. 4983/4984	Begebung der 4 % preuß. Anleihe 43 Mill. und 4 % deut. Reichsanleihe 43 Mill. (1877/78)
Nr. 4986	dto. Korrespondenz
Nr. 3342–3345	dto. Veräußerung der Anleihe (1877–1885)
Nr. 4988	Begebung der 4 % 60 Mill. preuß. Anleihe (1878)
Nr. 3349	dto. Korrespondenz
Nr. 3352–3355	dto. Veräußerung der Anleihe
Nr. 3346	Preuß. Schatzanweisung IV. Serie (1877)
Nr. 5389	Die Verhandlungen über einen anderweitigen modus bei Begebung preuß. Staatsanleihen pp
Nr. 3348	Begebung 4 % 60 Mill. preuß. Anleihe (1878)
Nr. 4991	Begebung 4 % 55 Mill. preuß. Anleihe (1879)
Nr. 3357–3358	dto. Korrespondenz und Subskription
Nr. 4992	Übernahme von 4 % 120 Mill. Mark preuß. Anleihe unter der Führung der Disconto-Ges. (1879/80)
Nr. 4993	Übernahme 4 % 120 Mill. Konversions-Anleihe
Nr. 3360/3361	dto. Köln-Mindener, Hannov.-Altenbeker EB
Nr. 4994	dto. 67 Mill. 4 % für 5 % Prioritäten Rhein. EB
Nr. 4995	Beteiligung an der 4 % 14 Mill. Reichsanleihe (1881)

b *Rep. 90a Staatsministerium*

Nr. 1185	Banksachen (1848–1872)

c *Nachlässe*

v. Rottenburg Nr. 3, 5, 6, 10, 12

BRANDENBURGISCHES LANDESHAUPTARCHIV Potsdam

a *Rep. 30c Polizeipräsidium Berlin*

Tit. 94	Lit. A	Nr. 298, 319, 369, 376
	Lit. B	Nr. 838, 856, 1057, 1088, 1254, 1310, 1439, 1543
	Lit. C	Nr. 393, 398, 405, 459
	Lit. D	Nr. 335, 535, 540
	Lit. F	Nr. 473, 474, 487, 542, 592
	Lit. G	Nr. 472, 502, 655
	Lit. H	Nr. 639, 672, 795, 821, 827, 944, 1191, 1197, 1199
	Lit. J	Nr. 319
	Lit. K	Nr. 1100
	Lit. L	Nr. 524
	Lit. M	Nr. 888, 913, 936, 989, 998, 1003, 1074
	Lit. N	Nr. 332
	Lit. O	Nr. 133, 143, 168, 173
	Lit. P	Nr. 645
	Lit. R	Nr. 534, 620, 689, 698, 789, 857
	Lit. S	Nr. 1646, 1664, 1731, 1829, 1865, 1914
	Lit. W	Nr. 606, 750, 768

b *Nachlaß Eulenburg*

BADISCHES GENERALLANDESARCHIV Karlsruhe

a *Abt. 233 Staatsministerium*

Nr. 10 559	Handelsbeziehungen von 1873–1893
Nr. 15 035	Prospekt der Badischen Bank (1851–1875)
Nr. 818	Industrie- und Kreditanstalt (1855–1856)
Nr. 10 061	Zulassung der Darmstädter Bank (1856/57)
Nr. 11 606	Der Volkswirtschaftsrat
Nr. 10 514	Statistik des Zollvereins
Nr. 10 518	Deutsch-Österreichische Zoll- und Handelseinigung (1865–1871)
Nr. 10 533 / 10 534	Handelsvertrag mit Frankreich (1856–1881)
Nr. 10 516	Bildung eines Bundesrats und Wahlen zum Zollparlament
Nr. 10 525–10 528	Der Zollverein und seine Erneuerung (1867/75)
Nr. 10 562–10 563	Verhandlungen des Zollbundesrates
Nr. 14 177	Handel mit Österreich (1876/80)

b *Abt. 48 Zollsachen des Zollvereins*

Nr. 7013–7026	Der Zollverein im Jahre 1862
Nr. 7027–7030	Die Verhandlungen von 1852
Nr. 7031	Handelsvertragserklärungen von Österreich und Preußen
Nr. 7032	Die Erneuerung des Zollvertrags von 1864
Nr. 7035	dto. 1852–1857
Nr. 7036/7037	dto. mit Frankreich
Nr. 7041	Darmstädter Erklärung vom 25. V. 1852
Nr. 7042	Korrespondenz Rüdt aus Wien (1853)
Nr. 7043	Der September-Vertrag (1851/53)
Nr. 7044/7045	Süddeutsche Übereinkunft in Darmstadt und die Erneuerung des Zollvereins (1852/53)
Nr. 7065–7072	Die Generalkonferenzen von Kassel, Berlin, Darmstadt, Weimar, Hannover, Braunschweig, München und Dresden

c *Abt. 237 Finanzministerium*

Nr. 5340–5342	Zoll- und Handelsvertrag mit Belgien (1842–1863)
Nr. 5362–5375	dto. mit Österreich
Nr. 12 258 / 12 259	dto. mit der Schweiz
Nr. 28 954 / 28 955	dto. mit Frankreich
Nr. 25 957	Badischer Industrie- und Handelstag 1865 ff.
Nr. 25 959	Der Deutsche Handelstag
Nr. 29 110	Die Entwicklung der Baumwollindustrie
Nr. 17 121 / 17 122	Fortsetzung des Vertrages von 1853
Nr. 17 170	Das Zollparlament
Nr. 17 329–17 330	Die Leinenenquete
Nr. 17 333–17 335	Der Zollvereinstarif
Nr. 17 169	Fortdauer des Zollvereins (1867–1889)
Nr. 17 212 / 17 213	Zoll- und Handelsvertrag mit Österreich
Nr. 32 410	Zollbundesrat (1868–1932)
Nr. 32 406	Zollbundesgesetz (1868–1869)
Nr. 17 154–17 157	dto. Verhandlungen (1867–1869)
Nr. 17 341	Der Eisentarif (1875–1884)
Nr. 17 282–17 287	Die Heidelberger Steuerkonferenz

BAYRISCHES HAUPTSTAATSARCHIV München

a *MH – Ministerium des Handels; Industrie und Gewerbe*

Nr. 5105	Beförderung von Handel und Gewerbe (1852–1866)
Nr. 5381	Handelsvertrag zwischen Zollverein und Frankreich

Nr. 5458	Eisenwerksges. Maximilianhütte
Nr. 5489	Reichenbachsche Maschinenfabrik in Augsburg
Nr. 5501/5502	Maschinenfabrik Maffei (1847–1870)
Nr. 5679	Baumwollspinnerei am Stadtbach/Augsburg
Nr. 5685	Baumwollspinnereien in Bayreuth (1853–1870)
Nr. 9650	Die Zukunft des Zollvereins (1858–1860)
Nr. 9655	Notizen zu den Zollvereinshandelsverträgen
Nr. 9656	Zölle und Handelsverträge (1873/78)
Nr. 9691–9694	Die Erneuerung des Zollvereins (1863–1866)
Nr. 9697–9699	Verhandlungen des Zollbundesrats und Zollparlaments
Nr. 9701	Rekonstitution des Zollvereins (1867)
Nr. 9706	Vollzug des Vertrages (1868–1880)
Nr. 9711	Zoll- und Besteuerungsfragen (1871–1881)
Nr. 9712–9716	Zollgesetzgebung (1867–1879)
Nr. 9720–9723	Handakte Herrmann bei Akte Bundesratsdrucksachen
Nr. 9730	Vollzug des Zollgesetzes von 1879
Nr. 9743	Zoll- und Handelsvertrag zwischen Preußen, Hannover und Kurhessen (1856)
Nr. 9747–9750	Die 15. Generalzollkonferenz in München
Nr. 9751	dto. in Dresden
Nr. 9879	Bayrische Bevollmächtigte beim Zollbundesrat
Nr. 9961	Der Eisenzoll, die Enqueten
Nr. 9963	Das Ausgleichsabgabengesetz
Nr. 10 027/28	Revision des deutschen Zolltarifs (1878–1879)
Nr. 10 040	dto. Eingaben und Anträge
Nr. 10 080	Aufhebung des Identitätsnachweises
Nr. 10 084	Abänderung des Zolltarifs (1879)
Nr. 10 140–10 144	Behandlung von Zollwaren
Nr. 10 941	Erhaltung des Zollvereins (1866)
Nr. 11 005	Die Filialen der Kgl. Bank (1871–1914)
Nr. 11 091–11 093	Hypotheken- und Wechselbank
Nr. 11 136	Bayrische Handelsbank
Nr. 11 451	Handelsverträge im allgemeinen
Nr. 11 455	Die Erneuerung des Zollvereins und Handelsvertragsabschlüsse zwischen 1876 und 1900
Nr. 11 483	Der Verkehr mit Holz- und Steinkohlen
Nr. 11 487–11 489	Abschlußmaßnahmen betr. Reisstärke, Glas
Nr. 11 692–11 694	Bericht der bayr. Handelskammern
Nr. 11 702	Zoll- und Handelspolitik (1875–1897)
Nr. 11 908	Der Handelsvertrag mit Belgien
Nr. 11 965–11 970	Der Zollvertrag mit Frankreich (1862–1866)
Nr. 11 988/11 989	dto. (1877–1903)
Nr. 12 051–12 056	dto. mit Italien
Nr. 12 059	dto.
Nr. 12 245–12 246	Grenzbezirkserleichterungen
Nr. 12 250–12 253	Der Handelsvertrag von 1853 und seine Folgen
Nr. 12 257–12 270	Handelsvertragsverhältnisse mit ÖU (1853–1879)

Nr. 12 286–12 290	dto. (1876–1883)
Nr. 12 469	dto. mit Rumänien
Nr. 14 233	Die Handelskammer Oberfranken/Bayreuth
Nr. 14 263	Der Deutsche Handelstag

b *MF – Ministerium der Finanzen:*

Nr. 60 573–60 575	Bundesratsverhandlungen betr. Zollwesen
Nr. 58 494	Bankenwesen

c *M Inn – Ministerium des Inneren:*

Nr. 39 777–39 780	Zollvereinsverträge, Zollvereinsverhandlungen mit Wien betr. Handelsvertrag mit Frankreich und Protokoll der Verhandlungen der 10. bis 24. Generalzollkonferenz

BAYRISCHES GEHEIMES STAATSARCHIV München

a *MA III – Staatsministerium des Äußeren*

Frankreich	Nr. 2137 Berichte
Österreich	Nr. 2446/2447 dto.
Preußen	Nr. 2658/1,2 dto.
Rußland	Nr. 2763 dto.

b *MA 1921 – Staatsministerium*

Tit. I, K Nr. 291	Organisation der obersten Reichsbehörden

c *Bayrische Gesandtschaft Berlin MA 1935*

Nr. 22–24	Politische Berichte und Instruktionen 1878/80

d *Nachlaß* v. d. Pfordten Nr. 59 und 62

STAATSARCHIV HAMBURG

a *132–5/2 Hanseatische Gesandtschaft Berlin, Ält. Reg.*

A II, Nr. 22	Errichtung eines Eisenbahnamtes
E III, d	Handelsvertrag mit Italien
E III, t	Handelsvertrag mit Österreich
F III, a Fasc. 11	Verzollung von Bau- und Nutzholz
Fasc. 13	Verzollung von Mineral- und Schmieröl
Fasc. 26	Zulassung gemischter Privattransitlager
F III, e Fasc. 2	Zollanschluß Hamburgs an den Zollverein
g3 Fasc. 1	Tabaksteuer
Fasc. 5	Tabakmonopol
g3c	Eisenzollfrage
G IV, a Bd. 1–7	Berichte politischen u. allgemeinen Inhalts
b Fasc. 1	dto.
c Fasc. 1	Instruktionen
G VII, b	Bundesratsausschußsitzungen (1869–1895) – 1884
M 5d	Errichtung eines deutschen Volkswirtschaftsrates
13	Deutsche Bankfiliale Yokohama
N 1s	Fallisement v. Godeffroy & Co.

b *132-5/4 Bevollmächtigter beim Bundesrat*

I, 1 Bd. 13	Berichte und Konzepte (1879)
, 4 Bd. 3	dto. Instruktionen
, 6 Bd. 1	Senat an Reichskanzler
IX, 9 Nr. 23	Abänderung des Zolltarifs (1879)
Nr. 26	Reform des Zolltarifs (1879)
Nr. 33	dto. Eisenzoll

c *314-6 Zollkommissariat*

Y, conv. 1	Heidelberger Konferenz
Cl. I Lit. T, Nr. 21	vol. 1, Fasc. 5 dto.
Y conv. 2	Die Tabakenquete
conv. 3	dto. Baumwolle und Leinen
conv. 4	Tabakbesteuerung 1818 ff.
conv. 6, Nr. 1–6	Die Revision des Zolltarifs (1879)
Cl. I Lit. T, Nr. 21, vol 2,	Fasc. 1, Inv. 12 dto.
	Inv. 12b Nr. 1 dto.
	Inv. 12b Nr. 2 dto.
	Inv. 15 dto. Protokolle
	Inv. 16 dto. Anträge der Zolltarifkommission.

Cl. I Lit. T, Nr. 3, vol 2b, Fasc. 2–6 Bundesratsberichte 1868/70.
Fasc. 10–16 dto. 1873–79

d *Nachlaß Versmann* A 3, A 4 Tagebuch 1820–99

HANDELSKAMMER HAMBURG

77/23 A – 1 Nr. 1 Bd. 1 Handelsvertragspetitionen
B – 1 Nr. 1 Zolltarifabänderungen
Nr. 2 dto. 6. Delegierten-Konferenz von Handelsplätzen nordd. Gegenden
Nr. 3, 1 u. 2 Zolltarifkommission, Handelskammerstellungnahmen, Städtetag und Delegierten-Konferenz betr. Zolltarifsrevision (1868–1879)

ÖSTERREICHISCHES STAATSARCHIV; ABT.: HAUS-, HOF- UND STAATSARCHIV WIEN

Politisches Archiv

Pa I, Nr. 453, 455, 456, 457, 468 (Nachlaß Rechberg) Nr. 525–532 (Botschaft Berlin) Nr. 534
PA II, Nr. 1–9, 12–19 (Privatbriefe Thun an Schwarzenberg) Nr. 20, 21–30, Nr. 51–62, 75–84, 91–95, 101, 105
PA III, Nr. 36–40, 54–118
PA IV, Nr. 30–40
PA V, Nr. 30–40
PA VI, Nr. 20–32
PA VII, Nr. 16–21, 23–30, 44–46, 58–61, 79–81, 91–94, 104, 105
PA VIII, Nr. 84–95, 170
PA IX, Nr. 78–98
PA X, Nr. 68–78
PA XL, Nr. 45–53; 62, 67, 70, 73, 78 (Nachlaß Buol/Schauenstein) 277a-b; Nachlaß Prokesch-Osten) Nr. 319–321 (Nachlaß Kallay) Nr. 333–334

Administrative Registratur

F 34 SR r3, r4, r5, r7, r9, r 35/6
F 34 SR – 1866 bis 1872: 55–5/1; 91–6; 54–5; 69–40; 69–4; 69–15; 36–1; 36–49; 3–37/40/51–53; 57; 4–6a–26; 4–3a-d; 8–1v–91b; 8–148–

	209; 2—2—7; 3—27—35; 5—1—54; 105a—207; 1—1—193; 3—48; 5—3—15; 9—1—202; 3—1—82; 7—1—82; 7—1—70; 8—1—209; 9—2—192; 83—26; 3—22; 7—19—44; 8—26—129a; 3—13; 3—2; 4, 10, 12, 16, 42; 75—9; 75—24
F 34 SR — 1866 bis 1874	2—1/4; 2—2/6; 3—2/1; 3—3/2; 5—3/1; 2—2/6—7; 1—6/34; 1—5/38
F 34 SR — 1875 bis 1877	2—1/1; 2—1/1—2; 4—11/1; 1—3/30; 1—3/7; 1—3/30—22—3/32; 10—2/64—4
F 34 SR — 1875 bis 1877	10—2/64; 1—3/3—24; 1—3/30—86—92
F 34 SR — 1878 bis 1880	1—2/4—1; 1—2/4—2; 1—2/4—2—10; 1—2/2—1; 1—2/2—1—2; 1—2/4—3; 36—86/1; 1—2/4—2—31; 1—2/4—2—263; 1—2/9—1—132; 10—3/12—34

HESSISCHES STAATSARCHIV Darmstadt

a *Ministerium der Auswärtigen Angelegenheiten:*

Konv. 46 Fasc. 1	Parlamentsantrag Preußens (1866)
Fasc. 3	Bundesreformversuche und Krieg (1866)
Konv. 56 Fasc. 1	Zoll- und Handelsverhältnisse mit Frankreich
Konv. 78 Fasc. 13	Berichte aus Stuttgart (1851—1864)
Fasc. 14	Das Londoner Protokoll
Konv. 78 Fasc. 16	Berichte aus Baden (1853—1866)
Konv. 80 Fasc. 1/2	Berichte aus Berlin (1875/76)
Konv. 81 Fasc. 1	dto. (1877—1882)

b *Bundestagsgesandtschaften*

Konv. 20 Fasc. 1	Deutsche Reformbewegung (1859/60)
Konv. 30 Fasc. 2—5	Bundestagsberichte
Konv. 31 Fasc. 1—4	dto.
Konv. 33 Fasc. 1/2	dto.
Konv. 34 Fasc. 1/2	dto.

c *Justizverwaltung*

Nr. 1964	Preuß. Hypotheken AG in Hessen (1868)
Nr. 1970	Errichtung der Darmstädter Bank (1853)
Nr. 1994	Die Erhaltung des Zollvereins
Nr. 1995	Der Entwurf einer Übereinkunft zwischen den deutschen Bundesstaaten zur Beförderung von Handel und Verkehr (1851)

(Die Handelsakten sind verbrannt)

SÄCHSISCHES LANDESHAUPTARCHIV Dresden

a *M Inn – Ministerium des Inneren*

Nr. 15 517	Deutscher Landwirtschaftsrat (1872–1889)
Nr. 15 526/1	Organisation der landwirtschaftl. Vereine (1878)
Nr. 6145/6146	Beziehungen zu Österreich (Die Akten der Zollkonferenzen 1852 ff. fehlen)

b *WM – Wirtschaftsministerium*

Nr. 669	Die Zollkonferenz in Berlin (1853)
Nr. 1029	Die Leipziger Bank (1870–1876)
Nr. 1031/1032	Die Allgemeine Deutsche Credit-Anstalt (1858)

c *Min. d. Ausw. – Ministerium des Auswärtigen*

Nr. 1034	Die deutsche Frage (1870/71)
Nr. 1073/1074	Korrespondenz (1878/79)
Nr. 1076/1077	dto. betr. Fürst Bismarck (1867–1924)
Nr. 1102/1103	dto. betr. die Reorganisation der Reichsbehörden (1874–1881)
Nr. 1119–1123	Korrespondenz mit AA (1878–1879)
Nr. 1226	dto. Reichsschatzamt
Nr. 5198/5199	Generalzollkonferenz (1853/54)
Nr. 5229–5231	Handelsvertrag mit Österreich (1851–1853)
Nr. 5253	Revision des Handelsvertrags mit Österreich (1866–1877)
Nr. 5676–5678	Der dt. Zolltarif
Nr. 5698–5703	Die Tarife für Gewebe, Veredlungswaren, Mineralöl, Wein und Getreide
Nr. 6806	Allgemeine Handelsvertragspolitik (1878–1911)
Nr. 6926–6928	Handelsvertrag mit Österreich (1876–1898)

d *FM – Finanzministerium*

Nr. 6527	Reform der direkten Steuern (1878–1879)
Nr. 6758–6767	Abänderung des Vereinstarifs (1871–1879)
Nr. 7004–7006	Erneuerung der Zoll- und Handelsverträge mit Österreich-Ungarn (1879–1882)
Nr. 7015	dto.
Nr. 9085	Veredlungsverkehr (1877–1889)

e *Gesandtschaftsakten*

München:	Nr. 68	Zollvertrag mit Frankreich (1862–1864)
Wien:	Nr. 118	Vertrag Preußen-Hannover (1851–1853)
	Nr. 119	Elbzölle (1852)
Berlin:	Nr. 233	Politische Berichte (1879)
	Nr. 2803	Zollvertrag von 1879
	Nr. 2849	Die Eisenquête
	Nr. 2972	Zoll- und Handelsverträge (1879–1880)

WÜRTTEMBERGISCHES HAUPTSTAATSARCHIV Stuttgart

a *E 14–16 Kabinettsakten*

Nr. 478–79	Geschäftsberichte
Nr. 528	Deutsche Angelegenheiten (1823–1890)
Nr. 791	Viehzucht, Viehmärkte und Wollmärkte (1819–1907)
Nr. 793–795	Gewerbe- und Handelsverhältnisse
Nr. 773	Centralstelle für Landwirtschaft (1862–1905)
Nr. 774	Centralstelle für Gewerbe und Handel (1847–1901)
Nr. 786	Versammlung dt. Landwirte, DHT etc.
Nr. 821	Kredit- und Rentenanstalten (1825–1899)
Nr. 1285/1286	Staatsschuldenverwaltung

b *E 33–34 Geheimer Rat*

F 28	Friedensvertrag mit Preußen
F 65, I–IV	Der Deutsche Zollverein (1829–1870)
F 67	Wahlen zum Zollparlament
F 76	Handelsvertrag mit Frankreich (1862–1865)
F 81	dto. mit Österreich-Ungarn (1862–1868)
K 145/146	Zollordnung und Zollvereinstarif (1830–1870)

c *E 47–48 Ministerium des Auswärtigen*

I, BA IV	Nr. 293	Bankwesen (1871–1910)
, BA VIII	Nr. 369–70	Zoll- und Handelssachen
	Nr. 397	Handelsvertrag mit Frankreich
	Nr. 399	dto. mit Rumänien
	Nr. 403	dto. mit der Schweiz
	Nr. 404	dto. mit Österreich-Ungarn
	Nr. 414	Handelsarchiv und Nachrichten für Handel und Industrie (1878–1920)

, BA IX	Nr. 462	Die Tarifreform (1873–1889)
	Nr. 465	Die Einheit des Eisenbahnwesens
	Nr. 471	Das internationale Eisenbahnfrachtgeschäft (1878–1892)
, BA XIV	Nr. 494	Preußische Militärgesetze in Württemberg
, BA XV	Nr. 531	Die Reichsanleihen
	Nr. 535	Die Reichsstempelabgaben
, BA XIX	Nr. 653	Der Ministerwechsel (1870–1919)
	Nr. 918	Die Ministerkrisis (1867)
	Nr. 930	Die Eisenproduktion in Württemberg
	Nr. 1164	Die österreichischen Staatsschulden
	Nr. 1279	Handakten betr. Münchner Konferenz (1867)

d *E 49–51 Ministerium des Auswärtigen*

BA VIII	Nr. 8	Revision des Italienischen Zolltarifs
	Nr. 11	Veredlungsverkehr mit Frankreich und Italien
	Nr. 32	Handelskammergutachten für Handelsverträge
	Nr. 60 gg	Handel mit Österreich-Ungarn
	Nr. 73	Erhebung über die Lage des Kleinhandels
	Nr. 80	Veredlungsverkehr mit Belgien
Verzeichnis 22		
Nr. 17/1, 4, 6, 7		Allgemeine Akten, Beschwerden, Eingaben und Instruktionen an BR (1873–1919)

e *E 70 Gesandtschaften*

Karlsruhe:	Fasc. 40 b	Handel und Industrie (1866/67)
Wien:	Büschel 66–81	Berichte aus Wien (2 Reihen E 70 und E 70 b) (1849–1878)

f *E 130–31 Staatsministerium*

W II, 4	Reichsstempel- und Erbschaftssteuerfragen
W III, 3 a	Tabaksteuer
W IV, 1	Zollgesetzgebung (1878/79)
W X	Reichsfinanzreform

WÜRTTEMBERGISCHES FILIALSTAATSARCHIV Ludwigsburg

a *E 143 – Innenministerium*

Büschel Nr. 4499–4502	Wahlinstruktionen, Wahlgesetze und Abstimmung zum Zollparlament
Nr. 4510–4516	Gewählte, Wahlberichte und Zollbundesratsverhandlungen (1868–1869)

b *E 146 – Innenministerium*

Nr. 847 (C 3.56)	Fabriken und Manufakturen
Nr. 848	dto.
Nr. 1082 (C 4.59)	Gründung der Centralstelle für Gewerbe und Handel
Nr. 1096 (C 4.64)	Gewerbe- und Handelangelegenheiten
Nr. 1111 (C 4.62)	Handelsvertrag mit Frankreich
Nr. 1118/19 (C 4.70)	Unterstützungen (1836–1875)

c *E 150–153 – Innenministerium*

Nr. 562 (G 7.17)	Akten Luz, Pfleiderer etc.
Nr. 571/574 (G 7.18)	Petitionen der Handels- und Gewerbekammern (1872–1899)
Nr. 652 (G 7.37)	Errichtung von Gewerbe- und Handwerksbank
Nr. 661 (G 7.39)	Handelsvertrag mit Belgien
Nr. 664 (G 7.40)	dto. mit Österreich-Ungarn (1865–1890)
Nr. 1972 (H 14.4)	Zollschutz für Baumwoll- und Leinenindustrie

d *E 170 – Centralstelle für Gewerbe und Handel*

Nr. 555	Änderung des Zolltarifs (1848–1869)
Nr. 556	Baumwollreichsenquete (1878)
Nr. 557	Änderung des Zolltarifs (1870–1886)
Nr. 567/568	Zollbehandlung von Baumwoll-Waren
Nr. 571–581	Zollbehandlung von Blei (und Waren), Bürstenbinderprodukte, Drogeriewaren, Eisen (und Waren) Erze und Erden, Flachs (und Produkte), Getreide, Glas (und Waren), Häute, Felle, Holz
Nr. 590–97	dto. Leinen (und Waren), Wein, Most, Papier und Pappe
Nr. 611	dto. Wolle (und Wollwaren)
Nr. 654	Nachlaß Mohl
Nr. 655/656	Zolltarif und Handelsvertrag mit Frankreich
Nr. 657/58	dto. mit Italien
Nr. 659/60	dto. mit Österreich-Ungarn

Nr. 706–708	Bankengründungen und Bankentwürfe
Nr. 782	Steinkohlenversorgung Württembergs
Nr. 942, 948, 950	Unterstützung der Weberindustrie
Nr. 981–987	dto.
Nr. 993	dto. im Oberamt Göppingen
Nr. 1009	Unterstützung der J. J. Müller AG Metzingen, Oberamt Urach
Nr. 1033–1039	dto. Unterstützung der Baumwollindustrie
Nr. 1048–1052	dto. im Oberamt Gmünd, Nagold, Stuttgart, Reutlingen, Tübingen
Nr. 1162–1165	dto. Unterstützungen Gewerbe- und Manufakturindustrie, u. a. in Pfullingen, Schelklingen
Nr. 1194	Einführung der Holzschuhmacherei in Oberamt Böblingen, Ellwangen, Gaildorf etc.

e *E 221 – Finanzministerium*

Fach 77, Fasc. 10	Anleihen an Bankhäuser (1832–1870)

f *E 222 – Finanzministerium*

Fach 156, Nr. 293	Jahresberichte der Handels- und Gewerbekammer
Fach 166, Nr. 513–520	Württemberg. Anleihen (1862–1876)
Nr. 525–533	dto. 1852–1869
Fach 180, Nr. 860	Heidelberger Finanzkonferenz
Fach 181, Nr. 879–881	Handelsvertrag mit der Schweiz
Fach 182, Nr. 885–887	dto. mit Frankreich
Nr. 891–894	dto. mit Österreich-Ungarn
Fach 183, Nr. 908	dto. 1836–1850
Nr. 919	Berichte aus Darmstadt (1864–1868)
Fach 185, Nr. 950–955	Erneuerung der Zollvereinsverträge (1852/66) und Änderung der Zollverhältnisse infolge 1866
Fach 189, Nr. 1043–1048	Zolltarifrevision (1842–1879)
Fach 190, Nr. 1049	dto. 1879/81
Fach 193, Nr. 1162	Bundesrat und Zollparlament (1867–1871)
Nr. 1163	Zollunion Österreich-Deutschland (Konferenzen Frankfurt, Dresden, Wien)
Fach 194, Nr. 1164–1174	Die Generalzollkonferenz von Kassel (1849–1851), Berlin (1852–1854), Darmstadt (1854–1856), Weimar (1855–1857), Hannover (1857–1859), Braunschweig (1859–1860), München (1861–1865), Dresden (1866)
Fach 194, Z 61, Nr. 125, Bd. 2, 3, 4, 6, 8, 11	Handakten OFR Riecke

II

Veröffentlichte Quellen

Die auswärtige Politik Preußens 1858–71. Dipl. Aktenstücke hrsg. von der Historischen Reichskommission; Oldenburg, 1933 ff, 10 Bde., Abt. I (1858–62), hrsg. Ch. Friese, Abt. 2 (1862–66), hrsg. R. Ibbeken fehlt Bd. VII, Abt. 3 (1866–71), hrsg. H. Michaelis, fehlen die letzten 3 Bde. 1869–71.

Gesammelte Werke Bismarcks, 15 Bde., 1924–35, Bd. I–VIc, Pol. Schriften, hrsg. H. v. Petersdorf, F. Thimme, W. Frauendienst. Bd. 7–9 Gespräche, hrsg. W. Andreas, Bd. 10–13 Reden, hrsg. W. Schüßler, Bd. 14/I/II Briefe, hrsg. W. Windelband und W. Frauendienst, Bd. 15 Erinnerung und Gedanke, hrsg. G. Ritter und R. Stadelmann.

Die große Politik der europäischen Kabinette 1871–1914. Sammlung der dipl. Akten des AA, hrsg. J. Lepsius, A. Mendelssohn-Bartholdy und F. Thimme, Bd. 1–6, Bln. 22.

Quellen zur deutschen Politik Österreichs 1859–1866, 5 Bde., hrsg. v. H. Ritter v. Srbik, Oldenburg 1934–1938.

Das Staatsarchiv. Sammlung der offiziellen Aktenstücke zur Gegenwart, begr. K. L. Aegidi und A. Klauhold, fortgeführt von E. und H. Delbrück, Bd. 1–20 (1860/80).

Die politischen Geheimverträge Österreich-Ungarns 1879–1914. Nach Akten des Wiener StA., hrsg. A. F. Pribram. 2 Bde., Wien 1920.

Les Origines Diplomatiques de la Guerre de 1870/71. Receuil des documents officiels, publ. p. l. ministère des affaires étrangères, 29 Bde., 1910–32.

Documents diplomatiques français 1871–1914, hrsg. dto., Serie 1, 1871–1900, 9 Bde., Paris 1929–39.

I Documenti diplomatici italiani. I. Serie 1861–1870, Bd. I, Rom 1952.

Aegidi K. L.: Woher und wohin? Ein Versuch, die Geschichte Deutschlands zu verstehen. Hbg. 1866 (4).

Aus der Vorzeit des Zollvereins. Beitrag zur deutschen Geschichte. Hbg. 1865.

(Und Klauhold): Die Krisis des Zollvereins. Hbg. 1862.

Andrássy, J.: Ungarns Ausgleich mit Österreich vom Jahre 1867. Lpz. 1897.

Anonym: Die Zollkonferenz zu Wien in ihren nothwendigen Folgen für das gesamte Deutschland. Lpz. 1852.

L'Association douanière allemagne ou le Zollverein, Paris 1859.

Der Nationalverein, seine Entstehung und bisherige Wirksamkeit. Coburg 1861.

Die Union Ungarns mit Österreich und Deutschland. Wochenschrift für Politik und Literatur. 1861, I S. 930 ff.

Vorwärts Preußen! Ein Mahnruf. Von einem Süddeutschen. Bln., Lpz. 1866.

Preußen und die deutsche Einheit. Lpz. 1866.

Graf Platen und seine letzte Denkschrift. Hildesheim 1866.

Der Preußenhaß. Beleuchtet von einem Süddeutschen. Lpz. 1867.

Der Nationalverein vor und nach dem Kriege. Wochenblatt des Nationalvereins 3/17. I. 1867.

Der preußische Liberalismus und das norddeutsche Parlament. Votum eines Kleinstaatlers zur gegenwärtigen Lage. Lpz. 1867.
Die Bedürfnisse und Bedingungen der deutschen Handelspolitik. Wochenschrift des Nationalvereins. 8. Mai 1860, Nr. 2.
Die Eisen-Industrie und die Handelsverträge. Ein Beitrag aus Westfalen zu einer Zeit- und Streitfrage. Elberfeld 1876.
Der Zollverein und seine hannoverschen Gegner. o. J., o. O.
Preußens Weltbestimmung. Bln. 1867.
Bayern und das politische Programm des Fürsten von Hohenlohe. München 1867.
Bayerns natürliche Gränzen. München 1867.
Der Zollverein und seine hannoverschen Gegner o. J.
Die Aufgabe Bayerns. Aus der Mappe eines bayrischen Publicisten veröffentlicht gelegentlich der Wahlen zum deutschen Zollparlament, Augsburg 1868.
Die Annexion der Geldbörse. Ein Beitrag zur Beurtheilung des preußischen Rechtsbewußtseins. Wien 69.
Gedanken über modernen Conservatismus und Aufruf an die Conservativen. Bln. 1870.
Anschütz, G.: Der deutsche Föderalismus in Vergangenheit, Gegenwart und Zukunft. Veröffentlichung der Vereinigung der deutschen Staatsrechtslehrer, Heft 1, Bln./Lpz. 1924.
Auerswald v. Q, hrsg: Bismarcks Briefe an R. v. Auerswald, 1860/61, Deutsche Rundschau, Bd. 209, 1926.
Bagehot: Die Berliner Emissionshäuser 1871–72, Bln. 1873.
Bamberger, L.: Herr von Bismarck, Breslau 1868.
Alte Parteien und neue Zustände, Bln. 1866.
Vertrauliche Briefe aus dem Zollparlament 1868–69–1870. Breslau 1870.
Die 5 Milliarden. Preuß. Jbb. 31.
Was uns der Schutzzoll bringt. Bln. 1879.
Gesammelte Schriften. 5 Bde., Berlin 1894–1897.
Baumgarten, H.: Süddeutschland. Preuß. Jbb. 1867, 20, S. 302 ff.
Der deutsche Liberalismus. Brl. 1867.
Wie wir wieder ein Volk geworden sind. Lpz. 1870.
Historische und politische Aufsätze und Reden. Straßburg 1894.
Baußnern, G. von: Die providentielle europäische Mission des österreichischen Gesamtstaates. Ein Beitrag zur Lösung der ungarisch-österreichischen Verfassungsfrage. Hermannsstadt. Selbstverlag 1866.
Beaulieu-Marconnay, Frhr. K. v.: Tagebuchblätter aus dem Jahre 1866. Erlebtes und Durchdachtes von einem deutschen Staatsmanne. Darmstadt/Lpz. 1867.
Becker, S.: Die deutschen Zoll- und Handelsverhältnisse in ihrer Beziehung zur Anbahnung der österreichisch-deutschen Zoll- und Handelsvereinigung. 1850.
Beiträge zur Beurteilung der Zollvereinsfrage. 1852.
Bennigsen, R. v.: Reden, hrsg. W. Schulze, F. Thimme, Bd. 1/Halle 1911.
Berichte über die Verhandlungen der Vereinigung der Steuer- und Wirtschaftsreformer zu Berlin 1876–1879.
Berichte über die Verhandlungen des Congreßes deutscher Volkswirthe 1874–1879.
Berichte über die Verhandlungen des Congreßes Deutscher Landwirte in Berlin ... 24./25. II. 1879 Berlin.
Berlepsch, August Baron v.: Die deutschen Mittel- und Kleinstaaten und die preußische Annexionspolitik. Dresden. H. Klemm 1862.

Bernhardi, T. v.: Zwischen zwei Kriegen. Tagebuchblätter 1867–1869. Lpz. 1901.
Bethusy-Huc, Graf: Offener Brief an meine Wähler. Kreuzburg 1867.
Bezold, E.: hrsg. Materialien der Deutschen Reichsverfassung. Brl. 1873.
Bluntschli, J. C.: Die nationale Bedeutung des Protestantenvereins für Deutschland. Brl. 1868.
Die nationale Staatenbildung und der moderne deutsche Staat. Brl. 1870.
Böhmert, V.: Die Entstehung des volkswirtschaftlichen Kongresses vor 25 Jahren. Vjschr. für Volkswirtschaft, Politik und Kulturgeschichte 21, 1884.
Boiteau, M. P.: Les traités de commerce. Paris 1863.
(Bosse, R.): Grundzüge conservativer Politik. Brl. 1868.
Brandenburg, E.: hrsg. Untersuchungen und Aktenstücke zur Geschichte der Reichsgründung. Lpz. 1916.
Friedrich Wilhelm IV., Briefwechsel mit Ludolf Camphausen (1848–1850), Brl. 1906.
Braun, K.: Vier Briefe eines Süddeutschen an den Verfasser der »Vier Fragen eines Ostpreußen«. Lpz. 1867.
Braun-Wiesbaden: Für die Verfassung des Norddeutschen Bundes. (Rechenschaftsbericht) 1867.
Braun-Wiesbaden: Randglossen zu den politischen Wandlungen der letzten Jahre. Aus den Papieren eines deutschen Abgeordneten. Bromberg 1878.
Brauer, A. v.: Die deutsche Diplomatie unter Bismarck. Deutsche Revue, 31, 1906, S. 69–78.
Bruck, Frhr. v.: Die deutsche Zolleinigung vom österreichischen Standpunkte. In: Die Aufgaben Österreichs. Lpz. 1860.
Czörnig, C. v.: Österreichs Neugestaltung 1848–1858. Stgt. 1858.
Die Denkschriften des k. k. österreichischen Handelsministers vom 30. Dez. 1849 und 30. Mai 1850 und die Depesche des k. k. österreichischen Ministers des Äußeren vom 21. Juli 1850 in Betreff der österreichisch-deutschen Zoll- und Handelseinigung. Lpz. 1850.
Denkschrift des Kaiserlich österreichischen Handelsministers über die Anbahnung der österreichisch-deutschen Zoll- und Handelseinigung. Lpz. 1850.
Denkschrift über die Verhandlungen wegen Abschlusses eines neuen Handels- und Zollvertrages mit Österreich-Ungarn. Bln. 1878.
Denkschrift der am 6. September 1858 in Wien versammelten Eisen-Industriellen. Wien. J. B. Wallishauser 1858.
Denkschrift des Vereins der österreichischen Industriellen, überreicht Sr. Excellenz dem Grafen Rechberg und Rothenlöwen. k. k. geheimem etc., Wien 1862.
Denkschrift des Vereins für Handelsfreiheit in Hamburg an den zweiten deutschen Handelstag in München betreffend die Reform der Zollvereinsverfassung. Hbg. H. G. Voigt, 1862.
Denkschrift des Vereins für Handelsfreiheit in Hamburg, betreffend die zukünftige Organisation des Zollvereins. Hbg. 1861.
Denkschrift des Vereins österreichischer Industrieller. Wien 1862.
Denkschrift über die Frage der Zolleinigung mit Deutschland. Prag 1849.
Der Deutsche Handelstag 1861–1911. Bd. I/II. Brl. 1911/13.
Dietzel, H.: Die Theorie von den drei Weltreichen. Brl. 1900.
Ditmar, W.: Der deutsche Zollverein. Lpz. 1867/68.
Dove, A.: hrsg. G. Freytag und H. v. Treitschke im Briefwechsel. Lpz. 1900.

Droysen, G.: Erinnerungen an Friedrich den Großen. Preuß. Jbb. 1866, Bd. 18, S. 392 ff.

Duckwitz, A.: Denkwürdigkeiten aus meinem öffentlichen Leben von 1841–1866. Bremen 1877.

Duncker, M.: Politischer Briefwechsel. 1923.

Ewald, H.: Die zwei Wege in Deutschland. Stgt. 1869.

Faber, J. F.: Süddeutschland nach dem Kriege. Seine Lage und Aufgaben. Deut. Vjschrift 1866, IV.

Festenberg-Packisch H. v.: Deutschlands Zoll- und Handelspolitik 1873–1877. Die zoll- und handelspolitischen Debatten im Deutschen Reichstag während der drei ersten Legislaturperioden. Brl. 1879.

Frantz, C.: Die deutschen Angelegenheiten auf dem preußischen Landtage. Deut. Vjschrift 1867, I. S. 72 ff.

Die Schattenseite des Norddeutschen Bundes vom preußischen Standpunkte aus betrachtet. Brl. 1870.

Die Naturlehre des Staates als Grundlage der Staatswissenschaft. Deut. Vjschrift 1868, III, IV., 1869 I, II, III.

Frauer, L.: Die Reform des Zollvereins und die deutsche Zukunft. Zur Versöhnung von Nord und Süd. Braunschweig 1862.

Freytag, G.: Die Zukunft des Königreiches Sachsen. Grenzboten, 1866, III, S. 241 ff.

Fröbel, J.: Österreich und die Umgestaltung des deutschen Bundes. Wien. Gerolds Sohn. 1862.

Gareis: Die Börse und die Gründungen. 1874.

Gauvain, H. v.: Ohne Krieg zum Frieden. Erlangen 1869.

Geyer, Ph.: Frankreich unter Napoleon III. o. O. 1865.

Glagau, O.: Der Bankrott des Nationalliberalismus u. d. Reaktion. Brl. 1878.

Der Börsen- und Gründungsschwindel in Berlin und Deutschland. Lpz. 1876/1877.

Goldenberg, A.: Über die projectierten Zollgesetze und die Handelskrise. Straßburg 1879.

Goldschmidt, H.: Aus den Papieren des Grafen Wilhelm Bismarck. Elsaß-Lothr. Jb. 15, 1936.

Goldschmidt-Jentner, K.: hrsg. Europa wendet sich an Bismarck, Hbg. 1838.

Groos, K.: Bismarck im eigenen Urteil. Stgt. 1920.

Groote, A.: Der Norddeutsche Bund, das Preußische Volk und der Reichstag. Lpz. 1867

Grothe, H.: Die wirtschaftliche Lage der Textilindustrie. 1876.

Haenel, A.: Die organisatorische Entwicklung der deutschen Reichsverfassung. (Studien zum deutschen Staatsrecht II, Lpz. 1880).

Hansemann, G.: Die wirtschaftlichen Verhältnisse des Zollvereins. Brl. 1863.

(Hansen, G.): Hannovers finanzielle Zukunft unter Preußens Herrschaft. Hannover 1867.

Hansen, J.: Rheinische Briefe und Akten zur Geschichte der politischen Bewegung 1830 bis 1850. (Publikationen der Gesellschaft für Rheinische Geschichtskunde XXXVI, I, Essen 1919 II, 1 1846–48, Bonn 1942.

Hausburg, O.: Landwirtschaftliche Zollpolitik. Brl. 1878.

Heyderhoff, J.: Franz v. Roggenbach und Julius Jolly. Politischer Briefwechsel 1844–1882. Zeitschr. f. Geschichte des Oberrhein. Bd. 86/87; 1933/34.

Heyderhoff, J./Wentzcke, P.: Deutscher Liberalismus im Zeitalter Bismarcks. Eine politische Briefsammlung. 2 Bde., Bonn 1925/26.

Hirth, G.: Annalen des Norddeutschen Bundes und des deutschen Zollvereins für Gesetzgebung, Verwaltung und Statistik, Brl. 1868 ff.

Hirth/Gosen: Tagebuch des deutsch-französischen Krieges 1870/71, 3 Bde., Lpz. 1871-1874.
Hock, C. Frhr. v.: Österreich und seine Bestimmung. Deutsche Vjschrift 1860, Heft I. S. 106—241.
Die Verhandlungen über ein österreichisch-deutsches Zollbündnis 1849—1864. Österreichische Revue 1864/66.
Holborn, H.: Bismarck und Schuwalow im Jahre 1875. Aktenstücke zur Geschichte der deutsch-russischen Beziehungen. In: HZ 130, 1924, S. 256 ff.
Holtzmann-Bohatta: Bruder-Krieg? Nein! Prinzipienkampf! Von einem Veteranen aus den Jahren 1813—1815. Brl. 1866.
Zur Parlamentswahl in Hannover. Hannover 1867.
Homburg, C.: Blut und Eisen! Die Grundfarben der neuen Karte Europas. Mannheim 1866.
Preußische Wegelagerei! Ernster Mahnruf zur Wachsamkeit f. ganz Europa. Mannheim 1866.
Inama-Sternegg, Th. v.: Die Tendenz der Groß-Staatenbildung in der Gegenwart. Innsbruck 1869.
(Jäger, O.): Preußen und Schwaben von einem Annektierten. Köln 1866.
Jäger O./F. Moldenhauer: Auswahl wichtiger Aktenstücke zur Geschichte des 19. Jhdts. Brl. 1893.
Jörg, J. E.: Krieg und Frieden — im europäischen Ensemble. In:
Historisch-politische Blätter für das katholische Deutschland 1866, Bg. 58, S. 53 ff.
Die Lage und Aussichten der österreichischen Monarchie. dto. 1866, 58, S. 618 ff.
Der fortschreitende Mediatisierungs-Prozeß im deutschen Süden. dto. 1867, 60, S. 73 ff.
Der napoleonische Besuch in Salzburg und dessen Bedeutung. dto. 1867, 60 S. 418 ff.
Juglar, C.: Des crises commerciales et de leur retour periodique en France, en Angleterre et aux Etats Unis. Paris 1860.
Kalchberg, Frhr. J. v.: Kleine Beiträge zu großen Fragen in Österreich. Lpz. 1860.
Der zollamtliche Veredlungsverkehr in Österreich, dem Zollverein und in Frankreich. Hildebrand's Jahrbücher, Bd. XVI., 1871.
Kaufmann, R. d.: L'Association douanière d l'Europe Centrale, Paris 1886.
Kerstorf, v.: Erfahrungen und Beobachtungen auf handelspolitischem Gebiet 1848—1862.
Ketteler, W. E. Frhr. v. Bischof: Deutschland nach dem Kriege von 1866. Mainz 1867.
Klopp, O.: Die preußische Politik des Fridericianismus nach Friedrich II., Schaffhausen 1867.
Das preußische Staatsministerium und die deutsche Reformfrage. Vom großdeutschen Verein zu Hannover. Hannover. Klindworth. 1863.
Kohl, H.: hrsg. Bismarck Jahrbuch, 6 Bde., Brl. 1894—1899.
Bismarckbriefe 1836—1873, Bielefeld 1900.
Bismarckbriefe N. F., 3 Bde., 1889—1891.
Briefe Bismarcks an Leopold v. Gerlach. Brl. 1896.
Die politischen Reden des Fürsten Bismarck. Historisch-kritische Gesamtausgabe, 14 Bde., Stuttgart 1892–1905.
Deutschlands Einigungskriege 1864–1871 in Briefen und Berichten der führenden Männer. Lpz. 1912.
Koller, A.: Archiv des Norddeutschen Bundes und des Zollvereins. Bd. 1—5, Brl. 1868 bis 1872.
Krausnick, H.: Neue Bismarck Gespräche. 4 unveröffentlichte Gespräche des Kanzlers mit österr.-ungar. Staatsmännern sowie ein Gespräch König Wilhelm II. Hbg. 1940.

Kübeck/Buháczek/Peez/Menger: Die Zollpolitik und die zwischen Österreich-Ungarn und den anderen Staaten abgeschloßenen Zoll- und Handelsverträge. Wien 1875.

Kühnert, H.: Briefe und Dokumente zur Geschichte des VEB Optik Jenaer Glaswerk Schott und Genossen; Die wissenschaftliche Grundlegung, Bd. I, 1882–1892, Veröff. d. Thür. Kommiss., hrsg. v. Th. Flach, Bd. III, Jena 1953.

La Marmora, A.: Un po'piu di luce sugli eventi politici e militari del'anno 1866, Firenze 1873.

Lasker, L.: Rede vom 28. April 1867 im I. Berliner Wahlbezirk. Brl. 1867.

Leyen, v. d.: Die Durchführung des Staatsbahnsystems in Preußen. Schmollers Jb. 7, 1883, S. 464 ff.

Leroy-Beaulieu, P.: La création d'une union douanière occidentale. Economiste français 1879, 1898.

De la colonisation chez les pouples modernes. Paris 1882.

Lette: Bericht des Präsidenten ... als Abgeordneten zum Reichstag des Norddeutschen Bundes an seinen Wahlkreis, Königsberg 1867.

(Lindau, P.): Die Reichstagswahlen in Elberfeld-Barmen. Elberfeld 1867.

Linden, Baron E.: Betrachtungen über Zeitfragen. Augsb. 1861.

Lindwurm, A.: Reformansprüche der Landwirtschaft in der Steuer- und Zollgesetzgebung im Deutschen Reich. Brl. 1876.

Löwe-Calbe: Die gegenwärtige innere und äußere Lage Preußens. Brl. 1864.

Lohren, A.: Grundzüge zur rationellen Bestimmung der Minimalzölle und Untersuchung der Ursachen des Verfalls der deutschen Industrie. Potsdam 1876.

Das System des Schutzes der nationalen Arbeit. Brl. 1880.

Die Reform der Handelsverträge. Potsdam 1876.

Lord, R. H.: The Origins of the War 1870. New Documents from the German Archives. Harvard Historical Studies, Bd. 28. Cambridge/Mass. 1924.

Marcks, E./Müller, K. A. v.: Bismarck-Erinnerungen. Aufzeichnungen von Mitarbeitern und Freunden des Fürsten in Verbindung mit A. v. Brauer gesammelt von ... 1924.

Marr, W.: Es muß alles Soldat werden! oder die Zukunft des Norddeutschen Bundes. Hbg. 1867.

Martens: Nouveau Receuil Général de Traités II. Serie III.

Marx, K./Engels, F.: Briefwechsel. Brl. 1949, 4 Bde.

Matlekovits: Die Zollpolitik der österreichisch-ungarischen Monarchie vom Jahre 1850 bis zur Gegenwart. Budapest 1877.

Meckel: Ein Wort vor dem Abschluß der neuen Handels- und Tarifpositionen. 1876.

Meisner, H. O.: hrsg. Kaiser Friedrich III. Tagebücher 1848–1866. Lpz. 1929.

Kaiser Friedrich III.: Das Kriegstagebuch von 1870/71. Brl./Lpz. 1926.

Meißner, L.: Der Entscheidungskampf in Mittel-Europa. Lpz. 1866.

Memor, A. (Gramont): l'Allemagne nouvelle 1863–67. Paris 79.

Meyer, R.: Die Berliner Banken. Brl. 1873.

Politische Gründer und die Korruption in Deutschland. Lpz. 1877.

Michaelis, O.: Volkswirtschaftliche Schriften. 2 Bde. Brl. 1873.

Michelet, C. L.: Über Preußens Bestimmung und Aufgabe. Brl. 1866.

Miquel, J. v.: Reden Bd. 1, hrsg. W. Schultze, F. Thimme. Halle 1911.

Mohl, Moriz: Bericht der volkswirtschaftlichen Commission der württembergischen Kammer der Abgeordneten über den preuß.-franz. Handelsvertrag und über die im Zusammenhang damit abgeschlossenen weiteren Verträge, Stgt. 1863.

Mahnruf zur Bewahrung Süddeutschlands vor den äußersten Gefahren. Denkschrift. Stgt. 1867.
Molinari, G. de: Une Union de l'Europe Centrale. Journal des Economistes 4ieme série. (1879).
Münster, Graf G. H. zu: Hannovers Schicksal vom Juni bis September 1866. Hannover 1866.
Oechelhäuser, W.: Der Fortbestand des Zollvereins und die Handelseinigung mit Österreich. Frkfrt. 1851.
Die wirtschaftliche Krisis. Brl. 1876.
Die Tarifreform von 1879. Brl. 1880.
Oncken, H.: Großherzog Friedrich I. von Baden und die deutsche Politik von 1854–1871, Briefwechsel, Denkschriften, Tagebücher, 2 Bde., Stgt. 1927.
Oppenheim, H. B.: Partei oder Coterie. Die Grenzboten. 1868/I, S. 161 ff.
Vor und nach dem Kriege. Stgt. 1869.
Osswald, J.: Der nationalen Arbeit Schutz! Ulm 1876.
Parisius, L.: Die Deutsche Fortschrittspartei 1861–1878. Politische Zeitfragen 9. Brl. 1878.
Deutschlands politische Parteien und das Ministerium Bismarck. Brl. 1878.
Peez, A.: Die amerikanische Konkurrenz. Wien 1880.
Payer, F.: Die deutsche Volkspartei und die Bismarcksche Politik. In: Patria, Jb. d. Hilfe. 1908.
Perrot, F.: Der Bank-, Börsen- und Aktenschwindel. 1873.
Die Reform des Zollvereins-Tarifes. Brl. 1874.
ders. anonym: Der große Schwindel und der große Krach. Rostock 1875.
Peterdorff, H. v.: hrsg. Bismarcks Briefwechsel mit Kleist-Retzow. Stgt. 1919.
Petrich, J.: Der erste preußische Präliminarentwurf in Nikolsburg 1866. Hist. Vjschrift, Jg. 30.
Pfeiffer, E.: Württemberg und sein Verhältnis zum Zollparlament und zum Nordbund. Ulm 1868.
Philipp, E.: hrsg. Bismarck. Vertrauliche Gespräche u. a. über Wilhelm II. Von seinem Anwalt JR F. Philipp aufgezeichnet und aus dessen Nachlaß. Dresden 1927.
Planck, K.: Sechs Vorträge, gehalten im Lokale der Bürgergesellschaft zu Ulm. 1866.
Süddeutschland und der deutsche Nationalstaat. Stgt. 1868.
Plener, E. Frhr. v.: Reden 1873–1911. Stgt. 1912.
Poschinger, H. v.: Fürst Bismarck und das Bankwesen. Schmollers Jb. 34.
Bankwesen und Bankpolitik in Preußen. 1878.
Fürst Bismarck als Volkswirt. Brl. 1889 (benützt Bd. 1).
Preußen im Bundestag 1852 bis 1859, 4 Bde. 1862–84.
Aktenstücke zur Wirtschaftspolitik des Fürsten Bismarck. Brl. 1890.
Bismarck und die Parlamentarier. 3 Bde. Breslau 1894.
Neue Tischgespräche und Interviews. 2 Bde. Stgt./Lpz. 1899.
Fürst Bismarck und der Bundesrat. 5 Bde. Stgt. 1897–1901.
Bluntschli: Zollparlamentsbriefe: in Deutsche Revue, 29. Jg. II., Stgt./Lpz. 1904.
Preußens Auswärtige Politik. 1850–1858. Unveröffentlichte Dokumente a. d. Nachlaß des Ministerpräsidenten O. v. Manteuffel, 3 Bde. 1902.
Also sprach Bismarck. Wien 1910/1911, 3 Bde.
Gespräche mit und über Bismarck. Deutsche Rundschau 46, 1, 1919.
Protokolle ... Drucksachen des Bundesrates des Deutschen Reiches 1871–1882.

Raschdau, L. v.: hrsg. Fürst Bismarck als Leiter der politischen Abteilung des Auswärtigen Amtes. Deutsch. Rundschau 149, 1911.
Aus dem literarischen Nachlaß des Unterstaatssekretärs Dr. Busch. Deutsche Rundschau 141.
Raspe G. C. H.: Der Deutsche Krieg. Güstrow 1870.
Rau, K. H.: Über die Krisis des Zollvereins im Sommer 1852. Heidelberg 1852.
Rentzsch, Dr. H.: Reorganisation des Zollvereins, in: Deutsche Jb. Bd. 4, Hft. 3, Brl. 1862.
Richter, E.: Die neue Zoll- und Steuervorlage. 1879.
Ringhoffer, K. hrsg.: Im Kampf für Preußens Ehre. Aus dem Nachlaß des Grafen Albrecht v. Bernstorff. Brl. 1906.
(Rochau, L. A. v.): Zur Orientierung im neuen Deutschland. Heidelberg 1868.
Roeder, C. D. A.: In Sachen Deutschland gegen Preußen. Mannheim 1866.
Rößler, C.: Preußen nach dem Landtag von 1868. Brl. 1862.
Rothfels, H.: Bismarck und der Staat. Ausgewählte Dokumente. Stgt. 1954.
Bismarck Briefe. Göttingen 1955.
Sachsen, Herzog von J. G.: Briefwechsel zwischen König Johannes v. Sachsen und den Königen Friedrich-Wilhelm IV. und Wilhelm I. von Preußen. Lpz. 1911.
(Samwer, K.) hrsg.: Die Dresdner Konferenzen. Mit Urkunden Brl. 1851, S. 297–376.
Schäffle, A.: Die Zolleinigung mit Österreich. Deutsche Vjschrift 1862 H. IV. S. 297 ff.
Der preußisch-französische Handelsvertrag, volkswirtschaftlich und politisch betrachtet, dto. 1862, H. III, S. 254–378.
Die Bundesreform und die großdeutsche Versammlung in Frankfurt. dto. 1863, H. I. S. 1–67.
Die westeuropäische Zollreform u. d. Lage der zollvereinsländisch-österreichischen Industrie. In: Zeitschrift f. Staatswissenschaft 1864–1865.
Das gesellschaftliche System der menschlichen Wirtschaft. Tübingen 1867[2].
Der »große Börsenkrach« des Jahres 1873. In: Aufsätze II, Tübingen 1886.
Schmettau, H. v.: Die Neugestaltung Deutschlands im Jahre 1866 naturgemäß aus der Vergangenheit entwickelt und dem deutschen Volke dargestellt. Brl. 1867.
Schmidt, A.: Preußens Deutsche Politik. 1875, 1806, 1849, 1866. Lpz. 1867.
Schmoller, G.: Die amerikanische Konkurrenz und die Lage der mitteleuropäischen besonders der deutschen Landwirtschaft. Schmollers Jb. 6/1882.
Schraut, M.: Die Organisation des Kredits. Lpz. 1883.
Die Handelsverträge und die Meistbegünstigungsklausel. Lpz. 1884.
Schreiber: Die preußischen Eisenbahnen und ihr Verhältnis zum Staat 1834–1874. Brl. 1874.
Schulz, K.: Getreidezölle. Wetzlar 1879.
Schweninger, E.: Dem Andenken Bismarcks. Lpz. 1899.
Seidenzahl, F.: Eine Denkschrift David Hansemanns vom Jahre 1856. Tradition 1960. S. 83 ff.
Soetbeer, A.: Die fünf Milliarden. Betrachtungen über die Folgen der großen Kriegsentschädigung. Brl. 1874.
Stein, L.: Volkswirtschaftliche Theorie. Deutsch-österreichische Theorie 1867, 1, S. 44 ff.
Stenographische Berichte über die Verhandlungen des Preußischen Hauses der Abgeordneten. 1852–1882.
Stenographische Berichte ... dto. Anlagen der Verhandlungen des deutschen Zollparlaments. 1868–1870.

Stenographische Berichte der Verhandlungen des deutschen Reichstages 1871–1881. dto. Anlagen zu den Berichten.
Stölpel, F.: Die Handelskrisis in Deutschland. Expedition des »Merkur« Frkfrt. 1875.
Thorwart, F.: Schulze-Delitzsch in: Hermann Schulze-Delitzsch, ges. Schriften und Reden V., Brl. 1913.
Thouvenel, L.: Le secret de l'empereur. Paris 1889, 2 Bde.
Toegel: Preußen und die deutsch-österreichische Zolleinigungsfrage. Brl. 1852.
Treitschke, H. v.: Briefe III, Lpz. 1920. (hrsg. M. Cornicelius).
Aufsätze, Reden und Briefe. Meersburg 1929. hrsg.: K. M. Schiller.
Parteien und Fraktionen. Preuß. Jbb. 27, 1871.
Der letzte Akt der Zollvereinsgeschichte. Altona 1880.
Parteien und Fractionen. Preuß. Jbb. 1871, Bd. 27, 1871.
Zehn Jahre Deutsche Kämpfe 1865–1874. Brl. 1874.
Treue, W.: Deutsche Parteiprogramme 1861–1954. Gött. 1954.
Triepel, H.: Zur Vorgeschichte der Norddeutschen Verfassung. Festschrift O. Gierke, Weimar 1911.
Türr, St.: Fürst Bismarck und die ungarischen Reminiscenzen aus dem Jahre 1866. Deut. Revue Bd. 25/1, 1900.
Twesten, K.: Was uns noch retten kann. Ein Wort ohne Umschweife. Brl. 1861 (anonym).
Der preußische Beamtenstaat. Pr. Jbb. 18 (1866).
Unruh, V.: Die Erwerbung der deutschen Eisenbahnen durch das Reich. 1876.
Unterredungen der russischen Botschafter Saburow und Orlow 1879. In: Kriegsschuldfrage. Jg. 6, 1928, S. 847 ff.
Valentin, V. hrsg.: Karl von Hofmann. Politische Briefe an Staatsminister Dalwigk. Deut. Revue, Stgt./Brl. 1912.
Mitteilungen des Vereins zur Wahrung des gemeinsamen wirtschaftlichen Interesses Rheinlands und Westfalens. 1870–1882.
Aus den Verhandlungen der (bayrischen) Kammer der Abgeordneten vom 21./22./23. X. 1867. Erlangen 1867.
Verträge und Verhandlungen über die Bildung und die Ausführung des deutschen Zoll- und Handelsvereins IV, Brl. 1858.
Verhandlungen, Mittheilungen und Berichte des Centralverbandes deutscher Industrieller 1876–1881.
Vetter, J.: Deutschlands Sieg über welsches Wesen und Deutschlands Recht auf Elsaß und Lothringen. Geschichtliche Abhandlungen 6, Karlsruhe 1870.
Vischer, L.: Die industrielle Entwicklung in Württemberg. Stgt. 1875.
Vitzthum v. Eckstädt, K. F. Graf: Österreichs und Preußens Mediatisirung die Conditio sine qua non einer monarchisch-parlamentarischen Lösung des deutschen Problems. Lpz. 1862.
Volkmuth, P.: Herr v. Ketteler, Bischof v. Mainz und der »sogenannte Beruf Preußens«. Brl. 1867.
Wagner, R.: Der erste Berliner Reichstag. Altenburg 1867.
Walder, E. hrsg.: Die Emser Depesche. Quellen zur neueren Geschichte, Bd. 27–29, Bern 1959.
Weber, M.: Politische Schriften. Tübingen 1961.
Weber, W.: Der deutsche Zollverein. Lpz. 1869.
Wehrenpfennig, W.: Das Zollparlament und seine Competenzerweiterung. Eine Warnung vor falschen Wegen. Preuß. Jbb. 1868, 21, S. 591 ff.

Weigert, M.: Die Erneuerung des deutsch-österreichischen Handelsvertrages und der Zolltarifentwurf der österreichischen Regierung. Brl. 1877.

Werder, B. v.: Aus Jahrzehnten deutsch-russischer Freundschaft. In: Berliner Monatshefte, Jg. 17, 1939.

Wertheim, F., Bericht über die österreichischen Vorschläge zur Zolleinigung mit Deutschland. Mü. 1862.

Westphalen, Graf, v.: Meine Stellung zur Politik »Bismarck«, Mainz 1868.

Wilhelm I., Deutscher Kaiser: Briefe an Politiker und Staatsmänner; bearbeitet v. J. Schultze, Bd. 1/Bd. 2. Stgt. 1924.

Wilmanns: Die goldene Internationale und die Notwendigkeit einer wirtschaftlichen Reform. Brl. 1876.

Windelband, W.: Bismarck u. Haymerle. Ein Gespräch über Rußland. Brl. Monatshefte 18. 1940.

Bismarck über das deutsch-russische Verhältnis 1880. In: Deut. Rundschau Bd. 258, 1939.

Wirth, M.: Geschichte der Handelskrisen. Frkfrt. 1883[3].

Witte, H.: Monarchie oder Demokratie? Greifswald 1867.

Zeitschrift des Kgl. preuß. Statistischen Bureau 3, 1863, S. 257 f.: Stimmen der preußischen Handelskammern und Kaufmännischen Corporationen aus dem Jahre 1863 über den deutsch-französischen Handelsvertrag.

Zoll-Enquête in Österreich. Wien 1859.

III

Memoiren und Biographien

Memoiren

Abeken, H.: Ein schlichtes Leben in bewegter Zeit. Brl. 1898.

Ballhausen, Lucius R. Frhr. v.: Bismarck – Erinnerungen. Stgt. 1920.

Bamberger, L.: Erinnerungen. hrsg. v. P. Nathan. Brl. 1899.
Die geheimen Tagebücher L. Bambergers: Bismarcks großes Spiel. hrsg.: E. Feder. Frkfrt. 1933.

Bebel, A.: Aus meinem Leben. 3 Bde. 1910—1914. Brl. 1946.

Benedetti, V. v.: Ma mission en Prusse. 1871.

Beust, Fr. F. Graf v.: Aus drei Vierteljahrhunderten Erinnerungen und Aufzeichnungen. 2 Bde. Stgt. 1887.

Bluntschli, J. C.: Denkwürdiges aus meinem Leben III, Nördlingen 1884.

Booth, J.: Persönliche Erinnerungen an den Fürsten Bismarck (hrsg. Poschinger) Hbg. 1899.

Brandi, P.: Essener Arbeitsjahre, Erinnerungen des Ersten Beigeordneten Paul Brandi, Beiträge zur Geschichte von Stadt und Stift Essen, Heft 75, 1959.

Brauer, A. v.: hrsg. H. v. Rogge: Im Dienste Bismarcks. Persönliche Erinnerungen von A. v. Brauer. Brl. 1936.

Bray-Steinburg, A. v.: hrsg. K. Th. v. Heigel: Denkwürdigkeiten aus meinem Leben. Lpz. 1901.

Busch, M.: Tagebuchblätter. 1899. 3 Bde.

Cahn, W.: Aus Eduard Laskers Nachlaß. Fünfzehn Jahre parlamentarischer Geschichte (1866—1880). Brl. 1902.

Dalwigk, R. Frhr. v.: Die Tagebücher des Frhr. v. Dalwigk-Lichtenfels aus den Jahren 1860—1871. hrsg. W. Schüßler. Lpz. 1921.

Diest, G. v.: Aus dem Leben eines Glücklichen. Brl. 1904.

Delbrück, R.: Lebenserinnerungen. 2 Bde., Lpz. 1905.

Eckhardt, J. v.: Lebenserinnerungen. 2 Bde. Lpz. 1910.

Elben, O.: Lebenserinnerungen. Stgt. 1931.

Ernsthausen, A. E. v.: Erinnerungen aus meinem Leben. Bd. III. Dresden 1910.

Freydorf, R. v.: Aus der politischen Korrespondenz des Präsidenten des badischen Ministeriums des Auswärtigen R. v. Freydorf. Deut. Revue 29. Jg. Stgt./Lpz. 1904.

Freytag, G.: Karl Mathy. Lpz. 1872.

Friesen, R. v.: Erinnerungen aus meinem Leben. 1881^2.

Fürstenberg, C.: Die Lebensgeschichte eines deutschen Bankiers. Brl. 1931.

Gerlach, H. v.: Erinnerungen eines Junkers. Brl. 1924.

Gerlach, E. L. v.: Aufzeichnungen aus seinem Leben und Wirken 1795—1877. Schwerin 1903.

Guttmann, B.: Schattenriß einer Generation 1888—1919. Stgt. 1950.

Hertling, G. v.: Erinnerungen aus meinem Leben. 2. Bde. Kempten/Mü. 1919, 1923.

Hohenlohe, A. v.: Aus meinem Leben. Frkfrt. 1925.

Hohenlohe-Schillingsfürst, Chlodwig Fürst zu: Denkwürdigkeiten. 3 Bde. Stgt. 1906/31.
Holstein, Fr. v.: Die geheimen Papiere F. v. Holsteins. Deutsche Ausgabe von W. Frauendienst. Göttingen 1956.
Hutten-Czapski, B. Graf von: Sechzig Jahre Politik und Gesellschaft. Brl. 1936.
Keudell, R. v.: Fürst und Fürstin Bismarck. Erinnerungen 1846 bis 1872. Brl./Stgt. 1901.
Kübeck, K. F.: Tagebücher. Wien 1909.
Lerchenfeld-Koefering, Hugo Graf von: Erinnerungen und Denkwürdigkeiten. 1843 bis 1925. Lpz. 1935.
Lucius, R. Frhr. von Ballhausen: Bismarck-Erinnerungen. Stgt/Brl. 1921.
Mittnacht, Frhr. v.: Erinnerungen an Bismarck. Stgt. 1904. Rückblicke. Stgt./Brl. 1909.
Mohl, R. v.: Lebenserinnerungen 1799—1875. 2 Bde. Stgt/Brl. 1904.
Moltke, H. v. Graf: Gesammelte Schriften und Denkwürdigkeiten. Brl. 1891.
Oetker, Fr.: Lebenserinnerungen. Kassel 1877—1885. 3 Bde.
Oldenburg, K.: Aus Bismarcks Bundesrat, 1878–1885, hrsg. W. Schüßler, 1929.
Plener, E. Frhr. v.: Erinnerungen. 3 Bde. Stgt. 1911—1923.
Radowitz, J. M. v.: hrsg. H. v. Holborn. Aufzeichnungen und Erinnerungen aus dem Leben des Botschafters 1839—1890. 2 Bde. Stgt. 1925.
Raschdau, L.: Ein sinkendes Reich. Erlebnisse eines deutschen Diplomaten im Orient 1877—1879. Brl. 1934.
Reyscher, A. L.: Erinnerungen aus alter und neuer Zeit. 1802/1880. Freiburg/Tübingen 1884.
Riecke, K. V. v.: Meine Wanderjahre und Wanderungen. Stgt. 1877.
Roon, Graf v.: Denkwürdigkeiten aus dem Leben. Sammlung von Briefen, Schriftstükken und Erinnerungen. Breslau 1892.
Denkwürdigkeiten aus dem Leben des General-Feldmarschalls Kriegsministers Grafen v. Roon. Breslau 1897.
Schneegans, A.: Memoiren. Brl. 1904.
Schäffle, A.: Aus meinem Leben. Bd. I. Brl. 1905.
Scholz, A. v.: Erlebnisse und Gespräche mit Bismarck. Stgt. 1922.
Schwabach, P. v.: Aus meinen Akten. Brl. 1927.
Schweinitz, W. v.: Denkwürdigkeiten des Botschafters Generals v. Schweinitz. 2 Bde., Brl. 1927.
ders. Briefwechsel. 1859–1901. Brl. 1928.
Siemens, W. v.: Lebenserinnerungen. Brl. 1916.
Suckow, A. v.: Rückschau des kgl. württembergischen Generals der Infanterie und Kriegsministers Albert v. Suckow. (hrsg. v. W. Busch). Tübingen 1909.
Tiedemann, C. v.: Aus sieben Jahrzehnten. 1909.
Thun, Leopoldine, Gräfin v.: Erinnerungen aus dem Leben. Innsbruck 1926.
Unruh, H. V. v.: Erinnerungen. hrsg. H. v. Poschinger. Stgt. 1895.
Wallich, H.: Aus meinem Leben. Brl. 1929.
Wiedenfeld, K.: Zwischen Wirtschaft und Staat. Lebenserinnerungen. hrsg. v. F. Bülow. Brl. 1960.
Wermuth, A.: Ein Beamtenleben. Brl. 1922.
Wilmowski, G. v.: Meine Erinnerungen an Bismarck. hrsg. M. v. Wilmowski. Breslau 1899.
Witte, F. C.: Lebenserinnerungen. Brl. 1936 (privat).

Biographien

Achterberg, E./Müller-Jabusch, J.: Lebensbilder deutscher Bankiers aus fünf Jahrhunderten. Frkfrt./M. 1963.
Andreas, W.: Franz Frhr. v. Roggenbach. Heidelberg 1933.
Arnst, P.: August Thyssen und sein Werk. Lpz. 1925.
Bachem, J.: Ludwig Windhorst. Freiburg 1912.
Bacmeister, W.: Louis Baare. Ein westfälischer Wirtschaftsführer aus der Bismarckzeit. Essen 1937.
E. Kirdorf. Der Mann/sein Werk. Essen 1936.
Baumgarten, H.: Staatsminister Jolly. Tübingen 1897.
Balke, W.: Gustav Mevissen und Ludolf Camphausen als Unternehmer. Wirtschaftspolitische Untersuchungen über das Wesen des praktischen und ökonomischen Liberalismus in Deutschland. Diss. Jena 1923.
Beer, B.: Louis Schwartzkopff. 1943.
Bein, A.: Fried. Hammacher. Lebensbild. 1824–1904. Brl. 1932.
Berdrow, W.: A. Krupp. 2 Bde. 1928.
Alfred Krupps Briefe 1826—1887. Brl. 1928.
Bergengrün, A.: David Hansemann. Brl. 1901.
Staatsminister A. v. Heydt. Lpz. 1908.
Berger, C.: Der alte Harkort. 1902.
Bernstein, A.: Schulze-Delitzsch. Leben und Wirken. Brl. o. J.
Beumer, F.: Lebensgeschichte v. W. Beumer. 1848—1926. Hbg. 1951. (privat)
Biegeleben, R. Frhr v.: Ludwig Frhr. v. Biegeleben. Ein Vorkämpfer des deutschen Gedankens. Wien 1930.
Bitter, J.: Guido Fürst Henckel von Donnersmarck. 1922.
Bloemers, K.: William T. Mulvany. Essen 1922.
Brandi, P.: Der Aufstieg Essens zur Industriemetropole – seine Erinnerung an Oberbürgermeister Erich Zweigert, Beiträge zur Geschichte der Stadt und Stift Essen, H. 60, 1940.
Broglie, Duc de: La Mission de M de Gontaut–Brion à Berlin. Paris 1896.
Bußmann, W.: Treitschke. Sein Welt- und Geschichtsbild. Göttingen 1952.
Caspary, A.: Ludolf Camphausens Leben. Stgt. 1902.
Charmatz, R.: Minister Frhr. v. Bruck. Der Vorkämpfer Mittel-Europas. Sein Lebensgang und seine Denkschrift. Lpz. 1916.
Conte Corti, E. C.: Der Aufstieg des Hauses Rothschild. Lpz. 1927.
Däbritz, W.: David Hansemann und Adolph v. Hansemann. Krefeld 1954.
Führende Persönlichkeiten des rheinisch-westfälischen Wirtschafts- und Soziallebens. In: Wirtschaftskunde für Rheinland und Westfalen 1, 1931.
Dehio, L.: Benedikt Waldeck. HZ 136.
(Delbrück): Einige Erinnerungen an den Staatsminister Rudolf von Delbrück. Dt. Rundschau 116, 1903.
Dorpalen, A.: Heinrich v. Treitschke. New Haven 1957.
Ebeling, W.: Friedrich Ferdinand Graf v. Beust. Sein Leben und vornehmlich staatsmännisches Wirken. Bd. II, Lpz. 1871.
Ehren, H.: Graf Franz v. Ballestrem. Breslau 1935.
Fischer, E.: Meister Lucius und Brünnig, die Gründer der Farbwerke Hoechst AG. In: Tradition 3, S. 65 ff.

Frankenberg, A. v.: Abraham Frhr. v. Oppenheim 1804–1878. (Mitteilungsblatt d. Industrie- u. Handelskammer zu Köln (1950).
Förster, E.: Adalbert Falk. Gotha 1927.
Franz, E.: Freiherr Ludwig v. d. Pfordten. Mü. 1938.
Freundt, F. A.: Emil Kirdorf. 1922.
Guhl, W.: Johannes von Miquel, ein Vorkämpfer deutscher Einheit. Brl. 1928.
Gwendolin, C. Lady: Life of Robert Marquis of Salisbury. London 1921.
Halle, E. v.: Ad. Soetbeer. ADB 54.
Hansemann, D., 1790–1864–1964, hrsg.: Handelskammer Aachen. Aachen 1964.
Hansen, J.: G. v. Mevissen 1815–1899. 2 Bde. Brl. 1906.
Hashagen, J.: Geschichte der Familie Hoesch. 2 Bde. Köln 1911/12.
Hegenscheidt, O.: Chronik der Familie Hegenscheidt. Breslau 1929.
Helfferich, K.: Rudolf v. Delbrück. Biograph. Jb. 1906. Brl.
Georg v. Siemens. 3 Bde. Brl. 1921–1923.
Hellwig, F.: C. F. v. Stumm-Halberg. Heidelberg/Saarbrücken 1936.
Henderson, W. O.: W. Th. Mulvany, an Irish Pioneer in the Ruhr. Explorations in Entrepreneurial History 5, 1953.
Prince-Smith and Free Trade in Germany. Econ. History Review 2, 1950.
Christian v. Rother als Beamter, Finanzmann und Unternehmer im Dienst des preußischen Staates 1810–1848. Zschr. f. d. Gesamte Staatswissenschaft 112, 1956.
Herre, F.: Der bayrische Botschafter H. L. v. Schweinitz und seine politische Gedankenwelt. Phil. Diss. Breslau, Schwerin 1933.
Herx, E.: Peter Franz Reichensperger als Wirtschafts- und Sozialpolitiker. Diss. rer. pol. Köln 1933.
Herzfeld, H.: Joh. v. Miquel. Sein Anteil am Ausbau des Deutschen Reiches bis zur Jahrhundertwende. (1866–1901). Detmold 1938.
Heskel, A.: Bürgermeister A. W. Lutteroth. Hbg. Geschichtsbl. d. Vereins f. Hbg. Geschichte 1927, IV. S. 98 ff.
Heye, G.: August Thyssen. Eine Unternehmergesalt. Diss. Brl. 1950.
Hoffmann, B.: Wilhelm v. Frick 1848–1924. München 1953.
Horstmann, F.: Dr. phil. h. c. Wilhelm Schmieding. Oberbürgermeister der Stadt Dortmund 1886–1910. Beiträge zur Geschichte Dortmunds und der Grafschaft Mark, Bd. 58, 1962.
Hüsgen, E.: Ludwig Windhorst. Köln 1907.
Jungnickel, F.: Staatsminister Albert v. Maybach. Stgt./Brl. 1910.
Kalkoff, H.: Nationalliberale Parlamentarier. 1867–1917. Brl. 1917.
Kardorff, S. v.: Wilhelm v. Kardorff. Brl. 1936.
Kellen, T.: Friedrich Grillo, Lebensbild eines Großindustriellen aus der Gründerzeit. Essen 1913.
Keßler, Harry, Graf: Walter Rathenau, sein Leben und sein Werk. Wiesbaden 1962.
Kißling, R.: Fürst Felix Schwarzenberg. Graz/Köln 1952.
Klopp, W. v.: Onno Klopp. 1950.
Krauss, E.: Ernst v. Bülow-Cummerow. Brl. 1937.
Ladenburg, K.: Sein Leben und sein Wirken von seinen Kindern und Enkeln dargestellt. Badische Biographien V, 1907.
Laslowski, E.: Die Grafen v. Ballestrem als oberschlesische Bergherren. Hist. Jb. 77. 1958.
Leuß, H.: Wilhelm Frhr. v. Hammerstein. Brl. 1905.

Lorenz, O.: Friederich, Großherzog v. Baden, Brl. 1902.
Matschoß, C.: Bosch und sein Werk. VDI-Verlag 1931.
Mayer, M.: Emil Kessler. Beiträge zur Geschichte der Technik und Industrie 14, 1924.
Mews, K.: Ernst Waldthausen. Essener Beiträge 41, 1913.
Mommsen, W.: J. v. Miquel, Bd. 1. Brl./Lpz. 1928.
Münch, H.: Adolf v. Hansemann. Mü. 1932.
Neubaur, P.: Matthias Stinnes und sein Haus. Mühlheim 1909.
Neuloh, O.: H. A. v. Berlepsch 1843—1926. Männer der deutschen Verwaltung 1963, S. 195 ff.
Oncken, H.: Rudolph Bennigsen, ein deutscher liberaler Politiker nach seinen Briefen und hinterlassenen Papieren. 2 Bde., Stgt. 1910.
Lassalle. Eine politische Biographie. Stgt./Brl. 1920³.
Pallmann, H.: Simon Moriz v. Bethmann und seine Vorfahren, Frkfrt. 1898.
Perlick, A.: Hegenscheidt und Caro. Zur Geschichte der beiden Unternehmergruppen im oberschlesischen Industrierevier. Tradition, 8, 1963, S. 172 ff.
Carl August Wilhelm Hegenscheidt (1823—1891) aus Altena, der Begründer der oberschlesischen Drahtindustrie. In: Der Märker 12, 1963.
Märckische Berg- und Hüttenleute im oberschlesischen Revier, In: dto. 7, 1958.
Philippson, M.: Max Forckenbeck. Ein Lebensbild. Dresden 1898.
Pinner, F.: Emil Rathenau. Lpz. 1918.
Puttkamer, A. v.: Staatsminister v. Puttkamer ein Stück preußischer Vergangenheit 1828—1900. Lpz. 1928.
Reichle, W.: Zwischen Staat und Kirche. Das Leben und Wirken des preußischen Kultusministers Heinrich v. Mühler. Brl. 1938.
Reininghaus, R. R.: Graf Friedrich zu Eulenburg, preußischer Minister des Innern, 1862—1878. Diss. Tübingen 1932.
Reitböck, G.: Der Eisenbahnkönig Strousberg und seine Bedeutung f. d. europäische Wirtschaftsleben. Beiträge f. d. Technik u. Industrie 7, 1924.
Richter, W.: Ludwig II. Mü. 1950.
Bismarck. 3 Bde., Frkfrt. 1962.
Riedler, E.: Emil Rathenau und das Werden der Großwirtschaft. Brl. 1916.
Riesser, J.: E. v. Mendelssohn-Bartholdy. Bank-Archiv 1909/10.
Ring, W.: Geschichte der Duisburger Familie Boeninger. Duisburg 1930.
Rössler, H.: Zwischen Revolution und Reaktion. Ein Lebensbild des Reichsfreiherrn v. Gagern. Göttingen 1958.
Samwer, K.: Zur Erinnerung an Franz v. Roggenbach. Wiesbaden 1909.
Schwann, M.: Ludolf Camphausen. 3 Bde. Essen 1915.
Schwarz, W.: A. Jewish banker in the nineteenth century in: Year Book Leo Baeck Inst. 3, S. 300 ff.
Simson, E. v.: Erinnerungen aus seinem Leben. Lpz. 1900.
Simson, B. v.: E. v. Simson. Lpz. 1901.
Soeding, E.: Die Harkorts. 2. Bde. Münster 1957.
Spethmann, H.: Franz Haniel. Sein Leben und sein Werk. Duisburg/Ruhrort 1956.
Srbik, Ritter H. v.: Metternich, Der Staatsmann und der Mensch I/II., 1925, III. 1954.
Stein, E. W.: Männer der Disconto-Gesellschaft und der Deutschen Bank. Düsseldorf 1957.
Steinthal, M.: H. Wallich. (Privatdruck).

Stern, Selma: Josel v. Rosheim, Befehlshaber der Judenschaft im Heiligen Römischen Reich, Deutscher Nation. Stgt. 1959.

Stutz, E.: Mein Großvater Gustav Müllensieffen 1799–1874. o. J. o. O.

Thimme, Fr.: Graf Eduard v. Bethusy-Huc. Der Gründer der Freikonservativen Partei (Nachruf W. v. Kardorff) Deutsche Revue Jg. 43, 1918.

Treue, W.: Die Egestorff. 1956.

Valentin, H.: Heinrich Bernhard Oppenheim. Ein Beitrag zur Geschichte des Deutschen Liberalismus 1819–1861. Korbach 1936.

Völkel: Wilhelm Hegenscheid. In: Oberschlesischer Wanderer 1943.

Westphal, E.: Ein ostdeutscher Industriepionier. Ferdinand Schichau in seinem Leben und Schaffen. Essen 1957.

IV

Zeitungen, Zeitschriften, Festschriften und Berichte

Bericht über den Handel und die Industrie von Berlin nebst einer Übersicht über die Wirksamkeit des Ältesten Kollegiums, erstattet von den Ältesten der Kaufmannschaft Berlin. Brl. 1850—1881.

Geschäftsberichte:

Deutsche Bank 1870—1882.
Dresdner Bank 1872—1882 (Festschrift 1872—1897) Dresden 1897.
Disconto-Gesellschaft 1852—1882 (Festschrift 1851—1871) Brl. 1901.
Darmstädter Bank 1856—1864, 1866—1882.
Hannoversche Bank 1873—1882, 1894—1900.
Barmer Bankverein 1871/72.
Allgemeine Deutsche Creditanstalt 1856—1882.
Schaaffhausenscher Bankverein 1848—1858, 1862—1868, 1871—1882.
Norddeutsche Bank 1856—1882.
Vereinsbank 1856—1858, 1868—1872, 1876/79.
Breslauer Disconto-Gesellschaft 1873—1876.
Schlesischer Bankverein 1856—1862, 1866—1879 (Festschrift 1856—1906).
Bergisch-Märkische Bank 1873–1882. (Festschrift 1871–1896). Düsseldorf 1896.
Bremer Bankverein 1872—1886.
Essener Creditanstalt 1872—1880.
Duisburg-Ruhrort-Bank 1875—1878.

Jahresberichte der Handelskammern:

Bochum — 1873—1881.
Breslau — 1864, 1866, 1870—1880.
Crefeld — 1875, 1876.
Kreis Dortmund — 1877—1879.
Kreis Essen — 1874—1880.
Ältesten Kammer Stettin — 1876—1877.
Stralsund — 1878.
Elberfeld-Barmen — 1867—1870.
Heidelberg 1879.
Frankfurt 1862—1880.
Mannheim 1865—1872, 1879.
der Kreis-Gewerbe- und Handelskammer von Mittelfranken 1871, 1873, 1879.
dto. der für Oberbayern 1877.
dto. Oberfranken 1874—1879.
dto. Stuttgart 1870—1879.
Heidenheim 1875.
Reutlingen 1869—1875.
Ulm 1876.
Lahr 1877/78.
Leipzig 1873—1880.
Rastatt 1879—1981.

Zeitungen/Zeitschriften

Handelsarchiv. Sammlung der neuen auf Handel und Schiffahrt bezüglichen Gesetze und Verordnungen des In- und Auslandes sowie statistische Nachrichten über den Zustand und die Entwicklung des Handels und der Industrie in der preußischen Monarchie (seit 1850: in Deutschland) und deren (dessen) Absatzgebiete. hrsg. von R. Delbrück und J. Hegel; seit 1850 hrsg. von G. v. Viebahn und Saint-Pierre, Jg. 1847–1860, Brl. 1847–1860. – Preußisches Handelsarchiv. Hrsg. von Moser und Jordan, bzw. Jordan und Stüve, Jg. 1861–1875 Brl. 1861–1875 – Jahrbuch für die amtliche Statistik des Preußischen Staates. Hrsg. vom kgl. statistischen Bureau, Brl. 1863–1881 – Jahresberichte des Vereins für bergbauliche Interessen im Oberbergamtsbezirk Dortmund, Essen 1861 ff. – Münchener Volkswirtschaftliche Studien, hrsg. von L. Brentano und W. Lotz, Bd. 11/15, 34–38, 43–48, 51–56, 78–85. – Vierteljahresschrift für Volkswirtschaft, Politik und Kulturgeschichte 1858 ff. – »Stahl und Eisen«, Organ des VDEStI, 1902–1930.

Berliner Revue 1866/67 – Preußische Jahrb. – Socialpolitische Wochenschrift – Historisch-politische Blätter f. das katholische Deutschland 1867–1870 – Deutscher Ökonomist – Deutsche Überseerundschau – Die Hilfe – Die Nation – Konservative Korrespondenz – Reichstags Wahlkorrespondenz der deutschen Fortschrittspartei 1876/77 – Plutus – Das Bank-Archiv – Allgemeine Zeitung (Augsburg) – Berliner Aktionär – Berliner Börsen-Courier – Berliner Börsen-Zeitung – Berliner Tagblatt – Bremer Handelsblatt – Der Tag – Deutsche Tageszeitung – Deutsche Revue – Deutsche Rundschau – Frankfurter Zeitung – Germania – Die Grenzboten – Hamburgische Börsen-Halle – Hamburgische Correspondenz – Hamburger Nachrichten – Karlsruher Zeitung – Kölnische Volkszeitung – Kölnische Zeitung – Kreuzzeitung – Nationalzeitung (Berlin) – Norddeutsche Allgemeine Zeitung – Nord und Süd – Ostsee Zeitung – Post – Rheinisch-westfälische Zeitung – Schwäbischer Merkur – Schwäbische Chronik – Vorwärts – Vossische Zeitung.

Festschriften

Die AEG (C. Matschoß) 1909.

Die AEG (P. Offermann / C. Hügelin) Brl. 1922.

Barmer Bank-Verein, Hinsberg Fischer & Co. (Poppelreuter u. G. Witzel). Essen 1918.

Bayrische Hypotheken- und Wechselbank, 1835–1905.

Bergisch-Märkische Bank. Bericht über das 25jährige Bestehen der ... 1896.

Bank des Berliner Kassenvereins 1850–1900.

Berliner Banken im Wandel der Zeit. Zum 75jährigen Bestehen von Hardy & Co. 1956 (E. Achterberg).

Burkhardt & Co., Privatbankiers im Herzen des Ruhrgebietes. (H. Wisskirchen), Tradition, 2, 1957.

Bankhaus Campe & Co. Die Gestalt des Privatbanquiers. Bielefeld 1953.

Danziger Privataktienbank 1857–1907.

Dortmunder Bankverein 1878–1903.

Bankhaus Erlanger. London 1928.

100 Jahre Frankfurter Getreide- und Produktenbörse 1862–1962. Frkfrt. 1962. (F. Lerner).

100 Jahre Frankfurter Hypothekenbank. Im Spannungsfeld der Zeit. Darmstadt 1962. (G. v. Klass).

Von der Frankfurter Gewerbekasse zur Frankfurter Volksbank – Die hundertjährige Geschichte einer mittelständischen Bank. Frkfrt. 1962. (F. Lerner).
Freiburger Gewerbebank. 1866–1906.
Hannoversche Bank. 1856–1906.
Hildesheimer Bank. 1866–1911.
100 Jahre Deutsche Hypothekenbank. Wesen und Werden privater Hypothekenbanken in Deutschland. Bremen 1962. (E. Achterberg).
Bestand im Wandel, dargetan an der 100jährigen Geschichte des Frankfurter Privatbankhauses Heinrich Kirchholt vormals Gebr. Sulzbach 1856–1956. Frkfrt. 1956.
Mitteldeutsche Kreditbank. 1856–1906.
Mitteldeutsche Privatbank AG, 1856–1911. Düsseldorf 1912. (Pfahl).
Norddeutsche Bank in Hamburg (H. Wulff) 1856–1906.
Ostbank für Handel und Gewerbe 1857–1907.
Die Preußische Staatsbank – Seehandlung 1772–1922. Brl. 1922.
Rostocker Bank 1850–1910.
Erinnerungsschrift zum 50jährigen Bestehen des A. Schaaffhausenschen Bankverein 1898. Köln.
Die Geschichte des Bankhauses der Gebr. Schickler. 200jähr. Bestehen. Brl. 1912. (F. Lenz u. O. Unholtz).
Schlesischer Bankverein, 1856–1906. Breslau.
Schweizerische Bankgesellschaft 1862–1912–1962. Zürich 1962.
Die Entwicklung des Niederrheinisch-Westfälischen Steinkohlenbergbaus in der zweiten Hälfte des 19. Jahrhunderts. X. Bd. Brl. 1904.
Festschrift des Hörder Bergwerkvereins. 1902.
dto. der Diskonto-Gesellschaft Berlin. 1851–1901.
dto. Eichhorn & Co. 175jähriges Bestehen. 1903.
100 Jahre Eisenbahn. (hrsg. v. REB) 1935.
80 Jahre Eisen- und Stahlwerk Hoesch. Heidelberg/Duisburg 1951.
75 Jahre Eisenwerks-Gesellschaft. Maximilianshütte. 1928.
Fünfviertel Jahrhundert Neunkirchner Eisenwerk und Gebrüder Stumm. Mannheim 1935.
50 Jahre Chemische Fabrik Fridingen. G. Rübelmann. 1899–1949. Viernheim 1949.
Gasmotorenfabrik Deutz. (C. Matschoß) 1909.
Achtzig Jahre Maschinenfabrik Deutschland AG. Dortmund. Darmstadt 1952.
50 Jahre Carlswerk 1874–1924. Felten & Guilleaume AG. Mühlheim/Köln. (Jutzi) 1926.
Die Berliner Handelsgesellschaft in einem Jahrhundert deutscher Wirtschaftt 1856–1956. (R. E. Lüke). Brl. 1956.
125 Jahre Industrie- und Handelskammer Aachen. (A. Huyskens). Aachen 1929.
Gedenkwort zum 100jährigen Bestehen der Industrie- und Handelskammer in Bochum. Bochum 1956.
Handelskammer Brünn, Festschrift. Brünn 1909.
Industrie- und Handelskammer Wuppertal 1831–1956. Festschrift zum 125jährigen Jubiläum. (W. Köllmann) 1956.
Der Deutsche Handelstag 1861–1911. (hrsg. vom DHT). Bd. I/II. Brl. 1911.
125 Jahre Niederrheinische IHK Duisburg-Wesel. 1956.
V. d. Heydt Kersten & Söhne zum 150jährigen Bestehen 1904.
Aachen, Hütten AG. in Rote Erde 1846–1906. (W. Rabius). In: Volkswirtschaftliche und wirtschaftsgeschichtliche Abhandlungen, hrsg. W. Stieda Nr. 8. Jena 1907.

Die Burbacher Hütte 1856—1906. 1906.
Donnersmarkhütte. Denkschrift zum 50jährigen Bestehen. Breslau 1923.
200 Jahre Halberger Hütte 1756—1956. (Fr. Kloevekorn). Saarbrücken o. J.
Ein Jahrhundert Henrichshütte Hattingen, 1954. (hrsg. Rauterkus, H.).
Festschrift zur Hundertjahrfeier der Dortmunder Hörder Hüttenunion AG. 1852—1952. Essen 1952.
Die Geschichte der Ilseder Hütte (W. Treue). Peine 1960.
Gute Hoffnungshütte. 1810—1910.
Harpener Bergbau AG., 1856—1936. Essen 1936.
1802—1902. Die Gründung und Weiterentwicklung der Königshütte (Oberschlesien). (hrsg. O. Junghann). Festschrift Berlin 1902.
Die Bergwerks- und Hüttenverwaltung des oberschlesischen Industriebezirks. (hrsg. H. Voltz). Kattowitz 1892.
Geschichte des schlesischen Bergbau- und Hüttenwesens. Ztschr. für Berg-, Hütten- und Salinenwesen, 50. 1902. (hrsg. H. Fechner).
75 Jahre Verein deutscher Eisenhüttenleute 1860–1935. (hrsg. W. Däbritz). Düsseldorf 1935.
125 Jahre Glashütte Witten-Crengeldanz. Fürth 1951.
50 Jahre Ingenieur-Arbeit in Oberschlesien. Eine Gedenkschrift, bearbeitet von C. Matschoß. Brl. 1907.
100 Jahre Augsburger Kammgarn-Spinnerei 1836—1936. (hrsg. W. Genzmer). Augsburg 1936.
Einhundert Jahre Kammgarnspinnerei Kaiserslautern 1857—1957. Mainz 1957.
Berlins Aufstieg zur Weltstadt. Verein Berliner Kaufleute und Industrieller. Brl. 1929.
Die Korporation der Kaufmannschaft von Berlin. Festschrift zum 100jährigen Jubiläum am 2. März 1910.
Festschrift zum 100jährigen Bestehen der Korporation der Kaufmannschaft zu Stettin. 1921.
Norddeutscher Lloyd 1857—1957. (G. Bessel). Bremen 1957.
L. Loewe & Co. (C. Matschoß). 1929.
100 Jahre Borsig-Lokomotiven. 1937.
Geschichte der MAN. (C. Matschoß). Beiträge zur Geschichte der Technik und Industrie, 5. 1913.
Ein Jahrhundert deutscher Maschinenbau. (C. Matschoß) 1919.
Die nationalliberale Partei 1867—1892. Zum Gedächtnis ihres 25jährigen Bestehens. Lpz. 1892.
Das Haus Röchling und seine Unternehmungen (hrsg. A. Tille). Privatdruck 1907.
100 Jahre Anker Teppiche. Düren 1954.
Die Gesellschaft »Verein« in Essen. Essen 1928 (hrsg. Borchardt).
150 Jahre Kölner HK. (hrsg. v. Br. Kuske). Köln 1947.
Die Schichau-Werft in Elbing, Danzig und Pillau. 1837—1912.
Geschichte der Frankfurter Zeitung. Frkfrt. 1911.
Stollberger Zink. Die Geschichte eines Metalls. Aachen 1957.

V

Allgemeine Hilfsmittel, Statistik, Darstellungen

Allgemeine Hilfsmittel, Statistik

Adressbuch der Direktoren und Aufsichtsräte. Hrsg. Curt Mossner / H. Arends. Brl. 1911, 15/17.

E. Anderson: Statistic on the Prussian Elections of 1862 and 1863. Univ. Press. Nebraska 1954.

Oxford Economic Atlas of the world. Hrsg.: Economist Intelligence Unit and the Cartographic Department of the Clarendon Press Oxford 1954.

Aufsess, O.: Die Zölle des deutschen Reichs. In: Hirths Annalen. 1886.

Deutscher Aufstieg. Bilder aus der Vergangenheit und Gegenwart der rechtsstehenden Parteien. Hrsg. v. H. v. Arnim und G. v. Below. Brl. 1925.

Die Bevölkerung des deutschen Reiches 1867—1871. In: Jb. für Nationalökonomie und Statistik, 19/1872.

International Bibliography of Historical Sciences. Hrsg. M. Francois/N. Toln, Paris 1926ff.

Mitteleuropa- Bibliographie. Schrifttum 1919—1934. Bd. 1. (Mitteleuropäische Wirtschaftsfragen NF 2). Hrsg. V. Korck/J. Stack.

Westfälische Bibliographie zur Geschichte, Landeskunde und Volkskunde. (Hrsg. R. Schetter). In: Veröffentlichungen der Historischen Kommission des Provinzialinstitutes für Westfälische Landes- und Volkskunde XXIV. München 1955.

E. Neuss: Werksgeschichte und Unternehmerbiographie in Mitteldeutschland. In: Tradition 1960.

Allgemeine Deutsche Biographie. Hrsg. v. d. Historischen Kommission bei der Bayrischen Akademie der Wissenschaft 1875—1912. dto. Neue Deutsche Biographie 1953 ff.

I. J. Brugmans: Statistiken van de Nederlandse Nijverheid uit de eerste Helft der 19e Eeuw. In: Rijks Geschiedkundige Publicatien, Grote Serie 98. S'Gravenhage 1956.

H. G. Caasen: Die Steuer- und Zolleinnahmen des Deutschen Reiches 1872—1944. Diss. Bonn 1953.

H. Corsten: Hundert Jahre deutscher Wirtschaft in Fest und Denkschriften. Köln 1937.

E. Engel: Statistische Darstellung der deutschen Industrie 1875 und 1861. Brl. 1880.

Der einheitliche deutsche Eisenbahn-Gütertarif. In: Jb. f. Nationalökonomie und Statistik. 1880 NF 1.

K. G. Faber: Die national-politische Publizistik Deutschlands von 1866 bis 1871. Düsseldorf 1963.

P. Gerstfeldt: Beiträge zur Statistik der Finanzen in Preußen. In: Jb. der Nationalökonomie und Statistik. NF VII, 1883.

Fr. Neubert: Deutsches Zeitgenossenlexikon. Bibliographisches Handbuch deutscher Männer und Frauen der Gegenwart. Lpz. 1905.

Handbuch der Deutschen Aktiengesellschaften. In: Jb. d. deutschen Börsen. Brl./Lpz. 1901—1912.

Handbuch, Genealogisches, des Adels. 1951 ff.
Dto. der bürgerlichen Familien. (Deutsches Geschlechterbuch). Bd. 1. 1889 ff.
Konservatives Handbuch. Brl. 1894.
Handbuch der Sozialdemokratischen Parteitage I-II. 1863–1913. Hrsg. v. W. Schröder. Mü. 1910–1915.
Handbuch wirtschaftlicher Vereine und Verbände des Deutschen Reiches. Hrsg. vom Hansa-Bund. Brl./Lpz. 1913.
Handwörterbuch der Staatswissenschaften. Hrsg. L. Elster 1923–1929.
Dto. der Soziologie. Hrsg. A. Vierkandt. 1952 ff.
Dto. der Sozialwissenschaften. Hrsg. v. J. Jecht/R. Schaeder. 1952 ff.
F. Hellwig: Die werksgeschichtliche Forschung in der rheinisch-westfälischen Großindustrie. Stahl und Eisen 61/1941.
G. Hermes: Statistische Studien zur wirtschaftlichen und gesellschaftlichen Struktur des zollvereinten Deutschlands. In: Archiv für Sozialwissenschaft und Sozialpolitik. Bd. 63. 1930.
G. Hirth: Zolltarif des Deutschen Zollvereins vom 1. VI. 1868 ab gültig. Bes. Abdruck aus dem IV. Heft Annalen. Brl. 1868.
Hölling, A.: Das deutsche Volkseinkommen von 1852 bis 1913. Eine statistisch-methodische Untersuchung. Diss. 1955. Münster.
O. Hübner: Geographisch-statistische Tabellen aller Länder der Erde. 1852–1920.
A. Jacobs und H. Richter: Die Großhandelspreise in Deutschland 1792–1934. Sonderdruck 37. Institut für Konjunkturforschung. Brl./Hbg. 1935.
J. Kahn: Geschichte des Zinsfußes in Deutschland seit 1815. Stgt. 1884.
Kotelmann, A.: Vergleichende statistische Übersicht über die landwirtschaftlichen und industriellen Verhältnisse Österreichs und des deutschen Zollvereins sowie seiner einzelnen Staaten. 1852.
Kral, F.: Geldwert und Preisbewegung im deutschen Reich 1871–1884. Jena 1887.
Kramm, H.: Bibliographie historischer Zeitschriften. 1952.
Krökel, C.: Das preußisch-deutsche Zolltarifsystem in seiner historischen Entwicklung seit 1818. Jb. für Nationalökonomie und Statistik, Supplementheft 7. Jena 1881.
Jb. Biographisches und Deutscher Nekrolog. Brl. 1913.
Lebensgänge deutscher Wirtschaftspersönlichkeiten. Hbg./Lpz./Brl. 1929.
V. Loewe: Schlesische Bibliographie, I. Breslau/Oppeln 1927.
V. Neumann-Spallart: Geldwert und Preisbewegung im Deutschen Reiche 1871–1884. Jena 1887.
Mollat, W: Oechelhäuser, W., Rheinisch-westfälische Wirtschaftsbiographie. Bd. I. 1932.
E. Pfohl/E. Friedrich: Die deutsche Wirtschaft in Karten. Brl. 1928.
F. Redlich: Anfänge und Entwicklung der Firmengeschichte und Unternehmerbiographie. BH 1, Tradition 1959.
H. Richtering: Firmen und wirtschaftsgeschichtliche Quellen in Staatsarchiven. In: Westfälische Forschung 10.
H. Rister: Bibliographie zur Sozial- und Wirtschaftsgeschichte des gesamtoberschlesischen Industriegebietes 1935–1951. 1951.
Rössler-Franz: Sachwörterbuch zur deutschen Geschichte. Mü. 1952.
H. Rosenberg: Die nationalpolitische Publizistik Deutschlands vom Eintritt der neuen Ära in Preußen bis zum Ausbruch des deutschen Krieges. 2 Bde. Mü. 1935.

Schmitz, O.: Bewegung der Warenpreise in Deutschland von 1851—1902. Brl. 1903.
Schultheß: Europäischer Geschichtskalender. Mü. 1861 ff.
M. Sering: Geschichte der preußisch-deutschen Eisenzölle von 1818 bis zur Gegenwart. Lpz. 1882.
Vierteljahresheft zur Statistik des Deutschen Reiches für das Jahr 1873, Heft 1.
Kaiserlich Statistisches Amt: Statistisches Jb. f. d. Deutsche Reich. 1880–1882, 1891 bis 1904.
Statistik der Seeschiffahrt. Hrsg. vom Kaiserlichen Statistischen Amt. Brl. 1875.
A. Soetbeer: Produktion der Edelmetalle während der Jahre 1849—1863. In: Vjheft f. Volkswirtschaft 1856.
K. Strauß: Die deutsche überseeische Auswanderung der Jahre 1871—1884. In: Jb. für Nationalökonomie und Statistik NF. XII, 1886.
F. Thorwart: Die Entwicklung des Banknotenumlaufes in Deutschland von 1851—1880. Dto. NF VII, 1883.
Viebahn, v.: Statistik des zollvereinten und nördlichen Deutschland, Bd. II/III. 1862—1868.
Auswärtiger und überseeischer Warenverkehr des deutschen Zollgebiets und der Zollausschüsse im Jahre 1872—1890. Hrsg. v. Kaiserlichen Statistischen Amt.
O. Wiedfeldt: Statistische Studien zur Entwicklungsgeschichte der Berliner Industrie 1770—1890. 1898.
Die wirtschaftliche Entwicklung des rheinisch-westfälischen Steinkohlen-Bergbaues in der zweiten Hälfte des 19. Jhdts. Brl. 1904.

Darstellungen

Abel, W.: Geschichte der deutschen Landwirtschaft vom frühen Mittelalter bis zum 19. Jhdt. In: Deutsche Agrargeschichte II, Stgt. 1962.
Adam, R.: Der Liberalismus in der Provinz Preußen zur Zeit der neuen Ära und sein Anteil an der Entstehung der Deutschen Fortschrittspartei. In: Altpreußische Beiträge Festschrift. Königsberg 1933.
Albers, P.: Reichstag und Außenpolitik 1871—1879. Brl. 1927.
Amann, T.: Die Stellung der deutschen politischen Gruppen zum Habsburger Staat in den Jahren 1859—1866. Diss. Hbg. 1948.
Anderson, E. N.: The social and political conflict in Prussia 1858–1864. Lincoln 1954.
Anonym: Die Bank. Niedergang des Privatbankiers. 1912.
Anschütz, G.: Das preußisch-deutsche Problem. In: Recht und Staat in Geschichte und Gegenwart 22, 1922.
Arlinghaus, F. A.: The Kulturkampf and the European diplomacy. Cath. Hist. Revue 28, 1942.
Ashley, P.: Modern Tarif History Germany-United Staates-France. London 1920.
Ashton, T. S.: The Industrial Revolution. A Study in Biography. London 1937.
Augst, R.: Bismarcks Stellung zum parlamentarischen Wahlrecht. Lpz. 1913.
Averdunck, H./Ring, W.: Geschichte der Stadt Duisburg. 2. Aufl., neu bearbeitet 1949.

Baasch, E.: Hamburgs Handel und Verkehr im 19. Jahrhundert. In: Illustriertes Export-Handbuch der Börsenhalle 1901—1903.
Die Handelskammer zu Hamburg 1665—1815. 2 Bde. Hbg. 1915.
Geschichte Hamburgs 1814—1918. Stuttgart 1924, Bd. I.
Bachem, C.: Vorgeschichte — Geschichte und Politik der deutschen Zentrumspartei. Bd. II-V., Köln 1927—1929.
Bachteler, K.: Die öffentliche Meinung in der italienischen Krise und die Anfänge des Nationalvereins in Württemberg 1859. Tüb. 1934.
Bähren, E.: Strukturwandel der Wirtschaft des Siegerlandes im 19. Jahrhundert. 1931.
Baedeker, G.: A. Krupp und die Entwicklung der Gußstahlfabrik. Essen 1888.
Ballod, K.: Deutschlands wirtschaftliche Entwicklung. In: Schmollers Jb. 24.
Bammel, E.: Die Mitteleuropafrage in der Frankfurter Nationalversammlung. Diss. Bonn 1944.
Bandmann, O.: Die deutsche Presse und die nationale Frage 1864—1866. Diss. Lpz. 1909.
Baumgarten, O.: Freihandel und Schutzzoll als Mittel der Agrarpolitik in der Zeit von 1860 bis zur Gegenwart. 1935.
Bank, R.: Geschichte der sächsischen Banken mit besonderer Berücksichtigung der Wirtschaftsverhältnisse. Diss. Berl. 1896.
Barleben, I.: Mülheim an der Ruhr, Beiträge zu seiner Geschichte von der Erhebung zur Stadt bis zu den Gründerjahren 1959.
Barth: Die Anfänge des Bankwesens in Hannover. Diss. Hann. 1911.
Baske, S.: Praxis und Prinzipien der preußischen Polenpolitik von 1849—1871. Diss. Hbg. 1959.
Baumann, W.: Der Güterverkehr über den St. Gotthardpaß vor der Eröffnung der Gotthardbahn unter besonderer Berücksichtigung der Verhältnisse im frühen 19. Jahrhundert. Zürich 1954.
Bazant, J. von: Die Handelspolitik Österreich-Ungarns 1875—1892 in ihrem Verhältnis zum Deutschen Reiche und zu dem westlichen Europa. Lpz. 1894.
Bechtel, H.: Wirtschaftsgeschichte Deutschlands, Bd. III, Mü. 1956.
Beck, F.: Die wirtschaftliche Entwicklung in der Stadt Greiz während des 19. Jahrhunderts. Ein Beitrag zur Geschichte der Industrialisierung in Deutschland. Weimar 1955.
Becker, F.: Die Städte der Münsterschen Bucht. Diss. Münster 1924.
Becker, O.: Bismarcks Bündnispolitik. Brl. 1923.
Bismarck und die Einkreisung Deutschlands. Bd. I. Brl. 1925.
Der Sinn der dualistischen Verständigungsversuche Bismarcks vor dem Kriege 1866; HZ. 169, 1949, S. 204 ff.
Wie Bismarck Kanzler wurde. Festschrift Scheel. Kiel 1952.
Bismarcks Ringen um Deutschlands Gestaltung. (Hrsg. von Alexander Scharff). Heidelberg 1958.
Beckerath, H. von: Großindustrie und Gesellschaftsordnung. Tübingen/Zürich 1954.
Beer, A.: Die Finanzen Österreichs im 19. Jahrhundert. Prag. 1877.
Behrens, H.: Der erste Kokshochofen des rheinisch-westfälischen Industriegebietes auf der Friedrich-Wilhelm-Hütte. Rhein. Vjbl. Nr. 25. 1960.
Below, G. v.: Nationalstaat u. Nationalwirtschaft.
Unionsstaat und Unionswirtschaft. Mitteleuropa. In: Conradsche Jahrbücher 1916.
Beiche, F.: Bismarck und Italien. Ein Beitrag zur Vorgeschichte des Krieges 1866. Hist. Studien. Bg. 208. Brl. 1931.

Bein, L.: Die Industrie des sächsischen Vogtlandes, Die Textilindustrie. 1884.
Benedikt, H.: Die Anfänge der Industrie in Niederösterreich. Donauraum 2, S. 200 ff.
Berger, L.: Der alte Harkort. Lpz. 1902[4].
Berger, O.: Mülheim an der Ruhr als Industriestadt. Diss. Köln 1931.
Bergstraesser, L. und Mommsen, W.: Geschichte der politischen Parteien in Deutschland. Mü. 1965[11].
Bertram, W.: Jacob Mayer. Rheinisch-Westfälische Wirtschaftsbiographie, VI. Bd. Münster 1954.
Bessell, G.: Preußentum, Hanseatentum und ihre Bedeutung f. d. Entstehung des deutschen Reiches. In: Preuß. Jbb. 216, 1929.
Beushausen, G.: Zur Strukturanalyse parlamentarischer Repräsentation in Deutschland vor der Gründung des Norddeutschen Bundes. Diss. Hbg. 1926.
Beutin, L.: Das Bürgertum als Gesellschaftsstand im 19. Jahrhundert. Bl. f. deutsche Landesgeschichte, Nr. 90, 1954.
Beutin, L.: Bremen und Amerika. Zur Geschichte der Weltwirtschaft und den Beziehungen Deutschlands zu den Vereinigten Staaten. Bremen 1953.
Die Praxis und die Wirtschaftsgeschichte. In: Vortrag der Gesellschaft f. westfälische Wirtschaftsgeschichte. Dortmund 1955. Heft 3.
Geschichte der südwestfälischen Industrie- und Handelskammer zu Hagen und ihrer Wirtschaftslandschaft. 1956.
Benaerts, P.: Les Origines de la Grande Industrie Allemande. Paris 1933.
Biedermann, K.: Dreißig Jahre deutsche Geschichte 1840—1870. Von der Thronbesteigung Friedrich Wilhelm IV. bis zur Aufrichtung des neuen deutschen Kaisertums. 2 Bde. 1881/82. 4. Aufl. 1896.
Biermann, W.: Franz Leo Benedikt Waldeck. Paderborn 1928.
Biermer, M.: Die deutsche Handelspolitik im 19. Jahrhundert. Greifswald 1899.
Binkley, R. L.: Realism and Nationalism 1852—1871. 1935.
Bissing, W. Frhr. v.: Autoritärer Staat und pluralistische Gesellschaft in den ersten Jahrzehnten des Bismarckschen Reiches. Schmollers Jbb. 83, 1963.
Block, H.: Die parlamentarische Krisis der nationalliberalen Partei 1879–1880. Münster 1930.
Bloch, Ch.: Les relations entre la France et la Grande-Bretagne de 1871—1878. Univ. Paris 1954.
Bluhm, J. G.: 50 Jahre Eisenbahn in Preußen. Statistische Darstellung der Entwicklung. Brl. 1888.
Blum, O.: Die Grundzüge des europäischen Verkehrs. In: Zschr. f. Geopolitik, Brl. 1924.
Blumenberg, H.: Die Konzentration im deutschen Bankwesen. Diss. phil. Heidelberg 1905.
Die Finanzierung der Neugründungen und Erweiterungen von Industriebetrieben in Form der AG während der fünfziger Jahre des 19. Jahrhunderts in Deutschland, am Beispiel der preußischen Verhältnisse erläutert. In: Wiss. Ztschr. d. Hochschule f. Ökonomik 3/1957.
Bock, H.: Treitschke auf dem Turnfest zu Leipzig 1863. In: Theorie und Praxis der Körperkultur, VIII, 1957.
Böhler, E.: Die Konkurrenz als Organisationsprinzip der Wirtschaft. Schweizerische Ztschr. f. Volkswirtschaft und Statistik 86, Jg. 1950. S. 381 ff.
Böhmert, V.: Die Stellung der Hansestädte in Deutschland in den letzten 3 Jahrzehnten. In: Vjschr. f. Volkswirtschaft und Kulturgeschichte 1, 1863.
Boelke, S.: Krupp und die Hohenzollern. Brl. 1956.

Böthlingk, A.: Bismarck als Nationalökonom, Wirtschafts- und Sozialpolitiker. Lpz. 1908.
Boese, F.: Geschichte des Vereins für Sozialpolitik 1872–1932. Brl. 1939.
Bösselmann, K.: Die Entwicklung des deutschen Aktienwesens im 19. Jhdt. Brl. 1939.
Bondi, G.: Deutschlands Außenhandel 1815–1870. Brl. 1958. In: Schriften des Institutes f. Geschichte.
Bonin, G. Hrsg.: Bismarck and the Hohenzollern Candidature for the Spanish Throne. The Documents in the German Diplomatic Archives. London 1957.
Booms, H.: Die deutsch-konservative Partei. In: Beiträge zur Geschichte d. Parlamentarismus und politischen Parteien H. 3. Düsseldorf 1954.
Der Norddeutsche Bund und seine Erweiterung zum Kaiserreich. In: Hdb. des Deutschen Staatsrechts 1, Tübingen 1930.
Bopp: Die Tätigkeit der deutschen Reichsbank 1867–1914. In: Weltwirtschaftliches Archiv 22.
Borchard, H. H.: 50 Jahre preußisches Ministerium für Handel und Gewerbe 1879–1929. Brl. 1929.
Bismarck als preußischer Handelsminister. In: Zschr. f. Politik 19. 1929/30. S. 576 ff.
Born, W.: Die wirtschaftliche Entwicklung der Saar. Großeisenindustrie seit der Mitte des 19. Jahrhunderts. 1919.
Bornkamm, H.: Die Staatsidee im Kulturkampf. HZ 169, 1949.
Borell, A.: Die soziologische Gliederung des Reichsparlaments als Spiegelung der politischen und ökonomischen Konstellation. Diss. Gießen 1933.
Born, K. E.: Von der Reichsgründung bis zum Ersten Weltkrieg. In: Gebhardt, Hdb. d. deutschen Geschichte. Bd. III, 1960[8]. Stgt. S. 194 ff.
Sozial-politische Probleme und Bestrebungen in Deutschland von 1848 bis zur Bismarckschen Sozialgesetzgebung. In: VSWG 46, 1959, S. 29 ff.
Borries, K.: Preußen im Krimkrieg. Stgt. 1930.
Zur Politik der deutschen Mächte in der Zeit des Krimkrieges und der italienischen Einigung. HZ 151, 1935, S. 294 ff.
Bornhak, C.: Der Reichskanzler. In: Gesetz und Recht 11, 1910, 510 ff.
Bornemann, H.: Die deutsch-russischen Handelsbeziehungen in der zweiten Hälfte des 19. Jhdts. Brl. 1957.
Bosc, L.: Zollallliancen und Zollunionen in ihrer Bedeutung für die Handelspolitik in Vergangenheit und Zukunft. Brl. 1907.
Borch, H. v.: Obrigkeit und Widerstand. Zur politischen Soziologie des Beamtentums. Tübingen 1954.
Boyle, L.: The German Nationalverein. In: Journal of Central European Affaires 16, 1957, S. 333 ff.
Bowen, R. H.: The roles of government and privat enterprise in German industriel growth 1870–1914. In: Journal of Economic History. Bd. 10. 1950.
Bracher, K. D.: Außen- und Innenpolitik. In: Staat und Politik, Frkfrt. 1959, S. 30 ff.
Betrachtungen über den Primat der Außenpolitik. In: Fränkel-Festschrift 1963, S. 115ff.
Brandau, G.: Ernteschwankungen und wirtschaftliche Wechsellagen von 1874–1913. Jena 1936.
Brandenburg, E.: 50 Jahre nationalliberale Partei. Brl. 1917.
Die Reichsgründung. 2 Bde. 2. Aufl. Lpz. 1922 mit Anhangsbd. »Untersuchungen und Aktenstücke«. Lpz. 1916.
Der Eintritt der süddt. Staaten in d. norddt. Bund. Lpz. 1910.

Deutsche Einheit. In: Historische Vjschr. Bd. 30, 1936. S. 757–770.
Von Bismarck zum Weltkriege. Die deutsche Politik in den Jahrzehnten vor dem Kriege, dargestellt auf Grund der Akten des Auswärtigen Amtes. Brl. 1925².
V. Brandt: Geld- und Kreditverhältnisse in Ostasien. In: Bankarchiv 1909/10, IX, S. 193–215.
Brentano, L.: Über eine zukünftige Handelspolitik des Deutschen Reichs. Schmollers Jbb. 9, 1885.
Der Unternehmer. In: Volkswirtschaftliche Zeitfragen H. 225. Brl. 1907.
Konkrete Grundbedingungen der Volkswirtschaft. Ges. Reden u. Aufsätze NF II, 1924.
Brepohl, W.: Der Aufbau des Ruhrvolkes im Zuge der Ost-West-Wanderung. Recklinghausen 1948.
Brinkmann, C.: Weltpolitik und Weltwirtschaft im 19. Jahrhundert. 1921.
Die Aristokratie im kapitalistischen Zeitalter. Grundriß der Sozialökonomie IX, 1, Tübingen 1926, S. 22 ff.
Die Umformung der kapitalistischen Gesellschaft in geschichtlicher Darstellung. In: Grundriß der Sozialökonomie 9, 1, 1926.
G. Schmoller und die Volkswirtschaftslehre. 1937.
Zur Wirtschaftsgeschichte der Unternehmungen. Brl. 1942.
Entwicklung und Gestaltung der rheinischen Wirtschaft. Schmollers Jbb. 1942, Jg. 66, S. 297 ff.
The Place of Germany in the Economic History of the Nineteenth Century. In: Economic History Review IV, 1945.
Lebensform und Wirtschaftsform. Tübingen 1950.
Brodnitz, G.: Bismarcks nationalökonomische Anschauungen. Jena 1902.
Brockdorff, Graf F. v.: Deutsche Handelspolitik im 19. Jahrhundert, insbes. 1879. Diss. Erlangen 1900.
Brockhage, B.: Zur Entwicklung des preußischen Kapitalexports. Staats- und sozialwissenschaftliche Forschungen, H. 148. Lpz. 1910.
Brown, M. L.: The monarchial principle in Bismarckian Diplomacy after 1870. In: The Historian Bd. 15. 1952.
Bruggen, E. v.: Die drei großen Siege preußisch-deutscher Staatskunst. In: Baltische Monatsschrift Bd. 19, 1870, S. 384 ff.
Brunner, O.: Neue Wege der Sozialgeschichte. Vorträge und Aufsätze. Göttingen 1956, S. 7 ff., 194 ff.
Zum Problem der Sozial- und Wirtschaftsgeschichte. In: Zschr. für Nationalökonomie, 7, 1936, S. 672 ff.
Europäische Strukturen. In: Wissenschaft und Weltbild 3, 1950, S. 200 ff.
Bry, G.: Wages in Germany 1871–1945. Princeton 1960.
Buchner, Fr.: Geschichte der Gutehoffnungshütte. Oberhausen 1935.
Buck, H.: Zur Geschichte der Produktionskräfte. Brl. 1960.
Bueck, H. A.: Der Centralverband Deutscher Industrieller und seine dreißigjährige Arbeit von 1876 bis 1901, 3 Bde., Brl. 1903.
Bühler, M.: Die Stellung Württembergs zum Umschwung der Bismarckschen Handelspolitik. 1878/79. Tübingen/Göppingen. Diss. 1935.
Buescher, A.: Die Reichsgründung aus gesamtdeutscher Sicht. 1961. In: Historisch-politische Hefte der Ranke-Gesellschaft 5.
Buff: Das Kontokorrentgeschäft im deutschen Bankgewerbe. In: Münchner Volkswirtschaftliche Studien 61. Stgt. 1904.

Bullock, A. / Deakin F. W.: The Oxford History of Modern Europe 1954 ff.
Busch, W.: Bismarck und die Entstehung des Norddeutschen Bundes. HZ 103, 1909, S. 52 ff.
Buss, G.: Die Berliner Börse von 1865—1913. Brl. 1913.
Bußmann, W.: Zwischen Revolution und Reichsgründung. Die politische Vorstellungswelt L. Bambergers. In: Festschrift S. A. Kaehler. Düsseldorf 1950.
Wandel und Kontinuität der Bismarck-Wertung. In: Welt als Geschichte 15, 1955, S. 126—136.
Das Zeitalter Bismarcks. In: Leo Just, Hrsg.: Handbuch der deutschen Geschichte III, 2. Konstanz 1956.
Königliche Armee — Volksheer. Zur Geschichte des preußischen Heereskonflikts in den sechziger Jahren. In: Schicksalsfragen der Gegenwart. Hrsg. vom Bundesministerium d. Verteidigung. Tübingen 1957.
Zur Geschichte des deutschen Liberalismus im 19. Jahrhundert. HZ 186, 1958. S. 527 ff.
Buwert, H.: Die wirtschaftlichen Fragen in der deutschen Nationalversammlung von 1848. Diss. Erlangen 1921.
Cameron, R. R.: Founding the Bank of Darmstadt. In: Exploration in Entrepreneurial History Bd. 8, Nr. 3, S. 113 ff.
Some French Contributions to the Industrial Development of Germany 1840—1870. Journal of Economic History 16, 1956.
Calker, F. v.: Bismarcks Verfassungspolitik. Mü. 1924.
Carroll, E. M.: Germany and the Great Powers 1866–1914. A study in public opinion and foreign policy — Prentice Hall History Series. New York 1938.
French public opinion on the war with Prussia in 1870. American Historical Review, Bd. 31, 1926.
Carsten, W.: Geschichte der Hansestadt Elbing. 1937.
Case, Lynn, M. French Opinion and Napoleon IIIs Decision of Sadow. In: Public Opinion Quarterly XIII 1949—1950, S. 441 ff.
Chabod, F.: Storia della politica estera italiana dal 1870 al 1896. Bari 1951.
Charmatz, R.: Österreichs innere Geschichte von 1848 bis 1907. Lpz. 1911.
Cieslak, T.: Bismarckowska ustawa antysocjalistyczna z 21. X. 1878. Torun 1952.
Clapham, J. H.: The economic Development of France and Germany 1815—1914. Cambridge 1921.
Clark, W. Chester: Franz Joseph and Bismarck. The Diplomacy of Austria before the War of 1866. Cambridge 1934.
Bismarck, Russia and the Origins of the War of 1870. In: Journal of Modern History, Bd. 14. 1942.
Cleff, W.: Zeche Rheinpreußen. 1932.
Cohn, S.: Die Finanzen des Deutschen Reiches seit seiner Begründung. Brl. 1899.
Der Staat und die Eisenbahnen. In: Jb. für Nationalökonomie und Statistik, 1879, Nr. 33, S. 1 ff.
Cohen, E.: Worte Bismarcks. In: Erinnerungen an Bismarck. Hrsg. A. v. Brauer, E. Marcks, K. A. v. Müller. Stgt./Brl. 1915[4].
Coman, K.: The Industrial History of the United States. New York 1910.
Conrad, J.: Der Großgrundbesitz in Schlesien. In: Conrads Jbb. 70. 1898.
Conte Corti, F.: Das Haus Rotschild. 1927.
Conze, W.: Die Strukturgeschichte des technisch-industriellen Zeitalters als Aufgabe für

Forschung und Unterricht. In: Arbeitsgemeinschaft für Forschung des Landes Nordrhein-Westfalen 66. Köln/Opladen 1957.
Staat und Gesellschaft im deutschen Vormärz. 1815—1848. Stgt. 1962.
Craig, G. A.: Portrait of a political general E. v. Manteuffel and the constitutional conflict in Prussia. In: Political Science Quarterly, Bd. 66. 1951.
The Politics of the Prussian Army 1640—1945. Oxford 1955.
Croce, B.: Geschichte Europas im 19. Jahrhundert. Stgt. 1950².
Croner, J.: Die Geschichte der agrarischen Bewegung in Deutschland. Brl. 1909.
Croon, H.: Die Einwirkungen der Industrialisierung auf die gesellschaftliche Schichtung der Bevölkerung im rheinisch-westfälischen Industriegebiet. In: Rhein. Vjbl. Jg. 20, Bonn 1955, S. 301 ff.
Curtius, J.: Bismarcks Plan eines Volkswirtschaftsrates. Heidelberg 1909.
Czastek, O.: Österreich und der polnische Aufstand im Jahre 1863. Diss. Wien 1950.
Czoja, M.: Der industrielle Aufstieg der Beuthen-Simianowitzer und Tarnowitzer-Neudecker Linie der Henckel v. Donnersmarck bis zum Weltkrieg. Diss. Mü. 1936.
Däbritz, W.: Die Gewinn- und Verlustkonten der rhein.-westfälischen Provinzial-Großbanken. In: Zschr. für die gesamte Staatswissenschaft 70, 1914, S. 479 ff., Nr. 75, 1920, S. 25 ff.
Denkschrift zum 50jährigen Bestehen der Essener Credit-Anstalt. 1872—1922. Essen 1922.
Bochumer Verein f. Bergbau und Gußstahlfabrikation in Bochum. Düsseldorf 1934.
Entstehung und Aufbau des rheinisch-westfälischen Industriebezirks. In: Beitr. zur Geschichte der Technik und Industrie. 1925.
Aus der Entstehungszeit des rheinisch-westfälischen Industriereviers. In: Deutsches Adelsblatt 45, 1927, S. 387 ff.
Gründung und Anfänge der Disconto-Gesellschaft Berlin. Ein Beitrag zur Bank- und Wirtschaftsgeschichte Deutschlands. Mü./Lpz. 1931.
Der deutsche Unternehmer in seiner landwirtschaftlichen Bedingtheit. In: Deutsche Zschr. für Wirtschaftskunde 1, 1936.
Daerr, M.: Beust und die Bundesreformpläne im Jahre 1859. In: Neues Archiv für sächs. Geschichte Bd. 52. 1931.
Dahlkötter, E. M.: Franz von Roggenbachs politische Zeitkritik. Diss. Göttingen 1952.
Dahrendorf, R.: Soziale Klassen und Klassenkonflikt in der industriellen Gesellschaft. Stgt. 1957.
Demokratie und Sozialstruktur in Deutschland. In: Dahrendorf, Gesellschaft und Freiheit. Mü. 1961, S. 260 ff.
Dawson, W. H.: Bismarck and state socialism. An exploration of the social and economic legislation of Germany since 1870. London 1890.
Dehio, L.: Zur November-Krise des Jahres 1859. FBPG XXXV 1923.
Edwin v. Manteuffel und der Kaiser. Ein unbekanntes Kapitel aus der Geschichte der siebziger Jahre. In: Deutsche Rundschau 206, 1926.
Die preußische Demokratie und der Krieg von 1866. FBPG 39, 1927, S. 258 f.
Die Pläne der Militärpartei und der Konflikt (1871/72). In: Deutsche Rundschau Bd. 213, 1927.
Die Taktik der Opposition während des Konfliktes. HZ 140, 1929, S. 335 ff.
Bismarck und die Heeresvorlage der Konfliktzeit. HZ 144, 1931.
Beiträge zu Bismarcks Politik im Sommer 1866 unter Benutzung der Papiere Keudells. In: FBPG Bd. 46, 1934.

Demeter, K.: Aus dem Kreis um Bismarck in Frankfurt am Main. In: FBPG Bd. 48, 1936, S. 294 ff.
Die soziale Schichtung des deutschen Parlaments seit 1848. In: VSWG 39, 1952, S. 1-29.
Das deutsche Offizierkorps in Gesellschaft und Staat 1650–1845. Frkfrt. 1964.
Demmler, F.: Bismarcks Gedanken über Reichführung. Dargestellt auf Grund der neuesten Quellen und staatsrechtlich beurteilt. Diss. Tübingen 1934.
Deuerlein, E.: Der Bundesratsausschuß für auswärtige Angelegenheiten 1870 bis 1918. Regensburg 1955.
Devers, A.: La politique Commerciale de la France depuis 1860. In: Schr. d. Vereins f. Sozialpolitik, Bd. 51, 1892.
Dhombres, P.: Les Relations internationales de 1870 à nos jours. Paris 1946.
Dieckmann, R.: Die Verschuldung des ländlichen Grundbesitzes in Preußen, Sachsen, Baden, Württemberg und Hessen. In: Conrads Jbb. 64.
Dietrich, R.: Von der Residenzstadt zur Weltstadt. Festgabe Meinecke. Tübingen 1952.
Dietzel, H.: Bismarck. Charakteristik seiner Verfassungs-, Wirtschafts- und Sozialpolitik im Rahmen seiner nationalen Politik. HdWb. d. Staatswissenschaft III, 1909[3].
Dill, R. W.: Der Parlamentarier E. Lasker und die parlamentarische Stilentwicklung der Jahre 1867—1884. Diss. Erlangen 1956.
Dilthey, F. O.: Die Entwicklung der Baumwollindustrie im niederrheinischen Industriebezirk. 1908.
Diouritsch, G.: L'expansion des banques allemandes à l'étranger. Paris 1909.
Dittrich, J.: Bismarck, Frankreich und die Hohenzollernkandidatur. Diss. Freiburg 1948.
Bismarck, Frankreich und die Hohenzollernkandidatur. In: Die Welt als Geschichte, Jg. 13, 1953. (Zusammenfassung der Dissertation).
Dittrich, J.: Bismarck, Frankreich und die spanische Thronkandidatur der Hohenzollern. Die Kriegsschuldfrage von 1870. Mü. 1962.
Dittrich, R., Zd.: De opkomst van het moderne Duitsland. Groningen 1956.
Doeberl, M.: Bayern und die Bismarcksche Reichsgründung. (Bayern und Deutschland, Bd. 2). Mü. 1925.
Bayern und das preußische Unionsprojekt. Mü. 1926.
Entwicklungsgeschichte Bayerns. 3 Bde. 1928—1931. Mü.
Döhn, H.: Eisenbahnpolitik und Eisenbahnbau in Rheinhessen 1835—1914. Diss. Mainz 1957.
Doogs, K.: Die Berliner Maschinenindustrie und ihre Produktionsbedingungen seit ihrer Entstehung 1928.
Dorien, K.: Der Bericht des Herzogs Ernst von Koburg über den Frankfurter Fürstentag 1863. Diss. Greifswald 1910.
Dorpalen, A.: The German Conservatives and the Parliamentarization of Imperial Germany. In: Journal of Central European Affairs, Bd. 11, 1951.
The German Historians and Bismarck. In: Review of Politics, 15, 1953, S. 53 ff.
Drößler, K.: Dänemark im deutschen Schicksalskampf, Bündnisfrage, Nordschleswig und die deutschen Führungsmächte von Gastein bis Prag. Wien 1944.
Droste, M.: Die Stellung des Ruhrbergbaus in Staat und Gesellschaft bis zum Jahre 1918. Diss. Göttingen 1953.
Droz, J.: L'opinion publique dans la Province Rhénane au cours du conflict austro-prussien 1864—1866. In: Rheinisches Archiv 22. 1932.
L'Libéralisme Rhénan 1815—1848. Paris 1940.

L'époque contemporaine I, Restaurations et Révolutions 1815—1871. Clio IX. Paris 1953.
Dullo, A.: Gebiet, Geschichte und Charakter des Seehandels der größten deutschen Ostseeplätze seit der Mitte dieses Jahrhunderts. Jena 1888.
Durham, A. L.: The Anglo-French treaty of commerce of 1860. Detroit 1930.
Ebel, W.: Bismarck und Rußland vom Prager Frieden bis zum Ausbruch des Krieges von 1870. Diss. Frkfrt. 1936.
Eckert, H. G.: Die Wandlung der konservativen Partei durch Bismarcks Innenpolitik. Diss. Kiel 1953.
Eckhart, F.: Die deutsche Frage und der Krimkrieg. In: Osteuropäische Forschung N. F. 9. Königsberg/Brl. 1931.
Eheberg, K. Th.: Die industrielle Entwicklung Bayerns seit 1800. Erlangen 1898.
Eisenmann, L.: L'évolution intérieure de l'Allemagne 1871—1914. Paris 1937.
Elster, H. M.: Kriegsminister, Generalfeldmarschall, Ministerpräsident Graf Albrecht v. Roon. 1938.
Ellwein, Th.: Das Erbe der Monarchie in der deutschen Staatskrise. Zur Geschichte des Verfassungsstaates in Deutschland. Mü. 1954.
Engelberg, E.: Lehrbuch der deutschen Geschichte VII. Deutschland 1849—1871. Brl. 1959.
Engelberg, E.: Zur Entstehung und historischen Stellung des preußisch-deutschen Bonapartismus. In: Beiträge zu einem neuen Geschichtsbild zum 60. Geb. v. A. Meusel, Brl. 1956.
Engelmann, H.: Die Entwicklung des Antisemitismus im 19. Jhdt. und Adolf Stoeckers »Antijüdische Bewegung«. Diss. Erlangen 1953.
Engel-Jánosi, F.: Graf Rechberg. Vier Kapitel zu seiner Österreichischen Geschichte. Mü. 1927.
Die Krise des Jahres 1864 in Österreich. Festschrift F. A. Pribram. Wien 1929.
Engel, E.: Die Baumwollspinnerei im Königreich Sachsen. 1856.
Engels, W. / P. Legers: Aus der Geschichte der Remscheider und Bergischen Werkzeug- und Eisenindustrie, 1. 1928.
Enste, M.: Das Mitteleuropabild F. Naumanns. Diss. Marburg 1941.
Eucken, W.: Die Grundlagen der wirtschaftlichen Entwicklung. Brl. 1952⁵.
Eulenburg, F.: Die Herkunft der deutschen Wirtschaftsführer. Schmollers Jbb. 74, 1954.
Eversberg, H.: Die Entstehung der Schwerindustrie um Hattingen 1847 bis 1957, ein Beitrag zur Grundlegung der schwerindustriellen Landschaft an der Ruhr. In: Westfälische geographische Studien. Münster 1955.
Evans, D. M.: The History of the Commercial Crisis 1857/58. London 1859.
Eyck, E.: Bismarck, Wilhelm I. und die spanische Thronkandidatur. In: Deutsche Rundschau 84, 1958.
Bismarck. Leben und Werk. 3 Bde. 1914—1944, Zürich.
Bismarck-Forschung und Bismarck-Problem. In: Schweizer Monatshefte 34.
Bismarck und das deutsche Reich. Zürich 1955.
Eynern, G. v.: Die Unternehmungen der Familie vom Rath. Bonn 1930.
Die Reichsbank. Jena 1928.
Fahlbeck: Die Handelspolitik Schwedens und Norwegens. In: Schr. d. Vereins f. Sozpol. Bd. 49.
Facius, F.: Wirtschaft und Staat. Die Entwicklung der staatlichen Wirtschafts-Verwaltung in Deutschland vom 17. Jahrhundert bis 1945. Boppard 1959.

Falke, J.: Geschichte des deutschen Zollvereins und seiner Entstehung bis zum Abschluß des deutschen Zollvereins. Lpz. 1869.

Feder, A. v.: Der Prager Friede als Grundlage der Neugestaltung Deutschlands. Mannheim 1867.

Federici, F.: Der deutsche Liberalismus. Die Entwicklung einer politischen Idee von Immanuel Kant bis Thomas Mann. Zürich 1946.

Feine, H. E.: Das Werden des deutschen Staates seit dem Ausgang des Heiligen Römischen Reiches 1800–1933. Stgt. 1936.

Feis, H.: Europe the Worlds Banker 1870–1914. Yale University Press, New Haven 1920.

Festenberg-Pakisch, H. v.: Geschichte des Zollvereins mit besonderer Berücksichtigung der staatlichen Entwicklung Deutschlands. Lpz. 1869.

Die Entwicklung des niederschlesischen Steinkohlenbergbaus. 1917.

Fester, R.: Biarritz, eine Bismarck-Studie. In: Deutsche Rundschau vol. 113. 1902.

Fester, R.: Saburow und die russischen Staatsakten über die russisch-deutschen Beziehungen von 1879–1890. In: Die Grenzboten 80. 1921.

Neue Beiträge zur Geschichte der Hohenzollerischen Thronkandidatur in Spanien. Lpz. 1913.

Die Genesis der Emser Depesche. Brl. 1915.

Briefe, Aktenstücke und Regesten zur Geschichte der Hohenzollernkandidatur in Spanien. Lpz. 1913.

Finckenstein, Graf A. W. Finck v.: Die Getreidewirtschaft Preußens von 1800 bis 1930. In: Vjhefte zur Konjunkturforschung. Sonderheft 35. 1934.

Die Entwicklung der Landwirtschaft in Preußen und Deutschland 1800–1930. Würzburg 1960.

Fink, H.: Verschiebungen der Volksdichte im rheinischen Ruhrkohlengebiet von 1815 bis 1905. Kiel 1922.

Fischel, A.: Der Panslawismus bis zum Weltkrieg. Stgt. 1919.

Fischer, F.: Moritz August v. Bethmann Hollweg und der Protestantismus. Religion, Rechts- und Staatsgedanke. In: Eberings Historische Studien H. 338. Brl. 1938.

Der deutsche Protestantismus und die Politik im 19. Jahrhundert. HZ. 171.

Fischer, K.: Studie über die Elbschiffahrt in den letzten 100 Jahren unter spezieller Berücksichtigung der Frage über die Erhebung von Schiffahrtsgaben. Jena 1908. In: Conrads Sammlung Nr. 58.

Fischer, M.: Die rheinischen Meinungen zu den Handels- und Schiffahrtsverträgen des Zollvereins mit dem Auslande in der Zeit 1834–1870. Köln 1926.

Fischer, O.: Die Erfolgsstruktur der Aktienbanken. In: Zschr. f. d. gesamte Kreditwesen. 11. Jg. 1958.

Fischer, W.: Ansätze zur Industrialisierung in Baden 1770–1870. In: VSWG 47, 1960.

Fischer, W.: Die Bedeutung der preußischen Bergrechtsreform für den industriellen Ausbau des Ruhrgebiets. In: Geschichte für Westfälische Wirtschaftsgeschichte e. V., H. 9. Dortmund 1961.

Die Stellung der preußischen Bergrechtsreform von 1851 bis 1865 in der Wirtschafts- und Sozialverfassung des 19. Jahrhunderts. In: Zschr. für die gesamte Staatswissenschaft 117, Bd. 3, Hft., Tübingen 1960.

Unternehmerschaft, Selbstverwaltung und Staat. Brl. 1964.

The German Zollverein, a case study in Costums Union. Kyklos 13. 1960.

Fischer-Frauendienst, I.: Bismarcks Pressepolitik. Diss. Münster 1963.

Fleischhauer: Die Konzentration im deutschen Bankwesen. In: Schmollers Jbb. 1900.
Foerstel, G.: Entwicklung der Darmstädter Bank und der Nationalbank und ihre Fusion. Diss. Mü. 1924.
Forkel, O.: Fürst Bismarcks Stellung zur Landwirtschaft 1847–1890. Diss. Bamberg 1910.
Frahm, F.: Frankreich und die Hohenzollernkandidatur bis zum Frühjahr 1869. In: Hist. Vjschr. Bd. 29. 1934.
Bismarck vor der Option zwischen Rußland und Österreich im Herbst 1876. HZ. 149, S. 522 ff.
England und Rußland in Bismarcks Bündnispolitik. In: APG VIII, 1927.
Frahme, C.: Die Textilindustrie im Wirtschaftsleben Schlesiens. Tübingen 1905.
Frank, L.: Die bürgerlichen Parteien des deutschen Reichstages. Stgt. 1911.
Franz, E.: Graf Rechbergs deutsche Zollpolitik. In: MIÖG Bd. 46, 1932, S. 143 ff.
Die Entstehungsgeschichte des preußisch-französischen Handelsvertrages vom 29. März 1862. In: VSWG 25. 1932.
Der Entscheidungskampf um die wirtschaftspolitische Führung Deutschlands 1856–1867. In: Schriftenreihe zur bayrischen Landesgeschichte Bd. 12. Mü. 1933.
Franz, G.: Bismarcks Nationalgefühl. Lpz. 1926.
Die Entwicklung der politischen Parteien in Niedersachsen im Spiegel der Wahlen 1867–1949. Bremen 1951.
Liberalismus. Die deutsche Liberale Bewegung in der habsburgischen Monarchie. Mü. 1955.
Franzel, E.: Das Bismarckbild unserer Zeit. In: Neues Abendland. Juni 1950.
Frauendienst, W.: England und die deutsche Reichsgründung. In: Brl. Monatshefte 19. 1941.
Bündniserörterungen zwischen Bismarck und Andrássy im März 1878. In: Festschrift Srbik, München 1938.
Bismarck und das Herrenhaus. In: FBPG Bd. 45. 1933.
Frauendorffer, S. v.: Ideengeschichte der Agrarwirtschaft und Agrarpolitik im deutschen Sprachgebiet. 1957.
Freye, G.: Motive und Taktik der Zollpolitik Bismarcks. Diss. Hbg. 1929.
Fricke, D.: Bismarcks Prätorianer. Brl. 1962.
Friederich, A.: Oberschlesische Industriekapitäne. In: »Nord und Süd«, Nr. 40. 1916.
Friedmann: Die führenden deutschen Schiffahrtsgesellschaften. (HPAG/Lloyd, Hbg.-Süd, Hansa). Brl. 1927.
Friedjung, H.: Der Kampf um die Vorherrschaft in Deutschland 1859–1866. Stgt. 1916[10]. 2 Bde.
Mitteleuropäische Zollunionspläne 1849–1853. In: Historische Aufsätze. Stgt. 1919, Graf Bernhard v. Rechberg, dto.
Friis, Age: Die Aufhebung des Artikels V des Prager Friedens. HZ 125. 1922.
Fritzen, A.: Die deutsche Weinzollpolitik. Trier 1927.
Fuchs, W. P.: Die deutschen Mittelstaaten und die Bundesreform 1853–1860. In: Eberings Hist. Studien, Heft 256. Brl. 1934.
Franz v. Roggenbach. In: Karlsruher Akademische Reden N. F. Nr. 11. 1954.
Fueter, E.: Die Schweiz seit 1848. In: Geschichte, Politik, Wirtschaft 1927.
Gabler, H.: Die Entwicklung der deutschen Parteien auf landschaftlicher Grundlage von 1871–1912. Diss. Brl. 1934.
Gagel, W.: Die Wahlrechtsfrage in der Geschichte der deutschen liberalen Parteien 1848 bis 1918. Düsseldorf 1958.

Gauld, W. A.: The »Dreikaiserbund« and the Eastern Question 1877/78. In: English Historical Review 42, 1927, S. 561 ff.

Gazley, J.: American opinion on German unification 1848–1871. New York 1926.

Gebhardt, G.: Ruhrbergbau. Geschichte, Aufbau und Verflechtung seiner Gesellschaften und Organisationen. Essen 1957.

Gebhard, H.: Die Berliner Börse von den Anfängen bis zum Jahre 1905. Diss. Brl. 1928.

Gehring, P.: Das Wirtschaftsleben in Württemberg unter König Wilhelm I, 1816–1861. In: Ztschr. f. württembergische Landeskunde 9. 1949/50.

Gellert, W.: Die öffentliche Meinung in Baden und die deutsche Frage 1862–1866. Diss. Heidelberg o. D.

Gensel, J.: Der deutsche Handelstag in seiner Entwicklung und Tätigkeit 1861–1901. Brl. 1902.

Genz, O.: Der politische Katholizismus im Großherzogtum Baden und seine Stellung zur deutschen Einheit. Diss. Hbg. 1941.

Genzen, F. H.: Großposen im Januaraufstand. Das Großherzogtum Posen 1858–1864. Brl. 1958.

Gerloff, W.: Die Finanz- und Zollpolitik des Deutschen Reiches. Jena 1913.

Gerloff, W.: Der wirtschaftliche Imperialismus und die Frage der Zolleinigung zwischen Deutschland und Österreich-Ungarn. Stgt. 1915.

Kriegsanleihen im 19. Jahrhundert. In: Bankarchiv 14. 1914/15.

Gestner, P.: Die Entwicklung der Pforzheimer Bijouterie-Industrie 1767—1907. Tüb. 1908.

Geuss, H.: Bismarck und Napoleon III. Ein Beitrag zur Geschichte der preußisch-französischen Beziehungen 1851–1871. Köln/Graz 1959.

Gilbert, F.: J. G. Droysen und die preußisch-deutsche Frage. Diss. Brl. 1929.

Gille, B.: Recherches sur la formation de la grande entreprise capitaliste 1815–1848. In: Affaires et gens d'affaires XVII. Paris 1959.

Glagau, O.: Deutsches Handwerk und historisches Bürgertum. Osnabrück 1879.

Gläsel, E. J.: Die Entwicklung der Preise landwirtschaftlicher Produktionsmittel während der letzten 50 Jahre und deren Einfluß auf Bodenbearbeitung und Viehhaltung im deutschen Reich. Brl. 1917.

Gleitze, B.: Ostdeutsche Wirtschaft. Brl. 1956.

Goldbeck, G.: Technik als geistige Bewegung in den Anfängen des deutschen Industriestaates. 1934.

Gollwitzer, H.: Der Cäsarismus Napoleons III im Widerhall der öffentlichen Meinung Deutschlands. HZ 173, 1952, A, S. 23 ff.

Die Standesherren. Die politische und gesellschaftliche Stellung der Mediatisierten 1815 bis 1918. Göttingen 1964[2].

Goeler: Die wirtschaftliche Organisation der Pforzheimer Bijouterie-Industrie. Heidelberger Abhandlungen I, Heft 1. 1909.

Goltz, H. v. d.: Geschichte der deutschen Landwirtschaft. 1903.

Grabower: Die finanzielle Entwicklung der Aktiengesellschaften und ihre Beziehungen zur Bankwelt. In: Schmollers Forschungen Bd. 144, 1910.

Grambow, L.: Die deutsche Freihandelspartei z. Zt. ihrer Blüte. In: Sammlung nationalökonomischer und statistischer Abhandlungen des staatswissenschaftlichen Seminars zu Halle. Hrsg. G. Conrad, Nr. 38. Jena 1903.

Grassmann, J.: Die Entwicklung der Augsburger Industrie im 19. Jahrhundert. Augsburg 1894.

Grauer, K. J.: König Wilhelm I. von Württemberg und die europäischen Dynastien. In: Ztschr. f. württembergische Landesgeschichte 15, S. 253–278.
Greve, F.: Die Politik der deutschen Mittelstaaten und die österreichische Bundesreformbestrebungen bis zum Frankfurter Fürstentag. Diss. Rostock. 1938.
Griewank, K.: Ursachen und Folgen des Scheiterns der deutschen Revolution von 1848. HZ 170, 1950.
Ders. und F. Hellwag: Württemberg und die deutsche Politik 1859–1866. Stgt. 1934.
Groba, K.: Die Unternehmer im Beginn der Industrialisierung Schlesiens. 1936.
Grölich, E.: Die Baumwollweberei der sächsischen Oberlausitz. 1911.
Grosche, H.: Bismarcks Bündnisangebot an Großbritannien im ersten Jahre der großen orientalischen Krisis 1875/76. Diss. Frkfrt. 1950.
Grube, W.: Die Neue Ära und der Nationalverein. Ein Beitrag zur Geschichte der deutschen Einheitsbewegung. Marburg 1933.
Staat und Wirtschaft im Königreich Württemberg. Die Aktenüberlieferung der Centralstelle für Gewerbe und Handel. Stgt. Archivar 14. 1961.
Grüning, J.: Die russische öffentliche Meinung und ihre Stellung zu den Großmächten 1878–1894. Brl. 1929.
Gruner, E.: Bankgeschichte als Wirtschaftsgeschichte. In: Schweizerische Ztschr. f. Geschichte Jg. VIII. 1958.
Grunzel, J.: Ein Zoll- und Handelsbündnis mit Deutschland. In: Verhandlungen der Gesellschaft der österreichischen Volkswirte. Wien 1900.
Götz, E.: Die Stellung Hessen-Darmstadts zur deutschen Einigungsfrage in den Jahren 1866–1871. Diss. Darmstadt. 1914.
Goetz, W.: Der deutsche Liberalismus im 19. Jahrhundert und die Entwicklungsgeschichte der großen politischen Parteien in Deutschland. Schriften d. dtsch. Gesellschaft f. Politik an d. Universität Hall-Wittenberg, Hft. 2. Lpz./Bonn 1922.
Goldschmidt, A.: Das deutsch-österreichische Bündnis 1879. In: Preuß. Jbb. 235. 1934.
Goldschmidt, C.: Über die Konzentration im deutschen Kohlenbergbau. In: Volkswirtschaftliche Abh. der badischen Hochschulen, H 5. Karlsruhe 1912.
Goldschmidt, H.: Bismarcks Stellung zum Dualismus Preußen-Reich. In: Deutsche Juristenzeitung 28. 1933.
Das Reich und Preußen im Kampf um die Führung. Brl. 1931.
Das Verhältnis der äußeren Politik zur inneren. Wien/Lpz. 1914.
Goldstein, J.: Deutschlands Sodaindustrie in Vergangenheit und Gegenwart. Mü. Volkswirtschaftliche Studien 13. 1893.
Goltz, v. d.: Geschichte der deutschen Landwirtschaft. 1903.
Gontaut-Biron, Vicomte de: Meine Botschafter-Zeit am Berliner Hofe 1872–1877. deutsch Brl. 1909.
Gooch, G. P.: Franco-German Relations 1871–1918. London 1923.
Göppert, H.: Staat und Wirtschaft. Tübingen 1924.
Goriainov, S. M.: La question d'orient à la veille du traité de Berlin, 1870–1878. D'après les archives russes. Paris 1948.
Gothein, E.: Die geschichtliche Entwicklung der Rheinschiffahrt im 19. Jahrhundert. In: Schr. des Vereins für Sozpol. 101. Lpz. 1903.
Gullberg, E.: Tyskland i svensk opinion 1856–1871. Mit deutschen Zusammenfassungen. Lund 1952.
Groba, K.: Die Unternehmer im Beginn der Industrialisierung Schlesiens. 1936.

Grölich, E.: Die Baumwollweberei der sächsischen Oberlausitz. 1911.
Gurland, A. R. L.: Wirtschaft und Gesellschaft im Übergang zum Zeitalter der Industrie. In: Propyläen Weltgeschichte. Hrsg. v. Golo Mann. Bd. VIII, Brl., Frkfrt., Wien o. J.
Gutsch, G. / Th. Merten: Ein Privatbankhaus in seinem Wirtschaftsraum 1832–1957. (S. Merzbach. Friedrich Hengst & Co. Offenbach/M.).
Günther, P.: Die Rohstoffgruppe »Steine und Erden« in der deutschen Wirtschaftsgeographie betrachtet. Diss. Greifswald. Brl. 1913.
Hagen, K. H.: Bismarcks Auffassung von der Stellung des Parlaments im Staat. Diss. Marburg 1950.
Hagen, M. v.: Das Bismarckbild der Gegenwart. In: Ztschr. f. Politik, 18, 19, 22, 28.
Hagemann, W.: Das Verhältnis der deutschen Großbanken zur Industrie. Brl. 1931.
Hahn, A.: Die Berliner Revue, ein Beitrag zur Geschichte der konservativen Partei zwischen 1855–1875. Historische Studien H. 241. Brl. 1934.
Halbenz, W.: Handelspolitische Zusammenschlußbestrebungen in Mitteleuropa im 19. und ersten Drittel des 20. Jahrhunderts. Diss. Hbg. 1949.
Hallberg, Ch. W.: Franz Joseph and Napoleon III. 1852–1864. A study of Austro-French relations, New York 1955
Hallgarten, G. F. W.: Imperialismus vor 1914. Mü. 1951, 1963², Bd. 1.
Halphen, L. / Sagnac, Ph., Hrsg.: Peuples et Civilisations. Histoire Générale. Bde. XVI bis XVIII. (1848–1904). Paris 1937 f.
Halperin, S. W.: Bismarck and the Italien Envoy in Berlin on the Eve of Franco-Prussian war. In: Journal of Modern History 33. 1961.
Ham, H. van: 250 Jahre Dillinger Hütte. In: Beiträge zur Geschichte der AG des Dillinger Hüttenwerkes 1685–1935. Saarlautern 1935.
Hamerow, T. S.: Restoration, Revolution, Reaction: Economics and Politics in Germany. 1815–1871. Princeton 1958.
Hammacher, H.: Tradition und Persönlichkeit in der ersten Unternehmergeneration des Ruhrgebietes. Diss. rer. pol. Köln 1953.
Hampe, K.: Wilhelm I., Kaiserfrage und Kölner Dom. Ein biographischer Beitrag zur Geschichte der deutschen Reichsgründung. Stgt. 1936.
Hansen, J.: Die Rheinprovinz von 1815–1915. 2 Bde. Bonn 1917.
Hansen, T.: Die zollpolitische Entwicklung Deutschlands seit Errichtung des deutschen Bundes. Hbg. 1927.
Hamburg und die zollpolitische Entwicklung Deutschlands im 19. Jahrhundert. Hbg. 1913.
Hantsch, H.: Die Geschichte Österreichs. 2 Bde. Graz/Wien 1951³.
Harms, P.: Die Nationalliberale Partei. Brl. 1907.
Harris, D.: A diplomatic History of the Balkan Crisis. 1875–1878. Stanford 1938.
Hartung, A.: Die Depositengelder in der Bankenquete. Brl. 1910.
Hartung, F.: Bismarck und Graf Harry Arnim. In: HZ 171.
Verantwortliche Regierung, Kabinette und Nebenregierungen im konstitutionellen Preußen 1848–1918. In: FBPG 44, 1932, S. 1–45 / S. 302–373.
Studien zur Geschichte der preußischen Verwaltung, III. Zur Geschichte des Beamtentums im 19. und 20. Jahrhundert. In: Abhandlungen der Akademie der Wissenschaften, Brl. Jg. 1945/46. Phil. hist. Klasse Nr. 8. Brl. 1948.
Deutsche Verfassungsgeschichte vom 15. Jahrhundert bis zur Gegenwart. Stgt. 1954⁶.
Die Entstehung und Gründung des Deutschen Reiches. In: »Volk und Reich der Deutschen«, Bd. 1. Brl. 1929.

Deutsche Geschichte 1871–1916. Stgt. 1952[6].
Preußen und die deutsche Einheit. In: FBPG, Bd. 49 (1937), S. 1–21.
Hartung, H.: Die Notenbanken unter dem Bankgesetz von 1875. In: Jb. f. Nationalökonomie u. Statistik III, F. 1. Bd. 1891.
Haselmayr, F.: Diplomatische Geschichte des Zweiten Reiches von 1871–1918. 5 Bde., Mü. 1955–1962.
Hashagen, J.: Zur Geschichte der Eisenindustrie vornehmlich des Eisenhüttenwesens an der Lahn und Dill im 19. Jhdt. 1911.
Hasslacher, A.: Das Industriegebiet an der Saar und seine hauptsächlichen Industriezweige. 1912.
Hassmann, H.: Die Gestalt des Privatbankiers. Köln 1953.
Hatzfeld, K.: Das deutsch-österreichische Bündnis von 1879 in der Beurteilung der politischen Parteien. Brl. 1938.
Hatzfeld, L.: Die Begründung der deutschen Röhrenindustrie durch die Firma Poensgen & Schoeller. Mauel. 1844–1850. Wiesbaden 1962.
Haußherr, H.: Wirtschaftsgeschichte der Neuzeit vom Ende des 14. bis zur Höhe des 19. Jahrhunderts. Köln/Graz 1960[3].
Haushofer, H.: Die deutsche Landwirtschaft im technischen Zeitalter, Stgt. 1963. In: Deutsche Agrargeschichte Bd. V.
Hecht, F.: Die Mannheimer Banken 1870–1900. In: Schmollers Forschungen XX, 6.
Bankwesen und Bankpolitik in süddeutschen Staaten. 1819–1875. 2 Bde. Jena 1880.
Die Organisation des langfristigen industriellen Kredits. In: Veröffentlichungen des Mitteleuropäischen Wirtschaftsvereins H. 6. 1909.
Heckel, M. v.: Eisenbahnverwaltung und Finanzpolitik in Preußen. In: Conrads Jb. 79.
Hedicke, E.: Die Stellung Preußens zum Reich unter der alten und unter der neuen Reichsverfassung. Diss. Halle 1929.
Heffter, H.: Vom Primat der Außenpolitik. In: HZ 171, 1951, S. 2 ff.
Die deutsche Selbstverwaltung im 19. Jahrhundert. Geschichte der Ideen und Institutionen. Stgt. 1950.
Heger, K.: Die deutsche demokratische Partei in Württemberg und ihre Organisation. Lpz. 1927.
Heilbrunn, R. M.: Das Bankhaus J. Freyfus & Co., Frankfurt-Berlin. 1868–1939. Montreux 1962.
Heimann, K.: Konzentrationsprozeß der Provinzialgroßbanken Rheinlands und Westfalens. Masch. Diss. 1924.
Heinze, J.: Beiträge zur Geschichte von Hörde. 1909.
Heinze, G.: Bismarck und Rußland bis zur Reichsgründung. Würzburg 1939.
Helfferich, K.: Die Reform des deutschen Geldwesens. 1898.
Hell, O.: Bismarck und der Konstitutionalismus. Lpz. 1912.
Heller, E.: Das deutsch-österreichisch-ungarische Bündnis in Bismarcks Außenpolitik. Brl. 1925.
Hellwig, F. E.: Varnbüler und die deutsche Frage 1864–1866. Darstellungen aus der württembergischen Geschichte Nr. 25. 1934.
Hemrich, W.: Das Ruhrgebiet. Münster 1949.
Hempel, G.: Die ersten Aktiengesellschaften in der Ruhrmontanindustrie. In: Archiv für öffentliche und freigemeinwirtschaftliche Unternehmen, Göttingen, 9. Jg. 1958, S. 20 ff.

Hempelmann, A.: Die Minerva. Brl. 1936.
Henderson, G. B.: The Diplomatic Revolution of 1854. In: American Historical Review, Bd. 43. 1937.
Henderson, W. O.: Prince-Smith and Free Trade in Germany. In: The Economic History Review 2, ser. 2, 1950, S. 295 ff.
Britain and industrial Europe 1750—1870. Studies in British influence on the industrial revolution in Western Europe. Liverpool UP 1954.
England und die Industrialisierung Deutschland. In: Ztschr. der gesamten Staatswissenschaft 108, S. 264 ff.
The cotton famine on the continent 1861—1865. In: Economic history Review Nr. 4, S. 195 ff.
The Zollverein. Cambridge 1939.
The State and the Industrial Revolution in Prussia 1740—1870. Liverpool UP 1958. Rezension hierzu in: VSWG 48, S. 120 ff.
The Genesis of the Common Market. London 1962.
Herschel, Olga: Die öffentliche Meinung in Hamburg und ihre Haltung zu Bismarck 1864—1866. Diss. Mü. 1916.
Henze, M.: Die politischen Gegenwartsfragen im Spiegel der Publizistik von Constantin Frantz. Diss. Göttingen 1954.
Herkner, H.: Die wirtschaftlich-sozialen Bewegungen von der Mitte des 18. Jahrhunderts bis in die zweite Hälfte des 19. Jahrhunderts. Propyläen Weltgeschichte VII, 1929, S. 329 ff.
Die oberelsässische Baumwollindustrie und ihre Arbeiter. Straßburg 1887.
Hermann, P.: Die Entstehung des deutschen Nationalvereins und die Gründung seiner Wochenschrift. Diss. Brl. 1933.
Herrmann, W.: Über Unternehmerbiographie. In: Ztschr. für handelswissenschaftliche Forschung 8, 1956, S. 325 ff.
Zur Geschichte der Unternehmerverbände in Europa. In: Europa, Erbe und Auftrag. Festschrift Kuske, Köln 1951.
Entwicklungslinien Montanindustrieller Unternehmungen im Rheinisch-westfälischen Industriegebiet. Dortmund 1954.
Herms, D.: Anfänge der Bremer Industrie vom 17. Jahrhundert bis zum Zollanschluß. (1888). Diss. Hbg. 1949.
Hertz, B.: Das Hamburger Seehandlungshaus J. C. Godeffroy & Sohn 1866—1879. Hbg. 1922.
Herzfeld, H.: Die moderne Welt, I. Braunschweig 1950.
Berlin als Kaiserstadt und Reichshauptstadt 1871–1945. In: Festschrift Meinecke. Tüb. 1952.
Die deutsch-französische Kriegsgefahr von 1875. Brl. 1922. In: Forschungen und Darstellungen aus dem Reichsarchiv H. 3.
Deutschland und das geschlagene Frankreich 1, 1871—1873. Brl. 1924.
Rezension v. E. Eyck, Bismarck. In: Deutsche Literatur Ztg. 69, Jg. 8/9. 1948.
Hesse, A.: Berufliche und soziale Gliederung im Deutschen Reiche. In: Conrads Jb. III F. Bd. XL, H. 6, Dez. 1910. S. 724/742–43.
Heuss, Th.: Das Bismarckbild im Wandel. In: O. v. Bismarck, Gedanken und Erinnerungen, Brl. 1951.
Heyderhoff, J.: Ein Brief Max Dunckers an Hermann Baumgarten über Junkertum und Demokratie in Preußen, HZ 113, 1914, S. 323 ff.
Karl Twesten. In: Preußische Jbb. 180, 1920, S. 1 ff.

Hildebrand, C.: Der Einbruch des Wirtschaftsgeistes in das deutsche Nationalbewußtsein zwischen 1815 und 1871. Diss. Heidelberg 1936.
Hilferding, R.: Das Finanzkapital. Brl. 1947; Frkfrt. 1968.
Hilz, W.: Entwicklung und handelspolitische Lage der deutschen Kammgarnspinnerei. Diss. Halle/Wittenberg 1938.
Hindenburg, H. v.: Das Auswärtige Amt im Wandel der Zeit. Frkfrt./M. 1932.
Hinkers, H. W.: Die geschichtliche Entwicklung der Dortmunder Schwerindustrie seit der Mitte des 19. Jahrhunderts. 1926.
Hinrichs, C.: Hrsg. Unveröffentlichte Briefe Gustav Freytags an Heinrich Geffcken aus der Zeit der Reichsgründung. In: Jb. Geschichte Mittel- und Ostdeutschlands 3, S. 69 ff.
Hintze, O.: Geschichtliche Abhandlungen. 3 Bde. Lpz. 1941—1943.
Die Entstehung der modernen Staatsministerien. In: HZ 100, 1908, S. 53 ff.
Wirtschaft und Politik im Zeitalter des modernen Kapitalismus. In: Ztschr. f. gesamte Staatswissenschaft 87. 1929.
Hirsch, D., Frhr. v.: Stellungnahme der Zentrumspartei zu den Fragen der Schutzzollpolitik in den Jahren von 1871 bis zu Bismarcks Rücktritt. Diss. Köln/Mü. 1926.
Hirtsiefer, W.: Die wirtschaftliche Entwicklung in Mülheim a. d. Ruhr. In: Jb. Mülheim 1958, S. 79 ff.
Hjeholt, H.: Treitschke und Schleswig-Holstein. Mü. 1929.
Hobson, A.: The Evolution of modern Capitalism. London 1928.
Hocker, N.: Die Großindustrie Rheinlands und Westfalens, ihre Geographie, Geschichte, Production und Statistik. Lpz. 1866/67.
Hoener, E.: Die Geschichte der christlich-konservativen Partei in Minden-Ravensburg von 1866—1896. Diss. Münster 1923.
Hoesch, AG.: Eisen- und Stahlwerke 1871—1921. Dortmund 1921.
Hölzle, E.: Die Reichsgründung und der Aufstieg der Weltmächte. In: GWU 2, 132 ff.
Hofmann, K.: Badens Anteil an der Reichsgründung. Karlsruhe 1927.
Hofmann, W.: Die Frankfurter Bank 1854—1954. Frkfrt. 1954.
Hoffmann, H.: Die gewerbliche Produktion Preußens im Jahre 1769 auf Grund des statistischen Taschenbuchs des Bodo Heinr. Frhr. v. Knyphausen. Listen derer in sämtlich königlichen Provinzen befindlichen Fabriken und Manufakturen pro anno 1769. Diss. Brl. (Ost) 1956.
Hoffmann, J.: Die Berliner Mission des Grafen Prokesch-Osten. 1849—1852. Diss. Brl. 1959.
Höjer, T. T.: Bismarck, Decazes och den europeiska Krisen 1875. Upsala 1940.
Bismarck tiden i konservativ och liberal Tysk historieskrivning. In: Historische Tidskrift (Stockholm) 1951, S. 85 ff.
Holborn, H.: Der deutsche Idealismus in sozialgeschichtlicher Beleuchtung. In: HZ 174 (1952), S. 359 ff.
Bismarck und Schuwalow im Jahre 1875. In: HZ 130. 1924.
Bismarck und Freiherr Georg v. Werthern. In: Archiv für Politik und Geschichte 5, 1925, S. 469—507.
Bismarcks europäische Politik zu Beginn der siebziger Jahre und die Mission Radowitz. Brl. 1925.
Howard, M.: The Franco-Prussian War. The German Invasion of France. London 1961.
Huber, F. C.: Die Frage der Differentialtarif-Verträge o. O. u. o. J.

Huber, F. C.: Die württembergischen Handelskammern. In: Festschrift zur Feier des 50jährigen Bestehens. 2 Bde., Stgt. 1906/10.
Deutschland als Industriestaat. Stgt. 1901.
Fünfzig Jahre deutschen Wirtschaftslebens. Stgt. 1906.
Huber, E. R.: Die Reichsminister. Diss. Göttingen 1931.
Heer und Staat in der deutschen Geschichte. Hbg. 1938.
Hudeczek, K.: Österreichs Handelspolitik im Vormärz 1815–1848. 1918.
Hübner, R.: Albrecht von Roon. 1933.
Hübener, E.: Die deutsche Wirtschaftskrisis von 1873. In: Rechts- und Staatswissenschaftliche Studien, Heft XXX. Brl. 1905.
Hünerwadel, W.: Allgemeine Geschichte vom Wiener Kongreß bis zum Ausbruch des Weltkrieges. Aarau 1936. 2 Bde.
Jacobs, G.: Die deutschen Textilzölle im 19. Jahrhundert. Diss. Erlangen 1907.
Jäger, E. L.: Die Fortbildung des Bodenkredits. Stgt. 1869.
Jacobsohn, A.: Zur Entwicklung des Verhältnisses zwischen der deutschen Volkswirtschaft und dem Weltmarkt in den letzten Jahrzehnten. In: Ztschr. f. gesamte Staatswissenschaft 64. Diss. Göttingen 1908.
Jahn, R.: Essener Geschichte, die geschichtliche Entwicklung im Raum der Großstadt Essen, 2. erw. Aufl. 1957.
Jansen, K./Samwer, K.: Schleswig-Holsteins Befreiung. Wiesbaden 1897.
Janke, H.: Die Wollproduktion unserer Erde und die Zukunft der deutschen Schafzucht. Breslau 1864.
Jantke, C.: Der vierte Stand, Freiburg 1955.
Jany, C.: Die königlich-preußische Armee und das Reichsheer 1807–1914. Brl. 1933.
Japikse, N.: Europa und Bismarcks Friedenspolitik. Die internationalen Beziehungen 1871–1890. Brl. 1927.
Jecht, H.: Wirtschaftsgeschichte und Wirtschaftstheorie. Tübingen 1928.
Jeidels, O.: Das Verhältnis der deutschen Großbanken zur Industrie mit besonderer Berücksichtigung der Eisenindustrie. In: Schmollers Forschungen XXIV, H. 2, Lpz. 1905.
Jelavich, Ch. u. B.: Bismarcks proposal for the revival of the Dreikaiserbund in October 1878. In: Journal of Modern History 29, 1957, S. 99 ff.
Joachimsen, P.: Vom deutschen Volk zum deutschen Staat. Göttingen 1956[3].
Johann, J.: Gründung, Entwicklung und Aufgabenstellung des Creditanstalt-Bankvereins 1855–1955. In: Schriftenreihe der österreichischen bankwissenschaftlichen Gesellschaft H 5, 1955, S. 3–25.
Jopp, H.: Die Bedeutung und der Einfluß des Bankkapitals in der industriellen Entwicklung. Diss. Münster 1925.
Jordan, E.: Die Entstehung der konservativen Partei und die preußischen Agrarverhältnisse. Mü./Lpz. 1914.
Jouwersma, W. J.: Die duitsch-fransche Oorlogscrisis van 1875 en haar Voorgeschiedenis. Leiden 1927.
Jüngst, E.: Festschrift zur Feier des 25jährigen Bestehens des Vereins für die bergbaulichen Interessen im Oberbergamtsbezirk Dortmund 1858–1908. Essen 1908.
Junod, M.: Die Neutralität des Großherzogtums Luxemburg von 1867–1948. Luxemburg 1952.
Kaehler, S. A.: Realpolitik zur Zeit des Krimkrieges. Eine Säkularbetrachtung. In: HZ 174, 1952, S. 417 ff.

Vorurteile und Tatsachen. Hameln 1949.
Studien zur deutschen Geschichte des 19. und 20. Jahrhunderts Aufsätze und Vorträge. Göttingen 1961.
Kahn, J.: Münchens Großindustrie und Großhandel. 1913.
Kaiser, K.: Napoleon III. und der polnische Aufstand von 1863. Diss. Brl. 1932.
Kaminski, K.: Verfassung und Verfassungskonflikt in Preußen 1862—1866. Königsberg 1938.
Kamm, W.: Minister und Beruf. Allgemeines Stat. Archiv 18, 1929, S. 440 ff.
Kampffmeyer, P./Altmann, L.: Vor dem Sozialistengesetz; Krisenjahre des Obrigkeitsstaates. 1928.
Kaminski, K.: Verfassung und Verfassungskonflikt in Preußen 1862—66. Königsberg 1938.
Kann, R. A.: The multinational Empire. Nationalism and national reform in the Habsburg monarchy 1848—1918. 2 Bde. New York 1950.
Kardorff, S. v.: Bismarck und der Kulturkampf. Brl. 1943.
Kaselowsky, R.: Der rheinisch-westfälische Kuxenmarkt Brl. 1920. In: Betriebs- und finanzwirtschaftliche Forschung 3, Diss. rer. pol. Frkfrt. 1919.
Kaufmann, G.: Die Zollunion. Politische Geschichte Deutschlands im 19. Jahrhundert. Brl. 1912.
Kaulla, R.: Die Organisation des Bankwesens im Königreich Württemberg und ihre geschichtliche Entwicklung. Stgt. 1908.
Kehr, E.: Der Primat der Innenpolitik. In: Veröffentlichungen der Historischen Kommission zu Berlin, Bd. 19. Brl. 1965.
Das soziale System der Reaktion in Preußen unter dem Minister v. Puttkamer. In: Die Gesellschaft 6. 1929.
Kempken, F.: Die wirtschaftliche Entwicklung der Stadt Oberhausen. 1957.
Kentmann, H.: Preußen und die Bundeshilfe an Österreich im Jahre 1859. In: MIÖG Erg. Bd. 12, 1932, S. 297 ff.
Kersten, K.: Die deutsche Revolution 1848—1849. Frkfrt. 1955.
Kessel, E.: Gastein. In: HZ 176, 1953.
Kestner, F.: Die deutschen Eisenzölle 1879—1900. In: Schmollers Staats- u. sozialwiss. Forschungen, H. 97. Lpz. 1902.
Kiau, R./Gemkow, H.: Kämpfe um die deutsche Einheit. Von den Befreiungskriegen bis zur Reichsgründung 1813—1871. Lpz. 1955.
Kisch, H.: The Textilindustries in Silesia and Rhineland. In: Journal of Economic History 19. 1959.
Kistler, F.: Die wirtschaftlichen und sozialen Verhältnisse in Baden 1849—1870. Freiburg 1954.
Klatt, S.: Zur Theorie der Industrialisierung. Köln/Opladen 1959.
Klein-Hattingen, O.: Geschichte des deutschen Liberalismus, 2 Bde. Brl. 1911/12.
Klinkenberg, H. M.: Zwischen Liberalismus und Nationalismus (1870—1918). In: Monumenta Judaica Köln 1963.
Klinker, F. W.: Studien zur Entwicklung und Typenbildung von vier rheinisch-westfälischen Provinzaktienbanken. In: Abhandlungen der Badischen Hochschule H. 22. Karlsruhe 1913.
Kloeber, W. v.: Die Entwicklung der deutschen Frage 1859 bis 1871 in großdeutscher und antiliberaler Beurteilung. Die Zeitläufe Dr. Jörgs in den Historisch-politischen Blättern für das kath. Deutschland. Diss. Mü. 1932.

Kloeppel, P.: Dreißig Jahre deutsche Verfassungsgeschichte 1867—1879. Lpz. 1900.

Kluke, P.: Der Kampf der beiden Großmächte um die Gestaltung Deutschlands 1851 bis 1866; Die Reichsgründung 1867–1871. In: Rassow, Handbuch der Deutschen Geschichte, Stgt. 1963².

Bismarck und Salisbury. In: HZ 175. 1953.

Knaplund, P.: Die Salisbury-Russell-Korrespondenz. (3. IV. bis 22. Mai 1878). WaG 17, 1957, S. 119 ff.

Knauss, B.: Neue Beiträge zum Bismarckbild. In: Politische Studien X, 1959.

Knirim, E.: Die Verschiebungen der Volksdichte im engeren westfälischen Ruhrgebiet von 1818—1925 und ihre geographischen Grundlagen. Diss. Münster 1928.

Knochenhauer, B.: Die oberschlesische Montanindustrie. Gotha 1927.

Knoll, J. H.: Die Elitebildung im Liberalismus des Kaiserreiches. Diss. Erlangen 1956. Führungsauslese in Liberalismus und Demokratie. Stgt. 1957.

Kober, H.: Studien zur Rechtsanschauung Bismarcks. Diss. Tübingen 1960.

Koch, M. J.: Die Bergarbeiterbewegung im Ruhrgebiet zur Zeit Wilhelms II. 1889—1914. Düsseldorf 1954.

Köllmann, W.: Entwicklung der Stadt Barmen von 1808—1870. Diss. Göttingen 1951. Sozialgeschichte der Stadt Barmen. Tübingen 1960.

Körner, G.: Die norddeutsche Publizistik und die Reichsgründung im Jahre 1870. Hann. 1908.

Kohn, H.: The Mind of Germany. The Education of a Nation. London 1961.

Kohn-Bramstedt, E.: Aristocracy and the Middle-classes in Germany. Social Types in German Literature 1830—1900. London 1937.

Kondratieff, N. D.: Die langen Wellen der Konjunktur. In: Archiv für Sozialwissenschaft und Sozialpolitik, Bd. 56, 1926, S. 602 ff.

Die Preisdynamik der industriellen und landwirtschaftlichen Waren. In: dto. Nr. 60, 1928, S. 1.

Konrad, L.: Baden und die schleswig-holsteinische Frage 1863—1866. In: Historische Studien, Bd. 265. Brl. 1935.

Koop, R.: Das Problem des Präventivkrieges in der Politik Bismarcks. Diss. Freiburg 1953.

Koselleck, R.: Staat und Gesellschaft in Preußen 1845—1848. In: W. Conze: Staat und Gesellschaft im deutschen Vormärz. Industrielle Welt, I. Stgt. 1962, S. 79 ff.

Koser, R.: Zur Geschichte der preußischen Politik während des Krimkrieges. In: FBPG 2.

Kraehe, E.: Austria and the Problem of Reform in the German Confederation 1851 bis 1863. In: American Historical Review LVI, 1951, S. 276 ff.

Practical Politics in the German Confederation. Bismarck and the Commercial Code. In: The Journal of Modern History, Bd. 25, 1953, S. 13–24.

Kranz, H.: Bismarck und das Reich ohne Krone. Stgt. 1960.

Kranzberg, M.: The siege of Paris 1870/71. A political and social history. London 1950.

Kraus, W.: Das Verhältnis von Wirtschaftsgeschichte und Wirtschaftstheorie in der modernen Nationalökonomie. In: Vjheft f. Wirtschafts- u. Sozialpolitik, 42, 1955, S. 193 ff.

Kremer, W.: Der soziale Aufbau der Parteien des Deutschen Reichstages von 1871—1918. Diss. Köln 1934.

Krieger, C.: The German Idea of Freedom. In: History of Political Tradition. Boston 1957.

Krockow, Graf C. v.: Nationalbewußtsein und Gesellschaftsbewußtsein. In: Politische Vjschrift 1. 1960.
Krüger, A.: Das Kölner Bankgewerbe vom Ende des 18. Jhdts. bis 1875. Essen 1925.
Kruse, H.: Heinrich von Achenbach. In: Westfälische Lebensbilder, im Auftrage der Historischen Kommission der Prov. Inst. f. westfälische Landes- und Volkskunde. Hrsg. A. Beumer, O. Lennenschloß, Bd. 3, H 1/2, S. 103 ff.
Kuske, B.: Die Volkswirtschaft des Rheinlandes in ihrer Eigenart und Bedeutung. Essen 1925.
Die Bedeutung Europas für die Entwicklung der Weltwirtschaft. Köln 1924.
Kuczynski, J.: Studien zur Geschichte des Kapitalismus. Brl. 1957.
Geschichte der Lage der Arbeiter unter dem Kapitalismus. Bd. 11/12. Brl. 1961.
A Short History of Labour Conditions under Industrial Capitalism, Bd. III/1. London 1945.
Kuczynski, J./Wittkowski, Gr.: Die deutsch-russischen Handelsbeziehungen in den letzten 150 Jahren. Brl. 1947.
Kürbs, A.: Die deutsche Politik Franz v. Roggenbachs und seiner Freunde in den Jahren 1859—1870. Diss. Marburg 1959.
Küssel-Glogau, O.: Bismarck. Beiträge zur inneren Politik. Brl. 1934.
Lambi, I. N.: The Protectionist Interests of the German Iron and Steel Industry 1873 bis 1879. In: Journal of Economic History 22, 1962, S. 59 ff.
Free Trade and Protection in Germany 1868—1879. Wiesbaden 1963.
Lambi, I. N.: The Agrarian-Industrial Front in Bismarckian Politics 1873—1879. In: Journal of Central European Affairs 20, 1961, S. 378 ff.
Landes, D. S.: Industrialization and economic development in 19th century, Germany. In: 1ère Conférence Internat. d'histoire Economique, Contributions, Communications. Stockholm 1960.
The Structure of Enterprise in the 19th century. The Case of Britain and Germany. In: XIe Congrès International des Sciences Historiques Rapp. 5. 1960.
Bankers and Pashas. International Finance and Economic Imperialism in Egypt, London 1958.
Lange, K.: Bismarck und die norddeutschen Kleinstaaten im Jahre 1866. Lpz. 1930.
Lange, W.: Bismarck und die öffentliche Meinung Süddeutschlands während der Zollvereinskrise 1850—1853. Gießen 1922.
Langer, W. L.: European Alliances and Alignments. New York 1950².
Lansburgh, A.: Das deutsche Bankwesen. In: Aufsatzreihe in »Die Bank«. 1908.
Motive der Bankenkonzentration. In: Bankarchiv XXIX, S. 635 ff.
Lappenbusch, A.: Essen als Handelsstadt. Diss. Köln 1935.
Lasker, E.: Aus E. Laskers Nachlaß Teil I. (1866—1880). Hrsg. W. Cahn. Brl. 1902.
Laubert, M.: Die preußische Polenpolitik von 1722—1914. Brl. 1920.
Lederer, E.: Das ökonomische Element und die politische Idee im modernen Parteiwesen. In: Ztschr. f. Politik V. 1913.
Die wirtschaftlichen Organisationen und die Reichstagswahlen. Tübingen 1912.
Lehmann, H.: Duisburgs Großhandel und Spedition vom Ende des 18. Jhdts. bis 1905. Duisburger Forschungen, Beiheft I. 1958.
Leiskow, H.: Spekulation und öffentliche Meinung in der 1. Hälfte des 19. Jhdts. 1930.
Lemberg, E.: Geschichte des Nationalismus in Europa. Stgt. 1950.
Lenin, W.: Der Imperialismus als jüngste Etappe des Kapitalismus. Hbg. 1921.

Leyen, A. v. d.: Die Eisenbahnpolitik des Fürsten Bismarck. Brl. 1914.

Liesebach, J.: Der Wandel der politischen Führungsschichten in der deutschen Industrie von 1918–1945. Hannover 1957.

Lill, R.: Die Vorgeschichte der preußisch-italienischen Allianz 1866. In: Quellen und Forschungen aus italienischen Archiven und Bibliotheken. Bd. 42/43. 1964, S. 505 ff.

Lindenberg, O.: 50 Jahre einer Spekulationsbank. Brl. 1903.

Lindsiepe, H.: Die Essener Kreditanstalt. Diss. Essen 1914.

Lipgens, W.: Bismarcks Österreichpolitik vor 1866. Die Urheberschaft des Schönbrunner Vertragsentwurfs vom August 1864. In: Die Welt als Geschichte, Jg. 10, 1950, S. 240–262.

Lipgens, W.: Zwei unbekannte Briefe 1863 und 1869. Gedanken zum Problem der deutschen Innenpolitik. In: HZ 173, S. 315 ff. 1952.

Lipson, E.: Planned Economy or Free Enterprise. London 1946.

Lochmüller, W.: Zur Entwicklung der Baumwollindustrie in Deutschland. 1906.

Loeb, E.: Die Berliner Großbanken in den Jahren 1895–1902 und die Krisis der Jahre 1900 und 1901. In: Schriften des Vereins f. Sozpol. Bd. CX.

Loeber, I.: Bismarcks Pressepolitik in den Jahren des Verfassungskonfliktes 1862–1866. In: Ztg. und Leben XXIV. Mü. 1935.

Loesener, A.: Grundzüge von Bismarcks Staatsauffassung. Diss. Köln 1962.

Loewe, J.: Die unmittelbare wirtschaftliche Einwirkung des Krieges 1870/71 in Deutschland. Diss. Würzburg 1901.

Löwenstein: Geschichte des württembergischen Kreditwesens und seiner Beziehungen zu Handel und Industrie. In: Archiv f. Sozialpolitik 1912, Ergänzungsheft V.

Löwenthal, F.: Der preußische Verfassungsstreit 1862–1866. Mü. 1914.

Löwith, K.: Max Weber und Karl Marx. In: Archiv f. Sozialwissenschaft 67, S. 53–99, 175–214. 1932.

Lohmeyer, H.: Die Politik des zweiten Reiches. 1870–1918. 2 Bde. Brl. 1939.

Long, D. C.: The Austro-French Commercial Treaty of 1867. In: American Historical Review 41. 1935/36.

Lord, R. H.: The Origins of the War of 1870. New Documents from German archives. In: Harvard Historical Studies, Bd. 28. Cambridge 1924.
Bismarck and Russia in 1863, dto. 29. 1923.

Lotz, W.: Die Ideen der deutschen Handelspolitik von 1860–1891. In: Schr. d. Vereins f. Sozpol. II. Lpz. 1892.
Geschichte und Kritik des deutschen Bankgesetzes. Lpz. 1888.
Verkehrsentwicklung in Deutschland von 1800 bis 1900. Lpz. 1910.
Geschichte der deutschen Notenbanken bis zum Jahre 1857. Diss. Straßburg 1888.

Lucas, O.: Die Wirtschaftsstruktur des Siegerlandes. In: Das Siegerland, 1956, S. 55 ff.

Ludwig, E.: Bismarck. Geschichte eines Kämpfers. Brl. 1927.

Lütge, F.: Deutsche Sozial- und Wirtschaftsgeschichte. 2. Aufl. Heidelberg 1960.

Luxemburg, R.: Die Akkumulation des Kapitals. Brl. 1913.

Maenner, L.: Deutschlands Wirtschaft und Liberalismus in der Krise von 1879. In: APG 9. 1928.

Mästle, T.: Württemberg und die Großmächte vom Wiener Kongreß bis zum Tode König Wilhelms I. (1815–1864). Tübingen 1951.

Mayer, G.: Die Freihandelslehre in Deutschland. Jena 1927.

Maham, E.: La politique commerciale de la Belgique. In: Schriften d. Vereins f. Sozpol. Bd. 49, S. 201 ff.
Mammroth, K.: Die Entwicklung der österreichisch-deutschen Handelsbeziehungen von 1849—1865. Brl. 1887.
Das Projekt eines österreichisch-deutschen Zollvereins. In: Hirth's Annalen 1886.
Mang, R. le: Deutscher Nationalverein 1859—1909. Brl. o. J.
Mann, G.: Fragment über 1870. Aus einer deutschen Geschichte. In: Monat 8, 88, S. 85 bis 90. Betrachtungen über Bismarcks Reichsgründung.
Deutsche Geschichte des 19. und 20. Jahrhunderts. Frkfrt. 1958.
Mann, H.: Der Beginn der Abkehr Bismarcks vom Kulturkampf 1878—1880. Unter besonderer Berücksichtigung der Politik des Zentrums und der Römischen Kurie. Diss. Frkfrt. 1953.
Der Beginn der Abkehr Bismarcks vom Kulturkampf 1878—1880. Diss. Frkfrt. 1953.
Marchand, H.: Säkularstatistik der deutschen Eisenindustrie, Schriften der volkswirtschaftlichen Vereinigung im rheinisch-westfälischen Industriegebiet NF, Hauptreihe Nr. 3. 1939.
Marcks, E.: Kaiser Wilhelm I. Mü. 1918[8].
Bismarck. Eine Biographie 1815—1851. 1951[21].
Der Aufstieg des Reiches. 2 Bde. Stgt./Brl. 1936.
Marcuse, M.: Das Filialsystem der deutschen Großbanken. Diss. phil. Brl. 1933.
Martin, A. v.: Die bürgerlich-kapitalistische Dynamik der Neuzeit. In: HZ 172, 1951, S. 37 ff.
Martin, R.: Deutsche Machthaber. Brl. 1910.
Marzisch, K.: Die Vertretung der Berufsstände als Problem der Bismarckschen Politik. Diss. Marburg 1934.
Mathies, O.: Hamburgs Reederei 1814—1914. Hbg. 1924.
Matlekovits, A. v.: Die Zollpolitik der österreichisch-ungarischen Monarchie seit 1868. Lpz. 1891.
Die wirtschaftliche Entwicklung Ungarns seit 1868. In: Ztschr. f. Volkswirtschaft u. Sozpol. u. Verwaltung. 1898.
Die Zollpolitik der österreichisch-ungarischen Monarchie und des Deutschen Reiches seit 1868 und deren nächste Zukunft. Lpz. 1891.
Matschoß, A.: Die Kriegsgefahr von 1867. Bunzlau/Breslau. Diss. 1902.
Matschloß, C.: Männer der Technik. Ein biographisches Handbuch. Brl. 1925.
Beiträge zur Geschichte der Technik u. Industrie. In: Jb. d. VDI, Bd. II: Gutehoffnungshütte, Bd. X: Harkort.
Matthes, H. E.: Die Spaltung der Nationalliberalen Partei und die Entwicklung des Linksliberalismus bis zur Auflösung der Deutsch-Freisinnigen Partei. Diss. Kiel 1953.
Mauersberg, H.: Wandlungen in der Wirtschafts- und Sozialverfassung Dortmunds von der Zeit Napoleons bis zu Beginn des 20. Jhdts. Dortmund 1962.
Maunz, T.: Der Bundesrat in Vergangenheit und Gegenwart. In: Hist. Jb. 72, 1955, S. 549 ff.
May, A. J.: The Habsburg Monarchy 1867—1914. Cambridge 1951.
May, G.: Le traité de Francfort. Nancy/Paris 1909.
Mayer, G.: Die Trennung der proletarischen von der bürgerlichen Demokratie in Deutschland (1863—1870). Lpz. 1911.
Bismarck und Lasalle. (Ihr Briefwechsel und ihre Gespräche). Brl. 1928.

Mayer, Th.: Haupttatsachen der wirtschaftsgeschichtlichen Entwicklung. In: VSWG 22, 1929, S. 360 ff.

Mayr, E.: Kapitalbedarf und Kapitalbeschaffung der Industrie in Mannheim, Ludwigshafen a. Rh. und Frankenthal. In: Hdb. volkswirtschaftlicher Abh. Bd. I/Heft 2. 1910.

Mazura, P.: Die Entwicklung des politischen Katholizismus in Schlesien von den Anfängen bis zum Jahre 1880. Diss. Breslau 1925.

Medlicott, W. N.: The Congress of Berlin and after. A diplomatic history of the Near eastern Settlement 1878—1880. London 1938.
Bismarck, Gladstone and the concert of Europa. 1955/56.

Mehrens, C.: Entstehung und Entwicklung der großen französischen Kreditinstitute. Stgt. 1911.

Mehring, F.: Geschichte der deutschen Sozialdemokratie. 4 Bde. Stgt. 1922[12].

Meiboom, S.: Studien zur deutschen Politik Bayerns in den Jahren 1851—1859. In: Schriftenreihe zur bayrischen Landesgeschichte, Bd. VI. Mü. 1931.
Bismarck und Bayern im Bundestag 1851—1859. In: Historische Vjschr. Bd. 26, 1931, S. 320 ff.

Meine, K.: England und Deutschland 1871—1876. Brl. 1937.

Meinecke, Fr.: Weltbürgertum und Nationalstaat. Studien zur Genesis des deutschen Nationalstaates. Mü./Brl. 1908.
Reich und Nation von 1871—1914. In: Staat und Persönlichkeit. Brl. 1933. S. 165-205.
Boyen und Roon, Landwehr und Landsturm seit 1814. In: Preußen und Deutschland im 19. und 20. Jahrhundert. Brl. 1918.
Die Deutsche Katastrophe. Wiesbaden 1946.
Zur Geschichte Bismarcks HZ 87, S. 22 ff., HZ 90, S. 56 ff.
Die Idee der Staatsräson in der neueren Geschichte. Mü. 1957.

Meininghaus, R. R.: Graf Friederich zu Eulenburg; preußischer Minister des Inneren 1862—1878. Diss. Tübingen 1932.

Meis, H.: Der Ruhrbergbau im Wechsel der Zeiten. 1933.

Meisner, H. O.: Bismarcks Bündnispolitik 1871—1890. In: Preuß. Jbb. 1923.
Der preußische Kronprinz im Verfassungskampf 1863. Brl. 1931.
Die Protokolle des Deutschen Bundestages von 1816—1866. Eine quellenkundliche Untersuchung. In: Archivalische Zeitschr., Bd. 47, 1951, S. 1—22.
Militärkabinett, Kriegsminister und Reichskanzler zur Zeit Wilhelms I. In: FBPG 50, 1938, S. 86—106.
Der Kriegsminister 1814—1914. Ein Beitrag zur militärischen Verfassungsgeschichte. Brl. 1940.

Meisner, H. O.: Bundesrat, Bundeskanzler und Bundeskanzleramt 1867—1871. In: FBPG 54, 1942.

Memminger, A.: Der Bayernkönig Ludwig II. Würzburg 1933.

Mertes, P. H.: Das Werden der Dortmunder Wirtschaft, 1863–1914. Dortmund 1942[2].

Metzler, C.: Studien zur Geschichte des deutschen Effektenbankwesens 1911.

Meuss, J. Fr.: Die Unternehmungen des Königlichen Seehandlungs-Instituts zur Emporbringung des preußischen Handels zur See. Brl. 1913.

Mews, K.: Hasslinger Hütte, Neu-Schottland, Dortmunder Union-Eisenwerke Steele 1856—1956. In: Beitr. zur Geschichte von Stadt u. Stift Essen. 1956.

Meyendorff, A.: Conversations of Gorchakov with Andrássy and Bismarck in 1872. In: East European and Slavonic Review VIII, 1929/30.

Meyer, A.: Der Zollverein und die deutsche Politik Bismarcks. Diss. Freiburg 1958.
Meyer, A. O.: Bismarck, der Mensch und der Staatsmann. Stgt. 1949.
Die Zielsetzungen in Bismarcks schleswig-holsteinischer Politik von 1855—1864. In: Ztschr. der Gesellschaft f. Schleswig-Holsteinische Geschichte LIII. 1923.
Der preußische Kronrat vom 29. 5. 1865. In: Festschrift Srbik. Mü. 1938.
Bismarck und Moltke vor dem Fall von Paris und beim Friedensschluß. In: Festschrift K. A. v. Müller, 1943, S. 329 ff.
Bismarcks Kampf mit Österreich im Bundestag zu Frankfurt 1851—1859. Lpz. 1927.
Meyer, E. W.: Aus der Geschichte der nationalliberalen Parteien in den Jahren 1868 bis 1871. In: Festschrift Meinecke. Mü. 1922.
Parteikrisen im Liberalismus und in der Sozialdemokratie 1866—1916. In: Preußische Jbb. 172, 1918, S. 171 ff.
Meyer, H. C.: German Economic Relations with Southeastern Europe 1870—1914. In: American Historical Review 57, 1951/52.
Mitteleuropa in German Thought and Action 1815—1945. La Haye 1955.
Meyer, G.: Die Reichsgründung und das Großherzogtum Baden. Festgabe f. Großherzog Friedrich von Baden. Heidelberg 1896.
Michael, H.: Bismarck, England und Europa. Eine Studie zur Geschichte der Bismarckschen Reichsgründung. Mü. 1930.
Mielcke, K.: Bismarck in der neueren Forschung. Braunschweig 1954.
Mises, L. v.: Theory and History. New Haven 1957.
Mittelstädt, A.: Der Krieg von 1859, Bismarck und die öffentliche Meinung in Deutschland. Stgt. 1904.
Model, P.: Die großen Berliner Effektenbanken. Jena 1896.
Moltke, S.: Leipzigs Handelskorporationen. Lpz. 1907.
Mombacher, H.: Bismarcks Realpolitik als Ausdruck seiner Weltanschauung. Die Auseinandersetzung mit Leopold von Gerlach 1851—1859. Brl. 1936.
Mommsen, W.: Deutsche Parteiprogramme. Mü. 1960.
Zur Methodik der deutschen Parteigeschichte. In: HZ 147. 1933.
Zur Beurteilung der deutschen Einheitsbewegung. In: HZ 138. 1928.
Mommsen, Wilh.: Der Kampf um das Bismarck-Bild. In: Neue politische Literatur, 4. Jg. März 1959.
Bismarck. Ein politisches Lebensbild. Mü. 1959.
Stein, Ranke und Bismarck. Mü. 1954.
Der Kampf um das Bismarck-Bild. In: Universitas, Jg. 5. 1950.
Mommsen, W. J.: Max Weber und die deutsche Politik 1890—1920. Tübingen 1959.
Morsey, R.: Die oberste Reichsverwaltung unter Bismarck. In: Neue Münstersche Beiträge zur Geschichtsforschung, Bd. 3. Münster 1957.
Geschichtsschreibung und amtliche Zensur. In: HZ Nr. 184. 1957. S. 555 ff.
Die Hohenzollernsche Thronkandidatur in Spanien. In: HZ 186. 1958.
Morstein Marx, F.: Einführung in die Bürokratie. Eine vergleichende Untersuchung über das Beamtentum. Neuwied 1959.
Moser, A.: Die Kapitalanlage in Wertpapieren. 1862.
Moser, F.: Die Frage der Ministerverantwortlichkeit im Norddeutschen Bund. In: Schweizerische Monatshefte 8, 1928/29, S. 83—91, 140—148.
Mosse, W. E.: The European Powers and the German Question 1848—1871. Cambridge 1958.

Most, O./Kuske, B./Weber, H.: Grundriß der rheinisch-westfälischen Wirtschaftskunde. Brl. 1931.

Mosthaf, W.: Die württembergischen Industrie- und Handelskammern Stuttgart, Heilbronn, Reutlingen und Ulm. Ulm 1955.

Motschmann, G.: Das Depositengeschäft der Berliner Großbanken. Mü./Lpz. 1915.

Mottek, H.: Die Ursachen der preußischen Eisenbahn-Verstaatlichung des Jahres 1879 und die Vorbedingungen ihres Erfolges. Diss. Brl. 1950.

Mottek/Blumberg/Wutzmer/Becker: Studien zur Geschichte der industriellen Revolution in Deutschland. Brl. 1960.

Mücke, J. R.: Deutschlands Getreideertrag. 1883.

Mühlpfordt, G.: Die polnische Krise von 1863. Die Begründung der russisch-preußisch-deutschen Entente der Jahre 1863—1871. Halle 1952.

Müller, G.: Dresdner Bank. In: Encyklopädisches Lexikon für Geld-, Bank- und Börsenwesen, S. 3, Sonderdruck.

Müller, E.: Die katholische Wirtschafts- und Gesellschaftsidee in der Politik des Zentrums im Reichstag von 1871—1879. Diss. Frkfrt. 1955.

Müller, J.: Wirtschaftskunde des Landes Thüringen. Brl. 1903.

Müller, K. A. v.: Bismarck und Ludwig II. im September 1870. In: HZ Nr. 111, S. 89 ff.
Die Tauffkirchensche Mission nach Berlin und Wien. Bayern, Deutschland und Österreich im Frühjahr 1867. In: Festschrift Riezler 1923.
Bayern im Jahre 1866 und die Berufung des Fürsten Hohenlohe. Mü. 1909.

Müller, M.: Die Bedeutung des Berliner Kongresses für die deutsch-russischen Beziehungen. Lpz. 1927.

Müller, R.: Die Partei Bethmann Hollweg und die orientalische Krise 1853—1856. Halle 1926.

Müller, W.: Die Einnahmequellen des Deutschen Reiches und ihre Entwicklung 1872 bis 1907. Mönchen-Gladbach 1907.
Die Organisation des Kredit- und Zahlungsverkehrs in Deutschland. In: Bank-Archiv Nr. 8, 1909, S. 116.

Müller-Jabusch, M.: So waren die Gründerjahre. Düsseldorf 1957.

Muncy, L. W.: The Junker in the Prussian Administration under William II. 1888—1914. Providence 1944.

Muralt, L. v.: Bismarcks Verantwortlichkeit. Göttingen 1955.
Der Ausbruch des Krieges von 1870/71. In: Ostdeutsche Wissenschaft V, 1958, S. 348 ff.
Bismarck-Forschung und Bismarck-Problem. In: Schweiz. Monatshefte 34, S. 148–162.

Namier, L. B.: 1848, the Revolution of the Intellectuals. 1944.

Nathan, H.: Preußens Verfassung und Verwaltung im Urteil rheinischer Achtundvierziger. Bonn 1912.

Neukamm, F.: Wirtschaft und Schule in Württemberg von 1700—1836. Heidelberg 1956.

Neumann, S.: Die Stufen des preußischen Konservativismus. In: Eberings Hist. Studien, Heft 190. Brl. 1930.

Neumann-Spallart, F. X. v.: Der Schutz der Weltwirtschaft. Brl. 1879.
Übersichten der Weltwirtschaft. I. 1878, Brl. 1878; II. 1879, 1880; III. 1880, 1881; IV. 1881/82, 1884; V. 1883/84, 1887.

Neuwirth, J.: Die Spekulationskrisis von 1873. 1874.

Nikitina, J. A.: Franko-prusskaja vojna i krušenie Vtoroj imperii. Lekcii. Moskva 1956. (Der französisch-preußische Krieg und der Zusammenbruch des 2. Reiches. Vorträge).

Nipperdey, Th.: Die Organisation der bürgerlichen Parteien in Deutschland vor 1918. In: Hist. Ztschr. 185, 1958, S. 550—602.
Die Organisation der deutschen Parteien vor 1918. Düsseldorf 1961.
Nirrnheim, O.: Das erste Jahr des Ministeriums Bismarck und die öffentliche Meinung. In: Heidelberger Abh. zur mittleren und neueren Geschichte, Bd. 20. Heidelberg 1908.
Nolde, Baron B. v.: Bismarcks Petersburger Partner. In: Preuß. Jbb. 129, 1930, S. 286 ff.
Nothacker, K.: Ursachen, Entwicklung und Bedeutung des ökonomischen Liberalismus in der 2. Hälfte des 19. Jahrhunderts. Diss. phil. Erlangen 1950.
Novotny, A.: Quellen und Studien zur Geschichte des Berliner Kongresses: Österreich, die Türkei und das Balkanproblem im Jahre des Berliner Kongresses. 1957.
Nitzsche, M.: Die handelspolitische Reaktion in Deutschland. In: Münchner volkswirtschaftliche Studien 72. Stgt./Brl. 1905.
Noack, U.: Bismarcks Friedenspolitik und das Problem des deutschen Machtverfalls. Lpz. 1928.
Nübel, E.: Sozialistengesetz, Zollpolitik und Steuerreform als Kampfmittel in Bismarcks Ringen mit dem Liberalismus. 1878—1879. Diss. Köln 1930.
Obermann, K.: Die Rolle der ersten deutschen Aktienbanken in den Jahren 1848—1856. In: Jb. für Wirtschaftsgeschichte II, 1. Brl. 1961.
Die deutschen Arbeiter in der Revolution von 1848. 1953.
Obst, G.: Die königliche Seehandlung in Vergangenheit und Gegenwart. In: Ztschr. für Handelswissenschaft und Handelspraxis, 1909, S. 202 ff.
Oehlmann, K.: Die deutsche Politik Bismarcks 1862—1871 im Urteil der belgischen Diplomatie. Diss. Göttingen 1955.
Oelrichs, F.: Die Breslauer Handelkammer. In: Tradition 1961.
Oelsner, F.: Die Wirtschaftskrisen. Brl. 1952.
Oertzen, F. W. v.: Junker, Preußischer Adel im Jahrhundert des Liberalismus. Brl./ Oldenburg 1939.
Olms, H.: Die hessen-darmstädtische Politik zur schleswig-holsteinischen Frage. Diss. Rostock 1931.
Oncken, A.: L'Article 11 du traité de paix de Francfort. In: Revue d'Economie Politique. 1892.
Oncken, H.: Lasalle. Eine politische Biographie. Stgt./Brl. 1923.
Das Deutsche Reich und die Vorgeschichte des Weltkrieges. 2 Bde. 1933.
Bennigsen und die Epochen des parlamentarischen Liberalismus in Deutschland und Preußen. In: HZ 104, 1910.
Der Nationalverein und die Anfänge der deutschen Arbeiterbewegung 1862/63. In: Archiv für Geschichte des Sozialismus und der Arbeiterbewegung, 1. Lpz. 1911.
Bismarck und die Zukunft Mitteleuropas. Heidelberg 1915.
Die Rheinpolitik Kaiser Napoleons III. von 1863 bis 1870 und der Ursprung des Krieges von 1870/71. 3 Bde. Brl./Lpz./Stgt. 1926.
Die Baden-Badener Denkschrift Bismarcks über die deutsche Bundesreform (Juli 1861). In: HZ 145, 1931, S. 106 ff.
Ottmann, K.: Die Eisenbahnen in ihrem Verhältnis zum Staat nach den Schriften von David Hansemann. In: Archiv für Eisenbahnwesen, 1963, S. 263 ff.

Pack, W.: Das parlamentarische Ringen um das Sozialistengesetz Bismarcks. Düsseldorf 1961.

Padberg, E.: Die industrielle Entwicklung Hamms. Diss. Frkfrt. 1930.

Passant, E. J. / Henderson, W. O.: Germany 1815—1945.
Deutsche Geschichte in britischer Sicht. Brl. 1962.

Passow, R.: Kartelle des Bergbaus. Lpz./Brl. 1911
Die wirtschaftliche Bedeutung und Organisation der Aktiengesellschaft. Jena 1907.

Peez, A.: Die Handelspolitik der Kulturvölker. o. O. o. J.

Pentmann, J.: Die Zollunionsidee und ihre Wandlungen im Rahmen der wirtschaftspolitischen Ideen und der Wirtschaftspolitik des 19. Jahrhunderts bis zur Gegenwart. 1917.

Perlick, A.: Oberschlesische Berg- und Hüttenleute. Kitzingen 1953.

Petersdorff, H. v.: Die Vereine Deutscher Studenten: Zwölf Jahre akademischer Kämpfe. Lpz. 1900.

Pfitzer, A.: Prinz Heinrich VII. Reuß, General v. Schweinitz, Fürst Münster als Mitarbeiter Bismarcks. Diss. Tübingen 1931.

Pflanze, O.: Bismarck and the Development of Germany. The Period of Unification 1815—1871. Princeton UP. 1963.

Pfütze-Grottewitz, A.: Entwicklung der Industriebetriebe im Königreich Sachsen. In: Jb. für Nationalökonomie und Statistik, 91. 1908.

Phillipovich, E.: Die Entwicklung der wirtschaftspolitischen Ideen im 19. Jahrhundert. Tübingen 1910.

Pickavé, W.: Die staatsrechtliche Stellung des Reichskanzlers nach der Bismarckschen Verfassung. Diss. Mü. 1949.

Pinner, F.: Wie sie groß und reich wurden (Lebensbilder erfolgreicher Männer). Brl. 1932.
Die großen Weltkrisen im Lichte des Strukturwandels der kapitalistischen Wirtschaft. Zürich/Lpz. 1937.

Pioch, H. H.: Die Auffassung Bismarcks von der Stellung Preußens in Deutschland. Diss. Marburg 1935.

Platzhoff, W.: England und der Kaiserplan vom Frühjahr 1870. In: HZ 127, 1923, S. 454 ff.

Plenge, J.: Von der Diskontpolitik zur Herrschaft über den Geldmarkt. Brl. 1913.

Plehn, H.: Bismarcks auswärtige Politik nach der Reichsgründung. Mü. 1920.

Plessner, H.: Die verspätete Nation. Über die Verführbarkeit bürgerlichen Geistes. Stgt. 1959².

Plieninger, M.: Die württembergische Presse und die Wendung der Bismarckschen Innenpolitik. 1876—1881. Diss. Tübingen 1922.

Pönicke, H.: Sächsische Wirtschaftsköpfe. Ein Beitrag zur Geschichte der Technik und Wirtschaft Sachsens. In: Mitteldeutsches Jb. 1955, S. 77 ff.
Zwei entscheidende Jahrzehnte sächsischer Wirtschaftsgeschichte (1850—1870). Ein Beitrag zur Entstehung der deutschen Wirtschaftseinheit vor 100 Jahren. Hamburger Mittel- und Ostdeutsche Forschungen I. 1957.

Pohle, L.: Die Umgestaltungen des Verkehrswesens und die Wandlungen im Handel. Brl./Lpz. 1920.
Bevölkerungsbewegung, Kapitalbildung und periodische Wirtschaftskrisen. Göttingen 1902.
Die Entwicklung des deutschen Wirtschaftslebens im 19. Jahrhundert. Lpz. 1908.

Die Verkehrsentwicklung in Deutschland 1800–1900. Lpz. 1910.
Poll, M.: Edmund Jörgs Kampf für eine christliche und großdeutsche Volks- und Staatsordnung. Paderborn 1936.
Portner, E.: Die Einigung Italiens im Urteil liberaler Zeitgenossen. Bonner Hist. Forschungen 13. Bonn 1959.
Poschinger, H. v.: Wie Bismarck Schutzzöllner wurde. In: Grenzboten 1909, IV.
Postan, M.: The historical method in social science. Cambridge 1939.
Pounds, N. J. G.: The Ruhr. 1952.
Predöhl, A.: Das Ende der Weltwirtschaftskrise. Hbg. 1962.
Preradovich, N. v.: Die Führungsschichten in Österreich und Preußen (1804–1918) mit einem Ausblick bis zum Jahre 1945. In: Institut für europäische Geschichte, Bd. 11. Wiesbaden 1955.
Price, A. H.: The Evolution of the Zollverein. Michigan 1949.
Prion, W.: Das deutsche Wechseldiskontgeschäft mit besonderer Berücksichtigung des Berliner Geldmarktes. Brl. 1907.
Pritzkoleit, K.: Bosse, Banken, Börsen. Herren über Geld und Wirtschaft. Mü. 1954.
Prösch, H.: Bismarcks Reichstagsreden zur auswärtigen Politik. Diss. Hbg. 1928.
Promnitz, K.: Bismarcks Eintritt in das Ministerium. In: Historische Studien, Bd. 60. Brl. 1908.
Prym, A. M.: Staatswirtschaft und Privatunternehmung in der Geschichte des Ruhrkohlebergbaus. 1951.
Pontila, C. A.: Bismarck in Ranskanpolitiika. Helsinki 1952.
Puttkamer, A. v.: Die Ära Manteuffel. Stgt. 1904.
Rachel, H. / Papritz, J. / Wallich, P.: Berliner Großkaufleute und Kapitalisten. Bd. 1. Brl. 1934.
Rachfahl, F.: Eugen Richter und der Linksliberalismus im Neuen Reiche. In: Ztschr. für Politik 5, 1912, S. 261–374.
Deutschland und die Weltpolitik 1871–1914. Bd. 1. Stgt. 1923.
Rachfahl, F.: Bismarck und wir, Festrede. Feldberg 1920.
Deutsche Geschichte vom wirtschaftlichen Standpunkt. In: Preuß. Jb. 1896, Bd. 83, S. 348 ff.
Ramjoué, F.: Die Bedeutung der Schwerindustrie für die Entwicklung des Ruhrgebietes. Diss. Köln 1933.
Rantzau, E. Graf v.: Die Grundzüge der preußisch-deutschen Tarifpolitik seit der Begründung des Zollvereins. In: Deutsche Rundschau, 110, Brl. 1902, S. 97 ff.
Rapp, A.: Die Württemberger und die nationale Frage 1863–1871. In: Darstellungen aus der Württembergischen Geschichte, Bd. 4. Stgt. 1910.
Rassow, P.: Der Plan des Feldmarschalls Grafen Moltke für den Zweifronten-Krieg. (1871–1890). 1936.
Rathgen: Freihandel und Schutzzoll. In: Festschrift Schmoller: Die Entwicklung der deutschen Volkswirtschaftslehre im 19. Jahrhundert 2. 1908.
Rathmann, L.: Bismarck und der Übergang Deutschlands zur Schutzzollpolitik (1873/75). In: Ztschr. für Geschichtswissenschaft 4, 1956, S. 899 ff.
Raumer, K. v.: Das Jahr 1859 und die deutsche Einheitsbewegung in Bayern. (Quellen und Darstellungen zur Geschichte der Burschenschaften und der deutschen Einheitsbewegung VIII). Heidelberg 1925.
Raupach, H.: Bismarck und die Tschechen im Jahre 1866. Brl. 1936.

Redlich, J.: L'entrevue de l'empereur François-Joseph et de l'empereur Napoléon à Salzbourg le 18. VII. 1867. In: Le monde slave N. S. 3, 2, 1926.
Redlich, F.: Entrepreneurship in the Initial Stages of Industrialization with Special Reference to Germany. In: WWA 75, S. 59–106. 1955.
Rehbein, E.: Zum Charakter der preußischen Eisenbahnpolitik von ihren Anfängen bis zum Jahre 1879. Diss. Dresden 1953.
Reibnitz, K. v.: Amerikas internationale Kapitalwanderungen. 1926.
Rein, G. A.: Die Reichsgründung in Versailles. 18. I. 1871. Mü. 1958.
Bismarcks Royalismus. In: GWU 5, 1954, S. 331 ff.
Die Revolution in der Politik Bismarcks. Göttingen/Brl./Frkfrt. 1957.
Reiners, L.: Bismarck. Bd. 1/2, 1955/56/58.
Reitböck, G.: Der Eisenbahnkönig Strousberg und seine Bedeutung für das europäische Wirtschaftsleben. In: Beitrag für die Geschichte von Technik und Industrie 17, 1924.
Renner, V.: Karl Twesten. Vorkämpfer der liberalen Rechtsstaatsidee. Diss. Freiburg 1954.
Renouvin, P.: L'Empire allemand au temps de Bismarck. Paris 1950.
Le XIXe siècle. Bd. 1, 1815–1871. Paris 1954.
Renzing, R.: Die Handelsbeziehungen zwischen Frankreich und Deutschland von der Gründung des Zollvereins bis zur Reichsgründung. Frkfrt. 1959. Diss.
Repgen, K.: Märzbewegung und Maiwahlen des Revolutionsjahres 1848 im Rheinland. Bonner Historische Forschung 4. Bonn 1955.
Reus, H. d. / Endt G. S.: Die Handelspolitik der Niederlande in den letzten Jahrzehnten. In: Schr. f. Sozpol. Bd. 51.
Rhiel, W. H.: Die bürgerliche Gesellschaft. 1851.
Richter, E.: Das preußische Staatsschuldenwesen und die preußischen Staatspapiere. Breslau 1869.
Richter, S.: Die Struktur des deutschen Außenhandels von 1871–1892. Diss. Halle 1961.
Richter, W.: Das Bild Bismarcks. In: Die Neue Rundschau 1952.
Richter, A.: Bismarck und die Arbeiterfrage im preußischen Verfassungskonflikt. Stgt. 1933.
Rieken, J.: Ludwig v. d. Pfordten und die preußischen Bundesreformbewegungen vor Ausbruch des Krieges 1866. Diss. Kiel 1942.
Riker, T. W.: The Making of Roumania. Oxford 1931.
Rischbieter, H.: Der Handelsvertrag mit Frankreich und die Zollvereinskrisis (1862–1864) in der öffentlichen Meinung Deutschlands. Diss. Göttingen 1952.
Rießer, J.: Zur Organisation und Politik des deutschen Bankwesens. In: Bankarchiv 21. Jg. 1926.
Rießer, J.: Die Deutschen Großbanken und ihre Konzentration im Zusammenhange mit der Entwicklung der Gesamtwirtschaft in Deutschland. Jena 1912.
Ritter, G.: Die preußisch-konservativen und Bismarcks deutsche Politik 1858 bis 1876. In: Heidelberger Abhandlungen zur mittleren und neueren Geschichte 43. Heidelberg 1913.
Die Entstehung der Indemnitätsvorlage von 1866. In: HZ 114, 1915.
Bismarck und die Rhein-Politik Napoleons III. In: Rhein. Vjbll. 15/16 (1950/51), S. 339 ff.
Staatskunst und Kriegshandwerk. Zum Problem des »Militarismus« in Deutschland, Bd. 1. Mü. 1954.
Europa und die deutsche Frage. Mü. 1948. (1963²).

Großdeutsch und kleindeutsch im 19. Jahrhundert. In: Schicksalswege deutscher Vergangenheit, Festschrift für S. A. Kaehler. Düsseldorf 1950.
Das Bismarckproblem. In: Merkur Heft 6, 1950.
Das Verhältnis von Kriegsführung und Politik im Bismarckschen Reich. In: Festschrift Rothfels, Düsseldorf 1951, S. 69—97.
Ritterhausen, H.: Die deutsche Außenhandelspolitik von 1879—1948. In: Ztschr. f. d. gesamte Staatswissenschaft, Tübingen 105, 1949.
Bankpolitik. Eine Untersuchung des Grenzgebietes zwischen Kredittheorie, Preistheorie und Wirtschaftspolitik. Frkfrt. 1956.
Ritschl, H.: Die Grundlagen der Wirtschaftsordnung. Tübingen 1954.
Robinski, A.: Die Vorkämpfer eines größeren Deutschlands in zollpolitischer Hinsicht bis zum Jahre 1914. Heidelberg 1917.
Rogmann, H.: Die Bevölkerungsentwicklung im preußischen Osten in den letzten 100 Jahren. Brl. 1937.
Röhll, H.: Die wirtschaftlichen Wechsellagen in der Peiner-Ilseder Eisenindustrie von 1860—1913. Jena 1940.
Rößler, H.: Deutsche Geschichte. Schicksale des Volkes in Europas Mitte. Gütersloh 1961.
Roettger, H.: Bismarck und Eugen Richter im Reichstag 1879—1890. Diss. Münster 1932.
Rogge, H.: England, Franz List und der Deutsche Zollverein. 1939.
Roloff, B.: Die Zollvereinskrise von 1850—1853. Diss. Halle 1937. In: Archiv f. Hessische Geschichte und Altertumskunde. N. F. 21, 1940, S. 1—61.
Roloff, G.: Napoleon und der polnische Aufstand im Jahre 1863. In: HZ 164, 1941.
Abrüstung und Kaiserplan vor dem Kriege von 1870. Preuß. Jbb. 214. 1928.
Brünn und Nikolsburg: nicht Bismarck sondern der König isoliert. In: HZ 136. 1927.
Bismarcks Friedensschlüsse mit den Süddeutschen 1866. In: HZ 146, 1932, S. 1—70.
Rosen, G.: Die Stellungnahme der Politik Bismarcks zur Frage der Staatsform in Frankreich von 1871—1890. Detmold 1924.
Rosenbaum, L.: Herkunft und Beruf der Abgeordneten zu den deutschen und preußischen Parlamenten 1847 bis 1919. 1923.
Rosenberg, H.: Die Maximen von Bismarcks inneren Politik. In: Preuß. Jb. 191, S. 1—29.
Die Weltwirtschaftskrise von 1857. Stgt. 1934.
Rudolf Haym und die Anfänge des klassischen Liberalismus. Mü. 1934.
Die Demokratisierung der Rittergutsbesitzerklasse. In: Festschrift Herzfeld. Brl. 1950.
Rosenberg, H.: Political and Social Consequences of the Great Depression 1873—1896 in Europe. In: Economic History Review 1943.
Rostow, W. W.: The process of economic growth. Oxford 1953, deutsch. Göttingen 1960.
Rothan, G.: Les origines de la Guerre de 1870/71. Paris 1883.
Rothfels, H.: T. Lohmann und die Kampfjahre der staatlichen Sozialpolitik 1871—1905. In: Forschungen und Darstellungen a. d. Reichsarchiv 6, Brl. 1927.
Bismarck und der Staat. Darmstadt 1953.
Zur Geschichte der Bismarckschen Innenpolitik. In: APG 7, 1926, S. 284—310.
Ostraum, Preußentum und Reichsgedanke. In: Königsberger Hist. Forschungen VII. Lpz. 1935.
Bismarck und der Osten. Lpz. 1933.
Das Werden des Mitteleuropagedankens. 1960.
Gesellschaftsformen und auswärtige Politik. Laupheim 1954. Geschichte und Politik Nr. 5.

Bismarcks englische Bündnispolitik. Stgt. 1924.
Zeitgeschichtliche Betrachtungen. Göttingen 1959.
Problems of a Bismarck Biography. In: The Review of Politics Bd. 9. 1947.
Bismarck und das 19. Jahrhundert. In: Schicksalswege deutscher Vergangenheit 1950, Festschrift S. A. Kaehler.
Zur Krise des Nationalstaates. In: VfZG 1, 1953, S. 138–152.
Das Kriegstagebuch Kaiser Friedrichs. In: Preuß. Jb. Bd. 203. 1926.
Bismarcks Staatsanschauung. In: GWU 4, 1953, S. 676–703.
Rothfritz, H.: Die Politik des preußischen Botschafters Grafen Robert v. d. Goltz in Paris 1863–1869. Diss. Freiburg 1934.
Rottsahl, R.: Bismarcks Reichseisenbahnpolitik. Diss. Frkfrt. 1935.
Ruby, J.: Die Badische Bank. 1870–1908. Karlsruhe 1911.
Rüstow, A.: Zu den Grundlagen der Wirtschaftswissenschaft. In: Revue de la faculté des sciences économiques de l'université d'Istanbul 2, 1941.
Ruggiero, G. de: Geschichte des Liberalismus in Europa. Mü. 1930.
Ruhenstroth-Bauer, R.: Bismarck und Falk im Kulturkampf. 1944.
Ruider, O.: Bismarck und die öffentliche Meinung in Bayern 1862–1870. Mü. 1924.
Runkel, F.: Rheinisch-westfälische Bankenkonzentration. In: Bankwissenschaft III, 1926/27, S. 176 ff.
Rupp, G. H.: The wavering friendship: Russia and Austria 1876–1878. 1941.
Ruschen, E.: Bismarcks Abkehr vom Liberalismus 1877/78. Diss. Köln 1937.
Sachtler, H.: Wandlungen des industriellen Unternehmers in Deutschland seit Beginn des 19. Jahrhunderts. Diss. Halle 1937.
Salin, E.: Der Gestaltwandel des europäischen Unternehmers. In: Festschrift f. K. Jaspers, Mü. 1953, S. 328 ff.
Geschichte der Volkswirtschaftslehre. Bern 1951[4].
Wirtschaft und Staat. Brl. 1932.
Salis, J. R. v.: Weltgeschichte der neuesten Zeit. Bd. 1: Die historischen Grundlagen des 20. Jahrhunderts 1871–1914. Zürich 1951.
Salzmann: Ursprung und Ziel der modernen Bankenentwicklung. Diss. Dresden 1904.
Sandberger, D.: Die Ministerkandidatur Bennigsens. In: Eberings Hist. Studien 187. Brl. 1928.
Sartorius v. Waltershausen, A.: Deutschlands Wirtschaftsgeschichte 1815–1914. Jena 1923[2].
Der Paragraph 11 des Frankfurter Friedens. 1915.
Sattler, C.: Die Effektenbanken. Lpz. 1890.
Die Schulden des Deutschen Reiches 1870–1891. In: Finanzarchiv 8, 2.
Bismarcks Entschluß zum Kulturkampf. In: FBPG Bd. 52, S. 67 ff.
Schacht, H.: Zur Finanzgeschichte des Ruhrkohlenbergbaues. In: Schmollers Jb. 37, 1913.
Einrichtung, Betrieb und volkswirtschaftliche Bedeutung der Großbanken. In: Beiträge zur staats- und rechtswissenschaftlichen Fortbildung, Heft 4. Hannover 1912.
Schäfer, H.: Die Geschichte von Herne. 1912.
Schärl, W.: Die Zusammensetzung der bayrischen Beamtenschaft von 1806 bis 1918. Diss. Mü. 1951.
Scharff, A.: Im Kampf um Deutschlands Einheit und Mitteleuropa. Preußisch-deutsche Politik 1850/51. 1937.
Das erste Londoner Protokoll. Ein Beitrag zur europäischen Problematik der schleswig-holsteinischen Frage. Festschrift Scheel. Kiel 1952.

Schauff, J.: Die deutschen Katholiken und die Zentrumspartei — Untersuchung der Reichstagswahlen seit 1871. Diss. Köln 1928.

Scheidt, H.: Die Konvention Alvensleben und die Interventionspolitik der Mächte in der polnischen Frage. Diss. Mü. 1936.

Scheller, H.: Der Frankfurter Fürstentag. Diss. Lpz. 1930.

Schieder, Th.: Die Kleindeutsche Partei in Bayern in den Kämpfen um die nationale Einheit 1863—1871. Mü. 1936.

Die Bismarcksche Reichsgründung von 1870/71 als gesamtdeutsches Ereignis. In: Stufen und Wandlungen der deutschen Einheit: Festschrift Karl A. v. Müller. Stgt. 1943.

Das Reich unter der Führung Bismarcks. Hdb. Rassow, Stgt. 1953, S. 523—572.

Die Theorie der Partei im älteren deutschen Liberalismus. Festschrift Bergstraesser. Düsseldorf 1954.

Das Verhältnis von politischer und gesellschaftlicher Verfassung und die Krise des bürgerlichen Liberalismus. In: HZ 177. 1954, S. 49 ff.

Der Liberalismus und die Strukturwandlungen der modernen Gesellschaft vom 19. zum 20. Jahrhundert. In: Relazioni del Congresso Internazionale di Science Storiche (Roma 1955), V, Firenze 1955.

Vom Deutschen Bund zum Deutschen Reich. In: Gebhardt, Handbuch der Deutschen Geschichte, III, Stgt. 1970[9], S. 99 ff.

Bismarck und Europa. In: Deutschland und Europa. Festschrift f. H. Rothfels, 1951, S. 15 ff.

Das deutsche Kaiserreich von 1871 als Nationalstaat. Köln 1961.

Schierenberg, A.: Die deutsch-französische Auseinandersetzung um die Luxemburger Frage, dargestellt vor allem an der Luxemburgischen Angelegenheit des Jahres 1867. Diss. Marburg 1933.

Schill, W. F.: Baden auf den Dresdner Konferenzen 1850/51. In: Ztschr. für Geschichte des Oberrheins 83, S. 505 ff.

Schlier, O.: Der deutsche Industriekörper seit 1860. Tübingen 1922.

Schmalenbach, E.: Die Aktiengesellschaft. Köln/Opladen 1950.

Schmidt-Volkmar, E.: Der Kulturkampf in Deutschland. Göttingen/Brl./ Frkfrt. 1962.

Schmidt, M.: Entwicklung der Solinger Industrie. In: Monatsschrift d. Bergischen Geschichtsvereins. 1909.

Schmidt, H.: Vom Leinen zur Seide. Die Geschichte der Firma C. A. Delius & Söhne. 1722—1925. Lemgo 1926.

Schmölders, G.: Konjunkturen und Krisen. Hbg. 1955.

Schmoller, G.: Zur Geschichte des deutschen Kleingewerbes im 19. Jahrhundert. Halle 1870.

Die ausländische Getreidekonkurrenz. In: Schmollers Jb. 1882.

Der Übergang Deutschlands zum Schutzzollsystem. Zur Social- und Gewerbepolitik der Gegenwart. Lpz. 1890.

Die Wandlungen der europäischen Handelspolitik des 19. Jahrhunderts. In: Schmollers Jb. 24, 1. 1890.

Vier Briefe über Bismarcks sozialpolitische und volkswirtschaftliche Stellung und Bedeutung. In: Soziale Praxis 7, Lpz. 1898.

Schmoller, G. / Sering, M. / Wagner, A.: Handels- und Machtpolitik. Stgt. 1900.

Schnabel, F.: Deutsche Geschichte im 19. Jahrhundert, 4 Bde. 1929–1937, 2. Aufl. Freiburg 1948–1951.

Das Problem Bismarck. In: Hochland 42, 1949/50, S. 1 ff.

Bismarck und die Nationen. In: La Nouvelle Clio I—II, 1949/50, S. 87—102.
Bismarck und die klassische Diplomatie. In: Außenpolitik 3, S. 635 ff.
Schneider, O.: Bismarck und die preußisch-deutsche Freihandelspolitik (1862—1876). In: Schmollers Jb. 34. 1910.
Bismarcks Finanz- und Wirtschaftspolitik. In: Münchner Staats- und Sozialwissenschaftliche Forschungen 166. Lpz. 1912.
Schneider, R.: Die Entwicklung des niederrheinischen-westfälischen Bergbaus und der Eisenindustrie im 19. Jahrhundert. 1899.
Schneider, W.: Wirtschafts- und Sozialpolitik im Frankfurter Parlament 1848/49. Frkfrt. 1923.
Schoeningh, J.: Karl Ludwig Bruck und die Idee Mitteleuropas. In: Historisches Jb. Jg. 56. 1936.
Schoeps, H. J.: Das andere Preußen. Stgt. 1952.
Schoeps, L.: Graf Vincent Benedetti. Diss. Halle 1915.
Schot, B.: Die Geschichte der Hohenzollerischen Thronkandidatur im Lichte neuer Veröffentlichungen. In: Hohenzollersche Jahreshefte 23. 1963.
Schott, S.: Die großstädtische Agglomeration des Deutschen Reiches 1870—1910. In: Statistisches Jb. deutscher Städte 1. Breslau 1912.
Schowingen, Frhr. K. v.: Der Reichsgedanke in Süddeutschland. In: Hist. Jb. 62/69, 1949, S. 575—592.
Schraepler, E.: Die politische Haltung des liberalen Bürgertums im Bismarckreich. In: GWU V, 1954, S. 529 ff.
Linksliberalismus und Arbeiterschaft in der preußischen Konfliktzeit. In: Hartung-Festschrift, Brl. 1958, S. 385 ff.
Schramm, P. E.: Hamburg, Deutschland und die Welt. 1943.
Deutschland und Übersee. Braunschweig 1950.
Schreckenbach, J. J.: Innerdeutsche Gesandtschaften. In: Festschrift f. H. O. Meisner, Brl. 1956, S. 404—428.
Schreiner, A.: Zur Geschichte der deutschen Außenpolitik 1871—1948. Brl. 1955.
Schroth, A.: Welt und Staatsideen des deutschen Liberalismus in der Zeit der Einheits- und Freiheitskämpfe 1859—1866. In: Historische Studien 201. Brl. 1931.
Schübelin, W.: Das Zollparlament und die Politik von Baden, Bayern und Württemberg 1866—1870. In: Historische Studien 262. Brl. 1935.
Schuchardt, J.: Die Weltwirtschaftskrise von 1866. In: Jb. f. Wirtschaftsgeschichte, Brl. 1961, II, S. 91 ff.
Schüddekopf, O. E.: Die deutsche Innenpolitik im letzten Jahrhundert und der konservative Gedanke. Braunschweig 1951.
Schulte, A.: Der Deutsche Staat. Verfassung, Macht und Grenzen 1819—1914. Stgt./Brl. 1933.
Schümer, S.: Die Entstehungsgeschichte des Sozialistengesetzes. Diss. Göttingen 1929.
Schrunder, F.: Tradition und Fortschritt. Hundert Jahre Gemeinschaftsarbeit im Ruhrbergbau. Stgt. 1959.
Schünemann, K.: Die Stellung Österreich-Ungarns in Bismarcks Außenpolitik. Brl. 1926.
Schüßler, W.: Nocheinmal: Bismarck und die Nationen. In: La Nouvelle Clio I—II (1949—50), S. 432—455.
Bismarck. Lpz. 1925.
Bismarcks Kampf um Süddeutschland 1867. Brl. 1929.

Bismarcks Bündnisangebot an Rußland »Durch Dick und Dünn« im Herbst 1876. In: HZ 147. 1932.
Deutsche Einheit und gesamtdeutsche Geschichtsbetrachtung Aufsätze und Reden. Stgt. 1937.
Schult, G.: Die hessische Innenpolitik unter dem Minister v. Dalwigk 1850–1859. Diss. Mainz 1954.
Schultz, U.: Die Politik Bismarcks in den Jahren 1862–1866 im Spiegel der rheinischen Presse. Diss. Bonn 1933.
Schulz, T.: Die Entwicklung des deutschen Steinkohlenhandels. 1911.
Schunke, W.: Die preußischen Freihändler und die Entstehung der Nationalliberalen Partei. In: Lpz. historische Abhandlungen, Heft 41. Lpz. 1916.
Schumacher, K.: Die Ursachen und Wirkungen der Konzentration im deutschen Bankwesen. In: Schmollers Jb. XXX, 3.
Schumpeter, J.: Business Cycles. A theoretical, historical and statistical analysis of the capitalistic process. New York 1939, 2 Bde.
Theorie der wirtschaftlichen Entwicklung. Mü. 1926. / Brl. 1952².
History of Economic Analysis. Hrsg.: Elizabeth B. Schumpeter, Oxford UP. 1954.
Aufsätze zur Soziologie. Tübingen 1953.
Schuwalow, P. Graf: Der Berliner Kongreß. In: Berliner Monatshefte. Jg. 16, 1938, S. 603 ff.
Schwab, R.: Der deutsche Nationalverein, seine Entstehung aus der nationalliberalen Partei. Diss. Lpz. 1914.
Schwabe, H.: Die Entwicklung der deutschen Binnenschiffahrt bis zum Ende des 19. Jahrhunderts. Brl. 1899.
Schwabe, A.: Der Standort der deutschen Banken. Diss. Köln 1929.
Schweizer, L.: Das Kaisertum der Reichsverfassungen von 1849 und 1871. Diss. Greifswald 1918.
Schwerin v. Krosigk, Graf: Die große Zeit des Feuers. 3 Bde. Tübingen 1957/59.
Schwemer, R.: Die Reaktion und die neue Ära. Lpz. 1912.
Seefried, W.: Mittnacht und die deutsche Frage bis zur Reichsgründung. Diss. Tüb. 1928.
Seidenzahl, F.: Die Anfänge der österreichischen Creditanstalten. In: Der österr. Volkswirt 8. X. 1959.
Bismarck und die Rothschilds. In: Börsenztg. 16. I. 1960, Nr. 9.
Eine Denkschrift David Hansemanns vom Jahre 1856. In: Tradition 5. 1960.
Seidler, E., Freud, A.: Die Eisenbahntarife in ihrer Beziehung zur Handelspolitik. Lpz. 1904.
Seignobos, Ch.: Histoire politique de l'Europe Contemporaine. Paris 1924.
Sell, F. C.: Die Tragödie des deutschen Liberalismus. Stgt. 1953.
Sering, M.: Die landwirtschaftliche Konkurrenz Nord-Amerikas. Lpz. 1887.
Serlo, W.: Bergmannsfamilien. In: Rhein.-westfäl. Wirtschaftsbiographie, Bd. 3. Münster 1936.
Senkel, W.: Wollproduktion und Wollhandel im 19. Jahrhundert mit besonderer Berücksichtigung Deutschlands. In: Zeitschrift f. d. gesamte Staatswissenschaft, Erg. Heft 2, Tübingen 1901.
Seraphim, E.: Kaiser Alexander III. und Fürst Bismarck. Nach den Geheimtagebüchern W. N. Lamsdorfs. In: Vergangenheit und Gegenwart 30, 1940, S. 321 ff.
Der Sturz Bismarcks und die russische Politik. In: dto. 31, 1941, S. 197 ff.

Seton-Watson, R. W.: Britain in Europe 1789—1914. Cambridge 1937.
Shanahan, O.: German protestants face the social question Bd. 1. Notre Dame 1954.
Solmssen, G.: Beiträge. 2 Bde. Brl. 1934.
Sombart, W.: Die Handelspolitik Italiens seit der Einigung des Königreiches. In: Schriften des Vereins f. Sozpol. Bd. 49, S. 79 ff.
Der moderne Kapitalismus. Bd. III. Mü./Lpz. 1928[2].
Das Wirtschaftsleben im Zeitalter des Hoch-Kapitalismus. Mü./Lpz. 1927.
Der kapitalistische Unternehmer. In: Archiv f. Sozialwissenschaft und Sozpol. XXIX.
Der Bourgeois. Mü./Lpz. 1920.
Die Deutsche Wirtschaftsgeschichte im 19. Jahrhundert. Brl. 1921.
Sommer, A.: Die Reichsbank unter Hermann v. Dechend. Brl. 1931.
Sonnemann, R.: Die Auswirkungen des Schutzzolls auf die Monopolisierung der deutschen Eisen- und Stahlindustrie, 1879–92. Brl. 1960.
Sontag, R. I.: Germany and England. Background of Conflict 1848—1898. 1938.
Sorel, A.: Histoire diplomatique de la guerre franco-allemande. 2 Bde. Paris 1875.
Spahn, M.: Zur Entstehung der nationalliberalen Partei. In: Ztschr. f. Politik I, 1907/08, S. 365 ff.
Specht, F. / Schwabe, P.: Die Reichstagswahlen von 1867 bis 1903. 1904[2].
Spiethofer, H.: Bayrische Parteien und Parteipublizistik in ihrer Stellung zur deutschen Frage 1866—1870. In: Oberbayrisches Archiv f. vaterländische Geschichte. Mü. 1922, Bd. 63, S. 143 ff.
Spiethoff, A.: Die wirtschaftlichen Wechsellagen. Aufschwung, Krise, Stockung. Zürich 1955.
Srbik, H. v.: Deutsche Einheit; Idee und Wirklichkeit vom Heiligen Reich bis Königgrätz. 4 Bde. Mü. 1935—1942.
Die Schönbrunner Konferenzen vom August 1864. In: HZ 153, 1936, S. 43 ff.
Mitteleuropa. Das Problem und die Versuche seiner Lösung in der deutschen Geschichte. Weimar 1937.
Zur gesamtdeutschen Geschichtsauffassung. Ein Versuch und sein Schicksal. In: HZ 156 (1937). S. 227 ff.
Der Geheimvertrag Österreichs und Frankreichs vom 12. VI. 1866. In: Historisches Jb. Bd. 57. 1937.
Die Bismarck-Kontroverse. In: Wort und Wahrheit V/2, 1950, S. 918—931.
Stadelmann, R.: Das landwirtschaftliche Vereinswesen in Preußen. 1874.
Das Jahr 1865 und das Problem von Bismarcks deutscher Politik. In: HZ, Beiheft 29. Mü. 1923.
Deutschland und die westeuropäischen Revolutionen. In: Deutschland u. Westeuropa. Laupheim 1948.
Soziale und politische Geschichte der Revolution von 1848. Mü. 1948.
Moltke und der Staat. Krefeld 1950.
Stojanovic, M. D.: The great powers and the Balkans 1875—1878. London 1939.
Steglich, W.: Beiträge zur Problematik der Bündnisse zwischen Junkern und Bourgeoisie in Deutschland 1870–1880. In: Wissenschaftl. Ztschr. der Humboldt-Universität Brl., Geschichts- und Sprachwissenschaftliche Reihe 9/1959/60, S. 323 f.
Steefel, L. D.: Bismarck, the Hohenzollern Candidacy, and the Origins of the Franco-German War of 1870. Harvard UP. 1962.
Steffan, F. / Diehm, W.: Die bayrische Staatsbank 1870—1955. Mü. 1955.
Stein, G.: Unternehmer in der Politik. Düsseldorf 1954.

Steinberg, E.: Die Konzentration im Bankgewerbe. Brl. 1906.
Steinmetz, W.: Die deutschen Großbanken im Dienst des Kapitalexports. Luxemburg 1913.
Steinmann-Bucher, A.: Die Reform des Konsulatswesens aus dem volkswirtschaftlichen Gesichtspunkte. Brl. 1884.
Steiner, E.: Die Entwicklung des Mobilbankwesens in Österreich 1913.
Sternfeld, R.: Der preußische Kronrat 2./3. I. 1864. In: HZ 131, 1925.
Steller, P.: Führende Männer des Rheinisch-westfälischen Wirtschaftslebens. Persönliche Erinnerungen. Brl. 1930.
Stengers, J.: Aux origines de la guerre de 1870. Gouvernement et opinion publique. In: Revue belge philol. 34, S. 701–747.
Stern, A.: Geschichte Europas seit den Verträgen von 1815 bis zum Frankfurter Frieden von 1871. 10 Bde. 1899/1924, 2. Aufl. Bd. 1–4, 1913/21.
Stillich, O.: Eisen- und Stahlindustrie 1904.
Die politischen Parteien in Deutschland.
Bd. I: Die Konservativen.
Bd. II: Der Liberalismus. Lpz. 1908–1911.
Stock, E.: Wirtschafts- und sozialpolitische Bestrebungen der deutsch-konservativen Partei unter Bismarck 1876–1890. Diss. Breslau 1928.
Stöpel, Fr.: Die Handelskrisis in Deutschland. Frkfrt. 1875.
Stolberg-Wernigerode, Graf O. zu: Deutschland und die Vereinigten Staaten im Zeitalter Bismarcks. Brl./Lpz. 1933.
Robert Heinrich Graf von der Goltz, Botschafter in Paris 1863–1869. Oldenburg/Brl. 1941.
Stolper, G.: Deutsche Wirtschaft. 1870–1940. Stgt. 1950.
Stoltenberg, G.: Der deutsche Reichstag 1871–1873. In: Beiträge z. Geschichte der Parlamente und der politischen Parteien, Bd. 7, Düsseldorf 1955.
Stolze, W.: Zur Geschichte der Reichsgründung im Jahre 1870. (Die Denkschrift Delbrücks vom 23. September 1870). In: Preuß. Jbb. Bd. 197. 1924.
Strauß, W.: Die Konzentrationsbewegung im deutschen Bankgewerbe. Brl./Lpz. 1928.
Streisand, J.: Bismarck und die deutsche Einigungsbewegung des 19. Jahrhunderts in der westdeutschen Geschichtsschreibung. In: Ztschr. f. Geschichtswissenschaft 2, 1954.
Strieder, J.: Studien zur Geschichte kapitalistischer Organisationsformen, Monopole, Kartelle und Aktiengesellschaften im Mittelalter und zu Beginn der Neuzeit. Mü. 1925.
Strubel, H.: Staat und Banken im preußischen Anleihewesen von 1871–1913. Brl. 1935.
Stucken, R.: Die Konjunkturen im Wirtschaftsleben. Jena 1932.
Summer, B. H.: Russia and the Balkans 1870–1880. 1937.
Sybel, H. v.: Die Begründung des Deutschen Reiches durch Wilhelm I. I–VII. Mü. 1889–1894.
Taffs, W.: The war Scare of 1875. In: Slavonic Review IX, 1930/31.
Tanzer, K.: Oberschlesiens Eisenindustrie. In: Stahl und Eisen 72. 1952.
Tarnowski, H.: Die deutschen Industrie- und Handelskammern und die großen geistigen, politischen und wirtschaftlichen Strömungen ihrer Zeit. Diss. Mainz 1952.
Taube, A. v.: Fürst Bismarck zwischen England und Rußland. Stgt. 1923.
Taylor, A. J. P.: The Struggle for Mastery in Europe 1848–1919. Oxford 1954.
The Course of German History. London 1945.
Bismarck. The Man and the Statesman. London 1953.

Temperley, A.: England and the Near East. The Crimea. London 1936.
Thieme, H.: Die ökonomischen und politischen Widersprüche bei der Erteilung von Konzessionen zur Gründung von AG in Preußen 1850–1857. Diss. Lpz. 1957.
Statistische Materialien zur Konzessionierung von AG in Preußen bis 1867. In: Jb. f. Wirtschaftsgeschichte II, Bd. 1. Brl. 1961.
Thimme, Fr.: Bismarck und Kardorff. In: Deutsche Revue Oktober/Nov./Dez. 1916.
Thorstein-Veblen: Imperial Germany and the Industrial Revolution. New York 1939.
Thumann, H. H.: Beusts Plan zur Reform des Deutschen Bundes vom 15. X. 1861. In: Neues Archiv f. sächsische Geschichte, Bd. 46. 1925.
Toegel, T.: Die gegenwärtige Geldkrise. Mölheim 1857.
Treue, W.: Caesar Wollheim und E. Arnhold. Die Geschichte einer Kohlengroßhandelsfirma v. d. Mitte des 19. Jahrhunderts bis zum Jahre 1921. Tradition 6.
Industrialisierung als ein Faktor des wirtschaftlichen Wachstums seit dem Anfang des 18. Jahrhunderts. XIe Congrès Internationales des Sciences Historiques Communications. Stockholm 1960.
Deutsche Wirtschaftsführer im 19. Jahrhundert. In: HZ 167, 1942.
Kulturgeschichte der Schraube. Mü. 1955.
Wollte König Wilhelm I. 1862 zurücktreten. In: FBPG Bd. 51. 1939.
Wirtschafts- und Sozialgeschichte Deutschlands im 19. Jahrhundert. In: Gebhardt Hdb. III. Stgt. 1960[8].
Hohenzollernfürstentum und Unternehmertum. In: Tradition 1962, S. 212 ff.
Die Bedeutung der Firmengeschichte für die Wirtschaft und für die allgemeine Geschichte. In: VSWG 41, S. 42–65.
Treutler, H.: Die Wirtschaftskrise von 1857. In: Hbg. Überseejb. 1927.
Tridon, M.: Epochen einer Bankgeschichte. Darmstadt 1962.
Triepel, H.: Unitarismus und Föderalisierung im Deutschen Reich. Tüb. 1907.
Tönnies, F.: Der Kampf um das Sozialistengesetz 1878. Brl. 1929.
Tötter, H.: Bismarck und das Zentrum. Karlsruhe 1938.
Tummescheit, H.: Die Entwicklung der Hamburger »merchantbankers« unter besonderer Berücksichtigung der heute noch bestehenden Firmen. Dipl.-Arbeit Hbg. 1962.
Uelsmann, E.: Beiträge zur Niederrheinischen Parteigeschichte 1858–1863. In: Annalen des Historischen Vereins f. den Niederrhein 109. 1926.
Ulrich: Depositenbanken als Grundlage des Scheckverkehrs. Brl. 1908.
Ungewitter, K.: Ausgewählte Kapitel aus der chemisch-industriellen Wirtschaftspolitik 1877–1927. 1927.
Utsch, R.: Die Entwicklung und volkswirtschaftliche Bedeutung des Eisenerzbergbaus und der Eisenindustrie im Siegerland. 1913.
Valentin, V.: Geschichte der deutschen Revolution. Brl. 1930/31.
Bismarck und Lasker. In: Journal of Central European Affairs, Bd. III, 1943, S. 400 ff.
Bismarcks Reichsgründung im Urteil englischer Diplomaten. Amsterdam 1937.
Vagts, A.: Deutschland und die Vereinigten Staaten in der Weltpolitik, Bd. 1. London 1953.
Valjavec, F.: Die Entstehung des europäischen Konservativismus. In: Ostdeutsche Wissenschaft 1, S. 255–277.
Vallotton, H.: Bismarck. Paris 1961.
Bismarck et Hitler. Paris 1954.
Valsecchi, F.: Considerazioni sulla politica europea di Napoleone III. Rivista storica Italiana, Jg. 62. 1950.

Verein für bergbauliche Interessen im Oberbergamtsbezirk Dortmund, Westfälischen Berggewerkschaftskasse und die Rheinisch-westfälischen Kohlensyndikate: Die Entwicklung des Niederrheinisch-westfälischen Steinkohlenbergbaus in der 2. Hälfte des 19. Jahrhunderts. 1902–1905.

Vershofen, W.: Die Anfänge der Chemisch-Pharmazeutischen Industrie. Eine wirtschaftshistorische Studie. Brl./Stgt. 1949, Bd. II. Aulendorf 1952.

Vischer, E.: Die deutsche Reichsgründung von 1871 im Urteil schweizerischer Zeitgenossen. In: Schweizer Ztschr. f. Geschichte, Bd. 1. 1951.

Völker: Vereinigungsformen und Interessenbeteiligungen in der deutschen Großindustrie. In: Jb. f. Gesetzgebung und Verwaltung und Volkswirtschaft 1909.

Vogt, E.: Die hessische Politik in der Zeit der Reichsgründung 1868–1871. In: Hist. Bibliothek, Bd. 34. München 1914.

Vossler, O.: Bismarcks Ethos. In: HZ 171, 1951, S. 263 ff.

Viebig, K.: Die Entstehung und Entwicklung der Freikonservativen und der Reichspartei. Weimar 1920.

Vietsch, E. v.: Die politische Bedeutung des Reichskanzleramtes für den inneren Ausbau des Reiches 1867–1880. Diss. Lpz. 1936.

Vogel, W.: Die Organisation der amtlichen Presse- und Propagandapolitik des Deutschen Reiches von den Anfängen unter Bismarck bis zum Beginn des Jahres 1933. Berlin 1941.

Vogelstein, Th.: Die finanziellen Organe der Kapitalistischen Industrie und die Monopolbildung. Tüb. 1914.

Wagner, F.: Cavour und der Aufstieg Italiens im Krimkrieg. Stgt. 1940.

Waentig, H.: Die gewerbepolitischen Anschauungen in Wirtschaft und Gesetzgebung im 19. Jahrhundert. In: Schmoller-Festschrift II, 1908.

Wagner, P.: Die Steigerung der Roherträge der Landwirtschaft im Laufe des 19. Jahrhunderts. Diss. Jena 1896.

Wagemann, E.: Rhythmus und Struktur der Weltwirtschaft. Brl. 1931.

Wagon, E.: Die finanzielle Entwicklung deutscher Aktiengesellschaften von 1870–1900. Jena 1903.

Wahl, A.: Deutsche Geschichte 1871–1914. Bd. 1/2. Stgt. 1926–1929.

Waibel, E.: Abriß der Entwicklung des Zollschemas und der Zollsätze für Baumwollene Garne und Gewebe von 1822–1832.

Wallich, P.: Die Konzentration im deutschen Bankwesen. In: Münchner Volkswirtschaftliche Studien 1905.

Walter, H.: Die innere Politik des Ministers v. Manteuffel und der Ursprung der Reaktion in Preußen. Brl. 1910.

Ward, A. / Prothero, G. W. / Leathes, St.: The Cambridge Modern History Bd. XI/XII, 1840–1910. 1925⁵.

Warnholtz, A.: Bismarcks Kampf um den Vorfrieden von Nikolsburg 1866. Diss. Bonn 1940. Hbg. 1939.

Warschauer, O.: Das Depositenbankwesen in Deutschland mit besonderer Berücksichtigung der Spareinlagen. In: Conrads Jb. III, XXVII, S. 433–487.
Zur Geschichte und Entwicklung der Staatsanleihen in Preußen. Diss. Lpz. 1882.
Die Konzentration im deutschen Bankwesen. In: Jb. f. Nationalökonomie und Statistik 3. F. XXXII.

Weber, A.: Die Crédit-Mobilier-Idee in der Geschichte der rheinischen Banken. In: Chr. Eckert Festschrift 1949.

Der deutsche Zollverein als Präzedenzfall eines freien europäischen Marktes. In: Schmollers Jb. 78. 1958.
Die Rheinisch-westfälischen Provinzbanken und die Krisis. In: Schriften des Vereins f. Sozpol. 110, 1903, S. 321–372.
Depositenbanken und Spekulationsbanken. 1922[3].
Weber, M.: Wirtschaftsgeschichte. Abriß der Universalen Sozial- und Wirtschaftsgeschichte. Lpz. 1923.
Wirtschaft und Gesellschaft. Tübingen 1956[4].
Weber, R.: Kleinbürgerliche Demokraten in der deutschen Einheitsbewegung 1863–1866. Brl. 1963.
Wedel, W.: Die volkswirtschaftlichen Ansichten des Liberalismus, dargestellt in der ersten deutschen Nationalversammlung. Diss. Brl. 1923.
Der Weg zum industriellen Spitzenverband. Darmstadt 1956.
Wehler, H. U.: Die Polen im Ruhrgebiet bis 1918. In: VSWG 48, 1961, S. 205 ff.
Wendel, H.: Bismarck und die Serben im Jahre 1866. Brl. 1937.
Wentzcke, P.: 1848. Die unvollendete deutsche Revolution. Brl. 1938.
Ludwig von Edelsheim und Franz von Roggenbach. Aufzeichnungen und Briefe aus dem Nachlaß Heinrichs von Gagern. In: Ztschr. f. Geschichte des Oberrheins 99, S. 100, 342 ff., 568 ff.
Wenzel, G.: Deutsche Wirtschaftsführer. Hbg. 1929.
Werner, F.: Die Zollvereinspolitik der deutschen Mittelstaaten im Frühjahr 1852. Die Darmstädter Konferenz. 1934.
Wernicke, J.: System der nationalen Schutzzollpolitik nach außen. Jena 1896.
Westphal, O.: Feinde Bismarcks 1848–1918. In: HZ 144. 1931.
Welt und Staatsauffassung des deutschen Liberalismus. Eine Untersuchung über die preußischen Jahrbücher und den konstitutionellen Liberalismus in Deutschland von 1858–1863. In: Historische Bibliothek, Bd. 41. Mü. 1919.
Wiedenfeld, K.: Die Herkunft der Unternehmer und Kapitalisten im Aufbau der kapitalistischen Zeit. In: WWA 72, 1954, S. 254 ff.
Entwicklung der Rheinisch-westfälischen Großindustrie. In: Moderne Typen der Wirtschaftsgestaltung. Bonn. 1915.
Das Persönliche im modernen Unternehmertum. In: Jb. f. Gesetzgebung, Verwaltung und Volkswirtschaft im Deutschen Reich 34, 1910, I S. 233 ff., II S. 127 ff. Mü/Lpz. 1920.
Ein Jahrhundert rheinischer Montanindustrie. In: Sammlung moderner Wirtschaftsgestaltung, Heft 4. Bonn 1916.
Deutsche Eisenbahngestalter. Brl. 1940.
Wiedenfeldt, O.: Statistische Studien zur Entwicklungsgeschichte der Berliner Industrie 1770–1890. 1898.
Wiese, L. v.: Der Liberalismus in Vergangenheit und Zukunft. Brl. 1917.
Wieser, C. W.: Der finanzielle Aufbau der englischen Industrie. Jena 1919.
Wiesinger, K.: Die Entstehungsgeschichte des deutschen Zollvereins. Mü. 1900.
Wilden, J.: Gründer und Gestalter der Rhein-Ruhr-Industrie. Düsseldorf 1951.
Windelband, W.: Bismarck und die europäischen Großmächte 1879–1885. Essen 1940.
Windell, G. G.: The Catholics and German Unity 1866–1871. Minneapolis 1954.
Windschuh, J.: Der Verein mit dem langen Namen. (Verein zur Wahrung der gemeinsamen wirtschaftlichen Interessen in Rheinland und Westfalen): Geschichte eines Wirtschaftsverbandes. Brl. 1932.

Winkelmeyer, G.: Wandlungen des Unternehmertyps. In: Däbritz-Festgabe, Essen 1951, S. 302 ff.
Winkler, H. A.: Preußischer Liberalismus und deutscher Nationalstaat, Studien zur Geschichte der Deutschen Fortschrittspartei 1861—1866. In: Tübinger Studien zur Geschichte und Politik, Nr. 17. Tübingen 1964.
Winkler, M. B.: Bismarcks Rumänienpolitik und die europäischen Großmächte 1878/79. In: Jb. f. Geschichte Osteuropas 1954. NF Bd. 2, S. 53 ff.
Winterfeld, L. v.: Geschichte der freien Handels- und Reichsstadt Dortmund, 3. erweiterte Aufl. 1960.
Wirthwein, W. G.: Britain and the Balkan Crisis 1875–1878. In: Historische Jb. 57. 1937.
Wiskemann, E.: Mitteleuropa. In: Mitteleuropäische Schriftenreihe, I. 1933.
Witt, H.: Die Triebkräfte des industriellen Unternehmertums vor 100 Jahren und heute. Diss. Hbg. 1929.
Wittram, R.: Bismarck und Gorčakow im Mai 1875. In: Nachrichten der Akademie der Wissenschaften Göttingen, phil.-hist. Klasse Nr. 7. 1955.
Bismarcks Rußlandpolitik nach der Reichsgründung. In: HZ 186, 1958, S. 261 ff.
Wittrock, G.: Gorčakow, Ignatiew und Suwalow. Verschiedene Richtungen in der äußeren Politik Rußlands 1876—1878. Beiträge aus österreichischen und deutschen Quellen. In: Historische Bll. 5, 1 1932, S. 61 ff.
Die Kathedersozialisten bis zur Eisenacher Versammlung 1872. In: Eberings Historische Studien 350. Brl. 1939.
Wolff, M. J.: Die Disconto Gesellschaft. Brl. 1930.
Wolff, H.: Geschichtsauffassung und Politik in Bismarcks Bewußtsein. Mü. 1926.
Wolfstieg, A.: Die Anfänge der freikonservativen Partei. In: Festschrift H. Delbrück. Brl. 1908, S. 317 ff.
Woytinsky, W.: Das Rätsel der langen Wellen. In: Schmollers Jb. 1931, S. 577 ff.
Wutzmer, H.: Die Herkunft der industriellen Bourgeoisie Preußens in den vierziger Jahren des 19. Jhdts., in Mottek/Blumberg/Becker/Wutzmer, Studien zur Geschichte der industriellen Revolution in Deutschland. Brl. 1960.
Wyrwol, M.: Die parteipolitische Entwicklung der thüringischen Kleinstaaten in den Jahren der Reichsgründung 1859—1871. Diss. Jena 1952.
Zach, L.: 50 Jahre Zentrum. Wirtschafts- und Sozialpolitik im Reichstag 1871—1921. Brl. 1921.
Zander, A.: Die wirtschaftliche Entwicklung der Provinz Sachsen im 19. Jahrhundert. Halle 1934.
Zechlin, E.: Bismarck und der ständische Gedanke. In: Nationalsoziologische Monatshefte, Jg. 5, S. 560 ff.
Bismarck und die Grundlegung der deutschen Großmacht. Stgt. 1930. Neudruck 1960.
Zur Kritik und Wertung des Bismarckreiches. In: Neue Jbb. f. Wissenschaft und Jugendbildung 10, 1934, S. 538—547.
Bismarcks Stellung zum Parlamentarismus bei der Gründung des Norddeutschen Bundes. Diss. Heidelberg 1921.
Schwarz Rot Gold. APG VI, 1926.
Zedlitz-Neukirch, Frhr. v.: 30 Jahre Preußische Finanz- und Steuerpolitik. Brl. 1901.
Zeitlin, L.: Fürst Bismarcks sozial-, wirtschafts- und steuerpolitische Anschauungen. Lpz. 1902.

Ziekursch, J.: Politische Geschichte des neuen deutschen Kaiserreiches. 3 Bde. Frkfrt. 1925–1927.
Zielenziger, K.: Juden in der deutschen Wirtschaft. 1930.
(Zimmermann, A.:) Geschichte der preußisch-deutschen Handelspolitik, aktenmäßig dargestellt. Oldenburg 1892.
Der deutsche Reformverein. Pforzheim 1929.
Zimmermann, E.: Der deutsche Reformverein. Diss. Heidelberg 1922.
Zimmermann, W.: Gustav von Schmoller und der nationalökonomische Nachwuchs. In: Schmollers Jb. 62, 1938, S. 733 ff.
Zimmermann, W.: Die Entstehung der provinziellen Selbstverwaltung in Preußen 1848 bis 1875. Diss. Brl. 1932.
Zorn, W.: Wirtschafts- und Soizalgeschichtliche Zusammenhänge der deutschen Reichsgründungszeit. In: HZ 197, S. 318–342.
Grundzüge der Handels- und Industriegeschichte Bayrisch-Schwabens 1648–1870. In: Beiträge zur Geschichte des schwäbischen Unternehmertums. 1960.
Unternehmer in der Politik. VSWG 45, 1958.
Typen und Entwicklungskräfte deutschen Unternehmertums im 19. Jahrhundert, VSWG 44. 1957.
Das deutsche Unternehmerportrait in sozialgeschichtlicher Betrachtung. In: Tradition 1962, S. 79 ff.
Zu den Anfängen der Industrialisierung Augsburgs im 19. Jahrhundert. In: VSWG 38, 1948.
Zschüntzsch, F.: Die Kapitalgesellschaft im mitteldeutschen Wirtschaftsbezirk und ihre Entwicklung in den letzten zwei Jahrzehnten. Halberstadt 1931.
Zuchardt, K.: Die Finanzpolitik Bismarcks und der Parteien des Norddeutschen Bundes. In: Lpz. Historische Abhandlungen 16. Lpz. 1910.
Zunkel, Fr.: Der rheinisch-westfälische Unternehmer 1834–1879. Ein Beitrag zur Geschichte des deutschen Bürgertums im 19. Jahrhundert. Köln/Opladen 1962.
Zweig, E.: Die russische Handelspolitik seit 1877. In: Schmollers Forschungen Nr. 123. 1906.
Zwiedineck-Südenhorst, O. v.: Rechtsbildung, Staatsgewalt und Wirtschaft. In: Jbb. f. Nationalökonomie und Statistik 143, S. 1–44. 1936.

VI

Ergänzendes Schrifttum

Abel, W.: Agrarkrisen und Agrarkonjunkturen. 2. neu bearb. und erweiterte Aufl., Hamburg und Berlin 1966.

Baar, L.: Die Berliner Industrie in der Industriellen Revolution. Berlin 1966.

Becker, J.: Baden, Bismarck und die Annexion von Elsaß und Lothringen. In: Zeitschrift f. d. Geschichte des Oberrheins 115, 1967, S. 167–204.

Blomberg, H.: Die deutsche Textilindustrie in der Industriellen Revolution, Brl. 1965.

Böhme, H.: Gründung und Anfänge des Schaaffhausenschen Bankvereins, der Bank des Berliner Kassenvereins, der Direktion der Disconto-Gesellschaft und der (Darmstädter) Bank für Handel und Industrie, 1. Teil. In: Tradition.
2. Teil ebd. 1966, S. 34–56.

Böhme, H.: Emil Kirdorf, Überlegungen zu einer Unternehmerbiographie. 1. Teil. In: Tradition, 1968, S. 282–300. 2. Teil ebd. 1969, S. 21–48.

Böhme, H.: Big-Business, pressure groups and Bismarck's turn to protectionism, 1873–79. In: Historical Journal 10, 1967, S. 218–36.

Böhme, H. (Hrsg.): Probleme der Reichsgründungszeit, 1848–79. Neue Wissenschaftliche Bibliothek, Bd. 26. Köln, Berlin 1968.

Böhme, H.: Prolegomena zu einer Sozial- und Wirtschaftsgeschichte Deutschlands im 19. und 20. Jahrhundert. Frankfurt/M. 1969[3].

Böhme, H. (Hrsg.): Die Reichsgründung. dtv-Dokumente, Bd. 428. München 1967.

Böhme, H.: Stadtregiment, Repräsentativverfassung und Wirtschaftskonjunktur in Frankfurt am Main und Hamburg im 19. Jahrhundert. In: Jb. f. Geschichte der Reichsstädte 15, 1969, S. 75–146.

Boelcke, W. A. (Hrsg.): Krupp und die Hohenzollern in Dokumenten. Krupp – Korrespondenz mit Kaisern, Kabinettschefs und Ministern 1850–1918, Frankfurt 1970.

Borchardt, K.: Regionale Wachstumsdifferenzen in Deutschland im 19. Jahrhundert unter besonderer Berücksichtigung des West-Ost-Gefälles. In: Wirtschaft, Geschichte und Wirtschaftsgeschichte, Festschrift Lütge, Stuttgart 1966, S. 325–339.

Born, K. E. (Hrsg.): Moderne deutsche Wirtschaftsgeschichte. Neue Wissenschaftliche Bibliothek, Bd. 12, Köln, Berlin 1966.

Born, K. E.: Wirtschaftsentwicklung und Wirtschaftsstil im ersten Jahrzehnt nach der Reichsgründung. In: Wissenschaft und Technik (Festschrift W. Treue), München 1969, S. 173–189.

Borries, B. v.: Deutschlands Außenhandel 1836–1856. Eine statistische Untersuchung zur Frühindustrialisierung, Stuttgart 1970.

Bronner, F.: 1870/71. Elsaß-Lothringen. Zeitgenössische Stimmen für und wider die Eingliederung in das Deutsche Reich. 2 Halbbde. Frankfurt 1970.

Burckhardt, H.: Deutschland – England – Frankreich. Die politischen Beziehungen Deutschlands zu den beiden westeuropäischen Großmächten 1864–1866. München 1970.

Caasen, H.-G.: Die Steuer- und Zolleinnahmen des Deutschen Reiches, 1872–1944. Staatswiss. Diss. MS Bonn 1953.

Cameron, R. u. a. (Hrsg.): Banking in the Early Stages of Industrialization, New York 1967.

Conze. W. / Groh, D.: Die Arbeiterbewegung in der nationalen Bewegung. Die deutsche Sozialdemokratie vor, während und nach der Reichsgründung. Stuttgart 1966.

Dahl, H. P.: Lübeck im Bundesrat 1871–1914. Lübeck 1969.

Desai, A. V.: Real Wages in Germany, 1871–1913. Oxford 1968.

Dietrich, R. (Hrsg.): Europa und der Norddeutsche Bund. Berlin 1968.

Droz, J.: La formation de l'Unité allemande 1789–1871. Paris o. J.

Eisfeld, G.: Die Entstehung der liberalen Parteien in Deutschland 1858–1870. Hannover 1969.

Engelberg, E. (Hrsg.): Im Widerstreit um die Reichsgründung. Eine Quellensammlung zur Klassenauseinandersetzung in der deutschen Geschichte von 1849 bis 1871. Berlin 1970.

Epstein, K.: The Socioeconomic History of the Second German Empire. In: The Review of Politics 1967, S. 100–112.

Erdmann, G.: Die deutschen Arbeitgeberverbände im sozialgeschichtlichen Wandel der Zeit. Neuwied und Berlin 1966.

Erdmann, M.: Die Verfassungspolitische Funktion der Wirtschaftsverbände in Deutschland 1815–71. Berlin 1968.

Eyck, E.: Auf Deutschlands politischem Forum. Deutsche Parlamentarier und Studien zur neuesten deutschen Geschichte. Erlenbach-Zürich, Stuttgart 1963.

Faber, K. G.: Realpolitik als Ideologie. Die Bedeutung des Jahres 1866 für das politische Denken in Deutschland. In: HZ 203, 1966, S. 1–45.

Fehrenbach, E.: Wandlungen des deutschen Kaisergedankens 1871–1918. München 1969.

Fischer, W.: Konjunkturen und Krisen im Ruhrgebiet seit 1840 und die wirtschaftspolitische Willensbildung der Unternehmer. In: Westfälische Forschungen 21, 1969, S. 42–53.

Fischer, W. (Hrsg.): Wirtschafts- und sozialgeschichtliche Probleme der frühen Industrialisierung. Berlin 1968.

Fischer, W.: Staatsverwaltung und Interessenverbände im Deutschen Reich, 1871–1914. In: Festschrift G. v. Eynern. Berlin 1967, S. 431–456.

Fricke, D. (Hrsg.): Die bürgerlichen Parteien, 1830–1945. 1 Bd., Leipzig 1968.

Fuchs, W. P.: Großherzog Friedrich I. von Baden und die Reichspolitik. Bd. I: 1871–1879. Stuttgart 1968.

Gall, L. (Hrsg.): Das Bismarck-Problem in der Geschichtsschreibung nach 1945. Neue Wissenschaftliche Bibliothek 42. Köln, Berlin 1971.

Gall, L.: Zur Frage der Annexion von Elsaß und Lothringen, 1870. In: HZ 206, 1968, S. 265–326.

Gall, L.: Der Liberalismus als regierende Partei. Das Großherzogtum Baden zwischen Restauration und Reichsgründung. Wiesbaden 1968.

Gehr, M.: Das Verhältnis zwischen Banken und Industrie in Deutschland 1850–1931. Tübingen, Diss. 1960.

Gerschenkron, A.: Economic Backwardness in Historical Perspective, Cambridge/Mass. 1962, New York 1965.

Hamerow, T. S.: The Social Foundations of German Unification 1858 to 1871, Ideas and Institutions. Princeton 1969.

Hardach, K. W.: Beschäftigungspolitische Aspekte in der deutschen Außenhandelspolitik ausgangs der 70er Jahre. In: Schmollers Jahrbuch 86, 1966, S. 641–654.

Hardach, K. W.: Die Bedeutung wirtschaftlicher Faktoren bei der Wiedereinführung der Eisen- und Getreidezölle in Deutschland 1879. Berlin 1967.

Hardach, K. W.: Die Haltung der deutschen Landwirtschaft in der Getreidezolldiskussion von 1878/79. In: Zeitschr. für Agrargeschichte und Agrarsoziologie 15, 1967, S. 33–48.

Henderson, W. O.: The Industrialization of Europe, 1780–1914. London 1969.

Hermanns, H.: Die Handelskammer für den Kreis Mühlheim am Rhein (1871–1914) und die Wirtschaft des Köln-Mülheimer Raumes. Köln 1969.

Hillgruber, A.: Die Krieg-in-Sicht-Krise 1875. Wegscheide der Politik der europäischen Großmächte in der späten Bismarck-Zeit. In: Gedenkschrift Martin Göhring. Studien zur Europäischen Geschichte, hrsg. v. E. Schulin. Wiesbaden 1968, S. 239–253.

Hoffmann, W. G. u. a.: Das Wachstum der deutschen Wirtschaft seit der Mitte des 19. Jahrhunderts. Heidelberg 1965.

Huber, E. R.: Deutsche Verfassungsgeschichte seit 1789. Bd. 3: Bismarck und das Reich. Stuttgart 1963. Bd. 4: Struktur und Krisen des Kaiserreichs. Stuttgart, Berlin, Köln, Mainz 1969.

Jaeger, H.: Unternehmer in der deutschen Politik 1890–1918. Bonn 1967.

Karl, F.: 150 Jahre Staatsschuldenverwaltung. 17. 1. 1820 – 17. 1. 1970. Berlin 1970.

Kocka, J.: Unternehmensverwaltung und Angestelltenschaft am Beispiel Siemens 1847 bis 1914. Stuttgart 1969.

Kolb, E.: Bismarck und das Aufkommen der Annexionsforderung 1870. In: HZ 209, 1969, S. 318–56.

Kolb, E.: Der Kriegsausbruch 1870. Politische Entscheidungsprozesse und Verantwortlichkeiten in der Julikrise 1870. Göttingen 1970.

Koselleck, R.: Preußen zwischen Reform und Revolution, 1791–1848. Stuttgart 1967.

Krahwinkel, M. L.: Die Verbandsbildung in der deutschen Drahtindustrie. Köln 1968.

Kumpf-Korfes, S.: Bismarcks »Draht nach Rußland«, 1878–91. Berlin 1968.

Landes, D. S.: The Unbound Prometheus. Technological Change and Industrial Development in Western Europe from 1750 to the Present. Cambridge 1969 (dt. Köln 1970).

Lebovics, H.: »Agrarians« versus »Industrializers«. Social Conservative Resistance to Industrialism and Capitalism in Late 19th Century Germany. In: International Review of Social History 12, 1967, S. 31–69.

Leckebusch, R.: Entstehung und Wandlungen der Zielsetzungen, der Struktur und der Wirkungen von Arbeitgeberverbänden. Berlin 1966.

Lidtke, V.: The Outlawed Party. Social Democracy in Germany, 1878–90. Princeton 1966.

Lipgens, W.: Bismarck, die öffentliche Meinung und die Annexion von Elsaß und Lothringen, 1870. In: HZ 199, 1964, S. 31–112.

Lipgens, W.: Bismarck und die Frage der Annexion 1870. In: HZ 206, 1968, S. 586–617.

Na'aman, S.: Demokratische und soziale Impulse in der Frühgeschichte der deutschen Arbeiterbewegung der Jahre 1862/63. Wiesbaden 1969.

Naujoks, E.: Bismarcks auswärtige Pressepolitik und die Reichsgründung, 1865–71. Wiesbaden 1968.

Plachetka, M. G.: Die Getreide-Autarkiepolitik Bismarcks und seiner Nachfolger im Reichskanzleramt. Diss., Bonn 1969.

Potthoff, H.: Die deutsche Politik Beusts von seiner Berufung zum österreichischen Außenminister Oktober 1866 bis zum Ausbruch des deutsch-französischen Krieges 1870/71. Bonn 1968.

Pottinger, E.: Napoleon III and the German Crisis 1865–1866, Cambridge, Mass. 1966.

Puhle, H.-J.: Agrarische Interessenpolitik und preußischer Konservatismus im Wilhelminischen Reich. Hannover 1966.

Puppke, L.: Sozialpolitik und soziale Anschauungen frühindustrieller Unternehmer in Rheinland und Westfalen. Köln 1966.

Real, W.: Der Deutsche Reformverein, Großdeutsche Stimmen und Kräfte zwischen Villafranca und Königgrätz. Lübeck und Hamburg 1966.

Rich, N.: Friedrich von Holstein. Politics and Diplomacy in the Era of Bismarck and Wilhelm II. 2 Bde. Cambridge 1965.

Ritter, G. A. (Hrsg.): Entstehung und Wandel der modernen Gesellschaft (Festschrift H. Rosenberg), Berlin 1970.

Röhl, J. C. G.: Staatsstreichplan oder Staatsstreichbereitschaft? Bismarcks Politik in der Entlassungskrise. In: HZ 203, 1966, S. 610–624.

Röhl, J. C. G.: Germany after Bismarck. London 1967. deutsch: Deutschland ohne Bismarck. Die Regierungskrise im zweiten Kaiserreich 1890–1900. Tübingen 1969.

Röhl, J. C. G.: The Desintegration of the Kartell on the Politics of Bismarck's Fall from Power, 1887–90. In: Historical Journal 9, 1966, S. 60–89.

Rosenberg, H.: Große Depression und Bismarckzeit. Wirtschaftsablauf, Gesellschaft und Politik in Mitteleuropa. Berlin 1967.

Rosenberg, H.: Probleme der deutschen Sozialgeschichte. Frankfurt a. M. 1969.

Rosenberg, H.: Honoratiorenpolitiker und »großdeutsche« Sammlungsbestrebungen im Reichsgründungsjahrzehnt. In: Jb. für Geschichte Mittel- und Ostdeutschlands 19, 1970, S. 155–233.

Schieder, Th. / Deuerlein, E.: (Hrsg.): Reichsgründung 1870/71. Tatsachen – Kontroversen – Interpretationen. Stuttgart 1970.

Schlumbohm, J. (Hrsg.): Der Verfassungskonflikt in Preussen 1862–1866. Historische Texte, Neuzeit, Bd. 10. Göttingen 1970.

Schönhoff, H.-G.: Hamburg im Bundesrat. Die Mitwirkung Hamburgs am Reichswillen 1867–1890. Hamburg 1967.

Schraepler, E.: August Bebel. Sozialdemokrat im Kaiserreich. Göttingen, Frankfurt und Zürich 1966.

Schröder, H.-Ch.: Sozialismus und Imperialismus. Hannover 1968.

Schroter, A., Bicher, W.: Die deutsche Maschinenbauindustrie in der Industriellen Revolution. Berlin 1962.

Schwarz, M. MdR.: Biographisches Handbuch der Reichstage. Hannover 1965.

Seeber, G.: Zwischen Bebel und Bismarck. Zur Geschichte des Linksliberalismus in Deutschland 1871 bis 1893. Berlin 1965.

Seeger, M.: Die Politik der Reichsbank, 1876–1914. Berlin 1968.

Seidenzahl, F.: 100 Jahre Deutsche Bank 1870–1970. Frankfurt/M. 1970.

Sheehan, J. J.: The Career of Lujo Brentano. Chicago 1966.

Sheehan, J. J.: Political Leadership in the German Reichstag, 1871–1918. In: American Historical Review 74, 1968, S. 511–528.

Stegmann, D.: Die Erben Bismarcks. Parteien und Verbände in der Spätphase des Wilhelminischen Deutschlands, Sammlungspolitik 1897–1918. Köln und Berlin 1970.

Stern, F.: Gold and Iron: The Collaboration and Friendship of Gerson Bleichröder and Otto von Bismarck. In: American Historical Review. 75, 1969, S. 37–46.

Stürmer, M. (Hrsg.): Bismarck und die preußisch-deutsche Politik 1871–1890. München 1970.

Stürmer, M. (Hrsg.): Das kaiserliche Deutschland. Politik und Gesellschaft 1870–1918. Düsseldorf 1970.

Stürmer, M.: Staatsstreichgedanken im Bismarckreich. In: HZ 209, 1969, S. 566–617.

Tilly, R.: Germany 1815–1870. In: Banking in the Early Stages of Industrialization, hrsg. v. R. E. Cameron u. a. New York 1967, S. 151–182.

Tilly, R.: The Political Economy of Public Finance and the Industrialization of Prussia, 1815–66. In: Journal of Economic History 26, 1966, S. 484–497.

Treue, Wilh.: Die Feuer verlöschen nie. August-Thyssen-Hütte 1819–1926. Düsseldorf 1966.

Treue, Wilh.: Konzentration und Expansion als Kennzeichen der politischen und wirtschaftlichen Geschichte Deutschlands im 19. und 20. Jahrhundert. Dortmund 1966.

Voth, W.: Die Reichsfinanzen im Bismarckreich und ihre Bedeutung für die Stellung des Reichstages. Diss. jur. Kiel 1966.

Wachenheim, H.: Die deutsche Arbeiterbewegung 1844–1914. Köln und Opladen 1967.

Wandruszka, A.: Schicksalsjahr 1966. Graz, Wien, Köln 1966.

Wegner, K.: Theodor Barth und die Freisinnige Vereinigung. Studien zur Geschichte des Linksliberalismus im wilhelminischen Deutschland (1893–1910). Tübingen 1968.

Wehler, H.-U.: Bismarck und der Imperialismus, Köln, Berlin 1969.

Wehler, H.-U.: Krisenherde des Kaiserreichs von 1871–1918. Studien zur Sozial- und Verfassungsgeschichte. Köln 1970.

Wehler, H.-U. (Hrsg.): Moderne deutsche Sozialgeschichte. Neue Wissenschaftliche Bibliothek, Bd. 10. Köln 1970^3.

Windell, G. G.: The Bismarckian Empire as a Federal State, 1866 to 1880. A Chronicle of Failure. In: Central European History 2, 1969, 291–311.

Wolfslast, J.-Ch.: Bestimmungsfaktoren wachsender Staatsausgaben – dargestellt am Beispiel des Deutschen Reiches 1871–1913. Diss. rer. pol. Hamburg 1967.

Wolter, H.: Das lothringische Erzgebiet als Kriegsziel der deutschen Großbourgeoisie im deutsch-französischen Krieg 1870/71. In: Zeitschrift für Geschichtswissenschaft, 19, 1971, S. 34–64.

Zmarzlik, H.-G.: Das Bismarckbild der Deutschen – gestern und heute. Freiburg o. J. (1967).

Abkürzungen in den Anmerkungen

AA, AM, MA, Min. d. Ausw.	Auswärtiges Amt, Ministerium des Auswärtigen
a. a. O.	am angegebenen Ort
Abg.	Abgeordnete(r)
Abt.	Abteilung
act.	Akte
ADB	Allgemeine Deutsche Biographie
adm. Reg.	Administrative Registratur
AG	Aktiengesellschaft
AK	Aktienkapital
Äk, Aelt.	Aelteste der Kaufmannschaft
amtl.	amtlich
Anm.	Anmerkung
APG	Archiv für Politik und Geschichte
APP	Auswärtige Politik Preußens
AR	Aufsichtsrat / -mitglied
Art.	Artikel
Ass.	Assessor
Aufz.	Aufzeichnung
BA	Bundesarchiv
bayr.	bayrisch
Bd./Bde	Band / Bände
begr.	begründet
Ber.	Bericht
Brl/Bln	Berlin
bes.	besonders
betr.	betrifft
Bez.	Beziehung
BGStA	Bayrisches Geheimes Staatsarchiv
BH.	Beiheft
BHG	Berliner Handels-Gesellschaft
BHStA	Bayrisches Hauptstaatsarchiv
Bl.	Bleichröder
Bll.	Blätter
BR	Bundesrat
BV	Bankverein
BWV	Bergwerksverein

CdI	Centralverband Deutscher Industrieller
CGH	Centralstelle für Gewerbe und Handel
CR	Commerzienrat
DaB	Darmstädter Bank
DB	Deutsche Bank
DDF	Documents Diplomatiques Français
Dep.	Deputation
ders.	derselbe
DHT	Deutscher Handelstag
dipl.	diplomatisch
Dir.	Direktor
Disc., Disc.Ges.	Disconto-Gesellschaft
Diss.	Dissertation
DrB	Dresdner Bank
Dtld	Deutschland
dto.	dito / ebenso
DZA	Deutsches Zentralarchiv (I = Potsdam, ehem. Reichsarchiv) (II = Merseburg, ehem. preuß. GStA)
EB	Eisenbahn
ebd.	ebenda
Fasc.	Faszikel
FBPG	Forschungen zur brandenburgischen und preußischen Geschichte
FM, MF, Min. d. Fin.	Finanzminister, Finanzministerium
Fn.	Fußnote
FR	Finanzrat
Frhr	Freiherr
Frkfrt	Frankfurt
geb.	geboren
geh.	geheim
ggeh.	ganz geheim
Gen.Konf.	Generalkonferenz
Ges.	Gesellschaft / Gesandtschaft
Ges.S.	Gesetzessammlung
gest.	gestorben
gez.	gezeichnet
GFR/GOFR/GORR	Geheimer Finanz-, Oberfinanz-, regierungsrat
GK	Generalkonsul
GLA	General-Landesarchiv
gP	große Politik
GStA	Geheimes Staatsarchiv
GV	Generalversammlung
gW	gesammelte Werke (Bismarck)

H	Heft
HA	Hauptarchiv
hann.	hannoverisch
HB	Hauptbüro
Hbg	Hamburg
HdB	Handbuch
Hdwb.	Handwörterbuch
hfl., fl.	Gulden
HGK	Handels- und Gewerbekammer
HHStA	Haus-, Hof- und Staatsarchiv
Hjb., Hist. Jb.	Historisches Jahrbuch
HK	Handelskammer
HM, MH	Handelsminister, Handelsministerium
hp., AA hp.	AA, handelspolitische Abteilung
hrsg., Hrsg.	herausgegeben, Herausgeber
hs	handschriftlich
HStA	Hessisches Staatsarchiv
HZ	Historische Zeitschrift
J.	Journal
Jb., Jbb.	Jahrbuch, Jahrbücher
IK	Industriellenklub, Industriekammer
IM, MI	Innenminister, Innenministerium
JM	Justizminister, -ministerium
Kais.	Kaiser, kaiserlich
Kg., kgl.	König, königlich
kk.	kaiserlich königlich
KM	Kultusministerium, Kultusminister
KO	Kabinettsordre
Kriegmin.	Kriegsminister, Kriegsministerium
Korr.	Korrespondenz
Kons.	konservativ
k.u.k.	kaiserlich und königlich
Landw.	Landwirtschaft, landwirtschaftlich
Leg.Rat	Legationsrat
LHA	Landeshauptarchiv
LM	Landwirtschaftsminister, Landwirtschaftsministerium
Lpz	Leipzig
Mem.	Memoiren
Mill./Mio.	Millionen
Min.Präs./MP.	Ministerpräsident
MIÖG (MÖIG)	Mitteilungen des Instituts für österreichische Geschichtsforschung bzw. des österreichischen Instituts für Geschichtsforschung
MR	Ministerialrat
Mü	München

Nat.Lib.	nationalliberal
NAZ	Norddeutsche Allgemeine Zeitung
NDB	Norddeutscher Bund
OA	Oberamt
Obl.	Obligationen
o.D.	ohne Datum
OFR	Oberfinanzrat
o.J.	ohne Jahr
o.O.	ohne Ort
ORR	Oberregierungsrat
ÖU	Österreich-Ungarn
OZR	Oberzollrat
PB	Privatbankier
PM	Promemoria
Präs.	Präsident
Preuß.	preußisch
Prot.	Protokoll
RdI	Reichsamt des Inneren
REB	Reichseisenbahnamt
Reg.	Registratur
Ref.	Referat, Referent
Rep.	Repertorium
RJA	Reichsjustizamt
RK, Rk.	Reichskanzlei, Reichskanzler
RKA	Reichskanzleramt
RKolA.	Reichskolonialamt
RR	Regierungsrat
RSchA	Reichsschatzamt
RT	Reichstag
sächs.	sächsisch
schles.	schlesisch
Schr.	Schriften
secr.	geheim
St.A	Staatsarchiv
Sta.Min.	Staatsministerium
Sta.Komm.	Staatskommissar
stat.	statistisch
St.Dir.	Steuerdirektor
SteuerKomm.	Steuerkommissar
Sten., Stenogr., Stenogrph.	stenographisch
Stgt.	Stuttgart
StS.	Staatssekretär

T.	Taler
Tel.	Telegramm
Tit.	Titel
to.	Tonne
u. a.	unter anderem
u. a. m.	und anderes mehr
USt.S.	Unterstaatssekretär
VA, VK, VSt	Vorsteher, Amt der Kaufmannschaft
VDEStI	Verein Deutscher Eisen- und Stahlindustrieller
Verh., Verhdl.	Verhandlungen
Vgl.	vergleiche
Vjschrift	Vierteljahresschrift
VN	Verbalnote
Vors.	Vorsitz, Vorsitzender
VR	Vortragender Rat
VSWG	Vierteljahrhefte für Sozial- und Wirtschaftsgeschichte
Vorbem.	Vorbemerkung
VW	Volkswirtschaft, volkswirtschaftlich
WG	Wirtschaftsgeschichte
WFStA	Württembergisches Filialstaatsarchiv
WHStA	Württembergisches Hauptstaatsarchiv
WWA	Weltwirtschaftsarchiv
WZ	Wiener Zentner
Zschr., Ztschr.	Zeitschrift
z. T.	zum Teil
Ztn.	Zentner

Register

Nicht aufgenommen wurde »Bismarck, Otto Fürst«, »Delbrück, Rudolf v.«, »Wilhelm I., König von Preußen, Deutscher Kaiser«. In den Anmerkungen wurden nur diejenigen Namen registriert, mit denen ein politischer Vorgang verknüpft ist.